V&R

MARTINA

ὅτι ἡ ἀγάπη τοῦ θεοῦ ἐκκέχυται
ἐν τῇ καρδίᾳ αὐτῆς
διὰ πνεύματος ἁγίου
τοῦ δοθέντος αὐτῇ

FRIEDRICH WILHELM HORN

Das Angeld des Geistes

Studien zur paulinischen Pneumatologie

VANDENHOECK & RUPRECHT
IN GÖTTINGEN

Forschungen zur Religion und Literatur
des Alten und Neuen Testaments

Herausgegeben von
Wolfgang Schrage und Rudolf Smend
154. Heft der ganzen Reihe

Die Deutsche Bibliothek - CIP-Einheitsaufnahme

Horn, Friedrich Wilhelm:
Das Angeld des Geistes : Studien zur paulinischen Pneumatologie /
Friedrich Wilhelm Horn. –
Göttingen : Vandenhoeck u. Ruprecht, 1992
(Forschungen zur Religion und Literatur des Alten
und Neuen Testaments ; H. 154)
Zugl.: Göttingen, Univ., Habil.-Schr., 1989/90
ISBN 3-525-53835-9
NE: GT

Als Habilitationsschrift auf Empfehlung
der Theologischen Fakultät der Universität Göttingen
gedruckt mit Unterstützung der Deutschen Forschungsgemeinschaft

Gesetzt aus Garamond auf Digiset 200 T 2
Gesamtherstellung: Hubert & Co., Göttingen

Vorwort

Die vorliegende Untersuchung entstand in den Jahren 1985–1988, sie wurde im Wintersemester 1989/90 von der Theologischen Fakultät der Georg-August-Universität Göttingen als Habilitationsschrift angenommen, für die Drucklegung fand eine geringfügige Überarbeitung statt.

Die Untersuchung geht zurück auf die Anregung von Herrn Prof. Dr. G. Strecker, innerhalb der paulinischen Pneumatologie das Verhältnis von Geist als Kraft zu Geist als Substanz der neuen Existenz zu untersuchen. Dieser Ausgangspunkt, forschungsgeschichtlich unlöslich verbunden mit der Frage der Zuordnung einer juridischen zu einer mystischen Linie im paulinischen Denken, erwies sich als ein Schlüssel zum Verständnis der paulinischen Pneumatologie und Theologie. Bleibt man sich gleichwohl dessen bewußt, in der Untersuchung des Geistes Gottes ‚dem umfassendsten und zugleich schwierigsten, variabelsten Begriffe, den das paulin. Denken erzeugt hat' (H. J. Holtzmann) entgegenzutreten, so wird man die eigene Arbeit nur als Anstoß, in der angezeigten Richtung weiterzudenken, verstehen können.

Ich danke Herrn Prof. Dr. G. Strecker für alle Begleitung und Zusammenarbeit in der zurückliegenden Zeit, angefangen von meiner HiWi- und Repetenten-Tätigkeit, über Vikariat und Pfarramt bis zum Abschluß des Habilitationsverfahrens nach Jahren der Assistenzzeit. Den Herren Prof. Dr. W. Schrage und Prof. Dr. D. D. h. c. Rudolf Smend danke ich für die Aufnahme dieser Arbeit in die von ihnen herausgegebene Reihe FRLANT, Herrn Prof. Dr. W. Schrage für eine Vielzahl sachdienlicher Bemerkungen zum Manuskript der Habilitationsschrift, für die er im Anmerkungsteil keinerlei Hinweis auf Herkunft des Herausgebers erwartet hat. Daher sei der Dank an dieser Stelle ausdrücklich vorweg ausgesprochen. Ich danke den Zweitreferenten im Habilitationsverfahren, den Herren Prof. Dr. H. Hübner und Prof. Dr. G. Lüdemann, sowie den Herren Prof. Dr. B. Schaller und Prof. Dr. Dr. H. Stegemann, alle aus Göttingen, für ihre Gutachten und Stellungnahmen. Manche Hinweise, vor allem diejenigen der letzteren beiden Herren zum Bereich des spätantiken Judentums, haben nachträglich Berücksichtigung gefunden.

Ich danke der Deutschen Forschungsgemeinschaft für eine erhebliche Druckbeihilfe, der Evangelischen Kirche im Rheinland, der Vereinigten Evangelisch-Lutherischen Kirche in Deutschland und dem Kirchenkreis an der Agger für weitere Beihilfen, sowie Heike Lieblang und Jörg Sievert für verläßliche Hilfe beim Korrekturlesen.

Wer wissenschaftlich arbeitet, geht durch mancherlei Höhen und Tiefen. Wer diese Widmung voranstellen darf, ist über beides erhaben.

Göttingen, in der Pfingstwoche 1991 Friedrich Wilhelm Horn

Inhalt

Vorwort   5

1   Einleitung   13

I Voraussetzungen paulinischer Pneumatologie

2   Zeitgeschichtliche Voraussetzungen   25

2.1   Erloschener und wiederkehrender Geist   26

2.1.1   Das ‚Dogma‘ des erloschenen Geistes in der rabbinischen
Überlieferung   26

2.1.2   Zur alttestamentlich-jüdischen Vorgeschichte des ‚Dogmas‘ .   28

2.1.3   ‚Dogma‘ und Wirklichkeit   32

2.1.4   Das Motiv zur Ausarbeitung des ‚Dogmas‘   35

2.1.5   Der wiederkehrende Geist   37

2.2   Die Vorstellung der jenseitigen Pneumasphäre im hellenistischen Judentum   40

2.2.1   Eschatologischer Dualismus in der Apokalyptik   41

2.2.2   Bekehrung als pneumatische Lebensvermittlung   43

2.2.3. Erlösung als Auswanderung der Seele in die himmlische
Pneumasphäre   45

3   Perspektiven. Geist: Funktion oder Substanz eschatologischen Seins   49

3.1   Forschungsgeschichtliche Perspektiven   49

3.2   Religionsgeschichtliche Perspektiven   54

4   Der Horizont urchristlicher Pneumatologie   61

4.1   Formeln, Motive und Traditionen der frühen Gemeinden   61

4.1.1   Formeln   62

4.1.2   Motive   65

4.1.3   Traditionen   76

4.2   Die Reflexion über den Zeitpunkt der Geistbegabung .   77

4.2.1   Vorösterliche Geistvermittlung   77

4.2.2   Österliche Geistvermittlung   79

4.2.3   Nachösterliche Geistvermittlung   82

4.3   Der Horizont urchristlicher Pneumatologie   89

4.3.1   Die Auferweckung Jesu und der Geist Gottes   90
4.3.2   Geist Gottes und Auferweckung in der christologischen For-
         meltradition   96
4.3.2.1 Römer 1,3 f.   96
4.3.2.2 1. Petrus 3, 18–22   101
4.3.2.3 1. Timotheus 3, 16   102
4.3.3   Der geistbegabte Messias   106
4.3.4   Das eschatologische Bewußtsein der Kirche   108
4.3.5   Charismatische Phänomene als Erweis des Geistes   113

         II DAS WERDEN DER PAULINISCHEN PNEUMATOLOGIE

5   Die Pneumatologie der frühpaulinischen Verkündi-
         gung   119

5.1   Die pneumatologischen Aussagen des 1. Thessaloni-
         cherbriefs   119
5.1.1   1. Thessalonicher 1, 5 f. 120
5.1.2   1. Thessalonicher 4, 8   123
5.1.3   1. Thessalonicher 5, 19 127
5.1.4   1. Thessalonicher 5, 23 130
5.1.5   Ergebnis   131

5.2   Einordnung der pneumatologischen Aussagen die
         Theologie des 1. Thessalonicherbriefs   132
5.2.1   Pneuma und Taufe in der frühpaulinischen Theologie   133
5.2.1.1 Tauftraditionen im 1. Thessalonicherbrief   133
5.2.1.2 Die ἐν Χριστῷ Formel   138
5.2.1.3 1. Korinther 6, 11 als Beleg der frühpaulinischen Tauftheolo-
         gie 142
5.2.2   Pneuma und erhöhter Kyrios in der frühpaulinischen Theo-
         logie 147

5.3   Die Pneumatologie des 1. Thessalonicherbriefs auf
         dem Hintergrund der vorpaulinischen Gemeindetheo-
         logie 151

5.4   Zur These eines pneumatischen Enthusiasmus in den
         hellenistischen Gemeinden   157

6   Die Auseinandersetzung mit dem pneumatischen En-
         thusiasmus in Korinth   160

6.1   Das Verständnis der Taufe in Korinth   162
6.1.1   Exegese der Texte   162
6.1.1.1 1. Korinther 1, 1–17   162

6.1.1.2   1. Korinther 15, 29   165
6.1.1.3   1. Korinther 10, 1–13   167
6.1.1.4   1. Korinther 12, 13   172
6.1.1.5   Ergebnis   175
6.1.2   Die Tauftradition in Römer 6, 4   176

6.2   πνευματικοί als exklusive Selbstbezeichnung korinthischer Christen   180
6.2.1   Exegese der Texte   181
6.2.1.1   1. Korinther 14, 37   181
6.2.1.2   1. Korinther 3, 1   182
6.2.1.3   1. Korinther 12, 1   183
6.2.1.4   1. Korinther 2, 13   185
6.2.1.5   Galater 6, 1   187
6.2.2   Die πνευματικός-ψυχικός-Antithese   188
6.2.2.1   Die Antithese im 1. Korintherbrief   188
6.2.2.2   Zur religionsgeschichtlichen Einordnung der Antithese . . .   192
6.2.2.2.1   Die gnostisch-mysterienhafte Ableitung   192
6.2.2.2.2   Die jüdisch-hellenistische Ableitung   194
6.2.2.3   πνευματικοί als exklusive Selbstbezeichnung korinthischer Christen   198

6.3   Glossolalie als Demonstration des pneumatischen Enthusiasmus   201
6.3.1   Glossolalie im Urchristentum   201
6.3.2   Der Terminus γλώσσαις λαλεῖν   206
6.3.3   Glossolalie und Göttersprache   211
6.3.4   Die Glossolalie in Korinth   214

6.4   Pneumatischer Enthusiasmus in Korinth   219
6.4.1   Gemeindeparolen und paulinische Wertungen   221
6.4.2   Auswirkungen des pneumatischen Enthusiasmus   229
6.4.3   Theologische Aspekte des pneumatischen Enthusiasmus . . .   231
6.4.3.1   Christologie   231
6.4.3.2   Gemeinderecht   234
6.4.3.3   Anthropologie   237
6.4.4   Zur Herkunft des pneumatischen Enthusiasmus   240
6.4.4.1   Exogener Einfluß   241
6.4.4.1.1   Gnosis   241
6.4.4.1.2   Die heidnische Umwelt und die heidnische Vergangenheit der Gemeinde   242
6.4.4.1.3   Judenchristentum   249
6.4.4.2   Endogene Entwicklung   251
6.4.4.2.1   Hyperpaulinismus   251
6.4.4.2.2   Apollos und die jüdisch-hellenistische Tradition   258

6.5   Die Stellung des Paulus zum pneumatischen Enthusiasmus   262

6.5.1	Die ‚pneumatische Erkenntnistheorie' (1. Kor 1,18– 3,4) . . .	263
6.5.1.1	Struktur und Gattung des Textes	264
6.5.1.2	Geistgeleitete Erkenntnis	268
Exkurs:	Geist und Fleisch in der paulinischen Theologie	274
6.5.2	Die Charismenlehre	281
6.5.2.1	Antienthusiastische Elemente der Charismenlehre	281
6.5.2.2	Die Charismen als Explikation des Leib Christi-Gedankens .	287
6.5.3	Die kritische Akzeptanz der Glossolalie	291
6.5.4	Geist und Heiligkeit	298
7	Die Auseinandersetzungen mit der judenchristlichen Gegenmission	302
7.1	2. Korintherbrief: Buchstabe und Geist	302
7.1.1	Zur Frage der Gegner im 2. Korintherbrief	302
7.1.2	Buchstabe und Geist (2. Kor 3)	310
7.1.2.1	Literarkritische Fragen in 2. Korinther 3	310
7.1.2.2	Die ‚pneumatische' Begründung des Apostolats	313
Exkurs:	Zum Verhältnis von Kyrios und Pneuma in der paulinischen Theologie	324
7.2	Galaterbrief: Gesetz und Geist	346
7.2.1	Zur Frage der Gegner in Galatien	346
7.2.2	Der Stand der Gemeinde	350
7.2.3	Gesetz und Geist	352
7.2.3.1	Das exklusive Verhältnis von Gesetz und Geist in soteriologischer Sicht	352
7.2.3.2	Die Zuordnung von Gesetz und Geist in ethischer Perspektive	354
Exkurs:	Gesetz und Geist in der paulinischen Theologie	365
7.3	Philipperbrief: Beschneidung und Geist	374
7.3.1	Zur Situation des Kampfbriefes	375
7.3.2	Beschneidung und Geist	378
7.4	Überlegungen zum Verständnis des Geistes im palästinischen Judenchristentum	379

III Der Ertrag

8	Das Angeld des Geistes	385
8.1	Übergreifende Aussagen in den paulinischen Briefen .	385
8.2	Das Angeld des Geistes	389
8.2.1	Begriff und Vorstellung bei Paulus	389
8.2.2	Parallelaussagen: Sohnschaft und Erbe	394
8.2.3	Die sakramentale Basis und die eschatologische Ausrichtung	399

8.3	Das Wirken des Geistes	404
8.3.1	Repraesentatio – Der Geist vergegenwärtigt die Liebe Gottes	406
8.3.2	Testificatio – Der Geist bezeugt den Stand der Sohnschaft .	409
8.3.3	Adiuvatio – Der Geist hilft in der Schwachheit auf	412
8.3.4	Intercessio – Der Geist tritt für die Glaubenden ein	418
8.3.5	Glorificatio – Der Geist verwandelt zur Doxa hin	422
8.4	Der Geist Gottes als endzeitliche Funktion und als Substanz	428
Literaturverzeichnis		432
Register		471
Sachregister		471
Stellenregister		473

1 Einleitung

Im Jahr 1888 erschien im Göttinger Verlag Vandenhoeck & Ruprecht die Erstauflage des Erstlingswerks Hermann Gunkels unter dem Titel: Die Wirkungen des heiligen Geistes nach der populären Anschauung der apostolischen Zeit und der Lehre des Apostels Paulus. Eine biblisch-theologische Studie[1]. Im Vorwort zur zweiten und dritten Auflage beschreibt Gunkel die sich seinerzeit gesetzte Aufgabe. Er habe „gegenüber den Modernisierungen ungeschichtlich denkender und rationalistisch beeinflußter Exegeten, die von den ‚Wirkungen' des πνεῦμα nichts wissen und den ‚Geist' zu einer reinen Abstraktion machen, festzustellen, an welchen Symptomen eine ‚Wirkung' des Geistes erkannt worden ist" (III). Dieser Schritt, den Begriff des Geistes erst nach der Beschreibung der Erscheinungen und Wirkungen zu definieren (1), bedeutete mittelbaren Widerspruch gegen die idealistische Interpretation des neutestamentlichen Geistbegriffs durch F. C. Baur, unmittelbaren Angriff aber auf die rationalistische Exegese, die bis dahin unter dem Einfluß Albrecht Ritschls in Göttingen herrschte.

Die letzte, im Geist Albrecht Ritschls geschriebene, von ihm angeregte und ihm gewidmete Arbeit zum neutestamentlichen Geistbegriff stammt aus dem Jahr 1878, die erheblich erweiterte Promotions- und Habilitationsdissertation H. H. Wendts unter dem Titel: Die Begriffe Fleisch und Geist im biblischen Sprachgebrauch[2]. Wendts Arbeit ist begriffsgeschichtlich orientiert und sucht

---

[1] Diese Erstauflage erschien im Jahr 1899 unverändert in 2. Auflage, 1909 in 3. Auflage. Allein das Vorwort hat Gunkel zur 2. Aufl. überarbeitet, zur 3. Aufl. nochmals unwesentlich geändert. Trotz sich wandelnder Einsichten hat Gunkel von einer Neubearbeitung seines ganzen Buches abgesehen. Er sah vor allem in H. Weinels Arbeit über ‚Die Wirkungen des Geistes und der Geister im nachapostolischen Zeitalter, 1899' eine „legitime Fortsetzung" (3. Aufl. III) seiner eigenen Forschungen (vgl. auch ders. in: Kautzsch, Apokryphen II 340–342).
Ich danke Herrn Akad. Oberrat Dr. W. Klatt und Herrn Prof. Dr. G. Lüdemann für die Einsicht in a) das Exemplar der Erstauflage mit durchschossenen Seiten aus dem Nachlaß Hermann Gunkels, in dem sich die Randnotizen und Korrekturen befinden, welche die sich ändernde Sicht Gunkels verdeutlichen; b) das als Sonderdruck des Vorworts zur 2. Aufl. vorhandene Exemplar, gleichfalls aus dem genannten Nachlaß, auf welchem die Korrekturen für die 3. Aufl. verzeichnet sind. Die gründlichste Information über den Stellenwert dieser Erstlingsarbeit im Werk Gunkels vermittelt W. Klatt, Hermann Gunkel 29–36.
Die seit längerem vergriffene Arbeit Gunkels ist im Jahr 1979 von R. Harrisville und P. Quanbeck übersetzt worden: The influence of the Holy Spirit; the popular view of the apostolic age and the teaching of the Apostle Paul: a biblical-theological study, Philadelphia 1979.
[2] Wendt hatte das erste Kapitel dieses Buches unter dem Titel ‚Notiones carnis et spiritus, quomodo in Vetere Testamento adhibeantur, exponantur' ein Jahr zuvor der Fakultät

den Nachweis zu erbringen, daß wir den „alttestamentlichen Begriff des Gottesgeistes ... beim Apostel nicht sowohl mit erweitertem Inhalte, als vielmehr nur in reicherer Anwendung" wiederfinden (153). Wendt beschreibt dieses πνεῦμα primär in sittlichen, ethischen Kategorien als „Kraft christlicher Weltanschauung", „welches zur Voraussetzung eine vollständige Erneuerung des inneren Lebens durch den Geist hat" (150).

Gunkel verspürt bei dieser „Neigung, die den Bearbeitungen ‚biblisch-theologischer Begriffe' wie eine ewige Krankheit anhaftet", folgenden Fundamentalfehler: „wer am Worte haftet, kann das Leben nicht sehen" (VI). Dies hatte ihn dazu geführt, „das eigentümliche Erlebnis des Pneumatikers zu beschreiben", nicht aber eine am Begriff πνεῦμα orientierte Lehre vom Geist zu rekonstruieren (III). Im Vorwort zur 3. Aufl. präzisiert Gunkel wiederum, nicht allein eine Beschreibung der Phänomene sei gefordert, wie er selber solches in seiner Erstauflage dargeboten hatte, sondern, weil „eine unmittelbare Erfahrung des Begeisteten" aus den Texten spricht, muß, „wer also über dies Thema künftig schreiben wird oder wer sich sonst darüber eine selbständige Meinung bilden will, sich vorher auf irgend einem Wege in den Stand setzen, dem Pneumatiker nachzufühlen" (IV)[3].

Unsere Arbeit wird diesem Ratschlag aus mehreren Gründen nicht folgen: a) nur wenige ntl. Texte, die eine Wirkung oder Erfahrung des Geistes beschreiben, können als Primärbericht eines Betroffenen verstanden werden. Dies schließt ein wirkliches Nacherleben der inneren Zustände des Pneumatikers aus (IV). b) Die Aufforderung, „sich vorher auf irgend einem Wege in den Stand (zu) setzen, dem Pneumatiker nachzufühlen" (IV), verläßt die Ebene kontrollierbarer Exegese der Texte, setzt freilich die Möglichkeit individueller Erfahrung frei, c) Gunkel hat ‚pneumatische Erlebnisse' scharf von der ‚Lehre oder der Speculation vom Geist' geschieden (VIII). Solche Entgegensetzung ist nicht statthaft, da immer eine Interdependenz von Wahrnehmung und Interpretation in der Erfahrung besteht.

Der Blick auf Erlebnisse und Phänomene der ntl. Zeit, mag er sich auch primär als Antithese zur rationalistischen Exegese ausgeben, ist in hohem Maße abhängig von religionsphänomenologischen Erwägungen und zugleich von dem an der Apg sich orientierenden Verständnis des Urchristentums (unmittelbarer Ausbruch von pneumatischen Erlebnis-

---

vorgelegt. Wendt betont im Vorwort, seine „Auffassung des paulinischen σάρξ-Begriffes ... (liege) in gleicher Richtung mit den Erklärungen dieses Begriffes, welche einerseits A. Ritschl in seiner ‚Entstehung der altkatholischen Kirche', 2. Aufl., Bonn 1857, andererseits B. Weiß in seiner ‚Biblischen Theologie des Neuen Testaments', 2. Aufl., Berlin 1873, gegeben haben" (VIII).

[3] Völlig entsprechend spricht auch Weinel, Wirkungen V, von der Aufgabe des ‚Nachempfindens' und ‚Nacherlebens'.

sen in der Urgemeinde). Diese von Gunkel angeregte Betrachtung der urchristlichen Zeit ist seither mit der Annahme der geschichtlichen und sachlichen Prävalenz der Erlebnisse als Besonderheit urchristlicher Pneumatologie vor Lehraussagen festgehalten worden. Demgegenüber wird unsere Arbeit durch Textanalysen der frühchristlichen, vor allem der pl Schriften zeigen, daß die Behauptung des Geistbesitzes primär eine theoretische Folgerung urchristlicher Theologie ist und sich aus der Interdependenz von Wahrnehmung und Deutung ergibt[4]. Dies bedeutet eine Revision des von Gunkel vermittelten Geschichtsbildes der Prävalenz der uninterpretierten Erlebnisse.

Seit Gunkel gilt: „Wir haben es in der Urgemeinde garnicht mit einer Lehre vom heiligen Geiste und seinen Wirkungen zu tun ..., sondern es handelt sich dabei um ganz concrete, allen in die Augen fallende Tatsachen, welche Gegenstand täglicher Erfahrung waren, und die man ohne weitere Ueberlegung unmittelbar als geistesgewirkt empfand" (4; vgl. auch 72). Man muß jedes Wort dieser Antithese festhalten, um zu erkennen, in welcher Massivität sich für Gunkel die Rede vom Geist als Folge erlebter Wirkungen ergibt. Diese Sicht ist bis in die gegenwärtige Literatur bestimmend[5].

---

[4] Merkwürdigerweise findet sich zunächst zu diesem Fundamentalproblem in der Forschung kaum eine Reflexion. Einzig Bousset hat in seiner Besprechung der Arbeit Weinels deutliche Worte gesagt: „Ich meine, daß schon der Fundamentalsatz Gunkels und Weinels, daß man in der Beurteilung der urchristlichen Verhältnisse und Stimmungen nicht von der Lehre oder den Lehren über den Geist ausgehen dürfe, sondern die Erlebnisse zum Ausgangspunkt nehmen müsse, nicht so unbedingt richtig ist ... Es wäre richtig, wenn es wirklich so stände, daß im jungen Christentum die ‚Geisteswirkungen' als etwas absolut, oder doch verhältnißmäßig neues zum ersten Male aufgetaucht wären" (Bousset, Rez. Weinel 756). Bousset urteilt drei Jahre später entsprechend: „... ob man hier mit dem berechtigten Gegensatz gegen das Begriffliche und Vorstellungsmäßige und mit der Vorliebe für das Unausgesprochene, Erlebte, in der Erfahrung Empfundene nicht bereits über das Ziel hinausgeschossen sei ..." (W. Bousset, Die Religionsgeschichte und das Neue Testament, ThR 7, 1904, 272). Neben Bousset dann v. Dobschütz, Geistbesitz 231: am Anfang steht das ‚Glaubenspostulat', die ‚Idee', nicht ‚empirische Tatsachen'. Skepsis in methodischer Hinsicht gleichfalls bei v. Harnack, Rez. Weinel und Krüger, Rez. Weinel. Kritisch dann noch Büchsel, Geist 265: „Die Geistwirkungen, die man in der Urgemeinde erlebt, beruhen schon auf dem Geistgedanken, den man hat ...", und Volz, Geist V–VII. W. Heitmüller stellte in den ‚Thesen zur Erlangung der Theologischen Licentiatenwürde an der Georg-Augusts-Universität zu Göttingen' vom 15. 2. 1902 in These 12 die Behauptung auf: „Die Wirkungen des ‚Geistes und der Geister' dürften zum nicht geringen Teil als ein Ereignis des Dogmas (vom ‚Geist') anzusehen sein" (aus dem Universitäts-Archiv Göttingen; vgl. auch die diesbezüglichen Unterlagen im Forschungsprojekt von Prof. Lüdemann, ‚Die Religionsgeschichtliche Schule in Göttingen').

[5] Die erste Zustimmung sprach Weinel, Wirkungen VII, aus; exemplarisch für die neuere Forschung: Schweizer, ThWNT VI 394: „Längst bevor der Geist Gegenstand der Lehre war, war er für die Gemeinde erfahrene Tatsache. Das ist der Grund für die starke Verschiedenheit und die Einheit der neutestamentlichen Aussagen"; ders., Geist 68:

Diese Dominanz der Erfahrungskategorie ist bei Gunkel und der un-mittelbaren Folgezeit an mindestens vier Voraussetzungen unterschied-licher Art gebunden.

a) Der Einfluß der zeitgenössischen Kulturanthropologie und Völkerkunde

Gunkel selber hatte seine Arbeit als „erste Anregung" (2. Aufl. IV) für das Verständnis der Wirkungen des Geistes im Urchristentum begriffen. Im glei-chen Jahr erschien die Licentiatenarbeit des 24jährigen Otto Everling, Die pau-linische Angelologie und Dämonologie, sowie die Arbeit des Hallenser Privat-dozenten Eduard Gloël, Der Heilige Geist in der Heilsverkündigung des Pau-lus. 1899 die Erstlingsarbeit des 25jährigen Berliner Privatdozenten Heinrich Weinel, Die Wirkungen des Geistes und der Geister im nachapostolischen Zeit-alter bis auf Irenäus. 1903 die Magisterarbeit von Emil Sokolowski, Die Be-griffe Geist und Leben bei Paulus; 1909 die theologische Promotionsschrift des 26jährigen Martin Dibelius, Die Geisterwelt im Glauben des Paulus; 1912 die Licentiatenarbeit des 24jährigen Kurt Deißner, Auferstehungshoffnung und Pneumagedanke bei Paulus.

Das Interesse der genannten Arbeiten[6] lag durchweg im phänomenologi-schen Bereich. Everling konnte hierzu seinerzeit auf keinerlei theologische Ar-beiten zurückgreifen. Weinel nahm den religionsphänomenologischen Aspekt explizit in den Titel seiner Arbeit auf mit der Begründung, unter den engen Verhältnissen der Urgemeinden in Kirchen des zweiten Jahrhunderts sei eine Trennung von Geist und Geistern noch nicht möglich gewesen (VII).

Die Dominanz dieser Fragestellung steht im Kontext zeitgenössischer Frage-stellungen in der Kulturanthropologie und Völkerkunde, wenngleich die Präva-lenz der Erfahrungskategorie nicht allein durch sie vermittelt ist. Die unter den Stichworten ‚Animismus – Dynamismus – Debatte' in die Forschung eingegan-gene Diskussion leitet die Entstehung der Religion aus Erfahrungsüberschüs-sen ab.

Die Animismustheorie, 1871 von E. B. Tylor in dem Werk ‚Primitive Culture' einer breiteren Öffentlichkeit vorgestellt, schließt aus elementaren, unerklärli-chen Erfahrungen auf Geister oder Seelen als personifizierte Ursachen. Dage-gen behauptete die dynamistische Theorie, bereits von Schülern Tylors verfoch-ten, in einem allgemeineren Sinn den Ursprung der Religion in einer unpersön-lichen Macht, welche außerordentliche Wirkungen zuwege bringe.

„Auch die neutestamentliche Gemeinde hat das Wirken des Geistes erfahren, längst bevor sie darüber nachgedacht ... hat". Schnackenburg, Botschaft 132: „Die grundlegende reli-giöse Erfahrung des Urchristentums ist die Ausgießung des Heiligen Geistes." Rigaux, anticipation 108: „L'église de Jérusalem et les églises prépauliniennes se sont constituées sur une expérience surnaturelle attribuée à l'Esprit." Außerdem: Berger, Geist 194; Brock-haus, Charismen 228; Goppelt, Theologie 449 f.; Luck, Fragen 846; Kremer, Pfingstbe-richt 59; Hermann, Kyrios 69 u. a. Hanssen, Heilig 163, erklärt sogar die „erfahrbare Le-bendigkeit des Geistes" zum Indikativ des Heils.

[6] Die Literaturliste ließe sich im protestantischen Bereich leicht erweitern. Die erste wichtige katholische Arbeit zum Thema von Bertrams, Wesen, sprach im Vorwort von ei-ner ‚kleinen Literatur für sich'.

Eine genaue Darstellung der Theorien kann hier unterbleiben, da ihre wirkliche Rezeption in der Theologie erst später einsetzte[7]. Freilich scheint a) die Korrelation von Geist und Erfahrung durch diese Theorien allgemein verbreitet und b) die Begrifflichkeit der Theorien als Mittel der Beschreibung urchristlicher Phänomene akzeptiert worden zu sein.

So findet Bousset in den populären urchristlichen Anschauungen ‚nackten Animismus' wieder[8]. Heitmüller erkennt in der paulinischen Taufanschauung „in psychologischer Hinsicht eine primitive animistisch-spiritualistische Vorstellungsweise."[9] Noch Bultmann rügt in seiner Rezension der Arbeit Büchsels das Fehlen eines Eingehens „auf die modernen Fragestellungen nach den Motiven des Animismus und Dynamismus"[10]. Lediglich v. Harnack hatte bereits präzise erkannt, daß Gunkel „seine Erkenntnisse religiöser Grundanschauungen mit einer bedenklich atavistischen Theorie der Religionsgeschichte kombiniert habe."[11] Es ist interessant zu sehen, daß P. Wernle im Rückblick auf seine Studienanfänge in den Jahren 1891 ff. von einer selbstgefertigten Skizze des Urchristentums berichtet: „Da wurde das ganze Neue Testament unter die Lichter ‚Eschatologie, Enthusiasmus, Ekstase und Askese' gestellt und alles uns heute Fremdartige in den Vordergrund … gezerrt. Es war alles einseitig und übertrieben fast bis zur Karikatur."[12]

b) Die Fehleinschätzung einer populären Anschauung

Gunkel unterscheidet in seiner Untersuchung die populäre Anschauung als Voraussetzung von der späteren paulinischen. Unter populär versteht er die Anschauungen der Urgemeinde. Als Quellen zieht er für die populäre Sicht die Apg als „bei weitem reichhaltigste Quelle" heran, da sie „auf ältern und für unsere Sache besonders reich fließenden Quellen" beruhe (2). Daneben die Synoptiker, die Apok und die Briefe, sofern sie gegenüber Pl selbständig sind. Die pl und dtpl Literatur wird in einem zweiten Schritt vergleichend herangezogen unter der Maßgabe, daß „das Gemeinsame und in sich selbst Zusammenstimmende für das Urchristliche" zu halten ist (2).

Diese Kriterien sind dem gegenwärtigen Stand der Forschung nicht mehr gewachsen. Denn die Frage nach den urchristlichen Voraussetzungen wird nicht traditions– und formgeschichtlich gestellt, sondern ist mit der Summe der Phänomene von vornherein beantwortet. Bedenkt man, daß Gunkel für seine Dar-

---

[7] Aus der Fülle der Literatur: G. van der Leeuw, Phänomenologie der Religion, ³1970, § 9; H.-J. Schoeps, Religionen. Wesen und Geschichte, o. J., 17–20.

[8] Bousset, Kyrios 110 f.

[9] Heitmüller, Taufe 36; zustimmend: v. Soden, Sakrament 364.

[10] Bultmann, Rez. Büchsel 197. Dabei hatte J. Hehn, den Bultmann gleichfalls erwähnt, in ‚Zum Problem des Geistes im Alten Orient und im Alten Testament, ZAW 43, 1925, 210–225' auf die Unsachgemäßheit der Übertragung dieser religionsphänomenologischen Kategorien für das Verständnis der biblischen Begriffe hingewiesen.

[11] v. Harnack, Rez. Weinel 514.

[12] P. Wernle, in: E. Stange (Hg.), Die Religionswissenschaft der Gegenwart in Selbstdarstellungen V, 1929, 214; auch Bousset, Rez. Weinel 771, macht auf die Problematik aufmerksam, daß Weinel nicht zwischen Geist Gottes und Geistern im urchristlichen Verständnis unterscheidet.

stellung der populären Anschauung im wesentlichen Quellen des ausgehenden 1. Jahrhunderts heranzieht, ohne diese in sich zu differenzieren, so zeichnet er – in geschichtlichem Anachronismus – bei der populären, frühen Anschauung ein spätes Gemeindebild, d. h. er stellt diejenigen Phänomene zusammen, die in den späten Quellen als Erweis des Pneumatismus gelten, vielfach aber rein literarische Fiktionen sind.

c) Die Ausblendung der Religionsgeschichte

Gunkel konnte bereits im Vorwort zur 2. Aufl. in Selbstkritik eingestehen, daß seine Darstellung der pneumatischen Erfahrungen behindert gewesen sei durch Isolierung des NT von der übrigen Religionsgeschichte. Zwar habe er das AT und das Judentum mitbehandelt, so aber konnte „der ganz unrichtige Eindruck entstehen, als habe es solche Erscheinungen nur in Israel gegeben" (V)[13]. Gleichwohl, ein Vergleich werde aber „nur dazu dienen, die Originalität und die wunderbare Hoheit des Urchristentums und besonders des Evangeliums zu erweisen" (V).

Die konsequente religionsgeschichtliche Betrachtung des NT sollte diese phänomenologische Sonderstellung des Urchristentums im Rahmen der allgemeinen Religionsgeschichte bald erschüttern. Bousset mahnte als erster an, daß Gunkel und Weinel „die Zusammenhänge nach dieser Richtung ganz vernachlässigt" hatten[14]. Seiner Meinung zufolge partizipiert das Christentum an der absterbenden Frömmigkeit des Hellenentums. Die ekstatischen Wirkungen des Geistes, die Schätzung des Sakramentalen verbindet das Christentum mit der umgebenden Welt, und so ist „die Frage zu stellen, wie weit hier an diesem Punkt die dekadente griechisch-römische Religiosität auf die Entwicklung des Christentums zurückgewirkt hat" (764). Indem Bousset aufzeigt, daß kein pneumatisches Phänomen als spezifisch christlich angesehen werden kann, hat er die These der Prävalenz der Erfahrung im Kern getroffen[15].

Die Analyse der Qumranschriften hat andererseits gezeigt, daß der Anspruch, im Besitz des Geistes zu sein, sich fast ausschließlich mit lehrhaften Folgerungen verbinden kann und der Bereich pneumatischer Phänomene weitgehend ausgeblendet bleibt[16].

---

[13] Die handschriftlichen Korrekturen Gunkels an der Erstauflage seines Buches führen ganz wesentlich religionsgeschichtliche Parallelen an. Dennoch bleibt hier, wie in der Erstauflage, die griech.-hell. Welt relativ unberücksichtigt. Nicht ob aus ihr Einfluß auf das Urchristentum ausgegangen ist, fragt Gunkel, wie es ,die Neueren' bereits tun (2), sondern wie die urchristlichen Aussagen in der hell. Welt wirken konnten (34).

[14] Bousset, Rez. Weinel 762.

[15] Bousset hält Gunkel und Weinel vor, sie hätten, wie schon die dekadente griech.-röm. Religiosität, die Phänomene, welche doch als ,Fiebererscheinungen der Religion' zu begreifen seien, zu ihrem ,Hauptcharakteristikum' erhoben (765). Ähnlich später Käsemann, Röm 126.

[16] Vgl. Betz, Offenbarung 140 f.; Kuhn, Enderwartung 136; Schreiner, Geistbegabung 179.

d) Der Gebrauch psychologisierender Auslegung

Gunkel bekräftigt, daß es sich bei den pneumatischen Erfahrungen, über die das NT berichtet, „um wirkliche psychologische Vorgänge handelt, nicht um Phrasen oder um Aberglauben" (V). Psychologische Vorgänge aber verlangen eine psychologische Erklärung. Diese Einsicht führt Gunkel dazu, die Wurzel der gesamten pl Pneumatologie in der Erfahrung des Apostels zu suchen (75). So kann er die pl „πνεῦμα-Lehre einen Ausdruck seines herrlichen Kraftgefühls nennen" (72 f.). Pl habe, so Gunkel, eine Übertragung vollzogen. Der Geist sei für das Urchristentum primär die Erfahrung einer übernatürlichen Kraft. Anders als die Urgemeinde, welche diese Kraft ausschließlich in außerordentlichen Erscheinungen begreift, überträgt Pl diesen Ansatz auf das Leben eines jeden Christen. Diese Übertragung gründet bei Pl im Bekehrungserlebnis und ist daher nur psychologisch zu verstehen (75).

Die Ableitung der pl Pneumatologie aus einer grundlegenden Erfahrung verbindet Gunkel mit der Forschung seiner Zeit[17]. Da er jedoch diese Behauptung kaum an den pl Selbstzeugnissen verifiziert, sondern psychologisch erschließt, sind die Vorbehalte gegenüber solcher Auslegung angezeigt. Schweitzer hat es später den methodischen Fehler der nachbaurschen Forschung genannt, die „erkenntnistheoretische Wertung des ‚Erlebens'" an die Stelle des Denkens und der Philosophie gesetzt zu haben[18].

Wir haben der Darlegung der durch Gunkel angeregten These der historischen und sachlichen Prävalenz der Erlebnisse vor der Lehre einigen Raum beigemessen, weil sich diese Sicht in der Exegese bis heute erhalten hat. So verdienstvoll die Abweisung des idealistischen oder rationalistischen Geistbegriffs als des neutestamentlichen ist, so führt doch eine phänomenologische Betrachtung in neue Aporien. Mit welchem Recht kann die zutreffende Definition des πνεῦμα als ‚übernatürlicher Kraft' (43) begrenzt werden auf „ganz concrete, allen in die Augen fallende Tatsachen, welche Gegenstand täglicher Erfahrung waren, und die man ohne weitere Ueberlegung unmittelbar als geistgewirkt empfand" (4)?

Hier rächt sich eine unkritische Verwendung des Erfahrungsbegriffs. Gewiß ist Gunkel, wie W. Klatt zeigt, „von der Frage nach dem Lebensbezug einer theologischen Lehre" bewegt (31), einer Frage also, die „seiner späteren Gattungsforschung die entscheidende soziologische Komponente" (31 A 10) gab. Jedoch fragt Gunkel 1888 noch nicht formgeschichtlich, sondern schließt direkt von der jeweiligen Aussage auf eine Erfahrungsebene.

---

[17] Vgl. Olschewski, Wurzeln; Sokolowski, Begriffe 232; Holtzmann, Theologie 88; Feine, Theologie 319.

[18] Schweitzer, Geschichte 84. Bultmann, Geschichte 328, nennt den Einfluß der modernen Psychologie auf die religionsgeschichtliche Schule, vergleicht aber auch die Kategorie des ‚seelischen Erlebens' mit Denkformen der Romantik.

Ihn leitet ein positivistischer Erfahrungsbegriff, indem er glaubt, Tatsachen urchristlicher Zeit darstellen zu können[19].

Die komplexe Problematik des Erfahrungsbegriffs und seiner Verwendung in der Theologie sind hier nicht darzustellen, wohl aber Fragen an seinen unkritischen Gebrauch[20].

Keines der im Urchristentum auf den Geist zurückgeführten Phänomene ist spezifisch christlich, d. h. als Erfahrung auf den Raum der christlichen Gemeinde begrenzt. Phänomene, spezifische Formen der Welt- und Selbsterfahrung, sind an sich vieldeutig und übergreifen Zeiten und Kulturen, betreffen Individuen und Gruppen, welche sich ihnen reflexiv zuwenden oder auch nicht. Von einer Erfahrung ist folglich als von einer Koinzidenz von Wahrnehmung und Deutung zu sprechen[21]. Die religiöse Erfahrung, speziell die Gotteserfahrung, muß aber, um überhaupt wahrgenommen werden zu können, in der Welt- oder Selbsterfahrung präsent sein, bzw. ihre Gestalt annehmen. Mag man auch in diesem komplexen Verhältnis von Wahrnehmung und Interpretation der Wirklichkeit und der Möglichkeit der Neuheitserfahrung in ihr den grundsätzlichen Vorrang geben, so ist doch die Interpretation derselben an den Kontext der sozial vermittelten Erfahrungsmöglichkeiten gebunden, wie Sprache, Tradition, Kultur etc.[22]

Dies zwingt zur Wahrnehmung des paganen, jüdischen und urchristlichen Horizontes, unter dem es zu Aussagen über den Geist kommt. Sollte also die Jerusalemer Urgemeinde wirklich in ihrer Mitte einen glossolalen Ausbruch erfahren haben, hätte dieses Geschehen überhaupt von den bei dem Fest anwesenden Juden als Wirkung des Geistes Gottes erkannt werden können? Glossolalie ist pal.-jüd. Frömmigkeit, soweit wir sie aus ihren Quellen rekonstruieren können, relativ fremd geblieben. Hätte dieses Phänomen nicht ebensogut als ,von Sinnen sein'

---

[19] Die positivistischen Aussagen werden schon im Verlauf der Arbeit eingeschränkt: „Ein objektiv aufweisbares Symptom, durch welches eine Geistesoffenbarung als solches unwidersprechlich erwiesen wird, giebt es nicht. Es kommt vielmehr alles auf den persönlichen Eindruck an …" (42). Anders noch Weinel, Theologie 243: „Man erlebte die Offenbarung Gottes und die Gegenwart des Erhöhten tagtäglich …".

[20] Aus der neueren systematisch-theologischen Literatur nenne ich vor allem D. Lange, Erfahrung und die Glaubwürdigkeit des Glaubens. Als Überblick grundsätzlich: H. Wißmann, E. Herms, U. Köpf, J. Track, E. Herms, P. Zilleßen, Art.: Erfahrung I–V, TRE 10, 83–141.

[21] Vgl. die knappen Ausführungen von Aagaard, Erfahrung 18–20; grundsätzlich wieder Lange, Erfahrung, vor allem 28–45, wo Verf. den räumlichen, zeitlichen und geistigen Horizont benennt, in dem sich Erfahrung und Interpretation vollzieht.

[22] Aargaard, Erfahrung, macht zu Recht den Wahrnehmungsüberschuß der Wirklichkeit gegenüber der Interpretation für den Vorrang der Wirklichkeit geltend. Ist aber dieser Überschuß nicht auch reflexiv bedacht als Schattenseite Gottes in der Dimension der Angst, der Anfechtung, des Zweifels? So vollzieht sich in der religiösen Erfahrung eine Horizontüberschneidung (Lange, Erfahrung 81–85).

(1.Kor 14,23; Apg 2,13) oder als ,Unordnung' und ,Friedlosigkeit'
(1.Kor 14,33.40) verstanden werden können? Phänomene sind, weil
auf Interpretation angewiesen, vieldeutig und nie an sich ein eindeutiger Beweis für eine Gottes- oder Geisteserfahrung. Dies schließt einen
historischen Ansatzpunkt für die Geisterfahrung nicht aus, hält aber
eine begründete Skepsis offen. Religionsphänomenologisch ist zudem
die Differenz, ob die Pythia vom Geist ergriffen prophezeit (Plut, Def
II 50–51), ob Philo sich als den geistbegabten Propheten darstellt (Som
II 252), oder ob der Lehrer der Gerechtigkeit als geistbegabter Deuter
der alten Propheten gesehen wird (1.QpHab 7,1–5), relativ. Entscheidend ist der Horizont, unter dem sich solcher Anspruch begründet. Die
Interdependenz von Wahrnehmung und Interpretation verbietet einen
positivistischen Einsatz bei Tatsachen, sie hat vielmehr den theologie-
und religionsgeschichtlichen Horizont abzustecken, unter dem die urchristliche Rede vom Geist sich überhaupt entfaltet.

Neben diesen grundsätzlichen Erwägungen zur Prävalenz der uninterpretierten Erfahrung treten historische Argumente für ein gleichzeitiges Bedenken urchristlicher Lehraussagen ein. Lehre ist hierbei nicht
als dogmatischer Begriff mißzuverstehen, sondern will den Horizont
urchristlicher Theologie benennen, unter dem das frühe Christentum
zur Behauptung findet: Gott hat uns den Geist gegeben[23].

– Die formgeschichtlich und traditionsgeschichtlich ältesten ntl. Aussagen reflektieren immer allein diesen Anspruch, nie aber außergewöhnliche Phänomene.

Hier ist auf eine von Gunkel im Vorwort zur 3.Aufl. seines Werks
vollzogene Korrektur zu verweisen. Während Gunkel im Text davon
ausgeht, daß Lehraussagen über den Geist allein in Andeutungen bei
Paulus begegnen, im übrigen Neuen Testament jedoch fehlen (4),
vermerkt jetzt das Vorwort: „Daß diese Speculation ganz allein aus
Pauli Erfahrungen zu verstehen sei, kann ich nicht mehr glauben; dagegen spricht besonders, daß der Sprachgebrauch hierin schon völlig
verfestigt auftritt" (VIII).

– Die urchristlichen Berichte über pneumatische Phänomene sind kritischer zu lesen, als Gunkel meinte. Sie sind häufig mit literarischen
und apologetischen Motiven verknüpft[24].

---

[23] Der Mißbrauch des ,dogmatischen Lehrbegriffs' zur Darstellung urchristlicher Aussagen sollte mit Wredes Ausführungen (Aufgabe 93 f.) ausgeschlossen sein. Eine Skizze
dessen, was nach urchristlicher Sicht ,Lehre' heißen kann, bietet W. Schrage, Einige Beobachtungen zur Lehre im Neuen Testament, EvTh 42, 1982, 233–251.
[24] Schon die Tendenz in den Gemeinden, ihre Lebensäußerungen Erscheinungen und
Wirkungen des Geistes sein zu lassen, rät, in den beschriebenen Vorgängen nicht immer
auch wirkliche pneumatische Erlebnisse zu sehen. Harnack war mit Recht skeptisch und

- Die Annahme, pneumatische Wirkungen würden das gesamte Urchristentum charakterisieren, ist völlig unzutreffend[25].
- Die unterschiedliche kulturelle Bedingtheit urchristlicher Gemeinden ist hinsichtlich der Wertigkeit pneumatischer Phänomene differenzierend in Rechnung zu stellen.
- Gegenüber einer ausschließlichen Ableitung der ‚religiösen Überzeugung' aus dem ‚Grund des inneren Lebens', d. h. aus der ‚Frömmigkeit', sind die diese Frömmigkeit mitkonstituierenden und auf sie wirksamen Faktoren, wie sie etwa in der eschatologischen Erwartung des Judentums gegeben waren, zu bedenken[26].
- die urchristliche Rede vom heiligen Geist kann nicht über ein allgemeines Verständnis der zeitgenössischen Geisterwelt präzise erfaßt werden. Es ist im Gegenteil streng darauf zu achten, in welchen Zusammenhängen das Neue Testament vom πνεῦμα spricht, bzw. wo dieser Bezug gerade nicht hergestellt ist. Dieser Weg führt nicht zwangsläufig zu einer rein begriffsgeschichtlichen Betrachtungsweise.

Unsere Darstellung begreift die ‚urchristliche Pneumatologie'[27] aus ihrem geschichtlichen Werden und trägt somit der Verklammerung mit

---

glaubte, „der bloßen Nachahmung und Nacherzählung einen weiteren Spielraum geben zu müssen" (Rez. Weinel 515); ähnlich Bousset, Rez. Weinel 767, dann auch Gunkel bei Kautzsch, Apokryphen II 342; J.Geffken, Christliche Apokryphen, RV I/15, 1908, 37. Eus, HistEccl III 37 und Orig, Cels II 8 beschränken in kritischer Sicht ihrer eigenen Gegenwart die pneumatischen Erlebnisse auf die Anfangszeit.

Es ist in diesem Zusammenhang auch zu vermerken, daß gegenwärtig in der Analyse der philonischen Pneumatologie das Motiv der Ekstase nicht mehr, wie noch bei Leisegang, Geist 120; Bousset, Religion 450 f. u.a., auf wirkliche Erfahrungen zurückgeführt wird, sondern als ‚Streben nach dem Über-Intelligiblen' interpretiert wird (so F.Siegert, Philon von Alexandrien; hier der Exkurs: Die Ekstase am Schreibtisch, 91–94).

[25] Becker, Joh II 473, zu den joh Gemeinden: „Ekstatische Phänomene, Wundertätigkeit und Charismen im Sinne der korinthischen Gemeinde ... werden dem der Gemeinde gegebenen Geist nirgends direkt zugesprochen"; gleichfalls Schnackenburg, Joh IV/4, 42 f. Dem Evangelisten Lukas scheint Glossolalie nicht einmal vom Begriff her eine vertraute Sache zu sein (s u.). Vgl. zu Hermas in dieser Hinsicht: Bousset, Rez. Weinel 767. Harnack, Mission 222 A 2: „... die christliche Sibyllenfabrikation .. ist eine künstliche Nachblüte des urchristlichen Enthusiasmus, sie ist eine Kette von Fälschungen"; grundsätzlich ders., Mission 224 f.

W.Heitmüller schreibt in seiner Habilitationsthese (s.o. S.3 Anm.4) Nr.11: „Der Enthusiasmus ist keineswegs das spezifische Charakteristikum und noch weniger das wertvollste Stück des jungen Christentums." Dagegen wieder Weinel, Theologie 246: „Der Enthusiasmus war wirklich die Signatur des ersten Christentums ...".

[26] Vgl. demgegenüber H.Gunkel, Ziele und Methoden der alttestamentlichen Exegese, MKP 4, 1904, (521–540) 536.

[27] ‚Urchristliche Pneumatologie' wird als Sammelbegriff, nicht als Lehrbegriff gebraucht, unter den wir alle frühchristlichen Aussagen subsumieren, die sich auf den Geist beziehen. Da kein ntl. Schriftsteller das urchristliche Geistverständnis eigens thematisiert, vielmehr solches immer implizit vorausgesetzt wird, liegt die Pneumatologie als Lehrbe-

der Gesamtentfaltung urchristlicher Theologie Rechnung. Ein dogmatischer, psychologischer oder phänomenologischer Zugang ist damit a
limine abgewiesen[28]. Gleichfalls muß die Verabsolutierung eines einzigen religionsgeschichtlichen Hintergrundes als Voraussetzung der urchristlichen Pneumatologie als methodischer Irrweg betrachtet werden,
da er die Verflechtung von Judentum und Hellenismus in urchristlicher
Zeit ignoriert[29]. Schließlich kann nicht die Konstanz einer atl. Linie bis

---

griff außerhalb des Neuen Testaments. Erst das Konzil von Konstantinopel führte im
Jahr 381 einen ersten Abschluß der vorangehenden, kontrovers geführten Auseinandersetzung um das Wesen, die Stellung und die Funktion des heiligen Geistes herbei, indem
im abschließenden Symbolum die Gottheit des heiligen Geistes dogmatisiert und dieser
nun Gegenstand des Glaubensbekenntnisses wird (Text bei C. Mirbt, Quellen zur Geschichte des Papsttums und des Römischen Katholizismus I, hg. v. K. Aland, ⁶1967, 143).
Daß dieses Dogma zugleich einen breiten Strom populärer urchristlicher Ansichten ab-
wehrte und für die Folgezeit ausschloß, sollte nicht vergessen werden (mit Recht Cremer,
Heiliger Geist 449). Man denke nur an den pl Gegensatz von Buchstabe und Geist, den
erst Augustin in ‚de spiritu et littera‘ 412 aufnahm, an das Verhältnis von Kyrios und
Pneuma (im späteren filioque bedacht) oder an das Verhältnis von Geist und Kirche (zuvor bereits Hipp, ref prooem). Dem Bekenntnis zufolge gehört der Geist zu Gott (ἐκ τοῦ
πατρὸς ἐκπορευόμενον ... σὺν πατρί), ihm kommt Gott entsprechende Verehrung zu, soteriologisch wird seine Funktion als ζωοποιόν bestimmt, wahrnehmbar geworden durch
τὸ λαλῆσαν διὰ τῶν προφητῶν. In dieser Fixierung, die sich wesentlich der Vorarbeit des
Athanasius und der Synode von Alexandrien 362 verdankt, sind die Pneumatomachen abgewiesen. Im Jahr 796/797 wird das zuvor umstrittene (processus a Deo) filioque in den
Symboltext aufgenommen; vgl. hierzu die bei Hauschild, Geist, angegebene Literatur; daneben ders., Gottes Geist.
[28] Kuss, Römer 544, hat, „um diesen z. T. verwirrenden Komplex richtig zu deuten“,
mit Recht auf die Bedeutung der richtigen Eingangsstelle verwiesen. Es mutet aber sehr
heuristisch an, wenn er es als „methodisch richtiger“ erklärt, „gerade dort zu beginnen,
wo für unser Denken das Verständnis schwierig wird“, bei dem „Phänomen des ‚Zungenredens‘“. Dies mag für Korinth aufschlußreich sein, nicht aber für das Urchristentum insgesamt. Völlig abwegig ist der dogmatische Zugang Hanssens: „... versuchen wir im Gegenteil zu zeigen, inwiefern sich die paulinische Pneumatologie von einer metaphysisch-
trinitätstheologisch reflektierten Pneumatologie her vielleicht sogar leichter und ange-
messener erschließt als auf der Grundlage einer Exegese, die vom hermeneutischen Prinzip der Geschichtlichkeit ausgeht.“ (Heilig 165).
[29] Diese Kritik ist bei aller Anerkennung der Gelehrtheit des Forschers gegenüber
Hans Leisegang immer wieder geäußert worden. Sie betrifft sowohl die einseitige Interpretation Philos aus der mystisch-intuitiven Erkenntnis des griech. Geisteslebens (Leisegang, Geist), als auch die im folgenden Buch, seiner Habilitationsschrift, dargelegte Interpretation der Evangelien auf dem Hintergrund der griechischen Mystik (Leisegang,
Pneuma Hagion). Leisegang begreift Philo als Mittelglied zwischen heidnischen Mysterienreligionen und dem Christentum (Geist 15 f. A 1), insofern aber gehen sowohl Philo
als auch Christentum auf eine gemeinsame Wurzel, den griechischen Volksglauben zurück (240 f.). Leisegang verbindet dieses religionsgeschichtliche Urteil mit der traditionsgeschichtlichen These, „daß alle Stellen, an denen in den synoptischen Evangelien vom
heiligen Geiste als eines das Leben und die Lehre Jesu tragenden Faktors die Rede ist, gar
nicht zum ursprünglichen ... Evangelium von Jesus gehören ...“ (Pneuma Hagion 5). Die
Kritik war von allen Seiten hart. Von Dobschütz, Geistbesitz 229: „Es ist schmerzlich zu

in die ntl. Zeit behauptet werden. Der Bezug zu atl. Aussagen liegt da vor, wo er von den ntl. Autoren hergestellt wird[30].

Ein forschungsgeschichtlicher Rückblick auf die Zeit der Behandlung der pl Pneumatologie nach Gunkel zeigt, daß in vorwiegend kirchlichem Interesse Einzelaspekte die Diskussion bestimmt haben (Amt und Geist, Verständnis der Sakramente, Charismen, Frühkatholizismus u.a.), nicht aber wirklich der Versuch ihrer Gesamterfassung. Es mag auch daran liegen, daß man in der Pneumatologie „dem umfassendsten und zugleich schwierigsten, variabelsten Begriffe, den das paulin. Denken erzeugt hat"[31], entgegentritt. Wenn die vorliegende Arbeit eine Gesamtdarstellung anstrebt, so kann sie dies nur in der Bescheidenheit und unter dem Vorbehalt tun, den auch Gunkel seinem ‚Werkchen‘ (III.V) – einer Gesamtdarstellung und dem bleibenden Ausgangspunkt der Forschung – voranstellte: „… und möge unter der Fülle neuer Erkenntnisse das vorliegende Büchlein bald völlig veraltet sein."[32]

sehen, wie die völlige Verkennung der alttestamentlichen Voraussetzungen einen kenntnisreichen, scharfsinnigen Philologen auf Irrwege führt, schmerzlicher noch, daß auch führende Theologen sich davon imponieren lassen." Reitzenstein, Mysterienreligionen, will selber „bei Paulus alle Stellen aus dem hellenistischen Gebrauch erklären" (312), hält aber Leisegangs Ausgangspunkt bei der philonischen Mystik für nicht geeignet (284 A 2). R. Bultmann, Rez. H. Leisegang, Pneuma Hagion, ThLZ 20, 1922, 427, hält das Buch „im Ganzen für verfehlt". Welche Irritationen das Buch Leisegangs ausgeübt hat, zeigt die katholische Stellungnahme von K. Prümm, Der Christliche Glaube und die altheidnische Welt, I, 1935, 273. Allerdings erkennt gegenwärtige Kritik zu Recht, daß Leisegangs Arbeit auch „als Antithese gegen gewisse alttestamentliche Ableitungsversuche gesehen werden muß" (Brandenburger, Fleisch 123 f. und 124 A 1).

[30] Obwohl Schweizer, ThWNT VI 413 A 541, die religionsgeschichtliche Problematik einer alternativen hell. oder jüd. Ableitung anerkennt, behandelt er die pl und joh Pneumatologie doch unter der Maßgabe der Überwindung der hell. durch die atl. Linie (413 ff.).

[31] So Holtzmann, Lehrbuch II 155; auch Bultmann, Rez. Büchsel 196. Gegenwärtig hat Hübner, Gesetz 127; ders., Paulusforschung 2750 f., zu Recht auf das Desiderat einer pl Pneumatologie hingewiesen; ebenso Brown, Views 226 f.

[32] Gunkel, Wirkungen, 3. Aufl. VIII. Eine weitere Lesefrucht begleitete die Anfertigung dieser Arbeit: „Aber daß mir nun nicht alsbald irgendein … junger Mann – in der Meinung, er sei der dazu Berufene – mit einer flott geschriebenen Broschüre ‚Zur Theologie des Heiligen Geistes‘ oder dergl. über den Weg und auf den Markt laufe!" (Barth, Nachwort 312).

I Voraussetzungen paulinischer Pneumatologie

Unsere Untersuchung setzt mit der Frage ein, wo die frühesten Aussagen des Urchristentums, die seinen in nahezu allen Schriften reflektierten Anspruch, den endzeitlichen Geist Gottes als christliche Gemeinde erhalten zu haben, bzw. in der Sphäre des endzeitlichen Geistes Gottes zu leben, zu greifen sind, wie sie zu interpretieren sind, und wie sie sich begründen.

2 Zeitgeschichtliche Voraussetzungen

Der Blick in zeitgenössische Aussagen des Judentums als des Mutterbodens des frühen Christentums zeigt, daß im pal. Judentum der Geist Gottes primär als Kraft endzeitlichen Verhaltens, im hell. Judentum hingegen primär als Substanz neuen Seins verstanden wurde. Beide Positionen sind antipodisch zu reflektieren, ohne dies mit dem Anspruch zu verbinden, damit das Verständnis des Geistes im Judentum auch nur annähernd dargestellt zu haben, wohl aber im Bewußtsein, in exemplarischer Gegenüberstellung unterschiedlicher Konzeptionen eine Problemstellung für das NT zu erhalten (vgl. auch 3.2).

Die folgenden Ausführungen (12–34) wollen gewiß nicht den irreführenden Eindruck erwecken, als seien sie bereits repräsentativ für die pneumatologischen Gedanken des spätantiken und rabbinischen Judentums. Wohl aber wollen sie spezifische, antipodisch darstellbare und in der Forschungsgeschichte (34–39) so auch aufgenommene Differenzen innerhalb des Judentums aufweisen. Kommen im Folgenden pal.-jüd. und rabbinische Aussagen einerseits und jüd.-hell. Aussagen in Gegenüberstellung, so ist damit keineswegs die Interdependenz von Judentum und Hellenismus in ihrer vielfältigen Gestalt ignoriert. So wird etwa der Abschnitt 2.2.1 zeigen, daß das dualistische Denken in der Anthropologie des hell. Judentums auch Wurzeln in der jüd. Apokalyptik hat. Allerdings sind feststellbare Differenzen auch klar zu benennen. Dies entspricht im übrigen einem Anliegen innerhalb der gegenwärtigen Judaistik[1].

---

[1] Hier ist zu verweisen auf die kritischen Reaktionen zu Hengels Arbeit (Judentum und Hellenismus), welche bei G. Strecker/J. Maier, Neues Testament – Antikes Judentum,

2.1 Erloschener und wiederkehrender Geist

2.1.1 Das ‚Dogma‘ des erloschenen Geistes
in der rabbinischen Überlieferung

Die Darstellung der Geschichte des Urchristentums geht gelegentlich von der Vorstellung aus, daß die Anfänge der urchristlichen Pneumatologie nur auf dem Hintergrund der jüdischen Lehre des erloschenen Geistes verständlich sind[2]. Andere Forscher halten hingegen daran fest, daß „das junge Christentum nicht nur an alte prophetische Strömungen anknüpfte, sondern von einer zeitgenössischen pneumatischen Strömung getragen wurde."[3] Beide Aussagen machen auf einen Widerspruch in der Literatur aufmerksam, dem nur mit historisch differenzierender Nachfrage begegnet werden kann. Einerseits findet sich die nahezu dogmatisch verfestigte Behauptung, mit dem Ende der letzten Propheten oder mit der Tempelzerstörung sei der Geist Gottes von Israel gewichen, andererseits halten etwa die vielfach überlieferten Heiligkeitsstufen des R. Pinchas b. Jair an möglicher gegenwärtiger Geistbegabung fest (Texte bei Schäfer, Vorstellung 118–121).

Das ‚Dogma‘ des erloschenen Geistes ist in seiner verfestigten Form tannaitischen Ursprungs und also in ntl. oder nachntl. Zeit zu datieren[4]. Es behauptet, daß der Geist Gottes aus genannten Gründen sich von Israel zurückgezogen hat und erst in der Endzeit zurückerwartet werden kann. Diesen qualitativen Unterschied zwischen vergangenem und zukünftigem Heiligtum beschreiben: bJom 21b; Midr Chasseroth (Bat-Midr II 251,1; 252,2); jTaan K 2 H 1; jHor K 3 H 3; ShirR 8,9 § 3; BamR 15,10 u. a. In diesen Texten steht der Geist neben Bundeslade, Deckplatte, Kerubim, Feuer und Schechinah als Zusammenfassung der Dinge, die der salomonische Tempel besaß, die dem endzeitlichen Tem-

---

GKT 2, 1989, 168–170 genannt sind; vgl. darüber hinaus das Vorwort Hengels zur 3. Aufl. seines Buches (IX–XIV).

[2] Pfleiderer, Paulinismus 206 f.; Gunkel, Wirkungen 53 („… Geisteswirkungen im Judentum nur höchst sporadisch …"); W. Foerster, Neutestamentliche Zeitgeschichte, Bd. 1, ³1959, 218.

[3] Lewy, Sobria II 105 f. A 1, mit Verweis auf Gunkel bei Kautzsch, Apokryphen II 341 f.; Bousset-Greßmann, Religion 394 f.; Bill II 129; Abrahams, Studies II 120–128.

[4] Von ‚Dogma‘ ist nicht im strengen Sinn zu sprechen. Meyer, ThWNT VI 817, erkennt ‚eine gut durchgebildete theologische Reflexion‘; Leivestad, Dogma 289: ‚dogmatische Form‘. Kuhn, Offenbarungsstimmen 308 ff., spricht vom ‚Diktum vom Aufhören des hl. Geistes‘; G. v. Rad, Theologie des Alten Testaments, Band II. ⁵1968, 331, erkennt eine ‚Theorie‘, die „keineswegs aus der Luft gegriffen" sei. Die im Folgenden genannten Texte sind in der Regel nach Schäfer, Vorstellung, und den dort angegebenen Quellenausgaben zitiert, gelegentlich auch nach Bill.

pel wieder zu eigen sein werden[5]. Die Zwischenzeit, also auch die Zeit
des zweiten Tempels, ist dieser Theorie zufolge als geistlos verstanden.
Vorausgesetzt ist hierbei die Bindung der Schechinah Gottes an das
Heiligtum, daher kann auch der Geist nur hier erfahrbar und vermittelbar sein. In den zweiten Tempel aber war Gottes Schechinah nicht eingegangen. Ein äußeres Indiz der Verbindung von Tempel und Geist ist
die in rabbinischer Überlieferung breit bezeugte Konstruktion הַקֹּדֶשׁ
רוּחַ. In ihr sind statisches und dynamisches Denken verbunden. Hatte
Israel mit dem Verlust des zweiten Tempels aber jegliche Voraussetzung des Geistempfangs verloren, so lag es nahe, die Gegenwart und
die auf sie hinwirkende Zeit negativ zu sehen und im Sinne der Tempel-
theologie konsequent in Verwendung des dreigliedrigen Geschichtsschemas in einem ‚Dogma' als geistlos zu deklassieren. Die rabbinische
Überlieferung hat das ‚Dogma' und sein Geschichtsverständnis mit weiteren Begründungen erhärtet. Nach tSot 13,2 ff.; jSot K 9 H 13/14;
jSot K 9 H 17; bJom 9 b schwand der Geist mit dem Tod der letzten
Propheten Haggai, Sacharja und Maleachi von Israel. SOR Kap
30,139 f.; SOZ 26 f. nennen noch zusätzlich den Beginn der griech.
Fremdherrschaft, ohne allerdings einen ursächlichen Zusammenhang
mit dem Schwinden des Geistes herzustellen. Echa R Pet 23 und Koh
12,7 § 1 verbinden Entfernung des Geistes und Exulierung, wobei der
letztere Beleg mit der Eitelkeit des Volkes zugleich eine Ursache der
Exulierung benennt. Den Hohn und Spott über die Propheten durch Is-
rael nimmt Mekh RS 155 zum Anlaß, die Entfernung des Geistes aus
Israel zu begründen. Allgemeiner noch SiphDt § 173,107 b; bSan 656;
AgBer 23,2,47 u.a.: die Sünden Israels bewirkten die Entfernung des
Geistes.

Wenn auch die dogmatische Fixierung der geistlosen Zeit erst
nachntl. in Breite vollzogen wurde, so ist damit die Frage nach den Anfängen solchen Bewußtseins noch nicht beantwortet. Die literarische
Festlegung ist das Endstadium einer Motivbildung, welche sich aus einem wechselvollen Bedingungsgeflecht ergeben hat. Historisch ist das
Urchristentum darin involviert, während die Kirchenväter in Diskussionen mit Rabbinen bereits auf das literarisch verfestigte ‚Dogma' zurückgreifen.

---

[5] Texte bei Schäfer, Vorstellung 89–94; Bill I 127–134. Die literarkritische Analyse bei
Schäfer zeigt die Problematik der Datierung der Tradition; vgl. außerdem: Cohen, Geist;
Marmorstein, Geist; Leivestad, Dogma; Goldberg, Untersuchungen; Davies, Paul
208–216. Bill II 129 sucht hingegen den Einfluß dieser Theorie abzuwerten. Sie gäbe
„vermutlich nur der Tatsache Ausdruck ..., daß im 2. Heiligtum kein Befragen der Urim
u. Tumim mehr stattgefunden u. ... berufsmäßiges Prophetentum aufgehört habe."

2.1.2 Zur alttestamentlich-jüdischen Vorgeschichte des ‚Dogmas‘

Es ist vorweg anzumerken, daß im spätantiken Judentum, vor allem aber in der rabbinischen Überlieferung ‚Geist Gottes‘ und ‚Geist der Prophetie‘ nahezu synonym gebraucht werden, so daß ‚geistlose Zeit‘ und ‚prophetenlose Zeit‘ ein identisches Phänomen beschreiben können: wenn keine Propheten, dann kein Heiliger Geist[6].

Psalm 74,9: ‚Unsere Zeichen sehen wir nicht, kein Prophet ist mehr da,
         und keiner ist bei uns, der etwas weiß‘
         (Text nach: Die Bibel nach der Übersetzung M. Luthers, 1985)

Der Psalmvers beklagt die gegenwärtige Prophetenlosigkeit als unnormalen Zustand und bittet Gott, wenn schon keine Propheten mehr da sind, der Lüge die Strafzeit anzusagen. Der Psalm ist häufig in die Makkabäerzeit datiert worden und fungierte als erster biblischer Beleg des ‚Dogmas‘. Da aber die in Ps 74,3 genannte Tempelzerstörung nicht die Ereignisse der Jahre 167–164 im Blick hat, sondern sich auf eine Zeit mit einigem Abstand zu 587 bezieht, scheidet Ps 74 als Stütze für die These einer prophetenlosen nachexilischen Zeit aus[7].

Sach 13, 2–6

Der Abschnitt ist keinesfalls Zeugnis für erloschenes Prophetentum, bekundet jedoch den Versuch einer Eindämmung des ekstatischen Jahweprophetentums vom Standpunkt des sich den Tempeltraditionen und dem Gesetz verpflichtet wissenden Kultprophetentums[8]. Die Gründe der hier dargelegten Abwertung der Prophetie werden aber auch auf die Uneindeutigkeit des zeitgenössischen Prophetentums blicken. Der Verfasser kündigt das Ende der Prophetie an, wiewohl er selber als Prophet vor dem Ende sich in seiner Rede noch prophetischer Formen bedient (13,2). Wenn die spätere rabbinische Tradition gerade Haggai, Sacharja und Maleachi die letzten Propheten nennt (tSot 13,2; bJom 9b u.ö.), so setzt sie gewiß die Zählung des Kanons voraus, weiß aber

---

[6] Vgl. Volz, Geist 78 A 1; Bill II 129; Sjöberg, ThWNT VI 380; Beavin, Ruah 42–71; Meyer, ThWNT VI 817; Schäfer, Vorstellung 21–70. Noch die christliche Schrift AscJes greift in 3,26b–27a auf dieses Motiv zurück.

[7] So H.-J. Kraus, Psalmen, BK XV/1 + 2, ⁵1978, 675–683, mit ThWNT VI 614f. Kraus datiert auf 520 v.Chr., da V.1.3.9 einen Abstand zur Zerstörung bezeugen, wie auch die Exulierung nicht mehr erwähnt ist. Die Klage ‚wie lange noch‘ sei in einer Linie mit 1.Sam 3,1; Ez 7,26; Thr 2,9 zu sehen und verweise auf die Klagefeiern der Exulanten (vgl. Jer 41,5ff.; Sach 7,1ff.; 8,15ff.).

[8] So O. Plöger, Theokratie und Eschatologie, WMANT 2, ²1962, 97ff.; vgl. auch I. Willi-Plein, Prophetie am Ende. Untersuchungen zu Sach 9–14, BBB 42, 1975, 108f. u.ö. und M. Saebo, Sacharja 9–14. Untersuchungen von Text und Form, WMANT 34, 1969, 254–276.

auch um die mit dem Namen Sacharja verbundene Priorität des Heiligtums vor freiem Prophetentum.

Dan 3,38 Th: ,Gibt es doch in dieser Zeit kein Oberhaupt,
 keinen Propheten noch einen Leiter,
 weder Brandopfer noch Schlachtopfer,
 weder Opfergabe noch Räuchervieh,
 auch keinen Ort, um Erstlingsfrüchte
 dir darzubringen und Gnade zu finden.'
 (Übersetzung von O. Plöger, JSHRZ I/1, 72)

Der Text ist Teil des Gebets Asarjas (3,26–45) und wohl sek. in den Lobgesang eingeschaltet worden. Die Datierung ist außerordentlich schwierig, da mit der Literarkritik unlöslich verknüpft. Da jegliche äußeren und inneren Anhaltspunkte fehlen, ist mit Meyer eine Datierung in nachexilischer Zeit bis zur Zerstörung des zweiten Tempels präzise nicht zu vollziehen[9]. Die Erwähnung fehlender Propheten steht in einem summarischen Kontext, dem an gewisser Vollständigkeit liegt. Daher kann von Dan 3,38 Th nicht auf ein spezifisches ,Dogma' der Prophetenlosigkeit geschlossen werden.

1. Makk 4,46

Nach der Reinigung des verunreinigten Heiligtums reißen von Judas beauftragte Männer den Brandopferaltar nieder, legen seine Steine an geeigneter Stelle zur Seite μέχρι τοῦ παραγενηθῆναι προφήτην τοῦ ἀποκριθῆναι περὶ αὐτῶν. Zwischenzeitlich wird der neue Altar gebaut. Der Vers bezeugt das Fehlen kompetenter Prophetie in der Gegenwart. Sie wird vielmehr deutlich abgegrenzt (μέχρι 4,46; ἕως 14,41) von der Zukunft, in der ein Prophet (artikelloser Sing.) erstehen soll (παραγενηθῆναι 4,46; ἀναστῆναι 14,41). Die Erwartung richtet sich nicht auf Wiederbelebung allgemeiner Prophetie, vielmehr kommt die Gestalt des einen eschatologischen Propheten in Blick (vgl. zu παραγίνεσθαι Mt 3,1; Lk 12,51; Hebr 9,11)[10].

---

[9] Zur Datierung: Meyer, ThWNT VI 815; zur Literarkritik: Plöger, JHSRZ I/1, 63–70; außerdem Rothstein in: Kautzsch, Apokryphen I 172–179, und Schürer, Geschichte III 332–337. Plöger selbst will die frühnachexilische Bußstimmung wiedererkennen (68). Können aber die hier interessierenden V. 15–17 (38–40) dem ursprünglichen Gebet zugeteilt werden? Rothstein (180 A m) bemerkte immerhin eine völlige Aufgabe des ursprünglichen Rhythmus.

[10] Wenn die Textgestaltung in 1. Makk 4,46; 9,27 von Ps 74,2–9 beeinflußt sein sollte (Schunck, JSHRZ I/4, 3 u. 6), läge in den Makkabäerstellen der Ausgangspunkt, Ps 74 für die Theorie der prophetenlosen Zeit zu verwenden. Zurückhaltend zur Tradition des endzeitlichen Propheten in 1. Makk 4,46; 9,27: Hahn, Hoheitstitel 351 f.; Leivestad, Dogma 296 f.; Volz, Eschatologie 193.

1. Makk 9,27

V. 27 paßt sich in diesen Geschichtszusammenhang ein. Die Gegenwart ist als prophetenlose Zeit bestimmt. θλῖψις ... ἥτις οὐκ ἐγένετο ἀφ' ἧς ἡμέρας οὐκ ὤφθη προφήτης bezieht sich auf ein geschichtliches Ereignis und hat wahrscheinlich den Fall Jerusalems und das Exil im Blick.

1. Makk 14,41

Auch dieser Text bezeugt für die Gegenwart Prophetenlosigkeit. Daher steht die Entscheidung, Simon die Macht des ἡγούμενος und ἀρχιερεύς zu verleihen unter dem Vorbehalt, ἕως τοῦ ἀναστῆναι προφήτην πιστόν. Dieser Vorbehalt impliziert zugleich, daß der „Prophet endgültig entscheiden kann, wer das Hohepriesteramt innehaben soll", nicht aber, „daß der glaubhafte Prophet selbst das Hohepriesteramt übernehmen werde."[11]

Die genannten Belege erfassen die Gegenwart als prophetenlose Zeit und begründen diese Anschauung mit der Systematisierung der Geschichte in zurückliegende Periode der Prophetie (9,27) und Erwartung des zukünftigen Propheten (4,46; 14,41).

syrBar 85,3

Während in den Makkabäerbriefen die gegenwärtige Prophetenlosigkeit vorausgesetzt war, kann syrBar 85,3 als erster deutlicher Beleg des späteren ‚Dogmas' angesehen werden.

‚(Bei ihren Vätern) sind versammelt jetzt aber die Gerechten,
und die Propheten sind entschlafen'
(Übersetzung von A. F. J. Klijn, JSHRZ V/2, 182)

Das dreigliedrige Geschichtsschema liegt wieder zugrunde: vergangene Gerechte – wir prophetenlos – Ausblick auf unvergängliche Güter (V. 5). Zwar weiß syrBar 48,33–37 von charismatischem Auftreten zur Zeit der Zerstörung des zweiten Tempels, doch ändert dies nicht sein Urteil. Sein Ausblick gilt der Gesetzesobservanz, sie ist Voraussetzung

---

[11] Leivestad, Dogma 296. Diese Auffassung ist aus mehreren Gründen dem Vorschlag Meyers, ThWNT VI 816f. vorzuziehen, der Verf. denke in 14,41 an Johannes Hyrkan. Das nachhinkende ἕως τοῦ ἀναστῆναι προφήτην unterbricht ja gerade die Erbfolge εἰς τὸν αἰῶνα. Auch Jos, Bell I 68; Ant 13,299 bezeugt kein Prophetenamt für Johannes Hyrkan. Zur Interpretation von 14,41: W. Wirgin, Simon Maccabaus and the Prophetes Pistos, PEQ 103, 1971, 35–41: „... this is the reason for adding the attribut pistos, to make it thus clear, that Simon's prophet is not meant, to be the peace-making Elijah but another prophet who had to be faithfull to Simon and the new dynasty." Wirgin bezieht sich u. a. auf die Verwendung von πιστός in 1. Makk, welches stets ein Verhältnisbegriff zweier Personen zueinander sei.

für die Wiedergewinnung verlorener Güter (V. 3–5). Damit ist die Nähe zur rabbinischen Überlieferung angezeigt, wie auch die späteren Parallelen zu V. 3 in bSanh 11 a und bSota 49 a.b andeuten[12].

Die letztgenannten, in ntl. Zeit führenden Belege haben gezeigt, daß das Bewußtsein des erloschenen Geistes verankert ist in einer Geschichtskonzeption, die sich auf Heiligtum und Gesetz als verbindliche Größen bezieht. Darüber hinaus finden sich zusätzlich zahlreiche Andeutungen des allgemeinen Bewußtseins der Prophetenlosigkeit oder Geistlosigkeit.

Jos, Ap I 37 führt die Abfassung der atl. Schriften auf göttliche Inspiration zurück (κατὰ τὴν ἐπίπνοιαν τὴν ἀπὸ τοῦ θεοῦ), kann von daher aber den zwischentestamentlichen Schriften das Vertrauen absprechen διὰ τὸ μὴ γενέσθαι τὴν τῶν προφητῶν ἀκριβῆ διαδοχήν. Dem entspricht, daß Dan, äthHen, 4. Esr und syrBar nicht von einem gegenwärtigen Wirken des Geistes an den Frommen sprechen, ja nicht einmal deren besonderes Verhalten auf den Geist zurückführen, daß äthHen 91,1; 4. Esr 5,22; 14,22 Geistbegabung und Verfasserschaft zwar kombinieren, dennoch pseudepigraphe Schriften bleiben[13].

Schließlich sind ntl. Aussagen heranzuziehen, die aus dem Bewußtsein erfolgter Geistausgießung geistbegabte und geistlose Zeit so schroff einander gegenüberstellen, daß die Voraussetzung des Reflexes auf vorhergehende geistlose Zeit wahrscheinlich ist. Die Überlieferung der Johannestaufe (Mk 1,8 parr; Joh 1,33) stellt Wasser- und Geisttaufe periodisch abgegrenzt gegenüber. Nach Joh 7,39 war vor der Verklärung Jesu noch kein Geist vorhanden, erst der Auferstandene gibt ihn der Gemeinde (20,22). Die lk Pfingstgeschichte „ist aus dieser Theorie entstanden und will den Wendepunkt genau festlegen."[14] Die Johannesjünger in Ephesus (Apg 19,2) bezeugen – jedenfalls in lk Fiktion – die Anschauung, da sie nicht wissen, daß der Geist gegenwärtig ist. Der Spruch von der Sünde wider den heiligen Geist (Mk 3,28 f.) hat zweifellos die Vorstellung des erloschenen Geistes zur Voraussetzung.

---

[12] Vgl. Klijn, JSHRZ V/2,111–113. W. Harnisch, Verhängnis und Verheißung der Geschichte, FRLANT 97, 1969, 215: „Diese in der rabbinischen Tradition dogmatisierte Vorstellung von der kanonischen Heilsperiode könnte auch sBar 85,1–3 (...) vorausgesetzt sein." Zur Datierung, die sich zwischen 70 und 130 n. Chr. bewegt: H. H. Mallau, TRE 5, 1980, 269–276; Klijn, JSHRZ V/2, 113 f.

[13] Vgl. hierzu die Studie von Müller, Propheten. Hengel, Judentum 373–375, wendet sich mit Recht gegen den möglichen Kurzschluß, das Phänomen der Pseudepigraphie so auszuwerten, als würden die Apokalyptiker sich nicht mehr als Propheten begreifen. Andererseits hält auch Hengel fest: „Ein freies Walten des Geistes ohne Berücksichtigung der schriftlich fixierten schon vorliegenden Tradition von praktisch ‚kanonischer' Geltung war unmöglich geworden" (374).

[14] So Brückner, RGG² II, 944; vgl. auch Goguel, Naissance 112: der Acta-Bericht sei „entièrement construit".

Pl stellt in 2. Kor 3 διαχονία τοῦ πνεύματος und διαχονία τοῦ θανάτου gegenüber, erst die Bekehrung zum Kyrios gibt Anteil an der Kraft des Geistes (3, 16–18). Gal 3, 14 spricht von der ἐπαγγελία τοῦ πνεύματος, was ja notwendig eine geistlose Zeit zur Voraussetzung hat. Eph 2, 12; 3, 5 werden auf dem Hintergrund des oben beschriebenen Geschichtsschemas verständlich. Die Apokalypse des Johannes ersetzt die im Judentum gewöhnlich durch einen Engel besetzte Gestalt des Offenbarungsmittlers durch Jesus oder den Geist, was auch im letzteren Fall kaum Voraussetzungen im Judentum hat.

2.1.3 ,Dogma' und Wirklichkeit

Dem ,Dogma' erloschener Prophetie in und nach der Zeit des zweiten Tempels steht eine Fülle prophetisch-charismatischer Erscheinungen gegenüber[15].

Auszugehen ist von gegenläufigen Aussagen innerhalb der rabbinischen Überlieferung, die am Wirklichkeitsgehalt des ,Dogmas' zweifeln lassen. ,Mit dem Tod ... der letzten Propheten schwand der Heilige Geist von Israel, aber dennoch ließ man sie die Bath Qol hören' (tSot 13, 2; vgl. auch jSot K 9 H 13/14.17; bJom 9 b). Die Bath Qol ist nicht einfach Ersatz für den Heiligen Geist, da sie ja bereits neben ihm besteht. Mit dem Schwinden des Heiligen Geistes tritt sie – in qualitativ minderer Form – jedoch allein an seine Stelle[16].

Eine analoge Verschiebung unter dem Einfluß des ,Dogmas' kann im Verständnis der Ordination konstatiert werden. Der Geist war von Israel genommen, aber das Interesse an der lückenlosen Kette der Ordinierten konnte nicht von der Begabung der göttlichen Weisheit, die seit Mose die Gelehrten auszeichnet, absehen. So erfolgt eine Uminterpretation. Der Geist, der den Propheten genommen wurde, geht jetzt auf

---

[15] Goldberg, Untersuchungen 491: „So wird es denn auch verständlich, wie auf der einen Seite fast unwidersprochen behauptet werden konnte, die Schechinah sei nicht im zweiten Heiligtum gewesen, und auf der anderen Seite, besonders in der Praxis, beinahe selbstverständlich mit ihrer Gegenwart gerechnet wurde." Dies zu zeigen, war auch Marmorsteins Anliegen (Geist).

[16] Marmorstein, Geist 297, zur Bath Qol: „... die sich von der Prophetie oder Wahrsagung dadurch unterschieden, daß sie nicht die Zukunft deuten, sondern die sogenannte Gesetzesreligion oder Gesetzesurkunde mit Geistreligion und Geistempfängnis vereinigen." Ausführlich informiert über den Sachverhalt: Kuhn, Offenbarungsstimmen. Kuhn geht dem Vorkommen der Bath Qol von den atl. Voraussetzungen über die Pseudepigraphen, die hell.-jüd. Literatur, den Targumim bis zur rabbinischen Überlieferung nach (vgl. auf S. 369–376 die Zusammenstellung der rabbinischen Belege). S. 273–279 analysieren den term. techn. ,Bath Qol', auf S. 308–317 stellt Kuhn den Zusammenhang vom ,Diktum vom Aufhören des hl. Geistes' mit dem Bleiben der Bath Qol dar. Bereits angekündigt ist vom gleichen Verf.: Bat Qol. Die Offenbarungsstimme in der rabbinischen Literatur, Eichstätter Materialien 13, 1990.

die Gelehrten über (bBatra 12 a) und wird als Vermittlung von Weisheit interpretiert[17].

Während also die Theorie der Bath Qol und das Ordinationsverständnis das ‚Dogma' eher erhärten, um gleichzeitig doch am Wirken des Geistes in anderer Gestalt festzuhalten, bietet die rabbinische Theologie daneben direkte Aussagen für Gegenwart des Geistes in und nach der Zeit des zweiten Tempels[18].

Die in rabbinischer Literatur vielfach (mSot 9,15; bAbZa 20 b u. ö.) bezeugten Heiligkeitsstufen des R. Pinchas zielen im Kettenschluß letztlich auf Geistbesitz durch Frömmigkeit. Den Rabbinen Gamaliel, Aqiba, Meir und Schimeon bar Jochai wird als einzigen der Geist vermittelt, welcher ihnen die Kraft des Vorausschauens verleiht. Sie werden jedoch nicht mit Propheten verglichen. Gebotserfüllung, Gehorsam, Verkündigung, Studium der Torah und gute Werke können individuelle Geistbegabung nach sich ziehen (Mech 113 ff.; WaR 35,7; BamR 10,5; ShirR 1,1 § 8 f. u. ö.). Die Gabe des Geistes wird insgesamt nur wenigen zuteil (bSuk 28 a), das Volk insgesamt ist solcher Begnadigung nicht würdig, ja sein Verhalten verunmöglicht eine breitere Geistausgießung (tSota 13,4). Vereinzelte Geistbegabung ist Lohn für Heiligkeit, vor allem für Gebotserfüllung[19]. So müssen wir folgern, daß für die Rabbinen aufgrund der alleinigen Voraussetzung von Gesetz und Schrift Geistbegabung allenfalls als individueller Lohn der Gesetzesbefolgung verstanden werden konnte, für geistgewirkte Prophetie aber kein Raum mehr blieb. Seder olam rabba 30 konkludiert: ‚Bis hierher (Alexander der Gr.) haben die Propheten im heiligen Geist geweissagt. Von da an und weiter neige dein Ohr und höre auf die Worte der Weisen' (vgl. auch bBatra 12).

Diese gegenläufigen Tendenzen innerhalb der rabbinischen Überlieferung wiegen gering, da sie letztlich das ‚Dogma' bestätigen. Berichte zeitgenössischer Quellen erweisen hingegen deutlicher, daß das ‚Dogma' nicht allgemeiner Ausdruck der Wirklichkeit war, sondern theologische Theorie[20]. Jos berichtet ausführlich über essenische Pro-

---

[17] Lohse, Ordination 50–56; Davies, Paul 211; anders noch Bill II 128.

[18] Zum folgenden: Schäfer, Vorstellung 116–134; Goldberg, Untersuchungen 486–521; Marmorstein, Geist 290–294; Abelson, Immanence 268; Bousset, Religion 394–399; P. Vielhauer u. G. Strecker in: W. Schneemelcher, Neutestamentliche Apokryphen II. Apostolisches, Apokalypsen und Verwandtes, ⁵1989, 509–512.

[19] Schäfer, Vorstellung 149: „Diese Auffassung vom hl. Geist als Lohn für bestimmte Taten scheint die einzige nennenswerte Aussage neben der These vom endgültigen Aufhören des hl. Geistes nach der Zerstörung des ersten Tempels zu sein." Marmorstein, Geist 286 f.: „Gesetzes Frömmigkeit ist die Vorstufe der Geistes Frömmigkeit." Außerdem Davies, Paul 208–215; Cohen, Religion 116–130.

[20] Vgl. zum folgenden: Meyer, Prophet 41–103; ders., ThWNT VI 813– 828; Vielhauer in Schneemelcher, Apokryphen II 426; N. Oswald, Art.: Charisma III. Judentum,

pheten: Judas, Leiter einer Prophetenschule unter den Essenern (Ant 13,311–313); Menachem (15,373ff.), einen Hellseher, und Simon (17,345ff.), einen Traumdeuter. Das zeitgenössische Pharisäertum ist mit Propheten durchsetzt. Sie sind für die aufständischen Bewegungen gegen Vespasian und Hadrian mitverantwortlich und begründen ihr Verhalten mit Verweis auf pneumatische Eingebungen. Jos nennt weitere Heils– oder Unheilspropheten (Bell 6,286), unter ihnen auch den 62 n. Chr. auftretenden Jesus b. Ananias (6,300ff.), in welchem ein ungewöhnliches Ekstatikertum durchbricht[21]. Die messianischen Propheten sehen die Endzeit unmittelbar bevorstehend. Ein Beglaubigungswunder soll ihrer Hoffnung Ausdruck geben; vgl. zu dem Samaritaner (Ant 18,85ff.), zu Theudas (20,97f.; Apg 5,36), zu den ägyptischen Propheten (Ant 20,169ff.), zu Jonathan (Bell 7,437ff.).

Um den Widerspruch zwischen Dogma und Wirklichkeit angemessen zu erfassen, ist folgende Differenzierung notwendig. Phänomenologisch besteht kaum ein Bruch zu pneumatischen Erscheinungen in atl. und jüd. Zeit der Spätantike, letztere bilden sogar eine entscheidende Brücke zum NT hin. Es gehört zu den Voraussetzungen der urchristlichen Prophetie, daß prophetische Kreise im Judentum die Formen der Prophetie weiter gepflegt und die Möglichkeit geisterfüllten Sprechens bereitgehalten haben. Auch die auf den Geist zurückgeführten Wirkungen wie Entrückung, Exorzismus, Visionen, Glossolalie haben Parallelen im zeitgenössischen Judentum. Im Einzelfall kann freilich, wie bei der Glossolalie, der pagane Einfluß gewichtiger als der jüdische wiegen.

Der theologischen Theorie allerdings kommt ein Gewicht zu, welches durch pneumatische Phänomene nicht zu erschüttern war, zumal die Theorie des erloschenen Geistes selber Zugeständnisse an individuelle Geistbegabung macht. Angreifbar war diese Theorie nicht durch akzidentielle Phänomene, sondern durch die Behauptung, daß der erwartete endzeitliche Geist gegenwärtig offenbar sei. Dies mußte einerseits das Geschichtsdenken dieser Theorie bestätigen und die Theorie in ihrer Notwendigkeit zugleich aufheben, andererseits aber auch die

---

TRE 7, 1981, 685–688; W. S. Green, Palestinian Holy Men: Charismatic Leadership and Rabbinic Tradition, ANRW II. 19.2, 619–647. Zu Josephus: W. C. van Unnik, Die Prophetie bei Josephus, in: ders., Flavius Josephus als historischer Schriftsteller, 1978, 41–54; Aune, Prophecy 104f.; Kuhn, Offenbarungsstimmen 175–206. Jos distanziert die zeitgenössischen Propheten von den klassischen. In diesem Zusammenhang ist auch das Selbstverständnis des Josephus zu bedenken, Prophetie ist ein ihm persönlich vertrautes Phänomen.
[21] Die religionsgeschichtlichen Voraussetzungen der Schilderung des Josephus deuten am ehesten auf das jüdische Verständnis der Offenbarungsstimme, die sich in Jesus b. Ananias Raum verschafft, nicht aber auf eine geistvermittelte Prophetie; vgl. zur Analyse von Bell 6,300–309 ausführlich: Kuhn, Offenbarungsstimmen 180–184.

Frage stellen, ob die Verbindlichkeit der zurückliegenden Fixierung auf
das Gesetz gleichfalls aufgehoben sei.

2.1.4 Das Motiv zur Ausarbeitung des ‚Dogmas‘

Historisch ist von einer relativen Prophetenlosigkeit in der Makkabäerzeit zu sprechen[22]. Wenn nicht allein hierin, worin lag dann das
entscheidende Motiv zur Ausarbeitung des ‚Dogmas‘?

Obwohl es in rabbinischer Theologie keine eindeutigen Aussagen
über die Gegenwart des heiligen Geistes im zweiten Tempel gibt, ist
doch im allgemeinen Bewußtsein daran festgehalten worden, daß auch
der zweite Tempel Stätte des Wohnens Gottes und also seines Geistes
sei. Goldberg[23] zeigt, daß in den Midraschim die Entfernung des Geistes stets mit dem Verweis auf drei Hauptsünden begründet wird (Blut-
vergießen, Unzucht, Götzendienst). Daher schließt Goldberg auf einen
äußeren Anlaß, die Vorgänge unmittelbar nach dem Bar-Kochba-Auf-
stand. In diesem Kontext sei die Vorstellung der Entfernung des Geistes entfaltet worden.

Einen anderen Vorschlag hat W. Grundmann unterbreitet. Er hält
das ‚Dogma‘ in der Substanz für vorntl. und meint, „daß diese Lehre
von den Gegnern des Lehrers (der Gerechtigkeit, F.W. H.) entfaltet
und verstärkt worden (sei) mit dem Ziel, ihm das Prophetentum abzusprechen.“[24] Jedoch sind direkte Reaktionen seitens jüdischer Theologie auf den Anspruch des Lehrers nicht bezeugt, wie auch dieser selber
nicht Bezug nimmt auf das ‚Dogma‘.[25]

Urbach[26] vermutet, das ‚Dogma‘ sei von seiten rabbinischer Überlieferung in Auseinandersetzung mit den Kirchenvätern formuliert wor-

---

[22] Leivestad, Dogma 291; Kuhn, Enderwartung 117–119.

[23] Goldberg, Untersuchungen 466–490.

[24] Grundmann, in: Leipold/Grundmann, Umwelt I 241 f.; vgl. auch K. Schubert, Entwicklung 12 A 40. Freilich ist denkbar, daß die Anschauung ‚erloschener Prophetie‘ gerade als Reaktion auf prophetische Strömungen anwendbar war. So etwa von Rabbinen
gegenüber Christen oder von christlicher Orthodoxie gegenüber Montanisten. Filastrius,
de haeresibus 78 (CSEL 38, 40): Jesus selbst habe in Johannes den letzten Propheten gesehen.

[25] An einen anderen innerjüdischen Konflikt hat Schäfer, Geist 176, erinnert. Da der
zweite Tempel ganz von den Sadduzäern beherrscht gewesen sei, könnten die Pharisäer
ein Interesse daran gehabt haben, ihn in seiner Bedeutung herabzusetzen, indem sie ihn
als geistverlassen darstellten. Schäfer räumt aber zugleich ein, daß diese Vermutung sich
aus den Quellen nicht erschließen lasse.

[26] Urbach, מתי; dazu Schäfer, Vorstellung 144–146; ders., Geist 176, denkt an ‚christlichen Einfluß‘ bei der Ausprägung des ‚Dogmas‘. Neben Urbach hat auch O. Betz,
ThWNT IX 282 A 42, vermutet: die „... These vom Weichen des Geistes ist wohl auch als
Abwehr des Anspruchs auf Geistbesitz in der Qumransekte, bei den Zeloten u Christen
zu verstehen.“ Kuhn, Offenbarungsstimmen, hält diese Vermutung Urbachs für ‚unbe-

den. Während letztere behaupteten, der Geist sei von den Juden auf die Christen übergegangen, so habe in einer Reaktion die rabbinische Theologie erwidert, der Geist sei bereits mit der Zerstörung des ersten Tempels, bzw. seit den letzten Propheten nicht mehr wirksam, sondern sei Gegenstand zukünftiger Erwartung. Doch berufen sich die Kirchenväter in der Ansicht, das Judentum sei geistverlassen, auf eine allgemeine Sicht, sie setzen also eine traditionelle, nicht aktuelle Einschätzung voraus (Orig, Cels VII 8; Just, Dial 82, 1 u. a.). Der Ursprungsort des ‚Dogmas‘ ist nicht in der Auseinandersetzung mit Kirchenvätern zu suchen.

Unbeschadet der Vorgeschichte des ‚Dogmas‘ war seine theoretische Verfestigung erst möglich nach dem Verfall des zweiten Tempels, dem Ort der Schechinah Gottes. Zur Dogmatisierung aber führte mittelbar die Festlegung des atl. Kanons. Sie begründet sich nach Josephus durch den Rekurs auf die Propheten, welche die Schriften, welche als θεοῦ δόγματα (Ap I 42) anzusehen seien, ausschließlich κατὰ τὴν ἐπίπνοιαν τὴν ἀπὸ τοῦ θεοῦ dargelegt hatten (I 37). In anderer Form rekurriert 4. Esr 14 auf die Inspirationslehre zur Kanonfestsetzung: Esra erhält den heiligen Geist durch ein feuerartiges Getränk und ist befähigt, die biblischen Bücher zu diktieren. Beide Traditionen berufen sich für die Kanonfestsetzung auf die Inspirationslehre. Esra war der letzte inspirierte Prophet, so setzen übereinstimmend Baba batra 14 und Jos, Ap I 7 f. voraus. Maßgeblich ist die von Esra abgeschlossene und durch das Gesetz bestimmte Zeit. Daher müssen die Propheten der Zwischenzeit – zumindest theoretisch – schlafen[27].

---

weisbar‘ (312 f. A 47), die These von Betz für ‚kaum haltbar‘ (263). Gegen die These der antichristlichen Reaktion führt Kuhn, Offenbarungsstimmen 265, mit Recht das Vorhandensein der vorchristlichen jüdischen Zeugnisse vom Verschwinden der Propheten an. E. Urbach hat in seinem Werk The Sages. Their Concepts and Beliefs I, [2]1979, in den entsprechenden Passagen (37–65. 578 f.) die These einer antichristlichen Reaktion nicht weiter verfolgt. Kuhn hält seinerseits (in ausdrücklicher Zustimmung zu Schäfer) jedoch an der Möglichkeit fest, daß das ‚Diktum vom Weichen des Geistes‘ durch ‚die Entwicklung des Urchristentums indirekt mit beschleunigt‘ wurde (265 und Anm. 48).

[27] Vgl. zur Kanonfrage: Smend, Entstehung § 2; daneben Bousset–Greßmann, Religion 394 f.; Gunkel bei Kautzsch, Apokryphen II 341 f.: die pneumatischen Erfahrungen „waren nur unter der Wucht des Kanons in die Winkel gedrängt.“ Hengel, Judentum 377, zeigt die Zurückdrängung des Prophetismus durch die „stärkere Institutionalisierung des 2. Jh. n. Chr. auf“. Ausführlich stellt Greenspahn, Prophecy, den Widerspruch zwischen dem ‚Dogma‘ und dem faktischen Vorhandensein von Prophetie dar: „By rejecting the holy spirit's presence, the rabbis, who's own legitimacy rested on the interpretation of previous revelation, protected themselves from those claiming a more direct link to the divine …“.

2.1.5 Der wiederkehrende Geist

Die zukünftige Wiederkehr des zwischenzeitlich erloschenen Geistes „gehört zum eisernen Fond der Agada"[28]. Doch sind die Aussagen zahlenmäßig nicht häufig, zudem zumeist im Anschluß an Ez 36,26 f. und Joel 3,1–5 formuliert. Im Mittelpunkt der eschatologischen Hoffnung des antiken Judentums steht die Reichserwartung, ihr ist die Geistverleihung deutlich untergeordnet, beide Vorstellungen sind an nur wenigen Stellen verbunden worden[29].

Blicken wir zunächst auf rabbinische Aussagen. Die Erlösung des zerstreuten Volkes und die Geistausgießung verbindet Midr Echa 3,138. Allerdings bleibt hier wie in BamR 15,10; PesR 1b; Midr Chasseroth u. a. die Funktion dieses wiederkehrenden Geistes recht unbestimmt. Er gehört neben Bundeslade, Orakelschild, Salböl und Feuer zu den Elementen, die den ersten wie den zukünftigen Tempel kennzeichnen. Die rabbinischen Aussagen im Anschluß an Ez 36,26 f. und Joel 3,1–5 halten den funktionalen Aspekt der zukünftigen Geistmitteilung fest. Diese befähigt zu allgemeiner Prophetie (BamR 15,25 u. ö.) und zu heiligem Lebenswandel (Belege bei Bill II 615– 617). Die endzeitliche Gabe des Geistes bewirkt schließlich die Auferstehung zum Leben durch Wiederbelebung des Geistes bzw. durch Übereignung der Kraft des Geistes Gottes (Sota 9,15; bAZ 20b).

Die pseudepigraphe-apokryphe Literatur zeigt hinsichtlich der Erwartung des zukünftigen Geistes wenig eigenständige Aussagen. Sie setzt die beiden traditionsgeschichtlich zu unterscheidenden und sich einander ausschließenden Linien der Geistbegabung des Messias (Jes 11,2; 28,5; 42,1; 61,1) und des Volkes (Ez 36,27; 37,14; 39,29; Joel 3,1 f.; Jes 32,15; Sach 12,10; Hag 2,5) fort. Erst in spätntl. Zeit (Joh 20,22; Apg 2,33; TestJuda 24,2 ist christl. überarbeitet) werden beide Linien verbunden, insofern der geistbegabte und erhöhte Messias den Erwählten den Geist im Auftrag Gottes übereignet.

Die endzeitliche *Geistbegabung des Messias* bezeugen:

PsSal 17,37 LXX: ... ὁ θεὸς κατειργάσατο αὐτὸν δυνατὸν ἐν πνεύματι ἁγίῳ καὶ σοφὸν ἐν βουλῇ συνέσεως μετὰ ἰσχύος καὶ δικαιοσύνης

18,7 LXX: ὑπὸ ῥάβδον παιδείας χριστοῦ κυρίου ἐν φόβῳ θεοῦ αὐτοῦ ἐν σοφίᾳ πνεύματος καὶ δικαιοσύνης καὶ ἰσχύος

---

[28] Marmorstein, Geist 288.
[29] Michaelis, Reich 6.

Hervorzuheben ist die Nähe von πνεῦμα und σοφία als funktionale Befähigung zu ἰσχὺς καὶ δικαιοσύνη.

äthHen 49,3: ‚Und in ihm wohnt der Geist der Weisheit und der Geist, der Einsicht vermittelt, und der Geist der Lehre und der Kraft ...'
(Übersetzung von Uhlig, JSHRZ V/6, 592).

äthHen 62,2: ‚Und der Herr der Geister setzte (ihn) auf den Thron seiner Herrlichkeit, und der Geist der Gerechtigkeit ist über ihm ausgegossen ...'
(Übersetzung von Uhlig, JSHRZ V/6, 613).

Die Nähe zu den Aussagen in PsSal ist auffällig (Uhlig, JSHRZ V/6 zu 49,3).

TestLev 18,7: καὶ δόξα ὑψίστου ἐπ' αὐτὸν ῥηθήσεται,
καὶ πνεῦμα συνέσεως καὶ ἁγιασμοῦ καταπαύσει ἐπ' αὐτὸν ἐν τῷ ὕδατι

TestJud 24,2: καὶ ἀνοιγήσονται ἐπ' αὐτὸν οἱ οὐρανοί,
ἐκχέαι πνεύματος εὐλογίαν πατρὸς ἁγίου.
(Texte nach de Jonge, Testaments)

TestLev 18,7: ‚Und die Herrlichkeit des Höchsten wird über ihm gesprochen werden, und der Geist der Einsicht und der Heiligung wird auf ihm im Wasser ruhen.'
(Übersetzung von Becker, JSHRZ III, 60).

TestJud 24,2: ‚Und der Himmel wird über ihm geöffnet werden, um den Geist als Segen des heiligen Vaters auszugießen.'
(Übersetzung von Becker, JSHRZ III, 76).

Beide Belege setzen wohl die Überlieferung der Taufe Jesu voraus und werden daher christlich überarbeitet, bzw. christlicher Nachtrag sein (Becker, JSHRZ IV/1, 60 und 76; ders., Untersuchungen 293 f.).

1. QSb 5,24f.: ‚... wirst du die Gott(losen) töten, (mit dem Geist des Ra)tes und mit ewiger Kraft, mit dem Geist der Erkenntnis und Furcht Gottes'

24 נִשְׂגָּבָה וְהָ[כִּיתָה עַמִּים]
בְּעֹז[פִּי]כָה בְּשֵׁבְטְכָה תַּחֲרִיםאֶרֶץ וּבְרוּחַ שְׂפָתֶיכָה 25 הָמִית
רְשָׁע[ ]יִּסַּע עָם רוּחַ עֵצָ[ה]וּגְבוּרַת עוֹלָם רוּחַ דַּעַת וְיִרְאַת אֵל וְהָיָה
(Übersetzung und Text nach Lohse, Texte 59).

11. QMelch 18: ‚And he that bringeth good tidings; that is the anointed by the Spirit'

והמבשר הו[אה מ[שׁיח הרו]ח[אשׁר אמר ד[מבשר]
(Übersetzung und Text nach de Jonge/van der Woude, NTS 12, 1965/66, 303).

Ob die Aussage auf Melchisedek oder den endzeitlichen Propheten zu beziehen ist, ist in der Exegese nach wie vor umstritten.

Daß die Targumim an der Geistbegabung des Messias festhalten, versteht sich von selbst (TgJonJes 11,2; 42,1-4), wenngleich „die Verwendung dieser Prophetenworte in der rabbin. Literatur selten u. ziemlich nichtssagender Art" ist (Bill I 630).

Die endzeitliche *Geistbegabung der Erwählten* bezeugen:

4. Esr 6,26f.: ‚Dann wird das Herz der Erdenbewohner verändert und in neuem Geiste verwandelt. Dann ist das Böse vertilgt …'
(Übersetzung von Gunkel bei Kautzsch, Apokryphen II 366).

Die Anlehnung an Ez 36,26 f. ist deutlich (so auch Schreiner, JSHRZ V/4, 337). Daher ist zu überlegen, ob nicht die Übersetzung von Gunkel derjenigen von Schreiner (‚… in einer anderen Gesinnung hingelenkt …') vorzuziehen ist.

Jub 1,23: ‚… Und ich werde beschneiden die Vorhaut ihres Herzens und die Vorhaut des Herzens ihres Samens. Und ich werde ihnen schaffen einen heiligen Geist …'
(Übersetzung von Berger, JSHRZ II/3, 318).

Der Text verbindet die Motive der Herzensbeschneidung (Dtn 30,6; Ez 11,19 … u.ö.) mit der Geistesgabe nach Ez 36,26 f.

TestLev 18,11: ʼκαὶ δώσει τοῖς ἁγίοις φαγεῖν ἐκ τοῦ ξύλου τῆς ζωῆς,
καὶ πνεῦμα ἁγιωσύνης ἔσται ἐπ' αὐτοῖς'
(Text nach de Jonge, Testaments 49)
‚Und er wird den Heiligen vom Baum des Lebens zu essen geben, und der Geist der Heiligung wird auf ihnen ruhen'.
(Übersetzung von Becker, JSHRZ III/1, 61).

V.10-14 sind eine selbständige Apokalypse christlicher oder jüdischer Herkunft (so Becker, JSHRZ III/1, 61), die Urzeit und Endzeit parallelisiert).

TestJud 24,2: s.o. (christl. Nachtrag).

äthHen 61,11: ‚Und sie werden eine Stimme erheben und werden preisen, verherrlichen, erhöhen im Geist der Treue, im Geist der Weisheit, im (Geist) der Geduld, im Geist der Barmherzigkeit, im Geist des Rechtes und des Friedens und im Geist der Güte'
(Übersetzung von Uhlig, JSHRZ V, 612).

Der Geist ist hier eine siebenfaltig geteilte Tugend der endzeitlichen Gemeinde.

Sib III 582: ‚Sie werden selbst Propheten sein … *584f.:* Denn ihnen allein hat der große Gott verständigen Rat gegeben und Glauben und den besten Sinn in die Brust'
(Übersetzung von Blaß bei Kautzsch, Apokryphen II 196)

Die Vermittlung des endzeitlichen Geistes durch den Messias bezeugt alleine TestJud 24,2. Dieser Beleg ist aber bereits oben als christlich erkannt, so daß diese Vorstellung überhaupt nur als christliches Theologumenon verständlich wird.

Es ist deutlich, daß die genannten Belege, von denen ein Teil christlichen Ursprungs ist, die Theorie des erloschenen Geistes eher bestätigen als in Frage stellen. Mit der Anlehnung an die atl. Vorgaben wird der Geist primär funktional als Befähigung endzeitlichen Verhaltens verstanden. Die geringe Bezeugung des Motivs und seine Stellung neben anderen Endzeitgaben lassen vermuten, daß die Geisterwartung in der eschatologischen Ausrichtung des antiken Judentums periphere Bedeutung hatte. Erst in der Qumran-Gemeinde, welche die Präsenz des Geistes Gottes in ihrer Mitte behauptet und einem eschatologischen Verständnis der gegenwärtigen Geistbegabung nahekommt, findet der funktionale Aspekt der Geistübereignung breite Bezeugung. Die Gabe des Geistes führt zu Erkenntnis (1.QH 12,11f.; 14,13 u.ö.), zu Verkündigung (1.QH 1,32f.) und zu festem Lebenswandel (1.QH 7,6)[30].

2.2 Die Vorstellung der jenseitigen Pneumasphäre im hellenistischen Judentum

Mit dem ‚Dogma' der geistlosen Zeit und der erwarteten zukünftigen Geistausgießung ist eine wesentliche Voraussetzung der neutestamentlichen Aussagen genannt. Doch kann der christliche Ausgangspunkt nicht allein auf diesem Hintergrund betrachtet werden. Gleichzeitig findet unter dem Einfluß des Hellenismus folgende Vorstellung im Judentum Raum: der Geist wird nicht als zukünftig zu erwartende Größe verstanden, sondern bereits gegenwärtig kann der Mensch am göttlichen Geist, an der Pneumasphäre der oberen Welt partizipieren.

Hierbei kann es nicht Ziel unserer Arbeit sein, die Genese dieser Vorstellung und die Verbreitung des zugrundeliegenden Motivs vollständig darzustellen. Fragen wir nach der zweiten entscheidenden Voraussetzung der urchristlichen Pneumatologie, so wollen wir das Anliegen und den Kontext der Vorstellung der jenseitigen Pneumasphäre in typischen Beispielen offenlegen.

---

[30] Das Wirken des Geistes Gottes am Menschen vollzieht sich nach gemeiner Anschauung (vgl. Braun, Qumran II 250–265) dreifach: a) bei der Geistverleihung der Schöpfung (1.QS 9,12; 1.QH 9,32), b) bei dem Gemeindeeintritt (1.QH 13,19; 16,11; 17,17) c) bei der endzeitlichen Geistausgießung (1.QS 4,18–23). Es entspricht dem ausgegrenzten Bewußtsein der Gemeinde, daß sie die Gegenwart des Geistes in ihrer Mitte behauptet (Formel: רוּחַ אֲשֶׁר נָתַתָּה בִּי; dazu Kuhn, Enderwartung 130–136). Einen wirklichen Fortschritt in der Diskussion stellt jetzt die Arbeit von A. E. Sekki, The Meaning of Ruah at Qumran, SBL.DS 110, 1989, dar, insofern das gesamte Material (vgl. den Index auf S. 225–239) berücksichtigt und die Sonderstellung von 1.QS 3,13–4,26 anerkannt wird.

Das Einfallstor dieses Denkens lag zweifelsfrei in der Nähe, die anthropologisches Denken in Hellenismus und Judentum eingenommen hatte[1]. Die jüdische Anthropologie war von ihren eigenen Voraussetzungen her offen für eine dualistische Sicht des Menschen, welche der Seele himmlische, dem Leib aber irdische Abkunft beimißt. So zeigt es die Rezeption von Gen 2,7. Der in den Menschen gelegte Geist wird mit dem Geist Gottes identifiziert: Philo, All I 31ff.; Op 134; Sap 15,11[2]; GenR 14,8 bezieht Gen 2,7 auf diese, Ez 37,14 auf die zukünftige Welt. Wird die schöpfungsmäßige Übereignung des göttlichen Geistes substanzhaft verstanden, so partizipiert der Mensch immer schon an der göttlichen Pneumasphäre. Seine Erlösung besteht im völligen Eingehen seines Geistes in diese obere Welt, der er schöpfungsmäßig angehört.

Begünstigt wurde dieses Denken durch eine Verschiebung der eschatologischen Anschauung im hell. Judentum von einer horizontalen zu einer vertikalen Erwartung[3]. Und diese Umstrukturierung hat bereits Wurzeln in der jüdischen Apokalyptik.

2.2.1 Eschatologischer Dualismus in der Apokalyptik

Dualistisches Denken innerhalb der jüdischen Anthropologie findet sich zunächst im Kontext der Frage nach der postmortalen Existenz. Im Tod trennt sich der Geist bzw. die Seele (die Bezeichnungen wechseln: äthHen 93,11; Sir 16,7) vom Leib und kehrt zu Gott zurück, der sie in den Leib gegeben hat.

Eccl 12,7 LXX: καὶ ἐπιστρέψῃ ὁ χοῦς ἐπὶ τὴν γῆν, ὡς ἦν,
καὶ τὸ πνεῦμα ἐπιστρέψῃ πρὸς τὸν θεόν, ὃς ἔδωκεν αὐτό.

MT: וְיָשֹׁב הֶעָפָר עַל־הָאָרֶץ כְּשֶׁהָיָה וְהָרוּחַ תָּשׁוּב אֶל־הָאֱלֹהִים

Literarkritisch ist V.7b im MT einem späten, weisheitlichen Redaktor zuzuweisen, der gegen den Pessimismus des Aufhörens der Persönlichkeit des Menschen die Himmelfahrt der Seele/des Geistes im Tode lehrt[4]. Völlig entsprechend sieht 4.Esr 7,78 die Todesstunde als Moment der Trennung des Geistes vom Körper und als Rückkehr zu dem Gott, der ihn, den Geist, gegeben hat.

---

[1] Grundlegend Meyer, Anthropologie; zusammenfassend Sjöberg, ThWNT VI 374–379; Bousset–Greßmann, Religion 400–406.

[2] πνεῦμα und ψυχή gehen hier parallel; vgl. im übrigen zur dualistischen Konzeption hinter Sap 15,11: Sellin, Streit 83f.

[3] Fischer, Eschatologie 259, sieht als Ergebnis, daß „nirgends in den von uns untersuchten Zeugnissen des hellenistischen Diasporajudentums ... auch nur die geringste Spur einer eschatologischen Naherwartung zu finden" war. Es sind jedoch nicht alle zu besprechenden Texte bedacht worden.

[4] Dazu Lauha, Kohelet 214f.; vgl. auch die Textgeschichte zu 3,21 bei Lauha, Kohelet 73 und 77.

Es ist konsequent, wenn über das individuelle Schicksal hinausgehend nach den entgegengesetzten Heilsbereichen gefragt wird. Hierbei kommen irdische und himmlische Sphäre in klarer Abgrenzung zueinander zu stehen, wie die unterschiedlichen Attribute zeigen[5]. Wir beschränken uns auf entscheidende Aspekte der Bilderreden des äthHen (37–71), der Schlußreden (92.94–105) und des syrBar[6].

Auszugehen ist von der Überlieferung der Himmelfahrt Henochs (Kap 71), dem Abschluß der Bilderreden. Die Entrückung versetzt Henoch empor in den Himmel, wo ihn die Fülle der jenseitigen Herrlichkeit umgibt. Die Begegnung mit dem Haupt der Tage läßt den Leib Henochs dahinschmelzen, sein Geist aber wird verwandelt, was wiederum das gottgefällige Lob ermöglicht (V. 11). Nicht die Entrückungsbeschreibung an sich ist von Interesse, ihre Funktion deutet die Rede des Erzengels Michael: ‚... alle werden auf deinem Wege wandeln, da dich die Gerechtigkeit in Ewigkeit nicht verläßt' (V. 16). Dies bezieht Michael auf die Gerechten (V. 17). Was Henoch geschah, erwartet auch sie und muß als urbildliches Geschehen angesehen werden. So beschreiben es explizit für die Gerechten 45,2 (via negationis), 49,3; 60,2; 61,12; vgl. auch 104,2; 108,12 u. a. Die Versetzung in die himmlische Sphäre der Herrlichkeit gibt ihnen zugleich Anteil an den Attributen der jenseitigen Welt. Sie ist als Zwischenzeit begrenzt bis zur Ankunft des endzeitlichen messianischen Reiches auf Erden (38,1–6; 45,1.5 f.; der noch von Kautzsch, Apokryphen II 265, gebotene Text 51,4 d ist von Uhlig, JSHRZ V/6, 594, mit Recht als Glosse emendiert worden).

In ein weiterführendes Stadium eschatologischer Reflexion führen äthHen 102,4–104, ein Text, der auch literarkritisch gesondert zu beachten ist[7]. Die Trennungslinie verläuft zwischen himmlischer Welt und Unterwelt. Die Mahnung gilt den Gerechten. Sie sollen den Tod nicht fürchten, da ihre Geister unvergänglich sind und ihr Gedächtnis ewig vor dem Angesicht des Großen bleiben wird (103,4). Bereits jetzt sind die Namen der Gerechten vor Gott aufgeschrieben (104,1), doch erst postmortal haben die Geister der Gerechten an den Attributen der jenseitigen δόξα Anteil (104,2.4; 103,3 f.; aber auch 108,11–15). Die Aussagen sind eingespannt in eine Umkehrungstheologie, in der der Gegensatz zwischen Gerechten und Sündern bereits den ursprünglich konkreten Horizont der Paränese hat zurücktreten lassen. Gegenüber den Bilderreden sind himmlische Sphäre und Unterwelt letzte eschatologische Größen, der Gedanke des Zwischenreiches ist entfallen.

---

[5] Gegen Brandenburger, Fleisch 65, können wir äthHen 14,21; 61,12; Jub 2,30 nicht wirklich als Belege zu dieser Differenzierung in substantieller Beschaffenheit zählen, da ein Gegensatz nicht ausgearbeitet ist, Fleisch- und Geistwesen vielmehr insgesamt in Relation zu Gott gestellt werden.

[6] Vgl. zum folgenden vor allem: Cavallin, Leben; Brandenburger, Auferstehung; ders., Fleisch 59–85. Kritisch ist jedoch anzumerken, daß der Beschreibung der himmlischen δόξα-Sphäre nicht immer in gleicher Deutlichkeit die Abwertung des Irdischen parallel geht, wie Brandenburger zeigen möchte; Hengel, Judentum 359–369.

[7] Vgl. Horn, Glaube 161 und 336 A 199; Cavallin, Leben 252–255.

Als letztes Beispiel für die postmortale Versetzung in die himmlische δόξα-Sphäre sei aus dem Bereich der jüd. Apokalyptik syrBar herangezogen. Seine eschatologische Erwartung richtet sich auf die Auferstehung der gerechten Entschlafenen. Ihre Seelen gehen aus den Vorratskammern hervor (syrBar 30,1f.), verbinden sich aber augenscheinlich noch einmal mit dem auferweckten Leib. Die Verwandlung gibt Anteil an der jenseitigen Herrlichkeit des Engelglanzes (51,5) und des Lichtes (V.10), ja wird die Herrlichkeit der Engel übertreffen (V.12). Diese Verwandlung nennt 51,3 die Voraussetzung der neuen Welt[8].

Die Texte haben ein dualistisches Denken innerhalb der Apokalyptik erkennen lassen, welches einen eschatologischen Gegensatz zwischen der himmlischen Welt der δόξα und der irdischen Wirklichkeit bzw. der Unterwelt behauptet. Die Gerechten erwartet postmortal die Versetzung in diese jenseitige Sphäre der Herrlichkeit und die Übereignung ihrer Attribute. Die zukünftige Partizipation an der Pneumasphäre begründet sich protologisch mit Verweis auf den schöpfungsmäßig übereigneten Geist oder ekklesiologisch durch Zugehörigkeit zu den Gerechten. Die Gewißheit der postmortalen Verwandlung gründet auch im Hinblick auf populäre Entrückungsgeschichten geistbegabter Männer (Elia: äthHen 89,52; 93,8; Henoch: 71; 87,3f.; slavHen 36,2; 55,2; 67; Sap 4,10ff.).

2.2.2 Bekehrung als pneumatische Lebensvermittlung

Wir konzentrieren uns auf JosAs 8,9–11, um den Gedanken der gegenwärtigen Partizipation an dem göttlichen Geist an einer exemplarischen Schrift des hell. Judentums darzulegen. Das Fürbittengebet Josephs für Aseneth[9] wendet sich an den Gott, dessen vornehmliche Eigenschaft mit einem Gottesprädikat des Judentums festgehalten wird: lebendigmachen. Dieses Prädikat begründet sich rückblickend aus Gegensatzpaaren (Finsternis–Licht, Irrtum–Wahrheit, Tod–Leben), in denen Schöpfungs- und Bekehrungsterminologie bereits verbunden sind. Die Bekehrung wird daher sogleich in den Kontext der Neu-Schöpfung gestellt.

Καὶ ἀνακαίνισον τῷ πνεύματί σου
καὶ ἀνάπλασον αὐτὴν τῇ χειρί σου [τῇ κρυφαίᾳ]
καὶ ἀναζωοποίησον τῇ ζωῇ σου
(Text nach Philonenko, Joseph 158).

„... und wiedererneuere sie (mit) deinem Geiste,
und wiederforme sie (mit) deiner Hand der verborgenen,
und wiederlebendigmach sie (mit) deinem Leben ...‘
(Übersetzung nach Burchard, JSHRZ II/4,651; zur Textkritik dieser Stelle vgl. die Literaturdiskussion bei Sellin, Streit 86 A 26).

---

[8] Dazu Cavallin, Leben 266–269.
[9] Zur Form: Berger, Missionsliteratur 232–240.

Die Bitte um Erneuerung richtet sich auf die geistgewirkte Neuschöpfung, andere Schriften jüd.-hell. Literatur nennen die Erneuerung des menschlichen πνεῦμα / νοῦς. Die Differenz wiegt gering, sie ist auch traditionsgeschichtlich in der jeweiligen Abhängigkeit von Ez 36,27 oder 36,26 begründet. Handelt es sich um Wiedererneuerung (ἀνακαίνισον τῷ πνεύματί σου), so ist das Verhältnis ‚Schöpfung–Neuschöpfung' angezeigt (vgl. auch die Wortbildungen mit ἀνα – in 9,5). Dies bekräftigen auch die beiden weiteren Imperative, die noch stärker an die Schöpfungsgeschichte anklingen.

Wie ist diese Neuschöpfung im Kontext von JosAs zu verstehen?

Der Roman JosAs verfolgt auch das Ziel, Heiden zur Umkehr zum jüdischen Glauben zu führen. In der Person der Aseneth stellt er den Übergang zum Proselyten urbildlich dar. Inhaltlich scheint die Bekehrung aber der Wechsel zwischen sich gegenüberstehenden Mächten zu sein: Finsternis und Licht, Irrtum und Wahrheit, Tod und Leben (8,9–11; 15,12 u. a.). Bekehrung bedeutet folglich Neuschöpfung, sie ist hingegen weniger moralisch oder hamartologisch begründet. Die Bekehrung ist als Lebensvermittlung Werk Gottes, die Übermittlung seines Geistes, sinnfällig im Ritus des Kusses festgehalten (19,11; vgl. auch 16,14). Die Dreiheit πνεῦμα ζωῆς, πνεῦμα σοφίας, πνεῦμα ἀληθείας stellt einerseits die Fülle des göttlichen Geistes dar, hält andererseits fest, daß die Attribute „aus dem gleichen, göttlichen Stoff sind"[10]. Joseph ist bereits als durch solche Attribute begabt ausgezeichnet (4,7), die prophetische Gabe ist daher für JosAs kein Fremdwort (16,14).

Die Bekehrung als Neuschöpfung und Geistbegabung übermittelt dem Konvertiten Attribute der himmlischen δόξα (16,16; 17,6; 18,9; 19,8; 20,7), läßt an ihren Geheimnissen teilhaben (16,14). Wenngleich kein festes Ritual des Bekehrungsvollzugs zu erschließen ist, beschreibt JosAs den Übergang in die Sphäre himmlischer δόξα mit Ritualelementen. Unter ihnen vermitteln Kuß, Brot, Kelch und Salbung sakramentalsubstanzhaft die Unsterblichkeit (8,5.9; 15,5; 16,16; 19,5; 21,13f. 21). Da im Mittelpunkt des Romans der gegenwärtige Übergang vom Tod zum Leben steht, treten Aussagen über die endgeschichtliche Zukunft zurück. Die gegenwärtige Existenz ist bereits engelhaft und erwartet eine Fortsetzung im Himmel (8,9; 15,7f.; 22,13). Das konkrete ‚wie' des Übergangs ist nicht beschrieben[11].

---

[10] Burchard, JSHRZ II/4, 606.

[11] Interessant ist in diesem Zusammenhang die Auslegung von 16,15. Das Essen der Honigwabe – eine Anspielung auf Ex 16,14f. – vermittelt Unsterblichkeit (16,14). Die Honigwabe wird verstanden als Brot des Lebens (15,5; 16,16; 19,5), welche dem Essenden übereignet, was sie darstellt. Die Vermittlung des göttlichen Geistes oder seiner

Das Verständnis eines solchen gegenwärtigen substanzhaften Verwandlungsgeschehens durch Bekehrung findet sich nachntl. noch in den OdSal 11. Trotz des christlich-gnostischen Charakters der Schrift enthält auch sie die jüd.-hell. Pneuma-Symbolik (vgl. den Text nach Lattke, Oden). Die Bekehrung (ἐπιστρέφω V. 9) ist als Beschneidung im heiligen Geist (V. 2; vgl. Röm 2, 29 u. a.) verstanden, welche σωτηρία wirkt (V. 3) und σύνεσις (V. 5) vermittelt. Übereignet wird dieses ἀναζωοποιεῖν τῇ ἀφθαρσίᾳ (V. 12; vgl. JosAs 8, 9 ἀναζωοποιεῖν) sakramental durch Wasser, neben Brot (Mannaallegorese) im hell. Judentum Medium oder Materie des Geistes/der Weisheit, und Milch (OdSal 21). Die Verwandlung wird als Kleiderwechsel beschrieben (V. 10 f.), als Wechsel von Finsternis zu Licht (V. 19). Folge dieser Bekehrung und substanzhaften Veränderung ist das Anlegen himmlischer δόξα (V. 14 f.).

2.2.3 Erlösung als Auswanderung der Seele in die himmlische Pneumasphäre

Auch Philo kann diese Möglichkeit der Partizipation des Menschen an der himmlischen Pneumasphäre mit Bekehrungsterminologie und -theologie beschreiben, doch sind seine Aussagen in einen umgreifenderen Kontext einzuordnen.

Vorweg sind wenige Vorbemerkungen notwendig. Die wohl umfassendste Darstellung der philonischen Pneumatologie lieferte Leisegang, Geist. Er führte die gesamten Aussagen Philos auf die Mystik des Hellenismus, speziell die Inspirationsmantik zurück, was selbst Reitzenstein als „Unglück" bezeichnete (Mysterienreligionen 271). Diese sehr einseitige Ableitung differenzierte u. a. Lewy, Sobria, indem er auf drei zusätzliche Gedankenkreise aufmerksam machte: a) den Einfluß des jüdischen Weisheitspneumas, b) die platonische Manialehre (als terminologischen Einfluß), c) die zeitgenössische mystisch-pneumatische Bewegung des hell. Judentums, frühen Christentums, der Zauberpapyri und der Gnosis. Die gegenwärtige Exegese betont vornehmlich die alexandrinisch-jüdische Tradition, die freilich selber synkretistisch durchsetzt ist.

Weisheit durch Speise und Trank bezeugen gleichfalls Philo, Fug 202; Migr 39; äthHen 32, 3; 48, 1. Auf dem Hintergrund dieses verbreiteten Motivs sieht Sänger, Judentum 195, auch in der Honigwabe ein Mittel des göttlichen Weisheitspneumas. Daß diese Vorstellung nur unter der hell. Voraussetzung, πνεῦμα substanzhaft zu denken, verständlich wird, ist offensichtlich.

Burchard, JSRHZ II/4, 609 A 119, hält gleichwohl zu Recht daran fest, daß JosAs trotz substanzhafter, gegenwärtiger Verwandlung keine realisierte Eschatologie lehrt, noch eine Enteschatologisierung biete (600 A 82). Fischer, Eschatologie 105–123, verweist auf die Vorstellung des himmlischen Ruheorts als postmortaler Stätte (8, 9; 15, 7). Da Aseneth als Person πόλις καταφυγῆς (15, 7) – Zufluchtsort für alle Proselyten in ihrer Person – sei, käme ihr als kollektiver Größe die Funktion des endzeitlichen Ruheorts für die Proselyten zu (115 und 123).

Voraussetzung religionsgeschichtlicher Exegese des Werks Philos wird eine traditionsgeschichtliche und literarkritische Analyse desselben sein[12].

In Philos Pneumatologie sind Anthropologie und Soteriologie aufeinander bezogen. Erlösung ist Rückkehr des schöpfungsmäßig übermittelten Geistes in die himmlische Sphäre[13].

In der Auslegung von Gen 1,27 und 2,7 in Op 134ff. gibt Philo eine Tradition wieder, die noch völlig in Abhängigkeit des Mittelplatonismus steht und beide Schöpfungsaussagen auf den Prototyp des Menschen (Idee) und den Protoplasten Adam (Materie) bezieht[14]. Zwischen Prototyp und Protoplast besteht kein dualistisches Verhältnis. Der Protoplast setzt sich nach Gen 2,7 aus θεῖον πνεῦμα und γεώδης οὐσία (Op 135; Det 80) zusammen. Von diesem platonischen Motiv der doppelten Menschenschöpfung sind die Ausführungen in All I–III zu unterscheiden, da Philo die Schöpfungsaussagen und ihre platonischen Voraussetzungen seinerseits noch interpretiert und in Beziehung zur Soteriologie setzt[15].

Jetzt sind beide Schöpfungsaussagen auf zwei zu unterscheidende Urmenschen bezogen, einen himmlischen, dessen Substanz der Seele das πνεῦμα bildet, und einen irdischen, in dem νοῦς und πνοή vermischt sind. Wird letzterem nach Gen 2,7 nicht πνεῦμα, sondern nur πνοή zuteil (I 42), so beweist dies den substantiellen Unterschied zu dem mit πνεῦμα ausgestatteten himmlischen Menschen. Beiden gegenübergestellten ideellen Größen entsprechen aktuell Menschenklassen. Ihr νοῦς ist entweder auf πνεῦμα oder auf die σάρξ bezogen. Der Pneumatiker

---

[12] So jetzt R.G.Hamerton-Kelly, Sources and Traditions in Philo Judaeus: Prolegomena to an Analysis of his Writings, Stud. Philon. 1, 1972, 3–26; B.L.Mack, Exegetical Traditions in Alexandria, ANRW II.21.1, 227–271; P.Borgen, Philo of Alexandria. A Critical and Synthetical Survey of Research since World War II, ANRW II.21.1, 98–154; B. L.Mack, Exegetical Traditions in Alexandrian Judaism: A Program for the Analysis of the Philonic Corpus, SP 3, 1974/1975, 71–112. Hinsichtlich der pneumatologischen Aussagen findet sich eine Differenzierung in stoischen und platonischen Einfluß auf Philo bei Siegert, Philon 86–91. Einen Überblick über den philonischen Sprachgebrauch bietet H.Burkhardt, Die Inspiration heiliger Schriften bei Philo von Alexandrien, Gießen 1988, 180–186 (Exkurs: Pneuma bei Philo); außerdem M.J.Weaver, Pneuma in Philo of Alexandria, Ph. Diss. Indiana 1973.

[13] Die breite und grundlegende Verwendung von Gen 1–2 widerlegt bereits Leisegangs monokausale Ableitung der philonischen Pneumatologie aus der Inspirationsmantik (Saake, PW Suppl. 395f.). Vgl. zum folgenden vor allem: B.A.Pearson, Philo and Gnosticism, ANRW II.21.1, 295–342; speziell zur Auslegung von Gen 1–2 im Werk Philos: Schaller, Gen 1.2, 80–98; Sellin, Streit 95ff.; viele Andeutungen auch bei Pulver, Erlebnis 120ff.

[14] Pearson, Philo 324: „The inspiration for this explanation of Gen 1:26 is, of course, Plato's Timaeus 41 A–42 B."

[15] Tobin, Creation 102ff.; Sellin, Streit 95ff.; Pearson, Philo 329: „The variety of interpretations we find in Philo is probably due to his various traditions of exegesis."

ist so sehr von πνεῦμα ergriffen, daß er außerhalb seines Körpers, ja außerhalb seines νοῦς sich befindet (Her 265).

Die soteriologischen Ausführungen Philos setzen diese dualistischen Schöpfungsaussagen voraus und sind auf sie bezogen. Das Heil besteht in der Befreiung des πνεῦμα aus der Fremdheit des σῶμα, aus der versklavenden Materie. Dieser Übergang vollzieht sich zu Lebzeiten in der Ekstase und Entweltlichung, nicht aber postmortal.

Diesen Rückweg in die Heimat beschreibt Philo mit zahlreichen Bildern und Motiven, die Erzväter sind Vorbilder des Auszugs (Mut 60 ff. u. ö.). Der Pneumatiker ist himmlischer Bürger (Gig 61), irdischer Fremdling (Her 267). Diese Zuordnung von Schöpfung und Erlösung gründet für Philo wahrscheinlich in einer in pythagoreischen Vorstellungen vorgegebenen Prävalenz des ersten vor dem zweiten, daher ist Erlösung immer Rückkehr zum ersten[16]. Das ehedem apokalyptische Entrückungsmotiv wird von Philo spiritualisiert und in die Gegenwart des Pneumatikers übertragen.

Das πνεῦμα befähigt schon gegenwärtig, indem es dem Pneumatiker einwohnt (Sobr 64; Her 46; Som II 251 u. ö.) und ihn zu überirdischer Erkenntnis und Prophetie inspiriert (Gig 23. 27 u. ö.). Die Ethik der Entweltlichung und der Auszug aus dem Irdischen stellt den Pneumatiker kraft der Einwohnung des πνεῦμα in die Heilssphäre und macht ihn zum ,Schauenden' (Imm 143). Philo versteht diese Aussagen nicht im Sinne eines dichotomischen Menschenbildes, sondern sieht Zugehörigkeiten zu den bestimmenden gegensätzlichen Größen Geist und Leib. Exemplarisch läßt sich die philonische Soteriologie an zwei Belegstellen verdeutlichen.

Das Sinai-Mysterium Moses, nach Sellin „Schlüssel zum Verständnis der ganzen Soteriologie Philos"[17], wird von Philo mehrfach bedacht (VitMos II 70; All III 101; Plant 23), in QuaestEx II 27– 49 einer ausführlichen allegorisierenden Exegese unterzogen[18]. Die allegorisierende Auslegung ist bestimmt durch Platons Phaedrus (246 ff.), wohl in der Auslegungtradition, die Philo zu seiner Zeit bekannt war[19]. In der Sinaibesteigung des Mose vollzieht sich seine Ver-

---

[16] Ausführlich Sellin, Streit 114–127.

[17] Sellin, Streit 141.

[18] Der griechische Text ist nur fragmentarisch erhalten; vgl. zur Textgeschichte: R. Marcus in Philo, Suppl. II 179 ff. und die englische Übersetzung ebd. Eine deutsche Übersetzung der angegebenen Passagen von QuaestEx II 29 ff. bieten J. Leipoldt/W. Grundmann (Hg.), Umwelt des Urchristentums II. Texte, 1967, 296–299. Vgl. zur Auslegung: J. Pascher, Η ΒΑΣΙΛΙΚΗ ΟΔΟΣ. Der Königsweg zur Wiedergeburt und Vergottung bei Philon von Alexandria, Studien zur Geschichte und Kultur des Altertums 17/3 + 4, 1931, 239 ff.; H. Hegermann, Die Vorstellung vom Schöpfungsmittler im hellenistischen Judentum und Urchristentum, TU 82, 1961, 26 ff.

[19] Zur Anlehnung an Phaedrus: D. Winston, Philos Ethical Theory, ANRW II. 21.1, 375 f.

wandlung und Vergöttlichung, in der er alles Menschliche zurückläßt (πάντα θνητὰ γένη) und ‚von Gott ergriffen und Gottesträger geworden ist, ... der Einheit gleich, überhaupt nicht mehr verbunden mit den der Zweiheit zugehörigen Dingen ...‘ (29). Wie aber vollzieht sich dieses ἐνθουσιᾷ καὶ θεοφορεῖται (29)? Die allegorisierende Auslegung der Teilung des Blutes in Mischkrüge und Altar (Ex 24,6 in QuaestEx II 33) zeigt, daß letzteres als ‚heiliges Chrisma ... statt des Salböls‘ gedacht ist, welches ‚Heiligung und völlige Reinigung‘ übermittelt, ‚damit die Empfänger den göttlichen Geist[20] empfangen und Geistesträger werden‘. Dieses Chrisma ist nicht mehr allein der Heiligung, wie es ja der atl. Sühnehandlung entspricht, sondern substanzhaft der Gabe des Geistes zugeordnet. Die Folgen dieser pneumatischen Verwandlung beschreibt Philo im folgenden mit vielen Bildern (40: Übersiedlung; 46: δευτέρα γένεσις; ἀνάκλησις am siebten Tag im Unterschied zum erdgeformten Menschen).

Im Gegensatz zu dieser stoischen Partizipation des Gottergriffenen an der oberen Welt zeigt Philo in Her 259–265, einem Abschnitt eines größeren Zusammenhangs, der verschiedene Formen der Ekstase darstellt, in platonischer Abhängigkeit die Rede Gottes im Menschen auf. Man versteht den Abschnitt von seinem Schlußsatz: θέμις γὰρ οὐκ ἔστι θνητὸν ἀθανάτῳ συνοικῆσαι (265). Daher kann ein ὄργανον θεοῦ (259) nur sein, wer rechtschaffen ist (ἀστεῖος 259; δίκαιος 260) wie die Erzväter. Solche Menschen aber sind zwangsläufig Propheten, die nichts eigenes verkünden (259). Beleg dieser Ansicht ist für Philo Gen 15,12 – allegorisierend ausgelegt. ‚Beim Untergang der Sonne fällt Mose in Ekstase‘. Philo parallelisiert ἥλιος und νοῦς, der als λογισμὸς ἐν ἡμῖν vorgestellt wird (263). Solange der νοῦς wie die Sonne leuchtet, ist Mose – und Philo bezieht dies sofort auf die Menschen – noch bei sich selber (ἐν ἑαυτοῖς ὄντες οὐ κατεχόμεθα 264). Voraussetzung der Ekstase ist der Untergang des νοῦς und die Ankunft des Geistes (ἐξοικίζεται μὲν γὰρ ἐν ἡμῖν ὁ νοῦς κατὰ τὴν τοῦ θείου πνεύματος ἄφιξιν 265). Liest man weiter, wird deutlich, daß Philo solche Ekstase nicht als anhaltenden Zustand versteht, sondern in zeitlicher Begrenzung (vgl. auch Gig 19). Dies hat Mack von einer Grenzerfahrung sprechen lassen, die allein dem Pneumatiker widerfährt[21]. Zu ihrer Struktur gehört, daß der Geist einerseits von Gott her gegeben wird (ὁ καταπνευσθεὶς ἄνωθεν Her 64; Plant 19–29 u.ö.), andererseits die Gottergriffenen sich zuvor alles Irdischen entledigt haben müssen, um also γυμνῇ τῇ διανοίᾳ (Gig 53) zu Gott zu kommen. Daher schlägt Mose sein Zelt außerhalb der Umzäunung auf (Gig 54), nur so bleibt der göttliche Geist bei ihm (Gig 55).

---

[20] Die Lesart τὸ ἅγιον πνεῦμα (hap leg) entspricht nicht dem für Philo üblichen θεῖον πνεῦμα und mag eine Übersetzung unter christlichem Einfluß wiedergeben. QuaestEx existiert nur in der armenischen Fassung und in Übersetzungen.

[21] Mack, Logos 176–179. Ausführlich zum Verhältnis von göttlichem und menschlichem Geist in Philos Verständnis der Prophetie: Stallmeister, Verhältnis 38–54 (dort auch Exegesen der betreffenden Stellen).

3 Perspektiven
Geist: Funktion oder Substanz
eschatologischen Seins

3.1 Forschungsgeschichtliche Perspektiven

Diese dargestellten, in sich uneinheitlichen zeitgeschichtlichen Voraussetzungen pneumatologischer Aussagen innerhalb des Judentums lassen zumindest eine grundsätzliche Differenz im Verständnis des Geistes Gottes in Sonderheit bedenken. Ist der Geist endzeitliche Funktion neuen Verhaltens, Kraft endzeitlichen Lebens? Oder ist er die Substanz des neuen Seins, die Heilsgabe selber? Bleibt er als Geist Gottes an sich unanschaulich, oder kommt ihm eine somatische Grundlage zu, weil er stofflich in den Menschen eingeht?

Spätestens seit den Arbeiten der religionsgeschichtlichen Schule steht diese Grundfrage im Mittelpunkt des Interesses. Ihrer Klärung kommt der Stellenwert eines Schlüssels zum Verständnis der urchristlichen Pneumatologie zu.

Hierbei läßt sich als Tendenz grundsätzlich erkennen, daß die meisten Ausleger das Geistverständnis der Urgemeinde im Kontext einer jüd.-pal. Linie erheben, Pl hingegen vom jüd.-hell. Hintergrund verstehen und folglich Funktion und Substanz im Urchristentum deutlich zu trennen vermögen. Eine forschungsgeschichtliche Darstellung allein zu dieser Frage könnte leicht monographische Ausmaße annehmen. So seien im folgenden nur wenige bestimmende Positionen dargestellt.

Otto Pfleiderer, „der Vater der religionsgeschichtlichen Theologie in Deutschland" (R. Seeberg, PRE, 3. Aufl., 24, 319) unterscheidet Funktion und Substanz in wegweisender Deutlichkeit (Paulinismus 197–239), indem er innerhalb des Urchristentums beide Auffassungen wiederfindet und darstellt[1]. Die Urgemeinde lebt - so Pfleiderer - in der Kraft des messianischen Pneumas, dem Kennzeichen der letzten Zeit (Apg 2), welches in ihrer Mitte besondere Wirkungen als akzidentielle Ereignisse bewirkt (205). Pl geht von dieser Vorstellung aus (1. Kor 12; Gal 3, 5), sie ist für ihn aber nicht mehr wesentlich, da „das πνεῦμα ... bei Paulus aus einem abstrakt supranaturalen, ekstatisch-apokalyptischen Prinzip zum immanenten religiös-sittlichen Lebensprinzip der erneuerten Menschheit, zur Natur der καινὴ κτίσις" werde (206). Hier ist von Sub-

---

[1] Pfleiderer greift zurück auf folgende Vorarbeiten: C. Holsten, Die Bedeutung des Wortes σάρξ im Lehrbegriffe des Paulus, 1855; ders., Zum Evangelium des Paulus und Petrus, 1868 (Abdruck des ersten Titels mit Einleitung und Zusätzen); R. Schmidt, Die paulinische Christologie, 1870, 8–46; H. Lüdemann, Die Anthropologie des Apostels Paulus, 1872; vgl. darüber hinaus auch die bei Holtzmann, Lehrbuch II 22 A 3, Genannten.

stanz, nicht mehr von Akzidenz des Geistes zu sprechen, ja für Pl sei der Gedanke des πνεῦμα „mit der Vorstellung einer überirdischen feinen Stofflichkeit associiert gewesen"(208).

Wie kommt Pl zu dieser Unterscheidung? Der Ansatz liegt, unbeschadet des Zusammenwirkens mehrfacher praktischer und theoretischer Motive (210), in der Christologie. Auch für den Messias ist der Geist nicht mehr donum superadditum – wie judenchristliche Ansicht lehre –, vielmehr bilde das πνεῦμα das persönliche Wesen des Gottessohnes. „Ist nun der in der Taufe sich vollendende Glaube der Eintritt in die Lebensgemeinschaft mit Christus, so wird folgerichtig das dessen Wesen bildende πνεῦμα auch im Christen … zum ebenso stetig immanenten Prinzip des neuen Personlebens …" (210). Darüber hinaus knüpft Pl – so Pfleiderer ab der 2. Aufl. – an alexandrinische Theologie an, da er „nicht bloss ekstatische momentane Zustände, sondern den habituellen Charakter" des πνεῦμα-Besitzes lehre. Das neue Leben, die ζωή als Wirkung des πνεῦμα, ragt gegenwärtig in die alte Welt. In Christus sein, im Geist sein, den Geist Christi haben, Christus in uns – alles sind Bezeichnungen der ‚unio mystica‘, ‚innigster Wechseldurchdringung‘, daher wird auch der Gegensatz Geist Gottes und menschlicher Geist für Pl hinfällig (215)[2].

Die erste Kritik an Pfleiderers Ausführungen durch H. H. Wendt (Begriffe) bemüht sich, die ausschließliche Anknüpfung des pl Sprachgebrauchs an den atl. nachzuweisen. Die methodische Kritik an Pfleiderer behauptet: Pl ist „im Zusammenhang mit der allgemeinen Bildungssphäre, aus welcher heraus sich der Schriftsteller entwickelt hat", zu verstehen. Diese sei „in erster Linie eine jüdische, und alle seine übrigen Gedankenkreise wurzeln fast ausschließlich in alttestamentlichen Aussagen und Begriffen" (90). Die pl Lehre sei keine Umgestaltung der populären Anschauung (153), sondern erkläre sich aus der Anknüpfung an atl. Vorstellungen (151). Diese sei nicht auf ekstatisch-apokalyptische Wirkungen einzugrenzen, sondern beinhalte gleichfalls für den endzeitlichen Messias und seine Gemeinde sittlich-religiöse Wirkungen (152).

Gunkels Arbeit ist über weite Strecken mit der Auseinandersetzung der Interpretation Pfleiderers und Wendts beschäftigt. Gegenüber beiden Entwürfen rügt er die Ableitung der pl Pneumatologie (58) aus dem hell. Judentum und der Christologie (so gegenüber Pfleiderer 79 f. u. ö.), bzw. die Ableitung von atl. Aussagen (so gegenüber Wendt 3 u. ö.). Vielmehr sei Pl insofern Originalität beizumessen, als er die populäre Anschauung der Wunder wirkenden Kraft des Geistes aufgrund seiner eigenen Erfahrung auf das christliche Leben insgesamt übertragen habe (80 f.). Die Unterscheidung von Geist als Funktion oder Substanz des christlichen Lebens spielt, wie Gunkel (in Zustimmung zu Gloël, Geist 372 ff.) auf der letzten Seite seines Buches ausführt, keine Rolle. Dennoch ist er von Pfleiderers Erstauflage (1873) abhängiger, als die vielfachen Entgegnungen vermuten lassen. So konnte auch Pfleiderer, Paulinismus 201, Gunkels Buch vorbehaltlos begrüßen. Zweifelsfrei, so Gunkel, beinhaltet πνεῦμα ein stoffliches Substrat (43–47), und Gunkel kann das neue Leben durchweg in

---

[2] Gleichwie in der 2. Aufl. des ‚Paulinismus‘ der Einfluß des hell. Judentums auf den pl Substanzbegriff erkannt wird, so kommt im ‚Urchristentum‘ an verschiedenen Stellen der Einfluß der hell. Mysterienreligionen in Blick. (1887, 259 Anm.).

substanzhaften Kategorien beschreiben. Daher ist es für Gunkel in Zustimmung zu Pfleiderer selbstverständlich, „dass das Leben, welches der heilige Geist im Menschen setzt, ein heiliges, von aller Sünde reines Leben ist", durch die Taufe sei „prinzipielle sittliche Reinigung und Heiligung" gegeben (95).

H. J. Holtzmann lenkt in seinem ‚Lehrbuch der ntl. Theologie' (²1911) noch einmal zu Pfleiderers ‚Doppelwurzel' im pl Denken zurück, doch nicht, um aus ihr heraus die pl Theologie einsichtig zu machen, sondern um bei der Konstatierung der Antinomien stehen zu bleiben. Jüdische und hellenistische Gedankenreihen stehen unvermittelt nebeneinander, eine jüdisch-juridische Rechtfertigungslehre und eine mystisch-ethische Erlösungslehre. Das bedeutet in Hinblick auf den pl πνεῦμα-Begriff: „Gehört es zweifellos zu seinem Begriff des Geistes, daß er, gleich dem philonischen, im Gegensatz zu allem materiellen Dasein ganz unter die Kategorie der Kraft fällt, so kann der in Jerusalem gebildete Theologe doch nicht völlig loskommen von den Begriffen der Substantialität und Stofflichkeit" (II 22).

Mit den Arbeiten Pfleiderers und Gunkels hatte sich die Unterscheidung der populären Anschauung und der pl Interpretation, welche die Wirkung des Geistes auf das gesamte Leben überträgt, durchgesetzt. Allein die Begründung dieser substanzhaften Interpretation konnte noch nicht befriedigen. Pfleiderers Andeutungen auf die Parallele zur Christusmystik hatte Gunkel schroff als ‚Modernisierung' abgetan (92 A 1), gleichfalls die Möglichkeit der Vermittlung durch jüd.-hell. Aussagen in der Erstauflage methodisch in Frage gestellt (58). Nach seiner eigenen Auffassung hatte Pl die eigene Bekehrungserfahrung für alle Christen verallgemeinert.

Dieser Ansatz, der von Deissmann, Paulus 105, nochmals untermauert werden sollte, hatte schon früh die Kritik Boussets hervorgerufen (Rez. Weinel und Rez. Deissmann, ThLZ 1911, 781). Freilich bleibt Bousset selber im Bereich der Erfahrungsebene. So fragt er, sichtlich unter dem Eindruck seiner Arbeit über die Himmelsreise der Seele, ob „das visionär-ekstatische Element in seiner (Pauli) Persönlichkeit aus seiner jüdischen Vergangenheit stammt" und führt sogleich 2. Kor 12, 1 ff. als Beleg für die Wahrscheinlichkeit dieser Annahme an (Rez. Weinel 757). Dieser phänomenologische Ansatz bestimmt schließlich die Ausführungen in Kyrios Christos (1913). Die populären Anschauungen werden jetzt nicht mehr auf die Urgemeinde, sondern auf die hell. Gemeinde zurückgeführt. Die Pneuma-Mystik des Apostels wurzelt in gottesdienstlichen Erfahrungen, was eine zunehmende Verschmelzung von Kyrios und Pneuma im pl Denken begünstigt (113 und 120). Bousset geht in der substanzhaften Beschreibung der pl Pneuma- und Christusmystik als eines „radikalen Realismus" (128) so weit, für den Christen bereits die geschehene Auferstehung zu postulieren: „die Neuheit des Lebens ist da", der „große Bruch liegt hinter ihm" (128). Das Vorhandensein von Paränese in den pl Briefen wird für Bousset „fast zum Problem" (128 A 2), jedoch kommt die Forderung des Wandels in Röm 6, 4 einem Spaziergang im ‚Frühlings-Sonnenschein' gleich, denn die Zuordnung von Indikativ und Imperativ lautet jetzt: „Ihr müßt, weil ihr gar nicht anders könnt" (129). Solche substanzhafte, ontische Beschreibung der Pneumamystik ist für Bousset nur erklärlich im Kontext der Zeitstimmung, in der eine dualistisch-supranaturale Ausgestaltung der Erlösungslehre bei Philo, den Hermetica und der Gnosis vorgegeben war.

Die erste gründliche katholische Arbeit aus dem deutschsprachigen Raum zum Thema von H. Bertrams, ‚Das Wesen des heiligen Geistes‘ aus dem Jahr 1913 zielt letztlich auf die Untermauerung des Trinitätsdogmas, speziell des Verständnisses von Geist als Person (144–166). Gleichwohl ist es bezeichnend für die Fragestellung der Zeit, daß Bertrams in zwei Rubriken die Belege für πνεῦμα als Kraft bzw. als bleibende Qualität zusammenstellt.

Nur forschungsgeschichtlich sei erwähnt, daß die Arbeit von Büchsel, Der Geist Gottes im Neuen Testament, 1926, hinsichtlich unserer Fragestellung noch einmal zu Wendt zurücklenken will, indem er den Gegensatz Geist als Kraft oder Substanz für Pl völlig zurückweist, vielmehr sei für Pl die Einheit des Geistes Gottes vorauszusetzen (399).

Bultmann knüpft in seinen Ausführungen stets an Gunkels Arbeit an, die er immer wieder ausdrücklich als Ausgangspunkt der neuen Forschung nennt, da in ihr der idealistischen und rationalistischen Auslegung der Abschied gegeben worden sei[3]. Die Aussagen Boussets zur pl Pneumatologie unterzieht er jedoch einer scharfen Kritik, die zugleich Bultmanns eigene Position offenlegt. Die pl Aussagen seien nicht historisch-psychologisch zu interpretieren, bevor ihr Sinn erfaßt sei (Problem 181). Diese methodische Forderung, dort gegenüber Wernle, Weinel und Holtzmann erhoben, wird jetzt auf Bousset angewandt, dem Bultmann Anleihen bei der ‚modernen Psychologie‘ unterstellt (Geschichte 328). Zwar sehe Bousset zu Recht, daß die πνεῦμα-Gabe nicht eine geistig-sittliche Persönlichkeit bewirkt, sondern die καινὴ κτίσις. Bousset deute diese neue Natur jedoch in Kategorien der Erfahrung unter besonderer Betonung der ekstatischen Erscheinungen. Unter der Voraussetzung der Kultmystik der hell. Gemeinde sei Boussets πνεῦμα-Begriff im Gefühlsleben angesiedelt (Geschichte 326 f.). Bultmann selber will angesichts der gewiß vorhandenen Antinomien im pl Denken die Frage stellen, ob sie nicht doch auf dem Hintergrund eines einheitlichen Anliegens verständlich seien, bei dem „alttestamentlich-jüdische und hellenistisch-gnostische Gedanken je ihr relatives Recht erhalten und in einem neuen Sinn sichtbar werden" (Geschichte 329). Durchgeführt hat Bultmann diese Zuordnung bereits in dem 1924 erschienenen Aufsatz ‚Das Problem der Ethik‘. Freilich sei das πνεῦμα für Pl „eine supranaturale, natur- oder substanzhaft gedachte Macht, die als ein Etwas im Menschen wohnt ..." (191). Besteht für den Mystiker die Beziehung zum Jenseits durch gegenwärtige Partizipation, welche die Wirklichkeit des konkreten Menschen ignoriert, so hingegen für Pl durch πίστις des ganzen Menschen (193). Wird nun aber das Verhalten selber Wirkung des πνεῦμα (Urchristentum 190 f.), so distanziert Pl sich hierin von der populären Anschauung der hell. Gemeinde, die in ekstatischen Phänomenen das „übernatürlich-jenseitige Wesen der Getauften doch welthaft sichtbar" erweisen wolle (ebd). Hingegen sei „die hier oder dort etwa vorliegende Vorstellung vom πνεῦμα als eines Stoffes keine den πν.-Begriff des Pls

---

[3] Bultmann, Geschichte 318 f.; ders., Ist voraussetzungslose Exegese möglich?, in: ders., Glaube und Verstehen III, ³1965, 144 u. ö.
Neben Bultmann beruft sich P. Tillich, Systematische Theologie I. ³1956, 63 A 1, auf die materiale Norm des Paulinismus der liberalen Theologie, speziell auf ihre Darstellung der pl Pneumatologie.

wirklich bestimmende. ... Der eigentliche Sinn des πν.-Begriffs bei Pls muß anders bestimmt werden." Bultmann erinnert an die eschatologische Bestimmtheit des πνεῦμα-Begriffs und versteht ihn daher als „Inbegriff des Unweltlichen" (Theologie 336). Damit ist die Vorstellung einer pneumatisch vermittelten ‚mysteriösen Qualität' (2. Kor 100) des Glaubenden ausgeschlossen. Wo bei Pl hingegen solcher Gedanke vorliege, konstatiert Bultmann die ‚fatale Folge' (Theologie 199) der Abhängigkeit von Mythologie, Relikte magischen Denkens, was der eigentlichen Intention Pauli nicht entspreche.

Während Bultmanns Interpretation des pl πνεῦμα-Begriffs mit der Betonung der Entscheidung für das Unweltliche (Theologie 336–338) in der Gefahr steht, die sakramentale Basis der Geistübereignung über Gebühr zurückzustellen, ist dieselbe für A. Schweitzer gerade Ausgangspunkt der naturhaften pneumatischen Verbindung zwischen Christus und den Gläubigen.

Umfassend hat Schweitzer[4] seine Gedanken vorgetragen in der 1930 erschienenen ‚Mystik des Apostels Paulus'. Sind die Glaubenden bestimmt durch die Mystik des Gestorben- und Auferstandenseins mit Christus, so kommt ihnen jetzt der Geist als Erscheinungsform der Auferstehungskräfte zu (231). Diese Vorstellungen wurzeln nicht im hell.-stoischen Pantheismus oder in Gedanken der Mysterienreligionen (57–75). Als eschatologische Mystik (160–166) ist sie geschichtlich gebunden an die Zeit des messianischen Zwischenreichs, in dem Messias und Erwählte durch gemeinsamen Geistbesitz naturhaft verbunden sind (162 u. ö.). „Der Besitz des Geistes zeigt den Gläubigen an, daß sie bereits der natürlichen Seinsweise enthoben sind und in die übernatürliche versetzt sind" (231). Dieses Geschehen gilt aber ‚als vollendete Tatsache' insoweit, als die Glaubenden sich dessen ‚bewußt werden' und sich als Pneumatiker verhalten (391 f.). Insofern „ist diese Tatsache eine im Werden begriffene" (392), die Ethik daher eine „Betätigung des Gestorben- und Auferstandenseins mit Christo" (392).

Die schärfste Ablehnung einer naturhaften Interpretation des pl πνεῦμα-Verständnisses hat E. Schweizer vorgetragen.[5] Johannes und Paulus haben seiner Meinung zur Folge „die urspr substanzhafte Vorstellung völlig überwunden" (ThWNT VI 438), wenngleich er zugibt, daß „beide Linien bei Pls schwer zu scheiden" seien (VI 413 A 541). Die vorpl Gemeinde habe, so zeige Röm 1, 3 f. u. a., die Erhöhung Christi als Eingang in die pneumatische Sphäre und Partizipation am Element des πνεῦμα verstanden (414 f.). Hinwendung zu Christus

---

[4] Die hier dargelegten Ansichten liegen im wesentlichen bereits 1911 in der ‚Geschichte der Paulus-Forschung' vor und reichen darüber hinaus in die Jahre der frühen Lehrtätigkeit ab 1906 (vgl. W. G. Kümmel, Albert Schweitzer als Paulusforscher, in: J. Friedrich; W. Pöhlmann; P. Stuhlmacher (Hg.), Rechtfertigung, FS E. Käsemann, 1976, 269–289; E. Gräßer, Albert Schweitzer als Theologe, BHTh 60, 1979, 155–206). Ursprünglich war die Geschichte der Paulus-Forschung als Einleitung für die Darstellung der eschatologischen Mystik des Pl vorgesehen. Daß die Mystik nun erst 1930 erscheint, hat verschiedene äußere Gründe. Das Manuskript liegt jedenfalls 1911 weitgehend vor (vgl. A. Schweitzer, Aus meinem Leben und Denken, 1965, 106). Es wird nach der Rückkehr nach Europa 1927 überarbeitet, die neuere Literatur wird nur eklektisch eingearbeitet (zu Bousset: 30 f. 61–67).

[5] Schweizer, ThWNT VI; ders., Gegenwart; ders., Heiliger Geist.

bedeute folglich Einfügung in den Bereich des πνεῦμα, welche den Glaubenden die pneumatische Existenz sichere (416 f.). Pl aber habe „alle naturhaften Aussagen korrigiert u daneben auch die vom AT her bestimmte Linie aufgenommen" (422). Pl rede terminologisch hellenistisch, sachlich aber jüdisch (419).

Die Kritik an Schweizer bezieht sich auf die problematische Unterscheidung von Form und Inhalt, welche zu einer Überbetonung des ‚Gut-Alttestamentlichen' führt (Brandenburger, Fleisch 18 A 3). Andere Fragen schließen sich hier an. Wo findet sich „die vom AT her bestimmte Linie" (422), die Pl aufgenommen haben soll, im Judentum, dessen Anthropologie, wie Schweizer zugibt (ThWNT VI 378; Gegenwart 484), durch hell. Gedanken beeinflußt ist? Wo knüpft Pl direkt an atl. Aussagen an? Kann Pl so sehr von der Gemeindetheologie abgehoben werden, daß er sie korrigiert und ‚völlig überwindet'?

3.2 Religionsgeschichtliche Perspektiven

Die Gegenüberstellung von funktionalem und substanzhaftem Aspekt muß in dieser absoluten Form als vereinfachende Klassifizierung betrachtet werden, die historisch problematisch ist und apologetischen Interessen dienen kann. Sie erweckt den Eindruck, als könne eine atl. bestimmte und eine hell. bestimmte Linie deutlich voneinander getrennt und im frühen Christentum in der Gegenüberstellung von Urgemeinde/bzw. hell. Gemeinde und Pl wiedergefunden werden.

Jedoch wird sowohl im Hinblick auf das Geistverständnis als auch im Hinblick auf den Geistbegriff im Judentum und im Hellenismus eine einheitliche Vorstellung vermißt, es sind vielmehr gegenläufige Tendenzen je und je bestimmend. Dies läßt mit größerem Recht nach dem Verständnis und dem Begriff πνεῦμα im Judentum und im Hellenismus fragen, als von zwei historisch nicht zu verifizierenden Linien auszugehen. Die Gegenüberstellung von Funktion und Substanz des Geistes ist, wie sich zeigen wird, religionsgeschichtlich nicht notwendig eine Alternative.

Πνεῦμα ist etymologisch von πνέω abzuleiten und bezeichnet Wind, Hauch, Atem, wie sie im Bewegungsprozeß als wirksam erfahrbar sind[1]. Dem Verbalsubstantiv πνεῦμα eignet mit dem Verb πνέω eine energetische Grundvorstellung. Andererseits ist jedoch stets nur in Atem oder Wind ein Teil des umfassenden Bewegungsprozesses des πνεῦμα erfahrbar, so daß im Begriff selber ein Sinnüberschuß verbleibt, der zur Spiritualisierung und metaphorischen Ausweitung anregen konnte. So legt etwa das physiologische Verständnis des beleben-

---

[1] Vgl. H. Frisk, Griechisches-Etymologisches Wörterbuch II, 1970, 566 f.; darüber hinaus: Kleinknecht, ThWNT VI 333–357; Saake, Pneuma; Crouzel, Geist; Verbeke, Evolution; Wili, Geschichte; Siebeck, Beiträge; Rüsche, Blut; ders., Pneuma; ders., Seelenpneuma; Reitzenstein, Mysterienreligionen 284–333; Bauer, WB z. St.

den Einatmens den psychologischen Aspekt der Inspiration nahe. Unbeschadet solcher Ausdeutung bleibt das stofflich-energetische Grundverständnis erhalten.

Folgende grundlegende Wortbedeutungen sind erkennbar:

a) Seit Aeschylus und Herodot wird πνεῦμα als Synonym des zuvor bei Homer und Hesiod verwendeten πνοή/πνοιή zur physikalischen Bezeichnung des Windes und seiner reduzierten, feinen Stofflichkeit gebraucht (Aesch, Prom 1086: ἀνεμῶν πνεύματα).

b) Diesem Makrokosmos entspricht physiologisch im Mikrokosmos, dem Menschen, der Atem oder die körperinnere Luft, die hinsichtlich ihrer Stärke unterscheidbar und meßbar ist (Hippocr, flat 3; CMG I 1,92). Diesem πνεῦμα eignet lebenserhaltende Kraft (Eur, Or 277), es vermag sogar tote Gegenstände, wie Blasinstrumente, zu beleben (Eur, Ba 128).

c) Der Geist in der Funktion der belebenden Kraft wird gelegentlich selbst als Leben oder lebendes Wesen bezeichnet (Aesch, Pers 507: πνεῦμα βίου; Polybius 31,10,4). Hier ist zugleich der Ausgangspunkt, πνεῦμα und ψυχή synonym zu verwenden, was gelegentlich erscheint. Dagegen ist πνεῦμα von νοῦς schärfer abzugrenzen. Dieser ist vom dynamisch-enthusiastischen πνεῦμα-Verständnis durch seine rationale Ausrichtung theoretisch und praktisch geschieden (Aristot, Metaph XI 7 p 1072 b 21).

d) Die metaphorische Verwendung von πνεῦμα hat zur Voraussetzung die Immaterialität und den erfahrbaren Sinnüberschuß. Hierbei ist die Verwendung in anfänglicher Spiritualisierung von späterer Metaphysik in Religion und Mythologie noch zu unterscheiden. πνεῦμα wird verwendet zur Charakterisierung zwischenmenschlicher Beziehungen und Gesinnungen (Soph, OedCol 611; Aesch, Suppl 29 f.). In der Mantik wird πνεῦμα als enthusiastisch erregender, göttlicher Hauch verstanden, als ἱερὸν πνεῦμα (Democr, Frg 18), μαντικὸν πνεῦμα (Plut, Def 40), ἐνθουσιαστικὸν πνεῦμα (Strabo 9,3,5). Dieses πνεῦμα befähigt vereinzelte Propheten, Priester, Künstler zur Erkenntnis transzendenter Geschehnisse.

רוּחַ begegnet im AT 378 mal in hebräischen und 11 mal in aramäischen Teilen. Seine Grundbedeutung ist mit Wind, beweglicher Luft und Atem wiederzugeben, wobei zwischen den ersten beiden und der letzteren Bedeutung nicht streng zu unterscheiden ist[2]. רוּחַ gehört eventuell zur Gruppe lautmalender Schallworte, die das Geräusch des vorbeiziehenden Windes imitieren[3].

רוּחַ beschreibt die bewegte oder bewegende Kraft des Windes. Nominale Näherbestimmungen deuten auf die Richtung oder Herkunft des Wehens (Jer 13,24; Ex 10,19; Spr 25,23; Ez 5,10). Verben verstärken den Aspekt der Bewegung (Num 11,31; Ps 103,16) oder derjenigen der Wirkung (Jes 7,2; Ps 48,8).

Neben dieser physikalisch zu beschreibenden Grundbedeutung wird רוּחַ auf Mensch und Gott bezogen, seltener auf Tiere und übernatürliche Geister. Anthropologisch bezeichnet es den Atem (Jer 2,24; Hi 8,2), psychische Befindlichkeiten (Ps 76,13; Ez 3,14). רוּחַ tritt hierbei häufig in Parallelität zu לֵב (Jos

---

[2] Westermann/Albertz, THAT II 727 f.; Schoemaker, Use; Lauha, Sprachgebrauch 57 f.

[3] Lys, Ruach 19 ff.

2,11; Ez 21,12). Ist hier bereits die ursprünglichere Bedeutung der sich dynamisch äußernden Vitalität zurückgetreten, so noch stärker in der nachexilischen Literatur als Bezeichnung des Lebensodems, den Gott gibt (Jes 42,5) oder schafft (Jes 57,16). Wie Ez 37 und Jes 57,14–21 andeuten, ist im Zusammenhang der Ankündigung der Rettung der exilischen Gemeinde die Gabe des Geistes in Analogie zur (Neu)schöpfung verstanden worden. Von daher legte sich ein Verständnis von רוּחַ als Beschreibung des Lebendigseins an sich nahe. Die dynamische Grundbedeutung ist gleichfalls zurückgetreten im Kontext der Dämonologie. Zwar handelt es sich ursprünglich um plötzliche Widerfahrnisse (Geist der Eifersucht: Num 5,14; Geist der Unreinheit: Sach 13,2; böser Gottesgeist: 1.Sam 18,10), doch verfestigt sich der Sprachgebrauch im Judentum zur Dämonologie hin.

Der theologische Sprachgebrauch ist vom profanen nicht immer streng zu scheiden[4]. Es war angesichts der Immaterialität und der zugleich erfahrbaren Kraft des Windes naheliegend, רוּחַ mit Gott in Verbindung zu bringen. Einerseits wird רוּחַ als Mittel des göttlichen Gerichts verstanden (Ex 14,21; Jon 4,8), Gott verfügt über den Wind (Ps 104,4), welcher Gottes Erscheinen begleitet (Ez 1,4) oder sinnbildlich sein Erscheinen ankündigt (Jer 4,11f.; Ez 17,11–13; Hos 4,19). Die Möglichkeit, von Gottes Atem zu sprechen, war mit dieser identifizierenden Rede gegeben (Ex 15,8; Jes 11,15).

Die ältesten Belege für das religiöse Pneumaverständnis begegnen im Hellenismus im Zusammenhang der apollinischen Inspirationsmantik. Der Gott Apollon erfüllt eine Priesterin im kultischen Geschehen mit seinem Geist (Eur, IphAul 760f.). Jedoch findet sich erst im 1.Jhd. v.Chr. das Substantiv πνεῦμα im Kontext der somatisch-psychischen Divination der Pythia durch den aus dem Erdreich in den Unterleib aufsteigenden Geist, welcher funktional zur Prophetie befähigt (Belege ThWNT VI 343). Diese apollinische Inspirationsmantik besaß eine beachtliche Popularität und begegnet bis in die nachchristliche Zeit in den Zauberpapyri. Kennzeichen dieser mantischen Pneumatik sind die völlige Ausschaltung des individuellen νοῦς (Cic, Divin I 31; NatDeor II 6).

Seit Heraklit (Diels I 154, frg 14) mißtrauen die Philosophen der Inspirationsmantik und dem Ekstatismus. Plato fordert in Entsprechung zum delphischen Brauch, die Worte der Pythia durch Propheten/Priester deuten zu lassen, eine grundsätzlich kritische Hermeneutik als Kontrolle der Inspirationsmantik (Crat 428d; Ion 523; vgl. 1.Kor 12,10).

Neben der mantischen Verwendung findet sich in früher griech. Philosophie ein naturwissenschaftlicher Sprachgebrauch von πνεῦμα. Nach Anaximenes entsprechen sich Makro- und Mikrokosmos durch den Zusammenhalt, den der Geist gewährleistet (Diels I 95, frg 2). Das πνεῦμα bewegt sich mit dem Blut in den menschlichen Adern. Sein Sitz liegt entweder – hier unterschieden sich sizilianische und hippokratische Schule – im Herz oder im Gehirn[5].

Die Stoa entfaltet die naturwissenschaftliche Pneumatheorie der medizinischen Schule zu einer umfassenden philosophischen Theorie. Der Geist, den vier Grundelementen als eigene feine stoffliche Substanz überlegen, umfaßt

---

[4] Vgl. Wolff, Anthropologie 57; Lys, Ruach 336.
[5] Dazu ausführlich Rüsche, Pneuma 609f.

und durchdringt den gesamten Kosmos (Chrysipp, frg 473.479.1027) und ist zugleich seine vernünftige Seele (Zeno, frg 88). Es ist die Substanz der Gottheit und der individuellen Seele. Seneca, Ep 66,12: ratio autem nihil aliud est quam in corpus humanum pars divini spiritus mersa. Der Geist repräsentiert Gott im Menschen, ja der Mensch hat Teil am göttlichen πνεῦμα (Seneca, Ep 41,2). Hier ist die von Aristoteles aufrecht erhaltene Unterscheidung von πνεῦμα und νοῦς wieder aufgegeben[6]. Es kommt zu einer ‚Materialisation des Geistes'[7]. Die Übertragung des Geistes bedarf verschiedener Hilfsstoffe, an die sich das πνεῦμα stofflich bindet (Wasser, Öl, Speisen etc)[8]. In der Stoa schließlich ist eine Identifizierung von Geist und Gott belegt (Chrysipp, frg 310.913 u.ö.).

Der Verweis auf die Kraft des Geistes begegnet in atl. Zeit zuerst bei den charismatischen und ekstatischen Propheten. Hier scheint es sich um zeitlich begrenzte Geistbegabung zur Verrichtung außergewöhnlicher Beauftragung zu handeln. Gottes Geist trifft ohne menschliche Vermittlung einen Charismatiker (Richter), der eine gegenüber der feindlichen Macht kleinere Gruppe begeistert (Ri 3,10; 11,29; 13,25; 14,6.9; 15,14; 1.Sam 11,6). Die Geistbegabung ist ganz an die Situation gebunden, die einmalige Verleihung begründet keine stetige Macht.

Ganz entsprechend scheint auch die ekstatische Prophetie der Frühzeit zu einer Übertragung des Geistes auf eine Gruppe geführt zu haben (1.Sam 10,10; 19,23). Die Rede von der רוּחַ אֱלֹהִים deutet in diesem Zusammenhang noch auf die kanaanäischen Ursprünge des ekstatischen Prophetentums. Die Ekstase wird künstlich provoziert (1.Sam 10,5f. nennt Musik). Der Geist befähigt – soweit die ältesten Schichten der Überlieferung zeigen – nicht zu Wort oder Tat, ist gleichfalls nicht in Verbindung zur Geschichte gesetzt, vielmehr liegt das Gewicht auf der Ekstase als Erweis religiöser Begeisterung. Neben der ekstatischen Prophetie beruft sich auch das Sehertum auf den Geist Gottes (2.Sam 23,2; Num 24,2). Hier, wie in der Elia/Elisa-Tradition erscheint die Geistbegabung erstmals dynamisch und statisch zugleich (2.Kön 2,9).

Die Schriftprophetie des 8./7.Jhd. beruft sich außer Ez nicht auf den Geist Jahwes (zu den Ausnahmen Hos 9,7; Mi 3,8; Jes 30,1; 31,3 vgl. Westermann/Albertz, THAT II 747f.). Eventuell gründet dieses Schweigen in der bewußten Abhebung von der ekstatischen Prophetie oder der Heilsprophetie. Zugleich tritt der Prophet völlig hinter seinen Auftrag zurück (Botenformel) und ist eben nicht durch Krafterweise des Geistes gezeichnet. Erst in exilisch-nachexilischer Zeit wird rückblickend die Prophetie als geistgewirkt betrachtet (Neh 9,30; Sach 7,12).

---

[6] Rüsche, Pneuma 613; Wili, Geschichte 86, zeigen, daß sowohl Aristoteles als auch Poseidonios den Pneumabegriff von der überkommenen hylozoistischen Vorstellung zu befreien suchen, um πνεῦμα als unkörperliche, unstoffliche Seele im Gegenüber zum stofflichen, durch Blut bestimmten Seelenpneuma zu verstehen. Insofern sei die Stoa als „ein Rückschritt in Richtung auf den alten Hylozoismus" (Rüsche, Pneuma 613) zu werten. Zum Verhältnis von Gott und Pneuma in der Stoa: M.Pohlenz, Die Stoa, ³1964, 72–78.

[7] Wili, Geschichte 81.

[8] Eine reiche Materialsammlung bietet Preisigke, Gotteskraft 30.

Der Übergang vom charismatischen Führertum zum Königtum verändert das Verständnis des Geistes Gottes. Der dynamische Aspekt tritt zugunsten einer statischen, an das Amt gebundenen Auffassung zurück. Der Geist Jahwes wird gegeben (Num 11,25.29) und ruht auf dem Begnadeten (2.Kön 2,15), der so voll des Geistes ist (Dtn 34,9). Der Ritus der Salbung (1.Sam 16,13f.) versinnbildlicht, gleichwie die Handauflegung (Dtn 34,1), den Vorstellungswandel. Geistgabe und Segen werden benachbarte Vorstellungen. Die Königsbücher verweisen konsequent auf den Geist Gottes nur im Zusammenhang des Königwerdens oder des Königseins, nie aber als Hinweis auf besondere Taten oder Worte.

Wenngleich nicht immer sicher zu entscheiden ist, ob dieses statische Geistverständnis aus späterer Zeit eingetragen ist (in Analogie zur Darstellung von Mose und Josua: Jes 63,11; Num 11,27; Dtn 34,9), deutlich begegnet die Vorstellung in der Erwartung des messianischen Königs. Sein Wirken entspringt ganz dem ihm verliehenen Geist (Jes 11,2; 42,1; 61,1).

Neben der Geistbegabung des Messias findet sich in exilisch-nachexilischen Schriften, vorwiegend in der Form der Jahwerede, die Ankündigung der Geistbegabung des ganzen Volkes. Der Geist Jahwes erscheint hier gleichfalls als stetige Gabe. So zeigen es die Verben (ausgießen: Ez 39,29; Joel 3,1f.; ausgeleert werden: Jes 44,3; 32,15), die an substanzhafte Flüssigkeit denken lassen. Die Aussagen sind nicht an רוּחַ gebunden. Jer 31,31–34 nennt die Gabe des neuen Herzens im Kontext entsprechender Heilsankündigung. Die Gabe des Geistes befähigt das Volk nach Ez zum Wandel in den Geboten (36,27), sie stiftet neues Leben (37,5.14; vgl. Gen 2,7; Koh 12,7). Daneben erwähnen Joel 3,1–5 die Gabe der Prophetie; Joel 3,2; Jer 31,34 die Aufhebung sozialer Unterschiede; Jes 29,24 Verstand und Belehrung; Jes 32,15 Wachsen der Natur; Jes 32,17 Frieden und Gemeinschaft; Jer 31,34; Ez 39,29 Unmittelbarkeit zu Gott. In der nachexilischen Literatur verliert רוּחַ seinen spezifischen Wortgehalt. Eine allgemeine Ausweitung im anthropologischen und theologischen Wortfeld zeichnet sich ab. Die LXX übersetzt רוּחַ überwiegend mit πνεῦμα. Obwohl beide Worte ursprünglich völlig entsprechend den Sachverhalt der bewegten und bewegenden Luft beschreiben, so hat die LXX jedoch an der bereits vollzogenen Ausweitung des Begriffs im Hellenismus Anteil. Die Frage, ob πνεῦμα für die SapSal eine materielle oder immaterielle Realität sei, läßt sich nach Bieder aufgrund des stoischen Einflusses auf die SapSal nicht mehr beantworten[9].

Auch im pal. und hell. Judentum können funktionaler und substanzhafter Aspekt verbunden sein, was der absoluten Entgegensetzung zweier Linien widerspricht. H.W.Kuhn hat in der Analyse von 1.QH 11,3–14 gezeigt, daß die eschatologischen Akte ‚Auferstehung, Engelgemeinschaft, Erneuerung‘ mit dem Gemeindeeintritt vollzogen werden. Die gegenwärtigen Heilsaussagen wurzeln in der Übertragung priesterlichen Denkens auf die Gesamtgemeinde und lassen ihren Geistbesitz und ihre Erkenntnis betonen. Trotz der so beschriebenen Verleihung einer neuen Existenz und der Partizipation an der himmlischen Welt in der Engelgemeinschaft sind die Frommen aufgerufen, dem Geist der

---

[9] Bieder, ThWNT VI 370; zustimmend Georgi, JSHRZ III/4, 428 A 23 zu SapSal 7,23.

Wahrheit entsprechend zu wandeln, und dieser funktionale Aspekt des Geistes als Kraft ist etwa in Katalogen (1.QS 4,2-6.9-11) eigens festgehalten[10].

Wie sehr im einzelnen der Geist Gottes im pal. und hell. Judentum substanzhaft verstanden worden ist, zeigt das nähere Wortfeld, speziell die Wasser-Geist-Metaphorik[11]: 1.QH 7,6f.; 12,11-13; 17,26; 1.QS 3,3-9; TestLev 18,3-7; TestJud 24,1-4; 4.Esr 14,37; Sir 39,6. Aus dem Schrifttum Philos ist die allegorische Auslegung der Fußwaschung (Gen 18,4) instruktiv (in Quaest Gen IV 5). So unverständlich der Brauch sich für Philo auch darstellt, einsichtig ist er nur von der Voraussetzung, daß nach Gen 1,2 Gottes Geist in Berührung mit Wasser steht (vgl. auch Herm, sim 5,5,2; 9,13,5-7; 9,31,5). Und Philo, der den Pneumatiker als Entrückten und Entweltlichten in der Sphäre des oberen Pneumas beschreibt, hält gleichzeitig am funktionalen Aspekt fest. Unbeschadet der Tatsache der Entweltlichung kommt die Gabe des Geistes funktional als Kraft der Ethik zugute[12].

Der Blick in die zeitgeschichtlichen Voraussetzungen ließ erkennen, daß ein substanzhaftes Pneumaverständnis entweder sakramental vermittelt war (JosAs 8,9: Brot und Trank; 19,11: Kuß), oder sich protologisch mit Bezug auf die Schöpfungsgeschichte begründete (Philo, All I-III), oder in Aussagen präformiert war, denen eine Einwohnungsvorstellung des Logos oder des Pneumas zugrunde liegt (Philo, Her 46; Sobr 64; Imm 134 u.a.), deren Voraussetzungen sowohl in der jüd.-hell. Weisheitstheologie, als auch in der griech.-hell. Inspirationsmantik liegen.

Gewiß kann gezeigt werden, daß hell. Denken πνεῦμα weitaus stärker als jüdisches Denken, welches mit der Transzendenz des Jahweglaubens die übernatürliche Herkunft des Geistes betont, substanzhaft versteht, jedenfalls in der nacharistotelischen Zeit. Es ist jedoch eine historische Verzeichnung, Pl an eine einzige atl. Linie unter Umgehung der zwischentestamentlichen Literatur und der prägenden Umgebung des Hellenismus anzubinden. Schließlich ist mit der Konzentration auf das Christusgeschehen ein urchristlicher Ausgangspunkt gegeben, der sich zu einer bruchlosen Übernahme vorgegebener Vorstellungen differenzierend, nicht nur adaptierend, sondern auch kritisch verhalten mußte.

Die Frage nach Funktion und Substanz ist folglich als eine Fragestellung, die sich den genannten zeit- und forschungsgeschichtlichen Voraussetzungen verdankt, an die Exegese der ntl. Texte heranzutragen.

---

[10] Kuhn, Enderwartung 113; Braun, Qumran II 254. Die von Brandenburger vorgelegte Interpretation der Verquickung von Substanz- und Funktionsgedanken in Qumran war von einer Überdehnung des Geist-Fleisch-Motivs beeinträchtigt und hat nicht nur in dieser Hinsicht Kritik erfahren; vgl. dagegen H. Hübner, Anthropologischer Dualismus in den Hodayoth?, NTS 18, 1971/72, 268 ff.

[11] Vgl. Manns, Symbole 65-97. Die Untersuchung Manns zeigt allerdings, daß diese Metaphorik in den eigentlich apokalyptischen Schriften Qumrans nicht mehr begegnet, was auch auf eine Entwicklung des Geistverständnisses deuten kann (96f.).

[12] Die ethische Bedeutung der Einwohnung des Logos/Pneuma ist weniger in der Aufzählung einzelner Belege zu erfassen, als in der grundsätzlichen Zielsetzung der Entweltlichung des Pneumatikers; vgl. D. Winston, Philos Ethical Theory, ANRW II 21.1, 372-416.

Im Hinblick auf Pl mögen folgende begriffliche Unterscheidungen vorweg hilfreich sein:

a) von einem *funktionalen* Verständnis des Geistes kann da gesprochen werden, wo der Geist als Ursache und Bewirker einer spezifischen Äußerung oder Tätigkeit der Glaubenden angesehen wird (z.B. Gal 5,22; 1.Kor 12,11; 14,2; 1.Thess 1,5f. u.a.).

Davon zu unterscheiden sind die Aussagen, wo der Geist als Kraft Gottes funktional für die Glaubenden etwas bewirkt, etwa die Gerechtmachung (1.Kor 6,11; Gal 4,6 u.a.).

b) von einem *substanzhaften* Verständnis des Geistes kann da gesprochen werden, wo der Geist als ‚forma substantialis‘ in den Glaubenden Wohnung nimmt (1.Kor 3,16; 6,19; Röm 8,9.11; 1.Thess 4,8).

c) von einem *stofflichen* Verständnis des Geistes kann da gesprochen werden, wo der Geist über die o.g. substanzhafte Bestimmung so sehr eine Bindung mit der Materie eingeht, daß er an sie gebunden ist; so etwa in den Sakramentsaussagen 1.Kor 10,4; 12,13 u.a.; hierher gehören auch Verbindungen mit feuerartigen (Apg 2,3) oder lichtartigen (1.Kor 15,43; 2.Kor 3,8) Vorstellungen oder mit Wassermotiven (Röm 5,5; 2.Kor 1,21f.).

d) von einem *hypostatischen* Verständnis des Geistes kann da gesprochen werden, wo dem Geist ein spezifisches Handeln zukommt, welches ihn in einer Gott gegenüberstehenden (1.Kor 2,10) oder in einer Mittlerrolle zwischen Gott und den Glaubenden stehen läßt (Röm 5,5; 8,26f. u.a.).

e) von einem *normativen* Geistverständnis kann da gesprochen werden, wo der Geist selber ethisch qualifiziert ist (1.Kor 4,21; Röm 15,30; Gal 6,1) oder wo der Geist als Norm eines bestimmten Verhaltens genannt ist (Röm 8,4; Gal 5,25), die in der Regel im Kontext präzisiert wird.

f) von einem *anthropologischen* Verständnis des Geistes kann da gesprochen werden, wo der Geist den Sitz des menschlichen Gefühls, der Einsicht oder des Willens bezeichnet bzw. dem ‚Ich‘ gleichkommt (1.Kor 16,18; Röm 1,9 u.ö.). Hiervon zu unterscheiden ist die Rede von ‚eurem Geist‘, sofern dieser Geist vom Kontext als Geist Gottes qualifiziert ist (1.Kor 6,20 v.l.).

Allerdings sind die Übergänge fließend und nicht alle pl Aussagen sind in diese Kategorien einzufangen. Unstimmigkeiten bleiben schon aufgrund divergierender religions- und traditionsgeschichtlicher Voraussetzungen. Nicht ausgeglichen, aber auch nicht im Sinne der stoischen ‚anima mundi-Konzeption‘ aufgehoben ist die Spannung, daß der Geist einmal im Glaubenden wohnt, andererseits ihm gegenübertritt, zugleich Gott gegenübertritt und doch als Geist Gottes bestimmt wird.

Im Sinne einer begriffsgeschichtlich präzisen Fixierung sind diese Spannungen unerträglich. Verständlich sind sie jedoch, sofern man berücksichtigt, daß Pl und das hell. Judentum mindestens einem Doppeleinfluß von Hellenismus und Judentum ausgesetzt sind.

4 Der Horizont urchristlicher Pneumatologie

4.1 Formeln, Motive und Traditionen der frühen Gemeinden

Das Urchristentum steht im Kontext des pal. und hell. Judentums und teilt mit diesem in seinen ersten Anfängen weitgehend Begrifflichkeit, Vorstellung und damit vermittelte Erscheinungsformen des Geistes.

Das Verständnis der frühchristlichen Pneumatologie vor Pl wiederum dient sowohl der Erkenntnis der Kontinuität und Abgrenzung zum Judentum, als auch als Perspektive für die Entfaltungen in der späteren Gemeindetheologie.

Der Pfingstbericht der Apg (2,1 ff.) ist nicht als historischer Bericht über eine anfängliche Geistbegabung der Urgemeinde dieser Nachfrage nach den Anfängen voranzustellen. Er verarbeitet vielmehr unterschiedliche Traditionen und ist in hohem Maße durch die lk Redaktion geprägt. Im übrigen gibt keine weitere ntl. Schrift einen Hinweis auf dieses von Lk beschriebene Geschehen (s. u. 4.2.3). Ein hohes Gewicht muß in dieser Frage vielmehr den pl Briefen als ältesten ntl. Schriften zukommen. Sie sind zu befragen auf vorpl. Formeln, Motive und Traditionen, in denen urchristliche Pneumatologie festgehalten ist. Zwar ist mit dieser Fragestellung gewiß der Horizont des hell. Judenchristentums, dem Pl entstammt, primär in den Blick genommen. Jedoch ist diese Eingrenzung in dieser Strenge notwendig, um nicht wieder die problematische Größe der ‚populären Anschauung' zu erhalten, die sich aus Zeugnissen der ersten beiden Jahrhunderte speist[1]. Da aber Traditionen bereits den Stand reflektierter und verdichteter Gemeindetheologie wiedergeben und in Beziehung zu deren kultischem und liturgischem Handeln stehen, ist der Einsatz bei Formeln und Motiven gebo-

---

[1] Bultmann, Theologie 66–68, rekonstruiert das Kerygma der hellenistischen Gemeinde vor und neben Pl aus a) den Angaben der Acta; b) den pl Briefen; c) den späten Quellen. Hierbei wird die Einsicht, daß der Geist „keinen festen Platz im alten Kerygma" hat (Schweizer, Geist und Gemeinde 7), mit Bezugnahme auf spätere Traditionen, die nicht unstrittig Auskunft über die ältere Zeit geben, mißachtet. Vgl. zur Unterscheidung von Formel und Motiv als Elementen der mündlichen, von Tradition als Element der mündlichen und schriftlichen Tradition: Berger, Exegese 179–181. Der Einsatz bei Motiven und Formeln unterliegt nicht notwendig „einer evolutionistischen Weltanschauung zur genealogischen Erklärung des Denkaktes ...", quasi zur ‚Alchemie der Ideen' (so E. Güttgemanns, Offene Fragen 163). Motive und Formeln führen ins vorliterarische Stadium der Überlieferung. In ihnen verdichten sich die primären Anschauungen der Gemeinden.

ten, die am ursprünglichsten den Anspruch der frühen Gemeinden, den eschatologischen Geist erhalten zu haben, wiedergeben.

4.1.1 Formeln

a) *„Gott hat uns den Geist gegeben'*

Apg 5,32; 15,8; Röm 5,5; 11,8; 2.Kor 1,22; 5,5; 1.Thess 4,8; 2.Tim 1,7; 1.Joh 3,24; 4,13[2]

In den genannten Belegen liegt eine relativ verfestigte Wendung, wahrscheinlich eine Formel zugrunde, die gelautet haben mag: ὁ θεὸς ἔδωκεν τὸ πνεῦμα ἡμῖν. Den formelhaft verfestigten Sprachgebrauch erweisen: a) ὁ θεός ist immer explizit oder durch den Kontext implizit Subjekt der Geistesgabe; b) die Gabe des Geistes wird hinsichtlich ihrer Übereignung in der Zeitform Aorist beschrieben (Ausnahmen: 1.Thess 4,8 Präsens = Einfluß von Ez 36,27; 37,14 LXX, s. u. 5.2.; 1.Joh 4,13 Perfekt); c) die Gabe, entweder (τὸ) πνεῦμα (τὸ) ἅγιον (Apg 5,32; 15,8; Röm 5,5; 1.Thess 4,8), πνεῦμα αὐτοῦ (1.Thess 4,8; 1.Joh 4,13) oder absolut τὸ πνεῦμα (2.Kor 1,22; 5,5; 2.Tim 1,7; 1.Joh 3,24) differiert in ihrer Beschreibung geringfügig durch Artikel-, Adjektiv- oder Pronomenhinzufügung; d) das Dativobjekt ist mit ἡμῖν relativ konstant (Apg 15,8; Röm 5,5; 2.Kor 5,5; 2.Tim 1,7; 1.Joh 3,24; 4,13). Allein in 2.Kor 1,22 findet sich die Auffüllung ἐν ταῖς καρδίαις ἡμῶν, und 1.Thess 4,8 lehnt sich mit der Adverbialkonstruktion εἰς ὑμᾶς wiederum an Ez 36,27; 37,14 LXX an.

Aus einem genaueren Vergleich müssen also Röm 11,8 und 1.Thess 4,8 zunächst ausgenommen werden, da in beiden Fällen der Einfluß der atl. Zitate (Röm 11,8 = Mischzitat Dtn 29,3/Jes 29,10 LXX; 1.Thess 4,8 = Ez 36,27/37,14 LXX) ihre jetzige Form mitbestimmt.

Es kann daher mit gutem Grund vermutet werden, daß eine relativ verfestigte Wendung, wahrscheinlich eine Formel, in den Gemeinden zirkulierte[3]. Sie ist älter als die pl Briefliteratur, da Pl sie bereits voraus-

---

[2]   Röm 5,5:   διὰ πνεύματος ἁγίου τοῦ δοθέντος ἡμῖν
11,8:   ἔδωκεν αὐτοῖς ὁ θεὸς πνεῦμα κατανύξεως (Dtn 29,3; Jes 29,10 LXX)
2.Kor 5,5:   ὁ δοὺς ἡμῖν τὸν ἀρραβῶνα τοῦ πνεύματος
1,22:   καὶ δοὺς τὸν ἀρραβῶνα τοῦ πνεύματος ἐν ταῖς καρδίαις ἡμῶν
1.Thess 4,8:   τὸν θεὸν τὸν διδόντα τὸ πνεῦμα αὐτοῦ τὸ ἅγιον εἰς ὑμᾶς (Ez 36,27; 37,14 LXX)
2.Tim 1,7:   οὐ γὰρ ἔδωκεν ἡμῖν ὁ θεὸς πνεῦμα δειλίας
1.Joh 3,24:   ἐκ τοῦ πνεύματος οὗ ἡμῖν ἔδωκεν
4,13:   ἐκ τοῦ πνεύματος αὐτοῦ δέδωκεν ἡμῖν
Apg 5,32:   τὸ πνεῦμα τὸ ἅγιον ὃ ἔδωκεν ὁ θεός
15,8:   θεὸς ... δοὺς τὸ πνεῦμα τὸ ἅγιον ... ἡμῖν
[3]   Schnackenburg, Johannesevangelium 4,40, denkt an „geprägte (katechismusartige)

setzt und sekundär verwendet. Sie war in ihrer Kürze prädisponiert zur späteren Auffüllung (so 1. Kor 1,22; 5,5: ἀρραβών-Motiv; Apg 5,32 mit Blick auf 5,29) oder Abänderung (Eph 1,17 in Form eines Optativs; weiterhin Apg 8,18; Joh 14,16). In der nachntl. Literatur findet sich die Formel in dieser schlichten Form nicht mehr.

In den jetzigen Kontext sind die Belege bisweilen formelhaft eingepaßt, von ihm her ist nicht mehr auf einen bestimmten Sitz im Leben zu schließen. Der Bezug zur Taufe erscheint in 2. Kor 1,21 f.; zur Verkündigung in Apg 15,8; zur eschatologischen Erwartung 2. Kor 5,5. 1. Joh 3,24; 4,13; 1. Thess 4,8 binden in den Kontext der Bruderliebe ein. 2. Tim 1,7 ist die Formel bereits in das institutionelle Handeln der Gemeinde (Vermittlung des Charismas durch Handauflegung) eingefügt.

Mit Ausnahme der genannten Stellen ist der beständige Gebrauch des Aoristes auffällig. Er setzt die Gabe des Geistes nicht nur in Beziehung zum zurückliegenden einmaligen Ereignis der Übereignung, sondern auch zum Endpunkt oder zur Wirkung. Die Formel impliziert daher ein funktionales Verständnis des Geistes, was der zumeist sek. Kontext gleichfalls bezeugt. Die Gabe führt zur Erkenntnis der Liebe Gottes (Röm 5,5), zur eschatologischen Gewißheit (2. Kor 5,5), zur Bruderliebe (1. Joh 3,24; 4,13), zum Zeugnis (Apg 5,32), zur Reinigung des Herzens (Apg 15,8) und zur Heiligung (1. Thess 4,8).

Abgewandelt erscheint die Formel in der Rede von der δωρεὰ τοῦ πνεύματος (Apg 2,38; 10,45; 11,17; Hebr 6,4).[4]

Die Formel greift auf atl./jüd. Voraussetzungen zurück, die über die Sprachhilfe hinaus gleichfalls den funktionalen Aspekt der Geistesgabe bezeugen. Aus der LXX ist neben dem gesondert zu betrachtenden Strang der Geistverleihung des Einzelnen (4. Reg 19,7: δίδωμι ἐν αὐτῷ πνεῦμα), des Gottesknechtes (Jes 42,1: ἔδωκα τὸ πνεῦμα μου ἐπ᾿ αὐτόν), vor allem Ez 36 f. zu nennen, insofern es sich hier explizit um den Geist Gottes als Gabe an die endzeitliche Gemeinde handelt, die mit dieser Gabe zu einem neuen Handeln befähigt wird; Ez 36,26 f.: πνεῦμα καινὸν (μου) δώσω ἐν ὑμῖν; Ez 37,(5)14: δώσω τὸ πνεῦμα μου εἰς ὑμᾶς. Da es sich um prophetische Gottessprüche handelt, ist das Subjekt im Verb enthalten (vgl. außerdem 2. Chr 18,22; Jes 37,7; Ez 11,19).

Formelhaft erscheint נתן רוּחַ in 1. QH 12,11 f.; 13,19; 16,11; 17,17, und es ist auch hier eine Anlehnung an Ez 36 f. zu vermuten. Doch werden sich essenische und ntl. Gemeinde unabhängig voneinander an den

---

Wendungen"; Wengst, Johannesbriefe 162, an eine „feste Gemeindesprache"; auch Synge, Spirit 82.

[4] Berger, Exegese 141 f., zeigt, daß diese Formel in der Apg in ein übergreifendes semantisches Feld beständig eingeordnet wird, zu dem durch den Redaktor noch Petrus, Ausgießung, Wort Gottes und Taufe hinzutreten.

atl. Sprachgebrauch angelehnt haben, da der Kontext der Aussagen divergiert[5]. Übereinstimmend mit den ntl. Aussagen ist jedoch, daß die Gabe des Geistes, für Ez zukünftige Gabe, hier als gegenwärtige Größe funktional endzeitliches Verhalten eröffnet.

b) ‚Ihr habt den Geist empfangen‘

Joh 7,39; 14,17; 20,22; Apg 2,33.38; 8,15.17.19; 10,47; 19,2; Röm 8,15; 1.Kor 2,12; 2.Kor 11,4; Gal 3,2.14; 1.Joh 2,27

Die pl Belege erweisen am ehesten, daß eine geprägte Wendung, wahrscheinlich eine Formel[6], vorausgesetzt ist (Verb immer im Aorist), die jedoch in Hinblick auf die aktuelle Auseinandersetzung Pauli mit seinen Gegnern antithetisch verwendet wird. Die Formel ist also älter als die pl Briefe. So stehen sich jetzt gegenüber: οὐ ἐλάβετε πνεῦμα δουλείας (Röm 8,15), πνεῦμα τοῦ κόσμου (1.Kor 2,12), πνεῦμα ἕτερον (2.Kor 11,4), πνεῦμα ἐξ ἔργων νόμου (Gal 3,2) und ἀλλὰ ἐλάβετε πνεῦμα υἱοθεσίας (Röm 8,15), πνεῦμα ἐκ τοῦ θεοῦ (1.Kor 2,12), ἐπαγγελίαν τοῦ πνεύματος (Gal 3,14) und πνεῦμα ἐξ ἀκοῆς πίστεως (Gal 3,2).

Während für die pl Belege die Gabe des Geistes Geschenk Gottes ist, führen die joh Literatur (Joh 20,22; 1.Joh 2,27) sowie Lk (Apg 2,33.38) sie auf den Auferstandenen bzw. Erhöhten zurück und vertreten mit solcher Anschauung deutlich ein späteres Reflexionsstadium. Die pl Belege bezeugen wiederum ein funktionales Verständnis als Ermöglichung des Gebets (Röm 8,15), der Erkenntnis (1.Kor 2,12), der Verkündigung (2.Kor 11,4; Gal 3,2) und des Glaubens (Gal 3,14).

Die prägnante thetische Form beider Formeln macht als Sitz im Leben die Verkündigung der frühen Gemeinden wahrscheinlich. Es bedarf keiner Begründung, daß sie weit wahrscheinlicher ‚Ausdruck einer religiösen Theorie‘ und also ‚religiöses Postulat‘ sind, als daß sie einen direkten Reflex auf pneumatische Erfahrungen darstellen[7]. Im Gegenüber zum jüdischen Dogma des erloschenen Geistes könnte ihre Ausrichtung auch apologetisch bestimmt sein. In ihrem jetzigen Kontext stellen sie die Basis für weitere Ausführungen dar. Lk bezieht die letztere Formel durchweg auf die Taufsituation (Apg 2,38; 8,15.17.19;

---

[5] Kuhn, Enderwartung 139.

[6] Deutlich erkannt von Schmithals, Gnosis 157; vgl. auch Böcher, Wasser 68, und Roloff, Apg 61, zu Apg 2,38. Nicht begründet ist aber die Auskunft von Schmithals: „‚πνεῦμα λαμβάνειν‘ ist ein fester Ausdruck der urchristlichen Sprache (…), der dem AT fremd ist und in den Mysterienkulten zu Hause sein dürfte." Schon Bultmann, Joh 476 A 5, hatte zu Joh 14,17 angeführt, daß im griech. Sprachraum δέχεσθαι vorgezogen worden wäre, hier also „gemeinchristliche Terminologie" vorliege (vgl. aber Schol. zu Platon 856 E: ἄνωθεν λαμβάνειν τὸ πνεῦμα).

[7] Deutlich Bousset, Rez. Weinel 758; Bultmann, Theologie 162 f.

10, 47; 19, 2) und verwendet πνεῦμα λαμβάνειν hier technisch. Er steht hiermit im Umfeld des griech.-hell. Christentums, welches die Vermittlung des Geistes nur substanzhaft verstehen kann, also äußerlicher Vermittlungsinstanzen bedarf. Die lk Verwendung der Formel ist daher nicht für die Bestimmung des primären Sitzes im Leben heranzuziehen. Eine Rückführung beider Formeln bis in die pal. Gemeinde wäre denkbar, wie der Befund in 1. QH andeuten kann (s. o.). Weit wahrscheinlicher handelt es sich aber um Aussagen und Schriftreflexion der hell.-judenchristlichen Gemeinde, zumal sich alle Belege im Raum des hell. Christentums befinden und eine positive Beziehung von Geistesgabe und Gesetzeserfüllung gegen die atl. Tradition vermißt wird.

4.1.2 Motive

Die frühchristlichen pneumatologischen Aussagen speisen sich zunächst aus dem Motivbereich der atl.-jüd. und jüd.-hell. Vorgaben, ohne dieselben, wie etwa bei den Formeln gezeigt, gleich zu ‚christianisieren'. Hier sind jetzt diejenigen Motive vorzustellen, die darüber hinausgehend diesen Motivbereich in spezifisch christlicher Interpretation noch vor Paulus aufnehmen. Hingegen sind diejenigen Motive, die erst Pl in aktueller Verwendung aus dem atl.-jüd. Bereich rezipiert (vgl. etwa im Zusammenhang der Beschneidungsfrage: Röm 2, 29; 7, 6; oder das Motiv des Geistes als Fürsprecher: Röm 8, 26), an späterer Stelle zu behandeln. Es ist nicht immer sicher zu entscheiden, ob ein Motiv in vorpl Zeit zurückzuführen ist (z. B. das Motiv vom Geist als Angeld) oder ob ein relativ fließender Übergang zur jüd.-hell. Tradition (z. B. im Motiv des lebenschaffenden Geistes) besteht. Da von den frühesten pl Briefen nicht erwartet werden kann, daß sie gleich den gesamten vorpl Motivbereich bieten, kommt ihrem Zeugnis an dieser Stelle keine absolute Beachtung zu. Die mehrfache Bezeugung des Einwohnungsmotivs und seine Verbindung mit dem Tempelmotiv weist auf ein dominantes Motiv des frühen Christentums hin.

Das hell. Judenchristentum interpretiert die Vorstellung der Übereignung bzw. des Empfangs des Geistes Gottes mit Hilfe des Einwohnungsmotivs des Geistes in den Gläubigen. Es liegt formelhaft verfestigt (τὸ πνεῦμα τοῦ θεοῦ οἰκεῖ ἐν ὑμῖν) in 1. Kor 3, 16; 6, 19; Röm 8, 9–11; Eph 2, 21 f.; 1. Petr 2, 5; Barn 16, 10 (vgl. auch 2. Kor 6, 16 f.) vor. Im Kontext der pl Briefe ist die Formel bereits anderen Aussageintentionen untergeordnet, mit anderen Motiven verknüpft, verkürzt oder erweitert worden[8].

---

[8] Weiß, 1. Kor 84: „Gedanke der ersten Verkündigung"; Michel, ThWNT V 138: „ka-

1. Kor 3, 16:

Pl erinnert die Gemeinde mit οὐκ οἴδατε hier und in 6, 19 an einen bekannten Gegenstand urchristlicher Predigt[9]: die Beschreibung der Gemeinde als Tempel Gottes und die Einwohnung des Geistes Gottes in den Gemeindegliedern. Während in 1. Kor 3, 16; 6, 19; Eph 2, 21 f. Tempel- und Einwohnungsmotiv verbunden sind, bezeugen Röm 8, 9. 11 nur das Einwohnungsmotiv. Daher sind beide Motive zunächst isoliert, nicht aber als Motivverbindung zu untersuchen. Das Tempelmotiv ist in 1. Kor 3, 16 im Kontext an die Bauterminologie angelehnt (V. 9–12. 14), das Einwohnungsmotiv bleibt hingegen im weiteren Kontext isoliert[10]. Das Motiv blickt nicht zurück auf ein vergangenes Geschehen der Geistübermittlung, sondern erklärt die christliche Gemeinde als gegenwärtige Wohnstatt des Geistes.

Es ist vom Wortlaut her nicht präzise festgelegt, ob ἐν hier lokal im Sinn von ‚in‘ oder ‚unter‘ zu übersetzen ist. Die letztere Übersetzung würde der atl. Vorstellung des Wohnens Gottes unter seinem Volk nahestehen (vgl. Lev 26, 12). Allerdings präzisiert 1. Kor 6, 19 – wenn auch unter paränetischer Zielsetzung – deutlich im erstgenannten Sinn. Zudem sind die genannten Formeln (4.1.1) gleichfalls kaum anders denn als Einwohnung ‚in‘ den Glaubenden zu interpretieren.

1. Kor 6, 19:

Tempel- und Einwohnungsmotiv sind in Hinblick auf den Kontext charakteristisch verändert. Nicht die Gemeinde wird als Tempel Gottes angesprochen, sondern jeder einzelne, genauer τὸ σῶμα ὑμῶν. Damit ist das bestimmende Stichwort der vorangehenden Verse in das Tempelmotiv aufgenommen. Die Leiblichkeit ist kein Adiaphoron, vielmehr der Ort, wo sich das Tempelsein des einzelnen konkretisiert. Sowohl in der Übertragung auf den einzelnen, als auch in der aktuellen paränetischen Verwendung müssen sek. Interpretationen gesehen werden[11].

---

techismusartige Unterweisung“, „katechetisches lehrhaftes Gut der paulinischen Theologie“; Paulsen, Überlieferung 48 f.; Zeller, Röm 158.

[9] Οὐκ οἴδατε ist eine geläufige rhetorische Wendung des Diatribenstils (1. Kor 5, 6; 6, 2 f. 9. 15 f. 19; 9, 13. 24); vgl. Bultmann, Stil 13. Sie ist hier aber nicht in dem Sinn mißzuverstehen, als wollte Pl einen neuen Gedanken einführen. Im Gegenteil erinnert er an bereits Bekanntes (so mit Recht Conzelmann, 1. Kor 96; Fascher, 1. Kor 138; Weiß, 1. Kor 84 u. a.). Reitzenstein, Mysterienreligionen 341, erkannte in 3, 16 „eine andere … Gedankenreihe“ im Verhältnis zum voraufgehenden Kontext.

[10] Diese Beobachtung hat Weiß, 1. Kor 85, veranlaßt, das Einwohnungsmotiv als Glosse auszuscheiden. Außerdem appelliere Pl an den Geistbesitz der Gemeinde, den er in 3, 1 gerade in Abrede gestellt habe. Wird aber die Traditionsabhängigkeit des Motivs beachtet, ist die Annahme einer Glosse, textkritisch ohnehin ohne Anhalt, hinfällig.

[11] Dies legt auch der religionsgeschichtliche Vergleich nahe. Während sich für die

Das Einwohnungsmotiv ist durch den Wegfall des Verbs οἰκεῖν nur verkürzt gegeben, aber gewiß vorauszusetzen. J. Weiß bemerkte den „etwas umständlichen Ausdruck" und vermutete, Pl wolle von der Einwohnung des Geistes in den Leibern doch antienthusiastisch abrücken[12]. Wahrscheinlich hat ein anderes Moment die umständliche Formulierung bedingt, da die Zuspitzung auf den ἁγιασμός gerade der Zielpunkt der übergreifenden pl Argumentation ist: die Ineinandersetzung von Tempel- und Einwohnungsmotiv. Das von Weiß als merkwürdig erachtete pleonastische ἐν ὑμῖν ist eben Bestand des Motivs ‚τὸ πνεῦμα οἰκεῖ ἐν ὑμῖν'. Im jetzigen Kontext ist das Einwohnungsmotiv jedenfalls nur verkürzt und dem Tempelmotiv subsumiert gegeben.

Röm 8, 9–11:

Das Motiv begegnet dreimal: V. 9 b. 11 a. 11 b. Für eine vorpl Herkunft spricht, daß das Motiv im Wortlaut kaum abgeändert worden ist. Daß es sich um den Geist Gottes handelt, ist vom Kontext immer gesichert, wenngleich θεοῦ durch αὐτοῦ wiedergegeben wird. In V. 11 b ist οἰκεῖν durch ἐνοικεῖν ersetzt. Zum zweiten finden wir das Motiv in sek. Verwendung in Verbindung mit dem Gegensatz Geist–Fleisch (V. 9 a) und der Auferweckungsaussage (V. 11). Im jetzigen Kontext erscheint der Gedanke der Einwohnung als ein Hilfsargument. Er bekräftigt in V. 9 a den Grundsatz des ἐν πνεύματι εἶναι, interpretiert ihn freilich zugleich dahingehend, daß nicht der Glaubende in die Pneumasphäre entrückt wird, sondern der Geist in ihm Wohnung nimmt. Zur folgenden ‚Scheideformel'[13] steht das Einwohnungsmotiv in nicht logischem Zusammenhang. Geht es zum einen um das Einwohnen des Geistes Gottes im Menschen, so in der ‚Scheideformel' um den Anteil des Menschen am Geist Christi. Zudem ist mit dem Unterschied πνεῦμα θεοῦ/Χριστοῦ eine Differenz angezeigt, die die traditionsgeschichtliche Frage offenhalten sollte. In V. 11 schließlich erscheint das Einwohnungsmotiv als Variation des pl ἀρραβών/ἀπαρχή-Motivs. Zwar ist V. 11 b eine bereits in sich abgeschlossene Aussage (vgl. 1. Kor 6,14; 2. Kor 4,14), doch lagert sich das Einwohnungsmotiv parenthetisch um die Auferweckungsaussage und gibt eine zusätzliche Begründung der Hoffnung.

Vorstellung der Einwohnung des Geistes im Menschen Parallelen finden (s. u.), entbehrt die Zuspitzung auf das σῶμα direkter Parallelen. Für Philo ist das σῶμα Wohnstatt der Seele (Cher 115; Migr 185; Som I 56 u. ö.), in welcher wiederum der Geist wohnt (Imm 134; Sobr 64). Der Leib wird fast ausschließlich negativ gesehen als Gefängnis der Seele (Ausnahme ist Op 120 im Zusammenhang der Auslegung der Schöpfungsgeschichte).

[12] Weiß, 1. Kor 166.

[13] Der Begriff ‚Scheideformel' findet sich bei Michel, Röm 192, welcher zugleich auf 1. Kor 16,22 und Did 10,6 als weitere Parallelen verweist.

Weitere Verwendung des Motivs im Neuen Testament

Das Einwohnungsmotiv bleibt in der formelhaften Verwendung ‚τὸ πνεῦμα θεοῦ οἰκεῖ ἐν ὑμῖν‘ auf 1. Kor 3,16; 6,19; Röm 8,9.11 begrenzt. Es wird in nachpl Literatur nur noch in abgewandelter Form verwandt oder völlig dem Tempelmotiv untergeordnet. Die wesentlichste Abwandlung besteht in der Ersetzung der Einwohnung des Geistes durch die Einwohnung Christi.

Den Übergang zu dieser Vorstellung bezeugt eindeutig Eph 3,17 a. Das Gerüst des Satzes entspricht dem Gehalt trad. pneumatologischer Aussagen. Der Geist nimmt Wohnung (κατοικεῖν) und zwar ἐν ταῖς καρδίαις ὑμῶν (Röm 5,5; 2. Kor 1,22). Indem Eph 3,17 a aber den Geist durch τὸν Χριστόν ersetzt, ist möglicherweise die Reflexion über das Verhältnis von πνεῦμα und κύριος über Pl hinausgehend (s. u. Exkurs nach 7.1.3) fortgeschritten. Die Einwohnung wird jetzt nicht mehr, wie in den vorpl Zeugnissen, als ontisches Geschehen begriffen, vielmehr kann sie nur διὰ τῆς πίστεως empfangen werden. Darin entspricht Eph 3,17 dem Standort der pl Briefe zu ihrer Tradition (Röm 3,25; 1,17). Neben Eph 3,17 a betonen die Einwohnung Christi: Barn 6,14 f.; 16,10; IgnEph 15,3.

Neben der christologischen Verschiebung wird die Vorstellung der Einwohnung des Geistes zurückgedrängt durch das Tempel-Motiv, welches für die Paraklese und Paränese eine bessere Ausgangsbasis darstellt. Beide Motive sind teilweise bereits bei Pl verbunden. Sie waren daher, aber auch aufgrund der religionsgeschichtlichen Nähe der Motive (s. u.), auf gegenseitige Durchdringung angelegt. Damit waren jedoch gewichtige theologische Verschiebungen gegeben. Die ‚Gemeinde als Tempel‘ wird jetzt gegen Pl nicht mehr indikativisch verstanden, sondern ist Gegenstand zukünftiger Erwartung und also Gegenstand der Paränese: Eph 2,21 f.; 1. Petr 2,5 (rein paränetischer Kontext); 1. Tim 3,15; Barn 16,10.

Man kann von einer sek. Ethisierung und Eschatologisierung ehedem indikativisch und präsentisch gebrauchter Heilsaussagen sprechen. Sachlich bedeutet dies eine Wiederaufnahme des vorntl. Standpunktes, denn Tempel und Geistausgießung gehörten zum eschatologischen Hoffnungsgut des Judentums.

Zur religionsgeschichtlichen Einordnung des Einwohnungs- und Tempelmotivs

Der Gedanke der Einwohnung Gottes im Menschen ist atl. Denken fremd[14]. Erst im hell. Judentum finden sich vereinzelte Aussagen: TestDan 5,1 (κύριος κατοικήσει ἐν ὑμῖν)[15]; vgl. auch TestJos 10,3; TestBenj 6,4; Philo, Som I 148 f.

---

[14] Die häufig genannten Belege Sap 3,14; 2. Makk 14,35 bezeugen diese Vorstellung nicht; vgl. THAT I 313. G. Scholem, Die jüdische Mystik in ihren Hauptströmungen, ³1988, 408 A 104, hält eine communio mit der Schechina noch für manchen talmudischen Lehrer als undenkbar; vgl. auch den Hinweis auf den babylonischen Talmud, Ketubboth, Bl. 111 b: ‚Ist es denn möglich, mit der schechina Verbindung zu haben?‘

[15] Während Becker, JSHRZ III/1, 94, ‚damit der Herr in euch wohnt‘ übersetzt, liest Kautzsch, Apokryphen II 484, ‚unter euch‘. Bedenkt man jedoch den vorangehenden

(Auslegung von Lev 26,12); II 248; Praem 123; Virt 188 (weitere Belege bei Pascher, ΟΔΟΣ 266–272, s. o. S. 47 Anm. 18). Auch die LXX partizipiert an dieser Umdeutung. Ez 37,27: καὶ ἔσται ἡ κατασκήνωσις μου ἐν αὐτοῖς (MT: עֲלֵיהֶם); aber 37,28: ἐν τῷ εἶναι τὰ ἅγια μου ἐν μέσῳ αὐτῶν.

Deutlicher sind die Aussagen in bezug auf das Einwohnen des Geistes. Stoische Philosophie hatte ein natürliches, schöpfungsmäßiges Einwohnen des Geistes im Menschen gelehrt. Seneca, Ep 41,2: sacer intra nos spiritus sedet; ders., Ep 66,12: ratio autem nihil aliud est quam in corpus humanum pars divini spiritus mersa; ders. bei Lact, Inst VI 25,3 und Ovid, Ars amatoria III 549 f.: est deus in nobis et sunt commercia coeli, sedibus aetheris spiritus ille venit. Die Vorstellung ist hier nicht im einzelnen aufzuzeigen, da die urchristliche Theologie sie weder direkt voraussetzt, noch an sie anknüpft. Gleichfalls kann für diesen religionsgeschichtlichen Vergleich das Umfeld der Inspirationsmantik nicht überbewertet werden, da es im Gegensatz zu den urchristlichen Aussagen dort um jeweilige aktuelle Inbesitznahme der Priesterin/des Priesters durch das πνεῦμα geht.

Die stoische Vorstellung der Einwohnung des πνεῦμα, des λόγος, der σοφία hat wahrscheinlich erst über die Rezeption des hell. Judentums das Urchristentum beeinflußt. Zwar überwiegt im hell. Judentum die mystische Einigung des Einzelnen mit dem λόγος bzw. dem συνοικεῖν, der οἰκία des λόγος im Einzelnen (Philo, Som I 118 f.), der σοφία (Sap 7,10; 8,16 f.), des πνεῦμα (Philo, Heres 164; SpecLeg IV 8), während die urchristlichen Aussagen gerade nicht den Einzelnen, sondern die Gemeinde zur Wohnstatt des Geistes machen, was eine mystische Erklärung von vornherein ausschließt. Terminologisch verbindet aber die Vorstellung der Einwohnung mit jüd.-hell. Theologie. Die primäre Voraussetzung des Einwohnungsmotivs in den Gläubigen ist zweifelsohne die urchristliche Überzeugung der endzeitlichen Geistbegabung der Gemeinde, wie sie sich in Verkündigungsformeln (s. o.) niedergeschlagen hat.

Das Motiv der Einwohnung des endzeitlichen Geistes in der Gemeinde wird daher als christliche Interpretation unter Verwendung jüd.-hell. Terminologie und Theologie zu verstehen sein.

Was bedeutet nun aber die Verbindung mit dem Tempelmotiv, die sich ja außer Röm 8,9–11 in 1. Kor 3,16; 6,19; 2. Kor 6,16 f.; Eph 2,21 f.; 1. Petr 2,5; 1. Tim 3,15 und Barn 16,10 niedergeschlagen hat?

Die Frage kann nur beantwortet werden, wenn auch die Motivgeschichte des Tempelmotivs beachtet wird.

Zur besonderen Erwartung spätatl./jüd. Eschatologie zählt die Vorstellung des zukünftigen Tempels in der messianischen Zeit (Ez 40–48; Mal 3,1; 2. Makk 2,18 f.; äthHen 91,13; Jub 1,17; Sib III 702–718; 14. Ben. des Achtzehngebets u. a.). Der gegenwärtige Tempel wird durch den im Himmel befindlichen Tempel ersetzt, er stellt den endzeitlichen Wohnort Gottes dar (äthHen 91,13; Jub 1,17). Diese Hoffnung kann auch mit der Erwartung der neuen Stadt Jerusalem verbunden sein (Tob 1,4; PsSal 17,32 f. u. a.). J. Weiß erinnerte an diese jüd. Erwartung und behauptete, urchristliche Theologie habe die reali-

---

Kontext (Gott weicht von der Seele oder Beliar beherrscht sie; 4,7), so ist die deutlichere Nähe zum Einwohnungsmotiv (‚in euch‘) unverkennbar.

stische Form der Tempelerwartung aufgegeben (vgl. Mk 14,58; Apg 7,48; Apok 21,22), vielmehr in endzeitlichem Bewußtsein spiritualisiert und auf sich als Gemeinde bezogen[16]. Explizit gegen Weiß argumentierte Wenschkewitz[17]: a) Versuche zur Spiritualisierung des Tempelbegriffs seien im Spätjudentum Palästinas nicht nachweisbar; b) im pal. Urchristentum und bei Jesus sei der Gedanke, daß die Gemeinde der endzeitliche Tempel sei, nicht anzutreffen; c) das Motiv sei erst bezeugt, nachdem das Christentum griech. Boden betreten habe. Die alttestamentliche Komponente sei allenfalls sekundär.

Die Argumente sind im einzelnen zu überprüfen.

Zunächst haben die Qumrantexte die Hauptaussage Wenschkewitz' erschüttert, eine Spiritualisierung sei in vorchristlicher Zeit im pal. Judentum nicht belegt.

Die Qumrangemeinde steht einerseits noch im Rahmen der allgemeinen Erwartung. So sprechen 1.QM 2,3; 7,11; 4.QpPs 37,3.11 vom zukünftigen Tempel, 4.QFl 1,2f. vom eschatologischen Heiligtum (בַּיִת und קֹדֶשׁ), 1.QS 10,3f. vom himmlischen Heiligtum Gottes, 11.Q Tempelrolle 29 von meinem Heiligtum.

Neben dieser traditionellen Verwendung des Motivs des eschatologischen Tempels begegnet aber zugleich eine Übertragung der Tempelbegriffe auf die Qumrangemeinde. Direkte Parallelen hierzu gibt es in vorntl. Zeit neben Qumran im Judentum nicht, allein die Identifizierung des Einzelnen mit dem Tempel Gottes ist im gleichzeitigen hell. Judentum und im Hellenismus bezeugt[18].

Die Umdeutung in der Qumrangemeinde ist geworden und nicht immer Anschauung der Gemeinde gewesen. Sie ist zudem auf bestimmte Schriften begrenzt und steht im Kontext der Spiritualisierung des Opfers, der priesterlichen Vorstellungen etc.

Die Belege sind kurz vorzustellen. Hierbei sind die Ergebnisse der Studien von Klinzing, McKelvey und Gärtner stets mitzubedenken.

1. QS 8,4-8[19]*:* Die Verse beschreiben die Wirkung der vollkommenen und

---

[16] Weiß, 1.Kor 84.

[17] Wenschkewitz, Spiritualisierung 113f. A 3.

[18] Klinzing, Umdeutung, sieht im gleichzeitigen Judentum allenfalls Parallelen in der Ausgangsposition: „... die Tempelpriesterschaft wird verurteilt, Tempel und Opfer als befleckt angesehen" (145). Hingegen findet sich in den oft genannten Parallelen zur Qumranliteratur PsSal, AssMos und TestLevi 14–16 nicht eine der Polemik gegen Tempel und Priester folgende Identifizierung der eigenen Gemeinde mit dem Tempel. Eine Ausnahme scheint Philo, QuaestEx I 10 darzustellen. Während für Philo üblicherweise die Seele des Frommen Wohnstatt des Geistes ist, stellen hier viele gute Personen einen Tempel dar. Philo bezieht dies jedoch auf die Zeit vor dem Tempelbau.

Zur Identifizierung des Einzelnen mit dem Tempel: Sen, Ep 41,1; Cic, NatDeor II 71; Philo, Som I 149; Sobr 62. McKelvey, Temple 55: „... the teaching of both the Stoics and Philo (zeige; Verf.) that the spiritual temple is an essentially individualistic concept."

[19] Eine ausführliche Analyse bieten Klinzing, Umdeutung 50–60, und Gärtner, Temple 22–30. Zum Motiv der ‚endzeitlichen Stadt‘ in V.7f. vgl. zusätzlich G.Jeremias, Der Lehrer der Gerechtigkeit, StUNT 2, 1963, 245–248.

Zur Verwendung der Tempelterminologie in 4.Q Florilegium: D.Dimant, 4 Q Florilegium and the Idea of the Community as Temple, in: A.Caquot u.a. (Hg.). Hellenica et Judaica. Hommage à V.Nikiprowetzky, 1986, 165–189.

gerechten Gesetzeserfüllung der Gemeinde (V. 1–4). Solches Verhalten erweist die Gründung der Gemeinde in der Wahrheit und läßt in ihr eine ewige Pflanzung sehen. Der letzte Ausdruck stellt in hervorragender Weise das Selbstbewußtsein der Gemeinde dar und leitet als eschatologischer Ausdruck zum Tempelmotiv über. In zwei parallelen Reihen entsprechen sich nun in V. 5–8 Israel und Aaron (vgl. auch 5,6; 8,8; 9,6). Die Gemeinde ist nicht mit Aaron oder Israel zu identifizieren, vielmehr kommt ihr als heiligem Haus bzw. als Gründung des Allerheiligsten die Aufgabe zu, das eschatologische Vergeltungsgericht zukünftig und gegenwärtig die Sühne für die Abtrünnigen zu vollziehen. In V. 7 f. folgt mit Anspielung auf Jes 28,16 zusätzlich ein Hinweis auf die endzeitliche Stadt, welches die in V. 5 f. vollzogene Identifikation der Gemeinde mit Gottes Tempel unterstützt.

1. QS 8, 8–10: In diesem Abschnitt, der sek. an 8,7 angefügt wurde, begegnet das gleiche Schema. Die Gemeinde ist jetzt eine Stätte des Allerheiligsten für Aaron und ein Haus der Vollkommenheit und Wahrheit in Israel. Zwar fehlt im letzten Glied in Gegensatz zu V. 5 der Zusatz ,heiliges Haus' (= Tempel), doch lassen die Genitivappositionen in V. 9 und die Parallelisierung mit Stätte des Allerheiligsten an nichts anderes als an den Tempel denken. Das Ziel dieser Identifikation ist wiederum die Sühne für das Land und die Verurteilung der Gottlosigkeit.

1. QS 9, 3–6: Ganz in Entsprechung zu 8,4–8 werden in 9,3–6 nach der Erfüllung der Anordnungen die Gemeindeglieder für Aaron ein heiliges Haus, ja Allerheiligstes sein, für Israel ein Haus der Gemeinschaft.

1. QS 5, 4–7: Die Gemeinde soll ein Heiligtum in Aaron und ein Haus der Wahrheit in Israel sein zur Sühne für alle, die sich für diese Gemeinschaft willig erweisen.

Klinzing hat nachgewiesen, daß die o. g. Texte auf eine gemeinsame Tradition zurückzuführen sind (vgl. seine Synopse S. 70).

1. QS 11, 8: Die Gemeinde nimmt teil an der Engelgemeinschaft, um so erst zu einer Gemeinschaft, zu dem heiligen Gebäude und zur ewigen Pflanzung zu werden. Im Gegensatz zu 1. QFl 1,4 bezieht sich die Engelgemeinschaft nicht auf den zukünftigen Tempel. Da die Gemeinde die endzeitlichen Güter (V. 6 f.) schon jetzt in ihrer Mitte weiß, stellt sie gegenwärtig diesen Tempel dar.

CD 3, 18–20: Der Begriff ,festes Haus' ist wie in 1. QS 5,6; 8,5.9; 9,6 übertragener Begriff für die Gemeinde, das Tempelmotiv wird durch das folgende Zitat nachgetragen.

Die Identifikation von Tempel und gegenwärtiger Gemeinde gilt unbeschadet der Tatsache, daß in den o. g. Belegen häufig von einem zukünftigen Geschehen gesprochen wird. So zeigt es die Einleitungsformel ,wenn dies in Israel geschieht' (8,4; 9,3), sofern sie zum ursprünglichen Bestand zählt. Trotz dieser Formulierung im apokalyptischen Stil begreift sich die Gemeinde als inmitten dieses Geschehens stehend. Sie blickt ja bereits auf die Trennung vom Tempelkult zurück, um nun selber Tempel zu sein.

Der letztlich bestimmende äußere Anlaß für diese Umdeutung des Tempelbegriffs wird, wie Klinzing überzeugend darlegt, mit der Trennung der Gemeinde vom Jerusalemer Opferkult gegeben sein. Fehlt so aber der Ort des kultischen Sühnehandelns, so tritt die Gemeinde selber in Heiligkeit und Gerechtigkeit in diese Funktion und wird Ort und Mittel des Sühnehandelns zugleich[20].

Gegenüber Wenschkewitz' These halten diese Texte Qumrans die Möglichkeit offen, daß urchristliche Theologie die Spiritualisierung des Tempels „als bereits geprägte Vorstellung aus der Qumrangemeinde" übernehmen konnte[21]. Fraglich bleibt jedoch, ob bereits das pal. Christentum diese Spiritualisierung vollzogen hat. Qumran gebrauchte die Selbstbezeichnung in kritischer Distanz zum Jerusalemer Opferkult, die pal. Urgemeinde verbleibt jedoch, so müssen wir annehmen, zunächst im Verband der jüdischen Kultgemeinde. Tempelbesuch und Spiritualisierung des Tempels schließen sich aus.

Aus welchen Intentionen werden im Urchristentum Tempel- und Einwohnungsmotiv verknüpft? Greift solche Verbindung auf Voraussetzungen zurück?

In Qumran sind Geistesgabe und Tempelmotiv nicht direkt verbunden. In 1. QS 9,3 – dem einzigen in dieser Hinsicht diskutablen Beleg – ist das Fundament des Geistes Folge der Gesetzesbefolgung der Gemeinde, die sich in V.6 mit dem Tempel identifiziert. Dieses Bindeglied der Gesetzesbefolgung stellt einen Abstand zu den ntl. Aussagen dar.

Von anderer Seite haben Gärtner[22] und Maier[23] eine Verbindung des Tempelmotivs mit dem Einwohnungsmotiv in Qumran nachweisen wollen. Gärtner (58f.) verweist auf das in Qumran belegte Motiv der Engelgemeinschaft in der Gemeinde. Jedoch ist eine direkte Gleichsetzung der Engel mit dem Geist Gottes nicht statthaft. J. Maier geht von der Wohntempelvorstellung aus, der zufolge die Herrlichkeit Gottes beweglich sei. Jedoch ist eine absolute Aufgabe des Jerusalemer Tempels in Qumran nicht ausgesagt worden.

Die Motivverbindung ist weder in Qumran, noch im zeitgenössischen Judentum belegt. Die häufig zitierte Parallele TestIsaak 4,16 ist mit Recht seit langem als nachchristlich und wegen der Gleichsetzung von Leib und Heiligtum als von 1. Kor 6,19 abhängig erkannt worden. Eventuell ist TestIsaak insgesamt eine späte christliche Legende[24].

Im griech.-hell. Raum ist eine Spiritualisierung des Tempels in langer philosophischer Tradition, die in grundsätzlicher Abwertung materieller Güter stand, vorgegeben (Plat, Leg IV 716d; Xenoph, Mem I 3,3; Eur, fr 329). Nie also wird der Mensch in seiner Ganzheitlichkeit daher Tempel sein können. Nur die Seele ist die Wohnstätte des Geistes Gottes. Porphyr, Marc XIX: νεὼς ἔστιν τοῦ θεοῦ ὁ ἐν σοι νοῦς. Die Tempelbegrifflichkeit wird häufig durch andere Wohn- oder Hausmotive ersetzt. So bei Sen, Helv VI 7 über den Geist: non est ex terreno et gravi concreto corpore, ex illo caelesti spiritu descendit; Ep 66,12: ratio ... in corpus humanum pars divini spiritus mersa; vor allem Ep 31,11: quid alius voces hunc quam deum in corpore humano hospitantem.

---

[20] J. Maier, Tempel und Tempelkult 390, beschreibt die Spiritualisierung „als zwangsläufige Folge der Abwertung des gegenwärtigen Kults und als Nebenerscheinung der Ersatzlösung."

[21] Klinzing, Umdeutung 168 und 210; ähnlich Goppelt, 1. Petrus zu 2,5.

[22] Gärtner, Temple 58 f.

[23] Maier, Texte II 78.

[24] Vgl. zur Stelle Reinmuth, Geist 124 A339 (Lit.!).

Überblickt man diese und weitere Belege, so sieht man, daß Tempelmotiv (zumeist ohne Tempelbegriff) und Einwohnungsmotiv verbunden sind und zwar in Hinblick auf die menschliche Seele. Das hell. Judentum setzt dieses unter weitaus stärkerer Berücksichtigung der Tempelbegrifflichkeit fort. Für Philo ist die Seele das Haus oder der Tempel Gottes, in welchem der Logos oder das Pneuma wohnt (Som I 149: σπούδαζε οὖν, ὦ ψυχή, θεοῦ οἶκος γενέσθαι, ἱερὸν ἅγιον; Praem 123 u. ö.).

Fassen wir den Ertrag des religionsgeschichtlichen Vergleichs zusammen. Das Motiv der Einwohnung des Geistes im Einzelnen ist im hell. Denken vorgegeben, in stoischer Philosophie und jüd.-hell. Mystik bezeugt. Das Tempelmotiv hat eine breitere Vorgeschichte im atl.-jüd., aber auch im hell. Denken. Auffällig ist die Gemeindebezeichnung als endzeitlicher Tempel in Qumran. Die Verbindung von Einwohnungs- und Tempelmotiv als gegenwärtigen Wirklichkeiten, die sich gegenseitig interpretieren, findet sich für eine Gemeinde zuerst im hell. Christentum (1. Kor 3,16; 6,19). Sollte das jüd. ‚Dogma' des geistverlassenen Tempels in die ntl. Zeit zurückreichen, dann könnte die christliche Verbindung hierdurch mitmotiviert sein. Der Motivverbindung eignet aber zugleich eine Kritik des bestehenden, gegenwärtigen Tempels. Von der hell. und jüd. Vorgeschichte beider Motive ist wahrscheinlich, daß beide immer schon auf Ethik, speziell auf Heiligkeit bezogen waren (vgl. nur 4. Reg 21,7; 23,6; Dan 9,27; Lev 21,23; Philo, Som I 146 ff.; Sen, Ep 83,1; Epict, Diss I 3,1 ff.; 13,3 u. ö.). Die Betonung der Heiligkeit und die Exklusivität des Tempels sowie die Beziehung auf die Gesamtgemeinde verbindet mit Qumran und ist jüd. Abkunft. Christlich ist hingegen die Verbindung beider Motive aus eschatologischem Bewußtsein sowie die nachhaltige Einbeziehung der Leiblichkeit in die geistliche Tempelexistenz.

Stellt Pl in 1. Kor 3,16; 6,19 diese Motivverbindung als Lehrgegenstand hin, den die Korinther kennen sollten, so wird man in ihr einen Teil der frühpl Predigt, auf jeden Fall ausschnitthaft sein frühes Verständnis des Geistes reflektiert sehen können[25]. Da Tempelgemeinschaft und Tempelspiritualisierung in Spannung zueinander stehen, wird man die Motivverbindung schwerlich in die Jerusalemer Gemeinde zurückführen können, wird vielmehr von einem Abstand zu Jerusalem ausgehen müssen. Das Einwohnungsmotiv ist zudem allein auf dem Hintergrund (jüd.)-hell. Denkens einsichtig. Dies und die Tatsache, daß tempelkritische Aussagen im Urchristentum mit dem jüd.-hell. Zweig des Urchristentums verbunden sind (Mk 14,58; Apg 6-7), lassen an eine Motivverbindung denken, die Pl durch Vermittlung der hell., vielleicht der antiochenischen Gemeinde überkommen ist[26].

---

[25] Es ist gegen Michel, ThWNT IV 890, jedoch nicht beweisbar, daß Pl selber das Tempelwort Jesu Mk 14,58 katechetisch auswertet. Paulsen, Überlieferung 50, führt unter Berücksichtigung der tempelkritischen Funktion das Einwohnungsmotiv auf den Stephanuskreis zurück.

[26] Die uns wahrscheinliche Herkunft der Motivverbindung aus der antiochenischen Gemeinde hat Pesch, Apg I 240, dahingehend zu präzisieren gesucht, daß die Hellenisten nach ihrer Vertreibung die Bindung an den Tempel aufgegeben hätten, um nun selber an seine Stelle zu treten. Diese Vermutung könnte sich darauf berufen, daß in Apg 6,14, von

Diese funktionale Ausrichtung von Tempel- und Einwohnungsmotiv auf die Heiligkeit der Gemeinde bezeugt schließlich *2. Kor 6, 14-7, 1.* Zwar ist die Authentizität und Stellung im Kontext umstritten. Doch wird man diesen Text schon wegen der Nähe dieses Skopos zu 1. Kor 3, 16; 6, 19 nicht in einen zu großen Abstand zur korinthischen Korrespondenz bringen dürfen[27]. Die Paränese warnt vor der Gemeinschaft mit Heiden. Fünf synonyme Glieder (V. 14 b–16 a) stellen unverträgliche Größen gegenüber, zuletzt den Tempel Gottes und die heidnischen Götter. Ἡμεῖς γὰρ ναὸς θεοῦ ἐσμεν[28] spiritualisiert den Begriff ναὸς θεοῦ und bezieht ihn auf die christliche Gemeinde, lenkt damit aber zugleich zur Eingangsparänese zurück, Gemeinschaft mit den Ungläubigen zu meiden. Diese Gleichsetzung von ναὸς θεοῦ und christlicher Gemeinde wird ab V. 16 c mit einer Zitatenkollektion (καθὼς εἶπεν ὁ θεὸς ὅτι) begründet, die bereits ab V. 17 (διό) wieder auf die Unverträg-

---

Pesch, Apg I 45, einer vorlk Quelle zugewiesen, gegenüber Mk 14,58 (als Vorlage für Apg 6,14) die Ansage des Baus eines anderen Tempels fehlt. H. J. Holtzmann, Die Synoptiker, HCNT I/1, ³1901, 177, interpretiert Mk 14,58 b vom vorpl Einwohnungs- und Tempelmotiv her.

[27] Die Fragen der Authentizität und literarkritischen Stellung sind mitzubedenken. Die Forschungsgeschichte kann hier nicht annähernd wiedergegeben werden (vgl. den umsichtigen Überblick bei Furnish, 2. Cor 375–383). Vokabelstatistisch halten sich unpl und typisch pl Wendungen die Waage. Die Zitatenkombination in 6,16–18 begegnet nicht in anderen pl Briefen. Inhaltlich bleiben Spannungen. So gesteht 1. Kor 5,10 eine Koexistenz mit der ungläubigen Welt zu, während 2. Kor 6,14–7,1 zur Trennung aufruft.
E. Schweizer, ThWNT VII 125 A 219; VII 370 A 245, vermutete vorchristlichen Ursprung und nachpl Interpolation (ähnlich Bultmann, 2. Kor 182). J. Gnilka, 2. Cor 6:14-7:1 in the Light of the Qumran Texts and the Testaments of the Twelve Patriarchs, in: J. Murphy-O'Connor, Paul and Qumran, 1968, 44–68, sah eine christliche Paränese in essenischer Tradition. J. A. Fitzmyer, Essays on the Semitic Background of the New Testament, 1971, 205–217, vermutete hingegen eine christliche Überarbeitung einer essenischen Paränese. H. D. Betz erkannte in diesem Text ein Fragment der antipl Gegner in Galatien (ders., 2. Cor 6:14; ders., Gal 5–9. 329 f.; partielle Zustimmung von Lüdemann, Paulus I 59 A 4). Ausgesprochen problematisch bleibt hierbei jedoch die Frage, wie eine antipl Tradition aus Galatien in einen Pl-Brief nach Korinth – zumal an diese Stelle – interpoliert werden konnte. Gegenwärtig scheint der christliche Ursprung nicht strittig, ja selbst pl Abfassung und pl Interpolation dieses älteren Stücks werden wieder erwogen (vgl. Furnish, 2. Cor 382 f.): J. Lambrecht, The Fragment 2. Corinthians 6, 14–7, 1: A Plea for its Authencity, in: T. Baarda u. a. (Hg.), Miscellana Neotestamentica II, NovTS 47, 1978, 143–161.
Gelegentlich wird 2. Kor 6,14–7,1 als Teil des in 1. Kor 5,9.11 erwähnten Vorbriefs verstanden (Hurd, Origin 282–286. 235–239). Nach Mc Kelvey, Temple 93– 98, repräsentiert das Fragment die früheste pl Verkündigung, eventuell sogar den ältesten Bestand des NT. Doch kann nicht überzeugen, daß Pl mit οὐκ οἴδατε (1. Kor 3,16; 6,19) auf das Fragment anspiele, in dem ja Tempel- und Einwohnungsmotiv gegeben sind (2. Kor 6,16). Hier ist die Einwohnung gerade nicht pneumatologisch vermittelt.
[28] Dieser Satzteil verbindet V. 14–16 a und V. 16 c–7,1, ist daher gegen Windisch, 2. Kor 215, nicht als Glosse anzusehen.

lichkeit von Tempel des lebendigen Gottes und Göttern, bzw. Gemeinde und Ungläubigen zielt.

καὶ ἐμπεριπατήσω (ἐν ὑμῖν) καὶ ἔσομαι αὐτῶν (ὑμῶν) θεός, καὶ αὐτοὶ (ὑμεῖς) ἔσονταί (ἔσεσθε) μου λαός = V. 16 d = Lev 26, 12 LXX (in Klammern unwesentlich divergierender Teil der LXX).

Es ist deutlich, daß dieser Vers nicht von dem Wohnen Gottes in seinem Volk, sondern unter seinem Volk spricht. Nun beginnt jedoch die Zitatenkollektion mit ἐνοικήσω ἐν αὐτοῖς, mit einer Wendung also, die in dieser Form der ganzen LXX fremd ist. Versteht man ἐν αὐτοῖς mit ‚unter ihnen‘, wäre in Entsprechung zu Lev 26, 12 das endzeitliche Wohnen Gottes bei seinem Volk ausgesagt. Wahrscheinlicher ist jedoch, daß diese bewußte Voranstellung nicht eine Wiederholung des LXX-Zitats mit anderen Worten sein will, sondern eine „mystische Übertragung"[29] beinhaltet. Dies legt sich aus drei Gründen nahe:

a) V. 16 d zitiert Ez 37, 27 b: καὶ ἔσομαι αὐτοῖς θεός, καὶ αὐτοὶ μου ἔσονται λαός. V. 27 a lautet: καὶ ἔσται ἡ κατασκήνωσις μου ἐν αὐτοῖς. Es ist denkbar, daß die Erweiterung in V. 16 c durch ἐνοικήσω auf κατασκήνωσις blickt. Zugleich aber war in der LXX durch ἐν αὐτοῖς (diff MT: וְהָיָה מִשְׁכָּנִי עֲלֵיהֶם) das Einwohnungsmotiv nahegelegt.

b) Die Verwendung von Lev 26, 12 in der jüd.-hell. Literatur zeigt gleichfalls, daß dieser Text als dictum probans der Einwohnung Gottes im Menschen diente; Philo beschreibt in seiner Auslegung von Lev 26, 12 in Som I 148 f. den Auszug des Bösen (ἐξοικίζεται κακῶν) und stellt ihm den Einzug Gottes gegenüber (ἵνα εἷς ὁ ἀγαθὸς εἰσοικίσηται). Folge dieses Geschehens ist: σπούδαζε οὖν, ὦ ψυχή, θεοῦ οἶκος γενέσθαι, ἱερὸν ἅγιον.

c) Sprachlich steht das vorangestellte ἐνοικήσω ἐν αὐτοῖς in Nähe zu urchristlichen Aussagen, die von der Einwohnung (ἐνοικεῖν) τοῦ πνεύματος (Röm 8, 11; 2. Tim 1, 14), τοῦ λόγου τοῦ Χριστοῦ (Kol 3, 16), τῆς πίστεως (2. Tim 1, 5), des κύριος (Barn 16, 10 v. l.) sprechen, um so den πνευματικὸς ναός (Barn 16, 10) darzustellen.

Die Verheißungen in der atl. Zitatenkollektion sind jetzt erfüllt. Wohnt Gott nach atl.-jüd. Erwartung in der Endzeit im Tempel, so ist diese Einwohnung jetzt in der Gemeinde als Tempel Gottes gegeben[30]. Dies ist ein ontisches Geschehen, ist die neue Wirklichkeit. Dies und die Verpflichtung, diese neue Tempelexistenz ethisch in Heiligkeit zu bewahren (7, 1), stellt 6, 14–7, 1 in deutliche Nähe zu 1. Kor 3, 16 und 6, 19 und läßt davon absehen, den Text in eine völlig andere Situation als die der frühpl Verkündigung zu verlagern.

---

[29] So Windisch, 2. Kor 216.

[30] Windisch, 2. Kor 216, verkennt diese ontische Grundaussage, wenn er διό (V. 17) nicht konsekutiv, sondern kausativ (‚damit sich die Verheißung realisieren kann‘) auslegt.

Es sei bereits jetzt darauf hingewiesen, daß die in Einwohnungs- und Tempelmotiv zum Ausdruck kommende Pneumatologie der frühpl Position entspricht, die vor allem der 1. Thess bezeugt. Mit der Gabe des Geistes ist die Gemeinde in den Stand der Heiligkeit versetzt, was sie einerseits von der ungläubigen Welt trennt, andererseits von ihr verlangt, in dieser letzten Zeit vor der Parusie die mit dem Geist gesetzte Heiligkeit zu bewahren[31].

4.1.3 Traditionen

Der Blick auf die vorpl Traditionen ist als solcher noch keine Garantie zur Erfassung einer einheitlichen frühchristlichen Sicht. Das vorpl Material gibt frühpl, damaskenische oder antiochenische Aussagen wieder, wie zugleich nebenpl, heidenchristliche Aussagen, die im liturgischen Handeln der von Pl gegründeten Gemeinden erwuchsen, in denen zudem noch andere Apostel wirkten.

Hier sind zunächst die Texte zu nennen, die in der überwiegenden Forschung als Traditionen der pl Briefliteratur angesehen werden, in denen auf das πνεῦμα Bezug genommen wird: Röm 1,3–4 a; 1. Kor 2,6–16 (?); 6,11; 12,13; 2. Kor 1,22; (6,14–7,1). Die Analyse dieser Texte wird zeigen, daß sie unterschiedlichen Sitzen im Leben zuzuordnen sind und es nicht hilfreich ist, sie hier insgesamt für eine vorpl Sicht auszuwerten. Die Fixierung auf feste ausgrenzbare Traditionen kann an dieser Stelle ohnehin irreführend sein. Schweizers Feststellung, daß der Geist im frühchristlichen Kerygma keinen festen Platz hat, sollte nicht vergessen werden[32]. Weitaus wahrscheinlicher partizipiert auch Pl an einem trad. Sprachzusammenhang, der sich aus der wiederkehrenden Verbindung bestimmter Stichwörter als semantisches Feld ergibt. Dieser Sprachzusammenhang kann in die vorpl Gemeinde zurückreichen, er kann sich aber auch im Zusammenhang der pl Verkündigung erst verdichtet haben. So ist hier nur im Einzelfall zu beantworten, ob wirklich ein traditioneller, auf die vorpl Gemeinde zurückzuführender Sprachgebrauch vorliegt.

---

[31] Während in 1. Kor 3,16; 6,19 die eschatologische Ausrichtung nur im Kontext bezeugt ist, verweisen in 2. Kor 6,14 ff. der Gegensatz von Christus und Beliar, sowie 7,1 (zu ἐπιτελέω: Phil 1,6; Gal 3,3) auf solches Geschichtsverständnis; zur Verklammerung von Heiligkeit und Parusie 1. Thess 3,13; 5,23. Auch E. E. Ellis, Traditions in 1. Corinthians, NTS 32, 1986, 488, betont die Nähe des Fragments zu 1. Kor 3,16; 6,19 als Zeugnissen frühpl Theologie.

Windisch, 2. Kor 212, stellt die Frage zur Diskussion, ob 6,14–7,1 die ursprüngliche Fortsetzung zu 6,1 f. darstellt. Gegenüber dieser ihm wahrscheinlicheren Lösung hält er aber auch die Möglichkeit offen, daß 6,14–7,1 ein Teil des sogenannten Vorbriefs sind (220).

[32] Schweizer, ThWNT VI 401 A 458.

4.2 Die Reflexion über den Zeitpunkt der Geistbegabung

Die genannten Formeln und Motive geben in verdichteter Form den Anspruch urchristlicher Theologie wieder, daß Gottes Geist gegenwärtig in der Gemeinde und in jedem einzelnen ihrer Glieder präsent ist und daß solches Geschehen als eschatologisches zu verstehen ist. Die als Problemhorizont aufgezeigte Differenz von Geist als Substanz oder Kraft des neuen Seins konnte an diese Formeln und Motive nur bedingt herangetragen werden. Es hat zunächst den Anschein, als sei die Behauptung des Geistbesitzes primär eine wohl notwendige Explikation des urchristlichen Selbstverständnisses und urchristlicher Theologie gewesen, also eine theoretische, lehrhafte Folgerung, die dem Sachverhalt Rechnung trägt, daß der Geist Gottes in der Erwartung des Judentums in der Endzeit gegenwärtig ist. Dieses Bewußtsein in den Gemeinden läßt die Frage der Interpretation desselben zunehmend virulent werden. Hierbei ist die Verflechtung mit der allgemeinen Entwicklung urchristlicher Theologie und Geschichte maßgebend.

Die späte Gemeindetheologie freilich sucht, diesen Anspruch des Geistbesitzes auf ein historisch verrechenbares Datum als einmalige Geistübermittlung zurückzuführen. Sowohl die Jesustradition (Mk 6,6–13), der johanneische Kreis (Joh 20,19–23) und die im Umkreis des Paulinismus und des hell. Christentums stehende Apg (2,1–13) beschreiben je eine vorösterliche, österliche und nachösterliche Geistmitteilung Jesu an seine Jünger. Diese Überlieferungen sind von dem Interesse geleitet, die Gabe des Geistes an Christus zu binden und auf seine Wirksamkeit zurückzuführen.

4.2.1 Vorösterliche Geistvermittlung

Das Markusevangelium bietet im Unterschied zu den Seitenreferenten keine Erscheinungsberichte des Auferstandenen, kann daher auch keine Geistvermittlung in österlicher oder nachösterlicher Zeit darstellen[1]. Man kann vermuten, daß sich dieser Negativbefund der theologischen Absicht des Mk verdankt. Mk steht im Umkreis des hell. Christentums und wird von daher mit seiner Gemeinde die Anschauung des Geistes als einer nachösterlichen Gabe teilen, wenngleich seine Fassung der Täuferperikope eine Übermittlung durch Jesus ankündigt (1,8). Daß er die Geisterfahrungen der Gemeinde kaum (allenfalls 3,29 und

---

[1] Wir gehen hierbei von der Annahme aus, daß Mk 16,9–20 ein nachträglicher Mk-Schluß ist, der Kenntnis der lk und joh Erscheinungsberichte hat (vgl. Gnilka, Mk II/2, 352–358).

13,11) in die Schilderung des Lebens Jesu zurückträgt, kann mit E. Schweizer als ein wesentliches theologisches Anliegen betrachtet werden[2].

Die Anschauung der Gemeinde lautete aber, daß die Gabe des Geistes in direktem oder indirektem Zusammenhang mit der Stellung des Erhöhten steht. Dieser Grundüberzeugung weiß sich auch Mk verpflichtet, wenn er in der Aussendungsrede (Mk 6,6b–13) Jesus den Zwölfen die Gabe der ἐξουσία τῶν πνευμάτων τῶν ἀκαθάρτων mitteilen läßt, damit eine außerordentliche Kraftmitteilung andeutet, aber doch im Sinne seiner Theologie bewußt das Wort πνεῦμα ἅγιον meidet. So kann die mk Aussendungsrede mit Bedacht als ‚Missionsätiologie‘ der späteren Gemeinde verstanden werden[3].

Sprachliche und sachliche Erwägungen legen nahe, daß Mk in den Weisungsworten V. 8–11 seiner Überlieferung folgt, die in vielem mit der Fassung der Logienquelle übereinstimmt. Den szenischen Rahmen V. 6b. 7. 12f. wird jedoch Mk weitgehend selber um diese Überlieferung gelegt haben[4].

Anders als Lk, der in 9,1 Jesus bereits δύναμις καὶ ἐξουσία an die Jünger übermitteln läßt und dabei mit δύναμις vorsichtig auf Pfingsten anspielt[5], ist bei Mk die Gabe der ἐξουσία klar gebunden an die Ermöglichung der Unterordnung der unreinen Geister.

Nicht hierin ist explizit vorösterliche Geistbegabung zu finden (wenngleich 3,22–30 gezeigt haben, daß Jesu Exorzismen in der Kraft des Geistes geschehen), sondern die ab V.12 gebotene Beschreibung des Handelns der Jünger, die ja deutlich über die vormk Missionsinstruktionen der V. 8–11 hinausgeht, verrät sich als aus späterer kirchlicher Sicht gestaltet. Mk will zeigen: das geistgewirkte Handeln in seiner Gemeinde gründet in der Befähigung und Sendung durch Jesus. Mk nennt vier Elemente: Predigt zur Umkehr, Dämonenaustreibung, Ölsalbung der Kranken, Heilungen. Mit Ausnahme der Ölsalbung, für die in Jak 5,14; ActThom 132 u. a. wenige urchristliche Parallelen gegeben sind, die weder im sakramentalen noch medizinischen Handeln ein üblicher Brauch der apostolischen Zeit war, handelt es sich um durch-

---

[2] Schweizer, ThWNT VI 400.
[3] Pesch, Mk I 325. 330f.
[4] Vgl. die Nachweise bei Gnilka, Mk I 236f.; anders Pesch, Mk I 331 u. ö., der aber zugesteht, daß die ätiologische Tradition der „Intention des Evangelisten ausgesprochen entgegen" kam, so daß dieser sich selbst hier ‚bruchlos‘ anschließen konnte. Nicht zustimmen können wir Schmithals, Mk I 307, der für V.7.12f. wiederum Mk 16,15–18 (als Schluß der Grundschrift) voraussetzt. Die Abfassung von Mk 16,9–20 in nachntl. Zeit hat J. Hug, La finale de l'Évangile de Marc (Mc 16,9–20), 1970, nachgewiesen.
[5] Vgl. die Zusammenstellung von δύναμις und πνεῦμα in Röm 15,13.19; 1.Kor 2,4; 5,4; 1.Thess 1,5; sodann Apg 1,8; 10,38 u.a.

aus typische Handlungsfelder der Gemeinde. Umkehrpredigt: Apg
2,38; 17,30; Röm 2,4; 2.Tim 2,25; 2.Petr 3,9; Dämonenaustreibung:
Apg 19,11 f.; 16,18; Lk 10,17; ActJoh 37; ActPetr 11; Heilungen: Apg
5,16; 8,7; 17,25; vor allem in den Charismenkatalogen 1.Kor
12,9.28.30. Die Gemeinde des Mk weiß sich in solchem Handeln im
Kraftfeld der durch Jesus eingesetzten und vermittelten ἐξουσία.

4.2.2 Österliche Geistvermittlung

Österliche Geistvermittlung behauptet Joh 20,19–23. Ostern und
Pfingsten fallen zeitlich zusammen, da am Abend des Auferstehungsta-
ges Jesus dem Jüngerkreis erscheint, πνεῦμα ἅγιον in einer hörbaren
und spürbaren Form durch Anblasen übermittelt und dieses Geschehen
sogleich mit dem Deutewort in V.22 b als Geistvermittlung interpretiert.

Die V.19–23 sind als in sich nicht ganz spannungsfrei und zudem als
isolierte Einheit gegenüber dem Kontext erkannt worden[6]. Zum einen
unterbricht V.20 den Duktus, was zur Wiederholung des Friedensgru-
ßes führt. Möglicherweise werden die Verse vom Redaktor hierhin gesetzt worden sein, um in Entsprechung zu 1.Kor 15,5–7; Mt 28,9f.
16–20; Lk 24,13ff.36ff. Erscheinung vor Einzelnen mit Erscheinungen
vor mehreren Jüngern zu kombinieren.

Eine Analyse von Tradition und Redaktion in Joh 20,19–23 ergibt, daß V.
19f.22 dem Evangelisten als Tradition vorgelegen haben. A.Dauer hat die
sprachlichen Untersuchungen minuziös vorgetragen, seine wortstatistischen Beobachtungen sind hier nicht zu wiederholen. Als redaktionelle Bildung erweist
sich das Motiv der Furcht vor den Juden in V.19, das Sendungswort in V.21
und V.23 in der jetzigen Form als Angleichung an Mt 18,18, wobei aber auch
die Vorlage ein Vergebungswort geboten haben dürfte[7].

Aber mit der Unterscheidung von Redaktion und Tradition ist die Überliefe-
rungsgeschichte der Tradition noch nicht geklärt. Denn Joh 20,19–23 zeigt
weitreichende Übereinstimmungen mit Lk 24,36–49, so daß nach einseitiger
Abhängigkeit des Lukas/oder seiner Vorlage von Johannes/oder seiner Vorlage
oder umgekehrt, oder nach einer gemeinsamen Grundlage zu fragen ist.

Auch hier kann in enger Anlehnung an Dauer, aber unter Berücksichtigung
der 26.Aufl. des NT Graece, welche die Western non-interpolations nicht als
sekundär betrachtet, gezeigt werden:

– sprachliche Parallelen:

Joh 20,19:　　καὶ ἔστη εἰς τὸ μέσον καὶ λέγει αὐτοῖς· εἰρήνη ὑμῖν

Lk 24,36:　　ἔστη ἐν μέσῳ αὐτῶν καὶ λέγει αὐτοῖς· εἰρήνη ὑμῖν

---

[6] So die neueren Kommentare zur Stelle; außerdem Porsch, Pneuma 341–378; Schnakkenburg, Joh IV/4, 33–58; Dauer, Johannes 238–240.

[7] Dauer, Johannes 207–296 (219– 259).

Joh 20,20:   καὶ τοῦτο εἰπὼν ἔδειξεν τὰς χεῖρας
Lk 24,40:   καὶ τοῦτο εἰπὼν ἔδειξεν αὐτοῖς τὰς χεῖρας
– sprachliche Anklänge:
Joh 20,19/Lk 24,37: φόβον/ἔμφοβοι
Joh 20,20/Lk 24,41: ἐχάρησαν/χαρᾶς
Joh 20,23/Lk 24,47: ἀφῆτε ἁμαρτίας/ἄφεσιν ἁμαρτιῶν
– inhaltliche Parallelen:
plötzliche Erscheinung Jesu am Abend des Ostersonntags zur Beauftragung
der Jünger, Furcht- und Freudenmotiv, Verweis auf Jesu Hände, Geist- und
Sündenvergebungsmotiv.

Bevor aus diesen Parallelen Schlüsse über das Verhältnis von Joh 20,19–23
zu Lk 24,36–49 gezogen werden, ist auch an den lk Bericht die Frage nach Tradition und Redaktion zu stellen. Wiederum sind die Belege, die Dauer und Jeremias zusammengestellt haben, nicht im einzelnen aufzuführen. Auch Lk setzt
einen Erscheinungsbericht voraus, den er bearbeitet hat[8].

Legt man die traditions- und redaktionsgeschichtlichen Erkenntnisse zugrunde, kann vermutet werden, daß Joh 20,19–23 Lk 24,36–49 voraussetzt, und
zwar den von Lk redigierten Text. Denn neben den vielen sprachlichen und
sachlichen Parallelen zum lk Text greift die joh Überlieferung in a) ἔστη εἰς τὸ
μέσον (vgl. Lk 24,36), b) καὶ τοῦτο εἰπὼν ἔδειξεν τὰς χεῖρας ... αὐτοῖς (vgl. Lk
24,40), c) dem Freudenmotiv (vgl. Lk 24,41) und d) dem Motiv der Geistsen-
dung (vgl. Lk 24,49) auf Aussagen des lk Erscheinungsberichtes zurück, die
sich sprachlich der lk Redaktion verdanken.

Als Zwischenergebnis ist daher mit Dauer festzuhalten: „Der joh Erscheinungsbericht setzt eine Erzählung voraus, deren Grundlage Lk 24,36–49 war,
die aber schon im Laufe der weiteren (vor-joh) Tradition gekürzt, umgestaltet
und mit neuem Stoff aufgefüllt worden war."[9]

Der Bericht über die österliche Geistmitteilung ist somit auf jeden
Fall ein spätes und isoliertes ntl. Zeugnis, wahrscheinlich erst, wie gezeigt, zwischen lk Redaktion und der Arbeit des Redaktors des Johev
anzusetzen.

Joh 20,22 f. kombiniert Handlung der Geistmitteilung, deutendes
Wort und Funktion des Geistesgabe. Die hier zugrundeliegende Anschauung steht nicht spannungsfrei zu den übrigen Geistaussagen des
Joh. So verwundert sowohl die Art der Geistmitteilung im Vergleich zu
Joh 7,39 und den Parakletsprüchen in Kap. 14–16 als auch das animisti-
sche Geistverständnis, welches mit der Stellung des Parakleten schwerlich auszugleichen ist. Ist dessen Funktion mit ‚Beistand an Jesu Stelle'

---

[8] Einzelbelege bei Dauer, Johannes 259–283; Jeremias, Sprache z.St.

[9] Dauer, Johannes 288. Tendenziell stimmen auch H. Thyen, Aus der Literatur zum Jo-
hannesevangelium, ThR 42, 1977, 261–270, und W. Langbrandtner, Weltferner Gott oder
Gott der Liebe, BET 6, 1977, 35–38, zu, indem sie Joh 20,19–23 einer nachjohanneischen
Redaktion zuweisen, die in direkter literarischer Abhängigkeit des Lukastextes stehe.
Nach Schmithals, Apg 29, blickt Joh 20,22 sogar auf Apg 2,1 ff.

zu umschreiben, so wirkt der Geist nach Joh 20,22 f. Sendung zur Sündenvergebung.

a) ἐνεφύσησεν. Dem Ritus des ‚Anblasens' liegt ein verbreiteter Brauch zugrunde, dessen animistischer Grundgedanke die Übertragung heilsamer Kräfte ist. Für die altkirchliche Zeit ist diese Handlung im Kontext der Taufe zur Teufelsaustreibung bezeugt (Augustin, c. Julian I 5,19; de symb. ad catech. I 1,2) wie auch im Zusammenhang der Ordination, wobei freilich V. 23 diese Auslegung präjudizierte. Beide Anschauungen entsprechen nicht dem Aussagewillen des joh Textes. Am wahrscheinlichsten liegt eine Anspielung auf Gen 2,7 (Ez 37,9; Sap 15,11; 3. Reg 17,21) vor. Zwar lautet Gen 2,7 LXX: ... ἐνεφύσησεν εἰς τὸ πρόσωπον αὐτοῦ πνοὴν ζωῆς. Jedoch lesen (Ez 37,9) Sap 15,11 ἐμφυσήσαντα πνεῦμα und Philo, All I 13,42; Op 134 f. interpretiert πνοή auf πνεῦμα hin. Da aber auch 1. Kor 15,45 zeigt, daß in urchristlicher Zeit in eschatologischem Bewußtsein Gen 2,7 auf die durch Christus vermittelte Geistbegabung der Gemeinde bezogen worden ist, wird Joh 20,22 auf diesem Hintergrund die eschatologische Geistausgießung beschreiben wollen.

b) λάβετε πνεῦμα ἅγιον. Die Artikellosigkeit von πνεῦμα ist auffällig, im Joh singulär, verbindet aber mit Apg 2,4 a. Das deutende Wort entspricht verbreitetem urchristlichem Sprachgebrauch (s. o. 4.1.1). Die joh Gemeinde hat eine ihr geläufige urchristliche Formel Jesus in den Mund gelegt.

c) Die mit der Geistgabe verbundene Sendung zur Sündenvergebung hat einen traditionsgeschichtlichen Bezug zu Mt 18,18, dürfte aber in der vorliegenden Form eine Überarbeitung durch den Evangelisten sein[10]. Der Zusammenhang von Geistbegabung und Sündenvergebung ist vor- und urchristlich: 1. QS 3,7 f. und 4,20 f.; 1. Kor 6,11; Tit 3,4–7 u. a. Außerdem steht der Passionsbericht im Hintergrund von V. 19–23, so daß auch an die urchristliche Verbindung Tod Jesu/Sündenvergebung zu denken ist.

Blicken wir auf das Gesagte zurück, so erweist sich die Ineinssetzung von Ostern und Pfingsten in Joh 20,19–23 als späte Gemeindebildung (vgl. außerdem noch die christliche Ergänzung in TestBenj 9,3–5, die die Erhöhung Jesu am Holz mit der Ausgießung des Geistes an die Heiden verbindet). Sie setzt voraus: Lk 24,36–49, die eschatologische Deutung von Gen 2,7 LXX, die Verbindung von Geistbegabung und Sündenvergebung (evtl. Mt 18,18). Diese joh Bildung stellt sich in einen nicht schwerwiegenden Gegensatz zur lk Aussage der nachösterlichen Geistbegabung (Lk 24,49; Apg 1,4), welche gleichfalls die Vermittlung

---

[10] Dauer, Johannes 242–246; zurückhaltender Schnackenburg, Joh 3,387 f.; Strecker, Weg 225 A 3.

des Geistes durch Christus aussagt (Apg 2,33). Ob solche ‚Vordatierung' der Geistesgabe in dem christologischen Interesse stand, Christus und Geist noch deutlicher aneinander zu binden (vgl. auch Joh 14,16), oder in der ekklesiologischen Absicht, Sündenvergebung auf Geistbegabung durch den Auferstandenen zurückzuführen, läßt sich kaum noch ausmachen.

4.2.3 Nachösterliche Geistvermittlung

Nach dem Pfingstbericht der Apostelgeschichte ist die Geistbegabung ein nachösterliches Geschehen. Als solches ist sie angekündigt (Lk 24,49; Apg 1,4–8) und sie vollzieht sich in einem sinnfälligen Geschehen (Apg 2,1–13), welches in der anschließenden Predigt als Erfüllung der Prophetie Joels (3,1–5) gedeutet wird (Apg 2,17–21). Präzise hält Apg 2,33 das Verhältnis von Ostern, Himmelfahrt und Pfingsten für die Hörer der Petruspredigt fest: der erhöhte Christus empfängt die Verheißung des Geistes, um diesen jetzt, wie es gerade die Erfahrung bezeugt hat (Apg 2,3 f.), auszugießen. Blickt man zurück auf die Täuferpredigt (Lk 3,16), so geht sie jetzt in Erfüllung: die Geist- und Feuertaufe vollzieht der Erhöhte, indem er den Geist in Feuergestalt sendet.

Dieser Bericht will die Geistvermittlung eindeutig als nachösterliches Geschehen festhalten (vgl. auch Lk 24,49; Apg 1,4–8). Mit dieser zeitlichen Fixierung, der Rückführung der Geistesgabe auf Jesus (2,33) und ihrer Vermittlung im Taufsakrament (2,38) hat Lk das allgemeine Geistverständnis der späteren Kirche maßgeblich bestimmt[11].

Handelt es sich bei dieser Darstellung um eine Konstruktion des Evangelisten Lukas, oder kann er sich – speziell bei der zeitlichen Fixierung eines nachösterlichen Geschehens – auf vorgegebene Traditionen oder gar auf eine historische Verankerung stützen?

Die Analyse des Pfingstberichts zeigt, daß er in sich nicht spannungsfrei ist. V.1–4 sind in sich verständlich, auffällig ist die durchgehende Verbindung der Satzglieder mit καί. V.5–13 setzen V.1–4 notwendig voraus. Hier begegnet καί aber nur in Verdopplungsaussagen, im übrigen dominiert der Anschluß durch δέ. Zum ersten Teil ist auf die prägnante Struktur der Parallelbildung in V.2 f., welche in V.4a verkürzt aufgenommen wird, zu verweisen. V.1–4 haben ein Haus als lokale Voraussetzung des Geschehens (V.2; vgl. aber auch den szeni-

---

[11] Die Literatur zum Pfingstbericht ist in reichhaltiger Auswahl bei Weiser, Apg I 76; Pesch, Apg I 97 f.; Schneider, Apg I 239–241, zusammengestellt. Über die jüngere Forschung berichtet E. Gräßer, Acta-Forschung seit 1960, ThR 42, 1977, 9–13. E. Plümacher, Acta-Forschung 1974–1982, ThR 48, 1983, 1–56; 49, 1984, 105–169, führt in monographischem Ausmaß die Probleme gegenwärtiger Acta-Exegese vor.

schen Rahmen in Lk 24,33; Apg 1,13), während V. 5-13 die Öffentlichkeit voraussetzen und im Freien stattzufinden scheinen. Das Pfingstgeschehen führt in V. 4 zu einer Verkündigung in anderen Sprachen (Stichwort: γλῶσσαι). In V. 6.8 begegnet hingegen der Begriff διάλεκτος und dies, wie auch in V. 11, in Verbindung mit einem Hörwunder. In V. 7 bezieht sich die Verwunderung des Volkes auf die Tatsache, daß die Jünger als Galiläer zu Fremdsprachen befähigt sind. Wenn aber in V. 13 der Vorwurf der Trunkenheit laut wird, kann dies dann noch auf die Befähigung zur Fremdsprache bezogen werden? Eine Sonderstellung kommt in diesem Zusammenhang noch der Völkerliste (V. 9-11) zu. Sie soll im gegenwärtigen Kontext die Aufgliederung in unterschiedliche Fremdsprachen anschaulich belegen. Gleichwohl hat sie eine eigene, vom Pfingstbericht unabhängige Vorgeschichte.

Diese Spannungen im Text sind nicht erklärbar, indem die Einzelaussagen auf unterschiedliche Quellen und ihre Redaktion aufgeteilt werden[12]. Apg 2,1-13 ist, wie redaktionsgeschichtliche Forschung erwiesen hat, durchgängig durch lk Sprache und Stil bestimmt[13]. Da aber die genannten Unebenheiten im Text bleiben, ist die Frage nach von Lk verarbeiteten Traditionen zu stellen. Eine formale und sachliche Eigenständigkeit von V. 1-4 war bereits gegenüber V. 5-13 aufgefallen. Innerhalb dieses Textes wiederum kommt den parallel aufgebauten V. 2-3 (und V. 4a) eine Sonderstellung zu.

Es entsprechen sich:

καὶ| ἐγένετο ἄφνω ἐκ τοῦ οὐρανοῦ ἦχος| ὥσπερ| φερομένης πνοῆς βιαίας

καὶ| ἐπλήρωσεν| ὅλον τὸν οἶκον οὗ ἦσαν καθήμενοι

und

καὶ| ὤφθησαν αὐτοῖς διαμεριζόμεναι γλῶσσαι| ὡσεὶ| πυρὸς

καὶ| ἐκάθισεν| ἐφ' ἕνα ἕκαστον αὐτῶν

V. 4a setzt deutlich die Struktur dieser Sätze voraus und bedient sich partiell ihres Vokabulars:

καὶ| ἐπλήσθησαν| πάντες| πνεύματος ἁγίου

---

[12] Zur Kritik an der älteren Quellenscheidung: Lohse, Bedeutung; Haenchen, Apg 135-137; zur neueren Quellenscheidung: Schneider, Apg 243-245. M. Dömer, Das Heil Gottes. Studien zur Theologie des lukanischen Doppelwerks, BBB 51, 1978, 139-159, hat etwa „die inhaltlichen Angaben der V. 2.3.4b.c.6a und 13 sowie teilweise von V. 1 und möglicherweise 1,15b" (149) dieser Quelle zugewiesen. Pesch, Apg 100 u. ö., variiert auf V. 1-4.6a.12f. und weist diese Verse einem längeren Traditionsstrang, der Apg 1-2 durchzieht, zu (76). Hengel, Jesus 157, läßt die antiochenische Quelle mit 2,5ff. beginnen. Für die Einheitlichkeit von 2,1-13 treten, wenn auch mit unterschiedlicher Begründung, Berger, Geist 183f., und K. Haacker, Das Pfingstwunder als exegetisches Problem, in: O. Böcher und K. Haacker (Hg.), Verborum Veritas, FS G. Stählin, 1970, 125-131, ein.

[13] Einzelnachweise bei Weiser, Apg I 78f.; Lüdemann, Christentum 44f.

Hingegen zieht V. 4 b bereits Folgerungen aus V. 4 a und ist auch formal von V. 2–4 a geschieden. V. 4 c wiederum begründet V. 4 b, legt aber durch das Verb ἀποφθέγγεσθαι einen bewußt antienthusiastischen Akzent gegenüber V. 4 b dar (s. u.). Die motiv- und traditionsgeschichtliche Analyse der V. 2 f. verrät deutliche Anlehnung an die biblische und jüdische Sinaitradition (Ex 19, 16–19; Dtn 4, 11 f. 36; Jos, Ant 3, 79 f. 90; Philo, Decal 32–36. 44–49; SpecLeg II 188 f. u. a.)[14], ja es bestehen sogar eine Reihe sprachlicher Übereinstimmungen mit den genannten Texten[15]. Gleichwohl fällt auf, daß dem Evangelisten im Pfingstbericht nicht an einer Typologie zur Sinaitradition gelegen ist.

Mit dem genannten Motivbereich ist in V. 2 eine Audition, in V. 3 eine Vision beschrieben, V. 4 a konstatiert das Ergebnis des Geschehens, verwendet jetzt gegenüber V. 2 f. spezifisch christlichen Sprachgebrauch (πνεῦμα ἅγιον) und findet damit Anschluß an die christliche Überzeugung der endzeitlichen Geistesgabe an die Glaubenden. Aus dieser durch einen bestimmten Motivbereich geprägten Tradition in V. 2 f. fällt allein der Hinweis auf das Haus heraus. Gilt er einerseits auch in seiner Spannung zu V. 5–13 als Beleg für eine geschichtliche Grundlage der Tradition, so kann dieser Hinweis auch ebenso gut als red. Angleichung an den vorhergehenden szenischen Rahmen verstanden werden.

Die Herkunft der Tradition in V. 2 f. und ihre Abhängigkeit von der Sinaitradition verlangt eine eigene Erklärung, da eine kontextlose oder von einem spezifischen Sitz im Leben der Gemeinde befreite Tradierung nicht vorstellbar ist. Zumeist wird nun in der Forschung in V. 4 b die Erinnerung an ein Ereignis in der Urgemeinde gesehen, welches als glossolaler Ausbruch bestimmt wird, und der Zusammenhang von V. 1–4 als sich diesem Ereignis verdankende Komposition, die Lk als Tradition überkommen sei, verstanden. Hierbei ist jedoch das Verhältnis von V. 4 b zum Motivbereich der Sinaitradition nicht präzise bestimmt. Die primäre Wirkung des Pfingstgeschehens gibt V. 4 b mit καὶ ἤρξαντο λαλεῖν ἑτέραις γλώσσαις wieder. Der καθώς-Satz (V. 4 c) verrät bereits deutlich die lk Hand: ἀποφθέγγεσθαι begegnet nur bei Lk (Apg 2, 4. 14; 26, 25) und bezeichnet ein feierliches oder begeistertes Sprechen, keinesfalls aber eine ekstatische Rede.

Ist solche ekstatische, glossolale Rede aber in V. 4 b mit der Tradition bezeugt? In ntl. Zeit begegnet der term. techn. γλώσσαις λαλεῖν für

---

[14] Texte (in Übersetzung) bei Kremer, Pfingstbericht 238–253; zustimmend Pesch, Apg I 102; Weiser, Apg I 83 f.; Lüdemann, Christentum 44. Schneider, Apg 246 f., lehnt die Einschränkung auf den Hintergrund der Sinaitradition ab und verweist allgemein auf Theophanie-Motive.

[15] Vgl. die Zusammenstellungen bei Kremer, Pfingstbericht, 239; Pesch, Apg I 102.

Glossolalie (1. Kor 12,30; 14,2 u. ö.). Die Hinzufügung des Adjektivs ἑτέραις läßt hingegen γλῶσσαι als ‚Landessprache' verstehen und den gesamten Ausdruck auf Xenolalie beziehen. Es ist offensichtlich, daß Lk hiermit ein Redaktionsanliegen verfolgt, denn a) ἕτερος ist ein von Lk häufig gebrauchter Begriff (52 mal; Joh und Mk je nur einmal)[16]. b) Lk überführt den gesamten Ausdruck in Apg 2,6.8 in τῇ ἰδίᾳ διαλέκτῳ (Begriff nur bei Lk: Apg 1,19; 2.6.8; 21,40; 22,2; 26,14) und zeigt deutlich an, daß er sich das Pfingstgeschehen als Befähigung zur Xenolalie vorstellt. c) Dem korrespondiert die Einfügung der Völkerliste in V. 9–11.

Sollte in der Tradition von Glossolalie die Rede gewesen sein, so muß man freilich fragen, ob Lk diese auch noch als solche verstanden hätte oder aber, ob er solches nicht im Sinne der von Pl in 1. Kor 14 geäußerten Vorbehalte zurückgedrängt hätte. In der Darstellung der Taufe des Heiden Cornelius begegnen in Apg 10,44–46 aus 2,1–13 vertraute Zusammenhänge: nach der Predigt fällt die Gabe des Geistes auf die Anwesenden. Die Juden sind erschrocken (vgl. Apg 2,7.12), hören (2,8.11) die Gläubigen jedoch λαλούντων γλώσσαις καὶ μεγαλυνόντων τὸν θεόν. Hierbei ist nicht an ekstatische Glossolalie zu denken. Vielmehr bedient sich Lk eines trad. Motivs zur Beschreibung des Gotteslobs, welches er auch in 2,11 aufnimmt. Er setzt stets voraus, daß dieses Gotteslob für die anwesenden Juden verständlich ist. Hingegen ist die aus 1. Kor 12–14 bekannte Glossolalie unverständlich und auf einen Hermeneuten angewiesen. Schließlich Apg 19,5 f.: Pl legt den Getauften die Hände auf, der Heilige Geist kommt auf sie mit der Folge: ἐλάλουν τε γλώσσαις καὶ ἐπροφήτευον. Versteht man das zweite Verb explikativ, gewinnt man Anschluß an die lk Einfügung des καὶ προφητεύσουσιν in das Joel-Zitat in Apg 2,18. Die Gabe des Geistes erweist sich in der Befähigung zur Prophetie.

Dies alles läßt vermuten, daß Lk der term. techn. γλώσσαις λαλεῖν noch vertraut ist, er aber entweder kein Verständnis mehr für die mit

---

[16] Der Ausdruck λαλεῖν ἑτέραις γλώσσαις wird von Dautzenberg, Glossolalie 241, in Verbindung mit Jes 28,11 LXX (= 1. Kor 14,21) gebracht: διὰ φαυλισμὸν χειλέων διὰ γλώσσης ἑτέρας, ὅτι λαλήσουσιν ... Nach Dautzenberg greift Lk, der selber auf das Sprachenwunder abhebt, auf einen judenchristlichen Midrasch zurück, der das Aufbrechen glossolaler Erscheinungen in der Jerusalemer Urgemeinde mit Blick auf Jes 28,11 als Gerichtswort an Israel interpretiert hätte; vgl. auch ders., EWNT I 613; ausführlich dazu 6.3.2.

J. Roloff, Apg 39, zählt ἑτέραις zur vorlk Tradition. Er betrachtet die Erzählung als „Reflexion der antiochenischen Gemeinde über Wesen und Bedeutung ihres missionarischen Auftrags". Dem steht allerdings der doch recht eindeutige Redaktionsbefund für ἑτέραις gegenüber. Es ist gleichfalls nicht überzeugend, daß Lk erst ab Apg 10 die Weltmission im Blick habe, ein red. ἑτέραις also in Apg 2 zu früh erscheine. Der universale Rahmen deutet sich bereits 1,8; 2,17. 21.39 u. ö. an.

diesem term. verbundene Sache der unverständlichen Glossolalie hat[17], oder aber diesen term. im pl Sinn auf geistbegabte, aber verständliche Rede hin expliziert.

Andererseits ist zur Tradition V. 2–4 a zu fragen, wie der nur aus 1. Kor 12–14 bekannte term. techn. in sie Eingang gefunden haben soll. Es gibt eine Reihe von Argumenten, die gegen die Voraussetzung eines glossolalen Ausbruchs sprechen und vielmehr nahelegen, daß das Stichwort γλῶσσαι mit dem Motivbereich der Sinaitradition unlöslich zusammenhängt. So bezeugt es schon Apg 2,3 (διαμεριζόμεναι γλῶσσαι ὡσεὶ πυρός) oder Philo, Decal 32– 36 (vgl. auch Jes 5,24 MT; äthHen 14,9 f. 15; 71,5). In Ex 19,16–19; Dtn 4,11 f. 36 sind Wort Gottes und Feuer im Bild verbunden. Philo bedient sich dieser Vorgabe und deutet im Zusammenhang seiner Exegese über das jüdische Neujahrsfest auf den universalen Charakter der Gesetzesoffenbarung am Sinai (SpecLeg II 188 f.). Die sprachlichen und sachlichen Parallelen sind frappant, unterscheiden sich jedoch an einer wesentlichen Stelle zu Apg 2,1–4.

Dem Bericht der Apg zufolge führt das Pfingstgeschehen dazu, daß ein jeglicher der Apostel von diesem Geist ergriffen und so zur Predigt ermächtigt wird. Gerade dies aber liegt der jüd.-hell. Interpretation des Sinaiberichts fern. Jos, Ant III 90; Philo, Decal 32–36. 44–49; SpecLeg II 188 f. beschreiben die Erscheinung der Stimme Gottes als Feuer und Getöse, verbleiben aber bei einem Hörwunder und einem Erfülltwerden mit dieser Stimme. Philos Darstellung zielt auf die mit diesem Wunder gegebene universale Verbreitung des Gesetzes. Spätere rabbinische Aussagen rationalisieren insofern, als sie die Verbreitung der Himmelsstimme mit einem Sprachenwunder verbinden[18]. Philo betont sogar, ganz im Gegensatz zu Apg 2, die bleibende Transzendenz in der Sinaioffenbarung: denn nicht wie ein Mensch ist Gott, daß er des Mundes, der Zunge (γλώττης), der Arterien bedürfe.

So deutlich also der Einfluß des Motivbereiches der Sinaitradition durch die jüd.-hell. Auslegung die Aussagen von Apg 2,2 f. bestimmt, so deutlich ist gleichfalls die spezifisch christliche Zuspitzung in V. 4, insofern der Geist nicht vom Menschen getrennt bleibt, sondern ihm als Kraft des Gotteslobs übereignet wird. Die vorlk Tradition (V. 2–4 b) schloß also mit der Ermächtigung zum γλώσσαις λαλεῖν. Die Untersuchung dieses term. wird zeigen (6.3.1), daß auch Pl ihn als spezifischen Begriff für die im Geistbesitz ermöglichte Himmels- oder Göttersprache verwendet, nicht aber für mantisch-ekstatische Vorgänge. Insofern ist in der vorlk Tradition festgehalten, daß die Möglichkeit des endzeitlichen Gotteslobs in der Himmelssprache gegeben ist. Hierbei bedient sich die Tradition des Motivbereichs der Sinaitradition[19].

---

[17] So Conzelmann, Apg 27; Lüdemann, Christentum 47.

[18] Texte bei Kremer, Pfingstbericht 246–253; Pesch, Apg I 102; Kuhn, Offenbarungsstimmen 167 f.

[19] Eine entfernte Parallele findet sich in bChag 14 b (in einer Auslegung zu Ps 148,7.9): vom Himmel fallendes Feuer befähigt die Bäume, Gott zu preisen.

Kann dieser Tradition ein bestimmter Sitz im Leben zugewiesen werden? Das lk Doppelwerk enthält einen hohen Anteil jüd.-hell. Traditionen, der judenchristliche Anteil der Gemeinde sollte nicht unterschätzt werden. Die in V. 2-4 b vorliegende Tradition enthält keine spezifischen lokalen oder zeitlichen Anhaltspunkte. Es legt sich die Annahme nahe, daß es innerhalb der lk Gemeindetradition – quasi im Vorfeld des Pfingstberichtes – zur Fixierung dieser Tradition gekommen ist. Die in ihr sprechenden Christen bezeugen das Bewußtsein des Geistbesitzes mit Rückgriff auf einen spezifischen Motivbereich. Der Abstand zu Lk ergibt sich aus der Überführung dieser Tradition in das Fremdsprachenwunder. Einer Rückführung dieser Tradition in frühchristliche Zeit stehen Bedenken gegenüber[20].

Ihre Zuordnung zur Jerusalemer Urgemeinde wird mit größerer Wahrscheinlichkeit auf Lk selbst zurückgehen, die Tradition bietet dafür keinen Anhaltspunkt[21].

Häufig wird V. 12 f. zu dieser vorlk Tradition V. 2-4 b hinzugezählt (Pesch, Apg I 106 f.), oft unter der Vorgabe, V. 2-4 würden von einer Ekstase berichten. Geistbegabung und Trunkenheit sind in der griech.-hell. Literatur häufig komplementär genannt (Philo, Ebr 145 ff.; Plut, Def 437 c d). Wahrscheinlicher aber handelt es sich jedoch bei V. 13 um ein Mißverständnis als literarisches Stilmittel (vgl. Apg 17, 18). Denkbar ist freilich auch, daß urkirchliche Erfahrungen (Apg 26, 24; 1. Kor 14, 23) mit ekstatischen Erscheinungen verarbeitet sind.

[20] Weiser, Apg I 78, und Kremer, Pfingstbericht 230–232, haben eine traditionsgeschichtliche Erklärung vorgetragen. Beide sehen Gemeinsamkeiten in Apg 2, 1-4; Joh 20, 19-23; Eph 4, 7 f. In allen drei Traditionen werde a) der Geist durch den Erhöhten vermittelt und b) der Kirche geschenkt. Schließlich bestünden c) sprachliche Gemeinsamkeiten (ἕκαστος, ἔδωκεν, καθώς) und d) ein gemeinsamer Bezug zur Sinai-Tradition. Somit könne man auf eine „Tradition aus einem sehr frühen Stadium" (Weiser, Apg I 78) blicken. Jedoch überzeugt kein einziges Argument. Erst Apg 2, 33 bezeichnet mit Lk 24, 49 die Gabe des Geistes als Gabe des Christus. Apg 2, 1-4 läßt die Gabe des Geistes auf die Jünger fallen, nicht auf die Kirche. Eph 4, 7 f. lehnt sich sprachlich näher an Röm 12, 3 an, bleibt also im heidenchristlichen Auslegungsbereich und spricht von der Gabe der χάρις, nicht des πνεῦμα.

[21] Weiser, Apg I 79; Schmithals, Apg 30, stellen den Bezug zu Jerusalem in Frage. Roloff, Apg 39, ordnet das Geschehen hinter Apg 2, 1-13 einem festen, geschichtlichen Kern zu, der Neukonstituierung des Jüngerkreises und dem ersten öffentlichen in Erscheinungtreten an Pfingsten; ebenso Schweizer, Geist und Gemeinde 5, dem dies auch „historisch gesichert" erscheint; ebenso ders., ThWNT VI 405 f.; Lohse, Pfingstbericht 192. Jedoch gilt auch zu bedenken, daß in der altkirchlichen Tradition keine Anhaltspunkte für die Zuordnung zur Jerusalemer Gemeinde gegeben sind. Kritisch wird die Forschungsgeschichte bei Graß, Ostergeschehen 312 f., referiert. Lüdemann, Christentum 48 f., legt Wert auf die Differenz von ,im Haus' (V. 1-4) und ,im Freien' (V. 5-13) und versteht die ,Massenekstase im Haus' als historischen Bestand der Tradition. Allerdings ist daran zu erinnern, daß es sich bei dem Haus (2, 2) doch wohl um das ὑπερῷον aus 1, 13 handelt. Nach jüdischer Tradition (vgl. aber auch in den PGM IV 169-179), die ja ohnehin den Motivbereich für V. 2 f. hergibt, ist jedoch das Obergemach des Hauses der bevorzugte

Ein solches Geschehen, wie V. 1-4 darstellen, ist zudem in keiner weiteren urchristlichen Schrift bezeugt. Allein die von Pl in 1. Kor 15, 3-6 erwähnte Erscheinung Jesu vor Petrus, den Zwölfen und den 500 Brüdern ragt als frühes, freilich auch nicht lokalisiertes Ereignis aus der Anfangsgeschichte heraus. Wenn Lk sich ins Recht gesetzt wissen kann, seine Pfingsttradition in die Zeit der Urgemeinde zu verlagern, dann mit Blick auf 1. Kor 15, 3-6[22]. Legendarische missionarische Anfangserfahrungen und -erfolge, die auch in der lk Zeit unvergessen sind, kommen flankierend hinzu, insofern sie auf den Geist zurückgeführt werden. Keinesfalls aber reflektiert die vorlk Tradition, noch die lk Redaktion, eine ‚grandiose Massenekstase‘, wie unter dem Einfluß der phänomenologischen Betrachtungsweise gerne behauptet wurde[23]. Es hätten ohnehin im zeitgenössischen Judentum die Voraussetzungen gefehlt, eine Massenekstase als Rückkehr des Geistes zu verstehen[24].

Die lk Redaktion weitet diese Tradition durch V. 1 und V. 5-13 aus und legt das Gewicht auf das Sprachenwunder. Die Völkerliste (V. 9-11) belegt V. 5, hat im übrigen eine eigene Vorgeschichte[25]. Es ist möglich, daß Lk die jüdische Deutung des Pfingstfestes als Fest des Bundesschlusses bereits kennt, wenngleich diese Umdeutung erst nach 70 n. Chr. belegt ist. Lk konnte daher gegebenenfalls die Tradition V. 2-4b problemlos einpassen, da sie ja dem Sinaimotivbereich verpflichtet ist[26]. Die Pfingsterzählung hat für Lk grundsätzlichen Charakter, inso-

---

Ort des Offenbarungsempfangs (vgl. Kuhn, Offenbarungsstimmen 31). Lk scheint auch in Apg 10, 9 f. diesem Motiv verpflichtet zu sein, verbindet es aber dort zugleich mit dem anderen Motiv der Theophanie in der Mittagsstunde.

[22] Vgl. zur Identifizierung beider Ereignisse die bei Schneider, Apg I 247 A 39, Genannten. Ausführlich zur Sache: J. Kremer, Das älteste Zeugnis von der Auferstehung Christi, SBS 17, [3]1970, 71-74; ders., Pfingstbericht 232-238; H. Graß, Ostergeschehen 94-102. Lüdemann, Christentum 49, denkt an eine ‚Gabelung der Überlieferung‘. Daß Lk wie 1. Kor 15, 6 um einen größeren Kreis von Nachfolgern weiß, belegen Apg 1, 21 ff. und 2, 15. Die Sonderstellung des Petrus ist in Lk 24, 34 gleichfalls festgehalten. Dies läßt fragen, ob Apg 2, 1 ff. nicht 1. Kor 15, 3 ff. kennt (als urchristliche Tradition) und ins Bild setzt.

[23] So K. L. Schmidt, Die Pfingsterzählung und das Pfingstereignis. Arbeiten zur Religionsgeschichte des Urchristentums I 2, 1929, 32; Behm, ThWNT I 724 u. a.

[24] Von daher ist die Vermutung reichlich spekulativ, daß die „ekstatische Erschütterung der pfingstlichen Versammlung ... sofort als jene eschatologische Geistausgießung interpretiert" wurde (so Lohfink, Ablauf 174).

[25] Dazu Lüdemann, Christentum 46 f.

[26] Die Festumdeutung setzen für die lk Zeit voraus: Schweizer, ThWNT VI 408 f.; Pesch, Apg I 33; Lüdemann, Christentum 47; kritisch dazu Schneider, Apg I 246 f.; Weiser, Apg I 79 f. Volz, Geist 199 A 2, fragt: „Oder liegt die Theorie zu Grunde, daß die Gründung der christlichen Gemeinde und der Geistbesitz der christlichen Gemeinde Parallele und Ablösung bilde zu der an Pfingsten gefeierten Gründung der jüdischen Gemeinde ..."; so auch I. Elbogen, Die Feier der drei Wallfahrtsfeste im zweiten Tempel, 1929, 11.

fern sie die christliche Gemeinde als geistbegabte Größe erweist und zugleich das gegenwärtige Missionsgeschehen hier seine Grundlegung erfährt. Aktuelle Interessen sind nicht zu erkennen[27].

Es gehört schließlich in den Kontext der späten Gemeindetheologie, daß erst das ausgehende Urchristentum sich explizit auf Joel 3,1 f. berufen hat, um von der Geistbegabung der Gemeinde zu sprechen. Neben Apg 2,17 f. wird an keiner Stelle die atl. Verheißung zitiert, Apg 2,33; 10,4; Tit 3,6; Gal 3,28 nehmen andeutend auf sie Bezug. Jedoch sind letztere Stellen bereits deutlich den Intentionen der Gemeindetheologie unterworfen. Apg 2,33 führt gegen Joel 3,1 f. die Geistausgießung auf den erhöhten Jesus zurück (so auch Tit 3,6), Apg 10,45 nimmt das ἐπὶ πᾶσαν σάρκα des atl. Zitats mit ἐπὶ τὰ ἔθνη im Zusammenhang der Begründung der Heidenmission in Kap 10 verdeutlichend auf, bezeugt aber mit ἐκκέχυται diff LXX bereits die hell. Lesart. In Barn 1,3; 1. Klem 2,2; 46,6 wird das Bild der ‚Ausgießung des Geistes‘ in Anlehnung an die ntl. Terminologie wiedergegeben. Es ist nicht auszuschließen, daß ἐκχέω bereits in Tit 3,5 f. wieder im eigentlichen Sinn mitgedacht worden ist, da der Taufkontext stark dominiert. So wird ἐκχέω in Did 7,3 zur Beschreibung der Taufhandlung gebraucht.

4.3 Der Horizont urchristlicher Pneumatologie

Das Bewußtsein der Gemeinde, den Geist Gottes erhalten zu haben, hat also erst nachträglich in der Geschichtsschreibung unterschiedliche Verankerungen gefunden, deren leitendes Motiv fraglos ist, den Heiligen Geist und die Person Jesu Christi in ein Verhältnis zu setzen. Weit wahrscheinlicher ist das Bewußtsein der Geistbegabung jedoch eine theoretische Explikation, die sich aus mehreren Voraussetzungen ergab, als daß ein einmaliges geschichtliches Ereignis Anstoß desselben gewesen wäre.

Die folgenden Ausführungen berühren eines der schwierigsten Probleme der urchristlichen Pneumatologie. Sie wollen ein Diskussionsanstoß sein, ohne alle Fragen beantworten zu können. Wie bereits gezeigt wurde, setzt bereits die vorpl Gemeindetheologie das Wissen um die Geistmitteilung an die Christen

---

[27] Pesch, Apg I 108, erkennt eine ‚Festlegende des christlichen Pfingstfestes‘, Schille, Apg 91, eine ‚Ätiologie des Pfingsttermins‘. Dies sind mögliche Nebengedanken. Abwegig ist die Vermutung von Schmithals, Apg 30: „Am nächsten liegt die Annahme, entsprechende glossolalische Praxis sei von den Irrlehrern, gegen die sich Lukas wendet, unter Berufung auf Paulus geübt worden …". Nicht nachvollzogen werden kann die These Bergers, der im Pfingstbericht eine ätiologische Legende „für die Kircheneinheit zwischen Wanderaposteln und ortsansässigen Christen und für die Garantie richtigen Verstehens von Zungenreden" sieht (ders., Formgeschichte 331; ders., Geist 183 f.). Es ist doch ausgeschlossen, daß die Wandermissionare glossolal (d. h. unverständlich!) gepredigt hätten.

voraus (4.1.1). Wie aber begründet sich dieses Wissen? Die Vermutung, eine Massenekstase innerhalb der Jerusalemer Gemeinde stelle den Ausgangspunkt des Glaubens an die Gegenwart des Geistes dar, stehen gewichtige Bedenken gegenüber, insofern diese späte ntl. Tradition nicht mit Sicherheit bis in die Jerusalemer Gemeinde zurückgeführt werden kann (s. o. 4.2.3). Die Visionen des Auferstandenen sind als Berichte über weitere außergewöhnliche Geschehnisse der Anfangszeit in den Primärberichten (1. Kor 15,3 ff.; Gal 1,12 ff.) nicht mit der Geistthematik in dem Sinne verbunden worden, daß sie als pneumatisches Geschehen verstanden worden wären. Andererseits ist die Geistthematik, zumindest hinsichtlich ihrer begrifflichen Verwendung, der Verkündigung Jesu fremd geblieben, so daß auch von dieser Seite kein direkter Anstoß vorliegt. Selbst wenn man eine Tradition der Geistbegabung Jesu in der vormk Zeit vermutet (Mk 1,9–11), so ist damit noch keineswegs eine allgemeine Geistbegabung angezeigt. Auch wenn in frühester Zeit im Christentum die Taufe praktiziert worden sein sollte, so war die Folgerung, daß diese Taufe den Geist übermittelt, weder aus der Tradition der Taufe Jesu, wo Taufakt und Geistbegabung getrennte Ereignisse sind, ableitbar, noch aus der jüd.-hell. ‚Geist-Wasser-Metaphorik' zwingend zu folgern (vgl. 6.4.4.1.2). Nach dem mk/mt Taufbericht steigt Jesus nach der Taufe aus dem Wasser, erst dann empfängt er den Geist (Mk 1,9f. par). Lk 3,21 verbindet hingegen Taufe und Geistübermittlung, indem er die Ortsveränderung streicht. Ob er sich hierbei sachlich von der Anschauung der hell. Gemeinde leiten läßt (die Taufe übermittelt den Geist), oder ob er einfach einer anderen Quelle folgt (vgl. die minor agreements, die als Text vermuten lassen: Ἰησοῦ βαπτισθέντος ἠνεῴχθη ὁ οὐρανὸς καὶ κατέβη τὸ πνεῦμα ἐπ᾽ αὐτόν), ist schwer zu entscheiden. Da die anschließende Versuchungsgeschichte Lk 4,1–13 par den Titel ‚Gottessohn' erwähnt (Lk 4,3 par), mag diese späte Tradition der Logienquelle einen Taufbericht voraussetzen; d. h. die minor agreements sprächen für eine Q-Vorlage für Lk 3,21. Es ist jedoch ebenfalls denkbar, daß Lk und Mt auf ein Dt-Mk-Exemplar blikken.

4.3.1 Die Auferweckung Jesu und der Geist Gottes

Wiederum formelhafte Wendungen geben neben den Visionsberichten die frühesten Aussagen der Gemeinde zur Auferweckung Jesu wieder. Hier sind die eingliedrigen Aussagen in der Form der partizipialen Gottesprädikation zu nennen: (θεὸς) ἐγείρας αὐτὸν/Ἰησοῦν ἐκ νεκρῶν (Röm 4,24; 8,11; 2. Kor 4,14; Gal 1,1; Kol 2,12; Apg 13,33; 17,31; Hebr 13,20) oder der finiten Verbform: ὁ θεὸς αὐτὸν ἤγειρεν ἐκ νεκρῶν (Röm 10,9; 1. Kor 6,14; 15,15; Apg 2,32; 13,34; Kol 2,13; Eph 2,5), als Relativsatz (1. Thess 1,10; Apg 3,15; 4,10; 13,37)[1]. In diesen

---

[1] Vgl. Bousset, Kyrios 102; dann Kramer, Christos 41–60; Wengst, Formeln 27–48.92–104; Becker, Gottesbild 119 f.; Müller, Geisterfahrung 14–53; Hoffmann, Auferstehung Jesu Christi 478–490.

Auferweckungsformeln bezeugt die Gemeinde ein Handeln Gottes an Jesus. Die sprachliche Konstanz, Verbreitung im Urchristentum und Eigenständigkeit gegenüber anderen Formeln läßt in ihnen den Ausgangspunkt des ntl. Zeugnisses von der Auferweckung Jesu sehen. Diese Formeln sind mit weiteren christologischen Aussagen verbunden worden bis hin zur viergliedrigen Formel in 1. Kor 15,3–5, sowie im Kontext unterschiedlicher Gemeinden divergent interpretiert worden. Im Rahmen unserer Fragestellung ist zunächst bedeutsam, daß neben die Gottesprädikation in einer Reihe von Erweiterungen der Auferweckungsformel der Geist als Wirkursache der Auferweckung tritt.

Röm 8,11: εἰ δὲ τὸ πνεῦμα τοῦ ἐγείραντος τὸν Ἰησοῦν ἐκ νεκρῶν οἰκεῖ ἐν ὑμῖν ...

1. Kor 6,14: ὁ δὲ θεὸς καὶ τὸν κύριον ἤγειρεν
καὶ ἡμᾶς ἐξεγερεῖ διὰ τῆς δυνάμεως αὐτοῦ

Röm 6,4: ὥσπερ ἠγέρθη Χριστὸς ἐκ νεκρῶν διὰ τῆς δόξης τοῦ πατρός ...

Kol 2,12: τῆς ἐνεργείας τοῦ θεοῦ τοῦ ἐγείραντος αὐτὸν ἐκ νεκρῶν

Eph 1,19f.: κατὰ τὴν ἐνέργειαν τοῦ κράτους τῆς ἰσχύος αὐτοῦ.
Ἣν ἐνήργησεν ἐν τῷ Χριστῷ ἐγείρας αὐτὸν ἐκ νεκρῶν

Jeder dieser Belege kann in vor- oder frühpl Tradition zurückgeführt werden. Gewiß, πνεῦμα, δύναμις, δόξα und ἐνέργεια sind unterschiedliche, aber doch allesamt verwandte Begriffe für Gottes Geist. Die sprachliche Variabilität kann sogar als Indiz für das Alter der Vorstellung herangezogen werden. Die ursprüngliche Auferweckungsformel ist mit Bezugnahme auf diesen Geist Gottes erweitert, sicher eine sekundäre Interpretation derselben, wie auch die Parallelisierung Christi und der Glaubenden in den ersten vier Belegen deutlich in die Reflexion der Gemeindetheologie verweist. Zunächst aber stehen diese Belege als Problemanzeige für die Frage, ob nicht in der Auferweckung Jesu als Werk des Geistes Gottes eine Voraussetzung des urchristlichen Bewußtseins der Präsenz desselben bedacht werden muß.

Die genannten Aussagen beschreiben ein Handeln des Geistes Gottes an Jesus, nicht aber seine Partizipation an der himmlischen Pneumasphäre. Diese Aussagen, die hernach durch weitere ntl. Traditionen als eigenständige Interpretation des Auferweckungsgeschehens erwiesen werden, greifen zurück auf zwei atl.-jüd. Motive: a) Gott, der die Toten ins Leben ruft und b) der lebenschaffende Geist.

,Gott, der die Toten ins Leben ruft', nach Burchard neben ,Herrlichkeit geben' das Hauptprädikat Gottes im Judentum (JSHRZ II/4, 694 A 7 b), hat wenige Voraussetzungen im AT: Dtn 32,39; 1. Sam 2,6;

2. Kön 5,7; sodann im Judentum: Sap 16,13; 2. Makk 7,22 f.; Achtzehn-gebet 2 u. a.; im NT: Joh 5,21; Röm 4,17; 2. Kor 1,9; 1. Tim 6,13[2].

Hingegen hat die Forschung für den Zusammenhang von Auferwek-kung und Geist jegliche Voraussetzung im Judentum bestritten[3]. Es können natürlich diejenigen Aussagen keine Berücksichtigung finden, die den Schöpfungsgeist und den Erhalt des Lebens kombinieren (vgl. etwa Hiob 39,14). Ez 37,1–14 verbindet die Gabe des πνεῦμα mit der Belebung der νεκροί, ebenso Jes 26,18 f. LXX, dies freilich gegen den Wortlaut und die Intention des hebräischen Textes. Doch ist sogleich auffällig, daß der hier bezeugte Zusammenhang von Geist und Aufer-weckung in der zwischentestamentlichen Literatur nicht wirklich ausge-baut wird (vgl. nur syrBar 29,7–30,1; äthHen 60,20). Er liegt in Test Gad 4,6 f.; äthHen 40,2 f.; 2. Makk 7,23 nicht vor, wie häufig behaup-tet wird. Erst in der rabbinischen Literatur, für die ohnehin Ez 37 dic-tum probans der leiblichen Totenauferweckung geworden ist, wird der Zusammenhang von Geist und Auferweckung betont: Sot 9,15; MidrPs 104,30; bAZ 20 b. Diese Belege sind gleichwohl nicht unterzubewerten, da sie sich auf den eschatologischen Geist beziehen. ExR 48 (102 d) bei Bill III 241: ‚In dieser Welt hat mein Geist euch Weisheit gegeben, aber in der Zukunft wird mein Geist euch wieder lebendig machen.' Auch in dem Kettenschluß des Pinchas b. Jair, der in vielen Varianten belegt ist und mit Sicherheit ins 2. Jhd. zurückzuführen ist, wird die Auferste-hung der Toten auf den heiligen Geist zurückgeführt[4].

Es bleibt vor allem die 2. Bitte des Achtzehngebetes, die in vorntl. Zeit neben Ez 37 die Motive ‚Gott, der die Toten ins Leben ruft' und ‚lebenschaffender Geist' verknüpft.

Sie lautet nach der palästinischen Rezension:

אַתָּה גִבּוֹר [מַשְׁפִּיל גֵּאִים] חָזָק [וּמֵדִין עָרִיצִים] חֵי עוֹלָמִים
מְקִים מֵתִים מַשִּׁיב הָרוּחַ וּמוֹרִיד הַטַּל
מְכַלְכֵּל חַיִּים מְחַיֶּה הַמֵּתִים
[כְּהָרֵף עַיִן יְשׁוּעָה לָנוּ תַּצְמִיחַ]
כָּרוּךְ אַתָּה יי מְחַיֶּה הַמֵּתִים

(Text nach Staerk, Gebete 11)

---

[2] Zusammenstellung weiterer Belege bei Bill III 212; Windisch, 2. Kor 46 f.; K. Berger, Die Auferstehung des Propheten und die Erhöhung des Menschensohns, StUNT 13, 1976, 408–410 A 577. Stuhlmacher, Auferweckung 146–150, zieht aus diesen Belegen das irreführende Fazit, es handle sich um einen „in langer eigenständiger Traditionsarbeit" erworbenen „Spitzensatz des israelitischen Gottesglaubens" (146), was mit Recht Beckers Kritik hervorrief (Gottesbild 107 A 3).

[3] Sokolowski, Begriffe 201–203; bei Schäfer, Vorstellung, entfällt die Darstellung die-ses Zusammenhangs (kritisch in dieser Hinsicht die Rezension von L. Hartmann, ThLZ 98, 1973, 116).

[4] Ausführlich Schäfer, Vorstellung 118–121.

Wenngleich der Wortlaut des Achtzehngebets in ntl. Zeit nicht exakt festgelegt war, wird der bei Staerk zugrundegelegte, von S. Schechter herausgegebene, sich auf Handschriften der Geniza zu Kairo beziehende Text (JQR 10, 1898, 65 ff.) ihm am nächsten kommen[5]. Unbeschadet einer eventuell längeren Vorgeschichte der drei ersten Benediktionen, welche ursprünglich wohl zweigliedrig waren, kann die zweite Benediktion in der o. g. Lesart zur Erfassung einer zumindest breiten jüdischen Auferstehungshoffnung herangezogen werden. Die von Dalman[6] vermuteten späteren Zusätze zum Text entsprechen nicht einer allgemeinen Forschungssicht. Staerk hat hingegen den von Dalman ausgeklammerten Teil der Benediktion (הַטַּל ... מֵקִים) zum zweigliedrigen Grundbestand hinzugezogen und die folgende Zeitbestimmung als sekundär erachtet. Er hat damit der Beachtung der Motivverbindung ‚Auferstehung – Geist – Tau' (vgl. Jes 26,19 LXX) Rechnung getragen.

Aber damit sind bereits die Interpretations- mit den Übersetzungsproblemen gegeben. Es stehen sich in der Literatur zwei Vorschläge zur Übersetzung der eigentlichen Benediktion gegenüber:

a) „der die Toten auferstehen läßt, der den Wind wehen läßt und den Tau herniederfallen"[7]

b) „der die Toten auferweckt und den Geist wiederkehren und den Tau herunterkommen läßt"[8]

Die erste Übersetzung begreift הָרוּחַ und הַטַּל als belebende Naturphänomene, als Wind und Regen, welche zum stetigen Wiederaufleben der Natur führen. Allerdings nimmt die neunte Benediktion diese Bitte

---

[5] Dazu Schürer, Geschichte II 542; Staerk, Gebete 10. Hingegen sieht O. Holtzmann, Die Mischna I/1 Berakot, 1912, die Handschrift aus Kairo als spätere Version im Vergleich mit der pal. Rezension (Text nach Dalman), datiert zudem letztere Fassung in die Zeit nach 70, da die Belebung der Toten sich auf die Wiedererweckung Israels beziehe (12). Da in der babylonischen Rez. das Bild von der Totenerweckung nicht mehr verstanden sei, führe diese Fassung in noch jüngere Zeit (14). Diese mögliche Auslegung nach 70 auf Israels Wiedererweckung besagt natürlich nichts über den ursprünglichen Sinn der Benediktion.

[6] G. Dalman, Die Worte Jesu I, 1898, 299–304; übernommen bei Bill IV/1, 211; I. Elbogen, Der jüdische Gottesdienst in seiner geschichtlichen Entwicklung, ²1924, 44. Es ist über diese Vermutungen hinausgehend zusätzlich zu bedenken, daß R. Chijja in der Gemara zur Halakha erwägt (Text nach: Der Jerusalemer Talmud in deutscher Übersetzung, Bd. 1. Berakoth, übersetzt von Ch. Horowitz, 1975, 144 f.), die Einschaltung des Gebets um den Regen in die Benediktion ginge auf eine Auslegung von Hos 6,2 f. zurück. Hos 6,2 nennt die Auferweckung am dritten Tag, V. 3 nennt den Regen, den belebenden Frühjahrsregen. Setzt R. Chijja eine ursprüngliche Benediktion ohne das Motiv des belebenden Regens voraus, so bliebe diese Benediktion ganz dem Thema der Auferstehung der Toten verpflichtet, was die Übersetzung von הָרוּחַ im Sinne von ‚Geist' erleichtern würde. Horowitz selber schließt sich jedoch Dalman an (144 A 53; vgl. aber 146 A 65).

[7] Bill IV 211 u. a.

[8] Volz, Eschatologie 246. Die neuzeitliche Fassung des Achtzehngebets (in: Sidur Sefat Emet, 1964, 40 ff.) entspricht beiden Varianten nicht mehr.

um Erntesegen in einem Spruch eigens auf. Daher fragt sich, ob diese Übersetzung sachlich richtig ist, vor allem aber, ob sie dem engeren Kontext מֵתִים und מֵקִים gerecht wird.

Schon Volz hatte darauf verwiesen, daß die Motivverbindung von Tau und Auferweckung in Jes 26,19 vorgegeben sei:

> „Deine Toten werden leben, die Leichen stehen wieder auf (יְקוּמוּן), wer in der Erde liegt, wird erwachen und jubeln.
> Denn der Tau, den du sendest, ist ein Tau des Lichts (טַל אוֹרֹת), die Erde gibt die Toten heraus."
> (Übersetzung nach der Einheitsübersetzung der Heiligen Schrift).

Nicht nur hier ist Tau als Mittel Gottes zur Erweckung Toter bezeugt; vgl. neben atl. Anknüpfungspunkten für ein übertragenes Verständnis von טַל in Ps 68,10; Hiob 38,28; 2.Kön 17,1 die jüd. Belege: bHag 12b; bBer 5,2; jTaan 63d Z 55f. (vgl. auch Bill IV/1, 215). Es geht also in der zweiten Benediktion nicht um den Regen selbst, sondern um טַל als Erweis und Mittel der Kraft Gottes. Dem ist מָשִׁיב הָרוּחַ parallel zu stellen. Der Gedanke an das Wehen des Windes hätte in der neunten Benediktion seinen Ort, wäre hier aber recht unmotiviert. Müller hat vorgeschlagen[9], משיב nicht als Partizip von נשב = wehen (מָשִׁיב), sondern als Partizip von שוב = zurückbringen (מֵשִׁיב) zu übersetzen: der du den Geist zurückkehren läßt. Geist und Tau wären somit die Mittel Gottes, die als Instrumente der Auferweckung vorgestellt würden. Solche Mediatisierung der Auferweckungsmacht Gottes ist in nachntl. Zeit nicht unüblich[10].

Diese Übersetzung der zweiten Benediktion verdient ernsthafte Erwägung. Das Achtzehngebet, dessen Bedeutsamkeit zur ntl. Zeit grundsätzlich (Bill IV/1, 218), aber auch allgemein wegen des üblichen Brauches der dreimaligen täglichen Wiederholung vorauszusetzen ist, kann damit einen entscheidenden Horizont für das Verständnis der Anfänge urchristlicher Pneumatologie darstellen. Nicht allein die Begründungsformel konnte sich hier anlehnen[11]. Zugleich ist die Auferstehung der

---

[9] Müller, Geisterfahrung 25–30. Obwohl Rießler, Schrifttum 7, auch mit ‚Wind‘ übersetzt, hält er im Anmerkungsteil fest (1266), daß die Belebung der Toten nach Ez 37,1ff. gedacht sei. Dann aber liegt die Gleichsetzung von רוּחַ mit Geist sehr nahe.

[10] Volz, Eschatologie 255. Eine sehr schöne Illustration solcher Mediatisierung bietet die Ausgestaltung der Heilsweissagung von Ez 37 in Dura-Europos. Die Auferweckung der Verstorbenen wird vollzogen von Mittelwesen, welche die Toten anrühren (in: Les Paintures de la Synagoge de Doura-Europos, Introduction M.G. Millet, 1939, Planche XLIII). Dieses Mittelwesen wird von Millet 94–100 als ‚Psyche‘ erkannt, welche den Geist übermittelt; vgl. auch H. Riesenfeld, The Resurrection in Ez XXXVII and the Dura-Europos Paintings, UUA 11, 1948.

[11] Schade, Christologie 349f.; Hoffmann, Auferstehung Jesu Christi 486; Müller, Geisterfahrung 14–41.

Toten an die Rückkehr des Geistes gebunden oder: Auferstehung der Toten ist Zeichen der Gegenwart des Geistes Gottes.

Eine zweite Textstelle der zweiten Benediktion enthält eine frappante Parallele zu 1. Kor 15,52 und macht wahrscheinlich, daß Pl selber diesen bereits vor ihm in der Gemeindetheologie gezogenen Zusammenhang exegetisch verdichtet. Die zweite Benediktion schließt die Auferstehungshoffnung mit der Zeitbestimmung כְּהֶרֶף עַיִן (= in einem Augenblick). Auch Pl bestimmt in 1. Kor 15,52 die Verwandlung als ἐν ἀτόμῳ, ἐν ῥιπῇ ὀφθαλμοῦ (= in einem Augenblick) sich vollziehend. Letzterer Ausdruck ist bei Pl singulär, er begegnet unter Einbeziehung des außerbiblischen Materials im Zusammenhang der Auferstehungshoffnung nur an dieser Stelle. Pl hat nicht auf andere, im NT gebräuchliche Wendungen wie ἐν στιγμῇ χρόνου (Lk 4,5) zurückgegriffen. So bleibt die Vermutung am wahrscheinlichsten, daß ἐν ῥιπῇ ὀφθαλμοῦ mit Blick auf die zweite Benediktion (כְּהֶרֶף עַיִן) eingefügt ist, zumal die Klangähnlichkeit von ῥιπή und הרף auffällig ist[12].

Diese Zusammenhänge erlauben die Erwägung, daß die zweite Benediktion des Achtzehngebetes das frühe Christentum zu der Einsicht führen konnte, die Auferweckung Jesu nicht nur als Tat Gottes in einer Eulogie zu preisen (Begründungsformel), sondern zugleich solches Geschehen als Erweis der Wiederkehr des Geistes Gottes zu werten[13].

Gewiß ist die Gefahr, wenige und in der Interpretationsmöglichkeit mehrdeutige Quellenaussagen konstruktiv zu verwenden, nicht von der Hand zu weisen. Man kann freilich zusätzlich erwägen, ob auch der atl.-jüd. Motivbereich der ‚Entrückung durch den Geist' (Ez 8,3; 3. Reg 18,12; 4. Reg 2,16; syr Bar 6,3; HebrEv 3; Apok 1,10; Apg 8,39; innerhalb der jüd. Messianologie Berakh 2,5: Entrückung des Messias durch ‚Winde und Stürme') Einfluß auf die Interpretation des Ostergeschehens gehabt hat.

Diese Interpretation mußte das endzeitliche Bewußtsein der frühen Christen verstärken, wenn nicht sogar entscheidend in Kraft setzen. Es ist freilich festzuhalten, daß die synoptischen und pl Osterberichte die Wiederkehr des Geistes nicht im Kontext des Ostergeschehens darstellen. Dies bezeugt allein Joh 20,19–23 (s. o. 4.2.2), eventuell 1. Kor 15,6/ Apg 2,2f. in einer zu vermutenden gemeinsamen älteren Tradition. Wohl aber läßt sich dieser Zusammenhang aus Röm 8,11; 1. Kor 6,14; Röm 6,4; Kol 2,12 erschließen. Deutlichsten Ausdruck fand dieser

---

[12] Dazu Müller, Geisterfahrung 25–29.
[13] Ein weiteres Zeugnis für den Zusammenhang von Auferweckung Jesu und Geist erhebt Lohfink, Ablauf, aus der lk Passionsgeschichte. Die Jünger Jesu, so Lohfink, interpretieren die Ostererfahrung als Anbruch der Endereignisse und kehren nach Jerusalem zurück. Dies und die Nachwahl des Matthias sind, so Lohfink, Ausdruck apokalyptischer Erwartung (Vgl. Mt 19,28 par) und erklären neben den Pfingstereignissen den Glauben an die Gegenwart des Geistes.

Konnex von Auferweckung und Geist in der christologischen Formeltradition.

4.3.2 Geist Gottes und Auferweckung in der christologischen Formeltradition

Die christologische Formeltradition bezieht sich in Röm 1,3f.; 1.Tim 3,16 und 1.Petr 3,18 im Kontext der Auferweckungsaussage auf das πνεῦμα (ἁγιωσύνης), wobei in der jetzt vorliegenden Letztgestalt der Formeln zugleich die ‚Opposita‘ von πνεῦμα und σάρξ ins Auge fallen.

4.3.2.1 Römer 1,3f.

Daß in Röm 1,3b.4a eine geschlossene, formelhafte Überlieferung vorliegt, ist in der Forschung seit langem unbestrittener Konsens[14]. Dafür sprechen: a) unpl Sprache und Begrifflichkeit (γενομένου ἐκ noch Gal 4,4 ebenfalls in einer Formel; ἐκ σπέρματος Δαυὶδ in 2.Tim 2,8 in einer Formel; ὁρίζειν singulär in den pl Briefen, jedoch in Apg 10,42; 17,31 in entsprechender Verwendung; der absolute Gebrauch von υἱὸς θεοῦ; πνεῦμα ἁγιωσύνης ist bei Pl singulär; die Verwendung von ἐξ ἀναστάσεως νεκρῶν sonst nur in Beziehung auf die Auferweckung der Christen). Allein ἐν δυνάμει fällt gleich als möglicher pl Einschub (1.Kor 2,5; 4,20; 15,43; 2.Kor 6,7 u.ö.) auf. b) Der knappe Partizipialstil in Passivformulierung ist Zeichen der Formeltradition (Röm 4,25; 1.Kor 15,3f.; 1.Tim 3,16). c) Die Voranstellung des Verbs kann eventuell als semitischem Sprachgebrauch entsprechend verstanden werden. d) Die Formel steht in Sachabstand zur pl Theologie. Pl spricht vom υἱὸς θεοῦ als dem Präexistenten (Gal 4,4; 2.Kor 8,9), der folglich nicht erst durch die Auferweckung in die Würdestellung des Sohnes überführt wurde. Die Übereinstimmungen mit weiterer Formeltradition wie 2.Tim 2,8 weisen auf eine vorpl Tradition.

Die Exegese der Formel ist durch den Gegensatz zwischen Bultmann und Schweizer bestimmt. Während Bultmann in κατὰ σάρκα - κατὰ πνεῦμα ἁγιωσύνης pl Interpretamente erkannte, rechnete Schweizer beide Wendungen zum Bestand der Tradition[15].

Die Frage nach Tradition und Redaktion innerhalb der Formel kann aber nicht von den wesentlichen strukturierenden Merkmalen der Letztfassung ausgehen (κατὰ σάρκα - κατὰ πνεῦμα ἁγιωσύνης; ἐξ ἀναστάσεως νεκρῶν an pointierter Stelle), ohne den Aussagegehalt des Bekenntnisses traditionsgeschichtlich zu beachten. H.Schlier und

---

[14] Vgl. Zimmermann, Methodenlehre 195 A 228; außerdem Wilckens, Röm I 56f.; Zeller, Röm 36; Theobald, Juden.

[15] Bultmann, Theologie 52; ders., Neueste Paulusforschung 11 A 2; andererseits Schweizer, Röm 1,3f., 181; ders., ThWNT VI 414f.; ders., Antwort u.ö. Vgl. auch die Darstellung von Zustimmung und Ablehnung beider Positionen bei Theobald, Juden 378 A 8 + 9.

U. Wilckens haben daher in ihren Kommentaren die Frage nach der Vorgeschichte der Formel gestellt[16]. Schon der nicht mehr streng eingehaltene Parallelismus membrorum (ἐκ σπέρματος Δαυίδ entspricht nicht υἱὸς θεοῦ; ἀνάστασις νεκρῶν ist ohne Parallele) kann auf eine eigenständige Vorgeschichte beider Satzteile deuten.

Das Bekenntnis zur messianischen Herkunft ἐκ σπέρματος Δαυίδ ist in Entsprechung zur vorchristlichen Tradition (PsSal 17,21; Bill I 11- 13) ein Nebenstrang der Christologie der Urgemeinde. Neben Joh 7,42; Apg 13,23; Apok 3,7; 5,5; 22,16 und den Aussagen der syn. Vorgeschichten (Mt 1,1.20; Lk 1,27.32 f.69; 3,23-38) ist 2. Tim 2,8 auffällig, insofern hier das Bekenntnis zum Auferstandenen bewußt dem der Davidssohnschaft vorangestellt wird. Dabei kann γενομένου ἐκ in Röm 1,3 b durchaus zum alten Bestand des Christusbekenntnisses zählen, da die partizipiale Wendung neben genealogischer Verwendung auch im christologischen Kontext (Phil 2,7; Gal 4,4) bezeugt ist.

Mit diesem Bekenntnis zur Davidssohnschaft wird die Messianität Jesu bezeugt. V. 4 a hat hingegen eine andere Voraussetzung und eine andere Absicht. Erst die Auferstehung Jesu von den Toten erweist seine Gottessohnschaft. Damit repräsentiert der zweite Teil des Bekenntnisses noch nicht die vorpl kerygmatische Auferweckungstradition (vgl. 1. Kor 15,3-5), sondern steht den urchristlichen Auferweckungsaussagen nahe, die ohne soteriologische Interpretation die Auferweckung Jesu von den Toten bezeugen[17].

Welches war die leitende Absicht, beide Traditionen – Davidssohnschaft und Auferweckungsbekenntnis – in einer Formel zu kombinieren? Eine polemische Akzentuierung gegen das Bekenntnis zur Davidssohnschaft, ist unwahrscheinlich, da dieses Motiv, wie oben gezeigt, im Urchristentum positiv verwendet wird. Andererseits ist es unbefriedigend, diese Kombination mit Blick auf das Zeugnis der Ignatianen als ‚beliebig' zu beurteilen[18]. Wilckens verweist hingegen auf den Schnittpunkt im judenchristlichen Bereich, wo der Auferstandene, von dem das Auferweckungskerygma sprach, als Messias aus Davids Geschlecht erwiesen werden sollte[19]. Da aber das Gewicht der Kombination ein-

---

[16] Schlier, Röm 27; ders., Röm 1,3 f.; Wilckens, Röm 59 f.; außerdem: Theobald, Juden; Hahn, Hoheitstitel 258 f.

[17] Becker, Gottesbild 120, nennt als Struktur: Partizip im Aor. mit def. Artikel zur Umschreibung Gottes am Anfang des Satzes, Akkusativobjekt Jesus und präpositionale Bestimmung (Röm 4,24 b; 8,11; 2. Kor 4,14; Gal 1,1; Eph 1,20; Kol 2,12; 1. Petr 1,21). Strukturell entspricht das Gerüst von V. 4 a mit ὁρισθέντος υἱοῦ θεοῦ ... ἐξ ἀναστάσεως νεκρῶν dem weitgehend. Ἐξ ἀναστάσεως νεκρῶν steht wie in den meisten der o. g. Texte ohne Artikel. Gleichfalls begegnet das Partizip. Der Gen. ist durch die Überführung einer Gottesprädikation zu einer Christusprädikation erklärlich.

[18] Hahn, Hoheitstitel 259.

[19] Vgl. Wilckens, Röm I 60 f.; Zimmermann, Methodenlehre 201 f. Jedoch ist Zimmermanns Erklärung, die Kombination der ursprünglich selbständigen Aussagen verdanke

deutig auf V. 4 a liegt, scheint es wahrscheinlicher, daß die Davidssohnschaft hier domestiziert wird, und in der Kombination mit der Auferweckungsaussage zugleich eine wertende Abfolge der Christologie Gestalt findet. Es bedarf keiner Frage, daß mit ἐξ ἀναστάσεως νεκρῶν
nicht der Grund, sondern der Zeitpunkt der Einsetzung in die Gottessohnschaft angegeben ist. Aus den vielen, auf die das γενομένου ἐκ
σπέρματος Δαυὶδ zutrifft, ist dieser eine in der Auferweckung von Gott
zum Sohn bestimmt worden (vgl. zur Verwendung von ὁρίζω in bezug
auf Gott: Apg 17,31; 10,42; Lk 22,22). So kann als ursprünglicher
Wortlaut vermutet werden:

> τοῦ γενομένου ἐκ σπέρματος Δαυὶδ
> τοῦ ὁρισθέντος υἱοῦ θεοῦ ἐξ ἀναστάσεως νεκρῶν[20].

In dieser zu vermutenden frühen Form wird eine Beziehung auf den
Geist noch vermißt. E. Linnemann hat vorgeschlagen, die Ausgestaltung
der antithetischen Form mit κατά – κατά Pl zuzuweisen, die ihm vorliegende Form – eine Zwischenschicht – habe aber ἐν δυνάμει πνεύματος
ἁγιωσύνης gelesen. E. Linnemann läßt zwar offen, welche Bedeutung
diesem Zusatz zur Tradition zukäme, andererseits ist mit diesem Vorschlag die weitere Traditionsgeschichte von Röm 1,3 b.4 a am ehesten
zu erklären[21].

Folgende Probleme sind vorab zu berücksichtigen. Πνεῦμα
ἁγιωσύνης ist ein ntl. Hapaxl. Ἁγιωσύνη findet sich im pl Schrifttum
im paränetischen Kontext in 2. Kor 7,1 (wahrscheinlich unpl) und in
1. Thess 3,13. Der griech. Ausdruck πνεῦμα ἁγιωσύνης ist allein in Test
Lev 18,11 und auf einem jüd. Amulett bezeugt[22]. Die LXX übersetzt in
Jes 63,10 und Ps 51,13 רוּחַ קָדְשׁוֹ in τὸ πνεῦμα τὸ ἅγιον. Dennoch kann
in dieser Vorgabe mit determiniertem הַקֹּדֶשׁ, die in 1. QS 8,16; 9,3;
1. QH 7,7; 12,12; 14,13; 16,2.3.7.12 und im nachbiblischen Hebräisch
wiederkehrt, die nächste Parallele gesehen werden. Hierbei handelt es
sich stets um Gottes Geist. Gleichfalls ist ἁγιωσύνη in der LXX als
Übersetzung von הוֹד, קדשׁ und עֹז stets Attribut Gottes. Der Ausdruck
führt also in jüdisch/judenchristlichen Raum. Jedenfalls wäre schwer
vorstellbar, daß Pl, der selbst πνεῦμα ἅγιον gegenüber der absoluten

---

sich der Tatsache, daß beide Aussagen nicht mehr als inhaltlich gleichlautend empfunden
wurden, wenig befriedigend.

[20] Im Ergebnis dieser Rekonstruktion Übereinstimmung mit Schlier, Röm 27; Wengst,
Formeln 114.

[21] Linnemann, Tradition; Wilckens, Röm I 58, spricht von einer „erwägenswerten Hypothese"; ebenso Becker, Auferstehung 23.

[22] E. Peterson, Das Amulett von Acre, in: ders., Frühkirche, Judentum und Gnosis,
1959, 346–354.

Verwendung nur geringfügig verwendet[23], πνεῦμα ἁγιωσύνης gebildet hätte, sofern die Antithese auf ihn zurückgeht[24].

Somit ist wahrscheinlich, daß der Bezug auf das πνεῦμα ἁγιωσύνης auf einer zweiten Traditionsstufe hinzugefügt wurde. Erst die κατά – κατά Umformulierung ist pl Werk. Es muß offenbleiben, ob die Zufügung ἐν δυνάμει πνεύματος ἁγιωσύνης umfaßte[25], oder ob ἐν δυνάμει ebenfalls pl Zufügung ist. Für pl Zufügung könnte ein sachliches Anliegen sprechen: Christus war auch präexistent der Gottessohn, er erhält seit der Auferstehung der Toten zusätzlich δύναμις (vgl. 1. Kor 15,23). Ist diese Zuordnung zum Objekt und nicht zum Partizip möglich, so kann andererseits jedoch der ganze Ausdruck ἐν δυνάμει πνεύματος ἁγιωσύνης der Tradition zugewiesen werden. Zum einen sind δύναμις und πνεῦμα in ntl. Zeit durchaus synonyme oder parallele Begriffe (1. Thess 1,5; Röm 15,13.19 u.ö.). Dann ist der ganze Ausdruck erst gebildet in Hinblick auf die Auferweckungsaussage. Damit ist behauptet: die Erweiterung der Tradition um ἐν δυνάμει πνεύματος ἁγιωσύνης beschreibt die Einsetzung Jesu Christi in die Würde des Gottessohnes in der Auferweckung als Werk des Geistes. Hierbei ist ἐν δυνάμει instrumental zu verstehen[26]. Diese Zufügung setzt das Motiv der auferweckenden bzw. lebenschaffenden Macht des Geistes voraus und wendet es auf Christus an. Daß dem Sohn damit zugleich die Macht des Geistes übereignet wird, liegt nicht in der Tendenz der Aussage[27].

---

[23] Pl bezeugt πνεῦμα insgesamt 117 mal, πνεῦμα ἅγιον 13 mal. Von diesen 13 Belegen entstammen vorpl Zusammenhängen Röm 5,5; 14,17; 1. Kor 6,19; 2. Kor 6,6; plerophorer Redeweise Röm 9,1; 15,13.16.19; 2. Kor 13,13; 1. Thess 1,5f. 1. Thess 4,8f. lehnt sich an atl. Tradition an, 1. Kor 12,3 hat gottesdienstliches Geschehen vor Augen. Daraus folgt: Pl verwendet πνεῦμα ἅγιον ausschließlich im Zusammenhang trad. oder plerophorer Aussagen. Hierbei muß ἅγιον als Epitheton ornans verstanden werden.

[24] Becker, Auferstehung 21: „Denn wenn man Paulus auch eine im Neuen Testament einmalige Verbindung wie ‚Geist der Heiligkeit‘ zutrauen kann, so doch wohl kaum dies: daß er bei der Bildung solcher Singularität zugleich noch einer für ihn typischen Formulierungsweise abschwört, nämlich statt ‚nach dem Fleisch‘ und ‚nach dem Geist‘ nun noch ‚nach dem Geist der Heiligkeit‘ zu formulieren."

[25] So Linnemann, Tradition 274; Becker, Auferstehung 23.

[26] In dieser Deutlichkeit auch Wilckens, Röm I 65. Formal klappt diese instrumentale Begründung genauso nach wie in 1. Kor 6,14; 2. Kor 13,4; Röm 6,4.
Nach Dunn, Jesus, kann die urchristliche Gemeinde keinen Gegensatz zwischen vorösterlichem und erhöhtem Herrn sehen, weil beide geistbegabt seien. Gegen Dunn geht aber doch aus Röm 1,3f. nicht hervor, that „at both stages his sonship is determined by the Spirit and by Jesus' response to the Spirit" (570).

[27] Daß die pl Ausgestaltung mit κατά – κατά noch einen anderen Akzent setzt, ist selbstverständlich. Becker, Auferstehung 22, betont zu Recht den dynamischen Aspekt des Handelns des Geistes in V. 4a, denkt aber zugleich über den instrumentalen Aspekt hinaus an den Geist als Mittel der Regentschaft des Sohnes (23); so auch Hahn, Hoheitstitel 256; Hengel, Sohn 94. Jedoch ist in V. 4a der Sohn Objekt des Handelns des Geistes. Außerdem deutet ἁγιωσύνη doch stärker auf Gottes Geist.

Die Pl vorliegende Tradition lautete folglich:

τοῦ γενομένου ἐκ σπέρματος Δαυὶδ
τοῦ ὁρισθέντος υἱοῦ θεοῦ ἐν δυνάμει πνεύματος ἁγιωσύνης
ἐξ ἀναστάσεως νεκρῶν

Stellt Pl nun diese christologische Formel an den Anfang des Römerbriefs, auch in der Absicht, eine gemeinsame Basis mit der Gemeinde
zum Ausdruck zu bringen, so kann er die Tradition nicht beliebig ver-
ändern, wenn sie als allgemein verbindliches Glaubensgut wiederer-
kannt werden soll. Pl überlagert die überkommene Tradition mit der
Einfügung von κατὰ σάρκα und κατὰ (πνεῦμα ἁγιωσ.). War für
Schweizer aufgrund des letzteren trad. Ausdrucks pl Zufügung undenkbar, für Bultmann jedoch mit Blick auf die pl Antithese von
πνεῦμα – σάρξ notwendig, so trägt dieser Vorschlag beiden Anliegen
Rechnung.

Die Antithese κατὰ σάρκα – κατὰ πνεῦμα begegnet im NT nur bei Pl und in
den Dtpl (Röm 8,4; Gal 4,29; 5,17; Eph 6,5; Kol 3,22 u.a.). Es ist nicht zutreffend, daß Pl diese Wendungen ausschließlich anthropologisch gebraucht[28].
Röm 9,5 und 2.Kor 5,16 belegen einen christologischen Bezug. Das Verständnis der Antithese ist nicht primär von 1.Petr 3,18 und 1.Tim 3,16 her zu gewinnen, wo πνεῦμα und σάρξ sich ohne präpositionale Einbindung gegenüberstehen. Κατά kennzeichnet hier nach Bauer, WB 806 „d. Richtung, Beziehung auf
…“. Πνεῦμα ἁγιωσύνης und σάρξ umschreiben hierbei sowohl einen räumlichen wie auch einen normativen Aspekt. Da jedenfalls für πνεῦμα ἁγιωσύνης
ein anthropologisches Verständnis[29] gänzlich ausgeschlossen ist, werden beide
Begriffe in der pl Antithese zwei gegenüberstehende Sphären beschreiben[30].
Diese Differenzierung zweier Aspekte in der Tradition verstärkt die Vorstellung zweier einander folgender Stadien des Wegs Jesu und bekräftigt in Entsprechung zum vorangestellten υἱὸς αὐτοῦ (V.3a) und folgenden Titel Ἰησοῦ
Χριστοῦ τοῦ κυρίου ἡμῶν (V.4b): κύριος ist Jesus Christus in Hinblick auf
seine Zugehörigkeit zur Sphäre des πνεῦμα ἁγιωσύνης, in der er mit δύναμις
herrscht. Ἐν δυνάμει entspricht jetzt dem ἐν δόξῃ (1.Tim 3,16) und dem ἐν δε-
ξιᾷ Hebr 1,3)[31].

---

[28] Käsemann, Röm 8.

[29] Abwegig ist Lietzmanns anthropologische Auslegung (Röm 24). In der Tendenz
auch Dunn, Jesus 447 A 116: „κατὰ πνεῦμα in Rom 1.4 certainly refers primarily to Jesus'
post resurrection experience, it is possible that Paul understood κατὰ πνεῦμα in Rom 1.4
more loosely … and referred it to Jesus pre resurrection experience as well as his post resurrection state."

[30] Schweizer, ThWNT VI 414; ders., Antwort 275f.

[31] Auch auf dieser letzten, der pl Traditionsstufe, ist u.E. nicht explizit eine Übertragung des Geistes an Christus ausgesagt. Wohl aber partizipiert er an den Eigenschaften
der Sphäre, in die er eingesetzt worden ist. Bauer, WB 1151: „der zum machtvollen Gottessohn eingesetzt worden ist".

4.3.2.2 1. Petrus 3,18–22

In diesem Textstück finden sich, wie schon zuvor in 1,18–21 und 2,22–25, eine Reihe urchristlicher, bekenntnisartiger und katechetischer Aussagen. Es ist jedoch unsicher, ob aus den Einzelaussagen noch Formeln und Lieder rekonstruierbar sind, die jetzt im 1.Petr kommentiert, redigiert und glossiert vorliegen, oder ob der Verf. sich einfach überkommenen Materials bedient und dieses selber kompositionell verknüpft.

Die möglichen Rekonstruktionen sind hier nicht im einzelnen darzustellen, da V. 18 d – θανατωθεὶς μὲν σαρκὶ ζῳοποιηθεὶς δὲ πνεύματι – ohnehin als ältere christologische Aussage, die allenfalls sek. in ein Lied übernommen wäre, anerkannt ist[32].

„Die Rhetorik des Satzes verträgt nicht eine zu scharfe exegetische Fragestellung. Soll man daraus, daß σαρκί offenbar meint: ‚sofern er Fleisch war‘, folgern, daß πνεύματι heißen müsse: ‚sofern er Geist war‘? Oder soll man πνεύματι an Sachparallelen wie Röm 6,4; 1.Kor 6,14 erinnernd, instrumental verstehen? Oder soll man es als verkürzten Ausdruck nehmen für den Gedanken: ‚zum Leben erweckt und dadurch mit dem Geist ausgerüstet‘?"[33]

Die anthropologische Dichotomie von Christus in sarkischer und pneumatischer Existenz ist mit Recht abgewiesen worden[34]. Ἐν σαρκί deutet auf den Raum, die Sphäre, in dem das θανατωθείς sich vollzog. Damit ist σάρξ nicht negativ qualifiziert, sondern neutral (vgl. auch Röm 1,3; 1.Tim 3,16; Hebr 5,7; 1.Petr 4,1; 1.Joh 4,2; 2.Joh 7). Da ζῳοποιεῖν in ntl. Zeit synonym mit ἐγείρειν erscheinen kann (Joh 5,21; Röm 8,11; vgl. Röm 4,17 mit 2.Kor 1,9), läßt sich die Auferstehungsvorstellung in der Korrespondenzaussage nicht ausschließen. Andererseits steht im Hintergrund das Motiv der lebenschaffenden Macht des Geistes. Neben den atl. Vorgaben (Gen 2,7; 6,3.17; 7,15.22; Ez

---

[32] Andernfalls wäre ja in V. 18 das ἀπέθανεν (v.l.) durch θανατωθείς erneut aufgenommen. Dies bestätigt nur die Sonderstellung des V. 18 d; vgl. auch Goppelt, 1.Petr 242; Schelkle, Petrusbriefe 104 A 4; Bultmann, Joh 341 f. A 9. Vgl. forschungsgeschichtlich zur Rekonstruktion der Einheit: Bultmann, Bekenntnisfragmente (1,20; 3,18 a.c.d.19.22 b. c); modifizierte Anlehnung an Bultmann durch Hunzinger, Struktur (V. 18 a–d.19.22 b. a. c) und Wengst, Formeln 161 ff. (1,20; 3,18 d; 22 b.c). Demgegenüber lehnen Deichgräber, Gotteshymnus 173; Brox, 1.Petr 166; Schelkle, Petrusbriefe 102; Goppelt, 1.Petr 239–242, die Rekonstruktion eines Liedes ab, betonen hingegen überzeugend den Anschluß an trad. Einzelelemente.

[33] Bultmann, Bekenntnisfragmente 287. Darüber hinaus ist zu bedenken, daß θανατόω und ζῳοποιέω ein traditionelles Paar sind (TestGad 4,6; 4.Reg 5,7; Diog 5,12).

[34] So noch H. Gunkel, Der erste Brief des Petrus, SNT 3, ³1917, 201. Jetzt wieder Schelkle, Petrusbriefe 103 f.: Christus sei aus der unsterblichen Geistexistenz seiner selbst wieder lebendig gemacht worden; ebenfalls W. Kelly, The Epistles of Peter, 1955, 151. Zur Kritik: Schweizer, ThWNT VI 414 A 555; Goppelt, 1.Petr 244 f. Brox, 1.Petr 168.

37,5.9f.) ist vor allem an die christliche Motivverwendung ‚πνεῦμα ζῳοποιοῦν‘ (Joh 6,63; 2.Kor 3,6; 1.Kor 15,22.45) zu erinnern. Sie ist als metaphorische Aussage nicht auf die leibliche Auferstehung festgelegt, kann aber auf sie deuten (so Pl in 1.Kor 15,22.45).

Mit dem Rückgriff auf dieses Motiv ist freilich eine semantische Verschiebung innerhalb des Parallelismus gegeben, insofern der Geist als die Macht prädiziert wird, die Christus aus dem Tod zum Leben geführt hat[35]. Die lebenschaffende Macht des Geistes hat Christi Auferweckung und Himmelfahrt (V.21f.) ermöglicht. Daß Christus jetzt diese Macht des Geistes übereignet ist (vgl. Apg 2,33; Eph 4,7f.), setzt V.22 implizit voraus.

4.3.2.3 1.Timotheus 3,16

Der Halbvers ist als Traditionsstück im 1.Tim anerkannt[36]. Die relativische Anknüpfung an den vorhergehenden Kontext verbindet mit weiteren vorpl Traditionsstücken (Röm 4,25; Phil 2,6; Hebr 1,3 u.a.), ebenso die Form des Er-Berichts (Phil 2,6–11; Kol 1,15–20). Die Voranstellung des Verbs in der Passivform entspricht nicht hell. Alltagssprache, sondern semitischer oder auch liturgischer Redeweise (vgl. Mt 6,9f.)[37]. Mit Röm 1,3f. wird wieder der definite Artikel vermißt. Formal ist die Zusammenstellung in einem dreifachen Parallelismus auffällig, dessen Einzelglieder nach dem Schema a–b, b–a, a–b chiastisch einander zuzuordnen sind, so daß der Schlußakzent auf der δόξα des Erhöhten liegt. Das Ineinanderdenken nicht zusammenhängender Sphären widerrät dem Versuch, in der Abfolge der sechs Stichoi eine präzise Chronologie der Christologie wiederzufinden. Bereits die ersten Zeilen schließen mit der Erhöhungsaussage, die nächsten beiden Parallelismen beschreiben die Folgen dieses Ausgangspunktes. Man kann mit Norden die Vorgabe des altorientalischen Zeremoniell der Thronbesteigung wiederfinden, welches in drei Akten ‚Erhöhung – Präsentation – Inthronisation‘ festhält[38].

---

[35] Damit kommt πνεύματι ein instrumentaler Sinn zu (Goppelt, 1.Petr 245 A 28). Dagegen hatten H.Windisch – H.Preisker, Die Katholischen Briefe, HNT 15, ³1951, 71, vorgeschlagen, ζῳοποιηθείς noch von der Auferstehungsaussage, die erst mit V.22 gegeben sei, zu trennen.

[36] Vgl. den Forschungsüberblick bei Stenger, Christushymnus 11–34; Zimmermann, Methodenlehre 204–207.

[37] Norden, Theos 257.

[38] E.Norden, Die Geburt des Kindes. Die Geschichte einer religiösen Idee, ³1955, 128, in Abkehr der noch in ders., Theos 256, vertretenen These, daß „parallel laufende Glieder ohne eigentliche Gruppierung" zugeordnet seien. Zustimmung zu Norden dann durch Jeremias, Briefe an Timotheus 23–25; Stuhlmacher, Gerechtigkeit 187; Dibelius, Pastoralbriefe 51 u.a.

Der erste Parallelismus ‚ἐφανερώθη ἐν σαρκί, ἐδικαιώθη ἐν πνεύματι‘ beinhaltet keine antithetische, sondern eine komplementäre Aussage. Σάρξ und πνεῦμα sind nicht negativ oder positiv qualifizierende Adverbialbestimmungen, sondern bezeichnen zumindest im ersten Fall einen Raum, eine Sphäre, in der sich ἐφανρώθη (bzw. ἐδικαιώθη) abspielt. Ἐφανερώθη bezeichnet das Offenbarwerden etwas bisher Verborgenen in Hinblick auf die Sphäre der σάρξ. Die Nähe dieser Aussage zum ntl. ‚Revelationsschema‘ (vgl. dazu 6.5.1.1) ist evident. 1. Joh 1, 2; 3, 5. 8; 4, 9 verwendet φανεροῦν im Hinblick auf eine Inkarnationsaussage. So auch 1. Tim 3, 16, zumal hier die Inkarnation im Raum des Fleisches durch ἐν σαρκί (vgl. 1. Joh 4, 2) verdeutlichend verstärkt wird[39]. Weitaus problematischer gestaltet sich die präzise Bestimmung des ἐδικαιώθη ἐν πνεύματι. So gewiß dieser Ausdruck als Voraussetzung der nun folgenden Präsentation die Erhöhung des Erlösers bezeugt, so unsicher ist die exakte Aussageabsicht des hierfür gewählten ungewöhnlichen Ausdrucks. Als parallele Formulierung zu ἐν σαρκί scheint es zunächst gar nicht anders möglich, als auch ἐν πνεύματι lokal und nicht instrumental zu verstehen als Angabe des Bereiches, in dem sich das ἐδικαιώθη vollzieht[40]. Gleichwohl ist diese Einsicht nicht einfach nachzuvollziehen, da die Verwendung von δικαιοῦν in Verbindung mit ἐν πνεύματι in solcher Aussageabsicht ungewöhnlich wäre.

E. Norden wies im Zusammenhang seiner formgeschichtlichen Analyse auf die Begrüßungsszene im Präsentationsakt, in der der Ankommende als ‚Gerechtfertigter‘ begrüßt wird. Dies bezieht sich jedoch auf die Feststellung und Bestätigung der Rechtmäßigkeit der Geburt des Ankommenden, so daß keine direkte Parallele vorliegt[41].

---

[39] Stenger, Christushymnus 162–164, vermutet eine Anspielung auf die apokalyptisch geprägte Vorstellung des Offenbarwerdens des Messias-Menschensohns. Jedoch ist φανεροῦν im christlichen Sprachgebrauch nicht auf diesen Hintergrund festgelegt (ThWNT IX 4–6). Es ist zudem eine problematische Annahme, der Hymnus wolle durch die Differenzierung von σάρξ und πνεῦμα die Aspekte ‚Offenbarwerden und Verherrlichen‘ auseinanderdividieren, was in der Menschensohn-Messias-Vorstellung zeitlich zusammenfalle. Weshalb sollte der Hymnus sich einer Vorgabe bedienen, die er sogleich kritisch absichern muß. Schließlich ist es nicht sicher, ob die verborgene Präexistenz des Erlösers in 1. Tim 3, 16 vorausgesetzt werden darf (kritisch dazu Dibelius, Pastoralbriefe 51).

[40] So auch Dibelius, Pastoralbriefe 50; Holtz, Pastoralbriefe 91; Zimmermann, Methodenlehre 212; Stenger, Christushymnus 160; Stuhlmacher, Gerechtigkeit 187 u. a. Dagegen hat W. Metzger, Der Christushymnus 1. Timotheus 3, 16. Fragment einer Homologie der paulinischen Gemeinden, ATh 62, 1979, 82–91, energischen Einspruch erhoben. Da nach seiner Sicht der Hymnus in einer antignostischen Front steht, wäre es unverständlich, wenn der Hymnus bereits in der zweiten Zeile wieder die Beschreibung der sarkischen Existenz Jesu aufgeben würde, um das Sein des Erhöhten zu beleuchten. Daher beziehe sich der Ausdruck auf die Wirksamkeit des ‚geschichtlichen Nazareners‘. Damit ist eine ältere Ansicht der Forschung wieder aufgenommen (vgl. das Referat bei H. J. Holtzmann, Die Pastoralbriefe kritisch und exegetisch bearbeitet, 1880, 332).

[41] Norden, Theos 124.

Seit Reitzenstein wird immer wieder an parallele Vorstellungen aus dem CH 13,9 und den OdSal 31,5 u.a. verwiesen[42]. Ziel der stufenweise erfolgenden Vergöttlichung ist die Verleihung der Gerechtigkeit unter Ausschluß des Gerichtsgedankens. Nicht diese stufenweise Vergöttlichung, wohl aber der Gebrauch des Verbs in der Erhöhungsterminologie verbindet mit 1.Tim 3,16. Od Sal 31,5 bezeichnet den Sieg des Erlösers mit dem Verb δικαιοῦν.

R.Bultmann[43] hat Joh 16,10 „in dem juristischen Sinne des Rechthabens, des Sieges im Prozeß" verstanden (434), für solchen Sprachgebrauch eine Vielzahl von Parallelen im atl.-orientalischen Raum beibringen können und in OdSal und 1.Tim 3,16 eine Parallele gesehen (435 A 7).

Im Anschluß an Bultmanns Ausführungen erinnerte E.Schweizer[44] in Aufnahme einer älteren Forschungsmeinung an Röm 3,4 (= Ps 50,6 LXX), wo δικαιωθῇς in Parallele zu νικήσεις den Gerichtsprozeß zwischen Gott und der feindlichen Welt beschreibt.

A.Stecker[45] ging hingegen von der Bezeichnung Jesu als δίκαιος aus (Mt 27,19; Lk 23,47; 1.Petr 3,18; 1.Joh 2,1.29; Apg 3,14; 7,52; 22,14). Der Kommentar von Holtz verbindet dieses Motiv sogar mit der Tradition von Jesu Taufe (91), in der Geistbegabung und Erfüllung der Gerechtigkeit (Mt 3,13–17) verbunden seien. Es ist freilich zutreffend, daß in ntl. Taufaussagen in Hinblick auf die Glaubenden Taufe – Gerechtsprechung – Geist verbunden sind (1.Kor 6,11). Gehen die genannten Ableitungen alle von einer vermuteten Wortbedeutung des Verbs ἐδικαιώθη aus, so schließt Stenger auf den einheitlichen Hintergrund der Messias-/Menschensohn-Vorstellung. ÄthHen 62,2; 69,29; 71,14 bezeugen Erhöhung und Verleihung der Gerechtigkeit bzw. des Geistes der Gerechtigkeit. Allerdings spricht 1.Tim 3,16 gerade nicht von einer Übereignung, sondern mit Hilfe des Verbs von einem ‚zum Sieg führen'.

Da in 1.Tim 3,16 der Gedanke eines Sieges nach erfolgtem Kampf nicht anklingt und σάρξ im Zusammenhang der Inkarnationsaussage positiv verwendet wird, sollte dieses Bild für die Interpretation von 1.Tim 3,16 nicht überstrapaziert werden. Wohl aber kann die Verwendung des Verbs und Substantivs in Joh 16,10; Lk 7,35; CH 13,9; OdSal 31,5 als nächste Parallele betrachtet werden, ἐδικαιώθη wäre mit Dibelius zu übersetzen als ‚wurde zum Sieg geführt'. Wird aber ἐν πνεύματι

---

[42] Reitzenstein, Mysterienreligionen 257 f.; Dibelius, Pastoralbriefe 50.

[43] Bultmann, Joh 434–436. Zuvor bereits ders., Die Bedeutung der mandäischen und manichäischen Quellen für das Verständnis des Johannesevangeliums, in: ders., Exegetica, 1967, 85 f.; ebd. auch Ablehnung der Position Nordens. Zu diesem Sprachgebrauch ist schließlich als ntl. Parallele noch auf Lk 7,29.35 zu verweisen.

[44] Schweizer, Erniedrigung 105 f.

[45] A.Stecker, Formen und Formeln in den paulinischen Hauptbriefen, Diss. Münster, 1966. Entscheidend gegen die von Holtz vorgetragene Auslegung, die zweite Zeile auf die Taufe Jesu zu beziehen, spricht die Vorgabe des dreiteiligen Inthronisationsschemas, das ja mit der Erhöhungsaussage einsetzt. Die Präsentation hätte keinen Anhaltspunkt, wenn nur die Taufe Jesu, nicht aber die Erhöhung erfolgt wäre. Gegen Holtz (91) erscheint es doch sehr gewagt, das folgende ὤφθη ἀγγέλοις auf das Öffnen der Himmel (Mk 1,13) des syn. Tauf- und Versuchungsberichts zu beziehen.

als Sphäre verstanden, so stünde mit einigen der o. g. Parallelen auch die Sprache der Mysterientheologie im Hintergrund, um den Sieg Jesu als Eingang in die Pneumasphäre zu beschreiben[46]. Allerdings käme dies einer Tautologie mit ἀνελήμφθη ἐν δόξῃ sehr nahe. Wenn jedoch spezieller das Thronbesteigungszeremoniell im Hintergrund steht, sind die ersten beiden Stichoi auf den Zielpunkt der Erhöhung zu begrenzen, erst der dritte Abschnitt wird sich der Inthronisation zuwenden, die vollen Anteil an den göttlichen Eigenschaften gibt. Dies bedeutet: zwischen ἐν πνεύματι und ἐν δόξῃ ist in 1. Tim 3, 16 zu unterscheiden. Dann aber muß bei ἐν πνεύματι ein instrumentales Verständnis zumindest mitgehört werden. Dieses ,zum Sieg geführt werden‘ geschah in der Kraft des πνεῦμα[47].

Ergebnis:
   In Röm 1, 3 f.; 1. Petr 3, 18 und 1. Tim 3, 16 ist πνεῦμα sowohl Sphäre, in die der Erhöhte eintritt, und zugleich Macht, die sich an ihm in der Auferweckung/Erhöhung auswirkt. Dieser Doppelaspekt wird leicht übersehen, weil in den Korrespondenzaussagen die σάρξ ausschließlich Sphäre ist. In keiner Aussage ist die σάρξ negativ qualifiziert, sie ist vielmehr der Bereich der Inkarnation. Auf dem Gegenüber von σάρξ und πνεῦμα, welches in Röm 1, 3 f. zudem erst sekundär eingearbeitet worden ist, liegt kein anderes Gewicht, als irdische und himmlische Existenz Jesu zum Ausdruck zu bringen.
   Wegweisend war jedoch eine andere Motivverbindung. In allen drei Traditionen war neben dem lokalen zugleich ein instrumentaler Aspekt des πνεῦμα gegeben. So in der Motivverbindung ,Geist als Kraft der Auferweckung‘ (Röm 1, 4), der ,Lebendigmachung‘ (1. Petr 3, 18), schließlich der Gedanke des ,Sieges durch den Geist‘ (1. Tim 3, 16). Insofern ist die Auferweckung/Erhöhung in allen drei Traditionen auch Sache des Handelns des Geistes.
   Gegenüber der urchristlichen partizipialen Wendung ,Gott, der Jesus von den Toten auferweckte‘ repräsentiert die christologische Formeltradition ein sek. Interpretationsstadium, insofern das Auferweckungs-

---

[46] Bauer, WB 392: „Im Mysteriensprachgebrauch (…) bezieht s. δικαιοῦσθαι auf d. Wesensänderung, die d. Myste im Mysterium erfährt (…) u. nähert sich der Bed. von ,vergottet werden‘. Ähnl. wohl v. Christus ἐδικαιώθη ἐν πνεύματι 1. Tim 3, 16.“
[47] Deutlich Jeremias, Briefe an Timotheus 24: „Mit der ,Rechtfertigung‘ könnte, einem (freilich erst nachchristlich bezeugten) hellenistischen Sprachgebrauch gemäß, die Erhöhung in die Seinsweise der göttlichen Gerechtigkeit bezeugt sein …“. Jedoch sei hier „mit der Rechtfertigung die Auferstehung gemeint. Sie geschah ,im Geist‘ (Gottes), d. h. Kraft des Gottesgeistes …“ J. Roloff, Der erste Brief an Timotheus, EKK XV, 1988, 203, beruft sich hingegen wieder auf die Beachtung der Korrespondenz zur ersten Zeile, um eine instrumentale Deutung abzulehnen. Allerdings sollte beachtet werden, daß die Adverbialbestimmungen in 3, 16 insgesamt mehreren Deutungen offenstehen.

geschehen nicht primär vom Tataspekt Gottes, sondern des Geistes Gottes definiert wird.

Röm 1,3 f.; 6,4; 8,11; 1. Kor 6,14; 2. Kor 13,4; 1. Petr 3,18 und 1. Tim 3,16 zeigen, daß in der frühen Gemeindetheologie der Geist Gottes als Mittel verstanden wurde, durch dessen Kraft Jesus auferweckt wurde. Dies hält die Möglichkeit offen, daß in der Auferweckung Jesu die Legitimation gesehen werden konnte, von der Wiederkehr des Geistes zu sprechen. Der Zusammenhang von Geist und Auferweckung bleibt in der Gemeindetheologie bestimmend, da auch die Christen ihre Auferweckungshoffnung mit Bezug auf den Geist begründen: 1. Kor 6,14; Röm 8,11; 2. Kor 13,4; Gal 6,8; 1. Kor 15,45; Eph 4,30; Hebr 6,4 f.; Apok 11,11; 2. Klem 14,5.

Es ist das Verdienst A. Schweitzers, auf diesen Horizont frühchristlicher Pneumatologie hingewiesen zu haben. Pl spreche vom Kommen des Geistes „auf Grund des Todes und der Auferstehung Jesu"[48], der Geist trete „auf Grund derselben"[49] in Erscheinung. Sollte die These, Pfingstgeschichte und Erscheinungsbericht vor 500 Brüdern seien Varianten einer ursprünglich gemeinsamen Tradition, einen Wahrheitsgehalt haben, so könnte diese Verbindung von Geist und Auferweckung auch hier bedacht sein[50].

Damit ist eine entscheidende Voraussetzung für den Glauben an die Gegenwart des Geistes mit dem Kerygma der Auferweckung Jesu gegeben. Nicht erklärt ist hingegen, mit welchem Recht die Gemeinde von ‚ihrem Geistbesitz‘ spricht.

4.3.3 Der geistbegabte Messias

Auf die atl.-jüd. Tradition der Erwartung des geistbegabten Messias wurde bereits verwiesen (PsSal 17,37; 18,7; äthHen 49,3; 62,2; Test Lev 18,7; TestJud 24,2; 1. QSb 5,24 f.; 11. QMelch 18).

Stellt Jesus sich selber in seinem Auftreten und seiner Botschaft in diese Tradition, so daß die Überzeugung der Gemeinde von der Gegenwart des Geistes hier ihre zweite Voraussetzung hat? Oder interpretiert die Gemeinde Jesu Auftreten als Erfüllung der Erwartung des geistbegabten Messias?

Bevor beide Fragen beantwortet werden, ist das Verhältnis dieses Motivbereichs zu dem der Auferweckung durch den Geist zu bedenken. Strenggenommen schließen sich beide Aussagen aus. Wenn urchristliche Pneumatologie ih-

---

ren entscheidenden Anstoß durch Auftreten und Verkündigung Jesu empfangen haben sollte, wäre unverständlich, wenn andererseits erst mit der Auferwekkung das Werk des Geistes an Jesus begonnen haben sollte. Doch ist die unterschiedliche Theologiebildung innerhalb des Urchristentums differenzierend in Rechnung zu stellen.

Jesus beruft sich, so zeigt die kritische Durchsicht der synEvv, an keiner Stelle im Zusammenhang seines Handelns und Redens auf den Geist Gottes, um seinen Anspruch eigens pneumatisch zu begründen[51]. Kein einziges synoptisches Wort über den Geist (Mk 3,29 parr; 13,11 par; Mt 12,28; Lk 4,18 f.; 11,13; Mt 28,19; Lk 24,28; 11,2 v.l.) kann über die Gemeindetheologie hinaus auf Jesus zurückgeführt werden. Dieser Befund läßt mit Recht fragen, ob Jesus nicht auch an derjenigen jüdischen Sicht partizipiert, die dem Geist Gottes allenfalls periphere Bedeutung beimißt.

Das Logion von der Sünde wider den heiligen Geist trennt gerade in der Q-Fassung (Lk 12,10 par) periodisch die Zeit des irdischen Menschensohnes von der Zeit des Geistes. Die Zusage des Beistands vor Gericht (Mk 13,11), nach Schweizer[52] mit einiger Sicherheit in der Substanz auf Jesus zurückzuführen, reflektiert doch Gemeindeverfolgungen. Die Erwähnung des πνεῦμα θεοῦ in Mt 12,28 ist gegenüber δάκτυλος θεοῦ (Lk 11,20) identifizierende Präzisierung der Gemeinde. Lk 4,18 f. ist im Kontext der lk Programmszene red. eingefügt[53]. Die Geistbitte und Geistzusage (Lk 11,13) stellen Eigenheiten der lk Überlieferung dar[54]. Die von Heitmüller[55] scharf gezogene Schlußfolgerung, die „Pneumatologie war der Lehre Jesu fremd", macht sich jedoch einseitig von der Bezeugung des Wortes πνεῦμα in den synEvv abhängig. Denn in Einzelsprüchen kann ein verhüllter, bildhafter Hinweis auf die Gegenwärtigkeit des Geistes vermutet werden (Lk 10,18; 11,20)[56]. Zugleich scheint das Wirken Jesu nicht anders als durch πνεῦμα gezeichnet werden zu können. Die Exorzismen als Zurückdrängung dämoni-

---

[51] Programmatisch Windisch, Jesus; aber auch: Gunkel, Verständnis 87, und P. Wernle, Die Anfänge unserer Religion, 1901, 58.

[52] Schweizer, ThWNT VI 400 f.; anders etwa Lührmann, Mk 220 f. u. a.

[53] Dazu M. Rese, Alttestamentliche Motive in der Christologie des Lukas, StNT 1, 1969, 143–154.

[54] W. Ott, Gebet und Heil. Die Bedeutung der Gebetsparänese in der lukanischen Theologie, StANT 12, 1965; G. Schneider, Die Bitte um das Kommen des Geistes im lukanischen Vaterunser (Lk 11,2 v.l.), in: W. Schrage (Hg.), Studien zum Text und zur Ethik des Neuen Testaments, FS H. Greeven, 1986, 344–373.

[55] Heitmüller, Taufe und Abendmahl bei Paulus 39.

[56] Dazu Jeremias, Theologie 81–84. O. Böcher, Art.: Dämonen IV, TRE 8, 283: „Damit verwirklicht er (Jesus, Verf.) die Hoffnungen der jüdischen Eschatologie auf eine endzeitliche Entmachtung des Teufels und seiner Dämonen (vgl. 1. QS 3,24 f.; 4,20–22; 1. QH 3,18; 1. QM 1,10 f.; 7,6; 12,7 f. …)"

scher Mächte (Mk 3,27 parr u. a.), der Vorwurf der Besessenheit (Mk 3,20), die Wundertätigkeit, die Verkündigung der βασιλεία (Lk 6,20 par; Mk 1,15) in Verbindung mit der Umkehrforderung, die autoritative Gesetzesauslegung unter ἐγὼ δὲ λέγω ὑμῖν[57] ergeben ein Gesamtbild, das einem ‚impliziten pneumatischen Bewußtsein Jesu‘ nahekommt. Jedoch ist die von Windisch vorgetragene Vermutung abwegig, schon in der vorliterarischen Tradition sei die Beschreibung Jesu als Pneumatiker unterdrückt oder gar eliminiert worden, um christologisch eindeutigeren Prädikaten Platz zu machen.

Wenngleich Jesus weder seine Taten als Erweis des Geistes deklariert noch eine allgemeine Geistbegabung in Aussicht stellt, so konnte die Gemeinde doch rückblickend im Handeln Jesu einen Hinweis auf geistbegabtes Verhalten und Anzeichen der Wiederkehr des Geistes sehen. Die Exorzismen allein waren wie die verschiedenen jüdischen Exorzismen mehrdeutig und kein eindeutiger Erweis des Geistes (Lk 11,19); auch hier gilt, daß pneumatische Phänomene allein in Jesus nicht einen Pneumatiker sehen lassen konnten.

Erst die Evangelienredaktion verdichtet dieses Gesamtbild, indem sie Jesu Wirken in der Tradition des geistbegabten Messias darstellt und diese Vorstellung in Jesu irdisches Wirken zunehmend einträgt. Programmatisch wird die Geisttaufe als Erfüllung von Mal 3,1; Jes 40,3 in Mk 1,2–11 parr vorangestellt, sodann durch Aufnahme von Jes 42,1 im Reflexionszitat Mt 12,18, durch Auslegung von Jes 61,1 in der Antrittspredigt Jesu in Lk 4,16–21. Doch damit, wie mit den Aussagen der pneumatischen Entstehung in den Kindheitsgeschichten, ist der Stand der späteren, überwiegend heidenchristlichen Gemeindetheologie gegeben.

4.3.4 Das eschatologische Bewußtsein der Kirche

Mit dem Verweis auf die Auferweckung und das Wirken Jesu ist zunächst angezeigt: das Christusgeschehen ist der entscheidende Horizont, unter dem sich das Bewußtsein der Gegenwart des Geistes entfaltet[58]. Wie aber kommt es zur Übertragung des Geistbesitzes des einen auf seine Anhänger unter der Aussage: Gott hat uns den Geist gegeben?

---

[57] G. Strecker, Bergpredigt 65; ders., Die Antithesen der Bergpredigt (Mt 5,21–48 par), ZNW 69, 1978, 36–72, nennt ein „hervorragendes ἐξουσία-Bewußtsein" (71). Sehr massiv reklamiert hingegen Schulz, Ethik 31, das Wissen Jesu um den endzeitlich verliehenen Geist.

[58] Aus der Perspektive des antiken Judentums hat Schäfer, Geist 176, diese ‚christologische‘ Begründung deutlich erkannt: „Nicht die christliche Auffassung vom heiligen Geist (…) mußte den jüdischen Widerspruch hervorrufen, sondern die christliche Behauptung, daß mit Jesus die Endzeit angebrochen und deswegen die allgemeine Ausgießung des heiligen Geistes möglich geworden sei."

Diese Übertragung ist in der frühen Gemeindetheologie noch nicht durch institutionelles Handeln wie Taufe und Abendmahl unmittelbar vollzogen. Daß die Taufe den Geist übermittelt, ist ja erst eine Folge christlicher Theologie, welche dem Grundsatz allgemeiner Geistbegabung Rechnung trägt, nicht aber unmittelbare unbedingte Einsicht. Auch die Erwägung[59], daß im atl.-jüd. Bereich eine prophetische Einzelfigur eine Reihe von Pneumatikern hervorrufe (Num 11,25; 2.Kön 2,10; Sir 48,8; TestHiob 48–50), kann nicht den allgemeinen Anspruch des frühen Christentums erklären. Die These[60], in den Ostererscheinungen einen Umbruch vom Schock des Kreuzes und den damit verbundenen Depressionen zu einer ekstatischen Stimmung zu sehen, deutet mit Recht auf den christologischen Ausgangspunkt, doch findet sich eine Reflexion dieses psychologisch beschriebenen Umbruchs erst in der späten Gemeindetheologie (Joh 20,19; Lk 24,17.31; Mk 16,8.20). Erst eine dritte Größe, das eschatologische Bewußtsein, läßt zwei Linien, die für die Endzeit erwartete Geistbegabung des Messias und die für die Endzeit erwartete Geistbegabung der Erwählten (s.o. 2.1.5) in Verbindung treten. Bousset vermutete: „Im jungen Christentum mögen jene pneumatischen Erfahrungen gar nicht viel häufiger gewesen sein als im Judentum. Aber hier kam ihnen der Glaube entgegen, daß Gott in den letzten Tagen seinen Geist ausgieße auf alles Fleisch …"[61]. Dies stellt die Christen in einen Sonderstatus innerhalb des Judentums, der Gemeinschaft Qumrans oder Täufergruppen vergleichbar. Wie aber die Selbstbezeichnungen (οἱ ἅγιοι, οἱ ἐκλεκτοί) und die Repräsentation der Kirche durch die Zwölf nahelegen, versteht sich die junge Kirche als eschatologische Gemeinde[62]. Es liegt nahe, daß im Kontext dieses eschatologischen Selbstverständnisses die für die Endzeit erwartete Geistbegabung als in der Gegenwart anhebend behauptet wurde und sich mit einer Aufnahme atl. Aussagen verband.

Das eschatologische Bewußtsein der frühen Kirche spiegelt sich hervorragend in dem in der Briefliteratur mehrfach überlieferten Motiv der Aufhebung der trennenden Unterschiede von ,Jude-Grieche, Sklave-Freier, Mann-Frau' im Kontext der Geistausgießung wider[63]. Dieses Motiv ist wegen des (aufgehobenen) Gegensatzes von Jude und Grieche auf eine aus Heiden- und Judenchristen gemischte Gemeinde zurückzuführen.

---

[59] Berger, Geist 179.
[60] Pokorný, Entstehung 84; Lohfink, Ablauf; ähnlich bereits Deissmann, Paulus 98.
[61] Bousset, Religion 399.
[62] Bultmann, Theologie 39–44 (und im Vorwort); Schmithals, Röm 260.278.
[63] Vgl. 1.Kor 12,13a zu 13b; Gal 3,28 zu 3,26f.; 4,6; Gal 5,6 zu 5,5.

Die Aufhebung des Gegensatzes von περιτομή und ἀκροβυστία findet sich in der pl Briefliteratur 1. Kor 7,19; Gal 5,6; 6,15 mit der Begründung, daß solche Trennung ἐν Χριστῷ Ἰησοῦ (Gal 5,6), ἐν τῇ κλήσει (1. Kor 7,20) gegeben ist, also eine eschatologische Differenz zur vorchristlichen Zeit besteht (Gal 6,15: ἀλλὰ καινὴ κτίσις). Diese Zusammenführung von ehedem erwählungsgeschichtlich und ritualgesetzlich getrennten Gruppen ist mit der Heidenmission der hell. Gemeinde engstens verknüpft. Eine analoge paarweise Zusammenstellung unterschiedlicher Gruppen findet sich in verfestigter Form und mit einem im Text angegebenen Sitz im Leben (Taufe) in 1. Kor 12,13; Gal 3,28; Kol 3,11.

Wir sehen zunächst von der Einbindung dieser Gegensatzpaare in die Tauftradition ab.

Diese im pl Schrifttum begegnende Paarbildung deckt sich nicht völlig mit ähnlichen nachntl. Motiven, die weitaus stärker die zukünftige Zusammenführung zweier gegenüberstehender Größen zu einer Einheit beschreiben.

2. Klem 12,2 nennt auf die Frage nach dem Kommen der βασιλεία ein apokryphes Herrenwort: Ὅταν ἔσται τὰ δύο ἕν, καὶ τὸ ἔξω ὡς τὸ ἔσω, καῖ τὸ ἄρσεν μετὰ τῆς θηλείας, οὔτε ἄρσεν οὔτε θῆλυ. ClAl, Strom III 92,2 scheint gleichfalls von diesem apokryphen Herrenwort abhängig zu sein: ὅταν γένηται τὰ δύο ἕν καὶ τὸ ἄρσεν μετὰ τῆς θηλείας οὔτε ἄρσεν οὔτε θῆλυ.

Vgl. darüber hinaus Martyrium Petri 9; ActThom 147; EvThom 22.

Eine Kombination dieses Herrenwortes mit Gal 3,28 findet sich in NHC I 5,132,16–28 (Tractatus Tripartus); Aufnahme von Gal 3,28 ohne das Herrenwort in ActThom 129; ClAl, Strom III 5,2ff. u. a.

Vergleicht man die Texte, so ist die größere Nähe der pl Belege zu den gnostischen Aussagen nicht zu übersehen; während das apokryphe Herrenwort die Aufhebung der Gegensätze mit dem Kommen der βασιλεία verbindet, wird dieses in den von Gal 3,28 abhängigen Texten für die Gegenwart reklamiert[64].

Unter welchen Voraussetzungen kann die in Gal 3,28 belegte Reihe der Aufhebung dreier bisher gegensätzlicher heilsgeschichtlicher, sozialer und geschlechtlicher Gruppen im Urchristentum Begründung erfahren haben?

Da die Aufhebung des Gegensatzes von Jude–Grieche, Beschnitten-Unbeschnitten am ehesten aus der Missionserfahrung ableitbar ist (Röm 1,16f.; 3,29f.; 10,11) und das Beieinander von Sklave und Freier sich möglicherweise der konkreten Zusammensetzung frühchristlicher Gemeinden verdanken kann (Phlm; 1. Kor 7,17–24; Haustafel-Tradition), leitet das Paar ἄρσεν – θῆλυ, welches in der Parallele in 1. Kor 12,13 in Hinblick auf die Gemeindesituation von Pl weggebrochen

---

[64] Diese Wertung entspricht dem Urteil von Paulsen, Einheit 82, und Dautzenberg, Da ist nicht 192 f.; ausführliche Darstellung des außerbiblischen Materials bei Betz, Gal 181 ff.

wurde, über die urchristliche Erfahrung hinaus auf grundsätzliche Reflexionen.

Zunächst ist offensichtlich, daß eine Tradition wie Gal 3,28 einen anderen Gemeinplatz der Antike, als Mann und nicht als Frau, als Grieche und nicht als Barbar geboren zu sein, abweist[65]. Die Tradition steht in Antithese zu der am Bild des freien Mannes orientierten vorherrschenden Ordnung. Aber damit sind die Beweggründe für die neue Sicht noch nicht genannt.

Der Verweis auf die zwischentestamentliche eschatologische Erwartung, welche die Geschlechtlichkeit als aufgehoben sieht (äthHen 104,4; syrBar 51,9f.; Tob 12,19; Mk 12,25; außerdem Bill I 887ff.) und durchaus in Nähe zur eigentlich unjüdischen Vorstellung eines androgynen Menschen steht, mag über das hell. Judentum Einfluß auf das hell. Judenchristentum ausgeübt haben. Jedoch, sollte dieser Mythos des androgynen Menschen als gegenwärtig erfüllt verstanden worden sein, wäre unverständlich, daß nicht enkratitische, asketische oder auch libertinistische Tendenzen im frühen Christentum stärkere Durchsetzung gefunden haben. Selbst die Gemeinde in Korinth, in der die Tauftradition Gal 3,28/1.Kor 12,13. bekannt war, bietet enkratitische Tendenzen doch nur am Rande (1.Kor 7,1), und sie scheinen sich von einer mißverstandenen pl Weisung (1.Kor 5,9), nicht aber vom Mythos her zu begründen[66]. Allein die libertinistischen Tendenzen (1.Kor 7,17–24; 11,2–26) mögen neben anderen Einflüssen durch eine eschatologische Interpretation dieses Mythos verstärkt worden sein.

Über den Verweis auf urgemeindliche neue Erfahrungen hinaus ist stärker, als Dautzenberg durchführt, das eschatologische Bewußtsein der Gemeinde in Rechnung zu stellen[67]. Kol 3,11 stellt in Aufnahme von Gen 2,26 eine heilsgeschichtliche Entsprechung von Urzeit und Endzeit dar und Gal 6,15 versteht die Aufhebung des Gegensatzes von Beschneidung und Unbeschnittenheit als Erweis der Neuschöpfung. Zugleich ist zu fragen, ob neben den genannten Vorgaben der eschato ogischen Erwartung der Aufhebung der Geschlechtlichkeit und der Urzeit–Endzeit-Spekulation, die über das hell. Judentum das Judenchristentum beeinflußt haben mag, nicht auch die Erwartung der endzeitlichen Geistbegabung gegensätzlicher oder zu unterscheidender Gruppen, wie dies in Joel 3,1–5 ausgesprochen ist, als eine sekundäre Inter-

---

[65] Frühe Belege bei DiogLaert I 33; Lact, Inst 3,19 (dazu W.A.Meeks, The Image of the Androgyn, History of Religion 13, 1974, 165–208). Wahrscheinlich hat dieses Motiv über die Tannaiten Eingang in die synagogale Liturgie gefunden hat (vgl. TosBer 7,18).

[66] Die Traditionsgeschichte des Motivs des androgynen Menschen ist bei Betz, Gal 195–200, dargestellt. Seiner Ansicht zufolge greift die vorpl Tradition auf diesen Mythos zurück und wendet ihn auf Christus an. Mit dem Sein in Christus als einer androgynen Gestalt wären auch für die Christen die geschlechtsspezifischen Differenzen hinfällig.

[67] Dautzenberg, Da ist nicht 196f., begreift Gal 3,28a als Anknüpfung an urchristliche Erfahrungen, in denen zugleich eine Absetzung von antiker Ethik gegeben sei.

pretation des ursprünglich nicht pneumatologisch begründeten Motivs
der Aufhebung der Gegensätze einherging[68].
Joel 3,1 f. LXX lautet:

καὶ ἔσται μετὰ ταῦτα καὶ ἐκχεῶ ἀπὸ πνεύματός μου ἐπὶ πᾶσαν σάρκα,
καὶ προφητεύσουσιν οἱ υἱοὶ ὑμῶν καὶ αἱ θυγατέρες ὑμῶν,
καὶ οἱ πρεσβύτεροι ὑμῶν ἐνύπνια ἐνυπνιασθήσονται,
καὶ οἱ νεανίσκοι ὑμῶν ὁράσεις ὄψονται.
καὶ ἐπὶ τοὺς δούλους καὶ ἐπὶ τὰς δούλας
ἐν ταῖς ἡμέραις ἐκείναις ἐκχεῶ ἀπὸ τοῦ πνεύματός μου.

Dem endzeitlichen Gottesvolk ist mit der Geistausgießung und
Geistbegabung die Aufhebung ehedem trennender Unterschiede angesagt in dem Sinne, daß bislang getrennte Gruppen zu einer gleichen Tat
befähigt werden: Söhne und Töchter zur Prophetie, Alte und Junge zu
Visionen, Sklavinnen und Sklaven haben wie (ergänze sinngemäß) Freie
Anteil am Geist. Die wörtlichen Entsprechungen zu Gal 3,28 par beschränken sich zwar nur auf δοῦλος, andererseits aber bestehen neben
der inhaltlichen Entsprechung der drei Paare, der Überführung der ‚biblischen' (θυγατέρες – υἱοί) in griech.-hell. Sprache (ἄρσεν καὶ θῆλυ),
dem Ausblick auf die Heidenwelt (πᾶς, ὃς ἂν ἐπικαλέσηται τὸ ὄνομα
κυρίου Joel 3,5 LXX) eine ganz entscheidende Übereinstimmung in der
Funktion beider Reihen; sie beschreiben beide eine durch die Gabe des
Geistes ermöglichte Unmittelbarkeit zu Gott in gleicher Weise für ehedem unterschiedene Gruppen.

In diesem Zusammenhang ist auf eine interessante Parallele in der rabbinischen Überlieferung zu verweisen. In SER 10,48 wendet sich der Midrasch gegen die Annahme, allein der Hohepriester Pinchas sei qua Amt geistbegabt. In
Anlehnung an das Stichwort Frau (Ri 4,4) heißt es nun: Sei es ein Nichtjude, sei

---

[68] Vgl. auch die Andeutungen in dieser Hinsicht bei Paulsen, Einheit 84; Dautzenberg,
Da ist nicht 197; Crüsemann, ... er aber soll 94. Der Vergleich mit Joel 3,1 f. kann nicht
darüber hinwegsehen, daß im atl. Text nicht wirklich getrennte Gruppen benannt werden,
sondern ihm eher an einer summarischen Aufzählung der Mitglieder der Hausgemein-
schaft liegt.
Auch die rabbinische Überlieferung (BamR 15,25 u.a.) legt in der Auslegung von Joel
3,1 ff. kein Gewicht auf die unterschiedenen Gruppen, sondern zielt auf die Aussage:
während gegenwärtig nur einzelnen die Gabe der Prophetie gewährt wird, sind in der zukünftigen Welt alle Israeliten Propheten. Allerdings verwendet Pl in Röm 10,13 Joel
3,5 LXX als Beleg für die Aufhebung des Gegensatzes von Jude und Grieche. Die christologische Deutung des Kyriosbegriffs im Zitat kann allerdings dagegen sprechen, daß hier
ein bewußter Rückgriff auf Joel 3,5 vorliegt, etwa um die besagte Aufhebung des Gegensatzes zu begründen. Es ist in diesem Kontext mitzubedenken, daß die Bekehrungstheo-
logie des hell. Judentums zusätzlich eine Nivellierung der ethnischen, sozialen und ge-
schlechtlichen Differenzen bereitgestellt hatte, an welche die christliche Mission anknüpfen konnte; vgl. zu JosAs 15,1 ff.: Thyen, nicht mehr männlich 141 f.; zu Philo, Virt 220:
Berger, Exegese 152. Ist es eine rabbinische Reaktion, wenn der Geist allein Israel vorbehalten bleiben soll (Belege in ThWNT VI 381)?

es ein Jude; sei es ein Mann, sei es eine Frau; sei es ein Knecht, sei es eine Magd
– auf einem jeden ruhte der heilige Geist nach Maßgabe der Tat, die er tut.

4.3.5 Charismatische Phänomene als Erweis des Geistes

E. Schweizer hat mehrfach ausgeführt, daß es ihm ‚historisch' gesichert scheine, daß die Urkirche in irgendeiner Form eine Ausgießung des Geistes erfahren habe[69]. Daß aber die Glossolalie, sofern sie überhaupt in der Tradition des Pfingstberichts erwähnt gewesen sein sollte, im pal. Raum kaum als Erweis des endzeitlichen Geistes verstanden worden wäre, ist bereits gesagt worden. Eine psychologische Erklärung der Acta-Berichte verbietet sich, da keine Primärberichte Betroffener vorliegen. Kein Phänomen ist ein eindeutiger Beweis der erwarteten endzeitlichen Geistmitteilung, auch wenn im NT bestimmte Wirkungen als Folge der Geistbegabung, d. h. als Zeichen des Geistes, verstanden werden (z. B. die Charismen). Die hier genannten Phänomene vollziehen sich ja zugleich in der heidnischen Umwelt und es kann eine Kontinuität zur vorchristlichen Zeit bestehen (vgl. nur 1. Kor 12, 1 f.; Lk 11, 19). Historisch ist ein wechselvoller Interpretationsprozeß von Glaube und Erfahrung wahrscheinlich. Die Gruppensituation der Urkirche und ihr endzeitliches Verhalten (Mission, Liebesgemeinschaft, Messiaserwartung) stellte sie zugleich in einem Raum, der Erfahrungen freisetzte, die als Wirkungen des Geistes verstanden werden konnten und wurden (Freude, Gebet, Prophetie, Anwachsen der Gemeinden, Bekehrung der Heiden u. a.).

Wenn Origenes, Cels VI 8 schreibt: ‚Beweise der Gegenwart des Heiligen Geistes aber zeigten sich am Anfang der Lehrtätigkeit Jesu und nach seiner Himmelfahrt in großer Zahl, später nahmen sie ab', so ist dieser Aussage kein besonderer Geschichtswert beizumessen. Origenes wertet die ntl. Berichte einfach apologetisch aus.

Der Blick auf die frühesten ntl. Quellen zeigt zweifelsfrei, daß an keiner Stelle charismatische Phänomene den Ausgangspunkt darstellen, um aus ihnen die Gegenwart des Geistes zu folgern.

---

[69] Schweizer, Geist und Gemeinde 5; ders., ThWNT VI 408; zustimmend Lohse, ThWNT VI 51 f.; Goppelt, Theologie 298: Kremer, Pfingstbericht 59. Auch Pesch, Apg I 107, spricht von dem „historischen Ereignis" des überraschenden Ausbruchs der Glossolalie in der Urgemeinde, mit dem der Anfang der Geisterfahrung in der Kirche gegeben sei.

Das NT nennt jedoch in seinen ältesten Quellen kein historisches Ereignis, welches so gedeutet worden wäre. Wenn die Christophanie vor 500 Brüdern (1. Kor 15, 6) und der Pfingstbericht (Apg 2, 1–13) als einzige exzeptionelle Ereignisse der Urkirche verschiedene Gabelungen einer Tradition darstellen, so wäre die lk Variante ganz sicher die sekundäre Interpretation, da es wahrscheinlicher ist, daß die Geistthematik nachträglich mit der Christophanie verbunden wurde, als daß Pl sie aus 1. Kor 15 eliminiert hätte.

Gal 3,1–5 kann in diesem Sinn als grundsätzliche Verhältnisbestimmung gelesen werden, auch wenn die Ausführungen durch aktuelle
Zielsetzungen (vgl. den Gegensatz ἔργα νόμου – ἀκοὴ πίστεως) bestimmt sind. Der Geist ist als Gabe in einem vergangenen Geschehen
übereignet worden. Sprachlich lehnt sich der Aorist ἐλάβετε, der hier
deutlich auf den Anfang des Christwerdens (ἐναρξάμενοι in V.3) blickt,
an die urchristliche Terminologie der Geistübermittlung an (vgl. 4.1.1),
der Empfang des Geistes vollzog sich aufgrund der Predigt vom Glauben. Wenn ἐναρξάμενοι auf eine bestimmte Anfangssituation deuten
will, so kann der Aorist auf die Anfangspredigt oder auf die Taufe deuten. Τοσαῦτα kann sich nur auf diese Gabe des Geistes, die den Anfang
des Christenstandes ausmachte, beziehen, nicht aber auf mit der Christwerdung verbundene ekstatische Erfahrungen[70]. Diesem ‚einst‘ korrespondiert das ‚jetzt‘. Die Beschreibung der Gegenwart ist präzise durch
das bestimmt, was den Anfang ausmachte: Gott reicht seinen Geist dar
(Part. Praes. ἐπιχορηγῶν). Und dieses Geschehen vollzieht sich, wie bei
der Gründungspredigt, nicht als Folge von Gesetzeswerken, sondern im
Zusammenhang der Glaubenspredigt (V.2.5). Über diese Parallelisierung von ‚einst‘ und ‚jetzt‘ führt allein der Zusatz καὶ ἐνεργῶν δυνάμεις
ἐν ὑμῖν hinaus. Welche Absicht hat diese Erweiterung veranlaßt? Es ist
zunächst nicht angezeigt, den Hinweis auf die δυνάμεις auch der Beschreibung des ‚einst‘ zuzuordnen. Dagegen spricht die Stellung im
‚jetzt‘-Teil, sowie das Part. Praes. Pl denkt also nicht nachträglich an
spezifische ekstatische Phänomene bei der Gründungspredigt. Bedenkt
man hingegen die Situation der galatischen Gemeinden und die von Pl
skizzierte Gefahr, sich vom πνεῦμα weg zur σάρξ hinzuwenden, wird
der Verweis auf ἐνεργῶν δυνάμεις parataktisch als pl Verstärkung des
ersten Gliedes (ὁ ἐπιχορηγῶν ὑμῖν τὸ πνεῦμα) zu verstehen sein. Die
Gegenwart der Gemeinde ist durch Gottes Gabe des Geistes bestimmt.
Gleichwie das ‚einst‘ nicht durch ekstatische Phänomene gezeichnet
war, so muß dies auch für das ‚jetzt‘ nicht eingelesen werden. Zwar
kann δύναμις in Verbindung mit ἐνεργεῖν auf Wundertaten (Mk
6,14 par) deuten, es kann sich aber in pl Diktion gleichfalls um einen
recht unspezifischen Sammelbegriff für Geistesgaben handeln (1. Kor
12,10; 2. Kor 12,12). Hierbei deutet ἐνεργεῖν (wie in 1. Kor 12,6; Eph
1,19; Phil 2,13; 1. Thess 2,13 u. ö.) auf die göttliche Abkunft der Gabe.

---

[70] Kremer, Pfingstbericht 29 f., bezieht τοσαῦτα vorausblickend auf ἐνεργῶν δυνάμεις
und sieht in den Kräften ein ‚Zeichen‘ des Geistempfangs. Auch Mußner, Gal 208, bindet
den Pneumaempfang an ‚sichere Erfahrungen‘, betont aber zugleich, daß τὸ πνεῦμα hier
nicht nur als ‚Wunderkraft‘ zu verstehen sei (so Schweizer, ThWNT VI 420), sondern als
‚personale Gabe‘. Gegen Schmithals, Judaisten 44 A 58, kann das Partizip Präsens ἐπιχορηγῶν nicht für einen gegenwärtigen Enthusiasmus in Geltung gebracht werden.

Die Untersuchung der Anfänge urchristlicher Pneumatologie hat die Frage, ob die Gabe des Geistes primär funktional oder substanzhaft verstanden wurde, zurücktreten lassen. Primär war die urchristliche Behauptung der Gegenwart des Geistes eine Standortbestimmung der christlichen Gemeinde als der eschatologischen Gemeinde. Die paulinische Pneumatologie ist nun unter der Fragestellung zu verfolgen, wie diese auf die Gabe des Geistes sich gründende Standortbestimmung inhaltlich expliziert worden ist.

II Das Werden der paulinischen Pneumatologie

Das Werden der pl Pneumatologie vollzieht sich in drei Epochen, die zeitlich voneinander abzusetzen sind: a) die frühpl Verkündigung; b) die Auseinandersetzung mit dem pneumatischen Enthusiasmus; und c) die Auseinandersetzungen mit der judenchristlichen Gegenmission. Daneben sind für den Ertrag der pl Pneumatologie, der in diesen Phasen gewonnen wird, das frühchristliche Verständnis des Geistes, welches Pl vor und unmittelbar nach seiner Bekehrung in den Gemeinden kennenlernt, und sein traditionelles eigenes Verständnis als hell. Jude wegweisend[1]. Auf letzteres deuten die nicht spezifisch verchristlichten, übergreifenden Gedanken, welche Pl zu allen Phasen in seinen Briefen bezeugt, hin. Alle anderen Aussagen, die zudem keine direkte religionsgeschichtlichen Parallelen im hell. Judentum haben (z. B. die πνεῦμα – σάρξ Antithese, der christologische Geistbegriff, die Charismenlehre), haben in den genannten Auseinandersetzungen Gestalt gefunden.

Diese Erkenntnis läßt ein fünffaches bedenken:

a) Die Beachtung der Chronologie ist für die Erhebung der pl Theologie konstitutiv[2]. Der 1. Thess stellt nach breiter Überzeugung das älteste pl Schreiben dar. Ihm folgen als Briefe der dritten Missionsreise der 1. und 2. Kor, sowie der Gal. Hierbei ist umstritten, ob der Gal vor beiden Korintherbriefen, gleichzeitig zum 1. Kor, oder nach dem 1. Kor geschrieben ist[3]. Jedoch besteht eine große Nähe des Gal zu 2. Kor

---

[1] An einer einzigen Textstelle innerhalb der pl Briefe scheint Pl einem größeren Sachzusammenhang jüd.-hell. Pneumatologie zu folgen. Die Darlegung der geistgeleiteten Erkenntnis unter der Vorgabe des Revelationsschemas (1. Kor 2,6–16) hat frappante Parallelen zur Sapientia Salomonis. E. Grafe, Das Verhältnis der paulinischen Schriften zur Sapientia Salomonis, in: Theologische Abhandlungen, FS C. v. Weizsäcker, 1892, 253–286, folgerte aus dem Befund: „Es liegt also sehr nahe, dass Paulus, wenn er anders Sap. kannte, gerne Bezeichnungen und Züge diesem Buch entnahm, welche zu seiner Anschauung vom heiligen Geiste gut passten …" (278). Allerdings hat die jüngere Forschung für die Vorgeschichte des Revelationsschemas eine breitere vorntl. Verwendung aufgezeigt. Daher ist die Behauptung einer direkten Abhängigkeit des Pl von SapSal nur durch umfassendere Textvergleiche zu begründen (vgl. auch 6.5.1.1).

[2] Folgende Arbeiten haben die Fruchtbarkeit dieses Grundsatzes erwiesen: Wiefel, Wandlungen; Hübner, Gesetz; Strecker, Befreiung; Lüdemann, Paulus I; Schulz, Ethik; Schade, Christologie. Moody, Spirit 82–149, stellt Beobachtungen zur Pneumatologie aus der Verklammerung von Chronologie und Situation zusammen.

[3] Vgl. in deutschen Einleitungswerken: H. M. Schenke – K. M. Fischer, Einleitung in die Schriften des Neuen Testaments I, 1978, § 3, stellen den Gal vor die Korintherbriefe;

10–13, und die theologische Argumentation des Pl verläuft von den Korintherbriefen über den Gal zu Röm[4]. Der Philipper- und der Philemonbrief gehören in das Spätstadium der pl Theologie, sind aber auch aufgrund der Briefteilungshypothesen nur schwer präzise einzuordnen.

b) Daneben ist konstitutiv die Beachtung der jeweiligen Situation, wie sie sich aus persönlichen Umständen des Apostels, dem Verhalten der Gemeinden, eventuell weiterer Apostel oder Gegner ergibt[5]. Alle pl Briefe sind konkrete und situationsbezogene Schreiben. Einen primären Niederschlag findet die Situation in der rhetorischen Form der pl Briefe.

c) Während Chronologie und Situation gewissermaßen den äußeren Rahmen der pl Briefe abgeben, kommt daneben der Beachtung der inneren Bedingungen ein besonderes Gewicht zu. Die pl Theologie entfaltet sich in einem ständigen Gespräch mit unterschiedlichen Partnern. Hier sind zu nennen a) jüdisch-judenchristliche Einwände gegen ihre Botschaft (Röm 6,1; 7,7 u.a.); b) Briefe aus den Gemeinden (1. Kor 7,1 u.a.); c) Gespräche mit anderen Aposteln (1. Kor 16,12 u.a.) oder Gemeindegliedern (1. Kor 4,10 f.); d) schließlich Diskussionen im engeren Kreis der pl Mitarbeiter, eventuell die Existenz einer ‚pl Schule‘[6]. Die genannten Gruppen oder Personen sind am Werden der pl Theologie beteiligt, und es ist anzunehmen, daß der Ertrag der ‚Gespräche‘ auf allen beteiligten Seiten zu verzeichnen ist. Hat die Redaktionsgeschichte die syn. Evangelisten als Exponenten der Gemeinde verstehen gelehrt, so ist ähnliches für Pl nicht auszuschließen[7].

Vielhauer, Geschichte 111, betont die Gleichzeitigkeit, Kümmel, Einleitung 265 f., die Nachordnung des Gal.

[4] Nicht überzeugend ist die von Schmithals, Anthropologie 20 (vgl. auch ders., Römerbrief), vorgeschlagene Ansetzung von Röm 7,17–8,39 als eines Traktates für die pl Schüler in die Zeit der ersten Wirksamkeit.
Abermals präzisiert hat Schmithals diese Sicht in dem Kommentar zum Röm (226–232 u. ö.). Sie begründet sich im wesentlichen durch literarkritische Überlegungen. Auf einer inhaltlichen Ebene räumt Schmithals allein ‚manchen Beobachtungen‘ den Rang eines Zeugnisses für ein frühes Stadium der pl Theologie ein.

[5] Deutlich bereits Jewett, Terms 447: „The seemingly erratic pattern of development has been shown to correlate quite closely with the argumentative situation in each letter." Vgl. in forschungsgeschichtlicher Hinsicht: E.E. Ellis, Paul and his Opponents, in: ders., Prophecy 80–115.

[6] Zur Pl-Schule: Conzelmann, 1. Kor 21 f.; ders., Schule; ders., Paulus und die Weisheit; im Anschluß an Conzelmann: Jeske, Rock 255 u. ö.; R. Jewett, The Redaction of I Corinthians and the Trajectory of the Pauline School, JAAR Suppl. 44, 1978, 389–444.

[7] Deutlich Kuss, Röm 586: „Die theologische Arbeit des Apostels Paulus vollzieht sich in fortwährender lebhafter Auseinandersetzung mit der Umwelt, und es erhebt sich also auch in bezug auf die Pneumatheologie der paulinischen Hauptbriefe die Frage, ob sie vielleicht merklich von außen bestimmt worden ist ..."

d) Die religionsgeschichtliche Frage nach dem Standort der pl Pneumatologie kann daher nicht von vornherein grundsätzlich beantwortet werden, sei es, daß man mit Leisegang ausschließlich den griech.-hell. Hintergrund oder mit Davies den jüd.-rabbinischen Hintergrund betont. Vielmehr ist zu fragen, welche Einflüsse in den Gemeinden jeweils wirksam sind und wie Pl sich dem aussetzt bzw. wie er reagiert. So wird etwa die spezifische Interpretation der Taufe, die Pl in Korinth vorfindet, in modifizierter Form für seine eigene Theologie grundlegend, ohne daß solche Interpretation auch für die frühpl Theologie vorauszusetzen wäre.

e) Die genannten Probleme kulminieren in der Frage nach einer Entwicklung innerhalb der pl Theologie. Daß diese nicht allein als psychologische Veränderung zu verstehen ist, sollte nach dem Gesagten klar sein[8]. Gegenwärtig eine Entwicklung im pl Denken in Abrede zu stellen, erinnert an diesbezügliche Einwände, die Schweitzer gegenüber H. Lüdemann vorbrachte[9]. Die Beachtung der Veränderungen im pl Denken enthebt von dem Dilemma, wie Holtzmann bei Antinomien stehen zu bleiben oder wie Bultmann ein übergreifendes Anliegen zu suchen, das dann den Einzelaussagen möglicherweise nicht mehr gerecht wird. Die pl Theologie liegt nicht in systematischer Präzision vor, als Pl die großen Missionsreisen antritt. Vielmehr gewinnt sein Evangelium Gestalt in den Erfahrungen des Westens und ist Konsequenz derselben[10].

---

[8] So etwa noch Seeberg, Paulus 52. Käsemann, Problem 184, zeigt, daß hinter dieser Annahme „noch immer der idealistische Aberglaube an die große Persönlichkeit ...“ steht; ders., Röm 203: „Die Auseinandersetzung mit Nomismus und Enthusiasmus verhinderte ... eine in sich geschlossene Systematik ...“.

[9] Ablehnend äußern sich gegenwärtig etwa Hengel, Christologie 45, oder Baumgarten, Paulus 236–238, der alle Entwicklungstheorien als inadäquate Interpretationsversuche begreift. Holtz, 1. Thess 23, reduziert die Fragestellung auf einen graduellen Wandel, der vor allem im Ausdruck liege. Schweitzer, Geschichte 25, konstatiert für seine Zeit hingegen: „Lüdemanns Behauptung einer Entwicklung innerhalb des paulinischen Lehrbegriffs wird von den meisten, wenn auch in abgeschwächter Form, übernommen.“

[10] Deutlich Marxsen, 1. Thess 74–77; vgl. darüber hinaus Strecker, Befreiung, zur Stellung der Rechtfertigungslehre; Gnilka, Phil 76 ff., zur Eschatologie; Schulz, Ethik; ders., Paulus, zur Ethik; Kuss, Röm 592, mit Andeutungen zur Entwicklung innerhalb der Pneumatologie; allgemein: W. K. M. Grossouw, Die Entwicklung der Paulinischen Theologie in ihren Hauptlinien, in: Studiorum Paulinorum Congressus, AnBibl 17–18, I, 1963, 79–93. Lüdemann, Paulus und das Judentum 9, stellt eine Rekonstruktion der Entwicklung von der Bekehrung an in Aussicht (vgl. auch ders., Paulus I 6). Neben Furnish, Development, hat jetzt Beker, Paul's Theology, die methodologischen Fragen hinsichtlich der Entwicklungshypothese aufgezeigt. Sein Vorschlag, zwischen ‚Kohärenz und Kontingenz‘ zu unterscheiden (368), trägt der Situationsgebundenheit der pl Briefe Rechnung. Schnelle, Wandlungen, zeigt die Veränderungen in einzelnen Bereichen (Gesetz, Eschatologie, Israel) auf.

5 Die Pneumatologie der frühpaulinischen Verkündigung

5.1 Die pneumatologischen Aussagen des 1. Thessalonicherbriefs

Eine konsistente Interpretation des Ausgangspunktes der endzeitlichen Geistausgießung in der christlichen Gemeinde findet sich im frühesten pl Brief, dem 1. Thess, der die Pneumatologie der frühpaulinischen Verkündigung ausschnitthaft freilegt.

Frühpaulinisch bedeutet eine doppelte Abgrenzung. Auch der unbekehrte Saulus hatte, was zunächst nur als Problembewußtsein angezeigt sein soll, ein Verständnis des Geistes Gottes. Andererseits ist die frühpaulinische Theologie von den zeitlich späteren großen Gemeindebriefen abzusetzen. Der 1. Thess ist von den sich hier stellenden Problemen noch entfernt und gibt auch im weiteren eine frühere Gestalt pl Theologie wieder, gibt m. a. W. „Rückschlüsse auf die letzten Jahre paulinisch-antiochenischer Geschichte"[1] und ist zugleich abschließendes Zeugnis der Missionstätigkeit, über die wir außer dem 1. Thess keine literarischen Dokumente haben. Die erste Interpretation der Geistbegabung der Gemeinde ist in dieser Frühphase zwischen Bekehrung und eigener Mission geworden. Diesen primären Entstehungsraum innerhalb der frühchristlichen Gemeinden bedenken alle direkten Ableitungen der pl Pneumatologie aus der Inspirationsmantik, der hell.-jüd. Mystik oder dem Rabbinat nicht streng genug.

Die Ermittlung der Theologie der vorpaulinischen antiochenischen Gemeinde sieht sich jedoch nicht geringen Problemen ausgesetzt. Die Apg sollte nicht primär als Zeuge herangezogen werden. So bleiben vor allem die form- und traditionsgeschichtlich sich aus den pl Briefen abhebenden Einheiten. Sie können jedoch nicht insgesamt der vorpaulinischen Zeit (d. h. der Zeit vor Abfassung der Pl-Briefe) zugewiesen werden, da sie gleichfalls nebenpaulinische Theologie wiedergeben. Die exakte Feststellung eines Sitzes im Leben ist zudem dadurch erschwert, daß Pl seine Traditionen umarbeitet. Da schließlich das ‚klassische‘ Bild der hellenistischen Gemeinden vor Pl, wie von Bousset rekonstruiert, nicht fraglos für alle pl Gemeinden vorauszusetzen ist, gehen wir vom ältesten pl Brief aus und fragen hernach, welche vor- und nebenpl Aussagen, Motive und Traditionen seinem Verständnis zugeordnet werden können[2].

---

[1] Becker, Erwählung 82.
[2] Vgl. Bultmanns Hinweise (Theologie 66 f.): die hell. Gemeinde vor und neben Pl sei

Diese Fragestellung ist unbeschadet divergierender chronologischer Verortungen des 1. Thess möglich. Folgt man der traditionellen Chronologie, ist der 1. Thess nach dem Fortgang aus Antiochia von Korinth aus an die neugegründete Gemeinde in Thessalonich um das Jahr 50 geschrieben, stünde also gewiß noch im Umfeld der antiochenischen Gemeindetheologie. Hält man mit Lüdemann (Paulus I) eine eigenständige pl Mission in Europa ab 36 für wahrscheinlich, könnte der 1. Thess auf 41 datiert werden. Auch so gäbe er, wahrscheinlich noch präziser, Aufschluß über die Theologie des antiochenischen Missionswerks. Im letzteren Fall wäre der Abstand zu den späteren pl Briefen auch in hohem Maße durch den zeitlichen Abstand begründet. In jedem Fall aber stellt der 1. Thess das früheste pl Schreiben dar[3].

5.1.1 1. Thessalonicher 1,5 f.

Übergeordnet ist die Erinnerung der Gemeinde in Thessalonich an ihre ἐκλογή (1,4–10). Diese wurde, so schließt der ὅτι-Satz (V. 5 a) begründend an, zugesagt in der pl Evangeliumsverkündigung. Verweist Pl auf τὸ εὐαγγέλιον ἡμῶν, so nicht, um sein Evangelium von anderen zu unterscheiden, sondern um an die mit seiner Person verbundene Verkündigung zu erinnern (vgl. auch 2. Kor 4,9; Röm 2,16 u.a.). Er bedient sich ja auch im folgenden V. 6 zur Durchführung der μίμησις-Vorstellung ausdrücklich seiner Person. Die Verkündigung erfolgte nicht ἐν λόγῳ μόνον, ἀλλὰ καὶ ἐν δυνάμει καὶ ἐν πνεύματι ἁγίῳ καὶ (ἐν) πληροφορίᾳ. Hierbei drückt die von Pl häufig verwendete Redefigur οὐ μόνον ... ἀλλὰ καί (vgl. noch 1,8; 5,6. 15 und 2,1. 3. 4. 13; 4,7. 8; 5,9) an dieser Stelle eine Ellipse (BDR § 479,1), nicht aber einen absoluten Gegensatz aus, denn das εὐαγγέλιον wurde ja durch das Mittel des λόγος weitergegeben. Die Trias ἐν δυνάμει καὶ ἐν πνεύματι ἁγίῳ καὶ (ἐν) πληροφορίᾳ πολλῇ gibt nun zugleich die Herkunft und die Erscheinungsform des εὐαγγέλιον ἡμῶν an. Dies könnte nahelegen, δύναμις

---

keine einheitliche Größe, sondern differiere, je nach Einfluß der Synagoge, der heidnischen Religionen oder der Gnosis.

[3] Diese von der Forschung mehrheitlich angenommene Frühdatierung wird gegenwärtig literarkritisch in Frage gestellt. Die weitestgehende Hypothese begreift beide Thessalonicherbriefe als unmittelbar zusammenhängende Briefkorrespondenz von insgesamt fünf Briefen aus der Zeit der pl Hauptbriefe, welche erst vom Redaktor der Hauptsammlung unter Hinzufügung eigener Zusätze in zwei Briefe aufgeteilt wurden: W. Schmithals, Die Briefe des Paulus in ihrer ursprünglichen Form, 1984; zuvor bereits ders., Die Thessalonicherbriefe als Briefkomposition, in: Zeit und Geschichte, FS R. Bultmann, 1964, 295–315; ders., Paulus und die Gnostiker, 89–157; ders., 1. Thess 5,1–5, GPM 30, 1975/76, 7(-12); vgl. zur Auseinandersetzung mit Schmithals die Kritik von Holtz, 1. Thess 19–32, und Marxsen, 1. Thess 26 f. Mit den Letztgenannten gehen wir von der Einheitlichkeit des 1. Thess aus.

und πληροφορία als Erscheinungsformen von πνεῦμα ἅγιον, dem Grund, der durch das Epitheton ἅγιον klar von einer anthropologischen Qualifikation geschieden ist, abzuheben. Andererseits könnte eine Streichung des textkritisch doch umstrittenen ἐν vor πληροφορία ermutigen, die letzten beiden Glieder in Abhängigkeit zum ersten ἐν enger zu verbinden. Freilich treten πνεῦμα und δύναμις häufig als Paar auf (Lk 4,14; Röm 15,13.19 u. ö.), während die Verbindung von πνεῦμα und πληροφορία singulär in 1. Klem 42,3 bezeugt ist. Von daher bleibt eine exakte Zuordnung der Glieder der Trias schwierig.

Die Aussageabsicht der Trias ist unter Berücksichtigung analoger Redeformen in den pl Briefen und dem semantischen Feld der Einzelbegriffe zu ermitteln:

1. Thess 1,5:   οὐκ ... ἐν λόγῳ μόνον
        ἀλλὰ καὶ ἐν δυνάμει καὶ ἐν πνεύματι ἁγίῳ καὶ [ἐν] πληροφορίᾳ πολλῇ

1. Kor 2,4:   ὁ λόγος μου ... οὐκ ἐν πειθοῖς σοφίας ...
        ἀλλ' ἐν ἀποδείξει πνεύματος καὶ δυνάμεως

1. Kor 4,19 f.:   καὶ γνώσομαι οὐ τὸν λόγον τῶν πεφυσιωμένων
        ἀλλὰ τὴν δύναμιν
        οὐ γὰρ ἐν λόγῳ ἡ βασιλεία τοῦ θεοῦ
        ἀλλ' ἐν δυνάμει

Röm 15,18 f.:   οὐ γὰρ τολμήσω τι λαλεῖν
        ὧν οὐ κατειργάσατο Χριστὸς δι' ἐμοῦ ...
        λόγῳ καὶ ἔργῳ,
        ... ἐν δυνάμει πνεύματος

2. Kor 12,11 f.:   ... εἰ καὶ οὐδέν εἰμι.
        τὰ μὲν σημεῖα τοῦ ἀποστόλου κατειργάσθη ἐν ὑμῖν
        ... σημείοις τε καὶ τέρασιν καὶ δυνάμεσιν.

Es ist denkbar, daß Pl hier von umlaufenden Sentenzen wie 1. Kor 4,20; Röm 14,17 ausgeht, in denen das Merkmal der βασιλεία τοῦ θεοῦ im Gegensatz zum αἰὼν οὗτος festgehalten war (vgl. zur Sentenzform im Judentum: 1. Makk 3,19). Für Pl ist jedoch nicht der mit dem Traditionsgut gegebene Begriff βασιλεία τοῦ θεοῦ bestimmend, sondern die eschatologische Situation des offenbaren Geistes. Diese ist gesetzt durch ἀπόδειξις πνεύματος καὶ δυνάμεως, 1. Kor 2,4 (Gen. poss.), vgl. auch Gal 3,5; durch erfahrbare δύναμις (4,19 f.), durch von Christus vermittelte λόγος καὶ ἔργον, σημεῖα καὶ τέρατα als Wirkung des Geistes (Röm 15,19; vgl. auch 2. Kor 12,11 f.).

Es kommt allen Belegen ein doxologischer Charakter zu, der dem menschlichen Wort, selbst wenn es äußerlich als von Weisheit gezeichnet ergeht (1. Kor 2,4; 4,19), keinen Wert beimißt. Die Aussagen preisen vielmehr die Macht des Geistes Gottes, der das μαρτύριον (1. Kor 2,1), den λόγος (4,19 f.; Röm 15,18 f.), das εὐαγγέλιον wirksam macht.

Bedenkt man die Absicht dieses Motivs, so kann im Kontext der Erinnerung der Gemeinde in Thessalonich (1,4–10) an die Gründungspredigt nur sekundär gefragt werden, ob Pl zugleich an konkrete Phänomene denkt, die im Gewand der Doxologie verborgen sind.

1. Kor 2,1–5 widerrät solcher Annahme, Pl verweist auf die Schwachheit, die Kraft des Geistes vollzog sich gerade sub contrario als Anruf zum Glauben. Auch 2. Kor 12,5 verbleibt zunächst ganz im Rahmen doxologischer Sprache, gibt Gott die Ehre für die zurückliegende ἀποκάλυψις, um jeden eigenen Ruhm abzuweisen. Pl nimmt dennoch das ihm gestellte Thema ,σημεῖα τοῦ ἀποστόλου' auf, verbleibt aber in nicht evidenter Beschreibung der Eigenerfahrung. Erst in 12,12 verweist er im Vergleich mit den ὑπερλίαν ἀποστόλων auf sein Auftreten in Korinth. Freilich bleibt auch die Trias σημείοις τε καὶ τέρασιν καὶ δυνάμεσιν unanschaulich, formelhaft, ohne spezifische Erfahrungen zu reflektieren (vgl. zur Verbindung: Mk 13,22; Apg 15,12; 2,19 u. ö.). Solche formale Beschreibung bestimmt auch Röm 15,18 f. (die Verbindung von λόγος καὶ ἔργον: 2. Kor 10,11; Kol 3,17; 2. Tim 2,17 u. ö.). Das Gewicht liegt vielmehr auf dem abschließenden ἐν δυνάμει πνεύματος (Gen. epex.), welches von dem Kriterium der ,offenbaren Erweise' ablenkt und doxologisch auf die Kraft des Geistes verweist[4].

Auf dem Hintergrund dieses doxologischen Motivs ist die Vermutung abwegig, Pl wolle vom worthaften Charakter seines Evangeliums allein ablenken, um zusätzlich auf pneumatische Machttaten zu verweisen[5]. Vielmehr beruht der Erfolg der Evangeliumsverkündigung ausschließlich darauf, daß ihre Wirksamkeit göttlicher Abkunft war und in der Kraft des πνεῦμα ἅγιον, seiner δύναμις stand, welche zu πληροφορία πολλῇ führte[6]. Daher erinnert καθὼς οἴδατε nicht an äußere Erscheinungen, sondern mit Hilfe der rhetorischen Figur ἐν ὑμῖν δι'

---

[4] Mit Käsemann, Legitimität 520, ist für Pl „gerade der Verzicht auf jede enthusiastische Begründung des Apostolats" kennzeichnend.

[5] So allerdings Schlier, Apostel 21; ders., Gal 125 f.; als Erwägung auch bei Holtz, 1. Thess 47 f. Kritisch zu dieser These: Köster, Apostel 288 f.; zuvor bereits de Wette, 1. Thess 137; Bornemann, Thess 59. Eine umfassende Analyse auch der genannten Belege bietet H. K. Nielsen, Paulus' Verwendung des Begriffes Δύναμις. Eine Replik zur Kreuzestheologie, in: Pedersen, Literatur 137–158.
Auch v. Dobbeler, Glaube 25–43, führt die Zeichen und Wunder auf das Offenbarungshandeln und Erwählungshandeln Gottes zurück. Allerdings erkennt er den Zeichen und Wundern auf dem Hintergrund der paganen Verknüpfung von Wunder und Glaube die Funktion der ,Manifestation der Offenbarung Gottes' zu (40). Daß hierbei das Wortgeschehen, von dem Pl ja ausgeht, stark zurückgedrängt wird, hat Hübner, Methodologie 317 A 74, bereits kritisch vermerkt. Darüber hinaus: so gewiß die pl Verkündigung in 2. Kor 3 im Vergleich mit dem Dienst des Mose profiliert wird, so unsicher ist jedoch eine Rückführung von 1. Thess 1,5; 1. Kor 2,4; 2. Kor 12,12 und Röm 15,18 f. auf einen Vergleich mit Mose als ,Vollbringer der ägyptischen Zeichen' (41).

[6] Das pl Hapaxl. πληροφορία verstärkt – zumal mit πολλῇ – den doxologischen Aspekt der nicht auf menschlichen Taten gründenden Wirksamkeit der Verkündigung (v. Dobschütz, Thess 71; Delling, ThWNT VI 309). Köster, Apostel 288 f., zeigt, daß πληροφορία πολλῇ schwer in das Bild eines wunderwirkenden Wanderpredigers einzuordnen ist.

ὑμᾶς daran, daß die Verkündigung ‚bei euch und euch zugut' (Dibelius, Thess 4) geschah und Glauben bewirkte.

Die Trias ist daher funktional zu verstehen. Δύναμις, πνεῦμα ἅγιον und πληροφορία sind das Mittel, das der Predigt des Evangeliums Wirksamkeit verlieh.

Dieser Argumentation kann die μίμησις-Vorstellung eingepaßt werden. Köster[7] hat mit Recht darauf verwiesen, daß δύναμις und πνεῦμα ἅγιον sich hier nicht auf Wundertaten des Apostels beziehen können, da der Vergleich mit der Gemeinde nicht solche Erscheinungen zum Gegenstand hat. Vielmehr besteht eine andere doppelte Analogie. Die Gemeinden entsprechen dem Apostel äußerlich durch die Situation der θλῖψις (1,6; 2,14). Das πνεῦμα ἅγιον erweist sich aber kräftig durch Gewährung der πληροφορία bzw. der χαρὰ (πνεύματος ἁγίου = Gen. auct.)[8], so daß, gleichwie Pl zum Typos der Gemeinde geworden ist, auch sie in Nachahmung seiner Existenz zum Typos für ihre Umwelt durch die Wirksamkeit des Geistes werden kann[9].

Halten wir fest: 1. Thessalonicher 1,5f. spricht von der Gegenwart des Geistes Gottes als der Kraft, welche durch die Evangeliumsverkündigung die ἐκλογή realisiert und in der Situation der θλῖψις χαρά bewirkt.

5.1.2   1. Thessalonicher 4,8

Der übergreifende Kontext ist die Mahnung zur Heiligung (4,1-8). Nach dem paränetischen Rahmen (4,1f.) verweist V.3 grundsätzlich auf die Orientierung an dem θέλημα τοῦ θεοῦ, wie solches in ἁγιασμός besteht. Bereits der Abschluß des vorangegangenen Abschnitts (3,11-13) hatte in der Form des Gebetswunsches zum Ausdruck gebracht, die Gemeinde möge bis zur Parusie ἐν ἁγιωσύνῃ ἔμπροσθεν τοῦ θεοῦ verbleiben. Das von Pl selber nur hier verwendete Wort ἁγιωσύνη (Röm 1,4 vorpaulinisch; 2.Kor 7,1 unpaulinisch) deutet als Eigenschaftswort (BDR § 110,2) auf den Bereich der menschlichen Sittlichkeit. Freilich impliziert der Wortstamm ἁγιωσύνη/ἁγιασμός mit seiner jüdischen Vorgeschichte schon den Aspekt der Absonderung des Gottesvolks (Ex 19,6; Lev 11,44). Pl nennt hier die zwei Grundlaster des

---

[7] Köster, Apostel 288 f.

[8] v. Dobschütz, Thess 74; Holtz, 1. Thess 49. Allerdings ist die Mitbedeutung eines Gen. qual. hier nicht auszuschließen.

[9] Schmiedel, Thess 13, sieht richtig: „Nicht die Aufnahme des Wortes in vieler Trübsal, sondern die mit einer vom heiligen Geist gewirkten Freude trotz vieler Trübsal bildet den Vergleichspunkt."

Heidentums aus der Sicht der jüd.-hell. Ethik[10] – πορνεία und πλεονεξία – von denen sich die Gemeinde entfernen soll. Diese Paränese und ihre Begründung ist der Gemeinde bereits vertraut (καθὼς καὶ προείπαμεν ὑμῖν, V. 6). Hat Pl mit ἔκδικος κύριος auf Gott als zukünftigen Richter verwiesen[11], so erinnern V. 7 f. in Aufnahme des Rahmens V. 1 f. (παρακαλοῦμεν ἐν κυρίῳ Ἰησοῦ; διὰ τοῦ κυρίου Ἰησοῦ) in zweifacher Weise an die mit dem Christenstand gegebene neue Begründung der Heiligkeitsforderung. Die zurückliegende Berufung hatte für die Gemeinde einen Ortswechsel impliziert, οὐ ... ἐπὶ ἀκαθαρσίᾳ ... ἀλλ᾽ ἐν ἁγιασμῷ (V. 7). Hierbei deutet der Aorist (ἐκάλεσεν) auf die Christwerdung, während 2, 12; 5, 24 den gegenwärtigen Anruf Gottes in Hinblick auf die Parusie benennen. Mißt man nun dem Präpositionswechsel Gewicht bei, so kann ἐπὶ ἀκαθαρσίᾳ den Grund und die Folge zugleich bedeuten, ἐν ἁγιασμῷ hingegen die Modalität oder wahrscheinlicher eine Ortsbestimmung. Der οὐκ ... ἀλλά Satz enthält einen wirklichen Gegensatz und stellt vorchristliche und christliche Zeit gegenüber. So ist zu übersetzen: Gott hat euch nicht aufgrund von/zur Unreinigkeit berufen, sondern in Heiligkeit[12]. Hierbei kann daran gedacht werden, daß die Heiligkeit, wie die vorpaulinischen Tauftraditionen (1. Kor 1, 30; 6, 11) behaupten, dem Konvertiten effektiv übereignet ist, so daß die Paränese zum Wandel in Entsprechung zum Stand anruft. Diese Übersetzung und Auslegung trägt dem trad. Charakter des Verses Rechnung (einst–jetzt-Schema; Berufungsterminologie; Beziehung zu Taufaussagen). Primär ist der Gedanke: der Ruf Gottes realisiert die ἐκλογή und übereignet die Heiligkeit[13].

Von dieser Aussageabsicht her wird die dritte Begründung als Folgerung aus V. 7 (τοιγαροῦν) einsichtig. Sie reflektiert ebenfalls den mit der Berufung gesetzten Ausgangspunkt der Heiligkeit der Gemeinde und behauptet: wer in der Gemeinde diese Aussage des Apostels ver-

---

[10] Pl bezeugt beide Laster in Verbindung in Röm 1, 29–31; 2, 21 f.; 13, 13; 1. Kor 5, 9–11; 6, 9 f.; 2. Kor 12, 20 f.; Gal 5, 19–21. Hierbei schließt er sich einem trad. Topos an (Reinmuth, Geist 22–41).

[11] Die Anspielung auf Ps 93, 1 LXX (aber auch TestRub 6, 6; Dan 5, 16 u. ö.) = θεὸς ἐκδικήσεων κύριος läßt an Gott, nicht an Christus als Richter denken (mit Holtz, 1. Thess 164, gegen v. Dobschütz, Thess 169), zumal 1. Thess 1, 9 f. Ἰησοῦς als Retter vor der zukünftigen Strafe Gottes sieht.

[12] Vgl. Bauer, WB 790. Die modale Übersetzung bei v. Dobschütz, Thess 171 (,in Form von Heiligkeit'), bleibt unverständlich.

[13] Diese Auslegung kann sich jedoch schwerlich allein auf den Präpositionswechsel berufen (so v. Dobschütz, Thess 171). Ἐπί c. Dat. kann durchaus ein Ziel umschreiben (Gal 5, 13; Bauer, WB s. v. II 1 be). BDR § 218,3 und 235,6 lassen die exakte Bedeutung der Präposition offen. Holtz, 1. Thess 165 A 113, betont allerdings bei καλέω ἐν unter Verweis auf 1. Kor 7, 15; Gal 1, 6, daß die Berufung in etwas hinein geschieht, so daß ein neuer Zustand begründet wird.

achtet, ignoriert nicht ihn, sondern Gott, in dessen Namen er spricht. Als zusätzliches Argument (... τὸν καὶ ...), aber zugleich als Verweis auf das Mittel, welches die Heiligkeit der Gemeinde bewirkt, hält Pl fest: ‚Gott gibt seinen heiligen Geist in euch hinein'. Wie in der vorpaulinischen Tauftradition 1. Kor 6, 11 ist der Geist das Mittel, welches den ἁγιασμός realisiert, jedoch hier nicht nur einmalig im Taufgeschehen, sondern als in der Zeit sich ständig ereignendes Geschehen[14]. Diese verkürzt wiedergegebene Aussageintention ist im einzelnen zu begründen.

Die Mahnung zu ἁγιασμός in Entsprechung zu der κλῆσις stellt in direkte Beziehung zu Gott. Bereits in 1,5 und 2,13 hatte Pl ausdrücklich sein Tun als mittelbares Verhalten verstanden. Der Verweis auf die hinter der Paränese des Apostels stehende Autorität Gottes entspricht, zumal als Schlußwarnung, atl.-jüd. und ntl. Parallelen (Ex 16,8; 1. Sam 8,7; Gal 1,10. 12; Mk 8,33; Lk 10,16; 9,48). Die in V. 8 b angefügte partizipiale Gottesprädikation präzisiert, welches Handeln Gottes bei Verbleiben im vorchristlichen Stand der ἀκαθαρσία abgelehnt und verachtet wird[15].

καὶ διδόντα τὸ πνεῦμα αὐτοῦ τὸ ἅγιον εἰς ὑμᾶς ist im Anschluß an Ez 36,26; 37,14 LXX formuliert:

Ez 36,26 f. LXX: καὶ δώσω ὑμῖν καρδίαν καινὴν καὶ πνεῦμα καινὸν δώσω ἐν ὑμῖν
           ... καὶ τὸ πνεῦμα μου δώσω ἐν ὑμῖν ...

Ez 37,14 LXX: καὶ δώσω τὸ πνεῦμα μου εἰς ὑμᾶς ...

Es ist unwahrscheinlich, daß es sich hierbei um einen „unbeabsichtigten Ausfluß der Bibelgetränkten Erbauungssprache des Apostels"[16] handelt. Zwar übernimmt Pl den Wortlaut von Ez 37,14 in einer für ihn selber unüblichen Weise:
a) sprechen urchristliche formelhafte Wendungen von dem zurückliegenden Ereignis der erfolgten Geistübermittlung (Aorist), so trägt die präsentische Abwandlung des Futurs δώσω der Tatsache Rechnung,

---

[14] B. Weiß, Paulinischen Briefe 497: „Das part. praes. geht nicht auf die einmalige Geistesmitteilung in der Taufe, die schon in dem ἁγιασμ. V. 7 mit eingeschlossen, sondern auf die daran sich anschließende (καί, etiam) fortgehende Mitteilung seines heiligen Geistes an uns ..."

[15] Die Verachtung bezieht sich also nicht primär auf die paränetische Forderung der Heiligkeit, sondern auf den Grundsatz der Heiligkeit der Gemeinde, den V. 8 b nochmals in Erinnerung ruft. Anders Friedrich, Thess 240: die Paränese sei nur verständlich auf dem Hintergrund pneumatischer Libertinisten in Thessalonich. Dam aber widerspricht schon die Allgemeinheit der Paränese. Vgl. zur Autorität Gottes hinter der Paränese: Schrage, Einzelgebote 102–109.

[16] v. Dobschütz, Thess 173.

daß die Geistübermittlung hier nicht einmalig sakramental vermittelt gedacht wird[17];

b) τὸ ἅγιον ist eine auf den Kontext bezogene Einfügung. Pl bevorzugt den absoluten Gebrauch oder die Genitivverbindung (τὸ πνεῦμα ἅγιον 13 mal, die absolute Verwendung 117 mal);

c) Pl verwendet im Zusammenhang der formelhaften Zusage der Geistübermittlung zumeist das Dativ-Objekt ἡμῖν. Εἰς ὑμᾶς ist als Angleichung an Ez 37,14 LXX zu verstehen.

Darüber hinaus begegnen zwei weitere Motive im Kontext von Ez 36 f. und 1. Thess 4, die an eine absichtsvolle Anlehnung an Ez 36 f. denken lassen: a) Die Geistesgabe befähigt nach Ez 36,27; 37,24 zum Halten der Gebote, da dem endzeitlichen Volk ein neues Herz und ein neuer Geist (36,26), ja Gottes Geist (36,27) gegeben ist. Pl versteht die Gemeinde als endzeitliche Gemeinde, an der sich die ἐκλογή realisiert hat. Ihr ist der Geist gegeben, wohl auch, da der Geist sittlich belehrt, zur Erfüllung des θέλημα θεοῦ (4,3). b) Die Geistmitteilung impliziert nach Ez 37,28 LXX: ὅτι ἐγὼ εἰμι κύριος ὁ ἁγιάζων αὐτούς; 36,23: ἁγιασθῆναι με ἐν ὑμῖν. 1. Thess 4,8; 5,23 halten gleichfalls fest, daß Gott die Endzeitgemeinde heiligt, nach 3,13 festigt der Kyrios die Gemeinde ἐν ἁγιωσύνῃ.

Schließlich greift auch der folgende V. 9 als Anspielung auf Jer 38,33 f. LXX (vgl. aber auch Jes 54,13; 55,1 f.) mit dem Stichwort θεοδίδακτος auf die Tradition des messianischen Zeitalters zurück, in dem nicht mehr die Heilsgenossen einander belehren, sondern sie alle von Gott unterwiesen sind[18].

Im Kontext der Paränese 4,1–8 ist diese dritte Begründung (V. 8) nach ἔκδικος κύριος und ἐκάλεσεν insofern fundamental, als die Heiligkeit des einzelnen durch die Gabe des πνεῦμα ἅγιον bewirkt ist. Ein Rückfall in ἀκαθαρσία wäre eine Mißachtung der Gabe, die zum Bleiben im Stand des ἁγιασμός verpflichtet, und ein Verlassen der durch ἐκλογή – κλῆσις – ἁγιασμός gesetzten Wirklichkeit der Endzeitgemeinde. Die Forderung des περισσεύητε μᾶλλον (4,1) vollzieht sich auch unter der Gabe des Geistes, bzw. ist Werk des Kyrios (3,12) oder des Gottes (5,23), der die Heiligung immer vollständiger bewirkt.

---

[17] Textkritisch ist der Aor. δόντα zwar gut bezeugt, doch handelt es sich um eine Angleichung a) an 2. Kor 1,22; 5,5; Gal 4,6; Röm 5,5 u. ö. und b) an ἐκάλεσεν (V.7).

[18] So bereits Bousset, Religion 452 f.; v. Dobschütz, Thess 177; Deidun, Morality 18–28; Becker, Zukunft 120. Es ist anzunehmen, daß die Kombination beider Motive (Geistbegabung Ez 37,14 und von Gott gelehrt sein Jer 38,33 f.) einer exegetischen Tradition folgt; vgl. die Belege bei Bill IV/2, 919; außerdem die Kombination in 1. Joh 2,27 (vgl. auch Joh 14,25 f.) und WA 97,1 ff.; NHC II,4. In 1. Thess 5,1 f. hingegen leitet Pl in Anlehnung an 4,9 mit οὐ χρείαν ἔχετε ὑμῖν γράφεσθαι ein, deutet mit ἀκριβῶς οἴδατε aber auf das der Gemeinde durch ihn selber vermittelte eschatologische Wissen (so Holtz, 1. Thess 212).

Das auffällige Präsens διδόντα steht zu einer einmalig sakramental vermittelten naturhaften Interpretation der Geistmitteilung in Spannung. Vollzieht diese sich seit der Berufung ständig wiederholend in der Zeit im Zusammenhang zunehmender Heiligung (3,12f.; 5,23), so ist wohl die neue Natur der Glaubenden in einem ontischen Sinn mit dieser Gabe im Blick, aber eben nicht als einmalige Heiligung im Taufakt (so 1.Kor 6,11; 1,30). Allerdings ist einschränkend festzuhalten, daß diese auffällige Verwendung des Präsens (und nicht des üblichen Aorists; vgl. 4.1.1) eventuell durch die Vorgabe des Futurs im atl. Text bedingt ist: jetzt erfüllt sich die atl. Verheißung.

5.1.3 1. Thessalonicher 5,19

Die kontextuelle Verklammerung des V.19 in 5,16–22 ist in der Exegese häufig übersehen worden[19]. Mit V.16 setzt in einem Bruch zum Voraufgehenden eine Trias von Einzelmahnungen ein, die sich sowohl stilistisch als auch sachlich durch die inhaltliche Nähe der Verben (χαίρετε, προσεύχεσθε, εὐχαριστεῖτε) als geschlossen erweist und mit ἐν παντί in V.18a einen summarischen Abschluß enthält.

Formal handelt es sich bei V.19–22 um eine Pentas, inhaltlich aber um eine Trias, in der auf das dritte Glied in positiver und negativer Hinsicht Folgerungen geboten werden. Daß die ersten drei Glieder enger zusammenzusehen sind, erweist die Bildung der einleitenden beiden Verbote mit μή und die sich hierauf beziehende grundsätzliche Mahnung mit δέ. In Entsprechung zur ersten Trias findet sich auch hier in der dritten Zeile das umfassende πάντα.

Diese dritte Zeile der zweiten Trias ist durch eine positive und eine negative Mahnung, sprachlich durch Paronomasie (κατέχετε – ἀπέχεσθε) aufeinander bezogen, entfaltet. Stilistisch bricht die fünfte Zeile der zweiten Trias durch Länge und Anlehnung an atl.-jüd. Aussagen (1.QS 1,4; Jos, Ant 10,37; Hiob 1,1.8 LXX) mit der Form der doppelten Trias.

1. Thess 5,16–22 ist wie folgt zu gliedern:

> πάντοτε χαίρετε
> ἀδιαλείπτως προσεύχεσθε
> ἐν παντὶ εὐχαριστεῖτε
>
> τοῦτο γὰρ θέλημα θεοῦ ἐν
> Χριστῷ Ἰησοῦ εἰς ὑμᾶς

---

[19] Der literarische Zusammenhang von V.16–22 ist von Oepke, Thess 177; Holtz, 1. Thess 177; Johanson, Brethren 139, beachtet worden, die Frage des inhaltlichen Zusammenhangs wird aber nicht deutlich beantwortet. Dautzenberg, Prophetie 131, hält an einer isolierten Stellung der V.19–22 (‚Nachtrag‘) fest und läßt sogar offen, ob V.19f. und 21f. überhaupt zu verbinden sind. Van Unnik, Geist, isoliert V.19 in seinem sprach- und motivgeschichtlichen Ableitungsversuch völlig vom Kontext. Die Verbindung von V.19 und 20 betonen hingegen Aune, Prophecy 219f., und Ellis, Prophecy 28.

τὸ πνεῦμα μὴ σβέννυτε
προφητείας μὴ ἐξουθενεῖτε
πάντα δὲ δοκιμάζετε
τὸ καλόν κατέχετε
ἀπὸ παντὸς εἴδους πονηροῦ ἀπέχεσθε

Schon dieser planvolle Aufbau läßt fragen, ob eine grundsätzliche Aussage angestrebt ist oder aber eine Summierung von Einzelmahnungen.

Wird die Eingangswendung der zweiten Trias τὸ πνεῦμα μὴ σβέννυτε isoliert als Einzelmahnung aufgefaßt, bleibt offen, a) ob sie eine spezielle Gemeindesituation voraussetzt, b) eventuell deshalb nach der Schlußwendung (V. 18) nachgetragen wird, c) weshalb sie sich eines im NT und der altkirchlichen Literatur singulären Ausdrucks bedient (σβέννυμι).

In der Forschung sind verschiedene Tendenzen bestimmend, die jedoch alle von der Voraussetzung einer im Kontext isolierten Einzelmahnung ausgehen:

a) 5, 19–22 sei eine „knappe Gemeindeordnung" (Lang, ThWNT VII 168), in der Einzelmahnungen zusammengestellt seien.

b) Die Mahnung reflektiere die Tatsache, daß der Pneumatismus in Thessalonich bedrängt werde (Goguel, Naissance 185f. A 1; Schmiedel, 1. Thess 25; Schlier, Apostel 102 u. a.).

c) Die Mahnung wolle den Pneumatismus grundsätzlich fördern (Bornemann, Thess 243; Becker, Erwählung 88; Schürmann, 1. Thess 99).

d) Die Mahnung wolle eventuellen zukünftigen Reserven, etwa gegenüber der Glossolalie, zuvorkommen (Dautzenberg, Glossolalie 240).

e) Die Mahnung fordere die Christen in Thessalonich auf, den Geist nicht ‚bei sich selber' zu unterdrücken (van Unnik, Geist).

Angesichts der Vieldeutigkeit der Einzelmahnung unter Absehung des Kontextes schien es hilfreich, daß van Unnik das Verständnis des Wortsinnes zu erhellen suchte. Auf dem Hintergrund verwandter ntl. Aussagen (Röm 12, 11; Apg 18, 25; 2. Tim 1, 6; 1. Kor 14, 39) verfolgte er die Auslegungsmöglichkeit, nicht Pneumatiker würden durch andere behindert, sondern Pneumatiker versuchten bewußt, den Geist in sich zu unterdrücken. Daß die Wirkung des Geistes durchaus am νοῦς des Propheten scheitern kann, belegt 1. Kor 14, 32 hinlänglich. Van Unnik greift nun auf Plutarch-Texte zurück (vor allem Def 40 und Pyth 17), in denen einmal die Verbindung von πνεῦμα und σβέννυμι belegt, zum anderen aber in Def 40 auch der Vorgang des Unterdrückens und Auslöschens des Enthusiasmus (κατασβέννυμι τὸν ἐνθουσιασμόν) als des Zustandes der Begeisterung durch φρόνησις oder εὐλάβεια bezeugt sei. Pl greife auf diese Vorstellung auch terminologisch zurück, zumal phänomenologisch keine große Differenz zwischen christlicher und griechischer Begeisterung bestehen dürfe (269), um zu sagen: „Hemmet nicht bei euch selbst durch eure menschliche Einsicht und Scheu davor, wie Verrückte in den Augen der Menschen zu erscheinen …" (269)[20].

Unsere Auslegung versteht hingegen die Bestimmung τοῦτο γὰρ θέλημα θεοῦ ἐν Χριστῷ Ἰησοῦ εἰς ὑμᾶς als Oberbegriff für die vorangehende (rückbeziehendes γάρ) und nachfolgende (nachklappendes εἰς ὑμᾶς) Trias. V. 16–22 fragen abschließend (nach Einzelmahnungen V. 12–15) nach dem Willen Gottes, wie er ἐν Χριστῷ Ἰησοῦ oder, wie 4, 2 sagt, διὰ τοῦ κυρίου Ἰησοῦ in der christlichen Gemeinde Gestalt finden soll. In beiden Aussagereihen wird der Gemeinde eine doppelte spirituelle Dimension eröffnet: das Gebet und die Prophetie sollen Kennzeichen der Kirche sein.

Von Dobschütz[21] hat zu Recht τὸ πνεῦμα als Genus (Artikel!), προφητείας als Species (Akk. Pl.)[22] verstehen gelehrt. Prophetische Reden, wann immer sie in der Gemeinde vorkommen, sollen nicht verachtet werden, dies käme einer Auslöschung des Geistes gleich. Es ist also vom exakten Wortlaut her nicht zwingend, πνεῦμα mit Glossolalie gleichzusetzen[23] und also eine spezifisch korinthische Frage (1. Kor 12, 10; 14, 1 u. ö.) nach Thessalonich zu verfrachten. Wir haben keinen Anlaß anzunehmen, daß Glossolalie überhaupt zu den Erscheinungen des Geistes in Thessalonich gehörte.

Die Trias stellt προφητείας als Erscheinungsform des πνεῦμα der Gemeinde grundsätzlich anheim. Diese Zuordnung ist einerseits traditionell. Joel 3, 1 LXX läßt προφητεύσουσιν erste Folge des ἐκχεῶ ἀπὸ τοῦ πνεύματός μου sein. Andererseits entspricht die Zuordnung von Genus

---

[20] Es ist van Unnik darin zuzustimmen, daß Pl, auch wenn Plutarch gut 50 Jahre nach Pl lebte, sprachlich auf Vorgaben des mantischen Enthusiasmus zurückgreift, obwohl die Parallelen nicht so eng sind, wie van Unnik nahelegen möchte. Zum einen gebraucht Plut, Def 40 κατασβέννυμι, und Pyth 17 ἀποσβέννυμι, also Komposita. Dieses Auslöschen bezieht er nicht auf πνεῦμα selbst, sondern auf den Enthusiasmus oder den Lufthauch. Entscheidend aber ist, daß mit der sprachlichen Anlehnung an mantische Vorgaben keinesfalls über die Sache vorentschieden ist. Der von Pl gesetzte Kontext bestimmt die Aussageintention. Σβέννυμι ist im übertragenen Sinn häufig bezogen auf andere Affekte wie Liebe, Leidenschaft, Hochmut etc. (Belege bei Bauer, WB 1477). Die Verbindung mit dem πνεῦμα ist hingegen selten bezeugt (neben Plut, Mor 40 Z B noch Ps.-Plut, Hom 127). Diese Verbindung ergibt sich aus der Zuordnung des eigentlichen Sprachgebrauchs von σβέννυμι (auslöschen) zur Geist–Feuer/Dampf-Metaphorik.

[21] v. Dobschütz, Thess 225. Es ist freilich festzuhalten, daß v. Dobschütz bei τὸ πνεῦμα zugleich an „die Gesamtheit der außerordentlichen Geisteswirkungen" denkt, die Pl in 1. Kor 12–14 aufzählt. Dies schließt Glossolalie mit ein, läßt aber nicht ausschließlich an sie denken. Deutlicher in unserem Sinn: Bauer, WB 1344 („1. Th 5,19 bezieht sich nach V. 20 auf die Prophetengabe") und Johansen, Brethren 139.

[22] Der Plural läßt an Prophetensprüche denken, nicht aber an Prophetengabe (so Schlier, Apostel 101; Bauer, WB 1344).

[23] So Behm, ThWNT I 723; Dautzenberg, Glossolalie 240 f.; dagegen deutlich Kuss, Röm 559.

und Species 1.Kor 14,1: ζηλοῦτε δὲ τὰ πνευματικά, μᾶλλον δὲ ἵνα προφητεύητε. Aber auch 1.Kor 12,7f. beschreibt die Auswirkungen des Geistes primär worthaft. Es ist Dautzenberg darin zuzustimmen, daß die Empfehlung der Prophetie in 1.Thess 5,19f. wie in 1.Kor 14,1f. auch unter Berücksichtigung der Tatsache verständlich wird, daß sie in hell. Gemeinden in geringem Ansehen stand und wohl auch Voraussetzungen für ihre Rezeption nicht wirklich gegeben waren[24].

Was ist in 5,20 aber konkret unter προφητείας zu verstehen? Die singuläre Verwendung des Wortstammes im 1.Thess läßt die bereits oben als Parallele erachtete Aussage in 1.Kor 14,1-3 nochmals bedenken. Προφητεύειν äußert sich als gemeindebezogene und verständliche Rede zu οἰκοδομὴν καὶ παράκλησιν καὶ παραμυθίαν (V.3), oder als ἐκκλησίαν οἰκοδομεῖ (V.4). Es geht also nicht um die Ansage zukünftiger Dinge, sondern um die Konkretisierung des Willens Gottes in der Gegenwart und dies – auf dem Hintergrund der ersten Trias – wohl in der Gegenwart der versammmelten gottesdienstlichen Gemeinde.

Schließlich bleibt auch die Schlußbestimmung wieder bei der gesamten Gemeinde. Sie soll die Prophetie prüfen. 1.Kor 12,10 wird solche Fähigkeit bestimmten Gemeindegliedern als Charisma zusprechen. Dagegen erweist 1.Thess 5,21f. den noch unreflektierteren Standpunkt, wenn nicht auch einfach die Personalgemeinde in Thessalonich kleiner ist als die korinthische. Δοκιμάζειν appelliert an den vernünftigen Sachverstand (vgl. Röm 12,2; Phil 1,10), der zwischen καλόν und πονηρόν zu scheiden weiß. Zugleich erhärtet diese Schlußbestimmung, daß die Prophetie auf das endzeitliche Verhalten, welches den Willen Gottes in Christus erfüllt, bezogen ist[25].

5.1.4   1.Thessalonicher 5,23

Dieser letzte Beleg für πνεῦμα im 1.Thess erweist kein naturhaftes Verständnis des Geistes. Diese Behauptung findet sich in der Forschung auch nur vereinzelt. V.Dobschütz hatte für die vorpl Zeit die Existenz analoger trichotomischer Formeln bestritten und gemeint, πνεῦμα bezeichne „das Neue, das Gott in ihn (den Christen; Verf.) gelegt hat, das ein Teil des Wesens im Christen wird ...“[26], ψυχὴ καὶ σῶμα hingegen die andere ‚Doppelseite' des Menschen. Diese Auslegung be-

---

[24] Dautzenberg, Prophetie 131, sowie der instruktive Beitrag von Callan, Prophecy.

[25] Vgl. hierzu W.Schrage, Zum Verhältnis von Ethik und Vernunft, in: H.Merklein (Hg.), Neues Testament und Ethik, FS R.Schnackenburg, 1989, 482–506.

[26] v.Dobschütz, Thess 229; zustimmend Schweizer, ThWNT VI 433; Schnelle, 1.Thessalonicherbrief 217. Dibelius, Thess 27, erwägt, πνεῦμα hier nach 1.Kor 3,16 technisch als πνεῦμα τοῦ θεοῦ ἐν ὑμῖν zu verstehen.

hauptet einen Gegensatz, den die pl Zusammenstellung der drei Begriffe gerade abwehren will.

Grammatikalisch bezieht sich ὁλόκληρον auf ὑμῶν τὸ πνεῦμα[27], welches in Analogie zu den übrigen Briefschlüssen (Gal 6,18; Phil 4,23; Phlm 25) und in Entsprechung zur jüdischen Anthropologie den ganzen Menschen meint. Es könnte sein, daß die triadische Erweiterung zu τὸ πνεῦμα καὶ ἡ ψυχὴ καὶ τὸ σῶμα sich an griech.-hell. Aussagen anlehnt, doch ist dies unwahrscheinlich[28]. Pl bevorzugt gerade im 1. Thess triadische Formulierungen (1,3.5; 2,3.5.10.12; 3,6.13; 4,11.16; 5,12.14.16–18.19–21). Erweitert Pl im Schlußgruß die sich bereits auf den ganzen Menschen beziehende Wendung ὑμῶν τὸ πνεῦμα um καὶ ἡ ψυχὴ καὶ τὸ σῶμα, so folgt er auch hierin einer für ihn in den späteren Briefen zwar unüblichen, aber im Judentum geläufigen Zusammenstellung (Hiob 7,15; Sap 9,15; Mt 10,28), um auch die Leiblichkeit nachdrücklich in den Gruß mit einzuschließen. Diese Betonung ist einerseits auf dem Hintergrund der im gleichen Vers genannten Parusieerwartung, andererseits als Paraklese zu der hinter 4,13–18 stehenden Frage nach der Leiblichkeit einsichtig[29].

5.1.5 Ergebnis

Die pneumatologischen Aussagen des 1. Thess ergeben ein einheitliches Bild. Πνεῦμα ἅγιον (1,5.6; 4,8) ist als Geist Gottes qualifiziert. In Anlehnung an die atl. Tradition der endzeitlichen Geistausgießung (Ez 36,27; 37,14) behauptet Pl, daß die Gemeinde mit diesem Geist Gottes gegenwärtig beständig ausgestattet wird. Diese Übereignung ist durch den Kontext primär als funktionale Befähigung zu endzeitlichem Verhalten präzisiert: als Ermöglichung der Verkündigung, welche die ἐκλογή realisiert (1,5), als Gewährung von χαρά in der paradoxalen Situation der θλῖψις (1,6), als Kraft zur Realisierung des neuen Standes ἐν ἁγιασμῷ (4,8), als Befähigung zur Prophetie, welche den Willen Gottes offenbart (5,19f.). Die Gabe des Geistes entnimmt die Gemeinde daher nicht enthusiastisch der Welt, das πνεῦμα realisiert viel-

---

[27] BDR § 135,3; Schlier, Apostel 104; Holtz, 1. Thess 265.

[28] v. Dobschütz, Thess 229, hatte für die vorpl Zeit die Existenz einer Trichotomie gänzlich bestritten (229–232); dagegen berief sich Dibelius, Thess 27, auf die zwischenzeitlich von Burton, Spirit, beigebrachten Parallelen; vgl. dann A. M. Festugière, La trichotomie de I. Thess. 5,23 et la philosophie grecque, RSR 20, 1930, 385–415.

[29] So Holtz, 1. Thess 264f., in Fortsetzung der Arbeiten von Ch. Masson, Sur 1. Th 5,23. Note d'anthropologie paulinienne, RThPh 33, 1945, 97–102. Auch E. Schweizer, Zur Trichotomie vor 1. Thess 5,23 und der Unterscheidung des πνευματικόν vom ψυχικόν in 1. Kor 2,14; 15,44; Jak 3,15; Jud 19, ThZ 9, 1953, 75ff., zeigt, daß ψυχή und σῶμα im griechischen Sprachgebrauch (Plut, Is 360 E) „einfach in gebräuchlicher Weise das Menschliche" bezeichnen können.

mehr im Angesicht der unmittelbar bevorstehenden Parusie (2,19; 3,13; 4,15; 5,23) die Heiligkeit, zu der die Gemeinde berufen ist (4,7f.) Ihr ist der Wille Gottes durch Vermittlung des Geistes gegenwärtig, sie ist daher θεοδίδακτος (4,9). Das Problem der Sünde als der Mißachtung des neuen Standes scheint nicht streng durchdacht. Das Gerichtsmotiv warnt vor Rückfall ἐν ἀκαθαρσίᾳ (vgl. 4,6: ἔκδικος κύριος). Das Ausweichen vor dem durch den Apostel verkündeten Imperativ muß als Ablehnung Gottes und der Gabe des Geistes verstanden werden. Wie aber der Stand der Heiligkeit durch den vergangenen Ruf und die Gabe des Geistes übereignet wurde und effektiv ist, so vollendet Gott selber diesen Ausgangspunkt durch zukünftige vollständige Heiligung der Berufenen (5,23; vgl. auch 3,12)[30].

5.2 Einordnung der pneumatologischen Aussagen in die Theologie des 1. Thessalonicherbriefs

Der aktuelle Anlaß des 1. Thess und die Kürze des Schreibens verbieten es, die wenigen analysierten Belege streng zu systematisieren. Andererseits aber hat sich gezeigt, daß allen Aussagen (außer dem anthropologischen Verständnis in 5,23) eine gleiche Zielsetzung zugrundeliegt. Daher soll versucht werden, die pneumatologischen Aussagen des 1. Thess in sein Gesamtverständnis einzuordnen.

Das dem 1. Thess zugrundeliegende Geschichtsbild begreift die christliche Gemeinde als eine Größe in der Zeit zwischen der zurückliegenden ἐκλογή, die durch das Evangelium realisiert wurde (1,4f.), und der παρουσία τοῦ κυρίου (2,19; 3,13; 4,15; 5,23), an deren Nähe Pl betont festhält (4,17). Die von Pl und der Gemeinde erfahrene und reflektierte Verfolgung ist als endzeitliches und daher notwendiges (3,4) Geschehen vor dem Tag des Herrn verstanden worden (2,14.16.18; 3,4f.), was zusätzlich zu einer Intensivierung der Parusieerwartung und zu einer Bekräftigung der Erwählung der Heiden geführt haben mag, erweisen sich doch die Juden als Widersacher des Evangeliums[1]. Wie ist nun aber im engeren Sinn die Gegenwart qualifiziert? Kommt die zukünftige Erlösung oder die zurückliegende Erwählung dergestalt

---

[30] Diese Zusammenhänge haben W. Marxsen, 1. Thess 59, und W. Schrage, Heiligung als Prozeß bei Paulus, in: D.-A. Koch u. a., Jesu Rede von Gott und ihre Nachgeschichte im frühen Christentum, FS W. Marxsen, 1989, 222–234, mit Recht eben den Prozeß der Heiligung nennen lassen.

[1] Zum Zusammenhang von Verfolgung und Naherwartung: Marxsen, 1. Thess 21f., wenngleich der judenchristliche Konflikt in Antiochia und die Nachstellungen der Juden nicht scharf genug voneinander getrennt werden.

in Blick, daß die Gemeinde bereits jetzt im Geistbesitz am Heil partizipiert? Die Frage stellt sich forschungsgeschichtlich dringlich. Der programmatische Aufsatz von Heitmüller hatte es als charakteristisch für das hell. Christentum vor Pl behauptet, daß hier eine sakramental vermittelte Christusmystik ausgebildet sei, an die Pl anknüpfe[2]. Und es steht außer Zweifel, daß der 1. Kor, das dem 1. Thess zeitlich am nächsten stehende Schreiben, dieses so charakterisierte Christentum voraussetzt (s. u.). Die Aussagen des 1. Thess aber widerraten dieser Anschauung und führen notwendig zu einer Modifikation des Geschichtsbildes[3].

Der 1. Thess setzt keine Tauftheologie voraus noch verkündet er sie, der zufolge der Täufling in einem einmaligen zurückliegenden Geschehen dem pneumatisch vorgestellten Kyrios übereignet wird, um nun selber an der Sphäre des πνεῦμα zu partizipieren. Der 1. Thess kennt nicht den erhöhten Christus als gegenwärtig wirkenden Geistchristus. Diese so knapp umrissene Tauftheologie hat sich erst nach dem Schreiben an die Gemeinde in Thessalonich ausgebildet. Die Theologie des 1. Thess ist durch das grundlegende durch den Tod Christi vermittelte Ereignis der Erlösung bestimmt (4, 14; 5, 10). Dem Geist kommt innerhalb der soteriologischen Vorstellungen keine andere Funktion zu, als durch seine Einwohnung in den Glaubenden deren Heiligkeit zu bewirken. Die pneumatologischen Aussagen des 1. Thess sind ganz wesentlich ein Reflex der atl.-jüd. Geisterwartung. So zeigt es nicht nur die unmittelbare Bezugnahme zum atl. Wort in 1. Thess 4, 8 f., sondern gleichfalls die funktionale Bestimmung des Wirkens des Geistes. Der Geist bestimmt wohl den eschatologischen Standort der Gemeinde vor der Parusie des Kyrios, sein Wirken steht aber in keiner ausgeführten Beziehung zum Christusgeschehen, zum Sakrament und zur eschatologischen Existenz der Glaubenden.

Diese These ist von gegenteiligen Behauptungen abzusetzen.

5.2.1 Pneuma und Taufe in der frühpaulinischen Theologie

5.2.1.1 Tauftraditionen im 1. Thessalonicherbrief

W. Harnisch hat in 1. Thess 5, 4–10 ‚Rudimente einer vorpaulinischen Tauftradition' vermutet, welche „die Erwählung, Berufung und Recht-

---

[2] Heitmüller, Paulus 142 f. u. ö.
[3] Bereits Gunkel, Wirkungen 101, erkannte völlig zu Recht, „… dass der Geist dem Paulus zunächst eine überirdische Kraft ist; dass derselbe mit einem himmlischen Stoff verwandt sei, ist eine δευτέρα φροντίς. Dies ist für die Schilderung der paulinischen Lehre vom πνεῦμα zu beachten. Wir können es daher in keiner Weise billigen, dass man die Stofflichkeit des Geistes zum Ausgangspunkte der Schilderung dieser Lehre gemacht hat."

fertigung, ja die im Akt der Taufe bereits vollzogene Verherrlichung der Getauften", den „Empfang der ζωή des Kyrios, nämlich der Gewinn jener δόξα, die dem Glanz des Erhöhten entspricht", bezeuge[4].

Harnisch verweist im einzelnen

a) auf den Gegensatz von φῶς - σκότος (V. 4f.), den er im Kontext von Kol 1,12–14 und Eph 5,8 „einer auf die Taufe bezogenen Bekenntnistradition" (121) zuordnet.

b) auf die Bezeichnung υἱοὶ φωτός, welche im Urchristentum (Eph 5,8) als Name der Getauften Anwendung finde.

c) auf die Entsprechung des πάντες ... υἱοὶ φωτός (1. Thess 5,5a) zur Tauftradition in Gal 3,26 (πάντες ... υἱοὶ θεοῦ).

d) auf das in 1. Thess 5,5a und Gal 3,26 übereinstimmende ἐστε, welches den präsentischen Charakter des Heils umschreibe.

e) auf stilistische Beobachtungen zu 5,9f. (präpositionale Wendung, Partizipialstil u.a.), die an ein geprägtes Bekenntnisfragment denken ließen (122).

f) auf die Verben γρηγορεῖν, νήφειν und ἐνδύειν, die ‚vermutlich der präsentischen Taufterminologie' zuzuweisen seien (122 A 25).

g) auf die wahrscheinliche pl Ersetzung des ursprünglichen εἰς περιποίησιν δόξης durch εἰς περιποίησιν σωτηρίας, wie ein Vergleich mit 2. Thess 2,13f. nahelege (122f.).

h) auf den Aorist ἔθετο, der an gewisse praedestinatianische Aussagen des Röm, vor allem an das vorpaulinische Tauflied Röm 8,28–30 erinnere (123f.).

Harnisch rekonstruiert folgendes 1. Thess 5,4–10 zugrundeliegendes Bekenntnis:

> ... ὅτι
> ἔθετο ἡμᾶς ὁ θεὸς εἰς περιποίησιν δόξης
> διὰ τοῦ κυρίου Ἰησοῦ Χριστοῦ
> τοῦ ἀποθανόντος περὶ (ὑπὲρ) ἡμῶν
> ἵνα σὺν αὐτῷ ζήσωμεν

Sollte der Analyse Harnischs zugestimmt werden können, so wäre bereits für das vorpaulinische hell. Christentum eine Tauftradition gegeben, in der – so Harnisch – die Gleichsetzung von Christus und Pneuma vollzogen und Taufe als Teilhabe an dieser δόξα des Erhöhten und als Versetzung in den Stand des neuen Seins verstanden wäre, in der das Gericht keine Rolle spielt (144f.).

---

[4] Harnisch, Existenz 123f. Die Ausführungen setzen ausdrücklich Überlegungen von E. Fuchs, Die Zukunft des Glaubens nach 1. Thess 5,1–11, in: ders., Glaube und Erfahrung, 1965, 334–353, fort. Es ist im Sinne einer fairen Auseinandersetzung zu betonen, daß Harnisch offenläßt, „ob die hier versuchte Rekonstruktion der vorpaulinischen Bekenntnisformel tatsächlich zutrifft ..." (144), gleichwie offenbleiben muß, „ob und wie die Aussagen 1. Thess 5,5aα und 5,9f. (rekonstruierter Text) einmal zusammenhingen ..." (124 A 39).

Überprüfen wir die Argumente im einzelnen:

a) Der Gegensatz von φῶς und σκότος ist in 1.Thess 5,2–7 nicht technisch gebraucht. Der Ausgangspunkt der Paränese ‚ἡμέρα κυρίου‘ (V. 2) zieht mehrere Bilder nach sich. Die ἡμέρα κυρίου gleicht einem κλέπτης ἐν νυκτί. Dies braucht die Gemeinde nicht zu ängstigen, ihr Standort ist indikativisch beschrieben: οὐκ ἐστὲ ἐν σκότει (V. 4), οὐκ ἐσμὲν νυκτὸς οὐδὲ σκότους (V. 5), ἡμέρας ὄντες (V. 8). Ἡμέρα ist doppeldeutig als ‚Herrentag‘ und als ‚Tag‘ (im Gegensatz zur Nacht) gebraucht. Der Heilsindikativ in V. 5a reflektiert beide Bedeutungen: πάντες γὰρ ὑμεῖς υἱοὶ φωτός ἐστε καὶ υἱοὶ ἡμέρας. Der übergeordnete Gegensatz ist folglich ἡμέρα – νύξ, um ihn lagert sich das Bild φῶς – σκότος. Nun zeigt aber gerade der Zusatz ἐστε καὶ υἱοὶ ἡμέρας (V. 5) einen Übergang vom eschatologischen zum ethischen Bild (in Entsprechung zu Röm 13,12f.) und bildet die Brücke zum Gedanken des Wachsens[5]. Dieser ethischen Zielsetzung ist das Bild von φῶς und σκότος, hier ohnehin nur mittelbar in υἱοὶ τοῦ φωτός gegeben, einzuordnen. Es partizipiert mit seiner jüd.-hell. Vorgeschichte an der eschatologischen Vorstellung einer Entscheidung zwischen zwei Mächten, die sich auch ethisch vollzieht. Im hell. Judentum konnte das Begriffspaar der Bekehrungsterminologie eingeordnet werden (JosAs 8,10; 15,12; TestJos 19,3). Erst Röm 13,12 und sodann spätneutestamentliche Zeugen lassen vom Kontext ihrer Aussagen bei der Verwendung des Gegensatzes φῶς – σκότος über die Bekehrungsterminologie hinaus explizit an Taufzusammenhang denken (Apg 26,18; 1.Petr 2,19; Eph 5,8; Kol 1,12f.). Dieser Kontext wird jedoch in 1.Thess 5,5 vermißt, das Bild begründet ausschließlich die Paränese eschatologisch[6].

b) Es ist gegen Harnisch nicht anzunehmen, „daß der Ausdruck ‚Söhne (Kinder) des Lichts‘ in der christlichen Gemeinde offensichtlich liturgisch als Name der Getauften Verwendung fand“ (120). Υἱοὶ τοῦ φωτός begegnet noch Lk 16,8; Joh 12,36. Eph 5,8 und IgnPhld 2,1 lesen τέκνα φωτός. Diese Belege sind, wie auch der Wechsel zwischen υἱοί und τέκνα zeigt, nicht technisch gebraucht, ihre Bedeutung ergibt der Kontext[7]. Keiner dieser Belege hat einen Taufbezug. Pl verwendet φῶς nie im Taufkontext. Wahrscheinlicher ist auch bei der Verwendung dieses Begriffes mit seiner jüd. Vorgeschichte[8] und seiner Nähe zur Jesustradition[9] die Ausgrenzung der Heilsgenossen angesagt, wie auch der wohl ad hoc gebildete zusätzliche Ausdruck υἱοὶ ἡμέρας nahelegt. Die Gemeinde gehört zu den Erwählten (ἡμέρας ὄντες V. 8), die die ἡμέρα κυρίου nicht zu fürchten brauchen. So sind auch hier eschatologische und ethische Ebene verschränkt, machen aber eine ausschließliche Zuordnung des Begriffs in einem uneschatologischen präsentischen Sinn zum Taufgeschehen unwahrscheinlich.

---

[5] v.Dobschütz, Thess 208.

[6] So Conzelmann, ThWNT IX 337; Holtz, 1.Thess 219f.

[7] Conzelmann, ThWNT IX 336.

[8] Holtz, 1.Thess 389 (Lit!).

[9] J.Roloff, Das Kerygma und der irdische Jesus, 1970, 121, verweist auf Mt 5,14.16; Lk 8,16. Ein Einfluß von Lk 16,8 auf 1.Thess 5,5 ist gegen v.Dobschütz jedoch unwahrscheinlich, da dieses Logion nicht als Wort Jesu zu betrachten ist.

c) Harnisch hatte die Herkunft des ‚auffälligen πάντες in 1.Thess 5,5 aʿ aus der überlieferten Taufsprache erklärt. Jedoch besagt die strukturelle Übereinstimmung in den Vordergliedern mit Gal 3,26.28 nichts über eine Abkunft von 1.Thess 5,5 a aus der Tauftradition. Die Formel πάντες ὑμεῖς ist von Pl häufig benutzt worden, sie kann mit Collins als „exposition of emphasis" gewertet werden (vgl. auch Röm 1,8; 15,33; 1.Kor 14,5; 16,24 und 1.Thess 1,2)[10]. Darüber hinaus verwendet 1.Thess 5 überhaupt häufig πᾶς als Hyperbel (5,5.14.15.18.21.22.26.27). Zudem kann πάντες bereits auf den in V.10 (vgl. zuvor 4,17) dargelegten Gedanken vorbereiten wollen, daß alle Verstorbenen und Lebenden am Herrentag mit ihm leben werden[11]. Ein traditionsgeschichtlicher Zusammenhang mit Gal 3,28 ist also nicht zwingend anzunehmen.

d) Gleichwie πάντες als singulärem Begriff kein übermäßiges Gewicht zukommen kann, so auch nicht dem ἐστε (V.5), welches den Heilsindikativ festhält. Allerdings entspricht solche Verklammerung von Gegenwärtigkeit und Zukünftigkeit des Heils den Gottesprädikationen des 1.Thess, die betont das gegenwärtige Heilshandeln unterstreichen (2,13; 3,13; 4,8; 5,23 u.ö.).

e) Die stilistischen Beobachtungen zu V.9f. erweisen zu Recht die Aufnahme trad. Aussagen. Sie sind jedoch nicht einer Tauftradition zuzuweisen. Die Präpositionalwendung διὰ τοῦ κυρίου ἡμῶν Ἰησοῦ Χριστοῦ betont in Aufnahme von διὰ τοῦ Ἰησοῦ (4,14) die Funktion Christi im Endgeschehen (vgl. auch 1.Kor 15,57, Röm 2,16; 5,9). Περὶ ἡμῶν (V.10; die 26.Aufl. des NT Graece liest ὑπὲρ ἡμῶν) hat die nächsten Parallelen in der Abendmahlstradition (Lk 22,19; Mk 10,45; vgl. auch 1.Kor 15,3). Auch die Verbindung von ὑπὲρ ἡμῶν mit dem Partizip ἀποθανόντος deutet nicht auf die Tauftradition (vgl. dagegen Röm 5,8; 14,15; 2.Kor 5,15).

f) Die Wortverbindung γρηγορεῖν und νήφειν kann nicht mit Bezug auf 1.Petr 5,8; Kol 4,2; 2.Tim 4,5 ausschließlich der Taufterminologie zugewiesen werden, da die Belege stets den Kontext der allgemeinen Paränese, nicht aber der speziellen Taufparänese voraussetzen. Harnisch sieht, daß ἐνδύειν durch Anspielung auf Jes 59,17 in 1.Thess 5,8 vorgegeben ist, sich also ein Verweis auf Gal 3,27 verbietet (Χριστὸν ἐνδύσασθε). Röm 13,11–14 verbindet erst die unterschiedlichen Stränge wie 1.Thess 5,4ff. (und syn. Material) und Gal 3,26–28.

g) Ein Hauptbeleg der These, daß die vorpaulinische Tauftradition die gegenwärtige Teilhabe an der ζωή des κύριος aussage, findet Harnisch in der Rekonstruktion εἰς περιποίησιν δόξης (1.Thess 5,9). Er vermutet, daß Pl δόξης durch σωτηρίας als Gegenbegriff zu ὀργήν ersetzt und hierbei von dem in V.8 herangezogenen Zitat aus Jes 59,17 σωτηρία übernommen habe. Daß ursprünglich die Tradition εἰς περιποίησιν δόξης gelesen habe, erwägt Harnisch mit Blick auf 2.Thess 2,13f.

2.Thess 2,14: ... ἐκάλεσεν ὑμᾶς εἰς περιποίησιν δόξης ...

1.Thess 5,9: ... ἔθετο ἡμᾶς ... εἰς περιποίησιν σωτηρίας ...

Es ist jedoch von Harnisch an keiner Stelle ausgeführt worden, mit welchem Recht der spätere und sich ab 2,13 stark an den Wortlaut des 1.Thess anleh-

---

[10] Collins, Studies 167.
[11] So v.Dobschütz, Thess 208.

nende 2. Thess als ‚Sachparallele' herangezogen werden darf, was zu einer Kompilation beider Texte führt. Tatsächlich entfaltet der 2. Thess den Ausdruck εἰς περιποίησιν σωτηρίας nach zwei sich ergänzenden Seiten, in Hinblick auf σωτηρίαν (V. 13) und auf περιποίησιν (V. 14).

Der Vergleich mit 1. Thess 5, 9 zeigt, daß die Berufung nach 2. Thess 2, 14 zum Erwerb der Herrlichkeit, die dem Kyrios eignet (Gen. poss.), erging[12]. Hier ist die pneumatische Seinsweise des Kyrios vorausgesetzt, Heil besteht in ihrer Partizipation. Diese Reflexionsstufe ist deutlich später anzusetzen. Nach 1. Thess 5, 9 hingegen wird die σωτηρία durch Christus vermittelt (instrumentale Bedeutung der διά-Bestimmung)[13].

h) Der Vergleich mit Röm 8, 28–30 entbehrt jeglicher Vergleichspunkte und kann nicht als Hilfsargument dafür dienen, daß die Gemeinde zum Empfang der gegenwärtigen δόξα bestimmt sei. Strukturell erinnert 5, 9 an 4, 7. Ἔθετο und ἐκάλεσεν gehen parallel mit ἐκλογή (1, 4).

So ist zu urteilen, daß die von Harnisch unter vielen Vorbehalten erwogene These einer Tauftradition in 1. Thess 5, 1–10, die eine „im Akt der Taufe bereits vollzogene Verherrlichung der Getauften"[14] beinhalte, exegetisch nicht verifiziert werden kann. Selbst die Übernahme von ursprünglich ausschließlich dem Kontext der Taufe angehörenden Motiven und Wendungen kann nicht einmal an einer Stelle sicher nachgewiesen werden[15].

---

[12] Harnisch, Existenz, versucht (wie auch v. Dobschütz, Thess 300), der Differenz zu 1. Thess 5, 9 dadurch zu entgehen, daß er erwägt, ein διά in Analogie zu 1. Thess 5, 9 vor τοῦ κυρίου in 2. Thess 2, 14 zu ergänzen. Das aber hat textkritisch keinen Anhalt.

[13] Wir können Holtz, 1. Thess 229 A 468, nicht darin zustimmen, daß 2. Thess 2, 14 „eine sachgemäße Auffaltung unseres Ausdrucks" sei; seine Berufung auf Foerster, ThWNT VII 993 („die Begabung mit der göttlichen δόξα (ist) der positive Inhalt der σωτηρία") verkennt die christologische Qualifikation des Gen. poss. in 2. Thess 2, 14.

[14] Harnisch, Existenz 117–125. 131–152.

[15] Vor Harnisch hatte bereits E. Selwyn, The First Epistle of St. Peter, 1946, 375–382, den Hintergrund der Tauftheologie bemüht; nach Harnisch dann F. Laub, Eschatologische Verkündigung und Lebensgestaltung nach Paulus, BU 20, 1973, 161f; Baumgarten, Apokalyptik 219 A 121. Kritisch: Collins, Studies 171; Schade, Christologie 137. 272 A 179; Holtz, 1. Thess 237, und vor allem L. Aejmelaeus, Wachen vor dem Ende. Die traditionsgeschichtlichen Wurzeln von 1. Thess 5: 1–11 und Luk 21: 34–36, SESJ 44, 1985, 56. Strecker, Indicative 67, hebt zu Recht den Gegensatz zu den pl Tauftraditionen hervor, da der 1. Thess die/Paränese mit Ausblick auf die Parusie begründet. Schnelle, Gerechtigkeit, behandelt in seiner Arbeit zur vorpl und pl Tauftheologie 1. Thess 5, 1–11 an keiner Stelle, was auch ein Urteil ist. Auch G. Friedrich, 1. Thess 5, 1–11, der apologetische Einschub eines Späteren, in: ders., Auf das Wort kommt es an. Gesammelte Aufsätze, 1978, 251–278, distanziert sich in einem Korrekturnachtrag (278) von Harnischs Interpretation.

5.2.1.2 Die ἐν Χριστῷ-Formel

U. Schnelle hat aus 1. Thess 4, 16 zu erschließen versucht, daß dieser lokal-seinshafte Ausdruck nicht anders als aus der „in der Taufe real begonnenen seinsmäßigen Christusgemeinschaft" zu verstehen sei[16].

Wir können hier von einer Gesamtinterpretation von 4, 13-18 absehen und uns auf eine Analyse des Ausdrucks οἱ νεκροὶ ἐν Χριστῷ beschränken. Er findet sich in der Miniaturapokalypse (V. 16 f.), in die Pl strukturierend und durch Zusätze eingegriffen hat[17].

Der Vorschlag, nicht von einem präpositionalen Attribut zum Substantiv, sondern zum Verb auszugehen (οἱ νεκροὶ ἐν Χριστῷ ἀναστήσονται), hat kaum Zustimmung gefunden[18]. Ἐν Χριστῷ entspräche dann διὰ τοῦ Ἰησοῦ (4, 14). Schnelle geht hingegen davon aus, daß ἐν Χριστῷ als pl Zusatz zu οἱ νεκροί den Bezug zur Taufe herstellen will.

Voraussetzung dieser Auslegung ist, daß die Miniaturapokalypse jüdischer und nicht christlicher Herkunft ist, wenn überhaupt deutliche Kriterien für eine Grenzziehung hier gegeben sind. Eine pl Zufügung von ἐν Χριστῷ sehen auch Lüdemann, Marxsen, Luz u. a. Allerdings differenzieren sie in drei Traditionsstufen: eine jüdische Vorlage sei von einer vorpaulinischen judenchristlichen Gemeinde um (οἱ νεκροὶ) ἐν κυρίῳ erweitert worden. Pl korrigiere nochmals ἐν κυρίῳ zu ἐν Χριστῷ[19]. Hingegen hält Holtz, ohne diese mehrstufige Traditionsgeschichte nachzuvollziehen, an vorpaulinischer Herkunft des Begriffs οἱ νεκροὶ ἐν Χριστῷ fest[20].

Zu den in der Diskussion vorgebrachten Argumenten ist folgendes zu sagen:

a) Die Verbindung οἱ νεκροὶ ἐν Χριστῷ hat ihre nächsten Parallelen in 1. Kor 15, 18 (οἱ κοιμηθέντες ἐν Χριστῷ) und Apok 14, 13 (οἱ νεκροὶ οἱ ἐν κυρίῳ). Apok 14, 13 setzt den Kontext martyrologischer Aussagen voraus, in ihm ist ἐν κυρίῳ sicher zum Verb ἀποθνήσκοντες zu ziehen. 1. Kor 15, 18 scheint allerdings einen in der Gemeinde bekannten Aus-

---

[16] Schnelle, Gerechtigkeit 114; zuvor bereits Schlier, Apostel 81 u. a.

[17] Zur Analyse von 1. Thess 4, 13-18: Lüdemann, Paulus I 213-264; Collins, Studies 157-162; Holtz, 1. Thess z. St. (Lit.).

[18] So BDR § 272, 3 in Aufnahme einer Auslegung von J. Jeremias, Unbekannte Jesusworte, [2]1951, 63; anders aber [3]1963, 77 A 105.

[19] Lüdemann, Paulus I 245; vgl. auch W. Marxsen, Auslegung von 1. Thess 4, 13-18, ZThK 66, 1969, 22-37; Luz, Geschichtsverständnis 328 f; Harnisch, Existenz 42; Collins, Studies 157- 162.

[20] Holtz, 1. Thess 198, kommt freilich, wie auch Lüdemann, Paulus I 252, einer dreistufigen Traditionsgeschichte nahe, wenn er von einem apokalyptischen Überlieferungsstück, das dem Judentum entstammt, ausgeht. Während nach Holtz οἱ νεκροὶ ἐν Χριστῷ als geprägte urchristliche Redeweise vor Pl eingefügt worden sei, erwägt Lüdemann, daß auf der Stufe der vorpaulinischen Tradition Menschensohn durch Kyrios ersetzt worden sei.

druck zu verwenden. Mit aller Vorsicht kann daher an „eine geprägte urchristliche Redeweise", welche „die Toten als solche ausweist, die zu Christus gehören"[21], gedacht werden. Damit ist freilich noch nicht darüber entschieden, wie sich solche Redeweise begründete.

b) Wenn ἐν Χριστῷ, wie häufig angenommen[22], pl Sprachschöpfung gewesen ist, wird die Behauptung einer vorpaulinischen Tauftradition, die bereits die ἐν Χριστῷ-Formel nennt, problematisch. Die Breite der Bezeugung der Formel in den pl Briefen, zugleich ihre Verbindung mit unterschiedlichen Kontexten, läßt am ehesten von einem ‚christologischen Formular', nicht aber von einer einheitlichen Grundvorstellung sprechen, welches also auch nicht einem bestimmten Sitz im Leben zuzuordnen ist. Die Beziehung zu den Tauftraditionen stellt Pl in Gal 3,26; 1.Kor 1,30; Röm 6,11; 2.Kor 5,17 erst her. Dies macht es unwahrscheinlich, daß die Gemeinde in Thessalonich bei οἱ νεκροὶ ἐν Χριστῷ zwangsläufig an die Taufe als Begründung der Christusgemeinschaft denken mußte.

c) Die ἐν (Χριστῷ)-Vorstellung des 1.Thess[23] zeigt eine doppelte Verwendung. In ekklesiologischer Ausrichtung spricht Pl in 1,1 von der ἐκκλησία θεσσαλονικέων ἐν θεῷ πατρὶ καὶ κυρίῳ Ἰησοῦ Χριστῷ, in 2,14 von den ἐκκλησιῶν τοῦ θεοῦ τῶν οὐσῶν ἐν τῇ Ἰουδαίᾳ ἐν Χριστῷ Ἰησοῦ. Modale Verwendung bezeugt 3,8 στήκετε ἐν κυρίῳ; 4,1 παρακαλοῦμεν ἐν κυρίῳ Ἰησοῦ (4,2 διὰ τοῦ κυρίου Ἰησοῦ); 5,12 προϊσταμένους ὑμῶν ἐν κυρίῳ; 5,18 θέλημα θεοῦ ἐν Χριστῷ Ἰησοῦ. Der seinshaft - ontische Gebrauch wird, sehen wir zunächst einmal von 4,16 ab, vermißt.

d) Bestimmend ist der Ausblick auf die παρουσία (2,19; 3,13; 4,15; 5,23). Die Beschreibung der Gegenwart des Heils in der Gemeinde bedient sich soteriologischer Aussagen, die nicht auf dem Boden von Tauftraditionen zu verstehen sind. Der stellvertretende Tod Christi ὑπὲρ ἡμῶν (5,10) begründet das zukünftige σὺν αὐτῷ ζήσωμεν (Futur!)[24]. Die Realisierung der ἐκλογή wird als ein gegenwärtiges Han-

---

[21] Holtz, 1.Thess 201.

[22] Müller, Geisterfahrung 90: „ipsissima verba des Apostels"; Lüdemann, Paulus I 245: „paulinische Sprachschöpfung"; dagegen Schnelle, Gerechtigkeit 112: Pl sei der Tradent, nicht aber der Schöpfer der ἐν Χριστῷ Vorstellung.

[23] Hierzu den Exkurs bei v.Dobschütz, Thess 60f.; Wilckens, Röm II 44–47; Kramer, Christos § 36.

[24] Schade, Christologie 147f., betont, daß die Entrückung erst in vollem Sinn die Christusgemeinschaft herstelle. Auch Wilckens, Röm II 45: „Nirgendwo mehr hat in den späteren Briefen des Paulus die Rede von einem zukünftigen ‚Sein bei Christus' einen so ausschließlich eschatologischen Horizont wie in 1.Thess 4." Wilckens grenzt 1.Thess 4 von späteren pl Aussagen ab, wo die Formel „aus der reinen Zukunft in die Gegenwart hinein ausgeweitet" wird und „erst im Kontext der Taufe einen spezifisch christlichen Charakter" gewinnt.

deln Gottes an der Gemeinde beschrieben: 2,13 ἐνεργεῖται ἐν ὑμῖν; 4,8 διδόντα τὸ πνεῦμα αὐτοῦ; 5,23 ὁ θεὸς ἁγιάσαι ὑμᾶς; 5,24 ὁ καλῶν ὑμᾶς. Der Kyrios erlöst die Gemeinde im Gericht (1,9f), Gott selber heiligt die Gemeinde, so daß sie untadelig der Parusie begegnen kann (5,24).

Geht man hingegen von der Annahme einer Miniaturapokalypse in V.16f aus, die auf jüd.-apok. Vorstellungen beruht, so ist zu fragen, ob die Sache und der Begriff οἱ νεκροὶ ἐν Χριστῷ nicht religionsgeschichtlich mit dem Vorstellungsgut der weiteren Aussagen der Miniaturapokalypse verbunden sind.

SyrBar 30,1: Und danach wird geschehen:
> Vollendet sich die Zeit der Erscheinung des Messias
> und kehrt er dann in die Herrlichkeit zurück,
> dann werden alle jene auferstehen,
> die in der Hoffnung auf ihn eingeschlafen sind.
> (Übersetzung nach Klijn, JSHRZ V/2, 142).

Die Parallele zu 1.Thess 4,16 besteht in der Eingrenzung der endzeitlichen Totenauferstehung auf diejenigen Toten, die in besonderer Verbindung zum Messias stehen. Doch gründet diese Aussage auf Unstimmigkeiten im Text. Die Zeit der Erscheinung des Messias und seiner Rückkehr in die Herrlichkeit stehen unmittelbar nebeneinander, so daß die Vermutung, ein christlicher Redaktor habe die zweite Aussage in Hinblick auf die Parusie Jesu Christi eingefügt, denkbar ist. Dann aber kann auch gefragt werden, ob die Eingrenzung der allgemeinen Totenauferstehung auf die entschlafenen Gerechten nicht gleichfalls christlichen Ursprungs ist, zumal das ‚in Hoffnung auf ihn‘ eine Parallele in 1.Thess 1,3 hat[25]. Christliche Überarbeitung ist aber nicht zwingend zu beweisen, so ist zunächst nur die Sachparallele festzuhalten.

TestLevi 18,9b: Unter seinem Priestertum wird die Sünde aufhören,
> und die Gesetzlosen werden ruhen, Böses zu tun.
> Die Gerechten jedoch werden in ihm Ruhe finden.
> (Übersetzung nach Becker, JHSRZ III/1, 61).

Der letzte Satz ist textkritisch nicht gesichert. Inhaltlich stellt er keine Parallele zu 1.Thess 4,16 dar. Die Gerechten, sofern überhaupt an Verstorbene zu denken ist, befinden sich erst zukünftig im Raum des Messias. Der Satzteil hebt sich im übrigen von der universalistischen Perspektive des Kontextes (V.9a) ab und ist auch von daher mit Recht als Nachtrag erkannt worden[26].

---

[25] Zu Tradition und Redaktion in syrBar 29f.: U.B.Müller, Messias und Menschensohn in jüdischen Apokalypsen und in der Offenbarung des Johannes, StNT 6, 1972, 143f.; Lüdemann, Paulus I 250–252, streicht 30,1 ganz (252 A 119). R.H.Charles, The Apocalypse of Baruch, 1896, 56, vermutet als ursprünglichen Text ‚those who have fallen asleep in hope‘.
[26] Becker, Untersuchungen 295.

ÄthHen 49,3: Und in ihm wohnt der Geist der Weisheit und der Geist, der Einsicht vermittelt, und der Geist der Lehre und der Geist derer, die in Gerechtigkeit entschlafen sind.

(Übersetzung nach Uhlig, JSHRZ V/6, 592).

Diese Aussage entspricht 1. Thess 4,16 darin, daß sie etwas über die verstorbenen Gerechten vor der Wandlung, Auferstehung und Trennung im Gericht weiß (50,1–51,5). In Übereinstimmung mit einem breiten Strom der jüd. Theologie wird die endzeitliche Totenauferstehung auf die Gerechten, die endzeitliche Heilsgemeinde, begrenzt (vgl. TestJud 25; TestBenj 10; TestSeb 10; äthHen 91,10f; 92,3–5; 4. Esr 7,16–44; Jub 23,29–31). Während die Beschreibung der pneumatischen Begabung des Messias in Weisheit, Einsicht, Lehre im wesentlichen nach Jes 11,2 (vgl. auch PsSal 17,37) gebildet ist, stellt die Einwohnung des Geistes der Entschlafenen in ihm eine zusätzliche, im Kontext auch unvermittelte Aussage dar.

Sie ist zu verstehen auf dem Hintergrund der apokalyptischen Vorstellung des Totenschlafs (äthHen 91,10; 92,3; 100,5; syrBar 30,1; 36,11). Unter dem Einfluß hell. Anthropologie konnte der Schlafzustand auf die Seele begrenzt werden (4 Esr 7,91). Hier sind zugleich die Wurzeln der Schlafmetaphorik zu suchen, die auch in 1. Thess 5,1ff. verwendet ist[27].

Ob äthHen 49,3 an solcher dualistischen Aufteilung von Leib und Seele/Geist partizipiert oder aber Geist als Ausdruck für den beseelten Leib versteht, ist schwer zu entscheiden. Jedenfalls setzen die folgenden Verse voraus, daß die Verstorbenen auferstehen (51,1) und für die Gerechten eine Wandlung zur Herrlichkeit erfolgt (50,1). Die in Gerechtigkeit Entschlafenen sind im Herrn, und die Erwählten werden jetzt den Sieg (50,2) und die Rettung (51,2) erhalten. Insofern verbürgt das ‚im Herrn entschlafen sein' das Eschaton. Eine schon ältere Auslegungstradition versteht die Messiasaussage (49,3) als kollektive Zusammenfassung der Gemeinde in der pneumatischen Einheit des Menschensohns[28]. Dagegen hat Sjöberg[29] den offensichtlichen Überschuß über Jes 11,2 als Variation des hier übergangenen ‚der Geist der Erkenntnis und der Furcht Jahwes' erklären wollen. Gotteserkenntnis und Gottesfurcht seien menschliche, nicht aber messianische Attribute. Der Verf. habe vielmehr von der Gerechtigkeit des Menschensohnes reden wollen. Gottesfurcht und Gotteserkenntnis als menschliche Eigenschaften hätten ihn aber dazu geführt, von der Gerechtigkeit der Menschen zu reden. Der Bezug auf verstorbene Gerechte sei ein Ausfluß der martyriologischen Gedanken aus Kap. 46. Mit dieser gewundenen Argumentation glaubt Sjöberg, die Vorstellung der Wohnung der verstorbenen Gerechten im Messias widerlegt zu haben.

---

[27] Balz, ThWNT VIII 550f.

[28] So z.B. A. Dillmann, Das Buch Henoch, 1853 z. St.; B. Murmelstein, Adam, ein Beitrag zur Messiaslehre, WZKM 35, 1928, 267; R. Otto, Reich Gottes und Menschensohn, 1934, 153; W. Staerk, Die Erlösererwartung in den östlichen Religionen. Soter II, 1938, 475.

[29] E. Sjöberg, Der Menschensohn im äthiopischen Henochbuch, 1946, 98–100; zuvor bereits E. Percy, Der Leib Christi in den paulinischen Homolegumena und Antilegumena, 1942, 42 A 81; S. Mowinckel, Henok og ‚Menneskesommen', NTT 45, 1944, 57–69; jetzt wieder C. Colpe, ThWNT VIII 428 A 200.

Für das Verständnis von οἱ νεκροὶ ἐν Χριστῷ (1. Thess 4, 16) ist entscheidend, daß auch diese Aussage der Miniaturapokalypse aus dem Vorstellungsgut jüd. Apokalyptik ableitbar ist[30]. Die Vorstellung des Heilsraums der verstorbenen Gerechten im Messias vor dessen Parusie hat eine wenn auch schmale Präformation. Zweitens ist Holtz darin zuzustimmen, daß die Wendung οἱ νεκροὶ ἐν Χριστῷ mit dem Kontext der Miniaturapokalypse wahrscheinlicher auf vorpaulinische Gemeindetradition zurückführt. Darauf deutet auch 1. Kor 15, 18 als geprägte Redeweise und die Tatsache, daß Pl in V. 14 f. von den Entschlafenen redet, ohne eine Präzisierung einzubringen und Mißverständnisse zu befürchten. Weshalb hätte er gerade in V. 16 verdeutlichen sollen[31]? Von daher erscheint es unwahrscheinlich, ἐν Χριστῷ in 1. Thess 4, 16 als pl Zusatz zu betrachten, der aus parakletischen Gründen an die Tauftradition erinnern wolle[32].

5.2.1.3   1. Korinther 6, 11 als Beleg der frühpaulinischen Tauftheologie

Obwohl Pl keine direkten Aussagen über Taufpraxis und -theologie im 1. Thess macht, ist wahrscheinlich, daß die Gemeindeglieder von Pl selber getauft wurden, zumindest die Erstbekehrten. Als parallele Praxis muß hier der Gründungsaufenthalt in Korinth angeführt werden. 1. Kor 1, 14–16: εὐχαριστῶ … ὅτι οὐδένα ὑμῶν ἐβάπτισα εἰ μὴ Κρίσπον καὶ Γάϊον … ἐβάπτισα δὲ καὶ τὸν Στεφανᾶ οἶκον, λοιπὸν οὐκ οἶδα εἴ τινα ἄλλον ἐβάπτισα. Über diesen Στεφανᾶ οἶκον aber sagt er in 1. Kor 16, 15: ὅτι ἐστὶν ἀπαρχὴ τῆς Ἀχαΐας … Folglich ist das Haus des Stephanas als erstbekehrtes zu betrachten, es hat als solches von Pl die Taufe empfangen. Es wird nicht abwegig sein, solche Praxis der Taufe der Erstbekehrten durch Pl selber auch für andere Gemeinden, etwa Thessalonich, vorauszusetzen.

Wie aber hat Pl die Taufe und das Wirken des Geistes in ihrem Zusammenhang verstanden? Wir haben keinen Anlaß anzunehmen, daß Pl z. Z. des 1. Thess die Taufe als Eingliederung in den pneumatisch vorgestellten Christusleib betrachtete. Diese Vorstellung begegnet erstmals in der korinthischen Gemeinde und greift auf Voraussetzungen zurück, die in diesem Stadium der frühpl Theologie noch nicht gegeben waren.

---

[30] Als Vermutung bei Schade, Christologie 148.

[31] Holtz, 1. Thess 199. Dies bedeutet freilich gegen Sellin, Streit 44, daß bereits vor Pl die Auferweckung auf die verstorbenen Christen eingegrenzt wurde, die sodann mit den übriggebliebenen Christen entrückt werden sollten. Sellin sieht hingegen erst Pl eine Eingrenzung auf die Christen vollziehen.

[32] Es ist gleichfalls unwahrscheinlich, daß die Wendung παρακαλεῖτε ἀλλήλους ἐν τοῖς λόγοις τούτοις (V. 18) sich eben nicht direkt auf den λόγος κυρίου beziehen soll, sondern primär auf das Faktum des Getauftseins (so Schnelle, Gerechtigkeit 114).

Andernfalls wäre 1. Thess 4, 8 dem kaum zuzuordnen. Mit der 26. Aufl. des NT Graece ist die Lesart διδόντα (Präsens) gegenüber δόντα (Aorist) vorzuziehen. Dies bedeutet aber, daß die Übermittlung des Geistes ständige Gabe Gottes an die Gemeinde zwischen ἐκλογή und παρουσία ist, gleichwie auch Gottes καλεῖν und ἁγιάζειν nicht einmalig sind, sondern sich in der Zwischenzeit ständig ereignen (5, 23 f). Dies widerrät der Interpretation, die Gabe des Geistes – jedenfalls nach 1. Thess 4, 8 – ausschließlich an das Taufgeschehen zu binden und sie als naturhafte Grundlage des Seins der Glaubenden zu verstehen.

Die Aussagen des 1. Thess stehen vielmehr noch in deutlicher Nähe zu judenchristlichen Taufaussagen, wie sie etwa aus 1. Kor 6, 11 (1, 30) rekonstruierbar sind.

1. Kor 6, 11 b.c hebt sich formgeschichtlich durch die dreifache ἀλλά – Konstruktion, durch die Verwendung des Aorists und die beiden adverbialen Bestimmungen vom Kontext ab, der seinerseits selber mit den ‚Einlaßbedingungen des Reiches Gottes' (vgl. 1. Kor 6, 9 f.; Gal 5, 19–21; 1. Kor 15, 50), bzw. dem Lasterkatalog (1. Kor 6, 9 f.), durch trad. Material geprägt ist. Pl beschließt den Argumentationsgang (ab 1. Kor 6, 1) durch Aufnahme und Aktualisierung geprägten Materials. Wie schon das Motiv ‚Einlaßbedingungen' und der Lasterkatalog form- und traditionsgeschichtlich nicht auf eine Grundform zurückzuführen sind, so ist auch bei V. 11 b.c die wörtliche Rezitation einer urchristlichen Tradition unwahrscheinlich. Vielmehr greift Pl auf trad. Aussagen und einen trad. Motivbereich zurück, welcher in das hell. Judenchristentum verweist[33]. Dieser ist durch die kultisch – liturgische Sprache, vor allem durch die Verwendung von ἀπελούσασθε (vgl. noch Apg 22, 16) eindeutig der Taufsituation zuzuordnen[34]. V. 11 stellt die Vergangenheit dem jetzigen Heilsstand gegenüber, welcher effektiv beschrieben ist als

---

[33] Zur Analyse der vorpaulinischen judenchristlichen Rechtfertigungstraditionen: Strecker, Befreiung 251–255; Hahn, Taufe 105–109; Schnelle, Gerechtigkeit 37–46. Dunn, Baptism 120–123, trägt nicht zur Profilierung der vorpaulinischen Tradition bei. Sein Versuch, 1. Kor 6, 11 mit weiteren Taufaussagen in 1. Kor und Apg auszugleichen, führt zu dem irreführenden Ergebnis, auch 1. Kor 6, 11 spreche von der Inkorporation in Christus. Schnelle, Gerechtigkeit 39, hat 1. Kor 6, 11 bc als „Taufruf, der den Täuflingen nach der Taufe zugesprochen wurde" interpretiert und sich dagegen ausgesprochen, „daß die ἀλλά-Konstruktion und die 2. Pers. Plur. durch den Kontext bedingt sind" (179 A 56); so auch Hahn, Taufe 108 (A 50) und 116 A 83; vorsichtiger Strecker, Befreiung 254. Problematisch an einer eindeutigen Fixierung als kultisch – liturgischer Tradition ist die Tatsache, daß a) 1. Kor 1, 30 die Wortfolge der Verben in Substantiven genau umstellt; b) daß dieser Taufruf in urchristl. Zeit nicht weiter bezeugt ist; c) daß Verklammerungen mit dem Kontext bestehen (Heitmüller, Namen 321); d) daß die 2. P. Pl. nicht sicher Erweis traditioneller Sprache ist.
[34] Ausführliche Analyse bei Strecker, Befreiung 254, und Schnelle, Gerechtigkeit 39. Sollte ἀπελούσασθε medial zu übersetzen sein ('ihr habt euch abwaschen lassen'), wie BDR § 317.1 und 448.3 vorschlagen, so wäre der Taufbezug explizit gegeben. Allerdings ist eine Angleichung an den Aor. pass. der beiden anderen Verben wahrscheinlicher.

Abwaschung, Heiligung und Gerechtmachung. Wir können an dieser Stelle auf die genaue Interpretation dieser Gerechtmachungsanschauung, die von der späteren Rechtfertigungslehre des Pl zu unterscheiden ist, verzichten[35], um uns der Analyse der Adverbialbestimmungen, speziell dem Verständnis des Geistes in dieser Tauftradition zuzuwenden. Zugleich aber ist davor zu warnen, für die Interpretation das Verständnis der mysterienhaften Tauftheologie, wie es etwa Kol 2, 12; Röm 6, 4 bezeugen, heranzuziehen[36]. Wenngleich es also unwahrscheinlich ist, daß V. 11 b.c wörtlich eine liturgische Tradition des hell. Judenchristentums wiedergibt, so liegt doch kein Grund vor, die beiden Adverbialbestimmungen ‚rhetorisch‘ als Werk des Pl zu erklären oder auch nur eine als Bestand der Tradition auszuwerten[37]. Möglicherweise sind hier mit Namensnennung, Sündenbefreiung und Erwähnung des Geistes ursprünglich nicht zusammenhängende Interpretationen des Taufgeschehens bereits vereint. Die Adverbialbestimmungen sind auf das Taufgeschehen insgesamt, wie es in den drei Verben ἀπελούσασθε, ἡγιάσθητε, ἐδικαιώθητε soteriologisch zusammengefaßt wird, zu beziehen, nicht aber πνεῦμα zu ἡγιάσθητε und ἐδικαιώθητε, ὄνομα aber zu ἀπελούσασθε[38]. Mit solcher Aufteilung verbindet sich die Zergliederung in einen subjektiven und objektiven Aspekt innerhalb des Taufgeschehens, die persönliche Anrufung des ὄνομα und die objektive Wirkung des Geistes[39]. Doch bezeichnen beide Adverbialbestimmungen mit ἐν objektive Faktoren, da nicht das subjektive Bekenntnis des Namens Christi durch den Täufling, sondern die Ausrufung des Namens Christi über dem Täufling diesen heiligt.

In welchem Verhältnis aber stehen beide Adverbialbestimmungen, die also formal zwei Mittel der Heiligung nennen, zueinander? Diese Zusammenstellung findet sich nur in 1. Kor 6, 11, während die Ausrufung des Namens Jesu Christi bei der Taufe (Apg 10, 48; 19, 5) und die Erwähnung des Geistes Gottes (1. Kor 12, 13; 2. Kor 1, 22) unabhängig voneinander mehrfach bezeugt sind.

Wie Heitmüller gezeigt hat, kommt der Anrufung des Namens der Gottheit eine ursprünglich exorzistische Bedeutung zu. Doch versteht Pl oder seine Tradition die Wendung ἐν τῷ ὀνόματι τοῦ κυρίου Ἰησοῦ

---

[35] Wiederum Strecker, Befreiung 251–255, und Lohse, Taufe 242.

[36] Reitzenstein, Mysterienreligionen 261: „Freilich ist hier die Auffassung der Taufe gerade nicht die mysterienhafte, sondern die aus der Handlung selbst erklärliche, in der jüdischen Proselytentaufe wiederkehrende.“

[37] Vos, Untersuchungen 29, erwägt pl Verfasserschaft aus rhetorischen Gründen. Das Fehlen der Geistaussage in 1. Joh 2, 12 ist aber kein Beweis für ihr ursprüngliches Fehlen in der Tradition. Auch Haufe, Taufe 563, erwägt pl Hinzufügung.

[38] Deutlich Heitmüller, Namen 74 f.; Weiß, 1. Kor 155.

[39] So Meyer, 1. Kor 164; Schweizer, ThWNT VI 424.

Χριστοῦ nicht eigentlich exorzistisch, da die Verben von Heiligung, Abwaschung und Gerechtmachung sprechen, nicht aber von Loslösung und Befreiung[40]. Nun besteht für Heitmüller in der Analyse des ntl. Sprachgebrauchs eine grundlegende Differenz in der Verwendung von ἐν τῷ ὀνόματι und εἰς τὸ ὄνομα, speziell im Kontext von Taufaussagen. „Die Phrasen βαπτίζ. ἐν und ἐπὶ τῷ ὀνόματι bieten eine Beschreibung des Vorgangs der Taufe: sie besagen, daß das Taufen sich vollzieht unter Nennung des Namen Jesu. Βαπτίζ. εἰς τὸ ὄν. dagegen gibt einen (den) Zweck und einen (den) Erfolg des Taufens an: es besagt, daß der Täufling in das Verhältnis der Zugehörigkeit, des Eigentums zu Jesus tritt. Aber auch in βαπτίζ. εἰς τὸ ὄν. ist das Moment der Namensnennung enthalten"[41].

So ist für 1. Kor 6, 11 zunächst festzuhalten: die Überführung in den neuen Stand der Abgewaschenen, Geheiligten und Gerechtgemachten vollzog sich in und unter der Anrufung des Namens des Herrn Jesus Christus[42]. Die Tradition behauptet jedoch nicht eine Übereignung des Täuflings an den angerufenen Christus oder Eingliederung in seinen pneumatisch vorgestellten Leib. Freilich ist bei jeder Adverbialbestimmung zu fragen, weshalb sie instrumental als Mittel für die Gerechtmachung befähigt ist. Daher wird abermals Heitmüller zuzustimmen sein, „dass der Name Jesu das repräsentiert, was Jesus für uns bedeutet ..."; hierbei denkt Heitmüller – freilich recht unscharf – an das Heilswerk Christi[43].

Die zweite Adverbialbestimmung ἐν τῷ πνεύματι τοῦ θεοῦ ἡμῶν kann solcher Akzentuierung eingepaßt werden. Es ist zunächst festzuhalten, daß vom Geist Gottes, nicht aber vom Geist Christi gesprochen wird, und dieses πνεῦμα θεοῦ ist Mittel der Gerechtmachung[44]. Die

---

[40] Mit Recht Weiß, 1. Kor 156, in Aufnahme der Arbeit von Heitmüller, Namen 74–76.

[41] Heitmüller, Namen 127. Diese These gründet auf einer präzisen Untersuchung des ntl. und profanen Sprachgebrauchs. Nur die Apg verwendet ἐν bzw. ἐπί und εἰς ohne Unterschied (94). BDR § 205: „Die Briefe und, was noch auffälliger ist, die Apk zeigen korrekte Scheidung von εἰς und ἐν in lokaler Bedeutung ..."; Barth, Taufe 49–59, zeigt, daß βαπτίζειν εἰς Χριστόν eine sek. Interpretation der vollen Formel ist (75). Erst in dieser interpretierenden Kurzform, die unter Absehung des ursprünglichen Ritus der Namensnennung des erhöhten Jesus Christus allein die Übereignung an ihn betont, ist ein lokales Verständnis gegeben.

[42] Die Wendung ἐν τῷ ὀνόματι (κυρίου Ἰησοῦ Χριστοῦ) kann in die aramäisch - judenchristliche Gemeinde zurückreichen. בְּשֵׁם wird in der LXX und im NT (Mt 21, 9) mit ἐν ὀνόματι wiedergegeben.

[43] Heitmüller, Namen 76. Er kann sogar gegenläufigen Interpretationen soweit entgegenkommen, daß bei „der allgemeinsten Bedeutung von ἐν = ‚in der Sphäre'" (75 A 3) sich der Sinn nicht verschieben würde. Keinesfalls aber spreche V.11 von einer Eingliederung in die Christussphäre.

[44] Schnelle, Gerechtigkeit 42, bezieht die Aussage durchweg auf die pneumatische Präsenz des Kyrios, welche sich „gerade in der Verleihung des Geistes an den Täufling" er-

Gabe des neuen Standes benennen die Verben. Weil der Geist Gottes eine reale Größe ist, kann in der Taufe kraft dieser neuen Wirklichkeit Heiligung, Abwaschung und Gerechtmachung erwirkt werden. Dennoch ist von der atl.-jüd. Vorgeschichte des Geistverständnisses möglicherweise implizit mitgedacht, daß die Übertragung der Attribute nicht anders als durch Niederlassung des Geistes Gottes in den Gläubigen vermittelt wird. Schließlich steht der Exorzismusgedanke im Hintergrund: die Namensnennung des Kyrios macht den Täufling ja gerade frei für den Geistempfang[45]. Die frühen christlichen Aussagen haben gleichfalls thetisch behauptet: Gott hat uns den Geist gegeben, wir haben den Geist empfangen; der Geist Gottes wohnt in uns.

Dichter an die Motivverbindung ‚endzeitliche Reinigung / Gerechtmachung – Wirken des Geistes' führen 1. QH 16,12; 1. QS 4,20f.; Ez 36,25f. und Jub 1,23. Nach 1. QH 16,12 vollzieht Gottes Heiliger Geist die Reinigung und Gerechtmachung des Frommen. 1. QS 4,20f.: Gott reinigt einige der Menschenkinder durch den heiligen Geist, indem er ‚über sie sprengen (wird) den Geist der Wahrheit wie Reinigungswasser'. Hier scheint Ez 36,25 aufgenommen: die Reinigung der endzeitlichen Gemeinde wird durch das Mittel des Geistes Gottes ermöglicht, der wie Reinigungswasser über die Frommen gesprengt wird. Jub 1,23 verbindet die Schaffung des Heiligen Geistes im endzeitlichen Volk mit seiner Reinigung.

Wir werden nicht fehlgehen, die pneumatologischen Aussagen des 1. Thess in eine deutliche Nähe zu dieser Tauftradition des hell. Judenchristentums zu setzen und ihre Taufanschauung umgekehrt dem 1. Thess zugrundezulegen.

Bestimmend ist der effektiv gedachte Heilsstand der Gemeinde seit der ἐκλογή (1,5), seit dem zurückliegenden ἐκάλεσεν (4,7). Dieser Ruf versetzte in den Stand der Heiligkeit, und dieser Ruf ist kraft der Gegenwart des Geistes wirksam. Schnelles Frage, ob die effektiven Aussagen der Heilswirklichkeit jegliche Zukunftsperspektive ausschlössen, muß vom 1. Thess klar mit ‚nein' beantwortet werden[46]. Alle gegenwärtigen Heilsaussagen des 1. Thess münden in einen eschatologischen Ausblick auf die Parusie: 1,9f.; 2,12; 4,17; 5,8f. Das Verständnis des Geistes in dieser frühpl Tauftheologie bleibt im atl.-jüd. Rahmen. So

---

weise. So schon Bousset, 1. Kor 99: „... für ihn steht hinter dem Namen der erhöhte Herr selbst; und wo sein Name ... gesprochen wird, da ist er selbst mit seiner wunderwirkenden Kraft persönlich gegenwärtig." Vos, Untersuchungen 83 f., versteht das καί zwischen den beiden Adverbialbestimmungen explikativ: die Funktion Christi falle mit der des Geistes zusammen. Für Hermann, Kyrios 111, ist V. 11 „nur aus der Kenntnis der übrigen Aussagen über den Kyrios und das Pneuma" zu erklären. Dagegen Conzelmann, 1. Kor 130 A 46: „Der Geist ist hier nicht die Gabe der Taufe, sondern: die sakramentale Wirkung ist Wirkung des Geistes."

[45] Bultmann, Theologie 142.
[46] Schnelle, Gerechtigkeit 44.

sehr die im Taufgeschehen übereigneten Gaben effektiv sind, stellen sie doch nicht mehr als die Voraussetzung dar, ins Eschaton überhaupt eingehen zu können. Der Geist schenkt in der Abwaschung der vergangenen Sünden, was die trad. Sprüche vom Eingehen in das Reich Gottes fordern (1. Kor 6,9; 15,50; Gal 5,21): nur Gerechte und Heilige haben Zutritt zur Basileia[47]. Daher ist die vielfach genannte Heiligkeitsforderung als Bewahrung des neuen Standes nur zu verständlich (3,13; 4,3f.; 5,23). In der Zwischenzeit erweist sich der Geist als Kraft endzeitlichen Verhaltens. Die Erfahrung des Nachlassens ist im 1. Thess so bedacht, daß Gott selber oder der Kyrios den Mangel an ἁγιωσύνη in der Zwischenzeit ergänzen (3,11–13; 5,23f.). Keinesfalls aber ist mit dem für den 1. Thess eruierten Taufverständnis die Behauptung, die Taufe vermittle die Doxa des Erhöhten und könne als Eingliederung in die pneumatische Sphäre des Kyrios verstanden werden, zu rechtfertigen.

5.2.2 Pneuma und erhöhter Kyrios in der frühpaulinischen Theologie

Bousset hat es in ‚Kyrios Christos‘ zu einem entscheidenden Charakteristikum der hell. Gemeinde vor Pl erklärt, daß „der Herr Jesus als das Haupt seiner Gemeinde, mit seiner Kraft in einer den Atem raubenden Greifbarkeit und Gewißheit unmittelbar gegenwärtig" (89) sei, daß er „über dem christlichen Gemeinschaftsleben waltet, wie es sich namentlich im Gemeindegottesdienst, also im Kultus, entfaltet" (88). Im 1. Thess ist hingegen an keiner Stelle von einer gegenwärtigen Wirksamkeit des Erhöhten die Rede. Gleichfalls ist die Vorstellung eines Pneuma-Christus, wie er ab der Korintherkorrespondenz bezeugt zu sein scheint (1. Kor 15,45; 2. Kor 3,17), nicht im Blickfeld des 1. Thess. Dies bestätigt die schon im Kontext der Tauftheologie gemachten Beobachtungen: der 1. Thess kennt noch nicht die Vorstellung einer pneumatischen Christussphäre, in welche der Christ sakramental hineingenommen wird.

Die dominierende christologische Aussage des 1. Thess ist der Ausblick auf den Parusie-Christus[48]. Neben den direkten Parusieaussagen (1. Thess 2,19; 3,13; 4,15; 5,23) sind als weitere eschatologische Aussagen 1,3.9f; 4,16 zu nennen, die Vorstellung der zukünftigen Christusgemeinschaft (4,17; 5,10), sowie die eschatologisch – apokalyptischen Aussagen des Briefes (2,12.16; 4,6.13–17; 5,1–10). Die Gemeinschaft

---

[47] Für den trad. Charakter dieser Sprüche spricht, daß βασιλεία τοῦ θεοῦ bei Pl neben 1. Thess 2,12 nur fünfmal in trad. Aussagen erscheint. Gal 5,21 gibt diesen Spruch eigens als Bestand der Gründungspredigt zu erkennen.

[48] Deutlich v. Dobschütz, Thess 127–129 (Exkurs); jetzt wieder Becker, Erwählung 95: es sei die „... futurisch – christologische Aussage vorrangig für das christologische Konzept des 1. Thess ...".

mit Christus ist demnach zukünftiges Heilsgut nach der Parusie (4,17: σὺν κυρίῳ ἐσόμεθα; 5,10 σὺν αὐτῷ ζήσωμεν). Was ist über die gegenwärtige Funktion des Kyrios dem 1. Thess zu entnehmen?

Eine Reihe von Aussagen beschreibt eine gegenwärtige Christusbestimmtheit des Apostels oder der Gemeinde, läßt hierbei aber nicht an ein direktes Eingreifen des Erhöhten denken.

So sollen Glaube, Liebe und Hoffnung (1,3) an Christus ‚orientiert‘ sein[49], wobei auch hier ein Ausblick auf die eschatologische Zukunft des Kyrios mitschwingt. Die μίμησις des Apostels und der Gemeinde (1,6) bezieht sich auf den Kyrios, freilich auf den irdischen[50]. Die Orientierung am Kyrios erfüllt den Apostel mit Freude (3,8 f.). Die Paränese ergeht an die Gemeinde ἐν κυρίῳ Ἰησοῦ (4,1) oder διὰ τοῦ κυρίου Ἰησοῦ, der Wechsel der Präpositionen ist von keiner inhaltlichen Bedeutung. Wiederum kann nicht mehr als eine Christusbestimmtheit erkannt werden. Die Verantwortung des Handelns aber bezieht sich auf Gott, dem zu gefallen (4,1) und seinen Willen zu erfüllen (4,2) den Christen obliegt. 3,12 f. und 4,6 nennen, wie Holtz zu beiden Stellen überzeugend darlegt, mit κύριος Gott, nicht aber den erhöhten Christus.

Nicht der Kyrios Christus ist der gegenwärtig wirkende Herr der Gemeinde, sondern Gott selber[51]. In ihm gründet die παρρησία des Apostels (2,2), seine Predigt sucht Gott zu gefallen (2,4). Gott beruft die Gemeinde εἰς τὴν ἑαυτοῦ βασιλείαν καὶ δόξαν (2,12) und ἐνεργεῖται ἐν ὑμῖν (2,13). Gott ist Richter (4,6), hat die Gemeinde zur Erlangung des Heils bestimmt (5,9). Gott ist es, der ἁγιάσαι ὑμᾶς ὁλοτελεῖς ... πιστὸς ὁ καλῶν ὑμᾶς, ὃς καὶ ποιήσει (5,23 f.). Er gibt der Gemeinde das πνεῦμα (4,8), ihm dient die Gemeinde (1,9).

Der Kyrios ist im 1. Thess der endzeitliche Retter (1,9), er übt aber gegenwärtig keine Herrenstellung aus. Nur eine Stelle wäre zu nennen, an der allerdings Gott und der Kyrios gemeinsam genannt sind: ... κατευθύναι τὴν ὁδὸν ἡμῶν πρὸς ὑμᾶς (3,11).

---

[49] Diese Übersetzung bei Marxsen, 1. Thess 33. Zur Beziehung aller drei Attribute auf Christus: BDR § 163.4; Holtz, 1. Thess 43; Dibelius, Thess 3; v. Dobschütz, Thess 65.

[50] Damit ist an dieser Stelle kein Gegensatz zum Verständnis des Kyrios als des Erhöhten impliziert. Fügt Pl aber nach μιμηταὶ ἡμῶν noch καὶ τοῦ κυρίου an, so ist zu fragen, wie diese μίμησις in der θλῖψις (vgl. auch 3,14) sich überhaupt am Kyrios orientieren kann. Wenn der Vergleichpunkt das gleiche Geschick für die Gemeinden, für Pl und für den Kyrios ist (so mit Recht Schade, Christologie 124), so darf die ‚Jesusüberlieferung‘ (Holtz, 1. Thess 48 A 107), vielleicht das ‚Leiden Jesu‘ (als Frage bei v. Döbschütz, Thess 73) nicht unbeachtet bleiben. Auch O. Merk, Nachahmung Christi, in: H. Merklein (Hg.), Neues Testament und Ethik, FS R. Schnackenburg, 1989, (172–206) 195, denkt an den ‚gekreuzigten Auferweckten‘.

[51] Becker, Erwählung 95 f.: „Der Weltbezug ist durch die Gottesaussagen gegeben“ (95). „Alle christologischen Aussagen sind auf die Parusie gerichtet“ (96).

Der Kyrios-Begriff im 1. Thess ist nicht auf die Gegenwart des Erhöhten bezogen, sondern durchweg auf den Parusie-Kyrios. Dies belegen die Verbindungen von κύριος und παρουσία in 2,19; 3,13 f.; 5,23; der eschatologische Ausblick in 1,3, der Begriff ἡμέρα κυρίου in 5,2. Die Formeln ἐν κυρίῳ Ἰησοῦ (4,1) und διὰ τοῦ κυρίου Ἰησοῦ (4,2) dienen „zur Charakterisierung der auf dem Boden der Gemeinde bestehenden zwischenmenschlichen Relationen"[52], entbehren aber eines kultischen Bezugs zu einem Pneuma-Kyrios. Kramer hat es zu Recht abgelehnt, „zwischen der Akklamations-Kyriosvorstellung und dem Topos der Parusie einen ursprünglichen Zusammenhang zu sehen" (173). So interpretierte er den „Kyriostitel im Zusammenhang mit den Parusie-Aussagen als den Mare-Kyriostitel" (174). Schon diese Beobachtungen machen es unmöglich, den Geistbegriff des 1. Thess christologisch zu fassen in dem Sinne, daß der Kyrios mit dem gegenwärtig wirkenden Pneuma identifiziert wäre oder eine Sphäre darstellte, in welche die Glaubenden gegenwärtig sakramental versetzt werden könnten.

Diese Beobachtungen räumen der berühmten These F. Hahns ein relatives Recht ein: „Die älteste Gemeinde … harrt auf das endzeitliche Kommen ihres Herrn. Wohl ist ihr der Geist als Angeld der Endzeit gegeben und sie vermag die endzeitliche Vollendung in einem gewissen Grade zu antizipieren, aber sie kennt noch nicht die Vorstellung von der Erhöhung und der gegenwärtigen Wirksamkeit Jesu"[53].

Die Kritik Vielhauers betonte zu Recht, daß der μαράναθά-Ruf die Erhöhung voraussetzt, die Erhöhung also nicht erst bei der Parusie erfolge[54]. Da aber Vielhauer selber der Unterscheidung Kramers beipflichtet, innerhalb der Kyrios-Vorstellung den ,Akklamations-Kyrios' vom ,Mare-Kyrios' zu trennen (167), ist mit der Kyrios-Christologie nicht zugleich notwendig eine gegenwärtige Wirksamkeit des Erhöhten ausgesagt. Das frühpaulinische Taufverständnis beinhaltet noch keine Versetzung in den pneumatisch vorgestellten Kyrios. Zugleich bezeugt Pl in der Abendmahlstradition den Bezug auf den Parusie-Kyrios (1. Kor 11,26). Ist aber einmal die Dominanz der Parusievorstellung in der Verwendung des Kyrios-Begriffs noch z. Z. des 1. Thess anerkannt, kann man Hahns Argument, die Gemeinde stehe in unmittelbarer Parusieerwartung und vermisse daher nicht die Gegenwart des Kyrios, nicht

---

[52] Kramer, Christos 177. Schrage, Einzelgebote 104: „Der Apostel spricht und ermahnt also an Christi Statt, was wiederum heißt, daß Gott mahnend und handelnd gegenwärtig ist und zu Worte kommt."

[53] Hahn, Hoheitstitel 112.

[54] Vielhauer, Weg 160 u. ö. Zustimmung zu Hahn aber durch Hengel, Sohn, der seinerseits wiederum Vielhauer „in einer völlig unsachgemäßen, man möchte sagen ,scholastischen' Polemik gegen F. Hahn" argumentieren sieht, während Hahn „den historischen Textbestand weitgehend überzeugend" darstelle (121 A 135).

einfach verwerfen, auch wenn beide Vorstellungen in den Bereich der vorpaulinischen Gemeinde führen[55]. Im Maranatha-Ruf erbittet sie allein das Kommen des Herrn. Noch die Apokalypse des Johannes, die in ähnlicher Naherwartung stehen mag (1, 1.3; 3, 11; 13, 12; 17, 20 u. ö.), ist wohl geprägt vom Blick auf den Erhöhten und verwendet hierbei Vorstellungen, die dem Kultus entstammen, sie beschreibt aber kaum (2, 16) ein Eingreifen des Kyrios vor seiner Parusie. Es ist bezeichnend, daß Heitmüller und Bousset Wirkungen des Pneuma beschreiben, aber vom Kyrios reden, den sie stets mit dem Pneuma identifizieren. Dies entspricht nicht der Sicht des 1. Thess. Gegenwärtig ist der Gemeinde allein der Geist als endzeitliche Gabe Gottes gegeben, welche sich als Kraft endzeitlichen Verhaltens erweist[56].

Diese These ist gegenüber einem letzten Aussagekomplex, der ἐν Χριστῷ-Formel und ihrer Verwendung abzugrenzen.

Uns war zweifelhaft, ob Pl selber ἐν Χριστῷ in die Miniaturapokalypse eingetragen hatte, um an die mit der Taufe begonnene Christusgemeinschaft zu erinnern (4, 16). Vielmehr schien eine Abhängigkeit frühchristlicher Gemeindetheologie von jüd. Apokalyptik insofern vorzuliegen, als die gerechten Verstorbenen in den Messias aufgenommen werden. Erst die spätere Tauftheologie weitet dies auf die Lebenden aus, ein Aspekt, der dem dominanten eschatologischen Ausblick auf den Parusie-Kyrios im 1. Thess völlig widerstreitet. Eine Gegenwartsbestimmung enthält 1. Thess 4, 16 allein für die Verstorbenen, sie sind ἐν Χριστῷ. Was dies aber besagt und bedeutet, erweist erst die Parusie des Kyrios.

Der vielfältige Gebrauch der ἐν Χριστῷ-Formel darf nun keinesfalls nivelliert werden, um weitere Bezeugungen im 1. Thess für den sakramentalen Aspekt der Inkorporation in den erhöhten Christus finden zu wollen. Neben der modalen Verwendung (3, 8; 4, 1 f.; 5, 12.18) ist der ekklesiologische Gebrauch in 1, 1 und 2, 14 zu bedenken. Wird die Gemeinde in 1, 1 als ἐκκλησία ... ἐν θεῷ πατρὶ καὶ κυρίῳ Ἰησοῦ Χριστῷ beschrieben, so geht es primär um eine qualitative Bestimmung ihres Standes[57]. In 2, 14 nennt Pl die judenchristlichen ἐκκλησίαι τοῦ θεοῦ τῶν οὐσῶν ἐν τῇ Ἰουδαίᾳ ἐν Χριστῷ Ἰησοῦ. Hierbei ist τῶν οὐσῶν und ἐν τῇ Ἰουδαίᾳ zusammenzuziehen. Das Attribut ἐν Χριστῷ könnte

---

[55] Bousset, Kyrios 90, zitierte diesbezüglich ein Wort von P. Wernle: „Wir werden doch nicht an das Märchen von dem Christus sitzend zur Rechten in Untätigkeit und ohne Verkehr mit seiner Gemeinde im Ernst glauben wollen".

[56] Wenn Hahn von einem ‚gewissen Antizipieren der Endzeit in der Geistesgabe' spricht (108 f.), ist das ἀρραβών Motiv, auf das er sich hierbei bezieht (ders., Gottesdienst 33 f.), verkannt. Der Geist ist Angeld für das Eschaton, nicht aber für die endzeitliche ‚uneingeschränkte Geistverleihung'.

[57] v. Dobschütz, Thess 59: „... von lokaler Vorstellung einer Sphäre, in der sich etwas befindet, ausgehend, fließt es doch über in eine qualitative Bestimmung der Beziehung auf etwas ..." Das ἐν θεῷ widerspricht hierbei völlig einem lokalen Verständnis. Dibelius, Paulus und die Mystik 146, versteht ἐν Χριστῷ in Verbindung mit Namen als Ersatz für ‚Christ sein'.

ebenfalls dem τῶν οὐσῶν untergeordnet werden, wahrscheinlicher aber ist es angefügt, um als modale Bestimmung den Gegensatz ‚christliche Gemeinden‘ und ‚jüdische Gemeinden‘ in Judäa (τῶν ἰδίων συμφυλετῶν) zu verstärken[58].

Der Befund des 1. Thess zeigt: das Verhältnis von Geist und Kyrios ist insofern geschieden, als der Geist gegenwärtige Gabe Gottes ist, der Kyrios aber ausschließlich als Parusie-Kyrios in Blick kommt. Die Gabe des Geistes ist als Kraft bis zur Parusie verstanden. Die Vorstellung einer sakramentalen Versetzung in einen pneumatisch vorgestellten Christus liegt der frühpl Verkündigung fern, wie auch keine enthusiastischen Phänomene genannt sind, die solches neue Sein demonstrieren könnten. Die endzeitliche Gabe des Pneuma ist in der frühpl Verkündigung nicht naturhaft als Vergegenwärtigung des Heils interpretiert worden[59].

5.3 Die Pneumatologie des 1. Thessalonicherbriefs auf dem Hintergrund der vorpaulinischen Gemeindetheologie

Der 1. Thess ist das erste schriftliche Zeugnis der frühpaulinischen Theologie, die im Umkreis der hell.-judenchristlichen Gemeinden steht, denen der bekehrte Pl sich angeschlossen hatte. „Der volle Strom der neuen universalen Religionsbewegung flutete bereits, als Paulus in die Arbeit eintrat, auch er ist zunächst von diesem Strom getragen"[1]. Nach pl Zeugnis kommen die Gemeinden in Damaskus (Gal 1,17) und Antiochia (Gal 1,21), nach dem lk Bericht Tarsus (Apg 11,25) ins Blickfeld. So gewiß das sich hier bildende Christentum primärer Wurzelboden der pl Theologie ist, so schwierig ist die Rekonstruktion desselben. Ein

---

[58] So wiederum v. Dobschütz, Thess 109. Wenn Holtz, 1. Thess 100, dagegen auf Gal 1,13; 1. Kor 15,9 verweist, wo ἐκκλησία θεοῦ ohne weiteres Attribut zu lesen ist, so spricht dies noch nicht dafür, dem Attribut in 1. Thess 2,14 eine besondere Bedeutung beizumessen, etwa die Betonung der Einheit (ἐν Χριστῷ) gegenüber der Vielfalt τῶν ἐκκλησιῶν (so Best, 1. Thess 114). Auch Bauer, WB 515, versteht ἐν Χριστῷ in 1. Thess 2,14 als Umschreibung des Begriffs ‚Christ‘, ‚christlich‘.

[59] Der Abstand zur spätpl Theologie zeigt sich darin deutlich, daß die gegenwärtige Geistesgabe noch nicht als Angeld auf das Eschaton verstanden worden ist (so 2. Kor 1,22 unbeschadet der traditionellen Wendungen des Verses; sowie 5,5; Röm 8,23). Die Hoffnung ist verbürgt in dem vergangenen Ruf (1. Thess 5,24 u. ö.; so noch 1. Kor 1,9). Auch finden sich im 1. Thess noch keine Hinweise darauf, daß im Geistbesitz eine somatische Grundlage für den Auferstehungsleib gegeben ist (so z. B. Röm 8,11).

[1] Bousset, Kyrios 76.

Rückgriff auf die „anerkannt gute Hellenistenquelle"[2] in Apg 6–8.11 ist durch die redaktionsgeschichtliche Acta-Forschung in die Schranken gewiesen worden, hier bleibt allein die Frage nach dem historischen Wert der von Lk verarbeiteten Traditionen. Die hier zu erkennenden Intentionen können in antiochenischer Gemeindetheologie geformt sein, aber auch bis zu den Jerusalemer Hellenisten zurückreichen. Daneben geben spätere pl Briefe Grundüberzeugungen antiochenischer Theologie wieder. Diese sind nicht mit Redaktion und Tradition allein zu erfassen, sondern müssen mindestens gleichfalls formgeschichtlich als vorpl erwiesen sein.

Die Analysen der vorangehenden Abschnitte konnten wahrscheinlich machen, daß sowohl das Einwohnungs- und Tempelmotiv, sodann die frühen Formeln der Geistübermittlung und schließlich die Tauftradition (1. Kor 6, 11) in der Substanz auf die vorpaulinische Gemeinde zurückzuführen sind.

Die Frage nach weiteren Haftpunkten der pl Theologie im hell. Judenchristentum ist an die in der Apg überlieferte Tradition der Hellenisten gewiesen. Da Apg 11, 19–30 Beziehungen zwischen der antiochenischen Gemeinde und den Hellenisten bezeugt, kann Pl durch die antiochenische Gemeinde Zugang zu den Anschauungen der Hellenisten gehabt haben.

Als historische Grundlage ist zu vermuten: griechischsprechende Juden der Diaspora ziehen aus vorwiegend religiösen Motiven nach Jerusalem. Während sich ein Teil dieser Hellenisten der christlichen Gemeinde anschließt (Apg 6, 1 ff.), verbleibt der wahrscheinlich größere Teil im Verband der jüdischen Gemeinde und stellt später (Apg 9, 29) die Wortführer im Streit mit Pl. Die Gründe, die zur Separation der christlichen Hellenisten von der aramäisch sprechenden Urgemeinde führten, werden einerseits sprachlich bedingt sein. Dies macht die Wahl eines Vorstehergremiums verständlich, dem ausschließlich Männer mit griech. Namen angehören (Apg 6, 5). Die Bildung einer neuen gottesdienstlichen Gemeinde ist im jüd. Raum ein durchaus üblicher und legitimer Vorgang. Die Auskunft, die Übersehung der hell. Witwen habe zur Separation führen müssen (Apg 6, 1 f.), stellt eine nachträgliche apologetische Erklärung aus dem Blickwinkel der Hellenisten dar. Historisch dürfte mit der aus Sprachgründen erfolgten Separation der Hellenisten eine theologische Differenz einhergehen, die unter der lk Redaktionsdecke noch erkennbar ist.

In der lk Darstellung erscheint Stephanus als urchristlicher Pneumatiker. Seine Rede ergeht in σοφία und πνεῦμα (V. 10), seine im ganzen Volk bekannten Taten sind Folge der Geistbegabung (V. 8), was in der Namensliste (V. 5) in der Abhebung von den übrigen Aposteln eigens festgehalten ist. Sprachlich hat Lk dieses Bild an das hell. Ideal des

---

[2] Heitmüller, Problem 331.

christlichen Pneumatikers angeglichen: πλήρης πνεύματος/δυνάμεως (V. 3.5.8; 7,55), vgl. Lk 4,1; Apg 11,24; τέρατα καὶ σημεῖα μεγάλα (V. 8), vgl. Apg 2,22.43; 7,36. Zudem entspricht die Motivverbindung von Weisheit, Geist und Wundertätigkeit dem paulinischen Charismenverständnis in 1. Kor 12,8-10. Unlösbar verbunden mit der Betonung des Geistbesitzes sind die Hinweise auf die Gesetzes- und Tempelkritik (Apg 6,11.13f; 7,51-53), insofern sich die Geistbegabung in der Predigt äußert (6,10). V. 11 erhebt den Vorwurf der Blasphemie, wie er in Worten gegen Mose (= Tora) und Gott besteht. V. 13 wiederholt, im Munde falscher Zeugen, partiell diesen Vorwurf (κατὰ τοῦ νόμου), stellt aber unaufhörliche Tempelkritik betont voran. V. 14 fügt als Stephanuszitat hinzu: Jesus werde den Tempel zerstören und das auf Mose zurückgehende Zeremonialgesetz (ἔθη) ändern.

Die Analyse dieses Abschnittes (6,11-14) ist schwierig und stellt sich in der Forschung kontrovers dar[3]. Wir beschränken uns im wesentlichen auf die Frage, ob vorlukanisch eine Tradition einen Zusammenhang von Geistbesitz und Kult- und Gesetzeskritik für die Hellenisten festgehalten bzw. wie sich gegebenenfalls dieser Zusammenhang dargestellt hat.

Zunächst ist offensichtlich, daß Lk in V. 11.13f. literarisch von Mk 14,57-64 abhängig ist, einem Abschnitt also, den er im Evangelium weitgehend übergangen hat (vgl. die Synopse bei Weiser, Gesetzeskritik 159). Viele Exegeten erkennen für V. 11 die Vorgabe einer Quelle, für V. 13f. lk Interpretation unter Verarbeitung einer Tradition über die Hellenisten[4]. Andere halten V. 11.13f. im Grundbestand insgesamt für eine vorlukanische Tradition[5]. Sprachlich-stilistisch ist der Abschnitt jedoch nicht frei von lk Bearbeitung. Die entscheidende Frage wird hierbei sein, ob der Bezug zum Tempelwort Jesu erst durch Lk hergestellt wird, was die Eliminierung desselben im Ev nahelegen möchte und jetzt im Munde des Stephanus für die lk Leser als vaticinium ex eventu erscheinen ließe, oder ob Lk auf eine Tradition über die Hellenisten zurückgreifen kann, welche für dieselben eine Rezeption des Tempelwortes Jesu behauptet. Der ersten Annahme stehen folgende Bedenken gegenüber: a) Die Eliminierung des Tempelwortes von Jesus und dessen Zuordnung zu Stephanus geschähe in der Absicht, von Jesus Tempelkritik fernzuhalten. Warum aber sollte der übergangene Stoff im Munde des Stephanus nochmals wiederkehren? Wenn er mit Bezug auf falsche Zeugen von vornherein als unwahr erklärt wird, hätte Lk sich diese Erwähnung des Tempelwortes sparen können, es sei denn, die

3 Darstellung der Forschungslage bei Weiser, Gesetzeskritik; Arai, Tempelwort.
4 So die Kommentare von Weiser, Apg I 171-173; Pesch, Apg I 235.239.
5 Lüdemann, Christentum 88.

Szene diene der Dramaturgie der Darstellung[6]. b) Die Zuordnung zu Stephanus läßt fragen, ob Lk nicht eine an Stephanus haftende Tradition besaß, die im wesentlichen 6,11–14 entsprach. Die Erwähnung der falschen Zeugen dient nun aber Lk, gegen die Tradition (mit Mk 14,57) Stephanus zu entlasten, der ja, wie 7,51–53 zeigt, auf der Seite des Gesetzes steht. Daher ist schwer vorstellbar, „daß Lukas das in der Passionsdarstellung redaktionell gemiedene Wort Jesu ohne einen vorgegebenen Anhalt im Traditionsgut über die ‚Hellenisten' frei auf Stephanus übertragen hätte"[7].

Der Vergleich mit der mk Form des Tempelwortes zeigt nun, daß a) die Verheißung des Baus des neuen Tempels fehlt, b) das Wort ist vielmehr erweitert um die Ansage der Änderung des Zeremonialgesetzes und c) dies ist in der Stephanusrede als zukünftiges Geschehen dargestellt.

Mit Roloff kann man vermuten, daß diese Änderungen nicht ausschließlich auf die lk Redaktion zurückzuführen sind, sondern das Anliegen und den Standort der Hellenisten wiedergeben[8]. Die Tempelkritik und das Tempelwort Jesu sind aufgenommen. Damit verbindet sich eine Kritik und Erwartung der Änderung des Zeremonialgesetzes[9]. Daß dies von der pl Gesetzesabrogation im Sinne von Röm 10,4 noch weit entfernt ist, weiß auch Lk, der die diesbezüglichen antipl Vorwürfe auch schroffer wiedergibt (Apg 21,21.28; 24,5). Die Zielrichtung dieser Kultkritik ist angesichts der eher konservativen Einstellung der Hellenisten als zurückgekehrter Diasporajuden nicht als hell. Aufklärungstheologie[10], sondern im Sinne der Tempel- und Kultkritik Jesu als Konzentration auf den eigentlichen Willen Gottes zu vermuten.

Geistbesitz und Kultkritik bedingen sich gegenseitig. Die endzeitliche Gemeinde ist θεοδίδαχτος (1. Thess 4,9). Sollte Apg 7,51–53 zur Stephanusüberlieferung zählen[11], hätten die Hellenisten die Tempel-

---

[6] So Schnelle, Gerechtigkeit 99, der dem Abschnitt Apg 6,8–15 jegliche Auskunft über Stephanus und die Hellenisten abspricht und ihn „gänzlich lukanischer Redaktion" zuschreibt. So in der Tendenz auch Larsson, Hellenisten, der eine spezielle Theologie der Hellenisten in Frage stellt und ‚dürftige neutestamentliche Nachweise, bzw. üppig wachsende Hypothesen' anmahnt (207). Strecker, Befreiung 231, verweist auf die Funktion von 6,11.13 f. als ‚sekundäre, lukanische Überleitung zu der sog. Stephanusrede (Apg 7,2–53), in der die jüdische Gesetzeshaltung verurteilt wird' – ein auf der redaktionsgeschichtlichen Ebene zweifelsfrei wichtiger Hinweis.

[7] Weiser, Gesetzeskritik 162; Lüdemann, Christentum 88–91; Mußner, Wohnung Gottes 284; Haenchen, Apg 226.

[8] Roloff, Apg 112 f.; auch Lüdemann, Paulus II 70.

[9] Das Hapaxl. ἀλλάσσειν mag die Tendenz der Predigt der Hellenisten aus dem Blickwinkel der Judenchristen wiedergeben (vgl. Merkel, EWNT I 148 f.).

[10] So Baumbach, Anfänge 25.

[11] So Roloff, Apg 119; Schneider, Apg I 452.

und Kultkritik in Anlehnung an Jesus und in Verwendung des überkommenen Gegensatzes ‚Beschnittenheit des Herzens – äußerliche Gesetzesobservanz' vorgetragen (vgl. Jub 1,23; Röm 2,28 f.; Phil 3,3). Der
Wille Gottes erscheint dem Beschnittenen des Herzens (7,51 f.), dem
Pneumatiker, nicht als buchstäblich gegenübertretende fremde Norm,
sondern ist mit der Geistesgabe in die Herzen geschrieben worden. Angesichts der offensichtlich redaktionellen Gestaltung ist freilich wahrscheinlicher, daß Lk das Anliegen der Hellenisten unter diesem Motiv
wiedergibt[12]. Mit dieser Position war die Frage nach der faktischen Re-
levanz des Gesetzes erst gestellt, nicht beantwortet.

Daß die vorlk Stephanusüberlieferung und das lk Bild des Pneumatikers Stephanus sich nicht ausschließlich martyriologischen Absichten
unterordnen lassen, sondern mit der Überlieferung verbunden sind,
macht folgende Beobachtung wahrscheinlich. Neben Stephanus gehört
Philippus zum Siebenerkreis, bei ihm werden gleichfalls mit der Überlieferung pneumatische Züge genannt (Apg 8,6.13; 21,8 f.).

Bedenkt man nun, daß die Hellenisten „im zustimmenden Bewußtsein der Bedeutung von Tempelkult und jüdischem Gesetz" nach Jerusalem gekommen sind, dann ist es abwegig, sie zum Träger geistgewirk-
ter Gesetzeskritik im Sinne der spätpaulinischen Briefe zu machen[13].
Wohl aber ist anzunehmen, daß die geistbegabte Predigt des Stephanus
im Anschluß an das Tempelwort Jesu den endzeitlichen Willen Gottes
so formulierte, daß er notwendig Gesetzesinterpretation und Tempelkritik implizierte. Dabei mögen die Hellenisten so sehr auf dem Boden
des Gesetzes gestanden haben wie Jesus auch[14].

Die Lynchjustiz an Stephanus (Apg 7,56 f.) ist Höhepunkt der Verfolgung der christlichen Hellenisten, die daraufhin Heidenmission in
Phönizien, Zypern und Antiochien durchführen (Apg 11,19), sich aber
weiterhin jüd. Nachstellungen ausgesetzt sehen (vgl. auch 1. Thess 2,

---

[12] Weiser, Apg I 182; Lüdemann, Christentum 94.

[13] So mit Recht Strecker, Befreiung 481. Schalom b. Chorin, Paulus, 1970, 66 f.: „... sie
wollen sich in Jerusalem als hundertfünfzigprozentige Thora-Juden legitimieren." Hingegen erklärt Pesch, Apg I 239, wieder, die Verkündigung des Sühnetodes Jesu durch die
Hellenisten habe den gesamten Sühnekult im Tempel radikal und endgültig sistiert. Kultkritik sei Torakritik. Hier ist Streckers Nachweis, daß die Sühnetodformeln (Röm 3,25)
nicht im Widerspruch zum Gesetzesweg stehen (252), schlicht mißachtet worden. Dies
betrifft auch Neudorfer, Stephanuskreis 332, der sich Hengels Position zu eigen macht.

[14] So auch Luz, Gesetz 89. Mag diese Auskunft über die Verkündigung der Hellenisten auch bescheiden sein, die Zusammenstellung der „traces of ‚Hellenist' influence in
Paul" durch H.Räisänen (Paul's Conversion and his View of the Law, NTS 33, 1987,
414 f.) differenziert im vorpaulinischen Material nicht deutlich genug, um unsere Kenntnis über die Hellenisten wirklich zu bereichern; vgl. auch ders., The Hellenists – A Bridge
between Jesus and Paul?, in: ders., The Torah and Christ. Publications of the Finnish
Exegetical Society 45, 1986, 242–306.

14 f.)[15]. Pauli Bekehrung ist zugleich auch eine Anerkenntnis des Christusglaubens und der Heidenmission, die er bislang bekämpfte. Daher steht er selber mit seinen heidenchristlichen Gemeinden jetzt in der heilsgeschichtlichen Linie der durch Israel verfolgten geistbegabten Propheten (Apg 7,51 f.; 1. Thess 2,14 f.).

Der 1. Thess und die in Umrissen zu rekonstruierende frühpaulinische Gemeindetheologie sind durch eine doppelte Ausrichtung bestimmt. Die endzeitliche Gabe des Geistes steht funktional in Beziehung zu

– Verkündigung und Prophetie

Darauf deuten die Stephanusüberlieferung mit dem Schwerpunkt der geistgewirkten Predigt, sowie die Philippusüberlieferung mit der Betonung der prophetischen Tätigkeit (Apg 8,40; 21,8 f.). In beiden Aussagekomplexen kann die Erwähnung der geistgewirkten Predigt auf die Überlieferung des Evangelisten zurückgeführt werden, wiewohl er selber nachdrücklich an diesem Thema Interesse zeigt. Neben beiden Personalüberlieferungen ist zusätzlich an die Verkündigungstätigkeit der Hellenisten im syrisch-antiochenischen Raum zu denken (Apg 8,4; 11,19). Der 1. Thess stellt Verkündigung (1,5) und Prophetie (5,19) als direkte Folgen der Geistesgabe dar.

– Heiligung

Die geistgewirkte Predigt des Stephanus zielt auf den eigentlichen, endzeitlichen Willen Gottes (vgl. Pl in 1. Thess 4,9). Man kann vermuten, daß Stephanus mittelbar Intentionen der Verkündigung Jesu verpflichtet ist. Freilich geben die Quellen in dieser Hinsicht weniger her, als die Rekonstruktion des Exegeten erhofft. Deutlich allerdings bezeugen die vorpl Tauftraditionen (1. Kor 6,11; 1,30), daß der Geist das Mittel der endzeitlichen Heiligung ist. So können Tempel- und Einwohnungsmotiv die Gemeinde als geheiligte Größe beschreiben (1. Kor 3,16; 6,19). Auch der Midrasch 1. Kor 10,1 ff., in der Sub-

---

[15] Bedenkt man, daß „Mißachtung des gegenwärtigen Opferkultes, ja ausdrückliche Tempelpolemik ... im Judentum nicht unerhört und jedenfalls kein Anlaß zu Pogromen" sind (Klein, Gesetz 62), so ist die Frage nach dem Anlaß der Verfolgung zu stellen. Es ist zweifelhaft, mit Klein daran zu denken, daß „die ‚Hellenisten' das Gesetz grundsätzlich für aufgehoben erklärten und damit jegliche religiöse Vorrangstellung Israels bestritten" (62). Dies geht aus Apg 6,11–14 nicht hervor (Lüdemann, Christentum 91; gegen diese von Klein bereits in ZKG 68, 1957, 368, geäußerte These: Hengel, Christologie 61 A 57). Im NT sind mehrere Motive für jüdische Verfolgungstätigkeit genannt. Lk 6,22 nennt das Bekenntnis zum Menschensohn (vgl. auch Mt 5,11; Apg 5,41). Gal 6,11 zeigt, daß die Observanz der Beschneidungsforderung vor Verfolgung schützt. Im übrigen konnte auch die Mißachtung des Zeremonialgesetzes Bestrafungsmaßnahmen nach sich ziehen. Der Märtyrertod des Herrenbruders Jakobus (Jos, Ant XX 200) zeigt andererseits, daß die strenge Observanz des Gesetzes innerhalb der Jerusalemer Gemeinde vor der Verfolgung und der Hinrichtung nicht schützt (dazu Lüdemann, Paulus II 99–102).

stanz vielleicht eine Schultradition der frühpl Verkündigung, setzt die geistgewirkte Heiligkeit der endzeitlichen Gemeinde voraus. Schließlich hält 1.Thess 4,8 fest, daß die Übereignung des Geistes diese Heiligkeit der Gemeinde bewirkt und zugleich die Kraft ist, gegenwärtig in Heiligung zu leben[16].

Beide funktionalen Bestimmungen bleiben konstitutiv in der pl Theologie (vgl. 8.1), insofern Pl sich von ihnen in seiner Auseinandersetzung mit dem pneumatischen Enthusiasmus und der judenchristlichen Gegenmission leiten läßt. So betont er gegenüber ersterem die Prävalenz der Prophetie vor ekstatischer Glossolalie und schärft die Notwendigkeit der Bewährung des Heilsindikativs der Heiligkeit ein. Gegenüber der judenchristlichen Gegenmission jedoch sieht er sich genötigt, die Verkündigung als geistgewirktes Geschehen, welches nicht vom Buchstaben abhängig ist, zu erweisen und zugleich zu einem Leben aufzurufen, welches sich dieser neuen Wirklichkeit ausschließlich unterwirft und die Bindung an überkommene Forderungen des Gesetzes aufgibt.

5.4 Zur These eines pneumatischen Enthusiasmus in den hellenistischen Gemeinden

Diese vorgelegte Darstellung der Pneumatologie des 1.Thess und der hell. Gemeinde vor Pl steht im Gegensatz zu dem seit Heitmüller betonten explizit enthusiastischen Charakter des hell. Christentums[1]. Bousset, der den Gemeindekult der hell. Gemeinden zur grundsätzlichen Erfahrungsstätte pneumatischer Erlebnisse erklärt hatte, stellte eine reiche Vielfalt zusammen: Glossolalie, Prophetie, Wahrsagerei, Gedankenlesen, ekstatisches Gebet, Krankenheilungen, Dämonenaustreibungen, Immunität gegen Schlangenbiß, Visionen, Entrückungen, unerklärliche Regungen[2]. Die wenigsten der genannten Phänomene finden sich in der frühpaulinischen Theologie. In Wahrheit hat Bousset das Bild der heidenchristlichen Gemeinde in Korinth mit späteren Aus-

---

[16] Nach Schweitzer, Geschichte 16, war R.A.Lipsius, Die Paulinische Rechtfertigungslehre, 1853, der erste, der zwei unterschiedliche Gedankenreihen im Paulinismus erkannt hat. H.Lüdemann unterscheidet dieselben für die Folgezeit prägend als juridisch und physisch und gibt letzterer den Primat im pl Denken, während Pfleiderer u.a. ein gleichwertiges Nebeneinander betonen. Da die liberale Theologie die physischen Aussagen als ethische faßte, mußte sie zur Sündlosigkeitstheorie kommen. Gegenwärtig hat Strecker, Befreiung, den Primat der Erlösungslehre vor der Rechtfertigungslehre erneut aufgezeigt; unabhängig davon auch H.Schürmann, Auf der Suche nach dem ‚Evangelisch-Katholischen', in: Kontinuität und Einheit, FS F.Mußner, 1981, 367f.

[1] Heitmüller hatte allerdings in seiner wegweisenden Schrift nur in einer Anmerkung Stellung bezogen: „Ich verweise im Vorbeigehen noch auf den Enthusiasmus bzw. die Pneumatologie ..." (Jesus 142 A 15).

[2] Bousset, Kyrios 110f.

sagen wie Mk 16, 17 aufgefüllt und als typisch für das hell. Christentum insgesamt ausgegeben. Jedoch hat das gezeichnete Bild an den primären Quellen keinen Anhalt. Weder der 1. Thess, der Gal, der Phil, noch der Röm erweisen eine Gemeindesituation, welche der korinthischen entspricht und als pneumatischer Enthusiasmus zu bezeichnen wäre. Diese skizzierte Sicht des hell. Christentums wurde in einem Teil der Forschung zusätzlich mit der Einzeichnung einer gnostischen Anthropologie in den hell. Gemeinden verbunden[3]. Verbleiben wir zunächst bei der behaupteten Dominanz ekstatischer Phänomene in den pl Gemeinden. Der exegetische Befund muß diese These mit Ausnahme der korinthischen Gemeinde in Frage stellen. Wir legen abermals ein Schwergewicht auf die Analyse des 1. Thess.

R. Jewett hat unter Aufnahme der Arbeiten von Lütgert und Schmithals die Paränese des 1. Thess in die Gemeindesituation einer gnostischen Front in Thessalonich eingezeichnet. Unsere Kritik folgt den Einzelargumenten Jewetts[4].

a) Die libertinistische Bewegung habe zu zeigen gesucht, daß „immorality was forbidden neither by Paul's previous teaching nor by God's command itself" (201). Diese Vermutung wird aus 4, 8 erschlossen, hier erst bringe Pl nachträglich Geistbesitz und Heiligung in ein Verhältnis. Es ist jedoch völlig abwegig zu vermuten, solche libertinistische Auslegung der Verkündigung Pauli hätte einen wirklichen Anhaltspunkt in seiner Gründungspredigt gehabt, bzw. es könne – e silentio – aus der Verbindung von Geist und Ethik eine vorhergehende Verkündigung der Geistübereignung ohne ethische Implikationen erschlossen werden.

b) 1. Thess 4, 13–18 zeige, daß in Thessalonich die Möglichkeit des leiblichen Todes in der Zeit des neuen Äons nicht für möglich gehalten wurde, „They were assuming the separation of death would be permanent" (201). Sollte diese Überzeugung bereits gegenwärtiger Trennung von Leib und Seele wirklich vor-

---

[3] Diese Position ist unlösbar verbunden mit verschiedenen Arbeiten von W. Schmithals. Er sieht in allen pl Briefen eine gnostische antipaulinische Front, der sich die Gemeinden partiell öffnen (ders., Paulus und die Gnostiker). Diese christliche Gnosis ist folglich eine gleichzeitige Erscheinung zum hell. Christentum (ebd. 44). Zur Kritik dieser These: Lüdemann, Paulus II; ders., Antipaulinismus. Lüdemann verbindet den Antipaulinismus in den pl Gemeinden mit judenchristlicher Agitation, so daß sich für ihn der Weg öffnet, „die sogenannten gnostischen Elemente ... als genuinen Ausdruck des Paulinismus zu verstehen" (Antipaulinismus 455).

[4] R. Jewett, Radicalism, beruft sich ausdrücklich auf Lütgert als ‚basis' seiner These (181). Lütgert rekonstruiert in Thessalonich ähnliche Verhältnisse wie in Korinth (69). Die Pneumatiker haben im Bewußtsein des Geistbesitzes die ‚natürliche Ordnung des gewöhnliches Lebens' verlassen (76), was „begreiflicherweise eine Reaktion in einem Teil der Gemeinde hervorgerufen" (76) und zu Mißtrauen gegenüber Prophetie und Unterdrückung des Geistes geführt hat. Auch Schmithals, Paulus und die Gnostiker 89–157, beruft sich auf Lütgert (97), bestimmt aber die in Thessalonich sich breitmachende Bewegung als gnostisch. Die Kommentare von Friedrich, 250, und Marxsen, 62, setzen mit Lütgert einen überspannten Enthusiasmus voraus.

ausgesetzt sein, so wäre doch unverständlich, weshalb überhaupt Trauer über den leiblichen Tod hätte entstehen können.

c) Extremer Pneumatismus zeige sich auch darin, „that the Thessalonians were for some reason surprised that persecution would be part of their life in the new aeon" (202). Allerdings wiegt die deutliche Aussage des Paulus προελέγομεν ὅτι μέλλομεν θλίβεσθαι (3,4) zu schwer, um ein Unverständnis für Verfolgung in der Gemeinde zu belegen.

d) Die apokalyptischen Belehrungen 5,1–11, an die Pl in 5,1 f. erinnert, hätten nicht verstanden werden können, da im hellenistischen Denken Apokalyptik nicht geschichtlich, sondern ausschließlich spiritualisiert festgehalten worden sei im Sinne einer jenseitigen Vergegenwärtigung (202). Dagegen ist einzuwenden, daß die Gemeinde „in ihrer Mehrheit dem hellenistischen Kreis entstammte, der sich in vielfältig abgestufter Weise um die Synagoge sammelte, ohne doch zum Judentum überzutreten …"[5].

e) In 1. Thess 5,19–22 gehe Pl auf die Behauptung des enthusiastischen Flügels der Gemeinde ein, „these ecstatic manifestations were beyond such evaluations" (203), um seinerseits die Prüfung anzuempfehlen; siehe dazu unsere Exegese in 5.1.3.

f) Einen breiten Raum nehme bei den Enthusiasten der antipaulinische Vorwurf ein, seine Mission entbehre pneumatischer, ekstatischer Manifestationen, erfolge im Wort, nicht in Kraft (1,6), sei also vergeblich (2,1). Eine Überprüfung der sog. ‚apologetischen Passagen' des 1. Thess zeigt aber zweifelsfrei, daß sie, sofern sie nicht im Einzelfall trad. Topoi wiedergeben, sich nicht auf innergemeindliche Angriffe beziehen, sondern eine Abgrenzung zu Heiden und Juden intendieren, welche Pl in die Gruppe vagabundierender Prediger einzeichnen wollen[6].

g) Pl bezeichne die Gruppe der Enthusiasten in 5,14 als ἄτακτοι und so, vermutet Jewett, spiele er darauf an, daß sie das apostolische Recht, nicht zu arbeiten, für sich in Anspruch genommen haben. Nun ist es aber problematisch, 5,14 von 2. Thess 3,6–12 her zu interpretieren (204), andererseits 5,14 aus dem Kontext der vier Einzelmahnungen zu isolieren. Sie betonen gerade das Allgemeinverbindliche, was davon absehen läßt, in den ἄτακτοι gleichwie in den ὀλιγόψυχοι und den ἀσθενεῖς eine Gemeindefraktion zu sehen.

h) Das für Pl unübliche ‚trichotomische Denken' in 5,23 sei nur verständlich auf dem Hintergrund, einem gnostischen Menschenbild mit Aufteilung in Geist, Seele und Leib entgegentreten zu müssen (vgl. auch ders., Terms 179–183); vgl. dazu unsere Exegese in 5.1.4.

So wenig im einzelnen den Begründungen Jewetts zuzustimmen ist, so wenig schließlich dem Bild eines antipaulinischen ‚enthusiastic radicalism' in Thessalonich „on the fringe of Gnosticism" (207)[7].

---

[5] Holtz, 1. Thess 10.
[6] Überzeugend Holtz, 1. Thess 92–95; Schade, Christologie 120–122; Lüdemann, Paulus I 48 f. A 80.
[7] Jewett, Radicalism, vermutet zusätzlich Einflüsse aus dem hell. Judentum (215), bzw. aus dem hell. Enthusiasmus (206), lehnt aber die Hypothese von außen kommender gno-

Blicken wir in die Gemeindesituation Galatiens, soweit sie aus dem Schreiben Pauli an diese Gemeinden erhebbar ist, so haben wir keinerlei Anhaltspunkte, ein betont ekstatisches Geistchristentum zu vermuten[8]. Entsprechendes gilt für die Gemeinde in Philippi[9]. Auch im Römerbrief sind nicht die von Bousset genannten Phänomene als Wirkung des Geistes bestimmend. Im Gegenteil, die Charismenliste in 12,6–8 eliminiert die ekstatischen und thaumaturgischen Gaben, welche die korinthische Gemeinde auszeichnen (vgl. 1.Kor 12,7–10)[10]. Von pneumatischem Enthusiasmus in den pl Gemeinden kann zu Recht nur bei einer Gemeinde gesprochen werden: Korinth.

6 Die Auseinandersetzung mit dem pneumatischen Enthusiasmus in Korinth

Gemeindeaussagen aus Korinth, ihre Wertungen durch Pl, sowie Berichte über innergemeindliches Verhalten lassen erkennen, daß der funktionale Aspekt des Geistes als endzeitlicher Kraft in einem Teil der Gemeinde verdrängt worden ist von der Vorstellung gegenwärtiger Partizipation an der himmlischen Pneumasphäre, in der das Pneuma die Substanz des neuen Seins darstellt und ein Verhalten ermöglicht, welches sich bewußt von der sarkischen Sphäre freispricht. Wir werden

---

stischer Missionare ab. Der enthusiastische Radikalismus in Thessalonich ist für Jewett ein endogenes Phänomen der Gemeinden, welches „arose out of the extreme enthusiasm which marked the piety of the Thessalonian church" (181); ähnlich Friedrich, Thess 205.

[8] Diese These beruft sich immer wieder auf die Anregung Lütgerts (Gestz), der in Galatien eine Doppelfront für Pl durch Nomisten und Libertinisten behauptet hatte. Schmithals, Häretiker, konnte hingegen nur noch eine enthusiastische Verfremdung der Gemeinden erkennen. Trotz aller Kritik hat er seine Position in ders., Neues Testament und Gnosis 37–40; ders., Judaisten, betont festgehalten, spricht er doch in Judaisten 44 A 58 von einem ‚akuten Enthusiasmus' in Galatien. Kritisch zu dieser These: Suhl, Galaterbrief 3080 A 54; Becker, Gal 33: „… in keinem Fall zur Ausprägung eines Geistchristentums analog zur Geschichte der korinthischen Gemeinde". Nicht weniger kritisch muß die Position von Betz (Gal; ders., Composition; ders., Geist) hinterfragt werden, wenn er einen anfänglichen Enthusiasmus in Galatien rekonstruiert, den die Gemeinde selber wieder aufgegeben habe; vgl. dazu die Kritik in 7.2.

[9] Vgl. dazu die Ausführungen in 7.3. Daß in der Forschung freilich nach Lütgert immer wieder die These eines Enthusiasmus in Philippi vertreten wird, verdeutlicht der Aufsatz von Jewett, movements 387: „… one sees a Hellenistic congregation with an enthusiastic spiritual self consciousness …".

[10] Kritisch zur These eines durch ‚Pneumatiker' bestimmten Christentums in Rom: Schmithals, Röm 438f.

im Folgenden a) den Kristallisationspunkt dieser Theologie freilegen, b) ihn auf seine Folgen innerhalb der Gemeindewirklichkeit befragen, c) die religions- und theologiegeschichtlichen Gründe für solche Veränderungen benennen und d) das Verhältnis Pauli zu den Entwicklungen in der von ihm gegründeten Gemeinde darstellen.

Sprechen wir von einem Kristallisationspunkt, so darf nicht außer Betracht bleiben, daß das Erscheinungsbild der Gemeinde vielschichtig ist und sie mannigfachen Einflüssen exogener und endogener Art unterworfen ist. Gleichwohl muß ein Ort gefunden werden, aus dem die beschriebenen Veränderungen in der Gemeinde ableitbar sind. Das religionsgeschichtliche Modell einer nur noch konstatierbaren völligen Überfremdung durch Fremdeinflüsse trägt der eigenen Entwicklung urchristlicher Gemeinden zu wenig Rechnung. Heitmüller, dem das Verdienst zukommt, die Sonderstellung der hell. Gemeinde klar erkannt zu haben, riet, von 1. Kor 15, also den eschatologischen Vorstellungen der Gemeinde auszugehen[1]. Denkbar wäre auch, hier im Urchristentum erstmals begegnende prägnante Begriffe (πνευματικός – ψυχικός), Phänomene (γλώσσαις λαλεῖν)[2], theologische Reflexionen (zur σοφία - Vorstellung: 1. Kor 2,6-16), gruppendynamische Konstellationen[3], Schlagworte aus der Gemeinde leitend sein zu lassen. Unsere Darstellung setzt bei Taufverständnis und Taufpraxis in der Gemeinde ein. Beides wird von Pl in verschiedenen Aspekten, bedingt durch Gemeindevorgaben, thematisiert, was bereits einen dominanten Stellenwert innerhalb der Gemeinde andeutet. Es schließen sich eine Analyse der Selbstbezeichnung πνευματικός sowie eine Darstellung der Bedeutung der Glossolalie an. Alle drei Themen, Taufe, Selbstbezeichnung und Glossolalie sind in ihrem dominanten Stellenwert spezifisch korinthische Probleme und allesamt auf ein bestimmtes Gemeindeverständnis bezogen. Sie dienen uns als Einstieg für das Verständnis des pneumatischen Enthusiasmus.

U. Wilckens hat, auch in Selbstkritik, zu einer „methodisch-kritischen Besinnung, deren Voraussetzung ist, daß man sich zunächst einmal von der Fixierung auf bestimmte religionsgeschichtliche Modelle löst, um unbeeinflußt von diesen die Frage stellen und verfolgen zu können, welche Kriterien es denn zur Ermittlung ‚korinthischer Theologie‘ gibt", aufgerufen[4]. Er nennt vier Kriterien: a) eine immanente Exegese vor allen religionsgeschichtlichen Vergleichen; b) Rückschlüsse auf Gegner sind aus der Exegese des Abschnitts 1. Kor 1-3 zu decken; c) die ersten Vergleichsquellen sind urchristliche Schriften; d) die in

---

[1] Heitmüller, Jesus 331 f.
[2] Kuss, Röm 544, rät, „gerade dort zu beginnen, wo für unser Denken das Verständnis schwierig wird: bei dem ... Phänomen des ‚Zungenredens‘ ..."
[3] Vgl. den diskutablen Beitrag von Schreiber, Gemeinde; auch Marshall, Enmity.
[4] Wilckens, 1. Kor 2,6-16,17.

sich zu differenzierenden Phänomene sind nicht vorschnell zugunsten eines Gesamtbildes zu nivellieren.

Der Einsatz bei den Taufaussagen kann vor diesen Kriterien bestehen. In 1. Kor 1, 10–17 sind die Spaltungen unlösbar mit der Taufpraxis der Apostel verbunden. In 1. Kor 10, 1–13 verbindet Pl die korinthische Gemeinde typologisch mit derjenigen Taufe, die Israel in der Wüste zum Gericht widerfuhr. 1. Kor 12, 13, eine Tauftradition der Gemeinde, stellt eine grundsätzliche Stellungnahme zum Sakrament dar. 1. Kor 15, 29 konfrontiert eine in Korinth übliche Taufpraxis mit der eschatologischen Sicht des Apostels.

6.1 Das Verständnis der Taufe in Korinth

Wir analysieren zunächst die angezeigten Texte auf das in ihnen zum Ausdruck kommende Taufverständnis und auf ihre Taufpraxis. Alle weiterreichenden Fragen nach Vermittlung solcher Anschauung bzw. religionsgeschichtlichem Hintergrund sind zunächst zurückzustellen.

6.1.1 Exegese der Texte

6.1.1.1 1. Korinther 1, 1–17

Dieser Abschnitt bildet den Einstieg in eine größere Einheit über innergemeindliche Parteiungen und das pl Apostolat (1, 10–4, 21) und wird nach der Analyse der Taufaussagen in diesem Kontext, einer Ringkomposition, zu bedenken sein.

Die der Gesamtgemeinde (πάντες) vorgehaltene Mahnung zur Einheit (τὸ αὐτὸ λέγητε, ἐν τῷ αὐτῷ νοΐ, ἐν τῇ αὐτῇ γνώμῃ; V. 10) bezieht sich auf überbrachte Nachrichten, welche von σχίσματα (V. 10) innerhalb der Gemeinde berichten, die in ἔριδες in ihrer Mitte gründen (V. 10 f.). Pl erläutert diese Beschreibung, indem er Ursachen und Wertung der ἔριδες benennt. Die Gemeinüberzeugung ist der Einzelmeinung geopfert worden (πάντες – ἕκαστος V. 10 f.). Dies findet Gestalt in Zugehörigkeitsbezeichnungen: ἐγὼ μέν εἰμι Παύλου, ἐγὼ δὲ Ἀπολλῶ, ἐγὼ δὲ Κηφᾶ, ἐγὼ δὲ Χριστοῦ. Sehen wir zunächst von dem Problem der Christuspartei, deren Existenz uns unwahrscheinlich ist, ab, so haben sich nach der Gründung der Gemeinde mit dem Eintreffen des Apollos und des Petrus oder seiner Anhänger Spaltungen in der Gemeinde ergeben, welche die Gemeindeglieder in eine besondere Stellung zu den genannten Aposteln führte und sogar die Erstbekehrten insonderheit sich zum ἐγὼ εἰμι Παύλου bekennen ließ. Liest man die pl Verteidigung seiner ,Vaterschaft der Gemeinde' (4, 14–21; vgl. auch 1. Thess 2, 11; Phlm 10;

Gal 4,19; 2.Kor 6,13), so muß ein besonderes Verhältnis von Gemeindegründer und Gemeinde nicht verwundern. In Korinth allerdings scheint die Verabsolutierung der Apostel dergestalt fortgeschritten zu sein, daß Pl die Vorgabe des die Gesamtgemeinde umgreifenden Leibes Christi gefährdet sieht: μεμέρισται ὁ Χριστός. Was also unterscheidet die Bindung an verschiedene Apostel in Korinth zu der Vater-Vorstellung, die Pl ja im unmittelbaren Kontext für sich reklamiert?

Dies erhellt der Übergang in V. 13 von den ἔριδες zur Taufpraxis, die letztlich Ursache der σχίσματα ist. Unausgesprochene Voraussetzung der Doppelfrage in V. 13 ist das Bekenntnis: Χριστὸς ἐσταυρώθη ὑπὲρ ὑμῶν, εἰς τὸ ὄνομα ἐβαπτίσθητε. Die Umkehrung dieser unausgesprochenen Voraussetzung, die Pl „sehr taktvoll – an sich selbst"[5] exemplifiziert, zeigt, daß in der Gemeinde dem Taufakt in Verbindung mit dem Namen der Täufer ein solch bestimmendes Gewicht beigemessen wurde, daß die grundlegende Taufe εἰς τὸ ὄνομα Χριστοῦ aus dem Blick geriet, wie ja die Parteien auch faktisch den einen Leib Christi zerteilt hatten. Gerade die Herausstellung der ὀνόματα der Täufer erweist deren Sonderstellung[6]. 1.Kor 3,21 (καυχᾶσθαι ἐν ἀνθρώποις) und 1.Kor 4,6 (ὑπὲρ τοῦ ἑνὸς φυσιοῦσθε κατὰ τοῦ ἑτέρου) nehmen diesen Aspekt wieder auf.

Pl distanziert sich solchen Erscheinungen gegenüber „mit einer – fast möchte man sagen: gesuchten – Nachlässigkeit"[7]. Er hat außer Krispus (vgl. Apg 18,8) und Gaius (vgl. Röm 16,23) nur noch das Haus des Stephanas, also die Erstbekehrten (1.Kor 16,15–17) getauft[8]. An weitere Taufen kann er sich nicht erinnern, und so schließt er selber die Möglichkeit einer Paulus-Partei als Berufung auf Pl als Täufer a limine aus[9]. Daß solches aber in der Gemeinde erfolgt war, zeigt V. 15 hinlänglich.

---

[5] Lietzmann, Kor 7.

[6] Kümmel bei Lietzmann, Kor 168, zu Recht: „Paulus redet hier überhaupt nicht von der Bedeutung der liturgischen Handlung als solcher, sondern von der Frage, ob beim Vollzug der Taufe die Person des Taufenden eine entscheidende Rolle spielt." Ebenso Heitmüller, Namen 118–121. Trefflich Renan, Paulus 271: „In solchen Gesellschaften werden Personenfragen zur Hauptsache. Wenn in einer kleinen jüdischen Stadt zwei Prediger oder zwei Ärzte zusammentreffen, so teilt sich die Bevölkerung sofort in Anhänger des einen oder des anderen."

[7] Weiß, 1.Kor 20.

[8] Da Gaius, Krispus und Stephanas als Erstbekehrte bekannte Persönlichkeiten sind (vgl. Röm 16,5), ist Pl zugleich über den Verdacht erhaben, sie seien auf seinen Namen getauft (Fascher, 1.Kor 94). Der Nachtrag des ‚Hauses des Stephanas' kann daher rühren, daß Steph. sich gerade bei Pl befindet (1.Kor 16,15) und also gedanklich erst nach dem Blick in die Gemeinde beachtet wird.

[9] Mit V.17 ist keine Abwertung der Taufe verbunden, was die positiven Taufaussagen in der pl Theologie ausschließt. Anders allerdings Weiß, 1.Kor 22: „... ein Erweckungsprediger von Gottes Gnaden, aber kein Liturg."; Bousset, 1.Kor 80, und jetzt wieder Weder, Kreuz 126 (trotz A 21): „Taufen kann jeder, das Evangelium zu verkündigen ist da-

Bevor wir der Verehrung der Täufer in der korinthischen Gemeinde weiter nachdenken, ist noch der sich anschließende Übergang zum Thema ‚Kreuzestheologie' (1, 18 ff.) in V. 17b zu sehen. Es ist wahrscheinlich, daß auch hier noch der Blick Pauli bei der Gemeinde und dem genannten Problem verbleibt, d. h. daß Taufpraxis und Weisheitsrede zwei Seiten eines einzigen Phänomens waren, als daß Pl hier „schroff zu einem zweiten Streitpunkt"[10] übergehe.

Es ist in dem überwiegenden Teil der Forschung Gemeinanschauung geworden, solche prononcierte Betonung des Täufers unter der religionsgeschichtlichen Vorgabe des Modells ‚Mystagoge-Myste' zu verstehen[11]. Es begegnet vornehmlich in den Mysterienreligionen, in denen der Mystagoge, der den Mysten in die Mysterien einweiht, diesem zum ἱερεὺς καὶ πατήρ wird. Aber auch im hell. Judentum sind die soteriologischen Vorstellungen oft nicht ohne die Gestalt des Heilsmittlers denkbar. Freilich ist mit der Bedeutung des Taufaktes in 1. Kor 1, 10–17 eine deutlichere Nähe zum Umfeld der Mysterienreligionen gegeben. Ein beständiges Argument gegen solche Auslegung, welche die Apostel im Verständnis einer hell. Gemeinde als Mystagogen begreift, war mit der Frage gegeben, ob denn Petrus überhaupt in Korinth war, ob bei den wenigen Taufen des Pl solche Ausdeutung möglich gewesen ist, wie schließlich die Christuspartei solchem Verständnis zugeordnet werden kann.

Es ist sicherlich mißlich und durch keine Textbelege zu erhärten, grundsätzlich den Aposteln die Taufpraxis abzuerkennen und ihren Schülern, die im Namen der Apostel getauft hätten, zu geben[12]. Daß solche Praxis im Fall der Kephaspartei vorgekommen sein mag, muß

---

gegen die geschichtliche, unvertretbare Aufgabe des Paulus." Es ist denkbar, daß Pl in Entsprechung zur rabbinischen Sitte, die Proselytentaufe durch Schüler vollziehen zu lassen (Bill I 110 f.; vgl. auch Apg 10, 48), dies in Korinth im Einzelfall Silvanus und Timotheus überlassen hat. V. 16 b beinhaltet zweifelsfrei Polemik, sie zielt auf Täufer, nicht auf die Taufe.

[10] So Lietzmann, Kor 9. Die notwendige Zusammenschau beider Gesichtspunkte wird freilich erst evident, wenn die Gesamtzusammenhänge in 1. Kor 1–4 bedacht werden.

[11] Belege bei Weiß, 1. Kor 19 f. A 2; Reitzenstein, Poimandres 154; ders., Mysterienreligionen 40 f. Gegenüber den hier genannten griech.-hell. Parallelen aus dem Bereich der Mysterienreligionen denkt Heinrici, 1. Kor 41 f., an Apollos, der als ehemaliger Johannesjünger auf den persönlichen Vollzug der Taufe durch den Lehrer Gewicht gelegt habe. Es ist aber zu beachten, daß die Verehrung der Täufer in Gemeindevorstellungen gründet, nicht in von außen Mitgebrachtem. Sie betrifft ja auch nicht Apollos allein. Für den jüdischen Hintergrund der Vorstellung der Heilsmittlergestalt treten auch ein: Schmithals, Gnosis 243; Fascher, 1. Kor 94; Sellin, Geheimnis 82–84.

[12] So Schnelle, Gerechtigkeit 137: „… es erscheint eher wahrscheinlich, daß lediglich im Namen der Apostel von einzelnen Gruppen getauft wurde …"; dagegen schon Heitmüller, Namen 118 f.

keine Aussage über einen allgemeinen Brauch hergeben[13]. Entscheidend ist gerade das Auftreten der Apostel und ihre Tätigkeit in der Gemeinde, die zu Parteiungen führen. Pl hatte nur wenige, wahrscheinlich die Erstbekehrten getauft (1, 14–16). Sich nach ihm zu benennen, war unbegründet. Erst mit dem Auftreten des Apollos, der nach Paulus' Erstbesuch in Korinth eintraf (1. Kor 3, 6), ergeben sich Veränderungen, welche die Ausführungen in 1, 10–17 verständlich machen. In seiner Person kulminieren Hochschätzung der Taufe und Vermittlung von Weisheit, welche den christlichen Pneumatiker auszeichnen. Beide Aspekte reflektiert Pl abschließend deutlich polemisch in 1, 17: οὐ γὰρ ἀπέστειλέν με Χριστὸς βαπτίζειν …; οὐκ ἐν σοφίᾳ λόγου. Apollos scheint, so läßt bereits der Blick auf 1, 10–17 vermuten, in Korinth als Mystagoge, der in Verbindung mit sakramentalem Handeln zu pneumatischer Weisheit führt, verehrt worden zu sein.

Dies wird an späterer Stelle ausführlich begründet werden. Zunächst sind die weiteren Stellen, die über Taufverständnis und -praxis der Gemeinde Auskunft geben, zu analysieren.

6.1.1.2 1. Korinther 15, 29

Pl zeigt an dieser Stelle Kenntnis von einem Gemeindebrauch. Lebende Christen lassen sich stellvertretend für Verstorbene taufen. Wenngleich sich in der Forschungsgeschichte gut zweihundert Deutungen dieses nur an dieser Stelle erwähnten Brauches finden[14], hat sich in jüngerer Zeit mit Recht die Interpretation einer Vikariatstaufe durchgesetzt[15]. Sie ist im Kontext von V. 29–34 ein Beispiel neben dem apostolischen Leiden (V. 30–32a) und der Zuchtlosigkeit als Folge der Hoff-

---

[13] Conzelmann, 1. Kor 50 A 36, sieht in der Verbindung der mysterienhaften Taufinterpretation und der sich hierauf gründenden Kephas-Partei ein Argument für die Anwesenheit des Petrus in Korinth (in Zustimmung zu Lietzmann, Kor 7); mit weiterer Begründung: C. K. Barrett, Cephas and Corinth, in: O. Betz, M. Hengel, P. Schmidt (Hg.), Abraham unser Vater, FS O. Michel, AGJU 5, 1963, 112; P. Vielhauer, Paulus und die Kephaspartei in Korinth, NTS 21, 1975, 341–352. Gegen diese Hypothese spricht, daß 3, 1 ff. und 4, 6–13 nur die Beziehung von Paulus und Apollos zur Gemeinde reflektieren, Kephas aber nicht mehr bedenken. Für Anwesenheit des Kephas in Korinth kann die Erwähnung des Sachverhalts sprechen, daß Kephas in Begleitung einer Frau reiste (1. Kor 9, 5). Dies setzt voraus, da als Argument ad vocem Gemeinde gebraucht, daß der korinthischen Gemeinde eben solches Auftreten noch in Erinnerung war.

[14] K. C. Thompson, I Corinthians 15, 29 and Baptism for the Dead, StEv II, TU 87, 1964, 647–659; B. M. Foschini, ‚Those who are baptized for the dead'. I Cor 15:29, CBQ 12, 1950, 260–276. 379–388; 13, 1951, 46–78. 172–198. 276–283, und M. Rissi, Die Taufe für die Toten, AThANT 42, 1962, haben die Deutungsvorschläge zusammengestellt.

[15] So bei Lietzmann, Kor 82 und 194; Schmithals, Gnosis 245; Conzelmann, 1. Kor 328; Wolff, 1. Kor 189; Sellin, Streit 278; Schnelle, Gerechtigkeit 150 f.

nungslosigkeit (V. 32 b–34), welches als Argument für die das Gesamtkapitel bestimmende Hoffnung auf Auferweckung eingesetzt wird.

Sprachlich-stilistische Beobachtungen: Pl fragt nach dem, was diejenigen, die diesen Brauch gegenwärtig ausüben, zukünftig tun werden (ποιήσουσιν, reales Futur), wenn sie ihre eigene Aussage ‚νεκροὶ οὐκ ἐγείρονται' bedenken. Weshalb lassen sie sich dann ‚noch' (Bauer, WB 777 II 5) taufen. Diese Verschränkung der Argumente läßt bei den Ausübenden an die τινες aus 15,12 denken, welche sagen: ἀνάστασις νεκρῶν οὐκ ἔστιν. Die Vikariatstaufe wird daher wohl kaum auf einen allgemeinen Brauch in der Gemeinde zurückgehen. Ὑπέρ + Gen. bedeutet ‚für', ‚im Interesse' (BDR § 231), eine lokale Verwendung von ὑπέρ ist in hell. Zeit nicht mehr gegeben (ThWNT VII 510). Der Artikel τῶν vor νεκρῶν deutet anaphorisch auf bestimmte Tote, möglicherweise Angehörige (BDR § 252a). Damit ist der Gedanke der stellvertretenden Taufe für Verstorbene sicher gegeben, während die Gestalt des Vollzugs dieses Taufakts offen bleiben muß.

Die theoretischen Grundlagen dieses Brauches sind mit drei Voraussetzungen gegeben:

a) Pl bezeugt ab der Korintherkorrespondenz und mit der Gemeinde das Verständnis der Taufe als Eingliederung in Christus, als βαπτίζειν εἰς Χριστόν (1. Kor 12,13). Mit dieser Versetzung in den erhöhten Christusleib erhält der Täufling Anteil an Tod und Auferweckung Christi. Gegen das magische Mißverständnis muß Pl in Röm 6,4 nachträglich antreten. Dieses Taufverständnis kann in verfestigter Form in die Anfänge der Korintherkorrespondenz zurückgeführt werden (s. u. 6.1.2). Ist die Taufe hier grundsätzlich magisch-sakramental als Einverleibung des Täuflings in Christus verstanden, so wird die Vikariatstaufe diese Konzeption auch der Taufe Verstorbener zugrundelegen und für diese nachträglich wirksam werden lassen. Die Differenzen zur pl Taufanschauung sind freilich nicht zu übersehen (s. u. 6.1.2). Wird bei etlichen die ἀνάστασις der Verstorbenen abgelehnt (15,12), kann dieser Brauch der Vikariatstaufe nur der Seele der Verstorbenen die Kraft/die Substanz des πνεῦμα, welches durch die Taufe vermittelt wird, zukommen lassen[16].

b) Auch wenn der Verweis auf die Tauftheologie eine Voraussetzung hergeben kann, abgeleitet werden kann der Brauch der Vikariatstaufe hieraus allein noch nicht[17]. Der Anstoß, diese Handlung nun auch Ver-

---

[16] Sellin, Streit 280 A 1, verweist auf die antike Anschauung, derzufolge die Seele eines Verstorbenen sich noch begrenzte Zeit in der Nähe des Toten aufhält und also noch pneumatischer Manipulationen, wie der Bereitstellung der Sakramente für die Himmelsreise, zugänglich sei.

[17] So Schnelle, Gerechtigkeit 151: „Die stellvertretende Taufe für die Toten ... läßt sich zwanglos aus korinthischer und auch aus paulinischer Theologie verstehen ...". Deutlich erkannt ist hier aber, wie schon bei Schweitzer, Geschichte 165, und Wedderburn, Baptism 289 („... without baptism there was no salvation ..."), das Umfeld der

storbenen nachträglich zukommen zu lassen, ist mit der Vorgabe ähnlicher Praktiken im religionsgeschichtlichen Umfeld am ehesten zu erklären. Die Möglichkeit, an Verstorbenen noch Weihehandlungen auszuüben, war zumindest in den Mysterienreligionen vorbereitet. Freilich sollte bei den Belegen, die seit Rohde immer wieder genannt werden, bedacht sein, daß dieser von „einer in antiker Religion ganz vereinzelt stehenden Vorstellung"[18] sprach, in der nicht einmal von einer stellvertretenden Taufe die Rede sei. Von daher wird Reitzensteins Auskunft, die Vikariatstaufe sei „nur als Anpassung eines heidnischen Mysteriengebrauchs an die christlichen Vorstellungen"[19] zu verstehen, am wahrscheinlichsten sein.

c) Der Wunsch, die Verstorbenen nachträglich in Christus zu versetzen, wird in Korinth nicht durch eine Segenshandlung, ein Gebet o. ä. vollzogen, sondern sakramental. Es geht ja gerade um die Übermittlung des πνεῦμα als der Substanz des postmortalen Seins an die Seele der Verstorbenen. Dies aber ist nicht anders als durch den Vollzug einer – wenn auch stellvertretenden – Taufe möglich. Die Praxis der Vikariatstaufe erhellt zweifelsfrei, daß hier πνεῦμα als Gabe der Taufe in natur- oder substanzhaftem Sinn verstanden ist. „Die Erwähnung letzterer Sitte ... bedeutet den unwidersprochenen Sieg des Taufritus in Korinth ..."[20].

6.1.1.3 1. Korinther 10, 1–13

Sieht man einmal von der Applikation der V. 6. 11–13 ab, so könnte V. 1–10 als eine den Zusammenhang unterbrechende, in sich geschlossene Einheit, als christlicher Midrasch über Einzelaussagen der Exodus-Erzählung gelesen werden. Man kann vermuten, daß das Gerüst dieser Einheit schon aufgrund seiner ethischen Thematik in der Predigt der hell.-judenchristlichen Gemeinde vorgegeben war und darüber hinaus Einzelaussagen im hell. Judentum präformiert waren. Es gelingt aber nicht, eine vorpaulinische Tradition exakt auszugrenzen[21].

Tauftheologie. Dagegen hatte noch Schmithals, Gnosis 245, in der Übernahme der Taufe und der Vikariatstaufe bruchlose Abhängigkeit von den Mysterienreligionen behauptet.

[18] Rohde, Psyche II 128. Belege: Orphica (ed. Abel), fr. 208; Orphicorum fr. (ed. Kern) 232; Plat. Resp II p 364 f. (Texte abgedruckt bei Conzelmann, 1. Kor 327 A 116).

[19] Reitzenstein, Mysterienreligionen 233; Zustimmung durch Lietzmann, Kor 82; Wolff, 1. Kor 190; Schmithals, Gnosis 245; Sellin, Streit 280. Wedderburn, Baptism 289 f., lehnt eine Eingrenzung auf Taufrituale ab, verweist hingegen auf Handlungen an Verstorbenen in anderen Ritualformen.

[20] Holtzmann, Lehrbuch I 451.

[21] Zuletzt hat Conzelmann, 1. Kor 194 (zustimmend Klauck, Herrenmahl 253), für „ein schon vor der Abfassung des Briefes einigermaßen geprägtes Lehrstück" plädiert, ohne, wie dies häufig der Fall ist (etwa Weiß, Urchristentum 271 f.; Schmithals, Gnosis

Dieses literarkritische Argument und die pl Einleitungsformel οὐ θέλω ὑμᾶς ἀγνοεῖν, mit der Pl „... in der Regel etwas Neues ... bzw. ... seinen Gemeinden eine bisher unbekannte Aussage ..."[22] vorführt, lassen zunächst einmal ausschließen, daß dieser christliche Midrasch in der Gemeinde zu Korinth bekannt gewesen wäre, ja man etwa mit dem Einleitungsteil V.1-4 das eigene Verständnis des Sakraments positiv belegt habe. Der biblische Stoff mag eventuell in der Gemeinde vertraut gewesen sein[23], neu ist jedoch die hier gegebene Deutung und Applikation auf die Gemeinde hin. Ihre Zielsetzung erhellt zugleich Tendenzen des in der Gemeinde überwiegenden Sakraments-, speziell Taufverständnisses. Vergegenwärtigen wir uns zunächst entscheidende Aussagen der pl Argumentation.

Der einleitende Teil V.1-4a stellt die Wüstengeneration Israels als sakramental zusammengeschlossene Einheit dar, wie das fünfmalige πάντες betont festhält. Da aber diese Wüstengeneration sogleich für die heidenchristliche Gemeinde als πατέρες ἡμῶν in Blick kommt, ist die Basis einer typologischen Deutung gelegt: gegenwärtiges Geschehen wird durch vergangenes gedeutet. Dies ist aber nur möglich, indem zugleich gegenwärtige Gegebenheiten in die Vergangenheit zurückprojiziert werden. Folgende Aussagen der Auszugs- und Wüstentradition sind im Midrasch sakramental gedeutet:

a) πάντες ὑπὸ τὴν νεφέλην ἦσαν

Nach Ex 13,21 geht die Wolke voran. Nach der hier vorliegenden Deutung umschließt sie Israel. Dies entspricht einer in den Midraschim geläufigen Deutung (Bill III 405f.), kann auch bereits auf atl. Aussagen zurückgreifen (Ps 104,39 LXX; Sap 10,17; 19,7). Zugleich soll das Bild der umschließenden

---

89), zugleich 9,24-10,22 literarkritisch aus Kap.8-10 herauszubrechen und dem Vorbrief zuzuweisen. Conzelmann verbindet diese Sicht mit der weitergehenden These, 10,1-13 sei Teil der Abschnitte, die auf pl Schul-Esoterik zurückverweisen (ders., 1.Kor 21; ders., Paulus und die Weisheit 186 u.ö.). Ähnlich Luz, Geschichtsverständnis 118, der jedoch erwägt, in V.4b.c eine pl Glosse, in V.7 einen konkreten Zusatz zu sehen. Da aber die Sprache durchweg pl und die Zahl 23000 nicht der jüd. Tradition entspreche, hält er an der pl Verfasserschaft des Midraschs fest. Klauck, Herrenmahl, erinnert daran, daß bereits in Ps 78,12-31 wesentliche Aussagen, die in 1.Kor 10,1-13 begegnen, zusammengestellt sind (252), außerdem die Verbindung von πνεῦμα und πόμα auf die Kombination von Num 20,1-13 und 21,16-18 zurückgreife, welche bereits in der haggadischen Legende vollzogen sei (Bill III 406f.). Pl deute eben mit V.4b auf diese Überlieferungen, denen er sich verpflichtet wisse (254), an.

[22] Ausführlich zu dieser Wendung: Lüdemann, Paulus I 232f.

[23] Übertrieben aber Klauck, Herrenmahl 253: „... daß Paulus sich eines geprägten katechetischen Lehrstückes bedient, mit dessen Hilfe er zuvor den Korinthern eine Grundkenntnis des AT vermittelte." Hierbei wäre der Inhalt des AT von Pl doch sehr vereinseitigend zusammengestrichen worden.

Wolke dem des Meeres V. 1c entsprechen und auf die christliche Taufe voraus-
deuten, in der Wasser den Täufling vollends im Akt des Untertauchens umgibt.

b) πάντες διὰ τῆς θαλάσσης διῆλθον

Israel wurde beim Durchzug durch das Meer gerade nicht naß (Ex 14,16 ff.).
Im Zusammenhang mit der umschließenden Wolke fügt sich jedoch das Bild
zusammen: Israel ist völlig von Wasser umgeben[24].

c) πάντες εἰς τὸν Μωϋσῆν ἐβαπτίσθησαν

Was die Bilder andeuten, bringt V. 2 als typologische Deutung auf die Taufe
zur Gewißheit. Freilich ist gleich zu bemerken: wenngleich Mose in der Aus-
zugstradition in exponierte Stellung von Gott gesetzt wird (Ex 14), eine Taufe
εἰς τὸν Μωϋσῆν geht doch über die atl. Tradition hinaus und ist eindeutig von
der gegenwärtigen Wirklichkeit des βαπτίζειν εἰς Χριστόν zurückgedacht[25].

d) πάντες τὸ αὐτό πνευματικὸν βρῶμα ἔφαγον

Diese vierte Aussage greift auf die Mannaspeisung der Wüstengeneration
zurück (Ex 16,4) und verdeutlicht durch Einfügung des τὸ αὐτό abermals: allen
widerfuhr das gleiche Geschick, alle aßen die gleiche Speise. Schon diese Ge-
wichtung auf die Gesamtgemeinde hin zeigt, daß Pl auch hier von seinem
christlichen Verständnis des Herrenmahls als sakramentaler κοινωνία zurück-
denkt und folglich die Mannaspeisung in Anlehnung an christliche Abend-
mahlsterminologie πνευματικὸν βρῶμα nennt (vgl. auch Did 10,3: πνευματικὴν
τροφὴν καὶ ποτόν)[26]. Es kann schwerlich bestritten werden, daß Pl hierbei ein
realistisches Sakramentsverständnis bekundet, daß also der Geist substanzhaft
mit der Speise übereignet wird[27]. Vom pl Sprachgebrauch des Adjektivs πνευμα-

---

[24] Kümmel bei Lietzmann, Kor 181, weist mit Recht eine weitergehende Typologie
,Durchzug durch das Rote Meer – Todestaufe' ab. Das tertium comparationis ist allein
das Umschlossensein von Wasser/Wolke – Geist.

[25] Die umgekehrte, von Wolff, 1. Kor 41 A 231, gezogene Folgerung, daß im Hinblick
auf das βαπτίζειν εἰς τὸν Μωϋσῆν „βαπτισθῆναι εἰς Χριστόν (Röm 6,3; Gal 3,27) bei Paulus nicht lokal zu fassen" sei, ist also abwegig. Textkritisch ist mit Nestle/Aland 26. Aufl.
dem ἐβαπτίσθησαν der Vorzug vor ἐβαπτίσαντο zu geben. Damit entfällt die Vermutung
(Wolff, 1. Kor 41), die mediale Form (vgl. noch 1. Kor 15,29) spiegele bereits das falsche
Sakramentsverständnis wieder.

[26] Die typologische Zuordnung von Manna der Wüsten- und Endzeit findet sich neben 1.Kor 10,1–13 noch in Joh 6,53–58; syrBar 29,8.

[27] Gegen diese Auffassung sprechen sich v.Soden, Sakrament 365f („… also das, was
gegessen wird, nicht dieselbe Substanz ist, wie das, mit dem es verbindet, und dafür
spricht auch 10,4: Christus ist der Fels, der das Wunderwasser spendet; Christus gibt den
Trank, nicht Christus ist der Trank."); Schweizer, Mystik 354; Schweizer, ThWNT VI
435f., und die bei Wolff, 1.Kor 41 A 234, Genannten aus. Die realistische Auslegung hingegen vertreten Conzelmann, 1.Kor 196; Klauck, Herrenmahl 252–258; Lietzmann, Kor
44f. Ausführlich sind die Auslegungsmöglichkeiten bei Wedderburn, Baptism 241–248,
vorgestellt: a) Manna und Wasser sind von geistiger Substanz; b) Manna und Wasser

τικός ist eine Entscheidung zwar nicht zwingend in die eine oder andere Richtung gegeben. Auch die von v. Soden genannte Differenz zwischen V. 3.4 a und V. 4 b c (Christus ist nicht das πνεῦμα, sondern spendet es), steht einer realistischen Auslegung nicht im Weg, denn πόμα und πνεῦμα sind ja substanzhaft aneinander gebunden. 1. Kor 12,13 b liest sich wie eine Anspielung auf diese Aussage (πάντες ἓν πνεῦμα ἐποτίσθημεν) und belegt, daß Pl im Sakramentsgeschehen eine substanzhafte Übereignung des πνεῦμα gegeben sieht.

Daneben tritt aber vor allem der religionsgeschichtliche Aspekt. Im hell. Judentum liegt bereits eine Mannaallegorese vor, die mit der Brotgabe die Vermittlung von λόγος und σοφία aussagt (Philo, All II 86; III 175; ausführlich Klauck, Herrenmahl § 25). Ebenso verbirgt sich hinter der Honigwabe in JosAs eine Anspielung auf das biblische Manna (JosAs 16; vgl. auch Philo, Fug 138). Diese Speise dient den Engeln als Mahl und sie ist so als himmlische Speise ausgewiesen. Die Honigwabe vermittelt Unsterblichkeit (JosAs 16,14). Die genannten Belege, aber auch TestLevi 18,11; äthHen 24 f u.a. zeigen: im hell. Judentum liegen pneumatisch substanzhaft geprägte Mahlmotive vor.

e) πάντες τὸ αὐτὸ πνευματικὸν ἔπιον πόμα

Der Bezug auf den Felsenbrunnen, der – so die rabb. Tradition[28] – Israel auf der Wanderung begleitete (Ex 17,1–7 / Num 20,1–11), stellt die Parallele zum Herrenmahl sicher. Hierbei zeigt die Imperfektform ἔπιον (V. 4 b), daß eben die gesamte Wüstengeneration dieser Gabe teilhaftig wurde. Zugleich erhellt die Bezugnahme auf den mitwandernden Felsenbrunnen (V. 4 b), daß Pl jüd. Überlieferungen folgt, von denen schließlich auch seine christologische Deutung des Felsens (V. 4 c) verständlich wird. Bereits Philo hat den Felsen mit dem λόγος und der σοφία gleichgesetzt (All II 86: ἡ γὰρ ἀκρότομος πέτρα ἡ σοφία τοῦ θεοῦ ἐστιν; außerdem Det 115–118), welcher die gottliebenden Seelen tränkt. Die pl Auslegung der überkommenen Überlieferung erklärt Christus zum Felsen (V. 4 c), der die geistlichen Gaben aus sich heraussetzt[29]. Es ist hier abwegig, die Frage nach dem Status Christi zu stellen. Entscheidend ist die Typologie: Israel – gegenwärtige Gemeinde; Taufe auf Mose – auf Christus; Teilhabe des Herrenmahls beider Generationen. Vergangenheit und Gegenwart sind nicht sachlich zu trennen, nur zeitlich.

Trotz der sakramental vermittelten Teilhabe an Gottes geistlichen Gaben fielen die meisten der Wüstengeneration dem Gericht Gottes zum Opfer. V. 5 f. haben zunächst keine andere Absicht, als jeglichen sakramental vermittelten Sicherheitsanspruch abzuweisen, und zwar

---

sind vom Geist gegeben; c) Manna und Wasser vermitteln den Geist; d) Manna und Wasser deuten auf höhere Dinge.

[28] Dazu E. E. Ellis, A Note on First Corinthians 10,4, JBL 76, 1957, 53–56.

[29] Die Reflexion, ob dieser präexistente Christus auch schon als Gekreuzigter (Sakramente !) zu denken sei, stellt sich von der Absicht der typologischen Gegenüberstellung (πατέρες ἡμῶν – τύποι ἡμῶν) nicht. Gerade um die Typologie durchführen zu können, bleibt die Frage nach dem Wesen des Präexistenten bewußt unbedacht (gegen Wolff, 1. Kor 43). Da Christus als Fels die pneumatischen Gaben übermittelt, kann ohnehin nur an den Gekreuzigten und Erhöhten gedacht sein; dazu dann 1. Kor 10,16.

vom Standpunkt des Fehlverhaltens, welches sich mit der Gabe des πνεῦμα nicht vereinbaren läßt. Da wird das Sakrament zum Gericht genossen[30].

Mit V.6 verläßt Pl erstmals den vorgegebenen Zusammenhang der Exodustradition und blickt in seine Gegenwart. Man wird nicht zweifeln können, daß der abrupte Hinweis (τύποι ἡμῶν) auch durch die Gemeindesituation Korinths bedingt ist. Hier scheint die sakramental vermittelte Gabe des Geistes in dem Sinne naturhaft verstanden worden zu sein, daß sie der Bewährung im täglichen Verhalten keinen Wert beimißt[31]. So hat es sich ja u. a. in der Teilnahme korinthischer Christen an heidnischen Götzenopfermahlzeiten gezeigt. V.7 und dann V.14 stellen diesen Zusammenhang zum übergreifenden Kontext her. Das Fehlverhalten der Wüstengeneration gewinnt typologische Transparenz für die Gegenwart der korinthischen Gemeinde, zumindest für τινες (V. 7–10). Rollt Pl die Frage des Verhaltens beim Götzenopfer hier vom Sakrament her auf, so liegt die Annahme nahe, daß etliche in der Gemeinde „ein magisch-mysterienhaftes Sakramentsverständnis entwickelt (hatten), aufgrund dessen sie sich auch zur gefahrlosen Teilnahme am Götzenkult befähigt fühlten"[32]. An dieser Stelle schlägt die Typologie in einen Anti-Typus um. Trotz der sakramentalen Geborgenheit bleibt die drohende Möglichkeit der Versuchung Gottes und durch Gott, also des Gerichtes.

Die Darlegung des überkommenen Materials und die Art und Weise der Auswertung durch Pl lassen daher vermuten, daß im Denken eines Teils der Gemeinde das Sakrament naturhaft-magisch Anteil an der Gabe des Geistes in dem Sinne gab, daß ein Freiraum der ethischen Entscheidung zum Libertinismus eröffnet und das Gericht ausgeblendet wurde. Auch Pl hält an der Voraussetzung, die Elemente des Sakraments übermittelten den Geist[33], fest, betont aber die mit dieser Gabe verbundene Heiligkeitsforderung.

---

[30] Conzelmann, 1.Kor 197: „Paulus sagt nicht, daß das Sakrament erst durch den Gehorsam wirksam werde, sondern im Gegenteil, daß das wirksame Sakrament zum Gericht genossen wird, wenn man es durch Ungehorsam mißbraucht."
[31] Klauck, Herrenmahl 257: „Die negative Beispielreihe richtet sich gegen einen falschen Sakramentalismus, dem die Korinther zu erliegen drohten"; ebenso Conzelmann, 1.Kor 197; Lietzmann, Kor 46.
[32] Klauck, Herrenmahl 257.
[33] Klauck, Herrenmahl 255, hat mit Recht darauf hingewiesen, daß, wenn man V.3f. rückwärts lese, die christologische Grundlage für Pl erkennbar werde: „Christus ist der Fels, der Fels ist geistlich, geistlich ist auch Speise und Trank, also ist Christus mit Speise und Trank verbunden ...."

6.1.1.4 1.Korinther 12,13

Dieser Vers stellt keine geschlossene Tauftradition dar, wohl aber führen seine Einzelaussagen auf überkommene Aussagen zurück, welche zweifelsfrei Tauf- und Sakramentsanschauungen wiedergeben, die in der korinthischen Gemeinde in Geltung stehen. In der jetzt vorliegenden Form dient V.13 als ein Argument, den voraufgehenden V.12 zu begründen; die übergeordnete Thematik (πνεῦμα – σῶμα, πάντες – ἕν) lagert sich über die trad. Aussagen des Verses.

Nachdem V.7–11 unterschiedliche Gaben dem einen Geist zugeordnet haben, führt V.12 ein neues Bild ein, welches aber die angeschlagene Thematik (πολλά – ἕν) beibehält. Am wahrscheinlichsten greift Pl auf das griech.-hell. Bild des kosmischen Leibes und der Einzelglieder zurück, welches seit den Vorsokratikern begegnet und im politischen, ethischen und philosophischen Bereich häufig Ausgangspunkt unterschiedlicher Argumentationen war. Es liegt in der bekanntesten Form in der Fassung des Menenius Agrippa bei Livius 2,32,9–11 vor (vgl. ausführlich 6.5.2.2).

Dieses Bild, hier mit der Vergleichspartikel καθάπερ eingeführt, wird stilgemäß mit οὕτως auf die Sachhälfte übertragen: οὕτως καὶ ὁ Χριστός. Erwartet hätte man: so bilden die verschiedenen Glieder der Gemeinde einen Leib oder gar nur: οὕτως καὶ ἡ ἐκκλησία. So jedoch bringt οὕτως καὶ ὁ Χριστός in äußerster Abbreviatur zum Ausdruck, was V.27 abschließend in Aufnahme der Bildhälfte deutlicher zur Sachhälfte überführt: Ὑμεῖς δέ ἐστε σῶμα Χριστοῦ καὶ μέλη ἐκ μέρους. Bereits hier ist deutlich, daß Pl nicht wirklich mehr dem Organismusgedanken verpflichtet ist, sondern der Vorstellung der Vorgegebenheit des σῶμα. Diese Voraussetzung ist für die Interpretation des V.13 von entscheidender Bedeutung. Den theologischen Grundsatz in V.12 und V.27 (ὑμεῖς δέ ἐστε σῶμα Χριστοῦ καὶ μέλη ἐκ μέρους) begründet Pl a) sakramental (V.13); b) mit Verweis auf die Erfahrung (V.14–17); c) mit Rückführung auf Gottes Entscheidung (V.18–20) und er zieht schließlich aus dem Grundsatz d) praktische Konsequenzen (V.21–26).

Die sakramentale Begründung, von V.12.14 gleich einer Inklusio umschlossen, steht zu diesem Rahmen in doppelter Beziehung:

a) die Aufzählung (V.13b) von εἴτε Ἰουδαῖοι εἴτε Ἕλληνες, εἴτε δοῦλοι εἴτε ἐλεύθεροι belegt hier das μέλη πολλὰ ἔχει.

b) der sakramentale Vollzug des βαπτίζειν εἰς und die Ausstattung mit ἕν πνεῦμα belegen andererseits und bestätigen zugleich die Vorgegebenheit des ἕν σῶμα, des σῶμα Χριστοῦ (V.27).

Da aber, wie bereits gesagt, V.13 sich aus trad. Tauf- und Sakramentsaussagen zusammensetzt, welche gerade in ihrer nicht aktuellen Beanspruchung das Sakramentsverständnis der korinthischen Gemeinde freilegen können, ist hier zunächst den Einzelaussagen nachzugehen.

a) καὶ γὰρ ἐν ἑνὶ πνεύματι ἡμεῖς πάντες εἰς ἓν σῶμα ἐβαπτίσθημεν

Im Hintergrund dieser ersten Aussage ist unschwer das aus pl Tauftraditionen bekannte βαπτίζειν εἰς Χριστόν (Gal 3,24; Röm 6,3) zu erkennen. Hier ist Χριστός durch σῶμα ersetzt, was angesichts der Gleichsetzung in 12,27 nicht schwer wiegt, so aber im Bild bleiben läßt (Leib-Glieder). Ebenfalls in Abwandlung begegnet die genannte Formel in 1. Kor 1,13 und 10,2. Dies stellt sicher, daß βαπτίζειν εἰς Χριστόν das der Gemeinde in Korinth bekannte Taufverständnis wiedergibt.

Während an die volle Aussage in 12,13 in der Forschung immer wieder die Frage gestellt wird, ob die Taufe εἰς ἓν σῶμα lokal oder konsekutiv zu verstehen sei, kann bei der erhobenen Grundform βαπτίζειν εἰς Χριστόν nur ein lokales Verständnis erhoben werden[34]. Diese Übereignungsformel besagt: durch die Taufe ist der Glaubende Christus übereignet worden oder, wie es die volle Aussage in 12,13 fordert, er ist in seinen Leib eingegliedert worden. In diese trad. Aussage fügt Pl neben dem Aspekt der Einheit (πάντες – ἕν) noch ἐν ἑνὶ πνεύματι ein (vgl. bereits V. 11). Beide Zufügungen dienen dem leitenden Gedanken, gegenüber der am Heil des Einzelnen orientierten Vorstellung des βαπτίζειν εἰς Χριστόν gerade das Gemeinsame zu betonen. Hierbei kommt ἐν ἑνὶ πνεύματι neben einem instrumentalen Aspekt gewiß auch die Aufgabe zu, die gemeinsame Substanz zu benennen, die solche Überführung der πάντες εἰς ἓν σῶμα möglich macht[35].

---

[34] Die Differenzen sind seit je mit der Inkongruenz des ‚Organismusgedankens‘ zu dem ‚Sakramentsverständnis‘ gegeben; wird in dem ersten gerade betont, daß die Harmonie der Glieder erst die Existenz des Leibes ermöglicht, so ist im Sakramentsverständnis ja gerade der Leib vorgegeben, in den die Glaubenden sakramental versetzt werden. Eine völlige Ablehnung der ‚Leib-Christi-Vorstellung‘ auf einer nicht bildhaften Ebene jetzt bei Wolff, 1. Kor 110–114; für eine lokale Deutung überzeugender Klauck, Herrenmahl 333–346. Berücksichtigt man, daß in 1. Kor 12,13 εἰς ἓν σῶμα von εἰς Χριστόν, d. h. wie in Röm 6,3; 1. Kor 1,15; 10,2 von einem persönlichen Objekt her gedacht ist, so verfangen die Argumente Wolffs nicht, die a) den konsekutiven Gebrauch von βαπτίζειν εἰς in Apg 2,38; Mt 3,11 bei unpersönlichem Objekt heranziehen und b) den lokalen Aspekt dadurch ausgeschlossen sehen, daß in βαπτίζειν bereits untertauchen in lokaler Vorstellung gegeben sei, εἰς also in nicht lokaler Bedeutung zu verstehen sei; dagegen aber schon Kümmel bei Lietzmann, Kor 187; Schweizer, ThWNT VI 415. Zum Verständnis der lokalen Bedeutung des εἰς Χριστόν als einer Übereignungsformel: Heitmüller, Namen; Bousset, 1. Kor 138; Haufe, Taufe 563; Hermann, Kyrios 79–81. Instruktiv ist die im Anschluß an Dinklers Vortrag aus dem Jahr 1971 erfolgte Diskussion (bei de Lorenzi, Battesimo 103–126), die sich ganz wesentlich der Deutung des εἰς widmete.
[35] In der Literatur überwiegt freilich die Hervorhebung des instrumentalen Aspekts. Schmiedel, 1. Kor 137; Heitmüller, Namen 320; Barth, Taufe 69 A 157, betonen zu Recht beide Aspekte. Weiß, 1. Kor 303, spricht sogar gegen den instrumentalen Aspekt zugunsten einer ausschließlich substanzhaften Interpretation (mit Verweis auf die Parallelaussage in V. 13 c).

b) εἴτε Ἰουδαῖοι εἴτε Ἕλληνες εἴτε δοῦλοι εἴτε ἐλεύθεροι

Ähnliche oder entsprechende Paarbildungen finden sich im Kontext einer Tauftradition in Gal 3,27 und darüber hinaus in Gal 5,6; 6,15; 1.Kor 7,19; Kol 3,10f. u.a. Während die Paare in der Tauftradition Gal 3,26f. gerade die Aufhebung bislang trennender Unterschiede im Christusbereich anzeigen, sollen sie in 1.Kor 12,13 als Beleg für die Verschiedenheit der μέλη dienen.

c) Καὶ πάντες ἓν πνεῦμα ἐποτίσθημεν

Formal ist dieser Versteil V.13a nachgebildet (καὶ ... πάντες ... ἐβαπτίσθημεν). Er ruft nach V.13a und b ein drittes den Korinthern bekanntes Motiv in Erinnerung: die sakramentale Übereignung desselben Geistes im Herrenmahl. Freilich ist diese Auslegung umstritten, da eine gewichtige Forschungstradition auch diese Aussage auf die Taufe bezieht[36]. Ἐποτίσθημεν (Aor. Pass. mit Akk. der Sache; BDR § 159.1) ἓν πνεῦμα ist zu übersetzen: ‚wir haben alle einunddenselben Geist zu trinken bekommen od. eingeflößt erhalten' (Bauer, WB 1380)[37]. Nun ist solcher Brauch, dem zufolge Wasser im Zusammenhang der Taufhandlung getrunken wird, im frühen Christentum nicht bezeugt und für Korinth wohl kaum vorauszusetzen. Es ist freilich denkbar, daß ποτίζω bereits als Taufmetapher Verwendung findet. 1.Kor 3,5 beschreibt die Wirksamkeit des Apollos, der ja in Nähe zur Täuferbewegung steht, mit diesem Verb. Doch gilt sogleich zu beachten, daß Pl ab 3,1ff. eine Bildmetaphorik anschlägt, die nicht zwingend zum Sakrament führt (3,2: γάλα ὑμᾶς ἐπότισα). Für die Taufdeutung könnte schließlich sprechen, daß der Aorist des Verbs, der die Einmaligkeit der Handlung betont, in Spannung steht zu der Deutung auf das Herrenmahl, welches ja regelmäßig gefeiert wird.

Die Aussage setzt die Gewißheit der ‚Ausgießung des Geistes' voraus, sie steht in Nähe zur LXX-Sprache (Jes 29,10: πεπότικεν ὑμᾶς κύριος πνεύματι κατανύξεως), das Verb kann mit ‚bewässern' übersetzt werden. Überwiegend aber, wo ποτίζειν sich auf Menschen bezieht, ist auch in der LXX die Übersetzung mit ‚zu trinken geben' vorzuziehen (Sir 15,3: καὶ ὕδωρ σοφίας ποτίσει αὐτόν; Jer 16,7: οὐ ποτιοῦσιν αὐτὸν ποτήριον εἰς παράκλησιν[38]). Von daher gewinnt die Abendmahlsdeutung Gewicht. Entscheidend für sie spricht aber die Parallele in 1.Kor 10,4: καὶ πάντες τὸ αὐτὸ πνευματικὸν ἔπιον πόμα. Hier in 10,2-4 ist gleichfalls die Zusammenstellung von βαπτίζω und πόμα (vgl. V.13a.c) vorgegeben. Die Aoristform in V.13c, die ja einer Deutung auf das Her-

---

[36] Vgl. die Kommentare von Weiß, Bachmann, Kümmel bei Lietzmann, Wolff z. St.; außerdem die bei Wolff, 1.Kor 108 A 216, und Klauck, Herrenmahl 334 A 10, Genannten; zuletzt G.J. Cumming, ΕΠΟΤΙΣΘΗΜΕΝ (1 Corinthians 12.13), NTS 27, 1981, 283-285. Hanimann, Esprit, bezieht V.13b auf einen zweiten, postbaptismalen Brauch, unserer Konfirmation vergleichbar, bei dem erst eigentlich die Geistgabe zugeeignet würde (kritisch hierzu Manns, Symbole 263f.).

[37] Die v.l. εἰς ἓν πνεῦμα ist eventuell dem V.13a nachgebildet (εἰς ἓν σῶμα) und verdient daher und auf Grund der schwächeren Bezeugung keine Beachtung.

[38] Ausführlich dazu Klauck, Herrenmahl 335; BDR § 159,1.

renmahl widerspricht, muß dann als Angleichung an ἐβαπτίσθημεν verstanden werden[39].

Mag man dieser Deutung zustimmen oder nicht, das Verständnis des Geistes wird von der jeweiligen Bezugnahme nicht wesentlich berührt. Pl setzt jedenfalls als in der Gemeinde bekannt voraus, daß der Geist mit einer Substanz, einer Flüssigkeit vergleichbar ist, die dem Glaubenden sakramental inkorporiert worden ist, die damit die neue Substanz seiner Existenz geworden ist.

6.1.1.5 Ergebnis

Halten wir das Ergebnis der Exegesen als Zwischengedanken fest. Schon die älteren judenchristlichen Tauftraditionen (1. Kor 1,30; 6,11) hatten dem Sakrament die effektive Kraft der Gerechtmachung zugeschrieben, bewirkt durch die Anrufung des Namens Christi als der Vergegenwärtigung seines Heilswerkes und der heiligenden Kraft des gegenwärtigen Geistes Gottes. Der Geist war hierbei gedacht als Mittel der Gerechtmachung sowie als Kraft in der Zeit bis zur Parusie.

Nach den analysierten Texten, die ausschnittweise das in Korinth herrschende Verständnis des Sakraments wiedergeben, ist man hier entscheidend über das judenchristliche Verständnis hinausgegangen. Der Geist wird jetzt verstanden als die entscheidende Taufgabe. Diese wird im Sakrament mit Speise und Trank, sowie durch die Taufhandlung in der Bindung an die Elemente übereignet. Zugleich versetzt die Taufe die Glaubenden in den Bereich des Kyrios (1. Kor 12,13), der, indem er nach 1. Kor 10,4 diese Taufgabe des Geistes selber vermittelt, die Voraussetzung dieser Ortsveränderung schafft. Mit dieser Versetzung des Täuflings in die Sphäre des Kyrios geht eine perfektische Sicht des neuen Standes einher, die den Getauften naturhaft an der himmlischen Welt partizipieren läßt. So zeigt 1. Kor 15,29, daß in der Sicht einiger Gemeindeglieder das Taufsakrament magisch wirkt, da es auf Verstorbene noch angewandt wird, um sie nachträglich in die Sphäre des Kyrios zu versetzen. Diesem magisch wirkenden Verständnis des Sakraments und der perfektischen Sicht des neuen Standes korrespondiert, daß die Gabe der Heiligkeit im Alltag nicht bewährt wird (10,1–13).

Die Sonderstellung, die in der Gemeinde den Täufern beigemessen wird, läßt in ihnen Mystagogen erkennen. Sie sind nicht nur verantwortlich für die Initiationshandlung, sondern vermitteln zugleich Kenntnisse, die dem neuen Stand entsprechen. Dies läßt, da Pl nur wenige getauft hat und eine Anwesenheit des Kephas in Korinth ungewiß ist, insonderheit die Stellung des Apollos in der Gemeinde bedenken.

---

[39] Vgl. wiederum Klauck ebd.; zur Herrenmahl-Deutung außerdem die bei Wolff, 1. Kor 108 A 217, und bei Klauck, Herrenmahl 334 A 11, Genannten.

Er tritt nicht nur als Täufer auf, sondern vermittelt zugleich ‚geistgeleitete Erkenntnis‘. Seine Tätigkeit scheint bei einem Teil der Gemeinde verabsolutiert worden zu sein.

6.1.2 Die Tauftradition in Römer 6,4

Bestätigt werden wesentliche Aspekte dieses für Korinth vermuteten Sakramentsverständnisses durch die pl Darlegung seiner Taufanschauung, die er im Röm, in Korinth geschrieben und also auch als Reflex auf das Taufverständnis in Korinth zu verstehen, unterbreitet.

Zur Gliederung[40]: V.2 stellt in Frageform die These von Röm 6 dar. Das in der Taufe erfolgte Abgestorbensein der Sünde macht einen weiteren Lebenswandel in ihrem Raum unmöglich. Diese These begründet Pl in zunächst zwei Argumentationsgängen (V.3–5; V.6–8), eingeleitet durch ἢ ἀγνοεῖτε ὅτι; bzw. τοῦτο γινώσκοντες). In beiden Reihen begründet er die These mit Blick a) in die Vergangenheit (die zurückliegende Taufe ist ein Mitsterben Christi V.3.4a; der alte Mensch ist mitgekreuzigt V.6a); b) in die Gegenwart (Folge ist Wandel in der Neuheit des Lebens V.4c; kein Dienstverhältnis mehr zur Sünde V.6c) und schließt mit dem eschatologischen Ausblick (zukünftige Auferstehung V.5b; zukünftiges Mitleben mit Christus V.8b). V.9 und 10 bringen nach beiden Argumentationsgängen die Conclusio in Aufnahme der These (der Sünde ein für allemal gestorben – jetzt Leben für Gott); V.11–14 schließen mit paränetischen Folgerungen (οὕτως καὶ ὑμεῖς).

Pl geht von der Erinnerung des Taufsakraments und seiner Deutung aus. Zusammenstellung und Integration der teilweise vorgegebenen Aussagen zeigen aber, daß nicht die Darlegung einer expliziten Tauflehre seine Argumentation leitet, sondern a) die Begründung der übergeordneten These des Abgestorbenseins von der Sünde und b) die antienthusiastische Verpflichtung der Taufe zu neuem Leben.

Gerade dieses letzte Moment ist am ehesten als Reflex auf die in Korinth wirksam gewordene Tauftheologie zu verstehen.

Gehen wir die Argumentation in dem entscheidenden Teil im einzelnen durch. Mit ἢ ἀγνοεῖτε verweist Pl die Leser auf bekannte Tradition[41]. Diese kann nur in der Übereignungsformel βαπτίζειν εἰς Χρι-

---

[40] Die häufig übernommene Gliederung von Bornkamm, Taufe 39 (auch Barth, Taufe 101, und die 101 A 234 Genannten), sieht in V.4 die These, welche in V.5–7 und V.8–10 (paralleler Aufbau) entfaltet werde, so daß Taufgeschehen und Christusgeschehen in dem Sinne zugeordnet wären, daß „das Christusgeschehen im Taufgeschehen gegenwärtig" sei (41). Käsemann, Römer 135, sieht drei parallele Reihen (V.2–4.5–7.8–10). Den Neueinsatz bei V.6 betont in inserem Sinn Schlier, Römer 196.

[41] Bultmann, Stil 65: „Ferner weniger rhetorisch, d.h. weniger als Berufung auf eine allgemeine Wahrheit, sondern als Beziehung auf eine bestimmte Tatsache (zu umschreiben etwa: ‚ihr habt doch nicht vergessen') …"; vgl. auch ἢ ἀγνοεῖτε in Röm 2,4 und 7,1;

στὸν Ἰησοῦν gegeben sein, die ja in 1.Kor 12,13 und Gal 3,27 in gleichfalls vorpaulinisch geprägtem Material begegnet. Dagegen ist es unwahrscheinlich, in V.3a „eine paulinisch formulierte Prämisse für die traditionelle Aussage in 3 b"[42] zu sehen. Einerseits ist εἰς τὸν θάνατον αὐτοῦ dem V.3a explikativ in lokaler Bedeutung nachgebildet. Zum anderen ist die Vorstellung einer ‚Todestaufe' nur hier singulär im NT bezeugt. In V.4b.c fällt die Inkonzinnität des durch ὥσπερ – οὕτως eingeleiteten Vergleichs auf. Erwartet wird: ὥσπερ ἠγέρθη Χριστὸς ἐκ νεκρῶν (διὰ τῆς δόξης τοῦ πατρός), οὕτως καὶ ἡμεῖς ἐκ νεκρῶν ἐγερθῶμεν (διὰ τοῦ ἐνοικοῦντος αὐτοῦ πνεύματος ἐν ἡμῖν; vgl. Röm 8,11). Hier wäre eine wirkliche Entsprechung zwischen Christus und den Seinen gegeben. E.Käsemann hat nachdrücklich betont, daß ihm solches Entsprechungsverhältnis in liturgischer Verfestigung in den pl Gemeinden wahrscheinlich sei: „die liturgischen Texte Kol 2,11 ff.; Eph 2,4 ff.; 5,14 beweisen, daß dabei ursprünglich die Taufe selber als Verwandlung in die Auferstehungswelt aus dem Sündenschlaf oder als Partizipation an Tod und Auferweckung Christi, nach 8,29 an dessen Herrlichkeit verstanden wurde, wie es auch die korinthischen Schwärmer vertreten"[43]. Daher ist es möglich, hinter V.4b.c eine Tauftradition, die das Geschick Christi und das der Glaubenden in bereits vollzogene Analogie setzte, vermuten zu dürfen.

---

zur Deutung in diesem Sinn auch Michel, Röm 153; Wilckens, Röm II 11, und Käsemann, Röm 155.

[42] So Käsemann, Röm 156; zustimmend Schnelle, Gerechtigkeit 76 f., der aber hinter 3a–4b eine zusammenhängende Tradition vermutet. Dies ist jedoch nicht zuletzt aus formgeschichtlichen Gründen unwahrscheinlich. Daher bleibt es beim Urteil Michels: „Es ist unverkennbar, daß bestimmte kerygmatische Sätze den Zusammenhang bestimmen und von Pls zitiert und entfaltet werden." (Röm 149). Zustimmend in der Tendenz: Wilckens, Röm II 8; Hahn, Taufe 109.

[43] Käsemann, Röm 153 (und 157); bereits Bultmann, Theologie 143; zustimmend Schnelle, Gerechtigkeit 77; Klein, Eschatologie 278; Becker, Auferstehung 60; Michel, Röm 153; Hoffmann, Auferstehung 454; Barth, Taufe 95 f.; Lohse, Kol. 156; ders., Taufe 234 A 19; Zeller, Röm 124. Die gegenteilige Auslegung sieht in Kol 2,12 (und Eph 2,4 ff.) eine Weiterbildung von Röm 6,3 f.; so Conzelmann, Analyse 140 f. A 59; ders., Paulus und die Weisheit 180; Wilckens, Röm II 43; Schweizer, Kol 111; Sellin, Auferstehung; ders., Streit 27 A 46 (Lit.). Eine ausführliche Begründung dieses Ansatzes jetzt bei H. E. Lona, Die Eschatologie im Kolosser- und Epheserbrief, fzb 48, 1984, 147–172. Damit ist die nicht unproblematische Hypothese verbunden, daß der Kol den Röm voraussetzt. Auch Wedderburn, Baptism, wendet sich mehrfach gegen die erste These, um zu zeigen, „... that the roots of the exaggerated enthusiasm and realized eschatology of some early christians lay not in a sacramental theology of the mysteries which spoke of sharing already in the dying and rising of the mystery – deity, but in a far wider understanding of ritual in the Graeco - Roman world, a quasi magical bestowal of certain powers ..." (234). Allerdings sollte zu denken geben, daß Pl da, wo er u. E. mysterienhafte Vorstellungen voraussetzt (Röm 6), eben nicht von der Gabe des Geistes spricht. Dies entspricht dem religionsgeschichtlichen Befund, daß mit dem mysterienhaften Nachvollzug des Geschicks des Kultgottes nicht eine Geistverleihung einhergeht; vgl. dazu 6.4.4.1.2.

Diese Analogie hätte frühere pl Aussagen wie 1.Thess 4,14 (... Ἰησοῦς ἀπέθανεν καὶ ἀνέστη, οὕτως καὶ ὁ θεὸς τούς κοιμηθέντας διὰ τοῦ Ἰησοῦ ἄξει σὺν αὐτῷ; dies bezieht sich auf die zukünftige Entrückung der Verstorbenen), 1.Kor 6,14 (ὁ δὲ θεὸς καὶ τὸν κύριον ἤγειρεν καὶ ἡμᾶς ἐξεγερεῖ ...; dies beschreibt eine zukünftige Analogie, vgl. auch 1.Kor 15,22) dahingehend radikalisiert, die Einlösung der Analogieverhältnisse nicht mehr von der Zukunft als der Totenauferweckung zu erwarten, sondern die Taufe als den Ort anzugeben, an dem sich Tod und neues Leben zugleich ereignen. Solche Analogie kann mit J.Becker „identifikatorische Partizipation" genannt werden[44].

Auch die pl Argumentation bleibt dem Leitgedanken der Analogie verpflichtet, indem sie vom Credo ausgeht (θάνατος – συνετάφημεν – ἠγέρθη V.3f.; vgl. 1.Kor 15,3–5). Da aber erst die Zukunft die Analogie als völlig erweisen wird (V.5: καὶ τῆς ἀναστάσεως ἐσόμεθα; V.8: συζήσομεν αὐτῷ), rückt gerade die Gegenwart als Ort zwischen dem Entnommensein aus dem Machtbereich der Sünde (V.2) und der Versetzung durch die Auferstehung in den Bereich der Doxa als Ort der Bewährung in Blick. Der eschatologische Vorbehalt begründet ein Dienstverhältnis Gott gegenüber (6,11–14; 7,6). Dabei sollen die Christen sich Gott so umfassend zur Verfügung stellen ὡσεὶ ἐκ νεκρῶν ζῶντας, d.h. wie jemand, der die Todessphäre der Sünde bereits wirklich hinter sich gelassen hat[45]. Daher wird die in der Tradition wahrscheinlich als perfektisch verstandene Analogie in V.4c ethisch durchbrochen: οὕτως καὶ ἡμεῖς ἐν καινότητι ζωῆς περιπατήσωμεν (vgl. zur zeitlichen Verschränkung die parallelen Ausführungen in 2.Kor 13,4). Man wird von diesen Aussagen her schwerlich in Abrede stellen können, daß der christliche Glaube zumindest bei einem Teil der Gemeinde in hohem Maße sakramental verankert war. Auch Pl selber greift jetzt ja auf diese Voraussetzung zurück und bekundet in seinen Ausführungen zur Taufe ab der Korintherkorrespondenz, daß sie eine Versetzung in den Christusleib ist und Anteil an den Leiden Christi und zukünftige Verherrlichung schenkt.

In Korinth allerdings ist die Taufe als gegenwärtiger Nachvollzug des Christusgeschehens und als gegenwärtige Verherrlichung kraft der sakramentalen Übereignung des πνεῦμα verstanden worden. Es wird noch gezeigt werden, daß gleichfalls in Korinth erstmals das πνεῦμα als

---

[44] Becker, Auferstehung; zur Analogievorstellung in den pl Briefen: Lüdemann, Paulus I 259; Sellin, Streit 227 f.; Schnelle, Gerechtigkeit 79.

[45] Freilich zeigt letztere Wendung, daß Pl sich selber in einer ζωή-Metaphorik bewegt (Gunkel, Wirkungen 86), die offen ist für eine enthusiastische Interpretation. Sie führt motiv- und traditionsgeschichtlich zurück in Bekehrungsterminologie und -theologie: sterben – leben, für die Sünde – für Gott; Waffen der Ungerechtigkeit – der Gerechtigkeit. Zur Vorgabe des Credos: Conzelmann, Grundriß 217; Kramer, Christos 24 f.

πνεῦμα des Erhöhten verstanden worden ist, die Taufe also Anteil am Geistchristus gibt (s.u. den Exkurs hinter 7.1.3). Da der Vollzug der Taufe auf Verstorbene ausgeweitet wurde (15,29), Lebende der sittlichen Verpflichtung entband (10,1–13) und mit einer dualistischen Scheidung von Pneumatikern und Psychikern einherging (s. u.), kann das hier entgegentretende Sakramentsverständnis ‚magisch‘ genannt werden.

Die sakramentale Verankerung des korinthischen Christusglaubens ist zwar nur gelegentlich, aber doch wirksam bestritten worden.

Schon Lütgert hatte gegen v. Dobschütz eingewandt: „Von einer Neigung zu magischer Auffassung der Wertung des Abendmahls oder davon, daß ‚eine derartige Verschiebung der Auffassung im Bereich des Möglichen lag‘ (...), ist aber nichts zu bemerken ... der sakramentale Gedanke scheint noch so gut wie unwirksam“[46]. Lütgert betont im weiteren, daß eine magische Anschauung und Spiritualismus sich ausschlössen – eine Alternative, die nach unserer gegenwärtigen Kenntnis des hell. Judentums und der Mysterienreligionen freilich überholt ist[47].

Aber auch Schmithals läßt sich von dieser Alternative leiten: „Die Stellung zum Abendmahl ist ausgesprochen negativ, während eine charakteristische allgemeine Tauflehre nicht vorzuliegen scheint“[48]. Allein die Vikariatstaufe wird als Gemeindepraxis anerkannt, sie sei „aber als spezifisch gnostischer Brauch sowohl historisch nachweisbar als auch aus inneren Gründen erklärlich“ (246). Die Ausführungen in 1,12 werden als ‚Ironisierung‘ und ‚hypothetische Argumentation‘ (243) verstanden, da Pl ja nicht getauft habe. Dies bedeutet: „Der fälschlich angenommene Sakramentalismus in Korinth müßte schon als antignostische Reaktion gedeutet werden.“ (375)

Für den überwiegenden Teil der Forschung steht jedoch fest, daß mit der Sakramentsauffassung in der korinthischen Gemeinde die Gestalt pneumatisch-enthusiastischer Frömmigkeit unlösbar verknüpft ist, wenngleich die religionsgeschichtlichen Voraussetzungen unterschiedlich erklärt werden (s.u. 6.4.4). Deutlich ist zugleich für einen großen Teil der Forschung, daß die in Korinth begegnenden Anschauungen

---

[46] Lütgert, Freiheitspredigt 132, gegen v. Dobschütz, Gemeinden 23.

[47] Zur Kritik an dieser Alternative jetzt Sellin, Streit 280 A 192: „Das korinthische Pneumatikertum läßt die Alternative sakramental-spirituell nicht zu. Die Erfahrung des Geistes wirkt auch ... substanzhaft und magisch. Dennoch bezieht sie sich nicht auf den Leib.“

[48] Schmithals, Gnosis 246. In dem Nachtrag 376 gesteht er zu, daß „das substanzhafte Denken der Gnosis eine Affinität zu sakramentaler Praxis“ habe, schließt solche Nähe für Korinth aber aus, da „die Totentaufe ... ja nicht Nachvollzug der Taufe wegen der Wichtigkeit dieser Handlung, sondern Ersatz der Gnosis“ bedeute (376). Folgt man dieser Einschätzung, dann ist die Verbindung ja gerade zugestanden, was der Begriff ‚Ersatz‘ allerdings zu verschleiern sucht. Aus 1. Kor 15 wird nicht ersichtlich, daß dieser Brauch Gnosis vermitteln soll. Hier ist die Voraussetzung der mythologischen Gnosis in die Exegese eingetragen.

nicht direkte Folgen der pl Verkündigung sind, sich vielmehr im Umkreis Korinths ein nebenpl Einfluß geltend gemacht hat[49].

6.2 πνευματικοί als exklusive Selbstbezeichnung korinthischer Christen

Die Verwendung von πνευματικός/πνευματικοί als Substantiv mask. (= die Geistesmenschen; Bauer, WB 1347) begegnet in ntl. Zeit zuerst in Korinth, während solcher Sprachgebrauch in den übrigen pl Briefen wie in den weiteren ntl. Schriften gemieden wird.

Pl verwendet πνευματικός als Adjektiv des ‚göttlichen Geistes‘ für das χάρισμα (Röm 1,11); für den νόμος (Röm 7,14), für πόμα καὶ βρῶμα (1. Kor 10,3 f.), für das Auferstehungssoma (1. Kor 15,44.46). Solcher Sprachgebrauch entspricht nachpaulinischer Briefliteratur, welche πνευματικός zuordnet zu εὐλογία (Eph 1,3); ᾠδαῖς (Eph 5,19; Kol 3,16), σοφία καὶ σύνεσις (Kol 1,9), οἶκος (1. Petr 2,5) und θυσίας (1. Petr 2,5). Der Gebrauch des Substantivs neutr. (= Geistesgaben) ist für Pl in Röm 15,27; 1. Kor 9,11; 14,1 belegt, für 2,13 und 12,1 ist die Entscheidung zwischen mask. und neutr. Auslegung auf den Kontext angewiesen. Eph 6,12 bezieht πνευματικά singulär auf böse Geister.

Die subst. mask. Verwendung ist in 1. Kor 2,15; 3,1; 14,37 unzweifelhaft, in 2,13; 12,1 umstritten, und schließlich in Gal 6,1 gegeben. In 14,37 ist die Stellung neben προφήτης auffällig, in 3,1 der Gegensatz zu σαρκινοί bzw. νήπιοι ἐν Χριστῷ. In nachpaulinischer Literatur finden wir die subst. mask. Form noch in Barn 4,11[1] und IgnEph 8,2 (hier auch der Gegensatz σάρκικοι – πνευματικοί). Wenn Sicherheit gewonnen werden könnte, daß in 1. Kor 12,1 die mask. Form zu lesen ist, so hätten wir ein exaktes Indiz dafür, daß in Korinth diese Selbstbezeichnung gegeben war und man jetzt im Fragebrief (περὶ δὲ τῶν πνευματικῶν) Pl um seine Stellung dazu bäte; m. a. W.: 1. Kor 12,1 könnte zeigen, daß Pl eine in der Gemeinde vorgegebene Bezeichnung aufgreift.

---

[49] Letztere Erwägung etwa bei Bousset, 1. Kor 80; Becker, Auferstehung 61–65; Schnelle, Gerechtigkeit 34–53. Die Verbindung von Sakrament und pneumatischem Enthusiasmus ist erkannt bei: Reitzenstein, Mysterienreligionen 41 u. ö.; v. Soden, Sakrament 361; Lietzmann, Röm 62 f.; Weiß, 1. Kor 293; Käsemann, Anliegen 19; ders., Thema 121; ders., Schrei 215 f.; ders., Röm 152 f.; Thiselton, Eschatology 519; Klauck, Herrenmahl 285; Barth, Taufe 80–92; Lohse, Taufe; ders., Wort u. a.

[1] Die Übersetzung des γενώμεθα πνευματικοί durch ‚Werden wir geistlich‘ (so Wengst, Schriften des Urchristentums II 147; H. Windisch, Der Barnabasbrief, HNT Erg.-Bd. III, 1920, 325) ist zu frei.

Zur Gewißheit wird diese Annahme jedoch im Kontext der weiteren subst. mask. Aussagen[2].

6.2.1 Exegese der Texte

6.2.1.1 1. Korinther 14, 37

Pl setzt voraus, daß innerhalb der Gesamtgemeinde von Korinth einige (τις) den Anspruch erheben, προφήτης ἢ πνευματικός zu sein. An beide Gruppen wendet sich seine Schlußmahnung (14, 37–40). Kann die Gruppe der πνευματικοί näher identifiziert werden?

Kap. 14 ist insgesamt von der Absicht geleitet, πνευματικά und προφητεύειν in ein geordnetes Verhältnis zu bringen. So zeigt es bereits der Eingangsvers 14, 1, und die jeweiligen Schlußwendungen 14, 27. 33. 40 betonen nachdrücklich den Ordnungsaspekt im Sinne der οἰκοδομή der ἐκκλησία (vgl. auch 14, 5). Das Substantiv neutr. πνευματικά wird im folgenden nie anders als durch γλώσσαις λαλεῖν (14, 2. 4. 5. 6. u. ö.) aufgenommen, so daß 1. Kor 14 also in Wahrheit Glossolalie und Prophetie einander zuordnet.

Wenn nun auch in Kap. 14 dieses Thema in lockerer Gedankenführung in verschiedenen Aspekten angegangen wird, so gewinnen die Ausführungen ab V. 26 doch solche Zuspitzung, daß man mit Dautzenberg von einer ,Gemeinderegel' sprechen darf. Nachdem V. 26 einleitend und mit V. 37–40 als Rahmen korrespondierend den Ordnungsaspekt betont hat, bietet V. 27 f. Regeln für den Glossolalen, V. 29–33 a für den Propheten, V. 33 b–36 für die Frauen, jeweils im gottesdienstlichen Raum. Daß die V. 33 b–36 dennoch sperrig zu dem übergeordneten Thema ,Prophetie-Glossolalie' stehen, ist bekannt. Dieser Sachverhalt kann mit der Hypothese einer späteren Interpolation zu erklären versucht werden[3]. Klammert man V. 33 b–36 aus, so nimmt die Schlußanwendung V. 37(–40) die das ganze Kapitel bestimmende Thematik πνευματικά und προφητεύειν (14, 1), d. h. Glossolalie und Prophetie

---

[2] Klar erkannt bei Feine, Art.: Zungenreden, RE[3] 21, 251; Wolff, 1. Kor 97: „aus 2, 13. 15; 3, 1; 14, 37 ist zu schließen, daß in Korinth die Selbstbezeichnung ,Pneumatiker' kursierte." Schmithals, Gnosis 162, verweist auf die mit diesem Titel verbundene Exklusivität gegenüber der Gesamtgemeinde; so auch Fee, 1. Cor 10 f. u. ö.

[3] Zur Interpolationshypothese: G. Fitzer, ,Das Weib schweige in der Gemeinde'. Über den unpaulinischen Charakter der mulier-tacet-Verse in 1. Kor 14, ThEx 110, 1963; Conzelmann, 1. Kor 290; Dautzenberg, Prophetie 257–273; zurückhaltender Wolff, 1. Kor 140–143; G. Strecker, Handlungsorientierter Glaube. Vorstudien zu einer Ethik des Neuen Testaments, 1972, 21; ablehnend E. E. Ellis, The Silenced Wives of Corinth (1. Cor 14: 34–5), in: E. J. Epp and G. D. Fee (edd.), New Testament Textual Criticism, FS B. M. Metzger, 1981, 213–220.

auf, was wiederum erhellt, daß πνευματικός in 14,37 im engeren Sinn den Glossolalen meint[4].

Es ist also nicht so, daß Pl den Personenkreis nach der Nennung der προφῆται ausdehnen will auf die Gesamtgemeinde hin. Vielmehr wird die Annahme einer speziellen Gruppe durch den pl Sprachgebrauch bestätigt. Die Wendung εἴ τις δοκεῖ εἶναι setzt eine ‚subjektive Überzeugung' (Bauer, WB 399) eines anderen voraus; vgl. bereits 1. Kor 3,18. Denjenigen, die πνευματικοί zu sein gedenken, die also doch Einsicht in den Willen Gottes haben sollten (1. Kor 2,13), hält Pl vor, daß seine Ausführungen κυρίου ἐντολή sind und unter heiligem Recht stehen (14,38). Wird nun die Paränese des Apostels mißachtet, erweisen sich die Pneumatiker zugleich als solche, in denen der Geist Gottes nicht wohnt, da sie sich ja gegen die κυρίου ἐντολή auflehnen. Der polemische Grundton dieser Schlußmahnung läßt die Annahme einer speziellen innergemeindlichen Gruppe, die sich selbst πνευματικοί nennt, wahrscheinlich sein[5].

Hatte die Gemeinde in ihrem Schreiben nach der Stellung der πνευματικοί im Gottesdienst gefragt, so lautet die Schlußanweisung in 14,39: alle sollen nach Prophetie streben, Erscheinungen glossolaler Rede durch eben die in 14,37 genannten πνευματικοί sollen nicht unterbunden werden, sofern sie die von Pl dargelegte τάξις nicht verletzen.

6.2.1.2 1. Korinther 3,1

Auch diese Stelle setzt eindeutig voraus, daß man in Korinth den Anspruch erhob, πνευματικός zu sein.

Pl hat in 1. Kor 2,10–16 die in Korinth vollzogene Unterscheidung ‚πνευματικός-ψυχικός' aufgenommen, aber seinerseits dargelegt, welcher Erkenntnisge-

---

[4] So auch Gunkel, Wirkungen 19; Bultmann, Theologie 160; Weiß, 1. Kor 343. Conzelmann, 1. Kor 290, sieht hingegen ‚alle Ekstatiker' angesprochen; Wolff, 1. Kor 144, alle im Charismenkatalog Genannten. Hier ist jedoch, wie auch bei Schmithals, Gnosis 270 („Die gnostischen Pneumatiker in Korinth gaben sich als Propheten aus …"), der Doppelaspekt des Kap. 14 von ‚Glossolalie und Prophetie' unberücksichtigt geblieben.

[5] Vgl. auch Dautzenberg, Prophetie 255: „Hinter dem Vers steht die Annahme, daß diese Anordnungen Widerstand bei den Betroffenen hervorrufen könnten." Auch Klauck, 1. Kor 106, sieht den ‚gereizten Ton' in V. 37 f. und will solches „damit erklären, daß Paulus für seine Anordnungen über Prophetie und Glossolalie Widerstand erwartet …"

Der Beitrag von Welborn, Discord, unterstützt die vorgetragene Annahme einer spezifischen Gruppe der πνευματικοί innerhalb der Gemeinde insofern, als er die Spaltungen in Korinth sozialgeschichtlich interpretiert. Die Pneumatiker werden als ‚protagonists of the Christian parties' (105), als ‚gnostic elite' vorgestellt. Ihre Sonderstellung ist gegenüber der Gesamtgemeinde sowohl ökonomisch als auch durch intellektuellen Stand begründet; so zuvor bereits Theißen, Studien 259.

winn mit der Gabe des πνεῦμα gegeben ist. Er besteht in der ἀποκάλυψις der Pläne Gottes. Diese βάθη τοῦ θεοῦ sind in keiner Weise wesensgleich einer σοφία ἀνθρώπων. Vielmehr besteht die ἀποκάλυψις, welche der Geist, der eben πνεῦμα τοῦ θεοῦ (V. 12) ist, vollzieht, in der Einsicht in τὰ ὑπὸ τοῦ θεοῦ χαρισθέντα ἡμῖν (V. 12), m. a. W. in das geschichtliche Heilsereignis des Kreuzes. In dieser ‚unspekulativen Erkenntnis‘ ist Pl über alle Kritik erhaben, denn er besitzt den νοῦς Χριστοῦ (V. 16) und erkennt also Gleiches mit Gleichem. Im folgenden nimmt Pl die in der Gemeinde vollzogene Unterscheidung von πνευματικός und ψυχικός nicht weiter auf, sondern geht allein auf den Selbstanspruch derer ein, die πνευματικοί zu sein vorgeben.

Daß Pl hier eine Selbstbezeichnung aufnimmt, nicht aber eine ihm akzeptable Benennung des Christen wiedergibt, erweisen folgende Beobachtungen.

a) Pl bricht aus der für ihn undenkbaren Antithese πνευματικός-ψυχικός (2, 14 f.; außerdem noch 15, 44– 46) – Pl verwendet ψυχή durchweg positiv – das erste Glied heraus, stellt es aber jetzt in Parallelität zu der ihn bestimmenden Antithese von πνεῦμα und σάρξ (in 3, 1: σαρκινοί; in 3, 3 ohne Bedeutungsdifferenz σάρκικοι; vgl. die v. l.) als Oppositum zu σάρξ. Diese Antithese leitet ihn in Gal 5, 22 ff.; Röm 8, 4 f. u. ö. (s. u. den Exkurs nach 6.5.1.2). Der Gegensatz von πνεῦμα und σάρξ ist aber weitaus stärker als derjenige von πνευματικός-ψυχικός ethisch bestimmt, und so mißt Pl die πνευματικοί an ihrem Verhalten: ὅπου γὰρ ἐν ὑμῖν ζῆλος καὶ ἔρις[6].

b) Bereits jetzt sind die vermeintlichen πνευματικοί als σάρκικοι erwiesen, auffällig bleibt jedoch noch die zweifache Frage in V. 3 f.: οὐχὶ ... κατὰ ἄνθρωπου περιπατεῖτε bzw. οὐκ ἄνθρωποί ἐστε. Hier ist eine polemische Spitze nicht zu übersehen. Sah sich der Pneumatiker den Bedingungen des Menschseins enthoben? Seit Reitzenstein findet sich diese Vermutung immer wieder – zu Recht: „Der ψυχικός ist Mensch schlechthin, der πνευματικός ist überhaupt nicht mehr Mensch ... Der feste Begriff eines überirdischen und übernatürlichen Wesens muß in der Gemeinde bestehen, sonst ist die ganze Ausführung hinfällig."[7]

6.2.1.3 1. Korinther 12, 1

Die Frage, ob τῶν πνευματικῶν in 12, 1 maskulin (Geistesmenschen = Pneumatiker) oder neutrisch (Geistesgaben = Charismen) zu übersetzen sei, durchzieht die Literatur. Philologisch ist eine Antwort kaum

---

[6] Aus 3, 1 ist gegen Lietzmann, Kor 92, nicht zu entnehmen, daß Pl die Theorie der allgemeinen Geistbegabung zurücknimmt. Auch ist das ὡς nicht auf einen zurückliegenden Zeitpunkt – sie waren πνευματικοί – zu beziehen (Weiß, 1. Kor 71).
[7] Reitzenstein, Mysterienreligionen 341; zustimmend Lietzmann, Kor 15; Bousset, 1. Kor 87.

zu finden. Doch sprechen die besten Argumente im Hinblick auf den weiteren Kontext für die mask. Übersetzung.

a) das neutrische Verständnis ist bei Pl nur singulär in 14,1 belegt (vgl. aber auch noch πνευμάτων in 14,12) und unzweifelhaft im Sinne von χαρίσματα zu verstehen. Dies zeigt auch die Verbindung von χάρισμα πνευματικόν in Röm 1,11. Bedenkt man nun zugleich, daß der Übergang von Kap.13 zu 14 sehr hart ist, so kann man erwägen, daß 14,1 an 12,31 über Kap.13 hinweg anzuschließen sucht und – vielleicht abwechslungshalber – statt χαρίσματα jetzt πνευματικά schreibt[8].

b) Das mask. Verständnis ist hingegen durch 3,1 und 14,37 bezeugt und als term.techn. in der Gemeinde vorgegeben. Außerdem ist auch in 2,14 f. und 15,44–46 πνευματικοί auf Menschen zu beziehen, so daß das numerische Übergewicht für das mask. Verständnis spricht[9].

c) Erhärtet werden kann diese Annahme nur durch mehrere Kontextbeobachtungen. Wie der Einsatz mit περὶ δέ anzeigt, wird das Thema ‚περὶ δὲ τῶν πνευματικῶν‘ neben ‚περὶ δὲ τῶν παρθένων‘ (7,25) und ‚περὶ δὲ τῶν εἰδωλοθύτων‘ (8,1) zu dem in 7,1 erwähnten Fragenbrief der Gemeinde gehören[10]. Jede dieser Anfragen kommt von dem Teil der Gemeinde, zu dem sich die Pneumatiker nicht rechnen (was wiederum 7,1 belegt). Das bedeutet für 12,1: dieser Vers ist nicht einfach pl Überschrift über Kap.12–14, sondern die Erläuterungen in Kap. 12–14 nehmen ihren konkreten Ausgangspunkt bei einer Anfrage aus der korinthischen Gemeinde an Pl über die in ihrer Mitte befindlichen Pneumatiker. Welchen Anlaß hatte diese Frage?

d) Es ist mehrfach erkannt worden, daß Pl in V.2 f. nur auf die Träger pneumatischer Begabung zu sprechen kommt, nicht aber essentiell auf Sachfragen[11]. V.2 distanziert den christlichen πνευματικός hinsichtlich seines Erscheinungsbildes vom ehedem heidnischen Ekstatiker und V.3 folgert (διό): Ekstase ist an sich kein Kriterium für Geistbesitz, wohl aber ist das Kyriosbekenntnis Kriterium der Ekstase. V.3 wird kaum anders zu verstehen sein, als daß hier die Anfrage περὶ δὲ τῶν

---

[8] Ausführlich Weiß, 1.Kor 321 A 3; Bachmann, 1.Kor 374, sieht sogar eine Ellipse zu 12,31; als Frage bei Conzelmann, 1.Kor 275 A 11.

[9] So auch Weiß, 1.Kor 294; Bachmann, 1.Kor 374; Wolff, 1.Kor 97; Schmithals, Gnosis 161 f.; für die neutrische Deutung: Conzelmann, 1.Kor 241; Schürmann, Gnadengaben 240; Martin, Spirit 137.

[10] Zu diesem Fragenbrief: Hurd, Origin 65–74; zur Frage der Einbeziehung von 16,1 (περὶ δὲ τῆς λογείας) und 16,12 (περὶ δὲ Ἀπολλῶ) in diesen Brief: Lüdemann, Paulus I 111. M.M.Mitchell, Concerning ΠΕΡΙ ΔΕ in I Corinthians, NovTest 31, 1989, 229–256, stellt die Funktion der Formel, die Anfragen der korinthischen Gemeinde in Erinnerung zu bringen, in Frage und sieht in περὶ δέ „simply a topic marker" (234).

[11] So mit Recht Bachmann, 1.Kor 374 f.; Schmithals, Gnosis 161 f. (anders aber bereits wieder 163: „Polemik gegen eine genuin gnostische Pneumalehre").

πνευματικῶν verankert ist[12]. Nur unter dieser mask. Deutung können
V. 1–3 überhaupt zusammengehalten werden (Pneumatiker und ihr
Auftreten im Gottesdienst). Andernfalls müßte V. 2 f. als eine kaum ver-
ständliche Zwischenbemerkung aufgefaßt werden.

e) Die pl Argumentation kehrt im folgenden die Frage der Gemeinde
um. War ihr das Auftreten der Pneumatiker hinsichtlich der äußeren
Erscheinung und des Verabsolutierungsanspruches (πνευματικός-ψυχικός) zum Problem geworden, so erklärt Pl nun jedes Gemeindeglied
zum Charismatiker (12,7: ἑκάστῳ δὲ δίδοται ἡ φανέρωσις τοῦ πνεύματος). Auch dies ist ein letztes Argument für die Annahme, daß πνευματικῶν 12,1 mask. zu verstehen ist und also auf den ausgrenzenden
Selbstanspruch eines Teils der Gemeinde anzuwenden ist, Pneumatiker
zu sein.

6.2.1.4 1. Korinther 2,13

Die Auslegung des Versteiles πνευματικοῖς πνευματικὰ συγκρίνοντες
ist sowohl philologisch als auch hinsichtlich der Stellung in 2,6–3,4 umstritten. Im wesentlichen stehen sich drei Übersetzungsvarianten gegenüber:

– indem wir den Pneumatikern die geistlichen Inhalte deuten
– indem wir geistliche Inhalte in geistliche Formen kleiden
– indem wir die Wirkungen des Geistes miteinander vergleichen

Die erste Auslegung[13] ist die wahrscheinlichere und begründet sich
wie folgt. V. 13 nimmt V. 6 wieder auf: σοφίαν λαλοῦμεν ἐν τοῖς τελείοις (2,6) – πνευματικοῖς πνευματικὰ συγκρίνοντες (2,13)[14]. Der
Rückgriff auf V. 6 wird eventuell durch ἃ καὶ λαλοῦμεν sogar stilistisch
angedeutet. Dann wäre πνευματικοί durch die Parallelität zu τέλειοι
mask. zu verstehen und entspräche darüber hinaus dem mask. Sprachgebrauch im näheren Kontext in 2,15 und 3,1. Schließlich fährt V. 14
mit einem personalen Gegensatz (ψυχικὸς δὲ ἄνθρωπος) fort, der erst
dann verständlich wird, wenn „vorher schon von pneumatischen Hö-

---

[12] Trefflich Schmithals, Gnosis 117 A 1: „Daß Pls von sich aus auf die Idee kommt,
den Korinthern, die dann nur ganz allgemein um Auskunft über Geistesgaben in der Gemeinde gebeten hätten, mitzuteilen, in ihren Versammlungen dürfe niemand ἀνάθεμα Ἰησοῦς sagen, ... wäre der Gipfel der Banalität."

[13] Vertreten von Dautzenberg, Prophetie 138–140, und den 138 A 63 Genannten. Außerdem Wilckens, 1. Kor 2,6–16, 511; Klauck, 1. Kor 30. Auch Weiß, 1. Kor 64 f., vertritt
diese Deutung, belastet sie aber mit der textkritisch nicht zu vertretenden Konjektur, λόγοις in 2,13 nach ἐν διδακτοῖς zu streichen, um bereits ἐν διδακτοῖς auf die Pneumatiker
beziehen zu können.

[14] Betont bei Weiß, 1. Kor 64 f.; Wilckens, 1. Kor 2,6–16, 511.

rern die Rede war"[15]. Συγκρίνω folgt dem Sprachgebrauch der LXX und ist mit ‚deuten' zu übersetzen[16]. Zugleich greift dieser mask. Gebrauch vor auf 3,1, und dies in polemischer Form[17]. Wenn das μυστήριον nur dem πνευματικός mitteilbar ist, weil nur ihm πνευματικά vermittelbar sind, dann haben sich die Korinther als ψυχικοί erwiesen. Freilich nimmt Pl ab 3,1 diese Polemik in ihrer Grundsätzlichkeit zurück. Jetzt sind es ζῆλος καὶ ἔρις in der Gemeinde, die dieses Urteil nahelegen.

Während diese Auslegung den Kontext bedenkt, verbleiben die anderen Übersetzungen bei der rein philologischen Auslegung, betrachten so aber den Teilvers recht isoliert[18]. Allerdings ist die erklärende Übersetzung (‚indem wir mit Geistesgaben, die wir schon besitzen, Geistesgaben, die wir erhalten, vergleichen') aus dem Duktus 2,6–16 keinesfalls zwingend. Conzelmann hingegen legt das Gewicht des Teilverses auf die Angabe des Kriteriums des συγκρίνειν. Dies hat allerdings erst die v. l. mit πνευματικῶς deutlich interpretierend getan[19]. So ist auch für 2,13 das mask. Verständnis wahrscheinlich. Die Eingrenzung der πνευματικοί auf eine Gruppe innerhalb der Gemeinde fällt in 2,13 und 3,1 schwerer als in 12,1 und 14,37. Auf jeden Fall sind, wie 3,3 zeigt, diejenigen, welche durch Taufpraxis zu Gruppierungen in der Gemeinde beigetragen haben, angesprochen. Ihnen wird die Selbstbezeichnung πνευματικοί in Abrede gestellt.

---

[15] Weiß, 1. Kor 65; Baumann, Mitte 250. Diese Kontextbetrachtungen lassen die mögliche Schwierigkeit, daß ein Pl. mask. und ein Pl. neutr. nebeneinanderstehen, ohne daß dieser Wechsel durch Artikel angezeigt ist, erträglich erscheinen.

[16] Vgl. zu dieser Bedeutung: Gen 40,8; Dan 5,8.15 LXX; zur weiteren Begründung Dautzenberg, Prophetie; ebd. auch Ablehnung der grundsätzlich möglichen anderen Sinnbestimmungen von συγκρίνω (Bauer, WB 1534: ‚indem wir geistliche Inhalte in geistgewirkte Formen kleiden' bzw. ‚indem wir mit Geistesgaben … Geistesgaben … vergleichen'). Sicher steht im Hintergrund der Grundsatz ‚Gleiches wird nur durch Gleiches erkannt' (vgl. 1. Kor 2,10 f.). Aber hier geht es nicht um einen formalen Vergleich, sondern um Vermittlung einer Einsicht, die nur dem Geistbegabten möglich ist (gegen Sellin, Geheimnis 80 A 64, mit Dautzenberg, Prophetie 140).

[17] So auch Conzelmann, 1. Kor 86; Wilckens, 1. Kor 2,6–16, 511 f.

[18] Hierbei wird u. E. der Grundsatz des Maximus von Tyrus XVI 4 c, ca. 190 n. Chr. (!), συνετὰ συνετοῖς λέγων, zur Auslegung unserer Stelle durchweg überbewertet. Für die o. g. zweite Übersetzung Bousset, Rez. Weinel 773: Pl verweise auf die Glossolalie als das Mittel, geistliche Inhalte angemessen, eben in der Sprache der Engel, weiterzugeben. Für die o.g. dritte Übersetzung: Reitzenstein, Mysterienreligionen 336; Wilckens, Weisheit 85 (anders jetzt ders., 1. Kor 2,6–16, 511); Conzelmann, 1. Kor 80 u.a.

[19] Bereits Weiß, 1. Kor 65, hat gegen diesen Versuch, in πνευματικοῖς das Kriterium zu sehen, eingewandt, daß von der Wortstellung dann ‚πνευματικὰ πνευματικοῖς συγκρίνοντες' zu erwarten gewesen wäre.

6.2.1.5 Galater 6,1

Diese Stelle ist der einzige pl Beleg für πνευματικοί außerhalb der Korintherkorrespondenz. Die Auslegung ist durchweg aufgrund zweier Fragen strittig: handelt es sich um eine ironische oder eine eigentliche Bezeichnung, und zweitens, wer soll mit ihr angeredet werden?

Lietzmann hatte vermutet, die Bemerkung ὑμεῖς οἱ πνευματικοί sei „hier vielmehr etwas spitzig ,ihr, die ihr euch als πνευματικοί aufspielt'", was ja nicht im Einklang mit den Versuchungen (V. 1), Selbstbetrug (V. 3) und eitlem Prahlen (V. 4) stehe[20]. Lietzmann verbindet diese These mit der Annahme, nicht die Gesamtgemeinde, sondern die Nomisten sollten angeredet und ironisiert werden. Dies ist aber von dem in Gal 3,1-5 aufgemachten Gegensatz zu den Nomisten, sowie von der Aufnahme des ἀδελφοί durch πνευματικοί in 6,1 her gänzlich unwahrscheinlich. Vielmehr ist πνευματικοί hier eigentlich zu verstehen und zwar auf dem Hintergrund der seit 5,16 bestimmenden Entgegensetzung von πνεῦμα und σάρξ. Befinden sich die Gemeinden noch in den in 6,1-4 genannten Verfehlungen, dann geben sie der σάρξ wieder Raum. Daher redet Pl sie als solche an, die den Geist empfangen haben (3,2), und stellt sie in die Entscheidung zwischen σάρξ und πνεῦμα.

Richtete sich die voraufgehende Paränese an die Gesamtgemeinde, so ist es unwahrscheinlich, daß Pl mit ὑμεῖς οἱ πνευματικοί einen besonderen Stand in ihr anspricht. Vielmehr nimmt ὑμεῖς οἱ πνευματικοί das vorangehende ἀδελφοί auf, welches extensiv auf die Gesamtgemeinde zu beziehen ist (vgl. 1,11; 3,15; 5,13; 6,18 u. ö.)[21].

So bleibt der Befund, daß Pl nur an dieser Stelle die Gemeinden „eigentümlicherweise"[22] als οἱ πνευματικοί anredet, während in der Korintherkorrespondenz diese Bezeichnung exklusiv für die Pneumatiker gegenüber der Gesamtgemeinde gebraucht wird. Πνευματικοί ist über diese eine extensive Verwendung hinaus nicht urchristliche Gemeindebezeichnung geworden. Die Aufnahme in Gal 6,1 will parakletisch die

---

[20] Lietzmann, Gal 41; zustimmend Schlier, Gal 270: „... an alle dortigen Christen, vielleicht in Ironisierung ihrer Selbstbezeichnung ..."; dagegen Oepke, Gal 187; Mußner, Gal 399.

[21] Die Versuche, eine Gruppe in der Gemeinde exklusiv angeredet zu sehen, sind hier nicht alle zu diskutieren. Zahn, Gal 268, sah diejenigen Christen angesprochen, in denen der Geist „zum beharrenden Charakter" geworden sei, also diejenigen, die Pl an anderer Stelle τέλειοι nenne. Dagegen sah Schmithals, Paulus und die Gnostiker; ders., Neues Testament 39 (in unserem Sinn dagegen ders., Judaisten 43 f. A 58) in Aufnahme der Arbeit von Lütgert, Gesetz und Geist 59, insonderheit die freien Pneumatiker angesprochen. Gegen solche Ausgrenzungsversuche mit Recht Borse, Gal 209, und Mußner, Gal 398.

[22] Mußner, Gal 398. Abwegig ist die Vermutung von Wedderburn, Baptism 240 und 268: Gal 6,1 als früheste pl Bezeugung von πνευματικοί erweise, daß Pl den Korinthern diesen Begriff übermittelt habe.

Gemeinde an ihren Stand erinnern (3, 1–5; 4, 6 u. ö.) und ist mit der voraufgehenden Antithetik von πνεῦμα und σάρξ hinlänglich zu erklären.

Sofern man jedoch den Gal in der chronologischen Abfolge der pl Briefe vor den 1. Kor setzt, wäre natürlich die Erwägung diskutabel, daß die in Korinth vollzogene Entgegensetzung von πνευματικοί und ψυχικοί zumindest hinsichtlich der Verwendung des Begriffs πνευματικοί pl Sprachgebrauch folge. Allerdings wird hierbei einem einzigen Beleg ein hohes Gewicht aufgebürdet und zugleich der Sachverhalt, daß Pl an keiner weiteren Stelle vor und nach dem 1. Kor und dem Gal πνευματικοί als Gemeindebezeichnung verwendet, unterbewertet. Es hat die Entgegensetzung zur ψυχή keinen Anhalt in der pl Theologie. Für die Verwendung des Begriffs πνευματικοί im 1. Kor ist jedoch der Gegensatz zur ψυχή konstitutiv.

6.2.2 Die πνευματικός-ψυχικός-Antithese

Der Gebrauch von πνευματικός/πνευματικοί als Selbstbezeichnung ist verankert in einer übergreifenden dualistischen Konzeption, die in der Antithese πνευματικός-ψυχικός in 1. Kor 2, 14 f. und 15, 44–46 begegnet. Weitere Spuren dieser Entgegensetzung können in Jud 19 und Jak 3, 15 festgemacht werden.

6.2.2.1 Die Antithese im 1. Korintherbrief

1. Kor 2, 14 f.: ψυχικὸς δὲ ἄνθρωπος οὐ δέχεται τὰ τοῦ πνεύματος τοῦ θεοῦ
μωρία γὰρ αὐτῷ ἐστιν καὶ οὐ δύναται γνῶναι
ὅτι πνευματικῶς ἀνακρίνεται
ὁ δὲ πνευματικός ἀνακρίνει [τὰ] πάντα
αὐτὸς δὲ ὑπ' οὐδενὸς ἀνακρίνεται

Der Vorschlag (Bauer, WB 1346), in V. 15 hinter πνευματικός noch ἄνθρωπος zu ergänzen, hat gewiß verdeutlichende Funktion: es geht um die Gegenüberstellung zweier gegensätzlicher Menschen oder Gattungen von Mensch. Andererseits ist nicht zu übersehen, daß πνευματικός auch ohne diesen Zusatz verständlich ist (vgl. bereits V. 13) und also bereits terminologisch verfestigt erscheint.

Die Antithese ψυχικὸς ἄνθρωπος-πνευματικός steht im Kontext insofern isoliert, als ab 3, 1 der Gegensatz πνευματικοί-σάρκινοι (3, 1), νήπιοι ἐν Χριστῷ (3, 1), σαρκικοί (3, 3), κατὰ ἄνθρωπον (3, 3) lautet. Die Antithese 2, 14 f. scheidet zwischen dem natürlichen Menschen[23] und dem Geistbegabten. Dagegen redet 3, 1 ff. ausschließlich zu Christen, an deren Geistbesitz allgemein festgehalten wird (3, 16), wenngleich ihr Verhalten sie als σάρκινοι auszeichnet. Sie sind νήπιοι, aber eben ἐν Χριστῷ (3, 3).

---

[23] Schweizer, ThWNT IX 664.

1. Kor 15,44–47: σπείρεται σῶμα ψυχικόν, ἐγείρεται σῶμα πνευματικόν.

Εἰ ἔστιν σῶμα ψυχικόν, ἔστιν καὶ πνευματικόν
οὕτως καὶ γέγραπται
ἐγένετο ὁ πρῶτος ἄνθρωπος Ἀδὰμ εἰς ψυχὴν ζῶσαν,
ὁ ἔσχατος Ἀδὰμ εἰς πνεῦμα ζωοποιοῦν.
ἀλλ’ οὐ πρῶτον τὸ πνευματικὸν ἀλλὰ τὸ ψυχικόν,
ἔπειτα τὸ πνευματικόν
ὁ πρῶτος ἄνθρωπος ἐκ γῆς χοϊκός,
ὁ δεύτερος ἄνθρωπος ἐξ οὐρανοῦ

Die Antithese ψυχικόν-πνευματικόν ist in 1. Kor 15 verwoben in die verschiedenen Aussageebenen der korinthischen Theologie und der pl Antworten. Letzteres ist hier noch zurückzustellen, um die Antithese sprachlich-stilistisch zu erfassen.

Ab 15,35 geht Pl auf die Frage ein, in welcher somatischen Beschaffenheit die Auferstehung denkbar sei. Seine Antwort setzt mit Gleichnisaussagen ein (V.35–41), die ab V.42 mit οὕτως καί auf die gestellte Frage angewendet werden. Der Aspekt des σπείρεται wird als Bildhälfte aus dem Gleichnis übernommen, ihm werden unter ἐγείρεται antithetisch in V.42–50 Aussagen zugeordnet, die V.42–50 als Antithesenreihe lesen lassen. In V.42b–44a finden sich fünf Gegenüberstellungen unter σπείρεται/ἐγείρεται, deren Gewicht in Aufnahme der gestellten Frage (15,35) auf dem letzten Paar liegt: σπείρεται σῶμα ψυχικόν, ἐγείρεται σῶμα πνευματικόν.

Demgegenüber unterbricht V.44b den Argumentationsgang und hält parenthetisch fest: εἰ ἔστιν σῶμα ψυχικόν, ἔστιν καὶ πνευματικόν. Diese Aussage ist kaum dahingehend zu verstehen, als wolle Pl mit der Folgerung die Auferstehung beweisen[24]. Vielmehr hat Pl bereits in V.40 die somatische Existenz von σώματα ἐπουράνια und σώματα ἐπίγεια behauptet, dieses Bild des Gleichnisteils in V.42 in die Sachhälfte der Auferstehungsaussage überführt. So wird V.44b festhalten wollen: Psychisches und Pneumatisches haben beides eine, wenn auch zu unterscheidende, somatische Gestalt[25]. Conzelmann hat zu Recht die polemische Absicht dieser Parenthese erkannt, insofern als V.46 gegenüber einer Gegenposition vorbereitet werden soll[26].

Nun unterbricht V.45 aber den direkten Argumentationsgang, indem in Schriftreflexion ὁ πρῶτος ἄνθρωπος Ἀδάμ und ὁ ἔσχατος Ἀδάμ gegenübergestellt werden. V.47 nimmt dies auf, spricht gleichfalls von

---

[24] So z.B. Weiß, 1.Kor 371–373; außerdem ausführlich Sellin, Streit, 75–77, und die A 12 + 13 Genannten.
[25] Ausführlich in diesem Sinn auch Sellin, Streit 76 f., mit überzeugender Gliederung des Textes.
[26] Conzelmann, 1. Kor 337.

den verschiedenen ἄνθρωποι, allerdings vom πρῶτος καὶ δεύτερος. V. 45 ist dem Gegensatz ψυχικός-πνευματικός nur noch in Abwandlung verpflichtet: εἰς ψυχὴν ζῶσαν – εἰς πνεῦμα ζωοποιοῦν. Damit sind die Fragen gestellt, wie der mit V. 44 a angezeigte Gegensatz von ψυχικός und πνευματικός in 15, 44–47 überhaupt zu stehen kommt, speziell, ob eventuell hinter beiden Wörtern σῶμα oder ἄνθρωπος zu ergänzen ist, und ob V. 46 sich auf V. 44 oder auf V. 45 bezieht.

τὸ πνευματικόν und τὸ ψυχικόν sind Neutra. Dies könnte eine Ergänzung von σῶμα nahelegen und V. 46 als Weiterführung von V. 44 betrachten lassen. So sieht Spörlein etwa in V. 44 die Existenz eines pneumatischen Leibes ausgesprochen, in V. 45 den dazugehörigen Schriftbeweis und V. 46 als unpolemische Präzisierung, die den irdischen Leib als den noch nicht pneumatischen erklären wolle[27]. Kritisch ist dagegen anzumerken, daß V. 45 ja nicht einfach ‚Schriftbeweis‘ für V. 44 b ist, sondern einen anderen Gedanken einträgt. Kann also V. 46 einfach unter Umgehung von V. 45 an V. 44 anknüpfen?

Gegen diese Annahme hat Sellin überzeugend darauf verwiesen, daß „πρῶτον-ἔπειτα …, wie ἀλλ' οὐ … ἀλλά zwingend fordert, eine umgekehrte Reihenfolge“ voraussetzt. „Damit aber dürfte feststehen, daß V. 46 auf die in V. 45 genannte Reihenfolge zu beziehen ist. Indem Paulus diese Reihenfolge umkehrt, versteht er zugleich implizit die ontologische Reihenfolge von Pneuma und weltlicher Existenz rein chronologisch.“[28]. V. 46 ist also nicht einfach Erläuterung des V. 45, sondern nimmt zu dem Aspekt der Abfolge von ψυχικός und πνευματικός Stellung, gleichwie V. 47 in der Frage der Reihenfolge des πρῶτος und δεύτερος ἄνθρωπος Stellung bezieht. Damit ist die Frage, ob σῶμα oder ἄνθρωπος zu ergänzen sei, in die Schranken gewiesen. Bezieht man V. 46, wie vorgeschlagen, enger auf V. 45, ist diese Fragestellung ohnehin

---

[27] Spörlein, Leugnung 107; zuvor bereits Jeremias, ThWNT I 143. Auch Schweizer, ThWNT VI 408, läßt V. 46 direkt an V. 44 anknüpfen, allerdings, anders als Spörlein, in polemischer Akzentuierung. Er vermutet, in Korinth wäre man davon ausgegangen, daß ein pneumatisches σῶμα „schon unter dem psychischen Ich verborgen ist und nach dem Tod einfach weiterlebt“. Gegen diese These ist bereits verschiedentlich eingewandt worden (z. B. Brandenburger, Adam 75 A 1), daß erst Pl den σῶμα-Begriff hier und an anderen Stellen einführt, er in korinthischer Anthropologie aber unbedeutend war. Gegen diese These spricht auch der präsentische Enthusiasmus, der nicht nach der Zukünftigkeit, wohl aber nach der Jenseitigkeit fragt. Zustimmung zu Schweizer jetzt durch Sand, EWNT III 1204. Wolff, 1. Kor 202, lehnt eine Ergänzung sowohl von σῶμα als auch von ἄνθρωπος ab, da die Formulierung sich allgemein auf das Pneumatische/Psychische beziehe: Pl wolle eine Überbewertung des Pneuma dämpfen.

[28] Lüdemann, Paulus I 258, verweist als Parallele auf die in 1. Thess 4, 16 f. mit πρῶτον und ἔπειτα gesetzte Periodisierung; vgl. auch Wilckens, Christus 389. Schmithals, Gnosis 159: „Die Front, gegen die V. 46 gerichtet war, mußte dem Leser ohne weiteres klar sein.“ Nicht überzeugend ist aber die Erwägung (160 A 2), V. 46 als Glosse auszuscheiden.

überflüssig. Denn mit ὁ πρῶτος ἄνθρωπος 'Αδάμ und ὁ ἔσχατος 'Αδάμ stehen sich ja nicht wirklich Menschen gegenüber, sondern ontologische Größen. Die Entgegensetzung von πνευματικός-ψυχικός in 1.Kor 15,44–46 ist also engstens verwoben mit einer Ontologie der Urmenschlehre, auf die noch näher einzugehen ist. Die polemische Akzentuierung des Pl in V.46 kehrt das Verhältnis von pneumatischem erstem Urmensch und zweitem psychischem Menschen um und erklärt Christus zum eschatologischen (V.45), zum zweiten (V.47) Menschen, zum πνεῦμα ζωοποιοῦν[29]. Daß in der Gemeinde die Zugehörigkeit zum πρῶτος ἄνθρωπος behauptet wurde, legen – nun wieder in polemischer Umkehrung – die pl Relationsaussagen in 15,47–49 nahe.

Mit 1.Kor 2,14f. und 15,44–46 sind die ntl. Belege für die Antithese πνευματικός-ψυχικός vorgestellt. Zwei weitere ntl. Aussagen gehören in das weitere Umfeld dieser Antithese.

Judas 19 warnt die Gemeinde vor Spöttern: οὗτοί εἰσιν οἱ ἀποδιορίζοντες, ψυχικοί, πνεῦμα μὴ ἔχοντες.

Jakobus 3,15 stellt gegenüber eine σοφία ἄνωθεν κατερχομένη und diejenige, die ἐπίγειος, ψυχική, δαιμονιώδης ist.

Diese Belege sind insofern wichtig, als ψυχικός im NT allein in 1.Kor 2,14f.; 15,44–46 und Jud 19; Jak 3,15 bezeugt ist. Immer steht ψυχικός im Gegensatz zu πνεῦμα bzw. πνευματικός. Die Gegner, die Jud und Jak vor Augen haben, erweisen sich durchweg mit schlechtem Lebenswandel. Jak 3,14.16 nennt ζῆλος καὶ ἐριθεία (vgl. 1.Kor 3,3: ἐν ὑμῖν ζῆλος καὶ ἔρις)[30].

Doch nicht nur die Antithese an sich steht an den genannten Stellen singulär im ntl. Schrifttum, auch die mit ihr gegebene negative Qualifikation der ψυχή weist ihr eine Sonderstellung in der pl Verwendung der anthropologischen Begriffe zu[31].

---

[29] So auch Wilckens, Christus 389; ders., 1.Kor 2,6–16 (in Abkehr von ders., Weisheit); Horsley, Pneumatikos 277 u.ö.; Sellin, Streit; Pearson, Terminology 26; Sandelin, Spiritus; vgl. auch bereits Windisch, Urchristentum 213f.

[30] Zur Auswertung der häresiologischen Aussagen des Judasbriefes und ihrer Zuordnung zu den Pneumatikern/Psychikern des 1.Kor: G.Sellin, Die Häretiker des Judasbriefes, ZNW 77, 1986, 206–225. Auch Ellis, Prophecy 230–235, identifiziert die Gegner des Judas mit den Pneumatikern in Korinth. Eine gewisse Nähe beider Gruppen vermutet E. Fuchs/P.Reymond, La deuxième épître de Saint Pierre. L'épître de Saint Jude, CNT XIIb, 1980, 143. Als Überblick auch in dieser Frage: R.Heiligenthal, Der Judasbrief, ThR 51, 1986, 117–129.

[31] Vgl. hingegen ψυχή im positiven Sinn neben πνεῦμα und σῶμα in 1.Thess 5,23, oder auch im Sinn des atl. נֶפֶשׁ in Röm 11,3; 16,4 (dazu Lohse, ThWNT IX 633–635). In 2.Kor 1,23 (vgl. Röm 1,9) kommt ψυχή der Verwendung von πνεῦμα sehr nahe. Ein abwertender Sprachgebrauch wird außer 1.Kor 2,14f.; 15,44–46 im pl Schrifttum vermißt (dazu Bultmann, Theologie 204–206; Schweizer, ThWNT IX 647–649).

Beide Sachverhalte und der Umstand, daß Pl diese Antithese in seinem Schreiben ohne weitere Erklärung voraussetzen kann[32], lassen fragen, ob Pl an den genannten Stellen auf Vorstellungen eingeht und sich mit ihnen auseinandersetzt, die sich nicht aus seiner Gründungspredigt in Korinth erklären lassen. Der Verquickung von Anthropos-Spekulation und πνευματικός/ψυχικός-Chronologie kommt hierbei zweifellos eine besondere Bedeutung zu.

6.2.2.2 Zur religionsgeschichtlichen Einordnung der Antithese

Diese Antithese mit der abwertenden Bedeutung von ψυχή ist weder vom griechischen noch vom atl. Sprachgebrauch her zu erklären[33]. In der LXX wird der Begriff ψυχικός vermißt. Bultmann hat daher eine Abhängigkeit von der gnostischen Anthropologie vermutet. Damit ist in Zustimmung zu dem von Reitzenstein initiierten Neueinsatz die eine Ableitungsmöglichkeit der Antithese genannt. Daneben wurden zum anderen Voraussetzungen im hell. Judentum zunehmend erschlossen. Die gegenwärtige Diskussion bewegt sich zwischen diesen beiden Alternativen[34].

6.2.2.2.1 Die gnostisch-mysterienhafte Ableitung[35]

Reitzenstein und Weiß hatten behauptet, Pl greife mit dieser Antithese auf ‚hellenistische Wiedergeburtsmysterien' zurück. In ihnen finde sich zwar an keiner Stelle diese Antithese, wohl aber der Gegensatz von πνεῦμα und ψυχή, so daß

---

[32] Reitzenstein, Mysterienreligionen 71: „... daß schon Paulus an den zwei Stellen, an welchen er das Wort ψυχικός gebraucht, es durchaus als bekannt und der Gemeinde ohne weiteres verständlich voraussetzt ..."; Schweizer, ThWNT VI 435: „Das beweist, daß diese Terminologie schon vor Paulus ausgebildet und verbreitet war"; ausführlich jetzt auch Koch, Schrift 134 f.

[33] Bultmann, Theologie 177; ders., Urchristentum 208; zuvor Reitzenstein, Mysterienreligionen 72.

[34] Die Forschungsgeschichte ist ausführlich dargestellt bei Painter, Paul; Winter, Pneumatiker 3–55; Sellin, Streit 181–187; vereinzelte forschungsgeschichtliche Anmerkungen auch bei Pearson, Terminology, und Horsley, Pneumatikos. Im Gegensatz zu dieser hier rein alternativ diskutierten Ableitung bietet K. Berger, Art.: Gnosis/Gnostizismus I, TRE 13, 1984, 530 f., eine Rekonstruktion des traditionsgeschichtlichen Verlaufs der Entstehung des Begriffspaars ‚psychisch/pneumatisch', welche in der paganen Mantik einsetzt. Es ist jedoch zu bedenken, daß auch Plutarch πνευματικός ausschließlich als Adjektiv verwendet, als Oppositum zu σωματικῷ in Mor II 129 D.C; 898 D; 899 A; 904 B; 905 B; 955 D; 978 F; 1085 D; 1118 D; in 907 D als Oppositum zu φυσικῷ.

[35] Als wesentliche Vertreter seien genannt: Reitzenstein, Mysterienreligionen 70–76, mit besonderem Verweis auf die Mithrasliturgie (73): „So ist aus dieser Anschauung schon vor Paulus das Begriffspaar ‚pneumatisch' und ‚psychisch' entstanden; daß der Gnostizismus in seinen Grundanschauungen schon vor Paulus fällt, ist auch lexikalisch erwiesen."(74); Windisch, Urchristentum 213, mit Verweis auf CH I; Weiß, 1.Kor 371 f.

die Antithese bereits vor Pl entstanden sein müsse[36]. Diese Ableitung ist jedoch nicht nur wegen des Fehlens der Antithese problematisch, sondern auch, weil in CH I und X die ψυχή dem πνεῦμα übergeordnet ist und in Nähe des νοῦς steht, keinesfalls aber in negativer Verwendung. Sprachlichen Anhalt hat die These von Reitzenstein und Weiß am Eingangsgebet der Mithrasliturgie. Der Seher läßt seine ψυχή zurück, um ἀθάνατῳ πνεύματι Gott zu schauen, ἀρτίας ὑπεστώσης μου πρὸς ὀλίγον τῆς ἀνθρωπίνης μου, ψυχικῆς δυναμέως ἣν ἐγὼ πάλιν παραλήμψομαι (Text nach Reitzenstein, Mysterienreligionen 176). In der ekstatischen Erhebung steht die ψυχή dem πνεῦμα im Weg.

Für die gnostische Ableitung sind weiterhin genannt worden: Iren, Haer I 7,1 (τοὺς δὲ πνευματικοὺς ἀποδυσαμένους τὰς ψυχάς ... μηδὲν γὰρ ψυχικὸν ἐντὸς πληρώματος χωρεῖν); vgl. auch I 21,4f.; ClAl, ExcTheod 64,1 (ἀποθέμενα τὰ πνευματικὰ τὰς ψυχάς). Diese Aussagen sind auf valentinianische Anschauungen zu beziehen; wenige Aussagen aus der Naassenerpredigt (bei Hipp, Ref V.7,7f.; 8,31-34), in denen die negative Bedeutung der ψυχή strittig ist; weiterhin Hipp, Ref V.26f. (Baruchgnosis). Da aber hier bereits 1.Kor 2,9 in 26,16 zitiert wird und auch die Naassenerpredigt in 7,40 auf Joh 3,6, in 8,26 auf 1.Kor 2,13f. zu blicken scheint, sind sogleich Vorbehalte gegenüber diesen Ableitungsversuchen anzumelden[37]. So bleiben zuletzt die christlich-gnostischen Texte: WA und ApokrJoh. Hier begegnet die Entgegensetzung von Psychischem und Pneumatischem häufig (WA 135,17-20 Labib) oder auch nur die negative Qualifikation der ψυχή (ApokrJoh NHC II 26,8ff.); vgl. auch NHC I 46,1 (Rheginos-Brief), NHC VI 39,16f.; 40,25 (Gedanke unserer großen Kraft) und NHC VII 24,20 (Paraphrase des Seem)[38].

(noch ohne Kenntnis der Arbeit Reitzensteins XVIII A 1); Bousset, Kyrios 197-199; Bauer, WB 1346; Bultmann, Theologie 177f.; Wilckens, Weisheit 60; Schmithals, Gnosis 143; Jewett, Terms 121-123; Schottroff, Glaubende 141 A 4, die im übrigen 1.Kor 2,6-16 insgesamt den pl Gegnern zuweist. Winter, Pneumatiker 205f., sieht in „gnostischen Texten den direkten Sprach- und Vorstellungshintergrund der paulinischen Antithese" (zustimmend Sand, EWNT III 1203f.).

[36] Reitzenstein, Mysterienreligionen 70-72; Weiß, 1.Kor 371-373. Den von Winter, Pneumatiker 161-163, in Übernahme der Ausführungen von Brandenburger, Adam 81-83, genannten ‚Sonderfall' der späten Tradition des Zosimus (in CH I bei Reitzenstein, Poimandres 102ff.) möchten wir nicht überbewerten. Der Text ist ins 3.Jhd. zu datieren, mit christlichen Einschüben durchsetzt. Er stellt im Zusammenhang der Anthropos-Spekulation dem pneumatischen den sarkischen Menschen gegenüber, und eben nicht den psychischen: ἔξω ἄνθρωπος - γῆ σαρκίνη (104f.)/ἔσω ἄνθρωπος - πνευματικὸς ἄνθρωπος (103f.). Ob man das Fehlen des Wortes ψυχή im hermetischen Schrifttum bereits als Erweis seiner negativen Qualifikation auswerten darf (so Reitzenstein, Mysterienreligionen 72), sei mehr als kritisch angefragt.

[37] Zusammenstellung der Zitate in gnostischen Schriften bei Theißen, Aspekte 357 A 22.

[38] Zur Auswertung: Tröger, ThWNT IX 659-661; Betz, Problem 71-73; zur Frage der jüd. bzw. christlichen Tradition und Redaktion: K.Rudolph, Die Nag Hammadi-Texte und ihre Bedeutung für die Gnosisforschung, ThR 50, 1985, 1-40. F.Siegert, Selbstbezeichnungen der Gnostiker in den Nag-Hammadi-Texten, ZNW 71, 1980, 131: „... pneumatikos »pneumatisch« oder »Pneumatiker« in verschiedenen Wortverbindungen oder

Überblickt man die Texte aus dem Bereich der gnostisch-mysterienhaften Literatur, so können diese Aussagen der christlichen Gnosis
schwerlich „den direkten (im Original gesperrt; F. W. H.) Sprach- und
Vorstellungshintergrund der paulinischen Antithese πνευματικός-ψυχικός darstellen."[39]. Darüber hinaus ist ψυχή als Mittelbegriff zwischen
σῶμα und πνεῦμα in gnostischen Schriften überwiegend positiv bezeugt. Stellt man zusätzlich in Rechnung, daß alle Texte nachntl. sind,
Voraussetzung der ntl. Schriften für die genannten gnostischen Schriften also wahrscheinlich ist und in allen genannten gnostischen Texten
eine Reflexion von Gen 1 f. einhergeht, die nicht ohne jüd.-christl. Vermittlung denkbar ist[40], dann spricht nichts für eine direkte Ableitung
der pl Antithese aus dem gnostisch-mysterienhaften Bereich[41]. Zugleich
geht es nicht an, mit der Zuweisung der Antithese an die Gnosis die
sog. Gegner in Korinth zu Gnostikern zu erklären[42]. Dies läßt nach
Voraussetzungen im hell. Judentum fragen[43].

6.2.2.2.2 Die jüdisch-hellenistische Ableitung[44]

Philo setzt Spekulationen über zwei Menschen in einfacher Form
voraus und setzt sie, eingehender als seine Tradition, in Beziehung zu
der biblischen Schöpfungsgeschichte, die ja in Gen 1 und 2 zwei Schöp-

---

auch absolut: I 118,37 119,21 (abgegrenzt gegen psychikos und hylikos; vgl. 1. Kor 2,14;
Jud 19) II 145,22 III 5,3."

[39] So Winter, Pneumatiker 205 f. Kritisch zu Winter: Betz, Problem 71–75; Schmithals,
Gnosis und NT 31 f.

[40] Anders allein Morissette, Antithese 105 f.

[41] M. E. hat Bousset, Kyrios 134 ff., diese Probleme der Ableitung aus der Mysterien-
frömmigkeit, der er ‚zu seiner Freude' (134 A 7) im Anschluß an Reitzenstein zustimmte,
gesehen, wenn er 134 A 1 in der Terminologie jüd.-hell. Einfluß für wahrscheinlich hält
(Philo), andererseits aber ebd. erklärt: „Das Entscheidende sind die großen sachlichen
Zusammenhänge, nicht die Terminologie."

[42] So Winter, Pneumatiker 230 f., und die 208 A 8 Genannten, von denen sich Schmithals, Gnosis und NT 31 A 10 wiederum ausschließt.

[43] An dieser Stelle wären Voraussetzungen für die Philo-Exegese zu benennen. Ich
verweise neben den verschiedenen Beiträgen in ANRW II. 21. 1 auf Sellin, Streit 95–101,
und, speziell für unsere Fragestellung, auf den Abschnitt ‚Philo als Quelle für einen frühen Gnostizismus' (202–205), in dem Sellin überzeugend darlegt, daß die Richtung von
Philo zur Gnosis verläuft und nicht umgekehrt. Dieses Ergebnis mußte bereits Winter
konzedieren, obwohl, wie Schmithals, Gnosis und NT 31, feststellt, dies „dem Ergebnis
seiner Arbeit nicht sehr günstig" war.

[44] Solange man ausschließlich auf die Möglichkeit der exakten religionsgeschichtlichen
Ableitung der Antithese blickte, schied die vom AT bestimmte Literatur schnell aus, da
nicht einmal die LXX (Ausnahme: 4. Makk 1,32) den Begriff ψυχικός bezeugt. Erst der
Blick auf die Auslegung der Schöpfungsgeschichte im Werk Philos eröffnete Zusammenhänge mit der Verwendung der Antithese im pl Schrifttum, wiewohl auch im Werk Philos
die Antithese selber nicht bezeugt ist. Eine ausführliche Darstellung der philonischen

fungsgeschichten bietet (Op 134–147; All I 31–42). Beide Auslegungen
sind zu unterscheiden, sie greifen auf je unterschiedliche philosophische Voraussetzungen zurück[45].
  In Op. 134 f. unterscheidet Philo die Idee des Menschen (Gen 1,27),
den Prototypen, von Adam (Gen 2,7), dem Protoplasten. Dieser erste
Mensch hat eine Doppelnatur als sterblicher und doch zugleich geistbegabter Mensch. Hingegen sind in All zwei gegensätzliche Menschentypen gegenübergestellt: οὐράνιος ἄνθρωπος und γήϊνος; κατ᾽ εἰκόνα
θεοῦ γεγονὼς φθαρτῆς – τὸν δὲ γήϊνον πλάσμα (I 31 f.). Dies ist aber
anders als in Op der Erweis von zwei unterschiedlichen Menschentypen
oder -klassen (διττὰ ἀνθρώπων γένη), nicht mehr nur eine doppelte
Veranlagung jedes Menschen. Diese Klassen werden mit beiden Schöp-
fungsereignissen verbunden. Der ἄνθρωπος οὐράνιος ist der πρῶτος
ἄνθρωπος. Erhält der νοῦς des irdischen Menschen das πνεῦμα, kann
er in Ekstase auswandern und Gott schauen. Der Empfang des πνεῦμα
wird erwirkt durch φυλακή, ἄσκησις und πόνος. So können aus den ἀρ-
χόμενοι über die προκόπτοντες letztlich τέλειοι werden.
  In All I 31 f. zeigt Philo, daß der Mensch γήϊνον πλάσμα ist und eben
nicht κατ᾽ εἰκόνα θεοῦ. Er hat, wie Gen 2,7 LXX sagt, πνοὴν ζωῆς erhalten, aber eben nicht πνεῦμα ζωῆς. Nach Gen 2,7 wurde er ψυχὴ
ζῶσα. In All III 247 u. ö. zählt Philo diese ψυχή zur negativen Seite des

---

Auslegung der atl. Schöpfungsgeschichte bietet A. J. M. Wedderburn, Philo's ‚Heavenly
Man‘, NovT 15, 1973, 301–326. Seine Schlußfolgerung „that Philo himself is not the tar-
get of Paul's attack but rather a view like his or, more convincingly, a mythological view
which formed the common background to Philo's exegesis and the theology of the Corinthians" (302 f.), wird von niemandem bestritten werden wollen. Zu dieser jüd.-hell. Ableitung: J. Dupont, Gnosis, 1949, 172–180, in Zustimmung zu E.-B. Allo, Sagesse et
Pneuma dans la première épître aux Corinthiens, RB 43, 1934, 321–346 (zu Dupont die
Stellungnahme von R. Bultmann in JThS 3, 1952, 10–26); dann Conzelmann, 1. Kor
340 f.; Wilckens, 1. Kor 2,6–16, 530–532; ders., Christus 389 f.; Barrett, 1. Cor 374 f.; Davies, Paul 51 f.; Sandelin, Spiritus; ders., Auseinandersetzung; Morissette, Antithèse
118 f.; Baumann, Mitte 250–252; Pearson, Terminology 82; Horsley, Pneumatikos;
Schweizer, ThWNT IX 663; Klauck, 1. Kor 119; Sellin, Streit 184–189; ders., Geheimnis
82 f. Stuhlmacher, Bedeutung 139, spricht von einer ‚exegetischen Wende‘; vgl. aber auch
die Einschränkungen bei Theißen, Aspekte 357–361; Wolff, 1. Kor 202.
  Es ist freilich zu vermuten, daß Philo hier für eine verbreitete Auslegungstradition im
hell. Judentum steht. Dies legt schon die „Selbstverständlichkeit, mit der sie Philo vertritt" (Conzelmann, 1. Kor 341) nahe; ebenso Sandelin, Spiritus 73.
[45] Eine ausführliche Analyse bietet jetzt Sellin, Streit 90–175, in starker Bezugnahme
auf Tobin, Creation. In der exegetischen Literatur findet sich der Verweis auf Philo
mehrfach; vgl. etwa Schniewind, J., Die Leugner der Auferstehung in Korinth, in: ders.,
Nachgelassene Reden und Aufsätze, 1952, 135; Hirsch, Christologie 618 u. a. Zur philosophischen Verklammerung Rüsche, Pneuma 621: „Dabei unterschiebt Philo der biblischen εἰκὼν θεοῦ den stoischen Logos, faßt ihn aber zugleich platonisch als Uridee auf."

Menschen, während der νοῦς neutral gewertet wird⁴⁶. So kann Philo den Gegensatz von πνεῦμα und ψυχή aus Gen 1–2 ‚herausexegesiert‘ haben, auch wenn er das eben nicht tut. Die Erlösung besteht für Philo in der Loslösung von irdischen Dingen und der Verwandlung in den ganz von πνεῦμα bestimmten, nach dem Bild Gottes geschaffenen Menschen.

Die Antithese πνευματικός-ψυχικός wird bei Philo vermißt. Sie begegnet erstmals bei Paulus, dem sie aus der korinthischen Gemeinde zugekommen ist. Daß auf sie in dieser Hinsicht ein jüd.-hell. Einfluß geltend zu machen ist, hat die jüngere Forschung mehrfach vermutet⁴⁷. Wie die Vermittlung zwischen hell. Judentum (Philo) – hell. Judenchristentum – hell. Heidenchristentum zu denken ist, kann zunächst noch offen bleiben. Fraglos geht die Antithese über die jüd.-hell. Exegese hinaus und bedurfte zusätzlicher Anstöße.

Wichtig ist nun, daß weitere Motive im Kontext der Antithese kaum anders als vom gleichen religionsgeschichtlichen Hintergrund ableitbar sind.

a) In 1. Kor 2,6 nimmt Pl den Selbstanspruch aus der Gemeinde, τέλειοι zu sein, auf und wendet ihn in 3,1–4 polemisch in das trad. Gegenbild: νήπιοι. Philo verwendet τέλειος auch im Kontext der Reflexion von Gen 2,7 zur Beschreibung des vollendeten Menschen (All I 94), außerdem begegnet bei Philo häufig der Gegensatz τέλειοι-νήπιοι (Congr XIX 521; Migr XXIV 440), in Agr IX und Sobr VIII–IX sogar in Verbindung mit dem Gegensatz γάλα-βρῶμα (1. Kor 3,1 f.)⁴⁸.

b) Die pl Verwendung der Antithese ist in 1. Kor 15,44–46 untrennbar verbunden mit der Entgegensetzung von πρῶτος ἄνθρωπος Ἀδάμ und ἔσχατος Ἀδάμ. 15,47 nennt ὁ πρῶτος ἄνθρωπος ἐκ τῆς χοϊκός und ὁ δεύτερος ἄνθρωπος ἐξ οὐρανοῦ. Pl setzt sich unzweifelhaft mit der Urmenschlehre auseinander in der Weise, „daß das Verhältnis von erstem und zweitem Menschen gegenüber

---

⁴⁶ Zur Abwertung der ψυχή gegenüber dem νοῦς in röm.-hell. Zeit: Dihle, ThWNT IX 612.

⁴⁷ Conzelmann, 1. Kor 341: „Möglich ist natürlich auch, daß in Korinth Einflüsse dieser jüdischen Spekulation wirksam sind – in einer der alexandrinischen ähnlichen, protognostischen Fassung." Wilckens, 1. Kor 2,6–16,532: „… wenn man voraussetzen dürfte, daß man in Korinth, angeregt durch den Alexandriner Apollos, im erhöhten Christus … jenen himmlischen Urmenschen gesehen und aus der Teilhabe der Christen an ihm die Erkenntnisfähigkeit christlicher ‚Weisheit‘ begründet hätte." Einschränkungen hierzu von Schaller, EWNT I 65–67.

⁴⁸ Die Verwendung von τέλειοι zur Bezeichnung der Christen findet sich bei Pl nur hier und ist am ehesten als Selbstbezeichnung der Gemeinde zu verstehen (Pearson, Terminology 28). Von seiner Verwendung im hell. Sprachgebrauch zielt es auf eine exklusive Gruppe (Belege bei Conzelmann, 1. Kor 78; Horsley, Pneumatikos 280 f.). 1. Kor 14,20 verwendet das Bild paränetisch. Die Antithese τέλειοι-νήπιοι geht daher durchweg derjenigen von πνευματικοί-ψυχικοί parallel.

dem gesamten religionsgeschichtlichen Vergleichsmaterial umgekehrt ist"[49]. Die Erlösung ist nicht Rückkehr zum pneumatischen Menschen, sondern wird erst zukünftig geschenkt. Der Christ ist wie Adam ψυχὴ ζῶσα und trägt das Bild des Irdischen. Erst im Eschaton wird er das Bild des Himmlischen tragen (1. Kor 15, 49 und der Gegensatz von Aorist und Futur diff v. l.). Hier geht es zunächst nur darum: Pl setzt eine Heilsontologie voraus (πρῶτος – δεύτερος ἄνθρωπος) und kehrt sie um. Dies ist verständlich unter der Voraussetzung der Urmenschlehre, welche – durch die Exegese der beiden Schöpfungsberichte mitveranlaßt – den ersten pneumatischen Menschen vom zweiten irdischen trennt. Erlösung ist für Pl nur eschatologisch denkbar durch den ἔσχατος Ἀδάμ, nicht aber als Rückkehr zum πρῶτος ἄνθρωπος.

c) Man kann zumindest fragen, ob das Motiv des πνεῦμα ζῳοποιοῦν in V. 45 b gleichfalls in den Umkreis dieser Antithese gehört. Nun ist V. 45 durch οὕτως καὶ γέγραπται als atl. Zitat gezeichnet, ein Zitat freilich, in das Pl eingreift. In V. 45 a erweitert Pl Gen 2, 7 LXX (καὶ ἐγένετο ὁ ἄνθρωπος εἰς ψυχὴν ζῶσαν) um πρῶτος und Ἀδάμ. V. 45 b hat in πνεῦμα ζῳοποιοῦν nur geringen Anklang an Gen 2, 7 (καὶ ἐνεφύσησεν εἰς τὸ πρόσωπον αὐτοῦ πνοὴν ζωῆς). Ebensogut ist denkbar, daß im Kontext der Urmenschlehre der erste Mensch mit dem πνεῦμα ζῳοποιοῦν gleichgesetzt worden ist.

Diese Überlegung ist nur eine Vermutung, aber sie läßt sich durch weitere Beobachtungen stützen:

– die Gleichsetzung des gegenwärtig Erhöhten mit dem gegenwärtig lebenschaffenden πνεῦμα (Part. Praes.) leistet ja gerade der präsentischen Eschatologie Vorschub, die 15, 22 (ἐν τῷ Χριστῷ πάντες ζῳοποιηθήσονται) und 15, 3 ablehnen.

– alle ntl. Belege des Motivs πνεῦμα ζῳοποιοῦν sind einer präsentischen Eschatologie verpflichtet. Eine Rezeption des Motivs wäre also am ehesten den Pneumatikern in Korinth zuzutrauen[50].

---

[49] Conzelmann, 1. Kor 341; Theißen, Aspekte 358. Klauck, 1. Kor 119, hält gegen Weiß zu Recht fest, daß für Pl(!) Christus πνεῦμα ζῳοποιοῦν „nicht als Präexistenter (...) und erst recht nicht bei der Inkarnation (...), sondern bei seiner Auferstehung und Erhöhung" wurde. Im übrigen pflichtet auch Weiß, 1. Kor 374, bei: „P. muß also hier von einer exegetischen oder spekulativen Tradition abhängig gewesen sein, nach der die doppelte Menschenschöpfung in der Schrift erzählt war. Das älteste literarische Zeugnis für eine solche finden wir bei Philo ..."

[50] Der Ausdruck ‚πνεῦμα ζῳοποιοῦν‘ begegnet erstmals im NT (1. Kor 15, 45; 2. Kor 3, 6; vgl. dazu Gal 3, 21; Joh 6, 63; 1. Petr 3, 18), stets in soteriologischem Zusammenhang und in Gegensatz zu σάρξ oder γράμμα. Im Gegensatz dazu fehlt dem Gottesprädikat (θεὸς ὁ ζῳοποιοῦν τοὺς νεκρούς) (Röm 4, 17; 8, 11; Joh 5, 21; 2. Ben. des Achtzehngeb.; JosAs 20, 7) diese dualistische Einbindung. Pl selber verwendet ζῳοποιεῖν noch in bezug auf Christus in 1. Kor 15, 22 (ἐν τῷ Χριστῷ πάντες ζῳοποιηθήσονται) und im Gleichnis 1. Kor 15, 36 (σὺ ὃ σπείρεις, οὐ ζῳοποιεῖται ἐὰν μὴ ἀποθάνῃ). In den hymnischen Aussagen Kol 2, 13; Eph 2, 5 ist der christologische Bezug in Verbindung mit einer präsentischen Soteriologie verankert. Dem Ausdruck πνεῦμα ζῳοποιοῦν kommt im Gegenüber zum Gottesprädikat des lebenschaffenden Gottes insofern Eigenständigkeit zu, weil a) die Aussagen in einen Dualismus eingebettet sind; b) dieses ζῳοποιεῖν präsentisch verstanden wird und c) der Ausdruck so in vorntl. Zeit nicht erscheint. Er mag ins hell. Chri-

Wenn dieses Motiv in Korinth im Zusammenhang der Urmenschlehre Aufnahme gefunden haben sollte, welcher Christus ist dann als πνεῦμα ζῳοποιοῦν bestimmt worden und wie ist seine Funktion zu benennen?

Daß Pl an den auferweckten und erhöhten Christus denkt, ist vom Kontext der Attribute ἔσχατος und δεύτερος her schwer zu bestreiten, gleichwie mit φορέσομεν καὶ τὴν εἰκόνα τοῦ ἐπουρανίου (V. 49) klargestellt ist, daß unbeschadet der Repräsentanz Christi für die Seinen (V. 47) eine Identifizierung noch nicht gegeben ist[51].

Aber wenn es nicht Pl war, der als erster die ἄνθρωπος-Lehre mit der Person Christi verbunden hat, sondern Pl solches in Korinth z. Z. seines Schreibens vorfindet, welche Gestalt mag hier vorgelegen haben?

J. Weiß deutete V. 45 b nicht auf den Erhöhten, vielmehr sei der Präexistente als πνεῦμα ζῳοποιοῦν bestimmt worden. Dieser Gedanke ist modifiziert bei Wilckens aufgenommen worden: „... vorstellbar ..., daß man in Korinth ... im erhöhten Christus – im Sinne der liturgischen Tradition von 1. Kor 8,6; Kol 1,15 ff. usw. – jenen himmlischen Urmenschen gesehen ..." hat. Hier seien Präexistenz-Christologie und Urmensch-Lehre einander zugeordnet, eine Vorstellung, die Wilckens mittels des Einflusses des alexandrinischen Christentums (Apollos) für „historisch immerhin vorstellbar" hält[52]. Die Taufe sei der Ort, an dem die Christen kraft des πνεῦμα ζῳοποιοῦν Unsterblichkeit empfangen.

6.2.2.3 πνευματικοί als exklusive Selbstbezeichnung korinthischer Christen

Wir fragen zum Abschluß der Untersuchung der Bezeichnung πνευματικοί, inwieweit die Bezeichnung innerhalb der Gemeinde exklusiven Charakter hat und wer am ehesten als Träger dieser Bezeichnung in Frage kommt.

---

stentum vor oder neben Pl zurückreichen, die Wurzeln des präsentischen soteriologischen Verständnisses liegen im hell. Judentum; vgl. JosAs 8,9; OdSal 11,12; vgl. auch die Aussagen, in denen Gott durch seinen Schöpfungsgeist Leben schafft (Gen 2,7; Ez 37,5; Ps 104,29); die Formulierung πνεῦμα ζωῆς in Gen 6,17; 7,15; Ez 10,17; 37,5; außerdem die Verbindung von πνεῦμα und ζωή in 2. Makk 14,46; Philo, Op 30,6; OdSal 20,7. Entscheidend ist nun die Gleichsetzung von Christus und πνεῦμα ζῳοποιοῦν, welche nur in 1. Kor 15,45 begegnet. Versteht man 1. Kor 15,22 als die spezifischere pl Aussage, so ist die Übertragung des Motivs des lebenschaffenden Geistes auf Christus nur für die korinthische Gemeinde bezeugt. Zu dem Motiv des lebenschaffenden Geistes: Bultmann, ThWNT I 876 f.; ders., Theologie 159; ders., Joh 342; Schottroff, EWNT I 273 f.; Kremer, Buchstabe 226–229; Sellin, Streit 79–90; Morissette, Antithèse 121–142. Dunn, 1. Cor 15,45 versteht hingegen das Part. Präs. als Ausdruck der pneumatischen Erfahrungen der Glaubenden, die hier auf Jesus als Quelle zurückgeführt würden (132 f.). Hier ist jedoch der polemische Kontext verkannt. Im übrigen ist die Voraussetzung, pneumatische Erfahrungen durchweg als Christuserfahrungen zu verstehen, problematisch (141).

[51] Conzelmann, 1. Kor 341 f.; Scroggs, Adam 92; Wolff, 1. Kor 201 u. a.
[52] Wilckens, 1. Kor 2,6–16, 532; Weiß, 1. Kor 374.

Die Wendung περὶ δὲ τῶν πνευματικῶν in 12,1 konnte als Teil des Fragebriefs aus der Gemeinde an Paulus erkannt werden, somit auch πνευματικός als ein an Pl herangetragener Begriff. Damit sind bereits die πνευματικοί als exklusiver, abgrenzbarer Teil der Gemeinde bestimmt, nicht aber als Gesamtgemeinde. Bedenkt man zugleich, daß es Paulus' erstes Anliegen ist, den christlichen πνευματικός von dem heidnischen Ekstatikertum zu distanzieren (12,2: ὡς ἂν ἤγεσθε ἀπαγόμενοι), so wird in dieser Verwandtschaft des Erscheinungsbildes die Anfrage mitbegründet sein. Erst Pl erklärt in einer Umkehrung in V.3, daß nicht eine Demonstration des neuen Standes, sondern das Christusbekenntnis den Pneumatiker als solchen erweist[53]. Gleichfalls bekräftigt der Anschluß der Charismenliste in 12,4–11, daß nicht nur einzelne Geistträger sind (ἑκάστῳ δὲ δίδοται ἡ φανέρωσις τοῦ πνεύματος 12,7), daß zugleich Geistesgaben immer Zuteilungen Gottes sind (12,7.11), was beides einer Verabsolutierung des πνευματικός gegenüber der Gemeinde widerstreitet.

Die Exegese von 14,37 hatte ergeben, daß Pl unter den πνευματικοί hier im engeren Sinn die glossolal Befähigten versteht.

Auch 2,15 und 3,1 können in diese exklusive Tendenz eingeordnet werden. Im Zusammenhang der πνευματικός-ψυχικός-Antithese erwähnt Pl in 2,15 den Grundsatz ‚ὁ δὲ πνευματικὸς ἀνακρίνει [τὰ] πάντα, αὐτὸς δὲ ὑπ' οὐδενὸς ἀνακρίνεται‘. Pl selber wendet diesen Grundsatz auf sich an, indem er in V.16 darauf verweist, den νοῦς Χριστοῦ als erkenntnisleitendes Prinzip zu haben. Doch kann V.15 auch als isolierte Aussage verstanden werden und sie ist in der Forschung oft als „eine Grundthese der Korinther"[54] erkannt worden. H. Conzelmanns Frage, ob diese „Überweltlichkeit mysterienhaft-habituell"[55] gemeint sei, wird man nicht zuletzt aufgrund der Vorgeschichte des Motivs nur bejahend beantworten können. Hierbei handelt es sich doch um eine „Übertragung von göttlichen Prädikaten auf den Menschen"[56]. Auch Philo kann dem menschlichen Geist als Abbild des göttlichen solche Kraft beimessen (Op 69). Vor allem aber belegen spätere gnostische Texte die Unabhängigkeit des Pneumatikers nach vollzogenem Wiedergeburts-Mysterium (CH XIII 15; XI 20f.). Sollte also V.15 im Kern eine Anschauung der Pneumatiker in Korinth wiedergeben, so war sie in

---

[53] Wilckens hat zu Recht darauf verwiesen, daß es das pl Anliegen in 1.Kor 15 ist, alles, was auf eine „protologische Begründung der Gotteserkenntnis des irdischen Menschen in der pneumatisch vermittelten Teilhabe an seiner himmlisch-pneumatischen Idee" zielt, abzuschneiden, und zwar „von dem eschatologisch-christlichen Ansatz" (1.Kor 2,6– 16, 533f.; vgl. auch ders., Christus 392: „Ausmerzung jeglicher Protologie").

[54] ders., Weisheit, 93f.

[55] Conzelmann, 1.Kor 87.

[56] Theißen, Aspekte 377 A 51.

jedem Fall der οἰκοδομή abträglich, der Ausgrenzung einzelner Pneumatiker aber zuträglich.

3,1 verbindet die Parteienfrage mit der Selbstbezeichnung πνευματικοί. Ζῆλος καὶ ἔρις erweisen die Unsachgemäßheit der Selbstbezeichnung (3,3), so kann Pl den Pneumatikern nicht als solchen begegnen. Ein mit der Selbstbezeichnung verbundenes Wesensmerkmal ist καυχᾶσθαι ἐν ἀνθρώποις (3,21) und φυσιοῦσθαι εἷς ὑπὲρ τοῦ ἑνὸς κατὰ τοῦ ἑτέρου (4,6). Hierbei handelt es sich im ersten Fall um ein Rühmen, das sich exklusiv auf bestimmte Menschen bezieht[57], im zweiten Fall um eine Herabsetzung der sich zu Pl zählenden Gruppe durch die Apollos-Gruppe.

Die Vermutung ist zudem nicht einmal abwegig, daß die Bezeichnung πνευματικός in der substantivierten Form aufgrund einer spezifischen Interpretation der urchristlichen Geistausgießung in Korinth ihre Prägung erhielt[58]. In der vorntl. Profangräzität wird die substantivierte Form vermißt, die LXX kennt das Wort πνευματικός nicht, Philo bevorzugt τέλειος und bezeugt πνευματικός nur wenige Male, aber nicht in anthropologischen Aussagen[59]. Die substantivierte Form hat außer in der Korintherkorrespondenz und in Gal 6,1 keine Verwendung gefunden. Dies läßt fragen, ob mit dem Begriff eine theologische Nuance verbunden ist, zu der sich das frühe Christentum reserviert verhalten hat.

Aus der Argumentation des Kap. 14, vor allem aus der Gleichsetzung von πνευματικός und Glossolalem in 14,37 wird deutlich, daß πνευματικά speziell auf Glossolalie zielt. Pl distanziert sich in Kap. 14 nicht nur inhaltlich von dem Selbstverständnis der Glossolalen, sondern führt, wahrscheinlich selber in Abgrenzung, den Begriff χάρισμα an seiner Stelle ein (1. Kor 12,4.9.28.30 f.; Röm 12,6). Die Absicht dieser terminologischen Änderung hat theologische Gründe. Bei χάρισμα ist auch sprachlich festgehalten, daß die Geistesgabe eine Kraft der χάρις ist, nicht aber Demonstration des neuen Seins. Χαρίσματα sind Gaben Gottes (12,6) bzw. des Geistes (12,7 f.).

Die Auslegung von 1. Kor 10,1 ff. hat gezeigt, daß hier das Adjektiv πνευματικός substanzhaft an die Materie gebunden ist. Die pl Weiterführung in 10,5 ff. legt Nachdruck auf die Folgerung: trotz substanz-

---

[57] Sellin, Geheimnis 87: „καυχᾶσθαι ἐν ἀνθρώποις meint auf keinen Fall ein Rühmen nach Menschenart oder ein Rühmen im Kreise von Menschen (...). ἐν bezeichnet bei καυχᾶσθαι immer den Gegenstand und Grund des Rühmens.“
[58] So auch Schulz, Charismenlehre 454 („terminus technicus der korinthischen Enthusiasten"); ähnlich House, Tongues 144; Schütz, Charisma 690; Käsemann, Röm 318; Jewett, Terms 194.
[59] Winter, Pneumatiker 96. Selbst in den griech. Papyrusurkunden findet sich nach F. Preisigke, Wörterbuch der griechischen Papyrusurkunden II, 1927, 326, kein Beleg in profanen Urkunden.

hafter Übertragung des πνεῦμα ist keine magische Heilsgarantie gegeben. Die Exegese ließ zugleich erkennen, daß Pl eine diesbezügliche Anschauung voraussetzt und korrigiert.

Die bisherige Analyse hat sich zwei dominanten Vorstellungen in der korinthischen Gemeinde zugewandt: der Tauftheologie und der Selbstbezeichnung πνευματικός. Es fällt nicht schwer, beide Vorstellungen zu verzahnen. In dem Moment, wo der Taufe magische Wirkung beigemessen wird, in ihr der Geist substanzhaft übermittelt wird und der Täufling in den Raum des Kyrios versetzt wird, liegt es nahe, sich dem neuen Stand entsprechend zu benennen: hier sind πνευματικοί, nicht mehr ψυχικοί.

Wir verbleiben zunächst am Leitfaden der aus dem 1. Kor hervortretenden, die Gemeinde bestimmenden Gedanken und fragen: wo ist der Ort, an dem dieser pneumatische Enthusiasmus primär demonstriert wird? Es ist das gottesdienstliche Leben in Korinth, in dem in urchristlicher Zeit für uns Glossolalie bestimmend hervortritt und als äußeres Zeichen des Pneumatismus sinnfällig Gestalt findet.

6.3 Glossolalie als Demonstration des pneumatischen Enthusiasmus

6.3.1 Glossolalie im Urchristentum

Über das Phänomen der Glossolalie im Christentum der ntl. Zeit sind wir nur durch die Ausführungen in 1. Kor 12–14, genauer, durch die dort reflektierte Praxis der Gemeinde in Korinth informiert. Es gibt Gründe genug, das Phänomen der Glossolalie als eine ekklesiale Erscheinung sui generis auf Korinth zu begrenzen, sie also nicht ein Charakteristikum der ntl. Zeit insgesamt sein zu lassen. Dafür spricht nicht nur der Befund, sondern zugleich die Einsicht, daß Glossolalie notwendig an ein dermaßen bestimmtes christliches Selbstverständnis gebunden ist, welches in urchristlicher Zeit nur im pneumatischen Enthusiasmus in Korinth zu finden ist[1]. Glossolalie hat freilich eine eigene Vor-

---

[1] Wenn man den auf Lehre zielenden Kontext in Kol 3,16 beachtet, wird man die ᾠδαῖς πνευματικαῖς (gegen Pokorný, Kol 148) kaum auf glossolalische Lieder beziehen können. Jeremias, Theologie 84, weist auf den Sachverhalt hin, daß „in dem Bilde Jesu als Geistträger ... die Glossolalie ..." fehle. Dies ist möglicherweise Indiz für die Tatsache, daß „der urchristliche Pneumatiker ... also nicht Modell gestanden ..." hat, bezeugt aber auch Abstand der Evangelienredaktion zu diesem Phänomen, wie sich für Lk präzise nachweisen läßt (s. u.). House, Tongues, begrenzt Glossolalie als urchristliche Gemeindeerscheinung auf Korinth und versteht das Phänomen als Fortsetzung des heidnischen Apollos- und Dionysos-Kultes.

und Nachgeschichte zum Christentum[2]. M. E. gibt es jedoch im frühen Christentum kein Beispiel für eine solche Integration glossolaler Praxis in das gottesdienstliche Handeln der Gemeinde wie in Korinth. Von solchem Gruppenphänomen sind singuläre Notizen wie 2. Kor 12 als Erfahrung eines Einzelnen zu unterscheiden.

Neben 1. Kor 12–14 wird in der Literatur häufig auf Mk 14,36; Röm 8,15 und Gal 4,6 (Abba-Ruf) verwiesen, insofern der Geist Gottes in den beiden letztgenannten Belegen wie auch in Röm 8,26 f. den menschlichen Geist vertritt. Allerdings wird der menschliche Verstand hier nicht ausgeschaltet, wie solches in der Glossolalie und der sie bedingenden Tradition des ekstatischen Enthusiasmus notwendig ist (vgl. 1. Kor 14,14). Vielmehr korrespondiert er diesem in auferbauender Weise. Gleichfalls sind die geistlichen Lieder (Kol 3,16; Eph 5,18 f.) im Zustand vollen Bewußtseins, nicht aber in ‚Trunkenheit' zu singen.

Es bleiben als diskutable Belege: Mk 16,17 f.; Apg 2,1–11; 10,46; 19,6.

Mk 16,17 f., Teil eines späteren Zusatzes zum Mkev., lautet nach der 26. Aufl. des NT Graece:

σημεῖα δὲ τοῖς πιστεύσασιν ταῦτα παρακολουθήσει,
ἐν τῷ ὀνόματί μου δαιμόνια ἐκβαλοῦσιν,
γλώσσαις λαλήσουσιν καιναῖς,
[καὶ ἐν ταῖς χερσὶν] ὄφεις ἀροῦσιν ...

Die Aufzählung der pneumatischen Machttaten entspricht spätntl. und frühchristlicher Gemeinsicht; vgl. Dämonenaustreibung in Apg 16,16–18; Sprachen in Apg 2,1–10; Schlangen in Apg 28,3–6; Heilungen in Apg 3,1–10; 9,31–35; vgl. außerdem noch PsKlem, Hom III 36; Eus, HistEccl III 39,9; ActaJoh 287,24 ff. u. a. Da aber die Glossolalie unter allen Gaben der Anfangszeit am ehesten schwindet, könnte der Verf. des Mk-Schlusses bereits Glossolalie als ihm bekanntes Phänomen der Anfangszeit genannt haben, zumal er ebenfalls den aus Korinth vertrauten terminus technicus γλώσσαις λαλεῖν (artikellos) verwendet. Zudem ist mit Glossolie ein Phänomen genannt, welches zu den anderen todüberwindenden Machttaten nur schwer zuzuordnen ist[3]. Überblickt man insgesamt die in Aussicht gestellten Machttaten, so ist ihre literarische Stilisierung ohnehin augenfälliger, als in ihnen einen direkten Reflex urchristlicher Erfahrung wiederzufinden. Sie dokumentieren, daß der Getaufte als Geretteter den Widrigkeiten des Lebens enthoben ist. Für die nur hier sich fin-

---

[2] Dieses religionsgeschichtliche Urteil wurde ausführlich begründet durch Mosiman, Zungenreden; jetzt auch Currie, Evidence; Aune, Magic 1549–1551; Harrisville, Speaking; K. Gabris, Charismatische Erscheinungen bei der Erbauung der Gemeinde, CV 16, 1973, 147–162. Informativ ist der von Mills herausgegebene Sammelband ‚Speaking in Tongues'. Hier sind die Beiträge von Harrisville, Currie, Beare, Sweet u. a. wiederabgedruckt.

[3] Vgl. zur literarischen Stilisierung auch NHC II/2; 44,2 ff. Hier wird das christliche Mysterion durch glossolale Laute wiedergegeben.

dende Zufügung des καιναῖς zu γλώσσαις λαλεῖν könnte man vermuten, daß in Entsprechung zu den biblischen Schriften die eschatologische Zeit als ‚neue Zeit' genannt ist (Jer 38,31; Ez 36,26 LXX; 2.Kor 5,17; Apok 14,2). Wahrscheinlicher aber handelt es sich um ein Homoioteleuton, wenn καὶ ἐν ταῖς χερσίν zu lesen ist, wofür die äußere Bezeugung spricht[4]. Von der gesamten literarischen Stilisierung der V.16–18 scheint der Verf. nicht auf ein Phänomen seiner Zeit zu blicken, sondern den frühchristlichen term.techn. γλώσσαις λαλεῖν aufgenommen und den eschatologischen σημεῖα zugeordnet zu haben.

Ähnliches muß für den Redaktor der Apg gesagt werden. An drei Stellen kommt er unter Verwendung des term.techn. γλώσσαις λαλεῖν auf Glossolalie zu sprechen:

Apg 2,4:   καὶ ἐπλήσθησαν πάντες πνεύματος ἁγίου
               καὶ ἤρξαντο λαλεῖν ἑτέραις γλώσσαις
               καθὼς τὸ πνεῦμα ἐδίδου ἀποφθέγγεσθαι αὐτοῖς

Apg 10,45 f.: ... ὅτι καὶ ἐπὶ τὰ ἔθνη ἡ δωρεὰ τοῦ ἁγίου πνεύματος ἐκκέχυται
               ἤκουον γὰρ αὐτῶν λαλούντων γλώσσαις
               καὶ μεγαλυνόντων τὸν θεόν

Apg 19,6:   καὶ ἐπιθέντος αὐτοῖς τοῦ Παύλου [τὰς] χεῖρας
               ἦλθε τὸ πνεῦμα τὸ ἅγιον ἐπ' αὐτούς
               ἐλάλουν τε γλώσσαις καὶ ἐπροφήτευον

Stereotyp sind zugeordnet: a) die Konstatierung des Geistempfangs, b) die direkte Folge der Glossolalie und c) eine nähere Umschreibung der Sprachform (ἀποφθέγγεσθαι αὐτοῖς, μεγαλυνόντων τὸν θεόν, ἐπροφήτευον). Dies läßt vermuten, daß Lk überlieferungsgeschichtlich einen festen Zusammenhang von Geistbegabung und Glossolalie (mit dem genannten term.techn.) für die Frühzeit des Christentums voraussetzt, ihm selber jedoch das Phänomen als solches nicht mehr bekannt ist, da er es mit Sprachformen in Verbindung bringt, die dem Anliegen der Glossolalie teilweise widerstreiten. Darüber hinaus dient der genannte feste Zusammenhang von Geistbegabung und Glossolalie als Mittel seiner Geschichtsschreibung. Apg 10 begründet und legitimiert die Heidenmission und kann durch die Parallelität zu Apg 2 als ‚zweites Pfingsten' gelesen werden. In Apg 19,6 dokumentiert die Glossolalie die Realität des Geistempfangs.

Entscheidende Bedeutung für die These, daß Lk das Phänomen der Glossolalie fremd ist[5], hat die Beobachtung der ihr zugeordneten Sprachformen. Hierbei ist vorwegzunehmen, daß unter γλώσσαις λαλεῖν ein von der gewöhnlichen Sprache abweichendes Reden bezeichnet wird, welches, um verstanden zu werden, eines Hermeneuten bedarf (s.u.).

---

[4] So als Erwägung bereits bei Klostermann, Mk 174: „daß καιναῖς nur ein Schreibfehler für καὶ ἐν ταῖς d.h. κἀν ταῖς wäre."; ausführlich: Dautzenberg, Glossolalie 241 f.

[5] Klar erkannt von Feine, Zungenreden 753; Keim, Zungenreden 691 („Beweist schon die Apostelgeschichte die Abgebrochenheit der Thatsache wie des Verständnisses der Glossolalie"); jetzt wieder Lüdemann, Christentum 47.

Lk ordnet in 2,4 dem λαλεῖν ἑτέραις γλώσσαις erklärend ἀποφθέγγεσθαι αὐτοῖς zu. Wenn schon die Einfügung des ἑτέραις auf den Redaktor zurückgeht, um auf das Sprachenwunder hinzuweisen, so ist damit bereits die technische Verwendung von γλώσσαις λαλεῖν aufgegeben. Ἀποφθέγγεσθαι kann zwar in der griech. Tradition für ekstatische Rede verwendet werden (Plut, Pyth 23; DiodSic 16,27,1), Lk aber stellt diesen Begriff in Nähe zur Prophetie (vgl. Ez 13,9.19) oder freien Rede (vgl. Jambl, VitPyth 11,55) – so Petrus in 2,14 – und hebt den Begriff somit gerade von der Ekstase ab. Apg 26,25: οὐ μαίνομαι ... ἀλλὰ ἀληθείας καὶ σωφροσύνης ῥήματα ἀποφθέγγομαι (vgl. dazu wieder 1. Kor 14,23). Auch in Apg 10,46 ist an verständliches Gotteslob gedacht, welches die Juden zu einer rationalen Frage an Petrus führt. Darüber hinaus sind Verbindungen von λέγειν ... καὶ μεγαλύνειν in biblischer Literatur eine gebräuchliche Wendung zur Einführung des Gotteslobs.

Apg 19,6 fügt an ἐλάλουν γλώσσαις noch καὶ ἐπροφήτευον an. Lk will hierbei kaum zwei Charismen nebeneinander nennen, sondern setzt ἐπροφήτευον explikativ und zugleich im Sinne der Überordnung, die Pl in 1. Kor 14 anstrebt.

Halten wir fest: neben 1. Kor 12–14 verwenden nur noch Mk 16,17; Apg 2,4; 10,46 f.; 19,6 den term. techn. γλώσσαις λαλεῖν. Diese spätntl. Zeugnisse haben keine gegenwärtige Anschauung des Phänomens Glossolalie, setzen aber überlieferungsgeschichtlich einen Zusammenhang von Geistbegabung und Glossolalie der frühen Gemeinde voraus. Ob solcher Zusammenhang für Lk überhaupt mit einer festen Tradition verknüpft war, muß angesichts der redaktionellen Gestaltung und der Verbindung mit verschiedenen Orten (Apg 2: Jerusalem; Apg 10: Cäsarea; Apg 19: Ephesus) fraglich sein. Ebensogut kann Lk dieser Zusammenhang als eine markante Erscheinung der hell. Gemeinde in Erinnerung geblieben sein, um von ihm seinerseits an Schaltstellen der Missionsgeschichte als Erweis der Gegenwart des Geistes transportiert worden zu sein[6].

Auch der altkirchliche Befund bestärkt in der Annahme, daß Glossolalie ein auf die Gemeinde in Korinth begrenztes Phänomen war. So zeigt bereits die Auslegungsgeschichte von 1. Kor 12–14, daß die „Kirchenväter ... ihre Aussagen zur G. nur ntl. Texten u. aus der Auslegungstradition, nicht aus einer aktuellen Kenntnis glossolaler Erscheinungen entwickeln."[7] Aber auch die Beschreibungen charismatischer

---

[6] Graß, Ostergeschehen 199, vermutet von den genannten Belegen her, sie sprächen für wiederholte glossolale Ereignisse in der Urgemeinde. Mit Bultmann, Theologie 44 Anm. 1, erwägt er zusätzlich, anstelle von ἐλάλουν ... μετὰ παρρησίας in Apg 4,31 zu lesen: καὶ ἐλάλουν γλώσσαις. Diese Annahme setzt die problematische Hypothese voraus, Lk folge in Apg 4 einer Jerusalemer Quelle.

[7] Dautzenberg, Glossolalie 244. Vgl. zum folgenden das von Hilgenfeld, Glossolalie, und Weinel, Wirkungen 72–101, gesammelte Material. Letzterer behauptet: „... dass in der Kirche der Einfluss des Paulus ... stark eindämmend und schließlich ertötend auf diese Erscheinung gewirkt hat" (75). Aber auch Mosiman, Zungenreden 123: „In dem

Fähigkeiten in der Alten Kirche lassen das Phänomen Glossolalie als bedeutungslos erscheinen. Justin, Dial 88 erwähnt in der Aufzählung der zu seiner Zeit noch vorhandenen Charismen die Glossolalie nicht, gleichfalls nennt er sie nicht in der Beschreibung des Pfingstfestes (Apol I 39). Origenes, Cels kann in den Berichten des Celsos keine ur-christliche Glossolalie wiederfinden (VII 8) und vermißt seinerseits im zeitgenössischen Christentum eine Prophetie, wie sie aus dem AT be-kannt ist (VII 11). Eine singuläre, in die Nähe der Glossolalie führende Notiz bietet ActaPerp et Fel 7. Perpetua stößt mitten im Gebet einen Ruf aus, den Namen Dinokrates, einen Namen, der ihr zuvor unbe-kannt war. Freilich ist diese akzidentielle Erscheinung eben deshalb in Erinnerung geblieben, weil eine glossolale Praxis, in der ja ausschließ-lich fremde Worte artikuliert werden, in den Gemeinden unbekannt war. Der Montanismus steht in der Tradition der Prophetie. Kennzei-chen ist gerade die verständliche Rede, wenngleich das Gebaren der Träger ekstatische Züge trägt (Eus, HistEccl V 16,7 ff.) und das Selbst-verständnis derselben aus der Tradition der Ekstase erklärt werden kann (Epiph, Haer 48,4)[8]. Tertullians Beschreibung der Glossolalie ent-spricht in weiten Teilen 1. Kor 12–14 (vgl. Marc 5,8,8 mit 1. Kor 12,10; Marc 5,8,10 mit 1. Kor 14,21) und scheint von daher nicht der Gegen-wart abgelauscht. Außerdem trennt Tertullian vom ntl. Befund, daß er die nach 1. Kor 12–14 beschriebene Glossolalie nun doch im Gegensatz dazu als verständliche Rede versteht. Er, wie auch Irenäus (Haer V 6,1), fassen Glossolalie und Prophetie daher zusammen (Haer III 12,15 ersetzt Irenäus in Apg 10,46 λαλοῦντες γλώσσαις durch προφη-τεύοντες). Im übrigen beschreibt Irenäus in seiner Auslegung von 1. Kor 2,11 die Vollkommenen in ethischen, nicht ekstatischen Katego-rien (V 6,1). Umstritten ist schließlich, ob die Wendung προφητικὰ χα-ρίσματα ἐχόντων καὶ παντοδαπαῖς λαλούντων διὰ τοῦ πνεύματος γλώσσαις (V 6,1) überhaupt auf Glossolalie, oder auf Fremdsprachen zu beziehen ist (so die vetus versio: per spiritum universis linguis lo-quentes). Schließlich gilt, wie bereits für Tertullian, auch für Irenäus der Verdacht, nicht ein Phänomen seiner Zeit zu beschreiben, sondern sich von den Ausführungen in 1. Kor 12–14 leiten zu lassen[9]. Chryso-

---

Einwande, daß die späteren Manifestationen nur eine Nachahmung der korinthischen sind, liegt viel Wahrheit."

[8] Die montanistische Ekstase versteht sich als Prophetie (νεὰ προφητεία, Euseb. Hist Eccl V. 16) und bedient sich der Formen Gebet, Loblied, Vision, Predigt (Tert, Marc V 8). Das Fremdartige der montanistischen Predigt (λαλεῖν καὶ ξενοφορεῖν, ἀλλοτριότροπος Eus, HistEccl V 16) besteht in der Abweichung von der kirchlichen Überlieferung (παρὰ τὸ κατὰ παράδοσιν καὶ κατὰ διαδοχὴν ἄνωθεν τῆς ἐκκλησίας ἔθος δῆθεν προφητεύοντα).

[9] Fascher, ΠΡΟΦΗΤΗΣ 221: Die Ausführung des Irenäus „steht in dem Verdacht, im Blick auf die Angaben des Apostels Paulus gebildet zu sein." Hierzu auch Harrisville,

stomus, cat. 223 endlich gibt in Hinblick auf 1. Kor 12 zu, daß nicht alle der genannten Charismen zu seiner Zeit noch vorkommen, geschweige denn überhaupt noch bekannt sind. „Diese Sachlage schreibt der Untersuchung den Weg vor."[10]
Diese Einsicht muß zunächst dahin führen, nicht von einem allgemeinen urchristlichen Phänomen auszugehen und ihm alle Formen ekstatisch-prophetischer Rede zu subsumieren. Vielmehr ist bei dem term. techn. (ἐν) γλώσσῃ/γλώσσαις λαλεῖν (1. Kor 12,30; 13,1; 14,2. 5. 6. 13. 23. 27. 39; Apg 2,4. 11; 10,46; 19,6; Mk 16,17) einzusetzen. Erst wenn der unter diesem term. sich verbergende Sachverhalt präzise erfaßt ist, kann seine Intention auch religionsgeschichtlich bestimmt werden[11].

6.3.2 Der Terminus γλώσσαις λαλεῖν

Als term. techn. begegnet γλώσσαις/γλώσσῃ λαλεῖν (plurale oder singulare Fassung zumeist in Entsprechung zum Numerus des Subjekts; außerdem Wechsel in HSS., so sollte die Exegese dem Wechsel keinen besonderen Wert beimessen), nur in 1. Kor 14,19 ist ἐν γλώσσῃ gesetzt, um die Sprachform der μυρίους λόγους anzuzeigen. Für terminologische Verwendung spricht auch die Artikellosigkeit[12]. Abgeleitete Wendungen sind γένη γλωσσῶν 1. Kor 12,10. 28) zur Bezeichnung verschiedener Formen glossolalen Redens sowie das einfache γλῶσσαι (ohne Verb) als Sammelbegriff glossolalen Redens (1. Kor 13,8; 14,22. 39). Προσεύχεσθαι γλώσσαις (14,14) ordnet glossolales Reden dem Gebet zu.
Es ist nicht zutreffend, daß γλώσσαις λαλεῖν eine verkürzte Redeweise von ἑτέραις bzw. καιναῖς γλώσσαις λαλεῖν darstellt. Letztere Begriffe sind in Mk 16,17; Apg 2,4 von den Redaktoren eingefügt und in 1. Kor 14,21 durch Jes 28,11 LXX bedingt[13].

Speaking 47 f., und Currie, Speaking 276 (zu Chrys, Hom 1. Kor XXIX, wo Chrys Glossolalie als Fremdsprache versteht).

[10] Heinrici, Sendschreiben 376.

[11] Gegen Conzelmann, 1. Kor 276: „Die Bezeichnung γλῶσσαι gibt über das Phänomen keinen Aufschluß". In A 16 verallgemeinert Conzelmann die Fragestellung noch weiter: „Aber der Streit über die Parallelen ist überflüssig. Es kommt lediglich auf das Vorhandensein und die weite Verbreitung derartiger Phänomene an ..."

[12] Weiß, 1. Kor 336; Bauer, WB 332 spricht bei γλῶσσαι, γένη γλωσσῶν, ἐν γλώσσῃ λαλεῖν angesichts der Artikellosigkeit von ‚Fachausdrücken'; gleichfalls Weinel, Wirkungen 74; Kremer, Pfingstbericht 38.

[13] Gegen Bousset, 1. Kor 137; Betz, Zungenreden 26; Feine, Zungenreden 758 („Es pflegen die volleren Formeln den kürzeren als den abgeschliffenen zeitlich voranzugehen, nicht umgekehrt."). BDR § 410. 4 sprechen von einer Ellipse des vollen Ausdrucks; Greeven, Geistesgaben 114 A 12, bestärkt in der Annahme eines technischen Gebrauchs von γλώσσαις λαλεῖν: „Zur Bildung des Wortes ‚Glossolalie' sei nachträglich noch auf das Λέξικον τῆς Ἑλληνικῆς Γλώσσας 2, 1936 hingewiesen, wo Sp. 1657 γλωσσόλαλος und

Pl setzt den term. γλώσσαις λαλεῖν in 1. Kor 12–14 unerklärt voraus, kann also damit rechnen, daß er in Korinth verstanden wird, wenn nicht, was wahrscheinlicher ist, Pl den Begriff überhaupt erst aus dem Sprachgebrauch dieser Gemeinde aufgenommen hat[14]. So gewiß im ntl. Schrifttum die Sache formelhaft mit γλώσσῃ/ γλώσσαις λαλεῖν bezeichnet wird, so kann doch die Analyse dieses term. sich kaum auf hell. Parallelen für beide Wörter stützen, sondern ist vornehmlich auf die Bedeutung von γλῶσσα gewiesen[15]. Gleichwohl wird öfters vermutet, daß „der Sprachgebrauch der Korr. und des P. an einen geläufigen griechischen Ausdruck anknüpft"[16]. Wahrscheinlicher ist allerdings, daß der Einfluß von Jes 28,11 LXX zu dieser terminologischen Fixierung beigetragen hat (s. u.).

Forschungsgeschichtlich ist zur Analyse des Begriffs γλῶσσα wesentliches von F. Bleek (1829) gesagt worden. Heinrici und Feine haben im Anschluß an ihn das Quellenmaterial noch um weniges erweitert, bzw. geringfügig andere Akzentuierungen getroffen[17].

γλωσσολαλία (dagegen nicht γλωσσολαλεω) mit der Bemerkung ‚νεωτ'. (= neuere Bildung) aufgeführt sind."

[14] So Weiß, 1. Kor 335: „... sondern aus dem Sprachgebrauch der Korr. herübergekommen ..."; ebenfalls Kremer, Pfingstbericht 39; Mosimann, Zungenreden 9; House, Tongues 139.

[15] In der Profangräzität begegnet γλώσσαις λαλεῖν einmal in zwei rekonstruierten Zeilen eines Hymnus zu Imanthes-Asclepius (PapOxy XI 229). Harrisville, Speaking 42: „The conclusion to be drawn here is that profane or non ecclesiastical Greek knew of no technical terme for speaking in tongues." Auch die LXX kennt keinen technischen Gebrauch, obwohl γλῶσσα (Sing.) und λαλεῖν siebenmal beieinander bezeugt sind (dazu Harrisville, Speaking 38 f.). Hierbei kommt freilich Jes 28,11 besondere Beachtung zu (s. u.).

Nimmt die Verbindung mit λαλεῖν bereits das Erscheinungsbild des Phänomens mit in den Begriff auf? Heinrici, Sendschreiben 391: „Und es ist gewiß bedeutungsvoll, dass in sämtlichen Wendungen nie λέγειν, sondern stets λαλεῖν, ein Wort, das seiner Grundbedeutung nach unserem lallen nahe steht, verwandt wird."

[16] Weiß, 1. Kor 337; Weinel, Wirkungen 74; Wedderburn, Baptism 251.

[17] Bleek, Gabe (und ders., Noch eine paar Worte über die Gabe des γλώσσαις λαλεῖν, ThStKr 1830, 45–64), kann nur auf wenige Vorarbeiten zurückgreifen. Unter ihnen vor allem: J. G. Herder, Von der Gabe der Sprachen am ersten christlichen Pfingstfest, 1794; Bardili, Significatus primitivus vocis προφήτης ex Platone erutus, cum novo tentamine interpretandi 1. Ko XIV, 1786; Eichhorn, Allgemeine Bibliothek der biblischen und morgenländischen Litteratur, I 91– 108, II 757–859, III 322–330. Kritik an Bleeks Darlegungen äußerte F. C. Baur, Ueber den wahren Begriff des γλώσσαις λαλεῖν, Tübinger Zeitschrift 1830, II 75–133. Er geht hierin von der Priorität des Acta-Berichts vor 1. Kor 12–14 aus und stellt der Pfingstgemeinde ein ‚Krankheitsbild' in Korinth gegenüber. Baur hat bereits 1838 in: Kritische Uebersicht über die neuesten, das γλώσσαις λαλεῖν in der ersten christlichen Kirche betreffenden Untersuchungen, ThStKr 1838, 618–702, sich der Position Bleeks in einer ‚Restrictionsabhandlung' (Heinrici, Sendschreiben 378 A 2) genähert, indem er etwa den Acta-Bericht nicht mehr den pl Aussagen vorordnet (Zusammenstellung weiterer Modifikationen bei Heinrici, 1. Kor 360 f. A). Heinrici selber hat seine Arbeit als ‚Vervollständigung' (1. Kor 361) der Arbeit Bleeks verstanden.

Bleeks Auslegung grenzt sich zunächst in doppelter Hinsicht ab.

a) Bleek lehnt die von Bardili und Eichhorn angeregte Erklärung von γλῶσσα als Zunge ab. Für diese Auslegung hatte man geltend gemacht, daß „die Zunge aber nicht dem Aussprechen der selbstthätigen Reflexion zum Werkzeug diente, sondern, von dieser unabhängig, unwillkürlich vom heil. Geiste … in Thätigkeit gesetzt wurde."[18] Hierbei trage der Pluralausdruck γλώσσαις λαλεῖν den unterschiedlichen Graden und Richtungen der Entzückung Rechnung (γένη γλωσσῶν). Diese Deutung auf die Sprachwerkzeuge scheitert an der Artikellosigkeit des Ausdrucks, wie auch an 1. Kor 13, 8: γλῶσσαι παύσονται[19].

b) Andererseits grenzt Bleek sich von der Vorstellung γλῶσσα = Sprache ab. Sie ist bereits altkirchlich, konnte sie doch am ehesten mit Apg 2 in Ausgleich gebracht werden. Jedoch deutet 1. Kor 12–14 in keiner Hinsicht auf Fremdsprachen. Dem γλώσσαις λαλεῖν wird ein Reden im Verstand entgegengesetzt (14,15). Soll Pl im privaten Gebet sich der Fremdsprachen bedient haben, und dies noch unverständlich (14, 18)? Auch der Singular γλώσσῃ λαλεῖν widersetzt sich der Deutung auf Fremdsprachen[20].

c) Gegenüber diesen beiden Auslegungen schlug Bleek vor, „auf den Gebrauch des Wortes γλῶσσα zurückzugehen"[21]. Es gelingt, bei hell. Schriftstellern einen technischen Gebrauch zu erweisen, insofern dieser Begriff als Bezeichnung des Ungewöhnlichen vom Gewöhnlichen (κύριον) abhebt (so bereits Aristot, Poet 21, 4–6; 22, 3 f.). Zum einen wird γλῶσσα bezogen auf veraltete Wörter, die gegenwärtig nicht mehr allgemein bekannt sind und der Übersetzung bedürfen (MAnt IV 33). Zum anderen benennt das Wort Idiotismen oder provinzielle Ausdrücke. Für diejenigen, die solche nicht beherrschen, sind dies γλῶσσαι (vgl. Sext Emp, Gramm I 13 p 286; Plut, Aud 5). Die Grammatiker haben diesem Sachverhalt insofern Rechnung getragen, als sie Γλῶσσαι Κρητικάι (Hermon), Γλῶσσαι Λακωνικαί (Aristophanes), Γλῶσσαι Ἰταλικαί (Diodorus) erstellten.

Quintilian, InstOrat 1, 14–17 schreibt, γλῶσσαι seien linguae secretioris und als solche interpretationsbedürftig.

---

[18] So Heinrici, 1. Kor 358, der 356–360 diese Interpretation darstellt und diejenigen nennt, die trotz Bleek nach Bardili und Eichhorn an ihr festhalten. Unter ihnen vor allem Meyer, 1. Kor. Vgl. in forschungsgeschichtlicher Hinsicht auch Mosiman, Zungenreden 20–37.

[19] Die physiologische Auslegung ist einer ausführlichen Kritik unterworfen worden von Bleek, Gabe 8–14; Heinrici, 1. Kor 356–360; Weiß, 1. Kor 335 f.

[20] Die Vertreter der Fremdsprachenhypothese sind bei Heinrici, 1. Kor 353–356, genannt. Kritisch hierzu neben Heinrici schon Bleek, Gabe 14–32, und Weiß, 1. Kor 336.

[21] Bleek, Gabe 32(-44); zuvor bereits J. A. G. Meyer, De Charismate τῶν γλωσσῶν, 1797.

Nun konnte gegen diese Erklärung eingewandt werden, sie orientiere sich zu sehr an der philosophischen Diktion und nicht an der Volkssprache, schlage andererseits noch keine Brücke zum ntl. Phänomen der Glossolalie. Heinrici führte daraufhin Bleeks Forschungen weiter. Er setzte bei der schon von Bleek verarbeiteten Notiz Plutarchs, Pyth 24 ein, nach der die Pythia in früherer Zeit, solange sie in poetischer Rede sprach, in γλῶσσαι redete, während sie gegenwärtig nur noch in Prosa spreche. In der näheren Begründung gibt Plutarch in Kap. 40 an, daß die Glossen der Pythia unmittelbar durch mantische Gottesbegeisterung übermittelt worden seien und die Ekstase (ἐκστῆναι τοῦ παρόντος) zur Voraussetzung hatten. M. a. W.: die γλῶσσαι der in der Ekstase Gottbegeisterten waren Gottesmitteilungen, waren Göttersprache selber. So verbindet sich hier die Vorstellung der γλῶσσαι mit der Sprache der himmlischen Welt (zu dieser Vorstellung: Hom, Il 1,403; 14,291; ClAl, Strom I 404; DioChrys, Or X 303), ClAl, Strom I 143 beruft sich hierzu auf eine Äußerung Platons, welcher die Existenz von Orakeln zum Beweis für einen eigenen Dialekt der Götter herangezogen habe. Zugleich verbindet sich mit dieser Vorstellung diejenige der ἑρμηνεία oder ἐξήγησις, welche die Göttersprache vermittelt. Diese Zuordnung begegnet bereits bei Platon, Tim 71, wo dem μάντις der προφήτης zur Seite gestellt wird, der die γλῶσσαι memoriert und anschließend beurteilt (κρίνειν). In dieser Zuspitzung von γλώσσαις λαλεῖν auf Göttersprache ist der Punkt gegeben, wo sowohl Ausdruck als auch die mit ihm verbundene Sache in deutlicher Parallele zu Korinth stehen. Was ist denn das Wunderbare, Überwältigende an dieser Erscheinung, fragte J. Weiß: „Das Wunder besteht darin, daß die Zungenredner für Augenblicke in den Himmel entrückt werden (...) und in Himmelsworten reden"[22]. Nicht aber in unverständlichen Worten an sich zu reden sei Ziel seines Strebens.

Religionsgeschichtlich ist dieses Verständnis der Glossolalie im griech.-hell. Raum und im hell. Judentum unter der Voraussetzung der Tradition der Ekstase/des Enthusiasmus vorgegeben.

Bevor dieser religionsgeschichtliche Rahmen dargestellt wird, ist noch nach der Bedeutung von Jes 28,11 f. (in 1. Kor 14,21 aufgenommen) zu fragen, insofern hier a) sprachlich und b) infolge der zeitgenössischen Auslegung des Verses sachliche Voraussetzungen für die Interpretation von γλώσσαις λαλεῖν zusätzlich bereitliegen konnten.

1. Kor 14,21 lautet: ἐν ἑτερογλώσσοις καὶ ἐν χείλεσιν ἑτέρων
λαλήσω τῷ λαῷ τούτῳ καὶ οὐδ' οὕτως εἰσακούσονταί

---

[22] Weiß, 1. Kor 357. Nach Mosiman, Zungenreden 27 f., hat Weiß als erster diese Konsequenzen gesehen.

Diese Lesart ist keine wörtliche Wiedergabe der LXX. Sie liest:

διὰ φαυλισμὸν χειλέων διὰ γλώσσης ἑτέρας, ὅτι λαλήσουσιν τῷ λαῷ τούτῳ
… καὶ οὐκ ἠθέλησαν ἀκούειν.

Auch steht die pl Fassung in manchem in Distanz zum MT, wenngleich sie mit diesem die 3. P. Sing. teilt. Seit Origenes, Philocalia 9,2 wird die größere Nähe der pl Fassung zur Jesaja-Überlieferung des Aquila vermerkt. Diese Fragen sind an anderer Stelle ausgiebig diskutiert worden, worauf hier verwiesen werden kann[23].

In Jes 28,11 bezieht der Prophet die Durchführung des angekündigten Gerichts auf die Assyrer (als Werkzeug Gottes), welche für Israel freilich unverständlich stammeln. In Qumran (1. QH 2,18 f.; 4,16 f.; vgl. auch CD 4,19) bezieht die Gemeinde Jes 28,11 auf ihre Gegner, die Lügenpropheten (weil sie griech. sprechen?). Nur 1. QIs[a] teilt die pl Fassung als Gottesrede. Ob dieser einzige Beleg aber dahingehend ausgewertet werden darf, daß „Paul's (and Aquila's) reading need not be explained as a correction of the customary exegesis of Isa 28 … but as reflecting a dependance upon a Greek recension based on the ancient Egyptian text type …", scheint gegenwärtig fraglich[24]. So ist zunächst nur festzuhalten, daß Jes 28,11 bereits vor Pl im Judentum unterschiedlich verwendet wurde. Über eine vorpaulinische christliche Verwendung des Zitats läßt sich eindeutig nichts ausmachen. Pl selber verwendet Jes 28,11 als aktuelles Argument, so zeigen es die von ihm eingebrachten Änderungen, nicht aber als eindeutig festgelegten Schriftbeweis[25].

Da Teile aus Jes 28–29 im Zitatenschatz der Urkirche wiederkehren, ist vermutet worden, Jes 28,11 sei ein urchristliches Testimonium[26]. Sein Sitz im Leben wird unterschiedlich bestimmt. Die eschatologische Deutung der Stelle habe es den ersten Christen erlaubt, „die enthusiastische Glossolalie als ein vom Geist geleitetes Reden zu deuten …"[27]. Dagegen spricht Dautzenberg dem Zitat ursprünglich einen Bezug zur Glossolalie ab und meint, es sei „in der Auseinandersetzung der Urkirche mit den Juden geformt und tradiert" worden[28]. Klauck rekonstruiert den vermuteten ursprünglichen Sitz im Leben mit der Pfingsterzählung: „Die glossolalische Predigt der Apostel sollte für die ausnahmslos jüdischen Hörer als Zeichen dienen, hat aber nur ihren Spott provoziert."[29]

---

[23] Maly, Gemeinde 229–236; Betz, Zungenreden; Dautzenberg, Prophetie 243 f.; Harrisville, Speaking 42–47.

[24] So aber Harrisville, Speaking 44.

[25] Dautzenberg, Prophetie 244: „Durch diese Änderungen hat das Zitat eine eindeutige Ausrichtung auf die urchristliche Glossolalie erhalten …".

[26] Maly, Gemeinde 234–236; E. E. Ellis, Paul's Use of the Old Testament, 1958, 107–112.

[27] Betz, Zungenreden 26.

[28] Dautzenberg, Prophetie 244; so auch Wolff, 1. Kor 135. Nach Sweet, Sign 243 f., soll das Zitat urchristliche Glossolalie gegen ihre Kritik verteidigen.

[29] Klauck, 1. Kor 102. Kuss, Röm 545, denkt sogar an Glossolalie als Verstockungsmittel.

Von der atl.-jüd. Vorgeschichte der Verwendung des Zitats ist ein israel-kritischer Sitz im Leben im Urchristentum, wenn es denn vor Pl gebraucht worden sein sollte, am wahrscheinlichsten. Die Verwertung für Fragen der Glossolalie findet sich erstmals in 1.Kor 14,21 und geht auf Pl zurück. Dies erklärt auch die bewußte thematische Voranstellung von ἑτερογλώσσοις (diff LXX)[30].

6.3.3 Glossolalie und Göttersprache

Blickt man also zunächst nicht auf die allgemeine Phänomenologie der Glossolalie, sondern auf ihre Intention als Form religiöser Rede, so ist sie als Göttersprache (= Sprache der himmlischen Welt) zutreffend umschrieben. Pl deutet dies in 1.Kor 13,1 (γλῶσσαι τῶν ἀγγέλων) an und bekundet in 2.Kor 12,4 zugleich die Vorstellung, daß auch im Himmel gesprochen wird. Hierbei bedient er sich mit ἄρρητα eines Ausdrucks, den Hipp, Philos V 8,40 für den eleusinischen Hierophanten bezeugt. Glossolalie ist also kein spezifisch christliches Phänomen, sondern steht im Kontext spätantiker griech.-hell. und jüd.-hell. Religion[31].

---

[30] So auch Dautzenberg, EWNT I 612; Kremer, Pfingstbericht 40; Theißen, Aspekte 82 A 32.

[31] Eine alternative Entscheidung zwischen griech. oder jüd. Abkunft des Phänomens stellt sich für die ntl. Zeit nicht mehr. Dies ist einerseits zu Bousset zu sagen, der trotz Mangels jüd. Belege für Göttersprache wegen Apg 2 an jüd. Wurzeln festhalten möchte (Bousset, 1.Kor 137f.; ders., Religion 455). Vereinseitigend im Sinne der These der alexandrinischen Herkunft des korinthischen Enthusiasmus ist die religionsgeschichtliche Frage bei Sellin, Geheimnis, dargestellt: „Religionsgeschichtliche Belege gibt es wieder in erster Linie (wenn nicht nur) in Zeugnissen ägyptischen Judentums …" (70 A 32); ders., Hauptprobleme 3020 A 416. Bereits Bauer, Wortgottesdienst 182f., hatte festgehalten, daß die Wurzeln dieses Phänomens nicht aus der Synagoge stammen können, sondern „echter Ausfluß synkretistischer Frömmigkeit" sind (auch ders., WB 322, in Zustimmung zu Reitzenstein und Bousset). Die Ausführungen von K.E. Grözinger, Musik und Gesang in der Theologie der frühen jüdischen Literatur, Texte und Studien zum Antiken Judentum 3, 1982, hier speziell zum Gesang der Engel (76ff.), zeigen deutlich, wie unwahrscheinlich eine rein jüdische Ableitung ist. Religionsgeschichtlich differenzierend jetzt Dautzenberg, Glossolalie 229–237. Er betont zu Recht den griech.-hell. Einfluß der Ekstase (so bereits Mosiman, Zungenreden 47f.), versteht aber Glossolalie als Engelsprache von jüd. Voraussetzungen her (235). Unbeschadet dieser Doppelwurzel hält er an einer „dem Urchristentum eigenen Gestalt ekstatischen Redens" fest, welche „auf den Zeitraum von 30–60 n.C." zu begrenzen sei (236); vgl. auch ders., EWNT I 611f.

Forschungsgeschichtlich ist die Bedeutung des term.techn. γλώσσαις λαλεῖν im Sinne von ‚Göttersprache' oder ‚Engelsprache' erkannt bei: Bousset, 1.Kor 137f.; ders., Rez. Weinel 773; ders., Kyrios 110–112; Behm, ThWNT I 725; Reitzenstein, Poimandres 55–58; ders., Mysterienreligionen 31; Dieterich, Mithrasliturgie 10; Bauer, Wortgottesdienst 182f.; Feine, Zungenreden; Mosiman, Zungenreden 131; Weiß, 1.Kor 337–339; Rohde, Psyche II 20ff. 56ff.

Solange man allerdings Glossolalie (unter dem Einfluß von Apg 2) als Sprachenwunder verstand, mußte man, wie Eitrem, Orakel 43, einen polyglotten Enthusiasmus in griech. Mysterien in Frage stellen.

Wir stellen einige Belege für Glossolalie als Göttersprache zusammen. Aus griech.-hell. Zeit wird seit Reitzenstein an Poimandres (CH I 24–26) erinnert, wo der Entrückte (φωνῇ τινι ἰδίᾳ ὑμνουσῶν τὸν θεόν)[32] mit den oberen δυνάμεις Gott preist. In den Zauberpapyri genannte voces mysticae gelten hinsichtlich ihrer Abkunft als Worte der himmlischen Welt[33]. Auch wird oft der Gesang der delischen Mädchen genannt (Hymn Hom Ap 156–164)[34]. An die Notiz aus ClAl, Strom I 143, in Orakelsprüchen sei die Sprache der Götter zu greifen, wurde bereits erinnert.

Sachlich führen wenige jüd. Belege der hell. Zeit dichter an das ntl. Phänomen. Schon Bousset monierte in der Besprechung des Buches von Weinel die Ausklammerung von TestHiob 48–50[35]. Hierbei ist freilich umstritten, ob diese Schrift christlich überarbeitet ist bzw. ob die genannten Schlußkapitel ein christlicher Nachtrag sind[36].

Hiob hinterläßt vor seinem Tod seinen drei Töchtern ein besseres Erbe als den Söhnen (46,4). Es besteht in drei Gürteln himmlischer Abkunft, die den drei Töchtern Wohlergehen (46,8 f.) und himmlisches Leben (47,3) verheißen[37].

---

[32] Vgl. den ganzen Text und seine Auswertung bei Reitzenstein, Poimandres 55; Weiß, 1. Kor 338; J. Büchli, Der Poimandres. Ein paganisiertes Evangelium, WVNT II 27, 1987, 121–143; zu textkritischen Fragen Dautzenberg, Glossolalie 231. Reitzenstein hatte an die altägyptische Anschauung erinnert, daß die niederen Götter den oberen lobsingen, wobei jeder Gott seine eigene φωνή habe (γένη γλωσσῶν). Das Judentum habe diese Vorstellung auf die Engelwelt übertragen; vgl. jetzt aber zur Frage des jüd. Einflusses auf CH I: B. A. Pearson, Jewish Elements in Corpus Hermeticum I (Poimandres), in: Studies in Gnosticism and Hellenistic Religions, presented to G. Quispel, 1981, 336–348.

[33] W. Speyer/I. Opelt, Art.: Barbar, JAC 10, 1967, 265 f.; ebenso wieder die bei Weiß, 1. Kor 338 f. gesammelten Parallelen, sowie die verwandten Phänomene in der nachneutestamentlichen jüdischen Mystik (dazu G. Scholem, Von der mystischen Gestalt der Gottheit. Studien zu Grundbegriffen der Kabbala, 1977, 15 f.).

[34] Dazu H. J. Tschiedel, Ein Pfingstwunder im Apollonhymnus, ZRGG 27, 1975, 22–39.

[35] Bousset, Rez. Weinel, 772, der in A 1 allerdings darauf verweist, daß erst Gunkel ihn auf diese Stelle aufmerksam gemacht habe. Reitzenstein, Poimandres 57, sieht im TestHiob in dieser Frage die Brücke zwischen Judentum und Christentum; dazu in forschungsgeschichtlicher Hinsicht Schaller, JSHRZ III/3, 321 A 163.

[36] Schaller, JSHRZ III/3, 309, plädiert für eine Abfassungszeit zwischen 1. Jhd. v. und 2. Jhd. n. Chr. und hält zugleich die These alexandrinischer Herkunft für nicht überzeugend. Zugleich lehnt er eine Abtrennung von Kap. 46–53 und Zuweisung an christliche Redaktoren ab (305 A 15). Dagegen hatte zuletzt R. P. Spittler, The Testament of Job, Diss. phil. Harvard 1971 die Schlußkapitel als Widerspiegelung der Erfahrung weiblicher Ekstase und Prophetie christlicher Provenienz verstanden (zuvor bereits die bei Schaller, JSHRZ III/3 308 A 43 Genannten); vgl. dagegen aber auch die Verweise auf prophetisch begabte Frauen im vorchristlichen Judentum bei Schaller, JSHRZ III/3, 369 A 2.

[37] Die himmlische Abkunft ist einmal in 46,8 wörtlich festgehalten ἐπεὶ μὴ εἶναι αὐτὰς ἐκ τῆς γῆς, ἀλλ᾽ ἐκ τοῦ οὐρανοῦ εἰσιν, ἐξαστράπτουσαι σπινθῆρας πυρός, ὡς ἀκτῖνας τοῦ ἡλίου. Andererseits begegnen diese Gürtel in Darstellungen himmlischer Wesen (Apok 15,6; ApokZeph 9,4). Da mit der Gürtelverleihung auch eine Gestaltveränderung (48,3)

Unmittelbare Folge der Verheißung der Gürtel sind charismatische Befähigungen. Die erste Tochter empfängt ein anderes Herz (ἄλλην καρδίαν, μηκέτι τὰ τῆς γῆς φρονεῖν; 48,2) und redet in engelhafter Sprache (ἀπεφθέγξατο δὲ τῇ ἀγγελικῇ διαλέκτῳ, ὕμνον ἀναπέμψασα τῷ θεῷ κατὰ τὴν τῶν ἀγγέλων ὑμνολογίαν (48,3), welche geistgewirkt ist[38]. Entsprechend die Verwandlung der zweiten Tochter: ... καὶ ἔσχεν τὴν καρδίαν ἀλλοιωθεῖσαν ὡς μηκέτι ἐνθυμεῖσθαι τὰ κοσμικά, καὶ τὸ μὲν στόμα αὐτῆς ἀνέλαβεν τὴν διάλεκτον τῶν ἀρχῶν, ἐδοξολόγησεν δὲ τοῦ ὑψηλοῦ τόπου τὸ ποίημα (49,1 f.). Schließlich die dritte Tochter: ... καὶ ἔσχεν τὸ στόμα ἀποφθεγγόμενον ἐν τῇ διαλέκτῳ τῶν ἐν ὕψει ... λελάληκεν γὰρ ἐν τῇ διαλέκτῳ τῶν Χερουβίμ ... (50,1 f.).

Stereotyp sind Verwandlung des Herzens, Abkehr vom Irdischen und Engelsprache in einer jeweils unterschiedlichen Engelklasse (49,2 διάλεκτος τῶν ἀρχῶν[39]; 50,1 διάλεκτος τῶν ἐν ὕψει; 50,2 τῶν Χερουβίμ) dargestellt (vgl. auch 52,7). Die Übersetzung der Engelsprache ist von einem Orakel festgehalten worden (51,3). Inhalt des glossolalen Redens sind die μεγαλεῖα τοῦ θεοῦ (51,3 f.). Hierbei ist in erster Linie an Einsicht in Kosmogonie und Kosmologie zu denken[40]. Im Unterschied zur ntl. Begrifflichkeit liest TestHiob διάλεκτος und nicht γλῶσσα, σημείωσις und nicht ἑρμηνεία.

Thematisch deuten die Aussagen in TestHiob auf Spekulationen zur ‚Engelgemeinschaft des Ekstatikers', welche sich im pal. und hell. Judentum häufig wiederfinden: 1.QH frg 2,6; 10,6; 1.QM 10,11; 12,1; 1.QSa 2,8 f.; 1.QH 3,21–23; 1.QS 11,6 f.; 4.QSl 39 f.[41]; slHen 17,19 f. Rez A; zur Engelsprache grundsätzlich: Jes 6,3; äthHen 38,12 f.; 40,3 f.; 71,11 f.; TestLev 3,8; slHen 19,6; 20,3 f.; 21,1; 22,3; AscJes 7,15 ff.; 8,16 f.; 9,28 f. 42; 10,1 ff.; Apok 14,2 f.; 1.Kor 13,1. Als Zeugnisse für glossolale Erscheinungen im hell. Judentum werden neben TestHiob noch Philos Darstellung des Gottesdienstes der Therapeuten genannt (VitCont). Hier bezieht sich die glossolale Rede gleichfalls auf

---

[38] und Übereignung charismatischer Fähigkeiten einhergeht, kommt diesen Gürteln sakramentaler Charakter zu. Freilich in einem magischen Sinn: Verwandlung in ein himmlisches Wesen (47,3; 48,2; 49,1; 50,2); Verleihung der Engelsprache (48,3; 49,2; 50,1) und Visionen derselben (47,11; 52,9); Befreiung vom Satan (47,10) und von Krankheit (47,6); vgl. zum Gürtel auch PsPhilo, AntBibl 20,2 f.

[38] Zum Ausdruck καὶ τοὺς ὕμνους ... εἴασαν τὸ πνεῦμα ἐν στολῇ ... (48,2) vgl. noch 43,2: ἀναλαβὼν Ἐλιφᾶς πνεῦμα εἶπεν ὕμνον.

[39] Bei den ἀρχαί ist an Engelmächte zu denken: äthHen 61,10; slHen 20,1; Eph 1,21 u.ö.

[40] So Dautzenberg, Glossolalie 233 f.

[41] Zu Qumran: J.Strugnell, The Angelic Liturgy at Qumran – 4 Q Serek Šîrôt ʿOlat Haššabbāt, VT.S 7, 1960, 318–345; zu rabbinischen Zeugnissen des Verstehens der Engelsprache einzelner Frommer: Bill III 449 f.
Prof. Dr. Dr. H.Stegemann macht darauf aufmerksam, daß in den genannten Belegen der Qumrantexte das Gewicht nicht auf der Ekstase liege, sondern auf dem Motiv des Redens zu Gott ohne Dolmetscher. Darüber hinaus sei die hebräische Sprache die himmlische Sprache (so die Qumrangemeinschaft mit der Rezeption des für sie grundlegenden Jubiläenbuches; vgl. Jub 12,26), so daß von Glossolalie keine Rede sein könne.

kosmologische Einsichten (VitCont 26); außerdem ApokAbr 10,8 ff.; 12,4; 15,6.

Wir haben unseren Versuch, die unter γλώσσαις λαλεῖν gefaßte Erscheinung historisch zu verstehen, nicht von einer allgemeinen Phänomenologie ekstatischer Rede leiten lassen, sondern sind zunächst eng am Begriff geblieben. Er deutete auf ein Reden in der himmlischen Sprache, der Sprache der Engel oder der Götter. Pl selber verklammert in 1. Kor 13,1 Sache und Begriff in eben diesem Sinn[42].

Damit kann das Anliegen der Glossolalen in Korinth erfaßt werden: die eschatologisch eröffnete Möglichkeit, Gott in der Sprache der Engel zu preisen. Diese religionsgeschichtliche Sicht betrifft zunächst nur die Intention dieser unter γλώσσαις λαλεῖν geübten religiösen Sprache. Zum Erscheinungsbild der in Korinth geübten Glossolalie sind neben diesem Traditionsbereich der apokalyptischen Himmelssprache auch die Bereiche bacchantischer Rausch und Inspirationsmantik mitzubedenken, da Sachparallelen bestehen.

6.3.4 Die Glossolalie in Korinth

Die Glossolalie gilt in Korinth als hervorragende Geistesgabe, weil diese hier sinnfällig konkret wird, in die eschatologische Gottesgemeinschaft stellt und an ihren Geheimnissen adäquat – der νοῦς ist ausgeschaltet (1. Kor 14,14 b) – teilhaben läßt.

Blicken wir zunächst auf das Phänomen, wie es durch die pl Darstellung – freilich in subjektiver Wertung – als Bestandteil des gottesdienstlichen Gemeindelebens erkennbar wird.

---

[42] Die pl Angelologie geht selbstverständlich von der Voraussetzung aus, daß die himmlischen Wesen eine Sprache sprechen, die der Glossolale nachvollziehen kann (Everling, Angelologie; Dibelius, Geisterwelt). Strittig in dieser Hinsicht waren allenfalls 1. Kor 14,2.10. Doch bedeutet wie οὐδεὶς ἀκούει in 14,2 nicht, daß niemand einen Laut hört. 14,7–10 deutet wie 14,16 auf Unverständlichkeit, nicht auf Unhörbarkeit (Bachmann, 1. Kor 410). Ἀκούειν im Sinne von ‚verstehen‘ ist allerdings bei Pl auf 1. Kor 14,2 und Gal 4,21 begrenzt (Bauer, WB 64; Weiß, 1. Kor 322). Zwar könnte die Paronomasie in 14,10 (... καὶ οὐδὲν ἄφωνον ...) gleichfalls ein stummes Geschehen nahelegen (Weiß, 1. Kor 325 f.), aber auch hier deutet der vorangehende Kontext auf Verständlichkeit (γνωσθήσεται τὸ λαλούμενον V.9); dazu wiederum Bachmann, 1. Kor 415 A 2. Allerdings ist auch hier eine singuläre Verwendung von φωνή im Sinne von Sprache zu konstatieren (Bauer, WB 1723), welche vom üblichen Verständnis ‚stumm‘ abweicht (so wiederum Bauer, WB 254, mit Verweis auf 1. Kor 12,2). 1. Kor 14,2.10 fällt jeweils ein Urteil auf der Ebene menschlichen Verstehens. Davon zu unterscheiden sind 2. Kor 12,4 und Röm 8,26. Ἄρρητος in 2. Kor 12,4 reflektiert die Distanz zu Gott, die Pl in der Entrückung überwunden hat, die aber für den Nicht-Entrückten bestehen bleibt; Bauer, WB 217: „... was nicht ausgesprochen werden darf, weil es heilig ist ...“

Beispiele für den Inhalt glossolaler Rede gibt Pl nicht wieder[43]. Seine
Beschreibung greift reflexiv zurück auf den Fragebrief (7,1), überkommene Nachrichten, in der Grundsätzlichkeit des Urteils sicher auch auf
vorgegebene Deutungsmuster, eventuell auch auf eigene Erfahrungen.
So ist an Paulus' Entrückung (2.Kor 12) zu denken, aber auch an die
Entsprechung zu Platons Einführung des Hermeneuten zum glossolalen Redner (Tim 71-72). Neu stellt sich für Pl allerdings Glossolalie als
ekklesiale Erscheinung dar.

Seine Darstellung läßt sich wie folgt einteilen:[44]

a) die Glossolalie ist für Nicht-Glossolale *unverständlich* (14,2.10).
Dies zeigt auch die Einführung von οὐδ᾽ οὕτως in das Jesaja-Zitat in
14,21. Glossolalie führt nicht zu Gehorsam des Hörens. Glossolalie
gleicht, so zeigt Pl an drei Beispielen (14,7-11), der Unverständlichkeit
fremder Lautsignale. Es findet keine Kommunikation statt, im Gottesdienst steht der βάρβαρος dem βάρβαρος (14,11) gegenüber.

b) Hinsichtlich ihres äußeren Erscheinungsbildes stellt Pl solche Praxis auf eine Stufe mit heidnischer *Mantik*[45], welche sich ihrerseits gegenüber ihrer Umwelt ausgrenzend vollzieht. Hier besteht die Ausgrenzung gerade darin, daß die Gemeinde, so demonstriert Pl an einem
hypothetischen Fall, in ihrer Gesamtheit (καὶ πάντες λαλῶσιν
γλώσσαις) als Konventikel erscheint. Solches μαίνεσθαι beinhaltet ἀκα-
τασία (14,33; vgl. auch 14,20) und widerspricht dem Willen Gottes.
Schon die Einleitung (12,2) der Kap. 12-14 hatte die Gemeinde von
heidnischer Ekstase zu distanzieren gesucht.

c) Die *Sprache* des Glossolalen unterliegt nicht mehr der Kontrolle
des νοῦς (14,14-19), sie weicht von gewöhnlicher Sprache ab (14,21).
Allerdings scheint sie klassifizierbar in verschiedene Gattungen (γένη
γλωσσῶν 12,10.28). Ob sie, wie in der hell. Inspirationsmystik, mit
Kultmusik verbunden war, ist von der pl Antithese 14,15 nicht sicher zu
erschließen[46]. Glossolales Reden kann als pneumatische Rede den Gat-

---

[43] Dies ist auch in einem Gemeindebrief nicht zu erwarten. Ein Sonderfall ist freilich
1.Kor 12,1-3, ein Text, der ja mit den in 12,1 genannten Pneumatikern und der charismatischen Begabung (12,4ff.) engstens zusammenhängt vgl. hierzu S.234 A41.

[44] Aufgrund der Quellenlage innerhalb der ntl. Zeit sind Klassifizierungen des Phänomens problematisch; so allerdings H.Rust, Das Zungenreden. Eine Studie zur kritischen
Religionspsychologie, Grenzfragen des Nerven- und Seelenlebens 118, 1924, 60; G.B.
Cutten, Speaking with Tongues Historically and Psychologically Considered, 1927. D.E.
Aune, The Cultic Setting of Realized Eschatology in Early Christianity, NovTS 28, 1972,
12-16, verweist zu Recht auf die gottesdienstliche Verankerung der Glossolalie und Prophetie.

[45] Pl verwendet μαίνεσθαι nur hier und also bewußt; vgl. zur Verwendung des Verbs
als Term.techn. des hell. Enthusiasmus: Preisker, ThWNT IV 363f. Beispielhaft Eur, Ba
359.850: die dionys. Raserei steigert sich vom ἐξίστασθαι zum μαίνεσθαι.

[46] Zum Verhältnis von Gesang und urchristlichem Gottesdienst: Hengel, Hymnus;
Holzner, Paulus 219.

tungen Gebet, Psalm oder Eulogie zugeordnet werden (14,14–17). Sie gilt grundsätzlich als übersetzbar (12,10.30; 14,13).

Bevor wir uns der pl Wertung und seinen Folgerungen zuwenden, versuchen wir, die Stellung der Glossolalie innerhalb der korinthischen Gemeinde präziser zu eruieren.

Die Analyse des Begriffs πνευματικοί hatte bereits auf einen ausgrenzbaren Teil der Gesamtgemeinde gedeutet. Auf ihn bezog sich die Anfrage der Korinther (12,1). Zugleich macht 14,39 (τὸ λαλεῖν μὴ κωλύετε γλώσσαις) wahrscheinlich, daß in der Gemeinde in Korinth bereits eine Behinderung glossolalen Auftretens im Gottesdienst stattfindet[47]. Daß πνευματικοί und Glossolale identisch sind, macht die Zuordnung beider Begriffe in 14,1 f. u. ö. wahrscheinlich[48]. Damit ist zugleich die Einsicht verbunden, daß nicht Glossolalie an sich von Pl thematisiert wird, sondern ihr Vollzug, sofern sie – nicht übersetzt – zur Separation der Gemeinde (14,23) und zur Zerstückelung ihrer selbst führt. Denjenigen, die ζηλωταὶ πνευμάτων (14,1) genannt werden, hält Pl in Kap. 14 die Zielsetzung der οἰκοδομή vor. Man wird kaum Zweifel hegen können, daß in Korinth die Glossolalie als Geistesgabe schlechthin in Wirkung stand[49]. Die Gründe hierfür können vielfältig sein. Man mag an eine gewisse Vertrautheit mit dem Phänomen in der Gemeinde aufgrund der heidnischen Vergangenheit denken (12,2)[50]. Weiterhin ist Glossolalie von allen charismatischen Gaben, die Pl in 1. Kor 12–14 nennt, als einzige eine ekstatische, die den Geistbegabten den Bedingungen dieses Äons enthebt und ihn an der himmlischen Welt partizipieren läßt. Glossolalie wäre in diesem Kontext ein Erweis vollzogener Ekstase[51]. Daß solche Praxis zur Trennung von Pneumatikern und Sar-

---

[47] Mosiman, Zungenreden 7: „Diese Mahnung wäre nicht gemacht worden, wäre nicht von einigen der Versuch dazu gemacht worden."

[48] Diese Zuordnung ist seit Gunkel, Wirkungen 18 f., anerkannt; vgl. auch Greeven, Geistesgaben 115; ders., Propheten 3 A 6; Schmithals, Gnosis 163 f.; Holtz, Kennzeichen 368: „In Korinth galt als eigentlicher Pneumatiker offenbar nur der Zungenredner."

[49] So deutlich die pl Strukturierung der Charismenkataloge etwa in der Rückstellung der Glossolalie ist, so wenig berechtigt diese Erkenntnis zu der Annahme, daß Pl einen ihm aus der Gemeinde vorgelegten Charismenkatalog korrigiere: so H. Schürmann, „... und Lehrer", in: Dienst der Vermittlung, EThSt 37, 1977, (107–147) 112 A 32 und 125; zustimmend Wolff, 1. Kor 103.

[50] Als Argument bei Gunkel, Wirkungen 18. Hingegen will Maly, Gemeinde 184, einen Zusammenhang der christlichen Glossolalie mit der heidnischen Ekstatik ‚mit Sicherheit‘ ausschließen. Im übrigen ist mit Eitrem, Orakel 42 f., und Theißen, Aspekte 291 f. und A 38, zu bedenken, daß Glossolalie keinesfalls ein plötzlicher, enthusiastischer Ausbruch sein wird, sondern von bewußter magischer Technik zeugt, Resultat langer Übung ist und der Autoritäts- und Lehrpersonen bedarf. Von daher dürfte es keine Frage sein, daß die glossolalen Wurzeln in Korinth älter als die pl Mission sind.

[51] Bereits Mosiman, Zungenreden 5, hatte an die ‚antike Neigung‘ erinnert, „das Außerordentliche als Wirkung des Geistes anzusehen." Der dualistische Hintergrund ist von

kikern führen konnte, ist evident. Dennoch haben wir zugleich Grund zu der Vermutung, daß von seiten der πνευματικοί die Glossolalie nicht nur als Demonstration der Ekstase praktiziert wurde, sondern in ihr zugleich ein Erkennungszeichen des Glaubens gesehen wurde. Dies legt die pl Argumentation in 14, 20–25 und vor allem die in diesem Abschnitt gebrauchte Verwendung des Begriffs σημεῖον nahe. Die Argumentation ist zudem in sich nicht schlüssig, was gleichfalls auf Übernahme und Auseinandersetzung mit geprägter Begrifflichkeit schließen läßt[52].

Mit der ‚Brüder'-Anrede als Neueinsatz wendet Pl das für seine Person in V. 19 Explizierte auf die Gemeinde an und fordert auch sie zu einer rationalen Entscheidung bezüglich glossolaler Erscheinungen im Gottesdienst auf[53]. Pl begründet dies mit Rekurs auf die ‚Tora' (Jes 28, 11): Gott selber wird glossolal zu diesem Volk sprechen, aber dies wird nicht zu Glaubensgehorsam führen. Das Gewicht liegt auf οὐδ' οὕτως. Der Modus glossolaler Rede erreicht sein Ziel nicht[54]. Aus diesem Schriftbeweis zieht Pl in V. 22 eine doppelte Folgerung (ὥστε): die Zungenrede dient als Zeichen ausschließlich den Ungläubigen, die Prophetie ausschließlich den Gläubigen. In V. 23–25 schließen sich Kontrastbeispiele an, die wiederum in Spannung zu V. 22 stehen. Jetzt behauptet Pl ad vocem Ungläubige: die Erfahrung von Glossolalie in der Gemeinde bewirkt unter Ungläubigen die Einschätzung eines mantischen Enthusiasmus, prophetische Rede aber führt zu Glaubensgehorsam. In dieser Bewertung schließen V. 23–25 an V. 21 an. In dieser vom missionarischen Standpunkt erfolgten Argumentation fällt allein V. 22 aus dem Duktus, insofern hier die Reichweite der Prophetie auf die Gemeinde begrenzt wird, der Glossolalie aber zugleich ein möglicher Erkenntniswert für Heiden zugesprochen wird.

Schmithals, Gnosis 163 f., deutlich erkannt: „Bei der Zungenrede tritt nur das im Leib wohnende Pneuma in Tätigkeit … Das Zungenreden ist dadurch von den anderen Geistesgaben, die nicht ἐν ἐκστάσει geschehen, grundlegend geschieden."

[52] Zu den Spannungen im Text: Sweet, Sign 241; Theißen, Aspekte 82–88; Johanson, Tongues.

[53] Mit der trad. Gegenüberstellung παιδία-νηπιάζετε-τέλειοι bleibt Pl in dem der Gemeinde vertrauten Bildbereich; vgl. bereits 3, 1; 13, 11. Freilich bestimmt er im Gegensatz zu ihr die τελειωτής nicht ekstatisch-enthusiastisch (1. Kor 4, 8), sondern ethisch (τῇ κακίᾳ νηπιάζετε; ταῖς φρεσὶν τέλειοι γίνεσθε).

[54] Bereits hier wechselt der Gedanke vom ‚Nicht-Hören-Können' zum ‚Nicht-Hören-Wollen' (Conzelmann, 1. Kor 285). Im atl. Wort ist unter dem λαός Israel zu verstehen, welchem die Sprache der Assyrer fremd erscheint. Hält man an der Vermutung einer vorpaulinischen Abzweckung von Jes 28, 11 als Gerichtswort an Israel fest, so wäre auf dieser Stufe noch eine Identität der Adressaten gegeben. Es ist jedoch problematisch, im pl Zusammenhang λαός auf die christliche Gemeinde zu beziehen (so Johanson, Tongues). Diese Deutung versteht V. 22 als rhetorische Frage zu V. 21, nicht aber als Illustration desselben. Zur Kritik an Johanson: Theißen, Aspekte 84; Wolff, 1. Kor 136 A 352.

Es gilt zu beachten, daß die Frage, wie Glaubensgehorsam und Anerkenntnis Gottes für Heiden möglich sind, übergeordnet ist[55]. Pl beantwortet dies im Sinn der ihn bestimmenden jüd. Tradition mit Verweis
auf durch Proskynese erkennbare Anbetung Gottes (vgl. Jes 45,14;
Sach 8,23), welche durch prophetische Rede begründet wird. Diese Bestimmung setzt Pl nun in V.22 ab von einem anderen in Korinth vorherrschenden Verständnis, welches die Prophetie gerade gering bewertet, um in der Glossolalie das Zeichen des Christenstandes zu erblicken.
Diese Auslegung, die ganz wesentlich an den σημεῖον-Begriff in V.22
gebunden ist, findet sich bereits in der älteren Literatur[56]. Wir stellen
zunächst die wesentlichen Argumente zusammen.

Die Wendung ‚εἶναι εἰς σημεῖον' ist mit ‚dienen zu einem Zeichen' zu
übersetzen. Diese Bedeutung steht in Einklang mit dem Sprachgebrauch der LXX[57]. Unwahrscheinlich ist hingegen, σημεῖον in dem speziellen Sinn eines Verstockungszeichen zu verstehen. J. Weiß muß hierfür auf außerpaulinische Belege (Lk 2,34) verweisen, während solches
Verständnis bei Pl nicht begegnet. Zugleich müßte er einen Wechsel im
σημεῖον-Begriff zwischen V.22a und b in Kauf nehmen, da Prophetie
ja kein Verstockungszeichen ist[58].

Die syntaktische Struktur zeigt nun weiterhin, daß εἶναι εἰς σημεῖον
ausschließlich im ersten Satzteil erwähnt wird und also enger mit
γλῶσσαι verbunden ist als mit προφητεία, wo es allenfalls mitgelesen
werden müßte. Dies läßt nun über die erschlossene Bedeutung der
Wendung εἶναι εἰς σημεῖον hinaus nach dem Wortfeld von σημεῖον in
Hinblick auf γλῶσσαι fragen[59].

In Röm 4,11 dominiert singulär eine juridische Vorstellung, das σημεῖον ...
περιτομῆς bezeichnet eine σφραγίς. Die übrigen Belege sind der eschatologischen Erwartung zuzuordnen. Die Juden αἰτοῦσιν σημεῖα (1.Kor 1,22; vgl. Mt
12,38 ff.), Wunder, welche die kommende Erlösung anzeigen. Die Wendung τέρατα καὶ σημεῖα (Röm 15,19; 2.Kor 12,12) benennt sichtbare Eigenschaften,
die Pl als endzeitlichen Apostel erweisen sollen.

---

[55] Zu εἰσακούειν in diesem Sinn: BDR § 173.7; zur missionarischen Akzentuierung des
Abschnittes: Theißen, Aspekte 82–88.

[56] So etwa Heinrici, 1.Kor 410; Sweet, Sign 241: „... that tongues 'serve as a sign for
Christians“; Johanson, Tongues 202.

[57] Vgl. BDR § 145.2 mit Verweis auf Apg 8,20; Jak 5,3; Prieneinschrift 50,39; Theißen, Aspekte 85 A 37, mit weiterem Verweis auf die LXX (Gen 9,13; Ex 13,16; Jes 19,20;
55,13; Ez 20,20 u.a.). Vor allem Ez 20,20 zum Sabbat: καὶ ἔστω εἰς σημεῖον ἀνὰ μέσον
ἐμοῦ καὶ ὑμῶν. Die damit gegebene Bedeutung ‚Erkennungszeichen' ist in Lk 2,12; Mt
26,48; 2.Thess 3,17, auch für das NT bezeugt.

[58] Weiß, 1.Kor 332f.; Lietzmann, Kor 73; jetzt wieder Stendahl, Jude 123; auch Bauer,
WB 1482, denkt an ‚Warnungszeichen'.

[59] Zum σημεῖον-Begriff: Balz, EWNT III 374; Rengstorf, ThWNT VII 257–259.

Hingegen zeigt die terminologisch verfestigte Wendung σημεῖα τοῦ ἀποστόλου in 2. Kor 12,12, daß in Korinth der Begriff σημεῖα als Erkennungszeichen für pneumatische Qualitäten der eschatologischen Zeit bekannt war. Legt man dies der Exegese von 1. Kor 14,22 zugrunde, dann gelten in Korinth (wohl für die πνευματικοί) die γλῶσσαι als notwendiges σημεῖον der zum Glauben Gekommenen[60]. Mit Rückbezug auf das Schriftzitat (V. 21) folgert V. 22 in Umkehrung dieser korinthischen Einschätzung: nicht Glossolalie ist Erkennungszeichen der Glaubenden, sondern Prophetie. Neben der fehlenden Überführung zum Glaubensgehorsam nennt Pl noch zusätzlich die mißverständliche Wirkung auf die Umwelt (V. 23)[61]. Was in der Gemeinde als σημεῖον des Christenstandes gilt, wird von Pl in radikaler Umkehrung als σημεῖον im heidnischen Raum festgehalten. Keinesfalls aber wird solches γλώσσαις λαλεῖν – ganz entgegen seiner Intention – als Gottessprache Zugang zu Gottes Geheimnissen haben. Diese sind eben nicht über den Weg des Enthusiasmus ansichtig zu machen, sondern nur in dem auf das Wort bezogenen Glauben zu ergreifen (1. Kor 1,22).

6.4 Pneumatischer Enthusiasmus in Korinth

Das Verständnis der in der Taufe vollzogenen substanzhaften Übereignung des Geistes, die Selbstbezeichnung πνευματικοί, die Praxis der Glossolalie als Einstimmung in die Himmelssprache, diese drei bisher aufgezeigten Specifica innerhalb der korinthischen Gemeinde, welche allesamt auf die Voraussetzung der Gegenwart des Geistes bezogen sind, lassen im Kontext weiterer theoretischer Aussagen und praktischer Vollzüge im Gemeindealltag einen ‚pneumatischen Enthusiasmus‘ in Korinth erschließen in dem Sinne, daß die Gabe des Geistes Ursache und Mittel des Enthusiasmus zugleich ist[1].

---

[60] Mit Theißen, Aspekte 86, kann für solche Einschätzung der γλῶσσαι zusätzlich auf die lk Geschichtsschreibung verwiesen werden. Für Apg 10,45f. und 19,1–7 gilt in Entsprechung zu 2,1–13 als Demonstration und Erweis des Geistempfangs: γλώσσαις λαλεῖν.

[61] Darin kommt ein doppeltes Urteil zum Ausdruck: a) μαίνεσθε stellt sich äußerlich als Unordnung dar und ist für Pl schon von daher abzulehnen (vgl. 1. Kor 12,2; 14,33.40); b) andererseits besteht eben die Gefahr falscher Verabsolutierung. Glossolalie kann für Außenstehende auf dem Hintergrund des profanen Mantik als direkter Erweis göttlicher Präsenz erscheinen (so P. Roberts, A Sign – Christian or Pagan?, ET 90, 1979, 199–203). Solche Verabsolutierung muß notwendig in Spannung zum pl Grundsatz der Geistbegabung der ganzen Gemeinde stehen.

[1] Die Charakterisierung ‚pneumatischer Enthusiasmus‘ findet sich in der Literatur häufig: Heinrici, Sendschreiben 350–352; Windisch, 2. Kor 25f.; v. Soden, Sakrament 361;

Da aber der Begriff ‚Enthusiasmus‘ in der ‚allgemeinen Religionsgeschichte‘ divergierende Verwendung findet und es sich eingebürgert
hat, ihn auch als Sammelbegriff für unterschiedliche theologische Entwürfe im frühen Christentum zu gebrauchen, muß zu Beginn eine Präzisierung des Begriffs stehen.

In der vorchristlichen Zeit dominiert im griech.-röm. Raum die Vorstellung, der Enthusiasmus sei Folge des Eingehens Gottes oder seiner
Kraft in den Menschen, welches die Ekstase als Heraustreten des ganzen Menschen in einen erhöhten Zustand zur Folge hat. Mit der Zeitenwende findet eine Aufweitung dieser Anschauung in unterschiedlicher Hinsicht statt, es sind Anfänge des Verständnisses bezeugt, die
Ekstase ausschließlich auf die Seele zu begrenzen[2].

Daß den pl Gemeinden und Pl selber diese Tradition des Enthusiasmus und der Ekstase nicht fremd ist, belegen schon wenige Selbstaussagen: 2. Kor 5,13 (ἐξέστημεν θεῷ in Gegenüberstellung zu σωφρονοῦμεν; vgl. Plat, Phaid 249 D; in der Ekstase bleibt der νοῦς gerade ausgeschaltet, dazu 14,12) und 2. Kor 12,3 (εἴτε ἐν σώματι εἴτε χωρὶς τοῦ
σώματος)[3].

Sprechen wir nun aber von ‚pneumatischen Enthusiasmus‘ in der Gemeinde zu Korinth, so ist damit etwas Spezielleres angezeigt.

Die pl Verkündigung ist darin durchweg enthusiastisch, daß sie nicht
nur die Übermittlung des göttlichen Geistes an die Glaubenden aussagt,
sondern damit verbunden zugleich eine Ortsveränderung der Glauben-

---

Lütgert, Freiheitspredigt 86; Büchsel, Geist 367; Thiselton, Eschatology 519 und 523; Käsemann, Legitimität 520; Goppelt, Theologie 451; Conzelmann, Rechtfertigungslehre
204; Lang, Korintherbriefe 6; Klein, Eschatologie 278; Schmithals, Geisterfahrung 116;
Wolff, 1. Kor 95 f. und A 168; Jewett, Terms 39.

[2] Vgl. Pfister, Enthusiasmus 455–457; ders., Ekstase 944–987. Pfister grenzt sich hierbei in der Differenzierung von vorchristlicher und christlich/nachchristlicher Zeit deutlich von dem Standardwerk Rohde, Psyche ab. Letzterem zufolge sei Ekstase als „Befreiu-
ung der Seele aus der beengenden Haft des Leibes, ihrer Gemeinschaft mit dem Gotte"
zu verstehen (II 20). Demgegenüber zeigt Pfister, daß die Vorstellung einer κίνησις als
Ortsveränderung der Seele zum Körper nur in späten Zeugnissen begegnet (Cic, Divin,
1,63 ff.; Lucan, Phars 5,167: Apul, Apol 43; Plotin 6,4 f.). Solche Ekstase der Seele aus
der körperlichen Welt beschreiben schließlich christliche Schriftsteller: Orig, Comm in
Joh 1,30,205; Chrys, in Acta 22,1 (PG 60,172). Die Korrespondenzaussagen der pl Briefe
(Phil 1,21 f.; Gal 2,20; Röm 8,9 f. u. a.) bezeugen u. E. eine mittlere Position zwischen der
älteren Vorstellung der auf die Seele wirkenden Kraft und der späteren Ansicht der Ortsveränderung der Seele. Hiervon ist nochmals der Begriff der ‚Entrückung‘ zu unterscheiden, da er auf eine Ortsveränderung des ganzen Menschen zu beziehen ist (Strecker, Entrückung). In 2. Kor 12,3 spielt Pl auf beide Vorstellungen, Enthusiasmus und Entrük-
kung, an.

[3] Reitzenstein, Mysterienreligionen 240, suchte zu zeigen, daß ‚Form und Auffassung‘
nicht aber ‚Inhalt‘ des frühchristlichen Enthusiasmus dem Heidentum entlehnt sei; eine
problematische Unterscheidung. Pfisters Überblick dokumentiert die Verklammerung
eindrücklich (Ekstase 983–986).

den lehrt, da diese durch die Taufe in den Machtbereich des Christus versetzt worden sind (1. Kor 12, 13; Gal 3, 26–28 u. ö.). Auf dem Hintergrund der Korrespondenzaussagen (Gal 2, 20; Röm 8, 9 f. u. a.) haben die Christen eine durch die Taufe vollzogene ἔκστασις hinter sich.

Zugleich ist die gemeinantike Vorstellung bezeugt, daß in Folge der Geistesübermittlung der einzelne zu besonderen Machttaten befähigt wird. Hierbei scheint nach 1. Kor 12, 11 unbeschadet der Grundanschauung der allgemeinen Geistausgießung an akzidentielle Zuteilungen des Geistes gedacht zu sein. Schließlich ist deutlich, daß in einem Teil der korinthischen Gemeinde der Enthusiasmus zu einer Abwertung der Leiblichkeit geführt hat (1. Kor 6, 17; 15, 44–46 u. a.).

Pneumatischer Enthusiasmus bedeutet folglich ein akzidentielles oder sakramental bedingtes grundsätzliches Heraustreten der Seele aus dem Leib bzw. des ganzen Menschen (2. Kor 12, 3) in die himmlische Welt. Das Mittel dieses Enthusiasmus ist die Gabe des πνεῦμα als der himmlischen Substanz[4].

Das Selbstverständnis des pneumatischen Enthusiasmus ist präziser zu erhellen von den im 1. Kor überlieferten Gemeindeparolen und den pl Wertungen her.

6.4.1 Gemeindeparolen und paulinische Wertungen

Zunächst zu den Gemeindeparolen.
a) πάντα μοι ἔξεστιν (1. Kor 6, 12 a und b)
πάντα ἔξεστιν (1. Kor 10, 23 a und b; vgl. aber HSS.).
Daß hier eine Parole oder ein Schlagwort der korinthischen Gemeinde aufgenommen worden ist, welches Pl wohl mündlich überkommen ist (1. Kor 5, 1 und die Verklammerung der Parole mit dem Thema πορ-

---

[4] Ich möchte vorschlagen, den Begriff des ‚Enthusiasmus‘, sofern er in Übereinstimmung mit der hell. Tradition der Einwohnung Gottes oder des Geistes auf die Seele bzw. die Auswanderung der Seele aus dem Körper beschreiben soll, auf das hell. Christentum zu beschränken. Mit diesem Selbstverständnis haben die nachösterlichen pal. Gemeinden und die Tradenten der Logienquelle nichts gemein. Käsemann, Anfänge, dann vor allem auch Schulz, Q 168, haben den Begriff Enthusiasmus sowohl für das pal. als auch für das hell. Christentum verwendet, ohne damit zur sachlichen Präzisierung des Phänomens beizutragen. Auch Bergers Definition, Geist 184 („Enthusiasmus im frühen Christentum hat immer das Ziel, Verbindung und Kontinuität zu Jesus darzustellen") nimmt Käsemanns Ansatz auf (Jesusnachfolge, Christusmystik), weitet den Begriff aber gegen die ihn bedingende hell. Tradition ins Allgemeine aus. Weitere Forschungsansichten zum Begriff Enthusiasmus bei Baumgarten, Paulus 198–200. Klar gegen Käsemann: Vielhauer, Geschichte 452: „… jener Enthusiasmus war einmal an ein bestimmtes Verständnis der Sakramente gebunden und hatte außerdem nichts mit der Leben-Jesu-Tradition zu schaffen."

νεία 5,1; 6,12 ff.), ist weithin anerkannt[5]. Man hat versucht, dieses Wort in seiner Kurzform auf Pl zurückzuführen, der es als „antijudaistisches Schlagwort" gebraucht hätte[6]. Jedoch kann 1. Kor 3,21 nicht als pl Parallele, schon gar nicht als antijudaistische, angeführt werden. Die Auseinandersetzungen mit den Judaisten liegen noch vor Pl. Außerdem zeigt seine eigene Fortführung der Parole mit ἀλλ' οὐ πάντα συμφέρει (6,12 a; 10,23 a), daß er der Parole mit einem stoischen Argument entgegentritt und sie selber also auch als solche versteht und einordnet[7]. Aufgrund der stoischen Abkunft der Parole liegt ihr eine willkürliche Freigabe der ethischen Entscheidung im Sinne eines Libertinismus fern – sie mag gleichwohl so gebraucht oder verstanden worden sein[8] –, prinzipiell behauptet sie zunächst die Überlegenheit vor äußerlichen Dingen, und dies grundsätzlich (πάντα). Insofern aber ist diese Parole enthusiastisch auslegbar, wenn das wahre Ich des Glaubenden den Bedingungen der Gegenwart enthoben ist (vgl. Pl selber in 1. Kor 3,22 f.).

b) πάντες γνῶσιν ἔχομεν (1. Kor 8,1)

Auch hier greift Pl ein Schlagwort aus der Gemeinde auf[9]. Er stimmt durch οἴδαμεν dem Grundsatz zu. Dabei handelt es sich, wie der artikellose Gebrauch von γνῶσις anzeigt, zunächst nicht um eine spezielle, praktische Erkenntnis, sondern um ein Charakteristikum der neuen Zeit[10]. Als solche steht γνῶσις neben den eschatologischen Gaben γλῶσσαι, προφητεία, εἰδέναι τὰ μυστήρια (1. Kor 13,1 f. 8), die als Gaben des Geistes begriffen werden (1. Kor 12,8).

---

[5] Weiß, 1. Kor 90 und 527; Foerster, ThWNT II 567; Lietzmann, Kor 27; Balz, EWNT II 13; Kitzberger, Bau 85. Hurd, Origin 68, verweist auf 22 Exegeten aus 24 konsultierten Büchern.

[6] Lietzmann, Kor 27; Foerster, ThWNT II 567; als Frage bei Reinmuth, Geist 48; klare Ablehnung durch Balz, EWNT II 13 f.

[7] Das Vergleichsmaterial für πάντα ἔξεστιν ist ausschließlich stoischer Provenienz, daneben finden sich späte gnostische Parallelen (CH I 32; XIII 17); vgl. die Zusammenstellung bei Conzelmann, 1. Kor 131 A 5; Jones, Freiheit 184 A 179. Ἔξεστιν ist hier im Sinn von ‚es ist erlaubt' und nicht von ‚es ist möglich' zu verstehen. Auch συμφέρον, hier durch ἔξεστιν bedingt, verweist auf den stoischen Hintergrund (Epict, Ench 31,4; ausführlich Weiß, 1. Kor 158 f. A 1).

[8] Elliger, Paulus 244, vermutet, die Parole sei in Korinth libertinistisch, nicht stoisch verstanden worden. Die pl Antwort ergehe ja in einem Wortspiel, welches vom Aktiv ins Passiv überleite. Es sei an „die schon von der griechischen Philosophie artikulierte Erfahrung, daß bereits der erste Versuch, seine Freiheit zu realisieren, ins Gegenteil umschlagen …" könne, zu denken.

[9] v. Soden, Sakrament 340; Weiß, 1. Kor 214; Wolff, 1. Kor 4 u. a. Auch im folgenden (z. B. V. 4) nimmt Pl Argumente aus der Gemeinde auf.

[10] Weiß, 1. Kor 214: „… es ist nicht blos die bestimmte Erkenntnis …, sondern etwas allgemeines: sie fühlen sich als Leute, für die das ‚Erkennen' charakteristisch ist …"; auch Schmithals, Gnosis 134 f.; ders., EWNT I 602.

Die enthusiastische Verabsolutierung der Erkenntnis impliziert: a) die Herausstellung vergangener, bedeutender Einzelerkenntnisse wertet Pl als Einbildung (δοκεῖ)[11], welche von der Erkenntnis Gottes im Sinn von Gal 4,9; 1.Kor 8,3 wegführt; b) ekklesiologisch stellt sich solcher Enthusiasmus gemeindetrennend dar, da einzelne sich durch Einzelerkenntnis als in erhöhtem Stand ausgewiesen wissen. Pl wertet dies als nicht auferbauendes φυσιοῦν (1.Kor 8,1; vgl. auch 4,6,18f.; 5,2; 13,4).

c) ἀνάστασις νεκρῶν οὐκ ἔστιν (1.Kor 15,12)

Zunächst einige philosophische Beobachtungen. Pl wendet sich in 15,12 an τινες, spricht aber in 1.Kor 15,14. 17. 33f. 58 die Gesamtgemeinde an. Die Grenze der τινες zur Gesamtgemeinde scheint durchlässig. Die syntaktische Verklammerung durch πῶς λέγουσιν stellt die Christusverkündigung (ὅτι ἐκ νεκρῶν ἐγήγερται) und die Gemeindeaussage (ὅτι ἀνάστασις νεκρῶν οὐκ ἔστιν) gegenüber. Durch ὅτι-Rezitativum ist diese Aussage als Zitat wiedergegeben. Sie kann nur als negierende Reaktion auf einen positiven Satz verstanden werden.

Je nachdem, wie Position und Reaktion im einzelnen bestimmt werden, divergieren Erscheinungsbild und Theologie der ,Auferstehungsleugner'. G. Sellin hat die unterschiedlichen Interpretationen ausführlich dargestellt (Streit 18–37) und sich selber überzeugend derjenigen Auslegung angeschlossen, der zufolge es für die Gemeinde in Korinth ausgeschlossen zu sein schien, an die Auferstehung der ,Toten' zu glauben, d.h. der Leiblichkeit Anteil an der Auferstehungsherrlichkeit zuzubilligen. Diese Gemeindetheologie ist verständlich auf dem Hintergrund einer dualistischen Anthropologie, die den Leib der Vergänglichkeit preisgibt, die Seele aber für erlösungsfähig hält. Auf diesen Gegensatz deutete bereits die Antithese πνευματικός-ψυχικός. In einer Gegenbewegung muß Pl gerade den Leib zum Tempel des Geistes erklären (1.Kor 6,17).

Dies läßt nochmals fragen, gegen welches Verständnis die Parole sich überhaupt abgrenzen will. Der früheste Pl-Brief, der 1.Thess, stand ganz im Zeichen der Naherwartung und der Entrückung der Lebenden bei der Parusie, verkündete jedoch zugleich die vorhergehende Auferstehung der Toten. Diese Entrückungsvorstellung kennt keine Trennung von Leib und Seele. Zeigte noch 1.Thess 4,14 an, daß die Entrückung aufgrund des Heilswerks Christi erfolgen wird, so bringt Pl jetzt in formelhaften Aussagen Geschick Christi und der Glaubenden in eine Analogie (1.Kor 6,14; vgl. dann 2.Kor 4,14; Röm 8,11). Hier ist bereits deutlich, daß er sich mit der Betonung, auch das σῶμα werde der Auferstehung teilhaftig sein, gegen dualistische Tendenzen zur Wehr setzt. Erst in 1.Kor 15 und also nach den korinthischen Erfahrungen geht Pl erstmals auf die Frage des ,wie' ein, indem er den Verwandlungsgedanken einführt. Fragen wir nochmals, wogegen die in Korinth in Abrede gestellte ἀνάστασις νεκρῶν gerichtet sein kann, so bleiben als Haftpunkte vor der Abfassung von

---

[11] Wolff, 1.Kor 5 verweist auf ἐγνωκέναι (Perf.), εἶναι τι = etwas bedeuten (1.Kor 8,2; Gal 6,3). Hinsichtlich der speziellen Erkenntnis ist an 1.Kor 14,37 zu denken. Hier setzt Pl voraus, daß in der Gemeinde die Behauptung der Kenntnis des Willens des Herrn existiert.

1.Kor 15: a) die Verkündigung der Auferweckung der Toten aus 1.Thess 4; b) die Verkündigung der leiblichen Auferstehung der Glaubenden (in 1.Kor 6,14 – wahrscheinlich Teil des Vorbriefs). Die korinthische Gegenthese stellt eine Einbeziehung des von Pl in beiden Aussagen zur Auferstehung berufenen ganzen Menschen in Abrede.

So problematisch es ist, positive Aussagen über das Verständnis der Auferstehung in Korinth mit Hilfe der wenigen Textaussagen aus den Korintherbriefen zu machen, das Gewicht der Antithese liegt eindeutig auf der Ablehnung der leiblichen Auferstehung vom Standpunkt eines enthusiastischen Vollendungsbewußtseins.

Für diese Sicht, die seit Lütgert[12] in der Forschung bestimmend ist, kann zusätzlich auf folgende Beobachtungen verwiesen werden.

a) Die Gemeinde weiß sich seit der Taufe ἐν Χριστῷ, sie ist berufen zur κοινωνία τοῦ Χριστοῦ (1.Kor 1,9). Wie aber die Sakramentsaussagen zeigen, ist das πνεῦμα Mittel und Substanz, welches Christus und Glaubende zusammenschließt. So kann Pl im Präskript gleich folgern: ἐπλουτίσθητε ἐν αὐτῷ (1,5), dies belegen die χαρίσματα (1,7), wie die γνῶσις (1,5), die in der Gemeinde reichlich vorhanden sind. Die pneumatische Gemeinschaft mit Christus, von Pl aber im Präskript betont als Gabe vor der ἀποκάλυψις τοῦ κυρίου in Erinnerung gebracht (1,7), diese Gemeinschaft ist in Korinth enthusiastisch als eschatologische Heilsgabe verstanden worden[13]. Daher wird das Lob ἐπλουτίσθητε ἐν αὐτῷ (1,5) den Enthusiasten in 4,8 wieder entwunden: ἤδη ἐπλουτήσατε, χωρὶς ἡμῶν ἐβασιλεύσατε.

b) Pneumagabe und anthropologischer Dualismus sind auch im griech.-hell. und jüd.-hell. Denken, also im Umfeld der Gemeinde auf einen pneumatischen Enthusiasmus hin verbunden. Nach SapSal geht das πνεῦμα/die σοφία in die Seele des Frommen ein, so daß diese auch nach dem Tod in Gottes Hand ist (3,1; 8,13.17). Auch Philo, All III 29ff.39ff.81ff. verbindet Pneumagabe und Unsterblichkeit. Die Inspirationsmantik betont die durch die Pneumagabe geschenkte Gottesnähe.

Es ist nicht einmal wahrscheinlich, daß solch enthusiastische Erhöhungsvorstellung den von Pl verkündeten zukünftigen Auferstehungsglauben völlig ersetzt hat. Nach 1.Kor 1,7 hält Pl an der Möglichkeit fest, daß die Gemeinde auf die ἀποκάλυψις τοῦ κυρίου wartet. Enthusiasmus und Apokalyptik können nebeneinander bestehen, ohne sich auszuschließen[14].

---

[12] Lütgert, Freiheitspredigt 128–130.

[13] Die Auferstehung Christi steht für die Gemeinde nicht in Frage, wie sollte die pl Argumentation sonst hier ihren Ausgang nehmen können. Strittig ist ihre Bedeutung für das Heil der Gläubigen. Gewährt sie gegenwärtig enthusiastisch Anteil an den Heilsgaben unter Ausklammerung der Leiblichkeit, oder stellt die Erwartung der zukünftigen conformitas cum Christo als des Erhöhten in gegenwärtige Teilhabe an der Niedrigkeit Christi?

[14] In diesem Zusammenhang ist auf weitere frühchristliche Aussagen gegenwärtiger Auferstehung zu verweisen: Kol 2,12; Eph 2,5f.; 2.Tim 2,18; Joh 5,25; 1.Klem 23,1ff. u.a. (dazu Schnelle, Gerechtigkeit 80f.; Sellin, Streit 23–30; ders., Auferstehung). Damit ist das Argument von Spörlein, Auferstehungsleugner 35, hinfällig: „Für eine Umdeutung

Betrachten wir jetzt die pl Wertungen.

a) ἐπεὶ ζηλωταί ἐστε πνευμάτων (1. Kor 14, 12). Im Zusammenhang der Ausführungen über Glossolalie in der Gemeinde hat Pl in V. 7–11 Beispiele über Verständlichkeit und Unverständlichkeit geboten. Nachdem bereits V. 9 (οὕτως καὶ ὑμεῖς) den Vergleich mit der Gemeinde zog, leitet V. 12 mit gleicher Wendung ein[15]. Die Ausführungen stehen in Kap. 14 insgesamt unter dem Gesichtspunkt, die πνευματικά der οἰκοδομή der Gemeinde unterzuordnen. Die hierzu gezogenen Folgerungen gelten insonderheit für die Pneumatiker, weil für sie gilt: ζηλωταί ἐστε πνευμάτων. Und in solcher Ausgerichtetheit mißachten sie das Kriterium der οἰκοδομή, wie wiederum der glossolale Vollzug erweist.

So deutlich die Absicht der pl Argumentation ist, so hat doch das Verständnis der o. g. Wertung zu sehr unterschiedlichen Ergebnissen geführt.

Der forschungsgeschichtliche Ausgangspunkt ist mit der Arbeit von M. Dibelius[16] gegeben. Er ging von der bei Pl unüblichen Verwendung des Plurals πνεύματα (sonst noch 1. Kor 12, 10; 14, 32) aus, der nach seiner Meinung in Übereinstimmung zum weiteren atl. und jüd. Sprachgebrauch „im vollsten Widerspruch" mit der sonst bei Pl begegnenden Anschauung des einen Geistes stehe (74). Folglich handle es sich hier um Dämonen. Die bereits von Everling aufgestellte These, Pl denke hier an Engel als Vermittler der Geister, lehnt Dibelius als unbegründet ab. Er schließt aus dem Sprachgebrauch: da die διάκρισις πνευμάτων auffordere, zwischen göttlichem Geist und Geistern zu unterscheiden, beziehe sich πνεύματα „im weiteren Sinn auf die Dämonen sowohl als auch auf den göttlichen Geist" und die ζηλωταὶ πνευμάτων seien „Leute, welche nach den Weisungen von Geistern überhaupt strebten" (76).

Ist also die Gemeinde in Korinth in fast undurchschaubarem Maße in einer Verbindung von christlichem πνεῦμα-Verständnis und heidnisch, animistischem Geisterglauben stehengeblieben?

Zunächst zur rein sprachlichen Seite. In der Tat ist in der Literatur die Verwendung des Plurals für Geister oder Dämonen gesichert, aber doch nicht so ausschließlich, wie Dibelius seinerzeit noch annehmen konnte. In 1. QH 17, 17

---

des Wortes (ἀνάστασις F. W. H.) im Dienste einer irgendwie gearteten Erhöhungs- oder Auferstehungsvorstellung fehlen bis in die letzten Jahrzehnte des zweiten Jahrhunderts Belegstellen."

[15] Οὕτως καὶ ὑμεῖς begegnet in V. 9 stärker in schlußfolgernder, in V. 12 hingegen in vorausweisender Bedeutung. Beide Möglichkeiten entsprechen griech. Sprachgebrauch (Liddell-Scott, Lexicon 1276 f.).

[16] Dibelius, Geisterwelt 73–76, in teilweisem Rückgriff auf Everling, Angelologie 41 ff. Zustimmung zu Dibelius durch Lietzmann, Kor 17: „Angleichung an den ... geläufigen hellenistischen Sprachgebrauch ..., als ob jeder wünschte, daß ein πνεῦμα ... wie ein überirdisches Einzelwesen in ihm Wohnung nehme"; ebenso ders., Röm 78; Weiß, 1. Kor 326; Schweizer, ThWNT VI 433 A 689. Gegenwärtig hat Ellis, Prophecy 70, diesen Ansatz aufgenommen. Die πνεύματα seien Engelwesen, welche „mediate the πνευματικά and minister with and through the pneumatics."

ist der Plural מְרוּחֹת bezeugt im Kontext einer Wendung, für die sonst der Sing. verwendet wird (1.QH 16,11; 12,11 f.; 13,19), und dies ohne erkennbaren Unterschied[17].

Es ist zunächst festzustellen, daß 1.Kor 14 eine breite terminologische Streuung in bezug auf Geistesaussagen hat: πνεύματα (14,12), πνευματικά (14,1), πνευματικός (14,37), πνεύματα προφητῶν (14,32), πνεῦμα (14,2.14); außerdem noch ζηλοῦτε δὲ τὰ χαρίσματα (12,31). Dies kann darauf hinweisen, daß Pl das Thema von verschiedenen Aspekten her angeht, nicht aber von einem terminologisch präzisen Ansatz.

Nun wird man den Kontext nicht unterbewerten dürfen. ζηλωτής begegnet bei Pl nur in 14,12; das Verb ζηλοῦν neben vier weiteren Belegen in 12,31; 14,1.39. Hier sagt Pl: ζηλοῦτε δὲ τὰ χαρίσματα (12,31); ζηλοῦτε δὲ τὰ πνευματικά (14,1); ζηλοῦτε τὸ προφητεύειν (14,39). Von daher ist es wahrscheinlicher, daß Pl der Gemeinde in Korinth positiv zugesteht ‚sie strebt nach vielfältigen Wirkungsweisen des Geistes‘, als daß er sie als vorchristliche Animisten abstempeln will. Hierbei setzt Pl in Entsprechung zu χαρίσματα (12,31) und πνευματικά (14,1) den Plural, der die Mannigfaltigkeit des einen Geistes anzeigt[18]. Das Streben der Gemeinde nach πνεύματα wird anerkannt, jedoch auf die οἰκοδομή hin geleitet. Auffällig ist ja, daß dieser Aspekt in V.12b betont vorangestellt wird und nicht in den ἵνα-Satz eingegliedert wird[19]. Mag man in der Gemeinde das persönliche Ziel des περισσεύειν mit dem Streben nach Geistesgaben verbunden haben, Pl trennt beides und schiebt die οἰκοδομή als übergeordnetes Ziel dazwischen.

b) δοκῶ δὲ κἀγὼ πνεῦμα θεοῦ ἔχειν (1.Kor 7,40). Sieht man vom vorhergehenden Kontext ab, bleibt der merkwürdig nachklappende Satz isoliert. Er ist aber nur unter Beachtung desselben zu verstehen.

Wie Kap.7 zeigt, stehen sich in der Gemeinde zwei gegensätzliche Richtungen gegenüber. Eine asketische Gruppe sagt ‚καλὸν ἀνθρώπῳ γυναικὸς μὴ ἅπτεσθαι‘ (1.Kor 7,1; vgl. dann vor allem 7,25ff.) und wendet sich mit diesem

---

[17] Kuhn, Enderwartung 135: „Die Gabe des Geistes beim Eintritt in die Gemeinde kann durchaus im Sinne einer Vielzahl von Geistesgaben verstanden werden ... Sachlich dürfte trotzdem nicht an Geister gedacht sein ..., sondern an die besonderen Wirkungen des einen Gottesgeistes."

[18] Bauer, WB 1344; Conzelmann, 1.Kor 279; Wolff, 1.Kor 133 (mit zusätzlichem Verweis auf die v.l. πνευματικῶν). Schmithals, Gnosis 164, wird der sprachlichen Form nicht gerecht, wenn er πνεύματα nicht auf Geistesgaben bezieht, sondern auf den Besitz des Geistes überhaupt, der ihr das Heil verbürge. Die Gemeinde ist doch getauft und weiß sich im Besitz des Geistes.

[19] Wolff, 1.Kor 133, hat zu Recht (im Vergleich mit 2.Kor 2,4 und Gal 2,10) darauf hingewiesen, daß hier οἰκοδομή sachlich in den ἵνα-Satz einzuordnen ist. Abzuweisen ist daher eine Auslegung des ἵνα περισσεύητε auf das „eschatologische Vollmaß"; so Dautzenberg, Prophetie 238 A 43, und die dort Genannten.

Thema schriftlich an Paulus. Sind dies die Folgen des mißverstandenen pl Vorbriefs (5,9): ἔγραψα ὑμῖν ἐν τῇ ἐπιστολῇ μὴ συναναμίγνυσθαι πόρνοις? Die vorangehende Perikope 6,12-20 hat hingegen auf einen Gemeindeteil aufmerksam gemacht, dessen Umgang mit Prostituierten in Verbindung mit einer weltanschaulichen Begründung (6,12) auf eine libertinistische Einstellung schließen läßt[20]. Im Antwortbrief auf die geschilderten Umstände stellt sich für Pl in unterschiedlicher Weise das Problem der Begründung seiner Mahnungen. Nicht immer hat er eine Weisung des Kyrios zur Hand (7,10; aber 7,12.25). Gleichfalls gilt das apostolische Vorbild (7,7), die Norm des Berufungsstandes (7,17-24), die Einsicht in die eschatologische Zeit (7,29-31), die normierende Kraft natürlicher Vorgänge (7,2-5.9).

Strukturell und sachlich enger verwandt mit 7,40 sind 7,10 und 25:

7,10: τοῖς δὲ γεγαμηκόσιν παραγγέλλω,
      οὐκ ἐγὼ ἀλλὰ ὁ κύριος,
      γυναῖκα ἀπὸ ἀνδρὸς μὴ χωρισθῆναι

7,25: περὶ δὲ τῶν παρθένων ἐπιταγὴν κυρίου οὐκ ἔχω,
      γνώμην δὲ δίδωμι ὡς ἠλεημένος ὑπὸ κυρίου πιστὸς εἶναι.
      νομίζω οὖν ...

7,40: μακαριωτέρα δὲ ἐστιν ἐὰν οὕτως μείνῃ,
      κατὰ τὴν ἐμὴν γνώμην.
      δοκῶ δὲ κἀγὼ πνεῦμα θεοῦ ἔχειν.

Nur in 7,10 kann Pl auf ein Wort des Kyrios zurückgreifen. In 7,25 und 7,40 verweist er nachdrücklich auf seine eigene γνώμη, seine Meinung oder sein Urteil[21]. Dies jedoch wiederum so, daß letztlich eine Rückführung seiner Aussage auf den Kyrios bzw. Gott vorliegt. In 7,25 handelt es sich bei κύριος wohl um Christus (Bauer, WB 909). In 7,40 steht hinter der apostolischen γνώμη die Vermittlung durch das πνεῦμα θεοῦ. Damit ist zunächst festgehalten: V. 40 fungiert in Entsprechung zu V. 25 als Rückführung der γνώμη auf die höhere Instanz, ist aber keinesfalls eine aus diesem Zusammenhang zu isolierende Einzelbemerkung.

Hierbei ist der exakte Wortlaut des V. 40 b für eine weitere Auskunft aufschlußreich. Δέ steht hier als Kopulativum (BDR § 447) und kann in der bei Pl singulären Verbindung κἀγὼ δέ (bei Pl sonst δὲ καί) mit ‚auch ich glaube‘ (so Bauer, WB 763) übersetzt werden. In κἀγώ ist zugleich die Angabe ‚ich wie andere‘ (Bauer, WB 763) nicht zu überhören. Pl schließt also an seine γνώμη die Begründung, auch er habe wie andere den Geist Gottes, und zwar als gegenwärtigen Besitz. Diese Bemerkung ist sinnvoll, wenn die nicht namentlich genannten anderen das gleiche wie Pl getan haben: eine γνώμη mit Verweis auf den Geistbesitz

---

[20] Zu dieser Doppelfront: Conzelmann, 1. Kor 139.
[21] Zum Begriff (außer den genannten Stellen bei Pl noch 1. Kor 1,10; 2. Kor 8,10; Phlm 14; außerdem συγγνώμη in 1. Kor 7,6): N. Baumert, Ehelosigkeit und Ehe im Herrn. Eine Neuinterpretation von 1. Kor 7, fzb 47, ²1986, 359-363.

zu begründen. Die Bemerkung zielt also wohl kaum auf eine Widerlegung der Bestreitung des pl Geistbesitzes[22]. Vielmehr bekräftigt Pl in Aufnahme des Gesamtaspektes von 1. Kor 7 die Forderung des μένειν (7, 8. 11. 20. 24. 40) als geistgewirkte Meinung. Folglich hat in Korinth ein Teil der Gemeinde die in Kap. 7 beschriebenen ethischen Maximen mit dem Verweis auf die durch den Besitz des Geistes gegebene Erkenntnis vollzogen[23].

c) Den enthusiastischen Charakter der Gemeindeparolen bestätigt eine pl Wertung in 1. Kor 4, 8: ἤδη κεκορεσμένοι ἐστέ, ἤδη ἐπλουτήσατε, χωρὶς ἡμῶν ἐβασιλεύσατε. Diese Aussage steht in engster Verbindung zum Vorwurf des ‚Aufgeblasenseins‘ (4, 6. 18 f.; 5, 2; 8, 1), erhellt aber noch stärker die Vergegenwärtigung eschatologischer Heilsgüter. Auch hier findet sich als Wurzel des Enthusiasmus neben der urchristlichen Verkündigung der Einfluß der hell. Umwelt.

Pl ironisiert in 4, 8 einen Enthusiasmus, der auf einem Besitz der Heilsgüter gründet[24]. V. 7 schlägt mit einem Wortspiel um ἔχειν und λαμβάνειν dieses Thema an. Man kann fragen, ob die drei Stichworte aus der Gemeinde vorgegeben sind, sicher ist das nicht[25]. Sie (κεκορεσμένοι, ἐπλουτήσατε, ἐβασιλεύσατε) wurzeln allesamt im jüd.-apok. Denken, sind aber teilweise auch uneschatologisch in griech.-hell. und jüd.-hell. Schriften belegt.

– κεκορεσμένοι: die Verkündigung Jesu stellt sich in die jüd.-apok. Tradition, daß die Endzeitgemeinde gesättigt werden soll (Mt 5, 6; Lk 6, 21), die jetzt bereits Gesättigten dem Gericht aber nahestehen (Lk 6, 25; Jak 5, 1). Dies und die Verbindung mit ἐπλουτήσατε (so auch Lk 6, 20–26; Jak 2, 5) machen deutlich: Sättigung und Reichtum können Ausweis der Endzeitgemeinde sein, gleichfalls aber für die Menschen vor der Endzeit zum Gericht führen (vgl. die Polemik in Phil 3, 19). Hier kann eine Entscheidung offenbleiben. Entweder beschreibt Pl die Gemeinde ironisierend, indem er sie als endzeitlich gesättigt darstellt. Hierbei mag der aus jüd.-hell. Literatur bekannte Motivbereich der pneumatischen Himmelsspeise mitbestimmend sein (Philo, Op 158; Her 191; JosAs 8, 9; 15, 7 f.; 22, 13 u. a.). Oder überwiegt bereits die Kritik?

---

[22] Lüdemann, Paulus II 129, sieht „möglicherweise die ersten Anfänge der korinthischen Kritik an Paulus wegen mangelnden Geistbesitzes" mit 7, 40 gegeben. Diskutiert wird diese Sicht unter Einbeziehung der älteren Forschung bei Schrage, Einzelgebote 88 A 76.

[23] In dieser Tendenz: Weiß, 1. Kor 210; Fascher, 1. Kor 199; Conzelmann, 1. Kor 161. Diese Sicht kann nicht mit Verweis auf „die Kürze des Satzes" in 7, 40 b in Frage gestellt werden (so Lang, Kor 104).

[24] Zur Gedankenfigur der Ironie hier: BDR § 495. 1; Berger, Gegner 487 (‚ironische Invektive‘); K. A. Plank, Paul and the Irony of Affliction, 1987, 44–48.

[25] Nach Horsley, How can some … 203 f. (zustimmend Sellin, Streit 24 f. A 38) stammt das ἤδη von Pl selbst. Soll damit angezeigt werden, daß V. 8 im Kern auf Gemeindeterminologie zurückgreift?

– ἐπλουτήσατε: auch hier ist zunächst wieder an die Jesustradition zu erinnern. Reichtum ist einerseits Hoffnung der erwählten Endzeitgemeinde (Lk 18,30; 1,53), zugleich aber auch negativ besetzt (Lk 6,24–26). Nun sind κεκορεσμένοι und ἐπλουτήσατε in 1. Kor 4,8 freilich spiritualisiert verwendet. Diese Gaben bestehen, wie in der hell. Tradition, in den pneumatischen Gaben. Der Pneumatiker ist reich: DiogL VII 125; Plut, Mor 472 a; Philo, All I 34; Her 27; EvThom 3.29.85 und Pl selbst in 2. Kor 8,9.

– ἐβασιλεύσατε: die Wurzel dieses Motivs liegt wieder in der jüd.-apok. und urchristlichen Reichserwartung (Mt 5,3; Lk 12,32; Apok 1,6.9 u. a.). Die Endzeitgemeinde ist nicht nur das Reich, sondern auch die Mitherrschaft zugesagt (2. Tim 2,12; 1. Kor 6,12; Lk 22,30; 1. Kor 3,22; Röm 8,17; Apok 20,4–6). In der jüd.-hell. und griech.-hell. Tradition wird aber zugleich unter Absehung dieses eschatologischen Kontextes der Pneumatiker und Weise mit solchen Attributen ausgestattet: Epict III 22,63; Philo, Abr 261; Op 148; Virt ?.12–219 u. a.

Die Belege könnten beliebig erweitert werden. Schon Weiß führte die Beobachtung des Wortfeldes zu dem Schluß: „Wir können also begreifen, wie bei den kor. Christen der urchristliche Glaube sich mit jener hellenistischen Stimmung eng verschmelzen konnte."[26] Pl wertet das Verhalten und die Theologie der Pneumatiker mit Hilfe von Begriffen und Motiven, die eindeutig auf ein präsentisches Heilsbewußtsein schließen lassen, welches im Umfeld des NT so nur dem Weisen, Pneumatiker oder dem Endzeitgenossen zugeschrieben wird.

6.4.2 Auswirkungen des pneumatischen Enthusiasmus

Für diejenigen, die als πνευματικοί sakramental am erhöhten Christus Anteil haben, glossolal die himmlische Sprache sprechen und die irdische Gemeinschaft der Glaubenden vernachlässigen, für sie besteht eine grundsätzliche Distanz zur Welt, wie ein Blick in mehrere Bereiche des Gemeindelebens zeigt.

Wenngleich die Gemeinde in der Taufe geheiligt worden ist (1. Kor 6,11), stellt sie sich von ihrer äußeren Erscheinung her nicht in Gegensatz zur vorchristlichen Zeit, welche der Lasterkatalog (1. Kor 6,9f.) in Erinnerung ruft. Pl hatte bereits im Vorbrief (5,9) zur Distanz von πόρνοι in ihrer Mitte aufgerufen, bekräftigt diese Mahnung jetzt nochmals in deutlicher Anwendung auf die Gemeinde (5,11). Hier ist dem Vollzug der Gemeinschaft eine Grenze gesetzt. Daß fortgesetzter Umgang mit Hurern seine Begründung enthusiastisch von der christlichen Freiheit her erfährt, zeigt die Verklammerung beider Themen in 6,12 ff. Andererseits wird eine Fortführung heidnischer Konvention vorliegen[27]. 1. Kor 10,8 zeigt in einer Anti-Typologie, daß Empfang des Sakraments und Hurerei zum Gericht führen.

---

[26] Weiß, 1. Kor 107.
[27] Zur Verbindung von christlichem Enthusiasmus und heidnischer Konvention: Elliger, Paulus 243–245. Zur situativen Einschätzung der Situation in Korinth zählt auch der

Mag solche Haltung noch stark der vorchristlichen Konvention verhaftet sein, so erweist sich die Einstellung zum Götzenopfer (εἰδωλόθυτον) und Götzendienst (εἰδωλολατρία) als direktere Folge des Enthusiasmus. Die Freiheit zum Genießen des Götzenopfers ist in Korinth mit dem Verweis auf die geschenkte γνῶσις begründet worden (vgl. die Verklammerung in 8,1). Zwar entspricht dieses Verhalten im Ansatz der pl Sicht, mißbraucht wird sie aber im Sinn eines pneumatischen Enthusiasmus, sofern diese γνῶσις und das Genießen des Götzenopfers zur Demonstration des neuen Standes werden (8,7). Dies separiert Starke und Schwache voneinander.

In 1.Kor 11,2-16 reflektiert Pl eine neue Sitte korinthischer Christinnen im Gottesdienst, welche nicht direkt auf Pl zurückgeht (11,16). Betende oder prophezeiende Christinnen öffnen ihr Haar oder verhüllen nicht mehr ihr Haupt, wie es dem Brauch der übrigen Gemeinden Gottes entspricht (11,16). Daß diese Praxis aber Folge des Enthusiasmus ist, steht außer Zweifel. Taufe und Geistverleihung haben ja eine Aufhebung der Fundamentalunterschiede verkündet und geschenkt (Gal 3,26-28; für Mann und Frau in der Parallele 1.Kor 12,13 bezeichnenderweise nicht erwähnt). Dies gibt nicht nur Frauen das gleiche liturgische Recht wie Männern (vgl. auch Apg 2,17f.), vielmehr setzt sich das Verhalten in Korinth zugleich über den Brauch des Schleiers hinweg, welcher ja gerade noch in Übereinstimmung mit der überkommenen Konvention verbleibt. So aber stehen – gegen die jüd. Tradition (Jos, Ap II 201), der sich Pl anschließt – Mann und Frau in gleichem Recht in Unmittelbarkeit zu Gott als dessen εἰκών und δόξα (11,7). Auch hier kann vermutet werden, daß die γνῶσις in einer aufklärerischen Weise mit dem Bekenntnis zum εἷς θεός zugleich eine Entdämonisierung bewirkt, welche den Sinn des Kopfschleiers als Abwehr dämonischer Engel erübrigte[28].

Nicht nur das Taufverständnis, auch dasjenige des Herrenmahls kann als magischer Sakramentalismus begriffen werden[29]. Brot und Kelch geben Teilhabe am erhöhten Christus, der selber Spender dieser Gaben und zugleich in ihnen gegenwärtig ist[30]. Nun entwindet Pl der Gemeinde die Möglichkeit eines magischen Sakramentsverständnisses, indem er in 11,30 auf πολλοὶ ἀσθενεῖς καὶ ἄρρωστοι καὶ κοιμῶνται verweist. Hat er selber den pneumatischen Enthu-

---

Hinweis, daß a) πόρνος in den Katalogen 5,11; 6,9 an erster Stelle steht; b) die Sexual-Paränese auch in 1.Thess 4,1-8 (aus Korinth geschrieben) eine besondere Stellung einnimmt. Eine Beziehung zur Tempelprostitution ist wohl auszuschließen, da diese für die griechische Zeit, nicht aber für die römische Zeit belegt ist (Elliger, Paulus 242).

[28] Bousset, Rez. Weinel 769, verweist zu Recht auf den entdämonisierenden Aspekt als Folge der mit der Geistesgabe verliehenen Erkenntnis.

[29] Überzeugende Analyse bei v.Soden, Sakrament; zustimmend Bornkamm, Verständnis 119f. Die Ablehnung jeglichen Sakramentalismus sucht dagegen Schmithals auch für das Abendmahl nachzuweisen (Gnosis 237-243). Die hier vertretene These einer ‚gnostischen Profanierung' des Mahls wird in ders., Neues Testament und Gnosis 31, bekräftigt, wenn Schmithals von einer „Sabotage der Abendmahlsfeier" spricht, die „in der Ablehnung der Heilsbedeutung von Leib und Blut Christi" gründe; zur Kritik an Schmithals: Wolff, 1.Kor 77f.

[30] Der Genitiv τοῦ κυρίου in 11,27a ist gleichermaßen auf ἄρτον und ποτήριον zu beziehen, welche die sakramentale Substanz des Leibes Christi sind.

siasmus mißverstanden, dem diese Hinweise aufgrund seiner dualistischen Anthropologie (15,12) kein Dorn im Auge sein müssen? Andererseits bekräftigt dieser Hinweis aber in Hinblick auf die Gemeinde abermals ihre enthusiastische Verfaßtheit: Trauerfälle, die die Gemeinde in Thessalonich noch beunruhigten, werden der korinthischen Gemeinde nicht mehr zur Frage.

Das Verhalten einzelner Pneumatiker im Gottesdienst liegt auf der Linie der Herausstellung individueller Geistbegabung und der Vernachlässigung des Leib-Gedankens. Hierbei mag 14,5 eine innergemeindliche Wertung wiedergeben: der Glossolale gilt als der μείζων. Der Enthusiasmus hat in Korinth eine praktische, nicht nur eine intellektuelle Gestalt gefunden. Sein Einfluß geht über die bereits genannten Beispiele hinaus. Man kann zumindest fragen, ob auch die Sklavenproblematik (7,17-24) mit der Frage, ob der Heilsstand den Berufsstand aufhebt, nicht in der Konsequenz der Tauftradition liegt (Gal 3,26-28; 1.Kor 12,13; vgl. schon Joel 3,1-5). Andererseits ist Vorsicht geboten, alle möglichen Gemeindeäußerungen als Auswirkungen des pneumatischen Enthusiasmus zu verstehen. Die Geschichte eines problematischen Verhältnisses (1.Kor 5,1ff.) ist kaum Demonstration eines prinzipiellen Libertinismus, vielleicht eher „eine trübe Liebesaffäre"[31]. Ob die asketische Richtung bereits als Gegenschlag gegen den pneumatischen Enthusiasmus auftritt, ist denkbar. Freilich scheint auch der pl. Vorbrief (5,9) seinen Teil zur Begründung dieser Richtung beigetragen zu haben.

6.4.3 Theologische Aspekte des pneumatischen Enthusiasmus

6.4.3.1 Christologie

H.Conzelmann hat mehrfach darauf hingewiesen, daß Pl die Gemeinde in Korinth an das Credo (1.Kor 15,3-5) erinnern kann, welches für sie Grundlage des Glaubens ist (15,1: ἐν ᾧ καὶ ἑστήκατε)[32]. Zugleich betont Conzelmann jedoch, daß dieses Credo unter der Dominanz des pneumatischen Enthusiasmus ausschließlich auf eine Erhöhungschristologie hin ausgelegt worden sei, nicht jedoch in einem dualistischen Sinn[33]. Bestätigt wird diese Sicht durch die Beobachtung der pl Reaktion auf den pneumatischen Enthusiasmus. Gegen eine verabsolutierte Erhöhungschristologie betont Pl im Sinne des Credos zugleich die Niedrigkeit Christi (1.Kor 1,18ff.; 2.Kor 4,10 u.ö.) und hält an dem futurisch-eschatologischen Aspekt der zukünftigen Totenauferstehung fest.

Es gibt nun wenige Hinweise, an denen diese Sicht noch weiter präzisiert werden kann.

---

[31] Vielhauer, Geschichte 133.

[32] Conzelmann, 1.Kor 29 und 295; ders., Analyse 140; ders., Überlieferungsproblem 150 u.ö.

[33] Ders., 1.Kor 30: „Die Einheit wird durchaus aus der Übereinstimmung von Erhöhungschristologie und Enthusiasmus erklärt." Zustimmend Becker, Auferstehung 61-65; Hoffmann, Auferstehung Jesu 487-489.

In 1. Kor 15 wird Christus als der letzte Adam πνεῦμα ζῳοποιοῦν genannt. Es ist sehr wahrscheinlich, daß Pl hier eine Gemeindevorstellung aufnimmt und korrigiert, die ihrerseits als Auslegung von Gen 1–2 bereits in geprägter Tradition stand. Die Gemeindetheologie versteht Christus, den Präexistenten, den πρῶτος ἄνθρωπος, als lebenschaffende Heilsgröße und identifiziert ihn mit dem πνεῦμα, das von seiner Motivgeschichte im jüd.-hell. Bereich als lebenschaffend gilt (vgl. dann im NT: 2. Kor 3,6; Joh 6,63). Dies ist eine soteriologische Gleichsetzung, denn dieses ζῳοποιοῦν (Part. Präs.) vollzieht sich in der Gegenwart in der Taufe als Versetzung in den vorgegebenen Heilsraum des πρῶτος ἄνθρωπος. Pl korrigiert an dieser Sicht vornehmlich das Geschichtsverständnis, indem er es auf den Kopf stellt: ὁ ἔσχατος Ἀδάμ wurde πνεῦμα ζῳοποιοῦν bei und durch seine Auferweckung[34].

Der Wurzelboden für solche pneumatische Urmenschlehre scheint in Korinth auch mit der Präexistenzchristologie bereitet gewesen zu sein. Darauf deutet das Bekenntnis 1. Kor 8,6 – ein vorpaulinisches Bekenntnis aus dem hell. Judenchristentum – hin. Es preist den einen Kyrios Jesus Christus als Schöpfungsmittler und zugleich in soteriologischer Zuspitzung (mit διά): auch die Gemeinde ist – in Fortführung der Schöpfungsterminologie – Neuschöpfung durch den präexistenten Christus[35]. Pl selber bedient sich in 1. Kor 2,7 f. und 10,4 der Präexistenzchristologie, gleichfalls in soteriologischer Absicht.

Die Genesisspekulation über das Wesen des Urmenschen und die Präexistenzchristologie, die Pl in der korinthischen Gemeindetheologie als bekannt voraussetzt, stellen als Reflexion über das vorzeitliche Wesen des Erlösers die Folie der Erhöhungschristologie und in Verbindung mit ihr wesentliche Aspekte der korinthischen Christologie dar.

Wenn nun Christus als gegenwärtig lebenschaffender Geist verehrt wird, dann besteht das Heil in der Teilhabe an diesem, seinem (!) Geist.

Es gibt in den pl Briefen eine deutliche Stelle, in der diese aufgezeigten Zusammenhänge formelhaft verdichtet worden sind: εἰ δέ τις πνεῦμα Χριστοῦ οὐκ

---

[34] Der Begriff ἔσχατος Ἀδάμ begegnet hier singulär, er ist möglicherweise ad hoc geformt (vgl. aber die Diskussion bei Schaller, EWNT I 65–67). Er wird in V. 47 durch δεύτερος und ἐξ οὐρανοῦ präzisierend aufgenommen. Der Zeitpunkt der Einsetzung des ἔσχατος Αδάμ in die Funktion des πνεῦμα ζῳοποιοῦν wird im Sinne von 1. Kor 15,22 auf die Auferstehung und himmlische Herrscherstellung zu datieren sein (Conzelmann, 1. Kor 341 f.; Wolff, 1. Kor 201; auf die Parusie deutet Klauck, 1. Kor 120). Trotz Zustimmung zu dieser Auslegung setzt sich Burchard mit der Erwägung ab, „... ob ζῳοποιοῦν bei Christus nicht bedeutet, daß der Geist ihn selber belebt ...“ (1. Korinther 15,39–41, 244).

[35] Zum jüd.-hell. Hintergrund der Präexistenz und Schöpfungsmittlerschaft der Weisheit oder des Logos: Horsley, Background; Mack, Weisheit. Zur Übertragung auf Christus neben 1. Kor 8,6: Kol 1,15–17; Hebr 1,2; Joh 1,3. Zu 1. Kor 8,6: R. Kerst, 1. Kor 8,6 – ein vorpaulinisches Taufbekenntnis?, ZNW 66, 1975, 130–139.

ἔχει, οὗτος οὐκ ἔστιν αὐτοῦ (Röm 8,9 c). Obwohl die Scheideformel nicht in der Korintherkorrespondenz direkt begegnet, kann sie mit guten Gründen als Ausdruck der Christologie des pneumatischen Enthusiasmus dort ihren originären Sitz haben. Darauf deuten neben den inhaltlichen und formalen Gründen (s. u. 6.4.3.2) auch die direkte Verklammerung mit dem in der Korintherkorrespondenz begegnenden Einwohnungsmotiv (8,9 b; vgl. 1. Kor 3,16; 6,19) und der präsentischen Heilsmetaphorik (Röm 8,10; 1. Kor 15,45).

Die christologische Anschauung der korinthischen Gemeinde kann als Geist-Christologie verstanden werden. Wie die Präexistenzaussagen zeigen, kann solches Denken durchaus einen gewissen Anhalt in der pl Theologie, auf jeden Fall aber im hell. Judenchristentum haben. Hier kommt jedoch ein Aspekt christologischen Denkens in eben dieser Bindung von Geist und Christus zum Ausdruck, der nicht im Gesichtskreis des frühesten pl Briefes, des 1. Thess, lag. Vielmehr scheint mit der Betonung der Präexistenz Christi der Gedanke des Pneuma-Christus in der Gemeindetheologie geworden zu sein. Die christologische Fassung des Geistbegriffs ist gegen Käsemann nicht pl Reaktion auf freien Enthusiasmus, vielmehr eine Folgerung im Bereich des Enthusiasmus[36].

Die Betonung des Kreuzes in 1. Kor 1–3 bekräftigt hingegen die Geschichtlichkeit des Christusgeschehens. Daß in der Gemeindetheologie dem Irdischen keine Bedeutung beigemessen wurde, mag in der Tendenz zutreffen, in der Grundsätzlichkeit einer dogmatischen Konzeption aber kaum. Immerhin besteht ja Einverständnis mit dem Credo (1. Kor 15,3–5).

Die Annahme eines expliziten christologischen Dualismus[37] hat ihren stärksten Anhalt ohnehin an einer vieldeutigen und problematischen Stelle: 1. Kor 12,1–3. Steht hinter dem ἀνάθεμα Ἰησοῦς eine dogmatisch reflektierte Verwerfung des Irdischen? Es gilt für viele als unsicher, ob 12,3 auf geschehene Vorgänge in der Gemeinde eingeht[38]. So kann es die enge Verklammerung mit der Anfrage aus Korinth (12,1) ja anzeigen. Oder formuliert Pl selber in rhetorischer Absicht den Fluch als antithetische Bildung zum Kyrios-Bekenntnis (ἀνάθεμα noch: 1. Kor 16,22; Gal 1,8 f.; Röm 9,23). Von der Kontextbetrachtung ergibt sich: die Frage aus der Gemeinde nach dem Verhalten der Pneumatiker in ihrer Mitte wird zunächst beantwortet mit einem Rückverweis auf die Erfahrung des vorchristlichen ekstatischen Enthusiasmus. Damals ließ man sich ‚auf

---

[36] Eine sek. Einschleusung der Geist-Christologie durch die gnostischen Gegner haben Wilckens, ThWNT VII 523; Schmithals, Gnosis 117–122, behauptet. Mit ihnen ist gegen Käsemann, Perspektiven 184; ders., Anliegen 271 u. ö. festzuhalten, daß die christologische Bindung des Geistbegriffs nicht Antithese auf den Enthusiasmus ist, sondern diese Vorstellung dem Enthusiasmus selber zu eigen ist.

[37] So Schmithals, Gnosis 117–133; ders., Neues Testament und Gnosis 30 f.; Wilckens, Weisheit 121 A 1; Eichholz, Paulus 274.

[38] So Schmithals, Gnosis 332; Theißen, Aspekte 308 f.; Kramer, Christus 200; Dautzenberg, Prophetie 145; dagegen Conzelmann, 1. Kor 241; Hurd, Origin 193 u. a.

jede Art und Weise hinreißen'. Das ist der Vergleichspunkt für die pl Folgerung (διό). Pl setzt in V. 3 den Fluch als geschehen voraus, um seinerseits zu folgern: dies kann niemand gesagt haben, der im Geist redet. Er stellt daher den Fluch mit heidnischer Ekstase auf eine Stufe. Christlicher Geistbesitz führt hingegen zum Kyrios-Bekenntnis. Sinnvoll ist diese Argumentation nur, wenn der Fluch wirklich ausgesprochen oder von den Fragestellern so gehört worden ist, und zwar im Gottesdienst.

Dennoch muß hinter dem Fluch keine dogmatische Tendenz stehen. Pl geht gar nicht näher auf diese Aussage ein[39]. Man müßte schon Aussagen aus dem 2. Kor (11,4 und die prägnante Nennung des Jesusnamens in 4,5. 10 f. 14) hinzuziehen, was die Probleme aber nicht vereinfacht[40]. Hier bleibt Pl dabei stehen, daß der Fluch seinen Sprecher als nicht geistbegabt erweist. Im Vergleich mit den ausführlichen Auseinandersetzungen des Eingangsteils (Kap. 1–3), mit der Praxis des Götzenopfers (Kap. 8. 10) oder der Glossolalie (Kap. 14), der Auferstehung (Kap. 15) kann es sich angesichts der knappen pl Darlegung und Beantwortung der Anfrage nicht um eine weitgehend reflektierte dogmatische Aussage einer dualistischen Christologie in der Gemeinde handeln, sondern um einen vereinzelten Vorgang im Gottesdienst, der gleichwohl mit den in 12,1 genannten πνευματικοί in Verbindung steht[41].

6.4.3.2 Gemeinderecht

Es ist gut möglich, die Scheideformel in Röm 8,9 c in der Tendenz als Versuch der Pneumatiker, die Gemeindezugehörigkeit festzulegen, zu verstehen.

Wiewohl Röm 8,9–11 eine durchgehende klare Gliederung aufweist, besteht diese Einheit doch aus der Verbindung des trad. Einwohnungsmotivs (V. 9 b. 11 a. b), der vorpaulinischen Scheideformel in V. 9 c, sowie pl Erweiterungen in V. 9 a. 10 und teilweise in V. 11. Gewiß ist V. 9 c durch das einführende εἰ in Analogie zu V. 9 b. 10 a. 11 a gestaltet. Ebenso nimmt V. 10 a den Versteil 9 c ad vocem Χριστός auf. Dennoch

---

[39] Zu Recht von Machalet, Paulus 193, betont: keine sachlich klärende Mitteilung Pauli, keine Polemik.

[40] So aber Schmithals, Gnosis 117–133. 330–335; ders., Neues Testament und Gnosis 30 f.

[41] Theißen, Aspekte 309, nimmt eine textkritische Beobachtung von W. F. Albright/C. S. Mann, Two Texts in 1. Corinthians, NTS 16, 1970, 271–276 auf (aus einem vermuteten Ἀνὰ ἀθὰ μαρὰν ἀθὰ Ἰησοῦς habe ein Kopist ἀνάθεμα gelesen), denkt aber an einen Sprechfehler bzw. Hörfehler (aus Maranatha wurde Anathema); als Erwägung bereits bei Renan, Paulus 296 f. Diese Erklärung hat für sich, daß der Maranatha-Ruf und das Kyriosbekenntnis im Gottesdienst ihren Platz haben, es also dort zu den vermuteten Vorgängen des Hörfehlers gekommen sein kann. Liest man zudem 1. Kor 16,22 als liturgischen Ruf (εἴ τις οὐ φιλεῖ τὸν κύριον, ἤτω ἀνάθεμα μαράνα θά), kann man die ‚Hörfehler‘-Theorie‘ nachvollziehen.
Es ist zudem bekannt, daß Glossolalie sich liturgischer Ausrufe oder Elemente bediente (vgl. Mosiman, Zungenreden 46 f.; Aune, Magic 1549–1551).

bleibt sowohl inhaltlich als auch formal erkennbar, daß V. 9 c ursprünglich als eine selbständige Formel zu betrachten ist.

Inhaltlich spricht V. 9 c vom πνεῦμα Χριστοῦ, V. 9 b und V. 11 dagegen vom πνεῦμα θεοῦ. Diese Abweichung ist um so auffälliger, als πνεῦμα Χριστοῦ im pl Schrifttum nur hier begegnet (πνεῦμα τοῦ Χριστοῦ noch Phil 1, 19; πνεῦμα κυρίου 2. Kor 3, 17 b; πνεῦμα τοῦ υἱοῦ αὐτοῦ Gal 4, 6), diese Wendung hier also als abwechslungshalber nur für diejenigen gelten kann, die ohnehin vom christologischen Geistbegriff im pl Denken grundsätzlich ausgehen. Sodann sprechen V. 9–11 durchgehend von der Gesamtgemeinde, während V. 9 c unvermittelt einen Einzelfall (τις) einführt. Auffällig neben dem in pl Literatur singulären πνεῦμα Χριστοῦ ist weiterhin der Gebrauch von πνεῦμα ἔχειν (bei Pl polemisch in 1. Kor 7, 40, sonst noch in völlig divergierender Verwendung in Röm 8, 23; 2. Kor 4, 13) und die Bezeichnung des Christenstandes mit αὐτοῦ εἶναι (d. h. Χριστοῦ), sowie das vorangestellte οὗτος.

Formale Differenzen sind gleichfalls auffällig. Allein in V. 9 c entsprechen sich Subjekt des Haupt- und Nebensatzes. Dagegen variiert in V. 9–11 die Folgerung der εἰ-Vordersätze hinsichtlich des Subjektes und der syntaktischen Struktur.

In der vorliegenden Abfolge der V. 9–11 zielt die pl Aussage in beständiger Aufnahme und Fortführung der vorhergehenden Aussage (εἰ) auf die Zusage der Lebendigmachung der sterblichen Leiber in Analogie zum Christusgeschehen. Unter Absehung dieses Kontextes behauptet V. 9 c: wer den Geist Christi nicht hat, der gehört ihm nicht an. Kann der Sitz im Leben dieser Formel formgeschichtlich präzisiert werden?

E. Käsemann hat 1954 auf ,Sätze heiligen Rechts im Neuen Testament' aufmerksam gemacht. Er ging hierbei aus von folgenden pl Belegen: 1. Kor 3, 17; 14, 38; 16, 22; Gal 1, 9; sodann Apok 22, 18 f. und betonte folgende Gemeinsamkeiten: a) urchristliche Propheten sprechen in apokalyptischer Naherwartung; b) sie verkünden nicht Paränese, sondern den Maßstab des endzeitlichen Gerichts; c) im Satz heiligen Rechts wird eine Talio eschatologisch aufgerichtet; d) das Recht ist Funktion des Geistes; e) Sitz im Leben dieser Sätze ist die Situation bedrängter Gemeinden. Die Jerusalemer Gemeinde bedarf hingegen nicht dieser gemeindeleitenden Prophetie. Ihr stehen die Apostel vor.

Käsemann hatte in dem genannten Aufsatz Röm 8, 9 c aus der Analyse ausgenommen, sah jedoch später im Kommentar zum Römerbrief gleichfalls „die Struktur der Feststellungen heiligen Rechts"[42].

Käsemanns Analyse kann nicht im strengen Sinn als formgeschichtlich verstanden werden. Schon die von ihm selber genannten Gattungselemente finden

---

[42] Käsemann, Röm 213. Zur grundsätzlichen Auseinandersetzung mit Käsemann: Berger, Sätze; ders., Sätzen; ders., Formgeschichte 176–180. Nach Berger ist die Form dieser Sätze nicht einem identischen Sitz im Leben zuzuordnen, dieser ergibt sich vielmehr bei der Exegese des Einzeltextes. Die Form dieser Texte sei vielfältig verwendbar. Die Voraussetzung, die Sätze des heiligen Rechts gründeten in der Autorität des Geistes, ist im Anschluß an Käsemann nochmals von G. P. Wiles, Paul's Intercessory Prayers, SNTS. MS 24, 1974, 117 f., als Behauptung ohne nähere Begründung zur Diskussion gestellt worden.

sich nicht durchgehend: a) das ius talionis in chiastischer Formulierung (gleiches Verb in Vorder- und Nachsatz) nur in 1. Kor 3,17; 14,38; b) die futurische Verbform im Nachsatz nur in 1. Kor 3,17; Röm 2,12; c) einführende kasuistische Wendungen wie ἐάν τις oder ὃς ἄν fehlen, dagegen bis auf Röm 2,12 immer εἰ τις.

Gibt es in den paulinischen Gemeinden ,Sätze heiligen Rechts‘?

1. Kor 3,17 a: Die talionsartige Vergeltung liegt vollständig vor. Das Verb des Vorder- und Nachsatzes ist identisch. Die Einzelmotive des Satzes sind vorchristlich. V. 17 a kann kaum als geprägter Satz urchristlicher Verkündigung verstanden werden. Er setzt die vorpl Gleichsetzung von Tempel und Gemeinde voraus und wendet sie auf den Einzelnen an. Am wahrscheinlichsten ist V. 17 a ad hoc von Pl gebildet worden. Das allgemeine Wissen, daß das Vergehen an dem Tempel, den Gesetzen, dem Gemeinwesen bestraft wird (vgl. nur Plat, Leg 958 c), wird hier auf die Gemeinde als Tempel Gottes angewendet. Es handelt sich mithin nicht um einen in der Gemeinde bekannten Satz heiligen Rechts. 1. Kor 14,38: Die talionsartige Vergeltung liegt vor. Pl spricht die Pneumatiker der Gemeinde an. Sie haben wie Pl (7,40) Einsicht in den Willen Gottes und müssen folglich der vorangehenden Weisung (14,37) zustimmen. Den gegenteiligen Fall verurteilt die talionsartige Wendung 14,38 scharf (ἀγνοεῖται = pass. div.). Da aber diese talionsartige Formulierung auf keinen spezifischen Bereich urchristlichen Gemeinderechts festgelegt ist, wird auch sie wahrscheinlich eine von Pl hinzugefügte Wendung sein. Sie mag durch das vorangehende ἐπιγινωσκέτω, zu dem ἀγνοεῖται trad. den Gegenbegriff darstellt, angeregt sein.

Die Verwendung talionsartiger Vergeltungssätze belegen weiterhin Röm 2,12; Gal 1,9; 2. Kor 9,6. Von keinem dieser Belege kann aber zwingend eine vorpaulinische Stufe urchristlicher Rechtsbildung erschlossen werden.

Allein 1. Kor 16,22 läßt im Vergleich mit Did 10,6 auf den Gebrauch einer urchristlichen, liturgischen Formel schließen, die den Ungläubigen bei der Anwesenheit der Eucharistiefeier das Anathema zusprach[43]. Bornkamm rekonstruiert als mögliche Urform: εἴ τις φιλεῖ τὸν κύριον, ἐρχέσθω. εἴ τις οὐ φιλεῖ τὸν κύριον, ἤτω ἀνάθεμα, μαράναθά. Diese Tradition ist jedoch – als Teil des liturgischen Formulars – als ,sakraler Rechtssatz‘ zu verstehen.

Es zeigt sich also, daß die von Käsemann erachteten sogenannten ,Sätze heiligen Rechts‘ nur zum Teil auf die Gemeindetheologie vor Pl zurückgeführt werden können. Die meisten Belege scheinen ad hoc von Pl gebildet worden zu sein, der sich hierbei nicht zwingend an die Vorgabe einer festen Form hält. Die thematische Verknüpfung dieser Sätze mit ,Geist und Recht‘ scheint überdies in ihrer Grundsätzlichkeit herangetragen. Allein für 1. Kor 16,22 und Röm 8,9 c ist der juridische Aspekt der Gemeindezugehörigkeit im Wortlaut selbst gegeben.

Die Zuordnung von Röm 8,9 c zu dem pneumatischen Enthusiasmus in Korinth ist im näheren Kontext von Röm 8 nicht angezeigt. Den-

---

[43] Ausführlich Bornkamm, Das Anathema in der urchristlichen Abendmahlsliturgie, in: ders., Das Ende des Gesetzes. Paulusstudien, Ges. Aufs. I, BevTh 16, ⁵1966, 123–134; Kuhn, EWNT I 193 f.; Wengst, Schriften II 43–49.

noch ist inhaltlich und formal deutlich, daß Pl hier eine Formel zitiert, die ihm aus der Gemeindetheologie überkommen ist. Auch an anderen Stellen des Römerbriefs läßt Pl Probleme, die ihn in Korinth, von wo aus er den Röm schreibt, bewegen, anklingen. Für die Zuordnung zum pneumatischen Enthusiasmus sprechen vor allem Sachargumente.

Der Satz hat keine talionsartige Struktur, zeigt vielmehr in präsentischer Formulierung die Folge eines Sachverhalts auf. Formgeschichtlich ist er von Wilckens in Hinblick auf 1. Kor 16,22; Did 10,6 (negative Formulierung) als ‚Exkommunikationsformulierung‘, von Michel als ‚Scheideformel‘ verstanden worden[44]. Die gesuchte Scheidung bezieht sich nicht einmal primär auf Heiden (so 1. Kor 16,22), sondern auf Christen[45]. Gegenüber Heiden wäre der Satz, daß erst der Besitz des Geistes Christi die Zugehörigkeit zu Christus erweise, doch sehr voraussetzungslos. Die Scheideformel zielt auf Abgrenzung und Ausgrenzung anhand eines Kriteriums. Αὐτοῦ εἶναι ist abgekürzte Wiedergabe von Χριστοῦ εἶναι (1. Kor 1,12; 3,23; 15,23; 2. Kor 10,7 u. ö.), bezeichnet also die Christuszugehörigkeit. Ihr Kriterium ist der Besitz(!) des Geistes Christi(!). 1. Kor 7,40 zeigt polemisch, daß dieses πνεῦμα ἔχειν Ausweis der Pneumatiker im engeren Sinn war. Zugleich erweist 1. Kor 15,45, daß die Vorstellung des Pneuma-Christus den Pneumatikern zu eigen war. Gegenüber der urchristlichen Gemeinanschauung der allgemeinen Geistbegabung hält diese Scheideformel fest, daß die Christusgemeinschaft so sehr erwiesen werden kann, daß sie ausgrenzend angewandt werden kann. Daß diese Folgerung nach Demonstrationen dieses Besitzes, wie er in Glossolalie oder thaumaturgischen Fähigkeiten (die Heilungsgabe begegnet nur im korinthischen Charismenkatalog) erkannt werden kann, ruft, ist evident.

6.4.3.3 Anthropologie

Die Anthropologie des pneumatischen Enthusiasmus folgt aus der soteriologischen Voraussetzung. Man ist gegenwärtig durch die Taufe in den erhöhten Christus versetzt und partizipiert in Erkenntnis, Glos-

---

[44] Wilckens, Röm II 131; Michel, Röm 192 (zustimmend Kuss, Röm 501). Paulsen, Überlieferung 37 und 47 spricht von einem ‚Satz heiligen Rechts‘. Hingegen erachtet Käsemann, Röm 213, V. 9c als „eine der wichtigsten Aussagen paulinischer Theologie".

[45] Daß Röm 8,9c nicht allein als ‚Scheideformel‘ innerhalb des christlichen Gottesdienstes gegenüber den Heiden fungieren, sondern gleichfalls Trennungslinien innerhalb der christlichen Gemeinde errichten konnte und vielleicht auch wollte, haben Meyer, Röm 304; Cranfield, Rom II 388, deutlich gesehen. Die von Käsemann erachtete Nähe zu den ‚Sätzen heiligen Rechts‘ könnte ein futurisches Verständnis des ‚αὐτοῦ εἶναι‘ erwägen lassen. Die Scheideformel würde dann den gegenwärtigen Geistbesitz Christi zur Bedingung der zukünftigen Christusgemeinschaft machen. Hingegen zeigt 2. Kor 10,7, daß die Wendung präsentisch am besten verständlich ist.

solalie und Weisheit an den Gaben der himmlischen Welt. Bezeich-
nendster Ausdruck dieses Selbstverständnisses ist die Selbstbezeichnung πνευματικοί in Absetzung von den ψυχικοί, welchem ein Erhö-
hungsbewußtsein (1. Kor 4, 8) und eine Abwertung der Leiblichkeit korrespondiert. Die enthusiastische Anthropologie ist dualistisch. Hier
sind die asketischen und libertinistischen Tendenzen in der Gemeinde
nicht in toto vorzustellen, die Ausdruck des dualistischen Denkens
sind. Vielmehr ist zu fragen, welcher Zusammenhang zwischen Geistbesitz und Anthropologie in der Gemeindetheologie bestand.

Wir haben keinen Anlaß anzunehmen, dieser pneumatische Enthusiasmus sei im Hinblick auf seine Anthropologie streng theoretisch
durchdacht[46]. Auch innerhalb der korinthischen Gemeinde gibt es noch
gegenläufige Tendenzen. Am wahrscheinlichsten sind dualistische Konzeptionen in der Umwelt der Gemeinde, die sich ihrerseits bereits im
Kontext profaner oder jüd.-hell. Pneumatologie definierte, durch die pl
Anfangsverkündigung eher intensiviert als in die Schranken gewiesen
worden.

Solche identifizierende Redeweise vom göttlichen Geist als dem menschlichen Geist ist in der Umwelt in jüd. und hell. Anthropologie bezeugt.

In der griech. Inspirationsmantik ist die Seele ein ὄργανον θεοῦ (Plut, Pyth
21). Gottes ἐπίπνοια füllt den Menschen und raubt ihm seinen eigenen Verstand (ὁ νοῦς μηκέτι ἐν αὐτῷ Plat, Ion 534b). Für den Stoiker hat der Mensch
Anteil an dem göttlichen πνεῦμα, das als Kraftstoff die gesamte Wirklichkeit
durchdringt (Sen, Ep 41,2; Ovid, Ars amatoria III 549: est deus in nobis). Im
hell. Judentum übernimmt SapSal den stoischen Begriff des πνεῦμα ζωτικόν,
das als Lebensprinzip von Gott übereignet wird (15,11) und Unvergänglichkeit
begründet (12,1). Philo, Her 259–268, beschreibt in der Tradition der Ekstase
den Weisen: ὅταν μὲν γὰρ φῶς τὸ θεῖον ἐπιλάμψῃ, δύεται τὸ ἀνθρώπινον.

Was beinhaltet die Gabe des πνεῦμα für die frühpl Verkündigung in
anthropologischer Sicht? Nach 1. Thess 4, 8 gibt Gott seinen Geist beständig den Glaubenden. Bewirkt diese Übereignung eine Eliminierung
des πνεῦμα als anthropologischer Größe?[47] Für den Pl der Briefe kann
diese Frage verneint werden, da er einen relativ offenen und vielfältigen
πνεῦμα-Begriff bezeugt, der solcher Engführung widerstreitet[48]. Es ge-

---

[46] Diesen Eindruck vermittelt Sellin, Streit 77–189, wenn er die Anthropologie der korinthischen Enthusiasten in eine weitgehende Entsprechung zur jüd.-alexandrinischen
Tradition setzt. Auch Schmithals, Gnosis, hatte behauptet, der gnostische Christus-Mythos sei „allem Anschein nach in ursprünglicher Reinheit vertreten" worden (206).

[47] So Holtzmann, Lehrbuch II 19: „Erst mit dem Eintritt des Glaubens und der damit
gegebenen Erhebung des Menschen über sein natürliches Wesen wird der transzendente
Geist zu einem immanenten Prinzip ...“

[48] Es begegnen πνεῦμα θεοῦ und πνεῦμα ἡμῶν beieinander und doch unterschieden in
Röm 8, 16 und 1. Kor 2, 10 f. In 1. Kor 7, 34 und 1. Thess 5, 23 benennt πνεῦμα neben σῶμα

hört gerade zum Kennzeichen der noch nicht erlösten Welt, daß Gottes Geist und menschlicher Geist nicht identisch sind (Röm 8,16)[49]. Auch 1. Kor 2,12 bezeugt nicht das Ende des πνεῦμα als anthropologischer Größe, hält vielmehr fest, daß der eschatologische Geist für den menschlichen Geist die Voraussetzung zur Einsicht in das Heilsgeschehen bietet (vgl. das folgende θεοδίδακτος-Motiv). 1. Thess 5,23 bezeugt eine Einheit von σῶμα, ψυχή und πνεῦμα.

War aber die frühpl Verkündigung vor einer Ausdeutung, in der Gabe des Geistes das eigentliche ‚ich' zu sehen, geschützt, oder konnte sie – gegen ihre Absicht – dualistisch interpretiert werden?

Die Vermutung ist nicht abwegig, daß Aussagen der frühpl Verkündigung im Sinne einer dualistischen Anthropologie verabsolutiert worden sind. Schon der Vorbrief (1. Kor 5,9) ist in der Gemeinde dahingehend mißverstanden worden, sich dualistisch(?) von der Welt zu distanzieren. Darüber hinaus ist zu beachten:

a) Pl gibt in 1. Kor 3,16; 6,19; 2. Kor 6,19; Röm 8,9.11 zu erkennen, daß das Einwohnungs- und Tempelmotiv zum Bestand seiner Gründungspredigt in Korinth zählte (s. o.). Er bringt an den genannten Stellen diese beiden Motive erneut in Erinnerung, jedoch mit einem jeweils entsprechenden Akzent. Obwohl der Geist in den Gläubigen wohnt, haben sie keinen Anlaß, die Leiblichkeit abzuwerten. Vielmehr zielt die Gabe des Geistes funktional auf Heiligung (1. Kor 3,17; 6,20; 2. Kor 7,1; Röm 8,11). Diese Verklammerung setzt eine Trennung in der Gemeindetheologie voraus[50].

b) In 1. Kor 5,5 bezeugt Pl einen ‚sakral-pneumatischen Rechtsakt'[51] über den Unzüchtigen: παραδοῦναι τὸν τοιοῦτον τῷ σατανᾷ εἰς

(und ψυχή) den Menschen in seiner geschöpflichen Ganzheit. Πνεῦμα kann wie ψυχή für das ‚ich' stehen: 1. Kor 16,18; 2. Kor 7,13; Röm 1,9. Speziell auf die Ausrichtung des ‚ich' bezogen: Phil 1,27 (πνεῦμα und ψυχή abwechslungshalber). Πνεῦμα kann hierbei der Bedeutung des νοῦς nahekommen (1. Kor 2,11; 14,14). In solcher Ausrichtung entspricht πνεῦμα als anthropologischer Begriff dem göttlichen πνεῦμα, seinem φρονεῖν (Röm 8,6.27) und ἐπιθυμεῖν (Gal 5,17); dies wiederum im Gegensatz zum πνεῦμα τοῦ κόσμου (1. Kor 2,12).

Ausführlich zur anthropologischen Verwendung: Lüdemann, Anthropologie 49; Pfleiderer, Paulinismus 215 ff.; Wendt, Begriffe 119 ff.; Kuss, Röm 541 f.; Bultmann, Theologie 206–210; Holtzmann, Lehrbuch II 18–21; Jewett, Terms 167 ff.

[49] Cremer, Geist 456: „Es darf als feststehend gelten, daß Paulus ein πνεῦμα τοῦ ἀνθρώπου kennt und ebenso als feststehend, daß das πν. ἅγιον nie an die Stelle unseres Geistes tritt und noch weniger, daß es eine durch die Sünde entstandene Lücke ausfüllt."

[50] Trefflich Schmithals, Röm 267, gegenüber dem perfektionistischen Mißverständnis: „Es gibt das ‚Sein' im Geist nicht ohne den ‚Wandel' im Geist …".

[51] So Conzelmann, 1. Kor 117. Vgl. zur Satzkonstruktion der V.3.5 ausführlich: Thiselton, Meaning; K. Thraede, Einheit-Gegenwart-Gespräch. Zur Christianisierung antiker Brieftopoi, Diss. theol. Bonn 1968, 23–26.

ὄλεθρον τῆς σαρκός, ἵνα τὸ πνεῦμα σωθῇ ἐν τῇ ἡμέρᾳ τοῦ κυρίου. Verständlich ist diese Übergabe des Unzüchtigen an den Satan unter der Voraussetzung, daß die Gemeinde und ihre einzelnen Glieder Tempel des heiligen Geistes sind. Dennoch trifft den Unzüchtigen kein völliger Ausschluß aus der Gemeinde. Seine σάρξ wird dem Verderben preisgegeben, das πνεῦμα aber kann am Gerichtstag Christi der Rettung gewiß sein[52]. Was begründet diese Rettung des πνεῦμα; und woran ist bei σάρξ zu denken? Es ist nicht die Vorstellung einer satisfaktorischen Vernichtung der σάρξ, sondern „das göttliche Pneuma, das auch dieser Mann seit seiner Taufe in sich trägt, erweist sich als unzerstörbar."[53] Immerhin bezeugen diese Ausführungen (vgl. auch 1. Kor 3, 5), daß Pl selbst einen Gegensatz aufmacht, denn πνεῦμα steht in Opposition zu σάρξ und nicht beide zusammen, sondern πνεῦμα allein steht für die Person[54]. Die Frage nach Voraussetzungen für eine dualistische Anthropologie ist jedoch nicht auf den pl Einfluß zu beschränken. Zugleich ist ein starker jüd.-hell. Einfluß neben der prägenden Kraft der hell. Umwelt auf die Gemeinde zu verzeichnen (s. u.)[55].

6.4.4 Zur Herkunft des pneumatischen Enthusiasmus

Die Eigenständigkeit des pneumatischen Enthusiasmus in Korinth ist in der jüngsten Forschung zunehmend erkannt worden[56]. Dies macht es unmöglich, Korinth als allgemeines Beispiel des hell. Christentums vor und neben Pl heranzuziehen. Mit der Erkenntnis der Eigenständigkeit ist jedoch die Aufgabe verbunden, eine Erklärung für die Entstehung des pneumatischen Enthusiasmus zu suchen. Bislang hatte die Forschung vornehmlich exogenen Einfluß hierfür geltend gemacht, weniger jedoch eine endogene Entwicklung innerhalb der Gemeindetheologie gesehen. Gegenwärtig findet sich einerseits ein breiter Konsens, den pneumatischen Enthusiasmus mittelbar auf den Einfluß des hell. Juden-

---

[52] K. P. Donfried, Justification and Last Judgement in Paul, ZNW 67, 1976, 90–110, vor allem 107 ff., hat vorgeschlagen, πνεῦμα nicht auf den Unzüchtigen zu beziehen, sondern auf die Gesamtgemeinde. Sie solle am Gerichtstag als heilige Größe gerettet werden. Gegen diesen Vorschlag spricht aber, daß, wiewohl hinter πνεῦμα das αὐτοῦ fehlt, doch σάρξ eindeutig auf den Unzüchtigen zu beziehen ist, obwohl auch hier das Possessivpronomen fehlt. Auch Thraede, Einheit, bezieht σάρξ und πνεῦμα nicht auf den Täter, vielmehr solle „... das fleischliche Wesen ... ganz und gar aus der Gemeinde entfernt werden ..., damit das pneumatische Dasein, zu dem die Gemeinde gehört, makellos bleibt" (25 f.).

[53] Klauck, 1. Kor 42; ebenso Lang, Kor 72; Schnelle, Gerechtigkeit 163.

[54] Ausführlich Bultmann, Theologie 209.

[55] Ausführlich Horsley, Marriage, der die asketischen Tendenzen in 1. Kor 7 von der jüd.-hell. Tradition der ‚geistlichen Ehe mit der Sophia' her interpretiert.

[56] Die Aussagen des 2. Kor sind nur bedingt zur Erfassung der Herkunft des pneumatischen Enthusiasmus heranzuziehen. Z. Z. des 2. Kor ergibt sich für Pl eine Doppelfront zur Gemeinde und den zwischenzeitlich hinzugekommenen ‚Überaposteln'.

tums zurückzuführen, andererseits wird angesichts der Komplexität des religionsgeschichtlichen Umfeldes auf eine genaue Darlegung der Herkunft des pneumatischen Enthusiasmus grundsätzlich verzichtet[57].

6.4.4.1 Exogener Einfluß

6.4.4.1.1 Gnosis

Die These einer exogenen gnostischen Gegenmission, welche die pl Frontstellung gegen den von ihr beeinflußten Enthusiasmus hervorruft, ist unlösbar mit dem Namen W. Schmithals verknüpft[58]. Nach seiner Sicht ist der „gnostische Christus-Mythos von den Gnostikern in Korinth allem Anschein nach in ursprünglicher Reinheit vertreten" worden[59]. In der Abhandlung ‚Neues Testament und Gnosis' hat Schmithals nochmals seine Argumente für eine gnostische Christologie, Anthropologie, Ethik, Eschatologie, Ekklesiologie (30–33) zusammengestellt. Der gnostische Einfluß begründete hiernach ein freies Pneumatikertum und zugleich eine Antithese gegen die apostolische Tradition. Die Diskussion mit Schmithals ist von anderen bereits ausführlich geführt worden, das ist hier nicht zu wiederholen. Problematisch ist die Einbeziehung aller nur diskutablen Belege aus den Korintherbriefen in ein vorausgesetztes Gesamtbild[60], sowie die Voraussetzung eines reflek-

---

[57] Zum ersten beispielhaft Sellin, Streit 190 („Einfluß alexandrinisch-jüdischen Pneumatikertums"); andererseits Klauck, 1. Kor 8 f. („Insgesamt wird man aber den religionsgeschichtlichen Hintergrund nicht zu geschlossen sehen, sondern entsprechend der Herkunft und der bunten Zusammensetzung der Gemeinde differenzieren"); so auch Conzelmann, 1. Kor 30: „Jüdische, griechische (popular-philosophische) Gedanken ..., traditionelle Anschauungen der griechischen Religion, Mysterienreligionen (...) – alles ist da und gar nicht reinlich zu sondern." Präziser Schenke/Fischer, Einleitung I 95: „Es sind im ganzen vier Kräfte, deren Wechselspiel die Korinther ausgesetzt sind: der Einfluß des Paulus, der Einfluß des Apollos, der Einfluß Jerusalems und der Einfluß der heidnischen Vergangenheit und Umgebung."

[58] Schmithals nennt in ‚Neues Testament und Gnosis 29' Vorläufer und Befürworter seiner These, die er in ‚Die Gnosis in Korinth 1956' erstmals umfassend dargelegt hat. Im Anschluß daran: ders., Das kirchliche Apostelamt, FRLANT 79, 1961; ders., Paulus und Jakobus, FRLANT 85; 1963; ders., Paulus und die Gnostiker, ThF 35, 1965; ders., Das Verhältnis von Gnosis und Neuem Testament als methodisches Problem, NTS 16, 1969/70, 373–383; ders., Gnosis und Neues Testament, VF 21, 1976, 22–46; ders., Neues Testament und Gnosis, EdF 208, 1984; ders., Die gnostischen Elemente im Neuen Testament als hermeneutisches Problem, in: K.-W. Tröger (Hg.), Gnosis und Neues Testament, 1973, 359–381; ders., Zur Herkunft der gnostischen Elemente in der Sprache des Paulus, in: Gnosis, FS H. Jonas, 1978, 385–414; ders., EWNT I 596–604. Weitere Beiträge sind in der Bibliographie W. Schmithals in: ders., Bekenntnis und Gewissen, 1983, 185–208, festgehalten.

[59] Schmithals, Gnosis 206; Zustimmung durch Schulz, Charismenlehre 454 f.

[60] Vgl. die Zusammenstellung der möglichen Belege bei Berger, Gnosis 523 f.; Arai, Gegner.

tierten gnostischen Mythos[61]. Unbestreitbar ist jedoch, daß der pneumatische Enthusiasmus in Korinth ein Glied im Werden der mythologischen Gnosis darstellt, was mit Recht von pro- oder praegnostischen Tendenzen sprechen läßt[62]. Da allerdings die These einer gnostischen Gegenmission für den 1. Kor nicht zu verifizieren ist, kann auch der Annahme, der pneumatische Enthusiasmus stünde in keiner Beziehung zur urchristlichen paulinischen Theologie (385), sondern sei genuiner Ausdruck gnostischer Theologie und also ausschließlich exogener Einfluß, nicht zugestimmt werden.

6.4.4.1.2 Die heidnische Umwelt und die heidnische Vergangenheit der Gemeinde

Die Missionspredigt des Pl hat die Gemeinde nicht geschichtslos ihrer Vergangenheit und den prägenden Vorstellungen ihrer Umwelt enthoben. Pl erinnert die Gemeinde in 12,2 an ihre vorchristliche Zeit mit ekstatischen Erfahrungen, stellt in 14,34 den unsittlichen Lebenswandel in einen Vergleich mit der vorhergehenden Unkenntnis Gottes (vgl. auch 1. Kor 5,9; 2. Kor 6,14-7,1). Der Enthusiasmus ist folglich keinesfalls ausschließlich Folge exogener Einflüsse, vielmehr traf die urchristliche Mission hier auf einen Boden, dem enthusiastische Religion vertraut war und zugleich in hohem Ansehen stand[63].

---

[61] Dagegen sprechen sich Rudolph, Gnosis 141; R. Wilson, Art.: Gnosis/Gnostizismus II, TRE 13, 1982, 547, aus.

[62] Bereits Lütgert, Freiheitspredigt 8, sah im pl Kampf gegen die Enthusiasten „die Bedeutung eines Vorspiels der späteren Kämpfe mit der Gnosis." Ausführlich jetzt: Sellin, Streit 195-209; Berger, Gnosis 526; Klauck, Herrenmahl 240.

[63] In der Forschung ist die Interdependenz von vorchristlicher Ekstatik und christlichem Enthusiasmus gelegentlich notiert worden. Gunkel stimmt Weizsäcker und Heinrici darin zu, daß die „Glossolalen in Korinth ... ihre frühere Anschauung von dem Wirken der Gottheit auf das πνεῦμα übertragen" haben (Gunkel, Wirkungen 18). Die Christlichkeit des Pneumatismus in Korinth stellt Leisegang völlig in Abrede: „In Korinth trifft er auf eine pneumatische Bewegung, die noch völlig auf der primitiven Stufe mystischen Erlebens steht und sich ganz in den Formen griechischer Orgiastik austobt" (Leisegang, Pneuma 120). Differenzierter Weiß, 1. Kor XXIX-XXX. Wenn Lang, Kor 3, von einer sekundären „schwärmerischen Umdeutung der paulinischen Verkündigung" spricht, sollte nicht vergessen werden, daß auch solches gegebenenfalls ohne Anhaltspunkte in der pl Verkündigung nicht möglich ist.
Schließlich spricht für Verbindungslinien zur vorchristlichen Zeit, daß ekstatische Religionsformen in der Antike in ‚verschulten' Methoden eingeübt wurden (Hengel, Judentum 376; Theißen, Aspekte 291 Anm. 38). Solch institutionalisierte Bräuche standen aber dem jungen Christentum in seiner Anfangszeit in seinem eigenen Bereich noch nicht zur Verfügung. Ein klarer Verweis auf die vorchristlichen, nicht-theologischen Faktoren findet sich jetzt bei Becker, Paulus 210 f., und Fee, 1. Cor 14 u. ö.
Präzises Vergleichsmaterial zum korinthischen Enthusiasmus aus der heidnischen Umwelt wird freilich nur selten genannt. Hengel, Sohn 48 A 56, erinnert an den Bacchana-

Zu präzisieren ist diese Fragestellung nach exogenen Momenten in Hinblick auf das in Korinth vertretene wirksame Taufverständnis und den Einfluß der Mysterienreligionen.

Wir hatten gesehen, daß Pl in Röm 6 eine Taufanschauung korrigiert, der zufolge der Täufling im Taufakt mit Christus mitstirbt und mitaufersteht. In diesem Kontext standen zugleich weitere Tauftraditionen, die den Getauften als ‚Neuschöpfung in Christus' ansprachen (1. Kor 12,13; Gal 3,26-28). Die sakramentale Verankerung des pneumatischen Enthusiasmus in Korinth hat nach Bedingungen und Voraussetzungen des Taufverständnisses fragen lassen. Seit den Arbeiten der religionsgeschichtlichen Schule wurde auf den Einfluß der Mysterienreligionen auf Pl, oder wie man bald einsah, auf die hell. Gemeinde vor und neben Pl aufmerksam gemacht[64]. Dieser Erklärung kam für die Erhebung korinthischer Gemeindetheologie zusätzliche Virulenz zu, als a) der Röm und seine Korrekturen an der korinthischen Tauftheologie in Korinth geschrieben wurde; b) dieser Tauftheologie gegenüber Pl wirkliche Eigenständigkeit zuerkannt wurde[65]; c) Korinth ein Zentrum der Isis-Mysterien war. Hier findet die Einweihung des Lucius in den Metamorphosen des Apuleius statt; d) die eleusinischen Mysterien fanden unweit von Korinth statt[66].

Zumeist wird zum Vergleich der hell. Tauftheologie der einzige Selbstbericht aus den Mysterienreligionen (Apul, Met XI 23, 1 b–24, 6 a), sowie FirmMat, ErrProfRel 22 herangezogen. Gerade letzterer Bericht stellt in der Verbindung des Mysten zur Gottheit in einer kultischen Handlung eine religionsgeschichtliche Parallele zur Taufinterpretation, wie sie in der Tradition Röm 6,4/Kol 2,12 vorliegt, dar. Der Myste wird mit dem Schicksal der Gottheit, ihrem Sterben und Leben, in einer kultischen Handlung verbunden, indem er gleiches sakramental nachvollzieht[67]. Christliche Voraussetzung für eine analoge Interpretation

---

lienskandal in Rom als ‚nächste Parallele'; weitere Vermutungen bei Wedderburn, Baptism 250 f.; Bruce, Cor 20, und House, Tongues (Dionysius- und Apollos-Kult).

[64] Vgl. die Forschungsgeschichte bei Wagner, Problem 15 ff.

[65] Deutlich Bousset, Kyrios 107: Pl gehe „von einer in den Gemeinden bereits vorhandenen Überzeugung" aus; Weinel, Theologie 371, spricht sogar von einem ‚Fremdkörper'; auch von Soden, Sakrament 375 A 48; jetzt ausführlich Schnelle, Gerechtigkeit 73 f.

[66] Rohde, Psyche 278 ff. Hengel, Sohn 46 f., erklärt die korinthische Theologie aus einem Mißverständnis „der ihnen wohlvertrauten ekstatischen dionysischen Mysterien ..."; ders., Sohn 49 A 56: „Mißverständnis einer mysterienhaften interpretatio graeca".

[67] Daß das Verständnis der hell. Tauftheologie nicht unter Absehung des Einflusses der Mysterienreligionen zu verstehen ist, wird in dem überwiegenden Teil der Forschung anerkannt: Reitzenstein, Mysterienreligionen 45; Rohde, Psyche II 422; Bultmann, Theologie 142 f.; Bauer, Joh 50; Lohse, Taufe 234; Barth, Taufe 97 f. A 223; Klauck, Herrenmahl 285; Schnelle, Gerechtigkeit 77 f. u. a. Im einzelnen herrscht freilich keine Übereinstimmung in der Frage, ob es sich lediglich um eine ‚Motivübernahme' (Wilckens, Röm II

der Taufe ist die Anwendung des frühpl schon bezeugten Grundsatzes ,wie Christus – so die Seinen' (1. Kor 6,14) auf den sakramentalen Vollzug. Hierbei wiederholt die Taufe am Täufling sinnfällig Tod und Auferweckung Christi und stellt in die Gemeinschaft mit Christus[68]. Das Umfeld der Mysterienreligionen macht die Entstehung der Taufvorstellung, die Pl in Korinth voraussetzt, am ehesten verständlich. Hinzu kommt als flankierende Beobachtung, daß in Korinth ja ebenfalls ein ausgeprägtes Verhältnis zwischen Täufer und Täufling besteht (1. Kor 1,12 ff.; 3,6; 15,29), wie solches gleichfalls für den Raum der Mysterienreligionen – wenn auch nicht allein – konstitutiv ist[69].

Allerdings wird eine Frage in dieser Thematik zumeist ausgeblendet, deren Beantwortung vielleicht ein zusätzliches Licht in die religionsgeschichtliche Problematik werfen kann. Es ist oft aufgefallen, daß in den entscheidenden Kapiteln zur Taufe im Corpus Paulinum von Geist keine Rede ist (Röm 6; Gal 3,26–28; Kol 1,13)[70]. Nun findet sich auch, wie der religionsgeschichtliche Vergleich zeigt, in Texten aus den Mysterienreligionen keine Gabe des Geistes an den Täufling. Vielmehr vollzieht dieser das Geschick der Gottheit nach und wird nach dem Ritus an deren Sphäre, welche pneumatischer Natur ist, partizipieren.

So zeigt es etwa die Mithras-Liturgie (Text nach Reitzenstein, Mysterienreligionen 174–176): der Myste läßt die schöpfungsmäßige Natur hinter sich (Z. 15) und schaut nach der Wiedergeburt den unsterbli-

---

[58] handelt, bzw. wie der Mysterieneinfluß überhaupt „christlich transformiert wurde" (Klauck, Herrenmahl 285). Überhaupt scheint die Fixierung des religionsgeschichtlichen Vergleichs auf zwei Texte zu eng, zumal eventuelle jüd. (Anrich, Mysterienwesen 111) oder orientalische Wurzeln (Reitzenstein, Mysterienreligionen 17) unbeachtet bleiben. Der Einfluß der Mysterienreligionen auf das hell. Taufverständnis wird als Möglichkeit abgelehnt von Wagner, Problem; Sellin, Streit 97 A 73; ders., Auferstehung 63 A 92; Wedderburn, Baptism; ders., Soteriology. Vgl. darüber hinaus den Überblick bei D. H. Wiens, Mystery Concepts in Primitive Christianity and its Environment, ANRW II 23.2, 1248–1284.

[68] Vgl. Hoffmann, Auferstehung Jesu Christi 484 f., und den Hinweis auf die zusätzlichen jüd.-hell. Voraussetzungen in der Bekehrungsliteratur, durch welche der Zielpunkt des neuen Lebens verstärkt wird.

[69] Auch die Johannestaufe trägt bei Lk noch die formelhafte Bezeichnung τὸ βάπτισμα Ἰωάννου (Apg 18,25; 19,3), was wiederum auch Zeugnis für die Bedeutung des Täufers ablegt. Zu den Mysterienreligionen: Dieterich, Mithrasliturgie 52 und 146 ff. (zur Bezeichnung πατήρ Schrenk, ThWNT V 957 f.; vgl. auch die Kommentare zu 1. Kor 4,15); Dibelius, Mystik 451; Wilckens, Weisheit 12. Theißen, Studien 218, und Weder, Kreuz 122 f. A 7, verweisen zusätzlich auf eine der mysterienhaften Beziehung parallel gehende materielle Versorgungspraxis der Täuflinge zu ihren Täufern. Grundsätzlich ist es gut, sich mit Bauer, Joh 97, in Erinnerung zu rufen, daß „der antike Mensch ... keine Zugehörigkeit zur religiösen Gemeinschaft ohne Beteiligung an ihren Kultushandlungen" kennt.

[70] Bultmann, Theologie 143 f., verweist darauf, daß Pl bei der mysterienhaften Deutung der Taufe nicht an ihren Sinn als Geistverleihung anknüpfen kann, um den Ursprung des neuen sittlichen Wandels begreiflich zu machen.

chen Geist (Z. 17), ἵνα νοήματι μεταγεννηθῶ … καὶ πνεύσῃ ἐν ἐμοὶ τὸ ἱερὸν πνεῦμα (Z. 19 f.)[71]. Die urchristliche Verkündigung hatte jedoch behauptet: Gott gibt seinen Geist den Glaubenden, Himmlisches wird irdisch. Also keine Vergottung der Glaubenden, sondern Kondeszendenz des Geistes Gottes in die Geschöpfe.

Die gemeine Aussage, daß Taufe und Geist im Urchristentum nicht voneinander zu trennen sind, ist also zumindest in Hinblick auf die mysterienhafte Taufinterpretation religions- und traditionsgeschichtlich differenzierend zu betrachten.

Entgegen einer nur noch selten geäußerten Ansicht wird die Taufe als Initiationsritus in die Schar der letzten Erwählten in Analogie zur Johannestaufe von der Urgemeinde fortgeführt worden sein[72]. Zieht man die Ankündigung der Geisttaufe als christlichen Zusatz zur Täuferpredigt ab, bleibt diese in ihrer ursprünglichen Form zunächst für die frühe Gemeinde bestimmend: die Gemeinde erwartet den Stärkeren als den bald Kommenden, die Taufe zur Vergebung der Sünden qualifiziert die Glaubenden als endzeitliche Gemeinde im Gericht[73].

Hinsichtlich der äußeren Form wird die Taufe in Korinth dem gemeinchristlichen Brauch entsprochen haben. So bezeugt Pl in 1, 12 ff. den Ritus unter Verwendung der Formel βαπτίζειν εἰς τὸ ὄνομα, welches als das ὄνομα Χριστοῦ vergegenwärtigt wird. Ausgesprochen vielfältig ist hingegen im Urchristentum die Interpretation dieses Ritus.

Pl setzt in der Korintherkorrespondenz verschiedene Interpretationen voraus, die zum Teil zueinander in Spannung stehen. Während die Taufe als Sündenreinigung, als Namensnennung und als Geistverleihung stets mit der Geistthematik verbunden ist, wird dieser Bezug allein bei der mysterienhaften Interpretation vermißt[74]. Erst in spätntl. Zeit ist auch sie mit der Geistverleihung kombiniert worden (Tit 3, 5; Joh 3, 5; Hebr 6, 4 f.; sodann in PGM IV 505 u. ö.,

---

[71] Der Abstand der Mithrasliturgie zum pl Verständnis der Geistbegabung wird vor allem daran ersichtlich, daß die Aufforderung, das göttliche Pneuma einzuatmen, einerseits mit magischen Techniken (pfeifen, schnalzen etc.) verbunden ist, andererseits am Anfang (PGM IV 538) und am Ende des Aufstiegs zu Gott (IV 629) ihren Ort hat und also eine zunehmende Vergottung beschreibt (Dieterich, Mithrasliturgie 59); vgl. zur Mithrasliturgie jetzt auch M. Clauss, Mithras. Kult und Mysterien, 1990, 114–117.

[72] Die Ansicht einer ,tauffreien Zeit' in der Urkirche vertritt etwa Weiß, Urchristentum 36.

[73] Der ursprüngliche Gegensatz in der Täuferpredigt lautet also ὕδωρ-πῦρ. Πῦρ ist hierbei eindeutig Gerichtsmotiv und auf den Stärkeren bezogen; vgl. in Q die Stichwortverknüpfung der einzelnen Logien durch πῦρ (Lk 3, 9. 16. 17/Mt 3, 9. 10. 12). Erst die christliche Überlieferung hat Johannes zum Verkünder der Geisttaufe werden lassen. Auf dieser Ebene wird πῦρ zum Symbol des Geistes (Apg 2, 3).

[74] Es wird das Fehlen von Leisegang, Geist 122–125, ,stilistisch' erklärt, von Reitzenstein, Mysterienreligionen 379 f., dennoch vorausgesetzt. Diskussion der Belege, die alle nachntl. sind, bei Wedderburn, Baptism 290. Wedderburn schlägt vor, den Blick nicht auf die Geistesgabe ausschließlich zu lenken, vielmehr sei es Anliegen des Initiationsritus, göttliche Kräfte überhaupt zu vermitteln.

wo im Zusammenhang der Wiedergeburt ἀθανάτῳ πνεύματι und ἀθανάτῳ ὕδατι begegnen).
Verfolgen wir den Sachverhalt im einzelnen:
– die Taufe als Reinigung von Sünden (vgl. 1.Kor 1,30; 6,11); diese Interpretation steht am deutlichsten im Kontext der judenchristlichen Gemeinde. Für sie ist der Geist (neben der Namensnennung) das Mittel der Reinigung (Wassermetaphorik). Die Verbindung von Geist und Reinigung ist im atl.-jüd. Bereich vorgegeben (Jub 1,23; 1.QH 16,12 u.ö.).
– die Namensnennung des Kyrios über dem Täufling stellt diesen unter seinen Schutz und gilt als σφραγίς (2.Kor 1,22; vgl. Herm, Sim VIII 6,3). Bultmann sah in dieser Interpretation ein konkurrierendes Sakrament zum Taufbad als Reinigung, wenngleich die Wirkung beider einigermaßen koinzidiere[75]. Pl kombiniert diese Interpretation gleichfalls mit der Geistverleihung (2.Kor 1,22; vgl. dann später Eph 1,13; 4,30).
– das Verständnis der Taufe speziell als Geistverleihung, eine Interpretation, welche die beiden zuerst genannten bereits überformt, deren Ursprünge in der hell. Gemeinde liegen, bezeugt Pl in 1.Kor 10,2–4; 12,13; Gal 4,6; Röm 8,15.

Es ist deutlich, daß Pl für seine Zeit das feste Gemeinwissen bezeugt, daß die Taufe den Geist übermittelt. Dieses Verständnis läßt er mit den älteren Interpretationen überlappen. Dennoch ist dieser Konnex kein urchristlicher und wohl auch kein die frühpl Theologie wirklich prägender[76].

Gunkel hatte den Zusammenhang von Taufe und Geist wohl an die Voraussetzung des vorhergehenden Glaubens gebunden, um dann aber doch von einer täglichen Erfahrung (im Original gesperrt; F.W.H.) zu sprechen: „Die wunderbaren Kräfte des Geistes begannen sich bei der Taufe zu zeigen" (72). Dagegen stellte Bousset die These: die Taufe bringt den Geist, dies ist kein Erfahrungssatz, sondern ein religiöses Postulat im Urchristentum[77]. Hier sind die Vorstellung der Geistbegabtheit der endzeitlichen Gemeinde und der Taufe als Initiationsritus

---

[75] Holtzmann, Lehrbuch I 449, betrachtet diese Interpretation der Taufe unter Namensnennung als Schutzverhältnis als primär an.

[76] Gunkel, Wirkungen 72; dann Büchsel, Geist 261: die Urgemeinde habe Taufe und Geist zueinander in Beziehung gesetzt, weil bei Taufen ekstatische Zustände aufgetreten seien.

[77] Bousset, Rez. Weinel 758; ders., Kyrios 44 A 3: „Diese Meinung war auch wieder nur möglich aufgrund der Überzeugung, daß jeder Christ den Geist besitzen muß. Diese dogmatische Anschauung stammt aber erst aus der paulinischen Theologie." Zustimmung durch Sokolowski, Begriffe 267; Büchsel, Geist 260; Weinel, Wirkungen 210, setzt die feste Verbindung erst für das nachapostolische Zeitalter voraus; Deißmann, Paulus 115; Volz, Geist 198 f. A 2. Bultmann, Theologie 162 f., gesteht der Theorie ‚seelischer Erlebnisse als Voraussetzung dieser These' immerhin zu, daß dies „gelegentlich der Fall gewesen sein mag." Gegenwärtig: Haufe, Taufe 563 f.; Hahn, Verständnis 139 f.; Berger, Geist 189; Barth, Taufe 81.

kombiniert. Begünstigt wurde diese Verbindung durch die traditionsgeschichtliche Vorgabe der ‚Wasser–Geist-Metaphorik‘, die sich im atl.-
jüd. Bereich findet, die aber dem Taufakt keinesfalls von Anfang an
zwingend anhaftet. Die Johannestaufe ist eben nicht als Geisttaufe interpretiert worden[78]. Und obwohl 1. Thess 4, 8 f. sich auf Ez 36 f. bezieht, um die gegenwärtige Gabe des Geistes in Erinnerung zu rufen,
wird ein Bezug auf Ez 36, 25 (‚reines Wasser über euch sprengen‘) als
Taufhinweis vermißt. Für Pl bleibt der Ort der Geistesgabe nicht allein
der Taufakt. In Gal 3, 2 nennt er die Glaubensverkündigung, in 2. Kor
11, 4 die Predigt, in Gal 3, 14 den Glauben. Dies bekräftigt nur die Annahme, daß die Theorie von der Geistbegabtheit der ganzen Gemeinde
gegenüber der Festlegung eines bestimmten Ortes der Übermittlung
primär ist.

Daß allerdings die Taufe hierfür prädisponiert war, zeigt die Wasser–Geist-Metaphorik, die religionsgeschichtlich nicht auf einen spezifischen Bereich zu begrenzen ist, sondern antikes Gemeingut ist[79].

Es wird im AT der Geist als Flüssigkeit dargestellt, bzw. mit Verben kombiniert, die ihn als Flüssigkeit erscheinen lassen (Ez 39, 6. 29; Joel 3, 1 f.; Jes 32, 15;
44, 3; Sir 24, 34 u. ö.). Urchristliche Schriften beziehen das Verb ἐκχέειν auf die
Taufhandlung (Did 7, 3) und auf die Geistausgießung (Apg 2, 17 f. 33; 10, 45;
Röm 5, 5; Tit 3, 6). Das rabbinische Schrifttum deutet Wasseraussagen, vor allem im Kontext des Laubhüttenfestes (Jes 12, 1 ff.), mehrfach auf den Geist (Bill
II 434 f.). In Qumran ist die Geist-Wasser-Metaphorik im Kontext der Wa-
schungen bezeugt (1. QH 4, 20 f.; 17, 26 u. ö.). Im hell. Judentum ist Wasser ein
häufig bezeugtes Symbol für den Geist (Philo, Op 135; All II 86 f.; 4. Esra

---

[78] Böcher, Wasser 64, erkennt die Tendenz in den christlichen Gemeinden, die Geisttaufe dem Messias vorzubehalten (Mk 1, 8 parr; Joh 1, 33; Apg 1, 5; 11, 16) bzw. den Jo-
hannesjüngern abzusprechen (Apg 19, 1–7). Dieser Tendenz kann aber nicht entgegenge-
halten werden, daß Jesus ja mit der Johannestaufe den Geist erhalten habe. Die Geistbegabung Jesu ereignet sich nach dem mk Bericht gerade nicht im Vollzug der Taufhandlung, als Folge einer pneumatisch vorgestellten Wassermacht, sondern vom Himmel her
(Mk 1, 10). Daher ist der These, auch Johannes der Täufer habe den endzeitlichen Geist
vermitteln wollen, zumindest von der mk Taufperikope mit Vorsicht zu begegnen.
[79] Die metaphorische Verwendung von ὕδωρ geht freilich über die Beziehung auf den
Geist hinaus. Vgl. zum atl.-jüd. Bereich ThWNT VIII 321 f., zum joh. Schrifttum (‚Le-
benswasser‘): Bultmann, Joh 133 f.; J.-W. Taeger, Johannesapokalypse und Johanneischer
Kreis. Versuch einer traditionsgeschichtlichen Ortsbestimmung am Paradigma der Le-
benswasser-Thematik, BZNW 51, 1988; außerdem ThWNT VIII 315 f., und Strecker, Judenchristentum 196–209. Intensiviert wird die sakramentale Vorstellung, wenn ihr bereits
im heidnischen Bereich eine ‚naturhafte Verehrung des Wassers‘ vorausgeht (dazu Bousset, Hauptprobleme 281). Böcher, Wasser, stellt das religionsgeschichtliche Material aus
dem Judentum zusammen, zieht jedoch eine zu einlinige Konsequenz: „Bei Paulus sind
Taufbad und Geistbegabung eine so feste Verbindung eingegangen, daß mit gutem
Grund vermutet werden kann, bereits die vorpaulinische-jesuanische Taufanschauung
habe diesen Komplex über die Johannestaufe unmittelbar aus den Hoffnungen der prophetischen Eschatologie bezogen …“.

14,38–40)[80]. Die ekstatische griech. Mantik hofft, durch Trinken von ἐνθεῶν ὕδωρ die Ekstase herbeiführen zu können; vgl. weitere Belege in 3.2.

Aus alledem folgt für unsere leitende Fragestellung nach der Herkunft des Enthusiasmus in der korinthischen Gemeinde: die Tauftheologie greift zurück auf zwei zu unterscheidende religionsgeschichtliche Vorstellungen, die allerdings darin koinzidieren, daß der Täufling enthusiastisch die alte Welt hinter sich läßt, um als πνευματικός an der oberen Welt und deren Gütern zu partizipieren:

– die urchristliche Interpretation der Taufe als des Ortes der Geistverleihung. Die gemeinantike Wasser–Geist-Metaphorik läßt im Taufritus den Ort erblicken, wo das πνεῦμα substanzhaft übermittelt wird und den Täufling in einem magischen Sinn als πνευματικός verstehen läßt[81].

– der Taufvorgang wird interpretiert als ritueller Nachvollzug des Geschicks des Christus, seines Todes und seiner Auferweckung. Als Getaufte partizipieren die Mysten an der oberen Welt.

Das gemeinsame Bindeglied beider Taufanschauungen ist die ,Vermittlung des Lebens'. Sowohl Geist- als auch Wasseraussagen sind in der griech.-hell. Mythologie und der atl.-jüd. Tradition Schöpfungsaussagen zugeordnet[82]. Gleichfalls wird als Folge der mysterienhaften Taufinterpretation die Gabe des Lebens genannt (Kol 2,12 f.; Röm 6,11).

Diese Taufinterpretation ist ein wesentlicher Faktor für die Entstehung des pneumatischen Enthusiasmus.

Wedderburn hat sich in ,Baptism and Resurrection' mit Nachdruck dagegen gewandt, für Korinth von einem sakramentalen Nachvollzug des Christusgeschehens auszugehen. Er betont hingegen grundsätzlich die Bedeutung der Taufe als Initiationsakt und rückt denselben in Nähe zur θεῖος ἀνήρ-Vorstellung (291). Dieser Hinweis kann einsichtig machen, wie die Gaben der Glossolalie und der Gnosis und auch die Selbstbezeichnung der Pneumatiker in der Gemeinde als Demonstration dieser göttlichen Kraftvermittlung mißbraucht werden konnten. Auch kann man von 1. Kor 1,12 ff. her fragen, ob in der Gemeinde das Verständnis des Täufers als Mystagoge, der in diese göttlichen Fähigkeiten einführte, sehr dominant war. Gegen Wedderburn ist jedoch eine strikte Trennung von Taufe als Initiationsakt und als Nachvollzug des Chri-

---

[80] Ausführlich Klauck, Herrenmahl 168 ff. Schweizer, ThWNT VI 371 zu Philo, Op 135.144: „... denn mit der symbolischen Deutung des Mannaregens als Weisheitsnahrung sind die Voraussetzungen gegeben, das mit der Weisheit gleichgesetzte πνεῦμα als Strom zu sehen."

[81] Tert, Bapt 4, reißt diese substanzhafte Übermittlung wieder auseinander, wenn in der Epiklese der Geist auf das Wasser herabgerufen wird, um so erst dem Wasser heiligende Kraft beizulegen.

[82] Schweizer, ThWNT VI 337–341.366 ff.; Bill I 48; Schäfer, Vorstellung 118; Johnston, Spirit 38.

stusgeschicks mißlich. Es liegt ja auch in der Konsequenz der letzteren Vorstellung, daß der Getaufte Anteil an der himmlischen Kraft erhält und zur Glossolalie befähigt wird.

6.4.4.1.3 Judenchristentum

a) Judenchristen jerusalemisch-palästinischer Provenienz

Der Einfluß jerusalemisch-pal. Missionare auf die korinthische Gemeinde zwischen dem Gründungsbesuch Pauli und dem 1. Kor wird häufig erwogen. Gewiß, wenn durch Taufpraxis ein ἐγὼ δὲ Κηφᾶ möglich war, so müssen, wenn nicht Petrus selbst, zumindest Petrus-Anhänger in Korinth gewesen sein[83]. Kann aber der pneumatische Enthusiasmus auf sie als exogene judenchristliche Missionare zurückgeführt werden? Diese Hypothese beruft sich unter Zugrundelegung einer historischen Grundlage in Apg 2 auf ein ekstatisches Christentum in Palästina. Speziell das Phänomen der Glossolalie in Korinth sei nur durch Jerusalemer Vermittlung in heidenchristlichen Kirchen erklärbar[84].

Diese Theorie ist sehr unwahrscheinlich. Wenn man die Frage der Glossolalie ausklammert, sollten Jerusalemer auch für die enthusiastische Stellung zum Götzenopferfleisch, Dirnenumgang, Ablehnung der leiblichen Auferstehung etc. mit Verweis auf die Gabe des Geistes verantwortlich sein[85]. Im übrigen setzt diese Hypothese einen pneumatischen Enthusiasmus für das Jerusalemer und pal. Urchristentum voraus, der aus den Quellen nicht verifiziert werden kann (s. u. 7.4). Selbst wenn man letzterem nicht beipflichten sollte, die Glossolalie ist vorwiegend eine Erscheinung des griech.-hell. Raums. Nichts zwingt, ihr Vorkommen in der korinthischen Gemeinde auf judenchristliche Vermittlung aus Jerusalem zurückzuführen. Gleichfalls sind die Differenzen zwischen dem pneumatischen Enthusiasmus in Korinth und den Tradi-

---

[83] Vgl. das bereits S. 165 A. 13 Gesagte.

[84] So z. B. Schlatter, Korinthische Theologie, der die Beziehungen zur Urgemeinde darstellt, jedoch sieht, daß die korinthische Gemeinde über diese Ursprünge hinausgegangen ist (121). Ausführlich dann Scroggs, Exaltation 369: „On the other hand, the extreme and disorderly practices for which Paul upraids the Corinthians can hardly have been learned from the apostle himself. Thus they may have stemmed from observation, imitation and adaption of other Christian missionaries …" Hierzu verweist Scroggs auf den Besuch judenchristlicher Missionare zwischen Paulus' Gründungsbesuch und Brief. Noch eindeutiger behauptet Sweet, Sign 246–249, judenchristliche Vermittlung der Glossolalie nach Korinth, ohne dies allerdings auf Petrus als Überbringer eingrenzen zu wollen. Kritisch zu dieser These auch Fee, 1. Cor 57 f.

[85] So in Kritik an Schlatter bereits Büchsel, Geist 393 f; sowie Kretschmar, Himmelfahrt 265 A 165.

tionen der Logienquelle zu gewichtig, um Q-Missionare für die Entstehung des Enthusiasmus verantwortlich zu machen[86].

b) Judenchristen alexandrinischer Provenienz

Die jüngere Forschung hat im Zusammenhang der Revidierung der gnostischen Ableitung der Gegner in Korinth zunehmend auf weisheitliche, alexandrinische Wurzeln des pneumatischen Enthusiasmus aufmerksam gemacht. Schon in früheren Arbeiten hat man Apollos, auch in Hinblick auf Apg 18, 24 ff., als Vermittler jüd.-hell. Theologie vermutet. Explizit sucht G. Sellin die Sachgemäßheit dieser Hypothese zu erweisen: „Apollos – so die These – brachte das weisheitliche hellenistisch-jüdische Pneumatikertum nach Korinth."[87] Dies geschah nach Pauli Abreise. Apollos gilt hierbei als Vertreter spezifisch alexandrinischer, philonischer Philosophie. Das überkommene Gnosis-Modell wird durch die Vorgabe Philos abgelöst. Hierzu beruft sich Sellin für die Richtigkeit seiner These primär auf einen Vergleich von 1. Kor 15 und philonischen Vorgaben. Daneben soll 1. Kor 3, 5–17 erweisen, „daß die korinthische pneumatische Weisheitstheologie mit dem Namen Apollos zusammenhängt."[88]

Diese These bleibt hier zunächst undiskutiert. Sie wird unter 6.4.4.2.2 an dem sachgemäßen Ort, der Betrachtung der Faktoren der endogenen Entwicklung, erneut aufzunehmen sein.

Damit sind die wesentlichen Ableitungen des pneumatischen Enthusiasmus aus exogenem Einfluß vorgestellt[89].

---

[86] Sandelin, Auseinandersetzung 151 f., erwägt Berührung beider Gruppen; vgl. aber die Differenzen zur Armutstradition (Mt 5, 3 ff. diff 1. Kor 1, 16 ff.); zur Dominanz des Sakraments in Korinth (dagegen das berühmte ‚soteriologische Loch' in Q), zur Pneumatologie (keine positiven Belege in Q) u. a. Köster/Robinson, Entwicklungslinien 40 f., betonen die Gemeinsamkeiten in der Hypostasierung der Weisheit, was in Q freilich doch eher am Rande steht, allein in späten Traditionen bzw. der Redaktion begegnet.

[87] Sellin, Streit 68. Zustimmung jetzt durch Strobel, 1. Kor 38–40 (Exkurs); außerdem Räisänen, Paul 173; Wilckens, Zu 1. Kor 2, 6–16, 518 f. (anders noch ders., ThWNT VII 523); Wolff, 1. Kor 214; Roloff, Apg 278; vgl. auch den Hinweis auf ältere Vertreter dieser Sicht bei Sellin, Geheimnis 62 f. A 5; außer den dort Genannten noch Heinrici, Sendschreiben 35 ff.; Holzner, Paulus 262; Wrede, Aufgabe 138; Bousset, 1. Kor 78 f.; Brandenburger, Fleisch 227 f.

[88] Sellin, Streit 67. Pfleiderer, Paulinismus 278, vermutete, die Hellenisierung in der pl Theologie sei unmittelbare Folge der Tatsache, „daß Paulus damals in Ephesus im freundschaftlichen Verkehr mit Apollos stand ..." Sehr viel über Apollos weiß Müller, Geisterfahrung 210 f.: „... die Präsenztheologie des Apollos, die selbst bereits an der Grenze enthusiastischer Verwilderung stand." Gegen jeglichen Einfluß von Apollos auf Pl: Schmithals, Gnosis 192 f.; Stuhlmacher, Bedeutung 114; Machalet, Paulus 192.

[89] In der Forschungsgeschichte sind gleichwohl eine Vielzahl weiterer Hypothesen vorgetragen worden; vgl. den Überblick bei Klauck, Herrenmahl 234–240 (‚Zur religiösen Situation Korinths'), und Elliger, Paulus, 200–251.

6.4.4.2 Endogene Entwicklung

Der pneumatische Enthusiasmus in Korinth ist nicht Folge einer exogenen Gegenmission und als solcher der Gemeinde oder einem Teil
derselben übergestülpt worden. Zugleich haben wir bereits die These
eines allgemeinen pneumatischen Enthusiasmus in den hell. Gemeinden
vor und neben Pl der Kritik unterworfen. Die hell. Gemeinde ist keine
einheitliche Größe[90]. Der pneumatische Enthusiasmus in Korinth ist
vielmehr die Konsequenz mehrerer Faktoren, die zeitlich und hinsichtlich ihrer Wirksamkeit nicht exakt gegeneinander abzugrenzen sind:
Hyperpaulinismus, Verehrung des Apollos, das heidnisch-hell. Umfeld[91].

6.4.4.2.1 Hyperpaulinismus

Die entscheidenden Anregungen für die Annahme, in den pneumatischen Enthusiasten in Korinth Hyper- oder Ultrapauliner zu sehen,
gab Lütgert[92], er wendet sich hierbei gegen die primäre Berufung auf
exogene Einflüsse[93].
Pl hat die Gemeinde gegründet (3,6; 4,15). Die frühpaulinische Verkündigung stellt sich als ,ontische Erlösungslehre' dar, welche Befreiung von versklavenden Mächten und Christuszugehörigkeit zusagt[94].
Schon dieser Sachverhalt kann zu der Frage nötigen, wie solche Bot-

---

[90] Programmatisch Wrede, Aufgabe 137: „Es ist anzunehmen, daß die Entwicklung in
Korinth und in Antiochia oder in Alexandria oder in der ägyptischen Landschaft bemer-
kenswerte Verschiedenheiten zeigte." Ebenso Bultmann, Theologie 67.
[91] Es ist verschiedentlich versucht worden, das Geflecht der einzelnen Bedingungen exakt zur Darstellung zu bringen. Diese Versuche beinhalten ein hohes Maß an Spekulation (so zu Recht auch Schenke/Fischer, Einleitung 95 f.). Kann man wirklich den Enthusiasmus ausschließlich als „Folgeerscheinung der Auflehnung gegen den Gemeindeleiter"
(Schreiber, Gemeinde 161) und dadurch „gesteigertes Selbstwertgefühl" (167 und 179)
verstehen (vgl. aber auch Hurd, Origin 109)?
[92] Lütgert, Freiheitspredigt 10–13 u. ö. Zustimmung zu Lütgert durch Büchsel, Geist
201; Bultmann, Rez. Büchsel 372 („... Pneumatiker, deren Geisteswirkungen sich auf derselben Linie bewegen, wie die des Paulus ..."); Vielhauer, Geschichte 139 („... einseitige
Betonung einzelner Elemente der paulinischen Verkündigung und ihre leichte Verbindung mit den mitgebrachten weltanschaulichen und religiösen Gedanken und Vorstellungen ..."); Horsley, Gnosis; Conzelmann, 1. Kor 48; Lüdemann, Paulus II 124 f.; Becker,
Erwählung 90; ders., Auferstehung 64; Lang, Kor 5 f.; Schnelle, Gerechtigkeit 40 u. a.
[93] Deutlich dann auch Vielhauer, Geschichte 139. „Die Front, gegen die Paulus kämpft
... kämpft selber nicht gegen Paulus." Schmithals hat sich mehrfach gegen die Annahme
des Hyperpaulinismus zur Wehr gesetzt, um an der Vorstellung der vorchristlichen Gnosis festhalten zu können (Neues Testament und Gnosis 30). Gegenwärtig völlige Ablehnung dieser These durch Sellin, Geheimnis 66: „Daß es sich etwa um in Libertinismus
und Enthusiasmus verfallene Hyperpauliner handele, ist ausgeschlossen."
[94] Vgl. Strecker, Befreiung 258.

schaft im hell. Raum aufgenommen wird[95]. Welches Verhalten kann hervorgerufen werden, wenn Ziele der Vergottung, die bislang ausschließlich auf dem Weg der Ekstase oder der Mysterien erreichbar waren, nun in der Verkündigung des ἐν Χριστῷ εἶναι zugesagt werden, wenn das Ziel, ekstatisch des πνεῦμα ἱερόν teilhaftig zu werden, als abgetan hingestellt wird, weil Gott seinen Geist zuvorkommend ausgegossen hat und dieser in der Taufe übereignet wird?

Es kann zudem nicht ausgeschlossen werden, daß die Gemeindetheologie nach Paulus' Abreise sich in einer Richtung bewegte, die Pl selber fernlag, und daß die pl Gründungspredigt auch in manchem mißverständlich war (Beispiel: 1. Kor 5, 9).

Der 1. Thess repräsentiert ausschnitthaft die frühpl Verkündigung. Die pneumatologischen Aussagen sind hier nicht zu wiederholen. Entscheidend war: die Glaubenden werden beständig mit dem Geist Gottes ausgestattet (4, 8), und dieser Geist ermöglicht funktional neue Lebensäußerungen der Gemeinde (1, 5 f.; 5, 19). Zugleich schenkt der Geist Einsicht in Gottes Willen (4, 9).

Gewiß kann der funktionale Aspekt des Geistes zu einer Überbewertung einzelner Geistesgaben führen, auch kann das τὸ πνεῦμα μὴ σβέννυτε (1. Thess 5, 19) verabsolutiert werden. Aber von alledem führt noch kein gerader Weg zum pneumatischen Enthusiasmus in Korinth. Der 1. Thess hatte zudem dem Geist keine andere Bedeutung in der Tauftheologie beigemessen, als das Mittel der Heiligung zu sein. Sollte der enge Konnex von Geist und Heiligung (1. Thess 4, 1-8), der gerade ein Bewahren des Heilsstandes bis zur Parusie fordert, in Korinth völlig mißverstanden worden sein?

Zwischen dem 1. Thess und dem pneumatischen Enthusiasmus in Korinth stehen drei prägnante Vorstellungen (Taufe in mysterienhafter Interpretation, Glossolalie, der Gegensatz Pneumatiker–Psychiker), die weder in Thessalonich begegnen noch durch den 1. Thess bedingt sein können.

- zur Taufvorstellung des 1. Thess s. o. 5.2.1.
- die Selbstbezeichnung πνευματικοί ist auf den 1. Kor begrenzt (Ausnahme: Gal 6, 1). Gegen eine dualistische Interpretation wendet sich eindeutig 1. Thess 5, 23, wo im Schlußgruß πνεῦμα, ψυχή und σῶμα nebeneinanderstehen.
- der 1. Thess setzt keine Glossolalie in der Gemeinde voraus, noch ermutigt er dazu; zur gegenteiligen Interpretation von 5, 19 s. o. 5.1.3.

---

[95] Bousset, 1. Kor 76: „Man erkennt, wie durch die Predigt des Evangeliums die Denkweise dieser Griechen völlig aus dem Gleichgewicht gekommen ist"; ebenfalls Weiß, 1. Kor 339: „... daß insbesondere die mystische Verkündigung des P. auf griech. Boden eine Neubelebung dieser mystischen Ekstasen hervorgerufen hat ..."

Die Annahme, der pneumatische Enthusiasmus sei Folge eines Hyperpaulinismus, kann sich jedenfalls nicht direkt auf die frühpl Verkündigung, wie sie ausschnitthaft im 1.Thess wiedergegeben ist, berufen.

Dieser Befund ist in einer Hinsicht zu problematisieren. Pl weiß um das Vorhandensein christlicher Weisheit ἐν τοῖς τελείοις (1.Kor 2,6). Der Begriff τέλειοι steht hier als Gegenbegriff zu diesem αἰών und seinen ἄρχοντες. Der Begriff ist zugleich gebunden an die übergeordnete Einheit (2,6–16), die mit hoher Wahrscheinlichkeit dem pl Schulbetrieb entstammt (6.5.1.1). Obwohl also τέλειοι als Gruppenbezeichnung im Gegenüber zur ungläubigen Welt steht, mag man fragen, ob nicht dieser Begriff von seiner esoterischen Verwendung in der Umwelt des Urchristentums (Philo, Cher 42; CH IV 4 u.a.) eine Unterscheidung auch innerhalb der christlichen Gemeinde begünstigen konnte. Es ist allerdings unwahrscheinlich, daß Pl die Gedanken, die er nun in 1.Kor 2,6–16 schriftlich unterbreitet, zuvor auch mündlich vorgetragen hat.

Kann es sein, daß die Person Pauli selber Kristallisationspunkt für die Entstehung des pneumatischen Enthusiasmus war, was freilich die Gemeindebriefe – gesetzt den Fall – aufgrund ihrer Abzweckung nur andeutungsweise zu erkennen geben können?

Ganz unwahrscheinlich mutet hierzu die Erwägung Bergers an: „Nun liegt der Ursprung des Chaos ... offenbar in der Art begründet, in der Paulus selbst als Stifter der Gemeinde anfänglich hier das Evangelium gepredigt hatte." Die „... Charismatiker in Korinth (sind) möglicherweise auf dem Punkt der Entwicklung stehengeblieben, den Paulus ihnen einst vermittelt hatte ..."[96]

Die religionsgeschichtliche Schule hatte Pl als ‚Pneumatiker' begriffen, hierin aber keine Besonderheit gesehen, da dies nicht, wie noch Pfleiderer sagte, zur „religiösen Eigenart des Paulus"[97] zähle, sondern mit dem hell. Erbe gegeben war[98]. Dann aber hätte sich Pl nicht unterschieden von anderen, an seiner Person hätte kein Hyperpaulinismus Anhalt gehabt. Dagegen hat in einer Reihe von Veröffentlichungen Saake den Nachweis zu erbringen gesucht, daß Pl „den Korinthern noch erheblich überlegen war", daß er „in korinthisch-extremem Sinne Pneumatiker, Charismatiker, Ekstatiker, Enthusiast, Glossolale, Visionär

---

[96] Berger, Geist 191; ders., Gegner 389. Im einzelnen lautet die Begründung: Pl sei ursprünglich kirchenloser Wandercharismatiker gewesen. Kennzeichen derselben sei Glossolalie. Also: „Der gegnerische Standpunkt ist der ältere des Apostels selber." (389). Der ‚kirchenlose' Pl habe anfänglich „nur das Verhältnis der einzelnen Bekehrten zur himmlischen Welt" bedacht. Erst nach den korinthischen Erfahrungen werde Pl vom Wanderapostel zum Gemeindeapostel. Diese Ausführungen sind mehrfach hypothetisch. Daß Wandercharismatiker Glossolale seien, entspricht nicht dem synoptischen Befund. Das Bild des kirchenlosen Apostels, der nur am Heil des einzelnen interessiert sei, hat an dem frühsten pl Brief und den ihn prägenden Traditionen sowie der Verankerung in der antiochenischen Gemeinde keinen Anhalt.
[97] Pfleiderer, Paulinismus 206 f. A.
[98] Bousset, Rez. Weinel 757; ders., 1.Kor 148; Gunkel, Wirkungen 60; Deissmann, Paulus 16; Reitzenstein, Mysterienreligionen 392.

etc. gewesen ist."[99] Dieser Pl bestärke die ‚pneumatischen Zeloten Korinths'[100]. Diese Sicht hat allerdings an den Texten keinen Anhalt.

Es ist gewiß nicht zu bestreiten, daß Pl auf ekstatische Erfahrungen zurückblicken kann. Das zeigt schon 2. Kor 12, 1–10 und 2. Kor 5, 13 an. Allerdings ist die hier berichtete Sache antikes Gemeingut und in keiner Weise urchristliches Spezifikum[101]. Dennoch ist zu fragen, ob die angezeigten pl Erfahrungen in irgendeiner Weise von Pl zur Förderung des Pneumatismus verwandt worden sind bzw. ob die Gemeinden dieselben in diesem Sinn interpretieren konnten. Pl läßt sich in 2. Kor 12, 1–10 deutlich widerwillig auf das gestellte Thema εἰς ὀπτασίας καὶ ἀποκαλύψεις ein, welches ihm als solches (Artikellosigkeit der Substantive, plurale Fassung) von den Gegnern vorgegeben ist[102]. Die negative Parenthese οὐ συμφέρον (V. 1) zeigt gleich an, daß Pl dem gesetzten Thema „von vorneherein jegliche Bedeutung für den Gemeindeaufbau abspricht"[103]. Gleichwohl ordnet Pl selber seine Entrückung in die Tradition der Ekstase ein. So zeigt es die Verwendung des Fachausdrucks der Mysteriensprache ἄρρητα ῥήματα (Belege bei Windisch, 2. Kor 377 f.). Ἁρπάζειν und ἐκτὸς τοῦ σώματος sind technische Begriffe des Entrückungsvorgangs. Pl unterbindet allerdings sogleich jegliche Möglichkeit, sein Widerfahrnis in irgendeiner Weise zu verobjektivieren oder als Anlaß zur Imitation zu nehmen. Pl spricht nicht wirklich von sich, sondern distanzierend von sich als von einem ἄνθρωπος ἐν Χριστῷ, V. 5 dann ὑπὲρ τοῦ τοιούτου. Pl selber will nicht anders denn als schwacher Apostel (12, 5) verstanden werden. Die in der Antike entscheidende Frage nach dem genauen Vorgang der Entrückung schiebt Pl mit Verweis auf sein Nichtwissen (12, 3) beiseite[104]. War es eine Ent-

---

[99] Saake, Pneumatologia 214; vgl. auch ders., Paulus; ders., Pneuma; ders., Minima. Saake beruft sich vielfach auf E. Benz, Paulus als Visionär. Eine vergleichende Untersuchung der Visionsberichte des Paulus in der Apostelgeschichte und in den paulinischen Briefen, 1952.

[100] Saake, Pneumatologia 223.

[101] Vgl. zu den Berichten der Apg über ‚Träume und Visionen des Paulus' den gleichnamigen Exkurs bei Weiser, Apg II 406–415; ebd. auch religionsgeschichtliches Vergleichsmaterial; daneben natürlich Bousset, Himmelsreise.

[102] Deutlich Georgi, Gegner 297; Zmijewski, Stil 330.

[103] Klauck, 2. Kor 91.

[104] Strenggenommen lehnt Pl es ab, seine Erfahrung im Licht der jüd. Entrückungstradition oder der griech. Seelenwanderung zu definieren (Furnish, 2. Cor 525). Zmijewski, Stil 345, verweist auf die von Pl angestrebte neue christologische Dimension der Entrückung oder Auferweckung zur personalen Christusgemeinschaft.
Den historischen Anhaltspunkt des Ereignisses verschweigt Pl. Schelke, Leib 459, datiert auf ca. 43 und verbindet das Ereignis mit dem Barnabasbesuch (Apg 11, 25 f.), der den Beginn des gemeinsamen Missionswerks darstellt. Von daher könnte das alte Problem, daß

rückung oder eine Seelenwanderung – Gott weiß es. Der Bericht in
2. Kor 12, 1 ff. schließt zweierlei aus:

a) Wenn Pl in einem Moment, wo ihm das Thema ὀπτασίαι καὶ ἀποκαλύψεις aufgenötigt wird, auf ein Ereignis zu sprechen kommt, welches 14 Jahre zurückliegt, ist es außerordentlich unwahrscheinlich, daß
Pl hier ein Erlebnis „aus einem umfassenden Erfahrungszusammenhang" herausgreift[105].

b) Gleichwie Pl in 2. Kor 12 widerwillig zum Thema Stellung nimmt
und inhaltlich überhaupt keine positiven Aussagen macht, so wird auch
seine Verkündigung diese Erfahrung nicht thematisiert haben, d. h. der
Gemeinde keinen Anlaß gegeben haben, seine Erfahrungen sich zu eigen zu machen. Pl trat in seiner Missionspredigt nicht als glossolaler
Ekstatiker auf[106].

Dies bestätigt die von ihrer Stellung und Abzweckung merkwürdige
Aussage in 2. Kor 5, 13. Ganz offensichtlich hat man in Korinth über
eine pl ἔκστασις gesprochen, ob negativ oder positiv sei dahingestellt.
Die pl Stellungnahme dazu bekräftigt: es handelt sich um ein akzidentielles Phänomen (ἐξέστημεν Aor), in der Regel begegnet Pl der Gemeinde rational (σωφρονοῦμεν Präs)[107]. Zugleich ist in solcher Entgegensetzung die Ekstase als negatives Phänomen charakterisiert. Im
übrigen: in Entsprechung zu 2. Kor 12 wird auch hier sogleich der Ekstase jegliche Bedeutung für die Auferbauung der Gemeinde abgesprochen. Wie in 2. Kor 12, 1–10 rückt Pl seine eigene Erfahrung ganz in die
Dimension des einmalig geschenkten Widerfahrnisses[108].

Schließlich zur These, 1. Kor 14, 18 spiegele „die Realität und pneumatische Praxis des Apostels wahrheitsgemäß", was wiederum „sein
permanentes Plädoyer für ... den glossolalischen Enthusiasmus verständlich" mache[109]. Jedoch verbietet die rhetorische Gestaltung des

---

2. Kor 12, 1–4 eine Nähe zur atl. Berufungsvision hat, aber nicht in Verbindung zu einem
Sendungsauftrag steht (so Gal 1, 15 f.), nochmals bedacht werden.

[105] So Saake, Paulus 154, der ebd. sogar aufgrund der exakten Zeitangabe die Folgerung anschließt, daß Pl sich genau über seine pneumatischen Erlebnisse Rechenschaft
gebe. Hier ist die Einzelnotiz 2. Kor 12 unzulässig verallgemeinert. Diese ist jedoch „außerordentliche Begnadigung, nicht beliebiger Alltag" (Schelkle, Leib 456).

[106] Deutlich Schmithals, Herkunft 398. Wenn Pl, wie Bousset, Himmelsreise 14, vermutet, hinsichtlich seiner Entrückung auch an diesem Punkte in seiner „rabbinischen Vergangenheit wurzelt", kann sowohl die Widerwilligkeit, auf dieses Ereignis einzugehen, als
auch der nicht hergestellte Bezug zum Geist erklärt werden.

[107] Vgl. Lattke, EWNT I 1025–1027.

[108] Man kann in 2. Kor 5, 13 in θεῷ die Ursache der Entrückung (Pfister, Ekstase 970)
oder die Richtung derselben sehen (Lietzmann, Kor 124). Letzterem entspräche die Bewertung der Glossolalie als eines ekstatischen Phänomens auf Gott hin (1. Kor 14, 2. 28);
auch BDR § 188, 2 und 479, 3.

[109] Saake, Pneumatologia 218 f. A 32.

Satzes, ihn als eine objektive Beschreibung der pl Psyche (vgl. nur
1. Kor 14, 19) auszuwerten. Mit dieser Wendung verschafft Pl sich die
Autorität, den Glossolalen als ‚Hyper-Glossolaler‘ gegenübertreten zu
können. In 1. Kor 14, 5 hat Pl in deutlicher Anspielung auf die endzeitliche Erwartung der allgemeinen Geistbegabung zur Prophetie (Num
11, 29)[110] ihre Erfüllung in der korinthischen Gemeinde ausgesprochen.
Diese aber richtet ihre Erwartung auf Glossolalie, nicht auf Prophetie.
Also bekräftigt Pl in 14, 18, daß für seine Person diese endzeitliche Erwartung über die Maßen in Erfüllung gegangen ist. Dennoch versagt Pl
es sich, die Erfüllung der Verheißung an seiner Person in der Gemeindeversammlung durch glossolale Rede zu demonstrieren (14, 19). Vielmehr beschränkt Pl Glossolalie als Gebet für sich und die Gemeinde
weitgehend auf den privaten Bereich (14, 2. 28), in der Gemeinde hat es
nur als übersetzte Rede Daseinsberechtigung[111]. Gegen eine unkritisch
objektivierende Auswertung von 14, 18 hat Stendahl trefflich eingewandt: „Wir wissen, daß Paulus die ärgerliche Neigung hat zu behaupten, daß er selbst in allem der Größte sei.“[112] Man vergleiche ähnliche
Selbstaussagen Pauli in 1. Kor 15, 9. 10; 2. Kor 11, 23; Phil 3, 4; Gal 1, 14.

Die Tatsache, daß Pl seine eigenen ekstatischen Erfahrungen nur widerwillig preisgibt und ihnen keine Bedeutung für den Gemeindeaufbau beimißt, macht es unmöglich, den korinthischen Enthusiasmus als
überzogene Nachahmung des pl Vorbildes zu verstehen.

Hyperpaulinisch ist ein Teil der Gemeinde, weil er bestimmte Aussagen der pl Verkündigung, die der 1. Thess so noch nicht beinhaltete, die
aber aus dem 1. Kor als Bestand der pl Gründungspredigt in Korinth
erschlossen werden können, enthusiastisch radikalisiert.

So hat Conzelmann mehrfach vermutet, die pl Zusammenfassung des
Credos (1. Kor 15, 3–5) sei in Korinth im Sinne einer einseitigen Erhöhungschristologie interpretiert worden, die den Tod quasi annulliere
und in der Ekstase im Geist am Erhöhten Anteil habe[113]. Dies ist in der
Tendenz sicher richtig. Allerdings wäre bei einer völligen Ausschaltung
des Todes Jesu unverständlich, wie gerade im Umfeld Korinths die

---

[110] Num 11, 29 LXX: … καὶ τίς δῴη πάντα τὸν λαὸν κυρίου προφήτας,
ὅταν δῷ κύριος τὸ πνεῦμα αὐτοῦ ἐπ᾽ αὐτούς;
zum Zusammenhang: Dautzenberg, Prophetie 228 und A 6.

[111] Der Gegensatz πέντε … μυρίους legt für Pl nahe, daß er glossolale Rede am lieb-
sten ganz aus der Gemeindeversammlung ausschlösse.

[112] Stendahl, Jude 117; zu diesem Dominanzmotiv auch Theißen, Aspekte 299.

[113] Conzelmann, Überlieferungsproblem 150; ders., 1. Kor 30 f. Dagegen hat Sandelin,
Auseinandersetzung 150, gemeint, die korinthischen Gegner hielten an allen Behauptungen des Credos fest, interpretierten es aber im Sinne der alexandrinischen Weisheitstradi-
tion (Sap 2, 10–3, 9), in deren Mitte das Bild des getöteten Gerechten und Weisen stehe,
dessen Seele in den Himmel aufgenommen sei. Das ist freilich eine Vermutung, die aus
der Korintherkorrespondenz nicht hervorgeht.

Taufe als mysterienhafter Nachvollzug des Todes und Auferstehens Jesu Christi interpretiert werden konnte.

Es wird nicht möglich sein, den Enthusiasmus als ausschließliche Radikalisierung des Credos zu begreifen. Er knüpft an mehrere Motive der pl Verkündigung unterschiedlich stark an, was für die Pneumatologie jetzt zu explizieren ist:

- zur pl Verkündigung in Korinth zählte das Einwohnungs- und Tempelmotiv (1. Kor 3, 16; 6, 19). Diese Zusage der Einwohnung des Geistes ist in Korinth, wie es griech.- und jüd.-hell. Tradition entspricht, naturhaft-magisch interpretiert worden, insofern die Einwohnung des Geistes gerade in Distanz zum σῶμα stellt[114].
- die überkommene judenchristliche Tauftradition 1. Kor 6, 11, die effektive Gerechtmachung dem Täufling zusagt, scheint gleichfalls magisch-naturhaft ausgelegt worden zu sein. Pl kontrastiert sie in 1. Kor 6, 9–11 mit den Einlaßbedingungen der noch ausstehenden βασιλεία und mit einem Lasterkatalog.
- die Erinnerung an die Wüstengeneration in 1. Kor 10, 1 ff. setzt gleichfalls in der Gemeinde ein magisch-naturhaftes Heilsverständnis voraus, welches mit pneumatischer Speise und Trank unlöslich verbunden ist[115].

Schon diese wenigen Beispiele machen die magische Interpretation der pl Verkündigung in der Gemeindetheologie wahrscheinlich. Diese Vereinseitigung war möglich, weil das frühpl Evangelium als Befreiungs- und Erlösungsbotschaft effektiven Charakter hatte und nicht in deutlicher Abgrenzung zur magischen Interpretation stand. Was Pl in 1. Kor 6, 11 als Judenchrist sagte, konnte ein Heidenchrist nicht nur in Nuancen anders interpretieren. In welche Nähe zum Enthusiasmus kann das ὑμεῖς δὲ Χριστοῦ, Χριστὸς δὲ θεοῦ (1. Kor 3, 23) oder die Zusage der καινὴ κτίσις (2. Kor 5, 17) führen, wenn nicht zugleich antithetisch festgehalten wird, was damit nicht gemeint ist.

Allerdings können die drei prägnanten Felder korinthischer Pneumatologie ‚Glossolalie, Taufverständnis, Pneumatiker–Psychiker' nicht als enthusiastische Radikalisierungen pl Theologie begriffen werden, da für sie kein oder nur ein geringer Anhalt in der pl Verkündigung und dem pl Auftreten gegeben war.

---

[114] Wilson, Gnosis 50 f.: „Die allein vom Geist regierten Christen (1. Kor 3, 16 ...) sehen den gnostischen πνευματικοί ähnlich."

[115] Stuhlmacher, Bedeutung 145, stellt Pl im Anschluß an Conzelmanns Überlegungen zur Pl-Schule und der dort vermittelten Weisheit als Weisheitslehrer vor. Für Pl bedeute dies allerdings das „Mißgeschick, daß die Korinther aus der Lehre des Apostels ihre eigene hochfahrende Weisheit ... entwickelt haben ...".

Pl begrenzt die Glossolalie streng auf das private Gebet und mißt ihr keine gemeindeauferbauende Funktion bei. Pl hat in Korinth kaum getauft, gibt aber zu erkennen, daß die Gruppenbildung mit der Taufpraxis nach seiner Abreise unlöslich in Verbindung steht. Pl liegt sowohl ein anthropologischer Dualismus zwischen πνεῦμα und ψυχή fern, ebenso meidet er die Selbstbezeichnung πνευματικοί.

Auch nach der Korintherkorrespondenz finden sich in den pl Briefen keine Ausführungen, die einen Enthusiasmus begründen oder verstärken könnten. Daß die Charismenliste in Röm 12,3 ff. weitaus direkter als die Listen in 1. Kor 12 antienthusiastisch konzipiert ist, wird noch gezeigt werden (6.5.2). Und die Einzelmahnung in Röm 12,11 ‚τῷ πνεύματι ζέοντες' bedient sich zwar der urchristlichen Terminologie zur Beschreibung des Pneumatikertums (vgl. Apg 18,25), sie schließt aber hier eine Reihe von Einzelmahnungen ab, deren gemeinsamer Nenner die Forderung der Nächstenliebe ist. Röm 12,11 steht insofern der Stellung von 1. Kor 13 im Kontext der Geistesgaben sowie der Reihe in Gal 5,22 nicht fern.

Dies alles läßt nach zusätzlichen Faktoren fragen.

6.4.4.2.2 Apollos und die jüdisch-hellenistische Tradition

Einige Bedeutung für die Entwicklung der korinthischen Gemeinde nach Pauli Abreise ist der Wirksamkeit des Apollos beizumessen (1. Kor 1,12; 3,4–6.22; 4,6; 16,12; außerdem Apg 18,24–19,7). Apollos kam, anders als Apg 18,27 f. nahelegt, nach Pl von Ephesus nach Korinth (1. Kor 1,12; 3,4–6; 16,12)[116]. Zur Zeit des 1. Kor treffen sich Pl und Apollos in Ephesus (16,12). Apollos kam als christlicher Missionar nach Korinth, sein Missionserfolg spiegelt sich im Anwachsen der Gemeinde (1. Kor 3,4–6), in der nach ihm sich nennenden Anhängerschaft (1. Kor 1,12), in der aus der Gemeinde kommenden Bitte eines erneuten Besuches (1. Kor 16,12)[117].

Nun sind zwei Fragen zu unterscheiden: a) welche Gestalt hatte die Verkündigung und das Auftreten des Apollos in Korinth? b) welche Gestalt fand sein Impetus in der Gemeinde, vor allem in der sich nach ihm nennenden Gruppe?[118]

---

[116] Die lk Redaktion steht unter der Zielsetzung, Apollos der von Jerusalem ausgehenden Kirche einzugliedern (ausführlich Weiser, Apg II 505–509). Daher muß Pl vor Apollos in Ephesus sein, um ihm dort zu begegnen. Dennoch wird hinter Apg 18,24–28 ein Traditionsstück über ein vorpl Christentum in Ephesus zu vermuten sein (Weiser, Apg II 505; Ollrog, Paulus, 39; Lüdemann, Christentum 216 f.).

[117] Wir setzen hinsichtlich der Person des Apollos, seiner Herkunft und Theologie den Forschungsstand voraus, den Weiser, Apg II 505–509, wiedergibt; außerdem H. Merkel, EWNT I 328 f.; Ollrog, Paulus 37–41.

[118] Die Differenz zwischen Apollos und der sich nach ihm nennenden Gruppe wird nicht immer scharf genug gesehen. Doch ist zu beachten: Pl wendet sich nicht direkt gegen Apollos, wohl aber gegen das mit seiner Person eng verbundene Parteienwesen.

a) Apg 18,24 f. bietet teilweise trad. Angaben über Apollos, die Lk nicht ganz spannungsfrei dem Kontext einpaßt[119]. Hiernach ist Apollos Ἰουδαῖος. Es ist unwahrscheinlich, daß Apollos als jüdischer Missionar nach Europa kam, Ἰουδαῖος bezeichnet in ntl. Zeit auch Judenchristen (Apg 10,28; 18,2). Apollos ist Alexandriner. Der Zusatz von D in V. 25, er sei christlich erzogen worden, will etwas über die älteste Zeit des Christentums in Ägypten wissen[120]. Als ἀνὴρ λόγιος (Hapaxl.) ist er gelehrt, δυνατὸς ὢν ἐν ταῖς γραφαῖς, schriftkundig in den atl. Schriften. Letztere Wendung gibt möglicherweise eine trad. Auskunft zwischen zwei red. Aussagen wieder[121]. Apollos ist ζέων τῷ πνεύματι, er erfüllt ein urchristliches Ideal (vgl. Röm 12,11). Diese Personalnotiz, möglicherweise aus der ephesinischen Gemeinde, die Apollos ja auch mit einem Empfehlungsschreiben ausstattet, rühmt ihn als redegewandten und schriftkundigen Pneumatiker.

b) Im Auftreten des Apollos in Korinth liegt ein Anlaß zur Parteienbildung. Seine Taufpraxis stellt die Konvertiten in ein besonderes Verhältnis zu ihm als Mystagogen und verleitet sie und die Erstbekehrten, ihre Zugehörigkeit zu ihm oder zu Pl in Formeln (1,12) zum Ausdruck zu bringen[122]. Wenn das Auftreten des Apollos auch nur ungefähr dem entspricht, was die Personalnotiz in Apg 18,24 f. festhält, kann man vermuten, daß seiner Mission nicht nur größerer Erfolg als der pl beschieden war, sondern auch einen Vergleich mit Pl und daraus folgende Verehrung des Apollos mit sich brachte. In 1. Kor 3,1 begibt Pl sich ja selber auf diese Vergleichsebene und nimmt Stellung zu der intellektuell dürftigen Gestalt seiner Anfangspredigt. 1. Kor 4,6 kann andeuten, daß der Enthusiasmus an der Person des Apollos haftet, denn seine Anhänger blähen sich für ihn und gegen Pl auf[123]. Diese Verehrer werden es zugleich insonderheit sein, die brieflich Apollos zu einem Besuch in Korinth bewegen wollen (1. Kor 16,12).

Es ist nun sehr auffällig, daß Lk Apollos an der Stelle herabsetzen will, die ihm in Korinth nach Auskunft des 1. Kor mit zum Erfolg verhalf. In deutlich red. Formulierung und in Anspielung auf Apg 19,1 ff. unterstellt Lk in Apg 18,25 a, Apollos kenne noch nicht die christliche

---

Aus dieser Konstellation ist verständlich, daß Pl Apollos bittet, einen Besuch in Korinth abzustatten, um eventuell „auf die Parteiungen günstig einzuwirken" (Weiß, 1. Kor 385).

[119] Ausführlich Ollrog, Paulus 39; Weiser, Apg II 509.

[120] Dazu Bauer, Rechtgläubigkeit 51, und Lüdemann, Christentum 217.

[121] Ausführlich Ollrog, Paulus 39.

[122] Der Gegensatz zu Pl rührt also aus der Zeit nach der Abreise des Apollos und ist verbunden mit Christen, die sich in Sonderheit Apollos verpflichtet wissen (Bousset, 1. Kor 78 f.). Schreiber, Gemeinde 126, sieht in „der Anhängerschaft des Apollos zunächst nur ein Potential zukünftiger Konflikte."

[123] Zur Wendung εἷς ὑπὲρ τοῦ ἑνὸς ... κατὰ τοῦ ἑτέρου: Bauer, WB 1658: „jeder einzelne wegen des einzelnen gegen den anderen".

Taufe[124]. Nach 1.Kor 1,12–17 aber hat die Taufpraxis in Verbindung mit der überragenden Person eines Täufers (1,13) erst nach Pl den entscheidenden Durchbruch in Korinth erfahren. Die Spaltungen in der Gemeinde haften an dieser Taufpraxis und lassen sich im Kern auf Apollos– und Paulusgefolgschaft reduzieren (3,4). Wenn im unmittelbaren Anschluß an letztere Aussage Pl seine und des Apollos' Tätigkeit mit dem Bild ‚ἐγὼ ἐφύτευσα, Ἀπολλῶς ἐπότισεν' vergleicht (3,6–8), legt sich der Schluß nahe, daß nicht Kephas oder Pl, sondern allein Apollos mit der Dominanz der Tauftheologie in Korinth unmittelbar zu verbinden ist[125].

Seitdem die jüd.-hell. Wurzeln des Enthusiasmus im Gegenschlag zur gnostischen Ableitung betont werden, findet auch die bereits in älterer Forschung begegnende Hypothese, Apollos zum Vermittler jüd.-hell. Denkens, eventuell philonischer Philosophie an die heidenchristliche Gemeinde zu machen, wieder Befürworter. Allerdings sind unsere Kenntnisse über Apollos zu gering, um die Bürde dieser Hypothese zu tragen. Schriftgelehrtheit und Geistbegabtheit wird auch für Stephanus und Paulus behauptet. So bleibt die alexandrinische Herkunft und mit ihr der Verweis auf Alexandria als Sitz des damaligen hell. Judentums. Inwieweit aber Apollos Kenntnis der Schriften Philos, JosAs, SapSal u. a. erhalten und vor seiner Ankunft in Ephesus bereits christlich verarbeitet hat, bleibt dunkel[126]. Will man es im nachhinein aus pl Reaktionen auf korinthische Aussagen herausdestillieren, steht man methodologisch an der gleichen unsicheren Stelle wie seinerzeit diejenigen Exegeten, die den Nachweis gnostischer Gegnerschaft in Korinth zu erbringen suchten.

Der Einfluß jüd.-hell. Traditionen als begründender Faktor zur Entstehung des Enthusiasmus ist nicht auf Apollos als Vermittler zu begrenzen. Ab der Korintherkorrespondenz begegnet er gleichfalls verstärkt und in Aussageeinheiten verfestigt (1.Kor 10.13; 2.Kor 3 u. a.) bei Pl. Man kann daher allgemein ein stärkeres Eindringen jüd.-hell.

---

[124] Zur Auswertung des Verhältnisses von 19,1–7 zu 18,24–28: Lüdemann, Christentum 218 f.

[125] Gelegentlich wird Apollos wegen Apg 18,25 zur jüdischen Täuferbewegung gezählt (Roloff, Apg 278 f.). Jedoch ist die Erwähnung der ausschließlichen Kenntnis der Johannestaufe eine red. Notiz (vgl. 19,3), mit der Lk beide Perikopen verbindet, um den Gegensatz zur jerusalemisch/paulinischen Mission darzustellen. Mit 18,25 wertet Lk Apollos gegenüber Pl ab, und zwar in der Frage (Taufe), die vermutlich mit der Gegnerschaft der Apollosjünger in Korinth zu Pl unlöslich zusammenhängt; ausführlich zur lk Redaktion, aber auch zur Tauftätigkeit des Apollos in Korinth, welche eine mysterienhafte Verbindung von Täufer und Täufling begünstigte: Wolter, Apollos 66 u. ö.

[126] Vgl. die Überlegungen von B.A.Pearson, Christians and Jews in First-Century Alexandria, in: Christians among Jews and Gentiles, FS K.Stendahl, ed. G.W.Nickelsburg with G.W.MacRae 1986, 206–216.

Trad. durch judenchristliche Vermittlung in die heidenchristliche Kirche vermuten, kann aber ebensogut auch annehmen, daß in Ephesus, dem vermuteten Ort einer ‚urchristlichen Schule‘, die heidenchristliche Mission auf dem Hintergrund der jüd.-hell. Tradition und ihrer primären judenchristlichen Form reflektorische Gestalt gewann[127]. Hier lagen Voraussetzungen der enthusiastischen Interpretation der Geistesgabe und der Christuszugehörigkeit bereit.

So zeigt es beispielsweise die Ausformung der Präexistenzchristologie, deren Wurzeln zweifelsfrei im hell. Judentum, speziell in parallelen Aussagen über Präexistenz und Schöpfungsmittlerschaft der Weisheit liegen. Pl setzt in 1. Kor 8,6 eine Bekenntnisformel voraus, die den Kyrios Jesus als Schöpfungsmittler und – hierauf liegt der Akzent – als Erlöser preist (vgl. zur Sophia: Sap 7,12; 9,9; Sir 1,4-9; 24,3.9; Bar 3,9-4,4; zum Logos: Philo, Sacr 8)[128]. Nun ist die Vermutung abwegig, die Formel sei in Korinth entstanden oder von Pl hier ad hoc entworfen. Pl tradiert eine Tradition, die auch andernorts Parallelen in urchristlichen Schriften hinterlassen hat (Joh 1,3; Kol 1,15-17; Hebr 1,2), deren Tradenten dem hell. Judenchristentum verpflichtet sind. Beachtenswert ist aber, daß in der Korintherkorrespondenz der Themenkreis ‚Präexistenz Christi‘ mehrfach begegnet (1. Kor 10,4; 15,44-46; 2. Kor 3)[129]. Auch die Rezeption dieser Tradition wird zur Begründung des pneumatischen Enthusiasmus beigetragen haben. Denn das Motiv der Übertragung der Präexistenzvorstellung auf Christus liegt nicht in dessen Schöpfungsmittlerschaft, sondern in seiner Funktion als Erlöser. Es stehen sich in 1. Kor 8,6b alte Schöpfung (ἐξ οὗ τὰ πάντα) und Neuschöpfung (καὶ ἡμεῖς δι᾽ αὐτοῦ) gegenüber. Inmitten der alten Welt repräsentiert die Gemeinde den Raum der Herrschaft Christi[130]. Dieser Gedanke ist im Ansatz enthusiastisch.

---

[127] Die Konturen der ‚Paulus-Schule‘ sind seit den ersten Erwägungen von Conzelmann (Paulus und die Weisheit 179; 1. Kor 21 f.; Schule des Paulus) nicht präziser geworden; wohl aber findet sich Zustimmung: Berger, Exegese 233 f.; Jeske, Rock 255; Jewett, Redaction u. a. Der Begriff der ‚Schule‘ wird hier noch völlig offen verwendet. Nimmt man eine Schule in Ephesus z. Z. des 1. Kor an, wäre zugleich zu bedenken: a) Diese Schule wäre in einer nicht von Pl gegründeten Gemeinde ansässig; b) in Ephesus lebt auch Apollos, ein freier Missionar, der aber zu Pl in Kontakt steht (1. Kor 16,12); c) die johanneische Schule wird mit guten Gründen in ihren Anfängen gleichfalls in Ephesus vermutet (Strecker, Anfänge 38 f.); d) auch Apok 1,11; 2,1 und die lk Miletrede (Apg 20,17 ff.) räumen Ephesus einer Sonderstellung ein.
Es ist also zu bedenken, daß mehrere urchristliche Ströme Ephesus durchfließen und auch ein starkes judenchristliches Element vermitteln. In diesem Strom steht Pl kaum als Fels in der Brandung, sondern partizipiert an der hier stattfindenden Theologiebildung.
[128] Ausführlich zur Formel und dem religionsgeschichtlichen Hintergrund: Horsley, Background; Schimanowski, Weisheit 317-320; Schmithals, Neues Testament und Gnosis 57-63.
[129] Dazu Hegermann, EWNT III 623; Horsley, Pneumatikos 285 A 34; Sandelin, Auseinandersetzung 149.
[130] Conzelmann, 1. Kor 172, betont den Zielpunkt der Neuschöpfung und stellt fest, daß diese Formel „vorzüglich zur korinthischen Christologie" passe.

Gegenüber der Betonung des jüd.-hell. Einflusses auf den pneumatischen Enthusiasmus bleibt jedoch einschränkend festzuhalten, daß nicht nur hier, sondern im gesamten NT, anders als im hell. Judentum, von einer kosmologischen Wirksamkeit des Geistes keine Rede ist. Dies ist umso auffälliger, als im alexandrinischen Judentum unter stoischem Einfluß die universale kosmische Gegenwart des Geistes gelehrt wurde. Hingegen behält das NT die universalen Aussagen dem christologischen Bekenntnis vor (1. Kor 8,6; Kol 1,15–20; Joh 1,1–18; Hebr 1,2 f. u. a.)[131].

Aus den untersuchten drei Feldern korinthischer Theologie weist am ehesten der Gegensatz πνευματικός-ψυχικός ins hell. Judentum, insofern Spekulationen um die Urmenschlehre auch in der späteren Gnosis mit dem biblischen Schöpfungsbericht verknüpft sind. Glossolalie und Tauftheologie hingegen stehen in größerer Nähe zu hell. Frömmigkeit. Die Entstehung des pneumatischen Enthusiasmus ist nur aus dem Zusammenwirken mehrerer Faktoren zu begreifen. Als Rahmen ist der Einfluß des hell. Denkens, wie er faktisch mit der vorchristlichen Zeit der Gemeinde gegeben ist, konstitutiv. Dieser Hintergrund stellt das Verständnisraster für die pl Verkündigung dar. Zusätzlich wird die Entstehung des pneumatischen Enthusiasmus durch hell.-judenchristlichen Einfluß, dem seinerseits enthusiastische Frömmigkeit nicht fremd war, begünstigt.

6.5 Die Stellung des Paulus zum pneumatischen Enthusiasmus

Pl wurde durch die Erfahrung des pneumatischen Enthusiasmus zur Präzisierung seiner eigenen pneumatologischen Aussagen gedrängt. Sie findet sich primär in der Korintherkorrespondenz, ihr Ertrag hingegen in den Spätbriefen. Die Darlegung der ‚pl Hermeneutik‘ (1. Kor 2,6–16), der Charismenlehre (1. Kor 12,4–6.28; Röm 12,6–8), der Zuordnung von Glossolalie und Prophetie (1. Kor 14), der σῶμα Χριστοῦ-Vorstellung (1. Kor 12), schließlich der übergreifenden Interpretation des Geistes als ‚Angeld‘ (2. Kor 1,22; 5,5; Röm 8,23), all dies ist neben weiteren Aspekten nur verständlich als Reflex auf den pneumatischen

---

131 Ausführlich hierzu: Chevallier, Silence. Weiß, Untersuchungen 211–215, zeigt, daß auch das AT und das pal. Judentum keine ausgeprägte Vorstellung vom Geist als eines kosmischen Prinzips kennen (Ps 104,29 f.; Hiob 33,4; Jud 16,14; syrBar 21,4), ja die Targumim nie Gen 1,2 auf die Vorstellung des Geistes als eines kosmischen Prinzips hin interpretieren. Erst im hell. Judentum (Sap 1,7; 7,23; 12,1) finden sich Belege für ‚Geist als Schöpfungsmittler oder als kosmisches Prinzip‘. Sie sind jedoch vom stoischen Einfluß, nicht von jüd. Voraussetzungen her verständlich.

Enthusiasmus. In dieser Präzisierung begegnen Argumentationsgänge, die gegenüber der frühpl Pneumatologie neu sind. Dennoch kann gezeigt werden, daß Pl sich in seiner Stellung zum pneumatischen Enthusiasmus auch leiten läßt von den Intentionen, die seine frühe Verkündigung bestimmen[1].

Andererseits entspricht es nicht der sich im Briefeingang bekundenden dankbaren Einstellung des Apostels zur Gemeinde, wenn seine Antwort grundsätzlich gegnerschaftlich dargestellt wird. Es wird im einzelnen zu prüfen sein, wo Pl sich der aufgezeigten Gemeindetheologie und den in ihr wirksamen Kräften verschließt oder anschließt[2]. Daß diese Frage für ihn selber nicht von vornherein grundsätzlich beantwortet ist, zeigt etwa seine eigene Ambivalenz im Verhältnis zu Apollos: wiewohl Pl und Apollos beide συνεργοί sind (1. Kor 3,9) und beide der Gemeinde gegeben sind (1. Kor 4,21), pocht Pl doch zugleich auf seine geistliche Vaterschaft der Gemeinde gegenüber (4,14–21), um zugleich andere Einflüsse auszuschließen.

Die antienthusiastische Reaktion des Pl ist hier nicht in ihrer Gänze darzustellen, sondern nur insoweit, als sie sich auf das Verständnis des Geistes bezieht.

6.5.1 Die ‚pneumatische Erkenntnistheorie‘ (1. Kor 1,18–3,4)

Pl begegnet dem pneumatischen Enthusiasmus zunächst, indem er seinen Auftrag der Evangeliumsverkündigung antithetisch als Wort vom Kreuz im Gegenüber zu Weisheitsrede präzisiert (1,17). Er argumentiert in dem ersten Großabschnitt 1,18–3,4 also vom Zentrum des

---

[1] Daß die korinthischen Erfahrungen hinsichtlich der pneumatologischen Aussagen einen Einschnitt darstellen, haben Kuss, Röm 553; Schürmann, Gnadengaben 255; Deissner, Paulus 136; Niederwimmer, Problem 92; Roloff, Amt 519 f., u. a. gesehen. Betz, Geist 92, fragt, ob nicht Modifikationen der gesamten pl Theologie festzustellen sind. Einzig Saake, Pneuma 399, bestreitet jegliche Differenz zwischen Pl und korinthischer Gemeinde in pneumatologischen Fragen (mit Verweis auf Leisegang, Pneuma 120 ff.). Käsemann, Schrei 216, sieht die pl Entgegnung auf den Enthusiasmus von „den Mitteln seines judenchristlichen Erbes bestimmt.“ So sehr dem in Hinblick auf den eschatologischen Vorbehalt und die Inkraftsetzung der Ethik zuzustimmen ist, kann die pl Theologie doch nicht einfach „als retardierendes, ja reaktionäres Stadium der Entwicklung“ bezeichnet werden, welche „zutiefst im Zeichen der Apokalyptik“ stehe (ders., Thema 126). Es ist am wahrscheinlichsten, daß diese Antwort auf den pneumatischen Enthusiasmus in Ephesus Gestalt fand (1. Kor 16,8). Hier erreichten Pl die Fragebriefe, wohl auch mündliche Nachrichten. Vor allem sind wohl in Ephesus die Anfänge einer Pl-Schule zu suchen, zugleich war der Kontakt mit anderen Missionaren gegeben (1. Kor 16,12). Dies bedeutet: die pl Reaktion erwuchs in diesem Rahmen urchristlicher Theologiebildung.

[2] Klauck, Herrenmahl 237: „Ihn im Abwehrkampf sich erschöpfen zu lassen, ist zu einfach. Rezeption, Assimilation, Einschmelzen dessen, was ihm brauchbar schien (1. Thess 5,21), das sind Verhaltensweisen, die wir ihm zutrauen dürfen.“ Vgl. auch Kuss, Paulus 322; Luz, Geschichtsverständnis 384–386.

Glaubens her, während 3,5–4,21 den Kristallisationspunkt für die Entstehung des Enthusiasmus, die Verabsolutierung von Personen und deren Auftreten (zuvor bereits 1,10–16) erörtern.

Pl tritt hier aber vornehmlich denjenigen gegenüber, die sich πνευματιϰοί nennen, die Geistbesitz für sich reklamieren (7,40), die mit solcher Gabe fähig zur Himmelssprache sind und Einblick in die himmlischen μυστήρια haben (14,2). Will seine Botschaft vom Kreuz Gehör finden, so muß sie denjenigen, die sich im Besitz himmlischer Geheimnisse wissen, entgegentreten können, indem sie die anerkannte Autorität und das Mittel der Erkenntnis, den Geistbesitz, in Frage stellt bzw. erörtert. Eben dies leistet 1,18–3,4, der Abschnitt kann daher als pl ‚pneumatische Erkenntnistheorie' verstanden werden[3].

Nun sind die exegetischen Probleme in diesem Abschnitt vielfältig und hier nicht alle zu diskutieren. Wir beschränken uns im wesentlichen auf die Fragen, wie die Kreuzespredigt in Geltung gesetzt wird und welche Rolle dem als von J. Weiß als ‚Einlage' charakterisierten Abschnitt 2,6–16 zukommt[4].

6.5.1.1 Struktur und Gattung des Textes

Zur Struktur von 1,18–3,4:

Grundsätzlich fällt ein Dreischritt in der Argumentation auf.

1,18–2,5	Das Wort vom Kreuz und die Weisheit der Welt
2,6–16	Die Weisheit Gottes unter den Vollkommenen
3,1–17	Bekämpfung des Parteienwesens

Die triadische Zuordnung bestimmt gleichfalls die Unterteile:

1,18–25	Das Wort vom Kreuz
1,26–31	Die Erwählung des Niedrigen
2,1–5	Die Verkündigung in Schwachheit
2,6–9	Die Weisheit Gottes
2,10–12	Die Offenbarung der Weisheit
2,13–16	Die Verkündigung der Weisheit

Darüber hinaus legt sich der letzte Teil der ersten Trias (2,1–5) und die Fortsetzung ab 3,1ff. thematisch (die Verkündiger) eng um 2,6–16. Die triadische Struktur bestimmt schließlich wiederum jeden Unterabschnitt von 2,6–16.

---

[3] Der Begriff ‚Erkenntnistheorie' (so zu 1.Kor 2 auch Stuhlmacher, Bedeutung 150; Sellin, Geheimnis 73) ist freilich nicht auf philosophischer Ebene gebraucht. Er folgt hier der Intention des Abschnittes, nämlich den Inhalt der Verkündigung (2,6–9), seine Begründung (2,10–12) und seine Sprachform (2,14–16) darzulegen.

[4] Das Gespräch mit der Literatur kann hier nicht in extenso geführt werden. Vgl. aus der neueren Literatur: Wilckens, 1.Kor 2,1–16 (in Abkehr von ders., Weisheit); Lührmann, Offenbarungsverständnis; Weder, Kreuz; Theißen, Aspekte 341ff.; Baumann, Mitte; Sellin, Geheimnis; Davis, Wisdom; J.Reiling, Wisdom and Spirit. An Exegesis of 1.Corinthians 2,6–16, in: Text and Testimony, FS A.F.J.Klijn, ed. by T.Baarda u.a., 1988, 200–211.

Allein das ‚Schriftzitat' (2,9) ist ein überschießendes Glied und trägt von daher besonderes Gewicht[5].

Rhetorisch ist die Darlegung in 1,18-2,16 durchgehend durch Antithese und Klimax bestimmt. Diese rhetorische Gestaltung verbindet sich mit dem inhaltlichen Aspekt, das Paradoxon des Christusgeschehens zwischen σταυρός und δύναμις bzw. σοφία (1,18.24) zu wahren und sie auf zwei verschiedenen Ebenen auf ἀπολλύμενοι bzw. σῳζόμενοι (1,18) zu beziehen. In solcher Bezugnahme liegt allerdings die crux interpretum des Abschnittes. Für einen Teil der Forschung betreibt Pl eine dualistische Verklammerung in der Ablehnung von Weisheitsrede und Darlegung von Weisheitstheologie, andere sehen von 3,1-4 her 2,6-16 als grundsätzliche Überbietung der Kreuzespredigt.

Wir möchten zeigen, daß Pl strikt σοφία ἀνθρώπων von σοφία θεοῦ unterscheidet und sich in diesem Abschnitt dagegen wehrt, beides in solcher Weise zu vermischen, daß der σοφία θεοῦ zugleich Form und Inhalte der σοφία ἀνθρώπων zukommen. Der Ausgangspunkt der pl Argumentation ist in der drohenden Gefahr gegeben, daß das heilsame, soteriologische Wort vom Kreuz entleert wird (1,17), und zwar durch menschliche Weisheitsrede[6]. Dies und die polemische Antithese gegen σοφία ἀνθρώπων (2,5) setzen voraus, daß letztere in der Gemeinde in hohem Ansehen stand. Indem Pl aber solche σοφία, die zunächst nicht von ihrem Inhalt her in Blick kommt (1,17; 2,1-5), als Versuch der Selbsterlösung bezeichnet, da σωτηρία allein in der δύναμις θεοῦ gründen kann (1,18; 2,5), muß ihre Hochschätzung zur eschatologischen Verwerfung führen (ἀπολλύμενοι 1,18). Das rettende Wort vom Kreuz schließt σοφία menschlicher Ab-

---

[5] Zur rhetorischen Gestaltung: Weiß, 1.Kor 24 und 52; ders., Beiträge zur paulinischen Rhetorik, in: FS B.Weiß, 1897, 165-247. Bünker, Briefformular 54, gliedert (mit Fragezeichen) in 1,18-2,16 (narratio); 3,1-17 (probatio); 3,18-23 (peroratio). Er gesteht aber zu, daß 2,6-16 ,in sich geschlossen' sei (55). Davis, Wisdom 142, erkennt in 1,18-3,20 die Form einer Homilie und gliedert nach inhaltlichen Gesichtspunkten in 1,18-2,5 und 2,6-3,20. H.v.Lips, Weisheitliche Traditionen im Neuen Testament, WMANT 64, 1990, 326f., unterwirft Bünkers Gliederung einer Kritik, um seinerseits einen mehrfachen Wechsel von narratio (1,10-17; 2,1-5; 3,1-4) und argumentatio (1,18-31; 2,6-16) als Zuordnung vorzuschlagen.

[6] Eine Trennung von Sprachform und Inhalt ist gewiß problematisch. Dennoch kann von der Angabe ἐν σοφία λόγου (1,17; vgl. auch 2,4) noch nicht ein „Syndrom von christologischen, anthropologischen und kosmologischen Denkweisen" erschlossen werden (Weder, Kreuz 136). Gegen eine ausgebildete Mythologie in der korinthischen Gemeinde spricht doch die Charakterisierung der σοφία als ἀνθρώπων (1,25; 2,5). Die These einer in Korinth vertretenen Identifikation der σοφία mit Christus hat Wilckens zurückgenommen (ders., 1.Kor 2,1-16, 501 A 1). Es ist ja Pl selbst, der den Begriff σοφία in den christologischen Sprachbereich einführt (1,30; 2,6), der in 1.Kor 8,6 im Christuszeugnis sich dem Motivbereich der σοφία-Spekulation verpflichtet weiß. Daher ist Wilckens, 1.Kor 2,1-16, 520, zuzustimmen: „Es ist ein methodisches πρῶτον ψεῦδος, in 1.Kor 2,6-16 eine polemische Aufnahme korinthischer pneumatischer Weisheitslehre zu sehen, statt, wie der Text klar und eindeutig lautet, die Entfaltung der Gegenthese des Paulus gegen die Menschen- und Weltweisheit der Korinther."

kunft und menschlicher Ansprüche a limine aus. Dies belegen 1,18–2,5 in drei Argumentationsgängen.

a) Die σοφία τῶν σοφῶν ist, wie Pl mit dem Schriftzitat begründet, im Christusereignis verworfen worden, die atl. Verheißung (1,19) hat sich erfüllt. Gott hat sich in einem auf die Geschichte bezogenen Ratschluß (εὐδόκησεν ὁ θεός 1,21) an den λόγος τοῦ σταυροῦ als Mittel der σωτηρία gebunden. Mag dies auch als σκάνδαλον und μωρία bewertet werden, hierin wird die δύναμις θεοῦ erfahren, eine andere Gestalt der σοφία sub contrario als σοφία θεοῦ erkannt. Daß sie wiederum σοφώτερον καὶ ἰσχυρότερον als die σοφία ἀνθρώπων ist, bekräftigt und bestätigt die geschichtliche Erfahrung der Glaubenden.

b) Die ἐκλογή (1,27f.), die Verwirklichung des εὐδόκησεν ὁ θεός (1,21), traf τὰ μωρὰ τοῦ κόσμου, um (ἵνα V.27f.31) die Weisen zu beschämen. Der Ruhm kann sich jetzt nur noch auf Christus beziehen, der, wie Pl mit der Tauftradition und in Aufnahme von 1,25 festhält (1,30), σοφία ἡμῖν ἀπὸ θεοῦ ist.

c) Auch die geschichtliche Konkretion dieser ἐκλογή in der Gestalt der Verkündigung des Gekreuzigten erging nicht in der äußerlichen Form menschlicher Weisheitsrede (2,1–5), sondern war ausschließlich Medium der δύναμις θεοῦ (2,5; vgl. 1,18.24), um auf den Gekreuzigten hinzuweisen. Dies wiederum in der Abzweckung (ἵνα in 2,5; vgl. bereits 1,27f.31), die πίστις allein in der δύναμις θεοῦ zu verankern, nicht aber von σοφία ἀνθρώπων abhängig zu machen.

Bis hierhin hat sich gezeigt, daß Pl in der eschatologischen Predigt die δύναμις θεοῦ als ἐκλογεῖν wirksam sieht und daher jegliche σοφία ἀνθρώπων als Form oder Bestand der Predigt, ja sogar des Redenden (2,1) ausschließt. Dies hindert ihn jedoch nicht, den Begriff σοφία zu gebrauchen. Er wird allerdings streng reserviert auf σοφία τοῦ θεοῦ (1,24.30), und dies zugleich als Gegenbegriff zu σοφία ἀνθρώπων.

Hat Pl damit bereits den pneumatischen Enthusiasmus, dem er ein Schielen nach σοφία ἀνθρώπων unterstellt, an der entscheidenden inhaltlichen Stelle, der vereinseitigenden Erhöhungschristologie und der Partizipation der Glaubenden an der himmlischen Sphäre, getroffen? Setzt der Verweis auf die Erfahrung (1,25–2,5) der Erwählung der Niedrigen und der Verkündigung der Schwachheit auch schon den Grund des Glaubens in eine zwangsläufige Entsprechung der Niedrigkeit? Man wird Zweifel hegen müssen. Denn es sind ja, wenn auch wenige, σοφοί, δυνατοί, εὐγενεῖς berufen (1,26). Und die Gründungspredigt des Pl, mag sie sich auch im Nachhinein von σοφία ἀνθρώπων absetzen, kann sich an anderer Stelle (1.Thess 1,5) auf das Wissen der Gemeinde berufen, daß sie eben nicht nur ἐν φόβῳ καὶ ἐν τρόμῳ erging (1.Kor 2,3), sondern in solcher πληροφορία, daß sie μιμηταί fand (1.Thess 1,5f.).

Also muß Pl über das Gesagte hinaus die eigentliche Begründung, weshalb unter den τέλειοι von einer σοφία zu sprechen ist, die im λόγος τοῦ σταυροῦ besteht, noch liefern.

Diese Funktion kommt 2,6–16 zu, einem Abschnitt, der formgeschichtlich und inhaltlich eine eigene Vorgeschichte hat, hier aber im Zusammenhang von 1.Kor 1–4 dazu dient, den Erkenntnisvorsprung des Pl (vgl. 1.Kor 3,1) zu begründen. Seine Verkündigung ist frei von jeglicher Menschenlehre, sie ist geistgeleitet, und sie hat so Zugang zu Gottes unergründlichem Ratschluß (2,13).

Schon der Wechsel von der 1.P.Sing. zur 1.P.Pl. in 2,6 (bis 2,16; ab 3,1 wieder 1.P.Sing.) deutet auf einen Bruch zum Kontext. Sodann erweist sich 2,6–16 durch das Schema a–b–a im einzelnen Satzgefüge, wie auch in der Gesamtanlage (μυστήριον-ἀποκάλυψις-λαλοῦμεν), als eigenständige Komposition, für die die Vorgabe des Revelationsschemas leitend ist (s.u.). Inhaltlich fällt auf, daß die Verkündigung im Gegensatz zur offenen Missionspredigt (2,4) jetzt auf einen internen Kreis, die τέλειοι (2,6) eingegrenzt wird. Freilich ist eine vorpaulinische Tradition nicht wörtlich zu rekonstruieren. Die thematische Verwobenheit mit dem Kontext und die Bezugnahme auf die korinthische Situation (etwa Aufnahme der ψυχικός-πνευματικός-Antithese in 2,14), die Einfügung des ‚Zitats‘ in V.9 (vgl. bereits die atl. Anspielungen in 1,19.31; 2,9.16) machen auf Brüche zwischen Tradition und Redaktion aufmerksam, ohne daß hier eine literarische Scheidung möglich ist, deuten aber auf eine eigene Vorgeschichte und einen eigenen Sitz im Leben der Einheit.

Zur Gattung des Textes:

2,6–16 ist wohl entworfen unter der Vorgabe des dreiteiligen Revelationsschemas. Es begegnet in ntl. Zeit zwar vorwiegend in Spätschriften (1.Petr 1,20; Kol 1,26; 2.Tim 1,9–12; Tit 1,1–3; Eph 3,5.9–11; Röm 16,25f.), seine Wurzeln reichen aber zurück in die apokalyptische und weisheitliche Literatur[7]. Mit der Gattung ist gegeben, daß der weitergegebene Inhalt eine besondere Offenbarung darstellt, die für die Hörer neu ist. Sitz im Leben des Revelationsschemas ist die Weitergabe der

---

[7] Während Lührmann, Offenbarungsverständnis 113–127; ders., ThWNT X 5, das Revelationsschema für vorpl erachtete, sprach sich Conzelmann, 1.Kor 75, für eine Entstehung des Schemas im pl Schulbetrieb aus. Seine Entstehung sei hier in statu nascendi zu greifen. Beide Auskünfte haben ein gewisses Recht; vgl. zur trad. Vorgabe des Schemas in der Apokalyptik jetzt Berger, Formgeschichte 269; ders., Exegese 221f.; Pokorný, Kol 85f. Auch der Eintrag des aus apokalyptischer Schultradition stammenden Zitats V.9 weist auf diesen Hintergrund (hierzu Berger, Herkunft). Zur Adaption und Umsetzung dieses Schemas in die christliche Rede: Theißen, Aspekt 343f.; M.Wolter, Verborgene Weisheit und Heil für die Heiden. Zur Traditionsgeschichte und Intention des ‚Revelationsschemas‘, ZThK 84, 1987, 297–319. Davis, Wisdom übergeht diese traditionsgeschichtlichen Fragen völlig.

Offenbarung in Predigtform an einen begrenzten Kreis. Dem entspricht, daß die Aussagen in ihrem Kern nicht polemisch entworfen sind, sondern grundsätzlich. Erst mit dem Eingehen auf die korinthische Theologie setzt Pl selber die polemischen Akzente. Durch die Zuordnung des Revelationsschemas zum Apostolikon (2,1–5) kommt ihm ein neuer, verschriftlichter Sitz im Leben zu: das Revelationsschema zeichnet Pl als Träger besonderer Offenbarung vor anderen aus und begründet seinen Offenbarungsvorsprung[8].

1. Kor 2,6–16 ist also ein pl Text, in der Substanz entworfen vor den korinthischen Erfahrungen, hier aber deutlich auf dieselben bezogen[9]. Seine Funktion kann im Briefeingang des 1. Kor eindeutig bestimmt werden: mit dem Verweis auf die ἀποκάλυψις (1,10) verteidigt Pl gegenüber der σοφία ἀνθρώπων (2,5) in der Gemeinde den Inhalt seines Evangeliums und seiner äußeren Gestalt als λόγος τοῦ σταυροῦ. Hierin unterscheidet sich Pl kategorial von ἐν σοφίας ἀνθρωπίνης, insofern seine Botschaft ἐν διδακτοῖς πνεύματος ergeht (2,13). Folgerichtig entscheidet sich Pl in 2,1–5 zuvor gegen die rhetorische Möglichkeit, den λόγος τοῦ σταυροῦ durch persuasio (ἐν πειθοῖ[ς] σοφίας [λόγοις]) schmackhaft zu machen, vielmehr verweist er auch hier in rhetorischer Antithese auf die ἀπόδειξις, und zwar die ἀπόδειξις πνεύματος[10].

6.5.1.2 Geistgeleitete Erkenntnis

a) Das μυστήριον (V. 6–9)

In Antithese zu σοφία ἀνθρώπων kommt Pl seinerseits auf σοφία zu sprechen (vgl. bereits 1,21.24.30), welche vom vorhergehenden Kontext immer als σοφία θεοῦ bzw. ἀπὸ τοῦ θεοῦ charakterisiert und in-

---

[8] Unter allen vorgeschlagenen Lösungen scheint der primäre Sitz im Leben in der ‚Schultradition‘ am plausibelsten: Conzelmann, 1. Kor 75; ders, Paulus und die Weisheit 184–186; Theißen, Aspekte 364, erwägt, bei ἐν τοῖς τελείοις (2,6) in Entsprechung zu λαλεῖν ἐν ἐκκλησίᾳ (1. Kor 14,19) eine Angabe des sozialen Raumes zu sehen, d.h. den internen Schülerkreis. Gegen Stuhlmacher, Bedeutung, vermag ich nicht zu sehen, daß die Ursprünge der Gegenüberstellung von Glaubensweisheit und Weltweisheit unter Berufung auf Mt 11,25–30 in der Jesustradition liegen (147), noch, daß 1,18–2,16 „bis in die Einzelheiten der ihm (Pl; F.W.H.) selbst vor Damaskus von Gott her aufgenötigten und geschenkten Erkenntnis Christi“ liegen sollen (153). Vielmehr greifen Mt 11,25–27 und 1. Kor 2,6–16 unabhängig voneinander auf die Form des Revelationsschemas zurück. Zur Verwendung des Apostolikons und seiner Verbindung mit dem Revelationsschema: Berger, Formgeschichte 268.

[9] Die Hypothese einer nichtpl Herkunft des Stückes (Lührmann, Offenbarungsverständnis 135: Hohelied der Gnostiker; E. E. Ellis, Prophecy 47 ff.; ders., Gifts 130; ders., Traditions: vorpl exegetischer Midrasch zum Thema Weisheit), wie einer nachpl Interpolation (M. Widmann, 1. Kor 2,6–16: Ein Einwand gegen Paulus, ZNW 70, 1979, 44–53) haben keine breite Zustimmung gefunden.

[10] Vgl. Bünker, Briefformular 39 und 49.

haltlich durch den gekreuzigten Christus bzw. seine Verkündigung bestimmt ist. Der Begriff σοφία ist also nicht neu oder im pl Denken fremd, er ist vielmehr von Pl selber zuvor als qualifizierter Begriff eingeführt worden. Diese christologisch bestimmte σοφία kann nur vermittelt und aufgenommen werden, wenn bewußt die Ansprüche und die Haltung, die diesem αἰών entsprechen, wegfallen[11]. Dies ist in Korinth, wie 3,1ff. zeigen, nicht der Fall, insofern man κατὰ ἄνθρωπον lebt (3,3) und sich fragen lassen muß: οὐκ ἄνθρωποί ἐστε (3,4)? Im Revelationsschema ist dieser Gegensatz krasser ausgedrückt. Hier steht σοφία θεοῦ gegen σοφία τοῦ αἰῶνος τούτου, gegen die ἄρχοντες τοῦ αἰῶνος τούτου, steht Ewiges (πρὸ τοῦ αἰῶνων 2,7) gegen Vergängliches (τῶν καταργουμένων 2,6)[12]. Diese ewige σοφία θεοῦ, bislang verborgen, aber vorzeitig zum Heil der Glaubenden beschlossen, macht die ἄρχοντες zu Narren: die σοφία τοῦ θεοῦ kommt als κύριος τῶς δόξης in die Welt und wird gekreuzigt. Die ἄρχοντες, wiewohl verantwortlich für die Kreuzigung, haben weder den κύριος τῆς δόξης erkannt, noch ist ihnen der Sinn ihrer Tat bewußt[13]. Die Deutung kommt, wie das ‚Schriftzitat‘ festhält, nicht als allgemeine Wahrheit ins Bewußtsein, sondern wird denen geschenkt, die Gott liebhaben.

Worin besteht also das μυστήριον? Darin, daß die σοφία θεοῦ, die präexistent verborgen war, gegenüber der vergänglichen σοφία τοῦ αἰῶνος τούτου sich durchgesetzt hat in der Gestalt des κύριος τῆς δόξης. Sein Kreuz ist für die Archonten Ausdruck ihres Unverständnisses, für den Offenbarungsträger aber Inhalt des Heilshandelns Gottes

---

[11] Ἐν τοῖς τελείοις (2,6) nimmt ἐν ὑμῖν (2,2) auf. Damit verbindet sich zugleich die Kritik, daß die Gemeinde für das μυστήριον unfähig ist. 3,1ff. werden das explizieren. Der Ausdruck τέλειος verweist eventuell auf Mysteriensprache (Delling, ThWNT VIII 70f.), ihm geht πνευματικός parallel. Als Gegenbegriffe fungieren ψυχικός, σάρκινος, νήπιοι, ἄνθρωποι, bzw. das Bild γάλα und βρῶμα. Die angeblich Eingeweihten werden in ihr Gegenbild verkehrt.

[12] Auch wenn die ἄρχοντες von 2,8 her „im gemeinchristlich-passionsgeschichtlichen" Sinn zu verstehen sind (Wilckens, 1.Kor 2,1–16, 508f.), bleibt ein mythologischer Überschuß mit dem gewählten Begriff (Wilckens, Weisheit 61–64; Weder, Kreuz 167). Mag man von daher die Alternative ‚geschichtlich-dämonisch‘ ablehnen, deutlich ist, daß „die Aussage in 2,8 Paulus als Argument dafür, daß menschliche Weisheit und Macht schlechterdings unfähig sind, Gottes Weisheit im Kreuz Christi zu erkennen ...", dient (Wilckens, 1.Kor 2,1–16, 509).

[13] Die Exegese des V.8 bleibt mehrdeutig. Die Präexistenzvorstellung läßt den Sinn und die Notwendigkeit des Kreuzes zur Frage werden, betont hingegen die Möglichkeit der Erkenntnis des Erlösers vor seiner Auferstehung. Ein Grund für die Kreuzigung ist nicht genannt, die Archonten haben den Kyrios ja nicht erkannt. Ist dieser Widerspruch ein Argument für die Pointe, die theologia crucis (Conzelmann, 1.Kor 81)? Andererseits wird man fragen müssen, ob hier wie in Phil 2,6–11; Kol 2,15 nicht eine früh- oder nebenpl Interpretation des Kreuzes zu sehen ist, welche das Kreuz als Ort eines siegreichen Kampfesgeschehens Christi mit den Archonten begreift.

(V. 9). Gleichwohl ist auch festzuhalten, daß die Entfaltung des μυστήριον das Kreuz Christi eher beiläufig erwähnt, ihm keine eigene soteriologische Bedeutung beimißt. Im Gegenteil: die δόξα, die den Glaubenden zukommen soll, ist protologisch im ewigen Heilsratschluß Gottes verankert, gleichwie dem κύριος bereits protologisch die δόξα zukommt (2,7 f.). Hier zeigen sich Spannungen zum Kontext des Briefes. Die in der Substanz trad. Aussage des Revelationsschemas will σοφία grundsätzlich an Christus binden und ihn als Sieger über die Archonten preisen. Dagegen bindet der Pl des 1. Kor σωτηρία ausschließlich an den λόγος τοῦ σταυροῦ im Angesicht der Gefahr, daß die geschichtliche Kontingenz durch σοφία ἀνθρώπων mißachtet wird (1,17 u. ö.). Das ‚Schriftzitat' (V. 9)[14] schließt den ersten Teil (,verborgenes Mysterium') ab, bekräftigt aber stärker als die vorhergehenden Aussagen durch ἡτοίμασεν (Aor.) die geschichtliche Verankerung des Heilshandelns Gottes. Es entspricht der apokalyptischen Herkunft des Zitats wie auch der Aussagen V. 6-8, daß in ihrem Blickpunkt schon jetzt die Endzeiterwählten sind (δόξα ἡμῶν V. 7; ἀγαπῶσιν αὐτόν V. 9), wenngleich erst ab V. 10 die ἀποκάλυψις des μυστήριον geboten wird. Zugleich verankert das Zitat das οὐδείς … ἔγνωκεν (V. 8) im Willen Gottes, der selber den Zugang zum μυστήριον, zu sich selber (τὰ βάθη τοῦ θεοῦ), eröffnet.

b) Die ἀποκάλυψις (V. 10-12)

Aus dem Kreis derer, die als ἀγαπῶντες αὐτόν (V. 9) in den Blick kommen, tritt jetzt der Apostel selber hervor[15]. In den V. 10-12 legt er den Erkenntnisgrund des Mysteriums dar. Dieser ist mit einer ἀποκάλυψις gegeben, deren Vermittler der Geist ist. Die ἀποκάλυψις ist nicht datiert, noch sind Modalitäten ihrer Vermittlung genannt. Der Aorist ἐλάβομεν … τὸ πνεῦμα τὸ ἐκ τοῦ θεοῦ blickt allein zurück auf eine einmalige, vergangene Geistübermittlung. Jedoch ist auch sie nicht in ihren äußeren Vollzügen beschrieben, sondern in Verwendung der urchristlichen Formel (λαμβάνειν τὸ πνεῦμα τοῦ θεοῦ). Im Gegensatz zu vielen apokalyptischen Schriften entfällt also jegliche Ausmalung der ἀποκάλυψις. Vielmehr ist das als Erkenntnisgrund und Mittel der ἀποκάλυψις genannt, was allen Christen übereignet worden ist: τὸ πνεῦμα. Diese Geistübermittlung wird hier allerdings funktional auf den einen Zweck begrenzt: ἵνα εἰδῶμεν τὰ ὑπὸ τοῦ θεοῦ χαρισθέντα ἡμῖν. Mit

---

[14] Ausführlich zu V. 9: K. Berger, Zur Diskussion über die Herkunft von I. Kor II 9, NTS 24, 1978, 271-283.

[15] Ἡμῖν ist in 2,6-16 auf die Gesamtheit der τέλειοι/πνευματικοί zu beziehen, in 2,16 mag die polemische Situation eine Eingrenzung auf Pl rechtfertigen. So spricht Pl in 2,6-16 exemplarisch für die Eingeweihten.

letzterem Begriff präzisiert Pl das ἡτοίμασεν aus V. 9, indem er einen zentralen Begriff urchristlicher Soteriologie einführt (vgl. Röm 8,32; Eph 4,32). Daß aber überhaupt im Christusgeschehen ein Geschenk Gottes erkannt werden kann, ist an die Voraussetzung der Geistübermittlung gebunden. Pl begründet dies in Anlehnung an den antiken Grundsatz, daß Gleiches nur durch Gleiches erkannt werden kann[16]. Das Geheimnis des Geschichtsplanes Gottes ist nur dem Geist bekannt, da er selbst die Tiefen Gottes erforscht. V. 11 begründet diese Aussage mit dem Verweis auf die Analogie von menschlichem Geist und ‚ich' rational. Wenn dieser göttliche Geist, der allein Zugang zu Gott selber hat, übereignet wird, werden die bisher verborgenen Pläne Gottes offenbar, die σοφία θεοῦ ἐν μυστηρίῳ wird offenbar (V. 10), erkennbar (V. 12) und aussagbar (V. 13)[17].

c) λαλοῦμεν (V. 13–16)

Gleichwie der Grund und das Mittel der Erkenntnis von πνεῦμα τοῦ κόσμου geschieden war, kann die Weitergabe des μυστήριον nicht ἐν διδακτοῖς ἀνθρωπίνης σοφίας λόγοις ergehen, sondern folgerichtig ἐν διδακτοῖς πνεύματος. Das πνεῦμα autorisiert Erkenntnis und Rede. Pl greift hier wie in 1. Thess 4,9 auf die Vorstellung der unmittelbaren Unterweisung der Endzeitgemeinde durch Gott bzw. das πνεῦμα θεοῦ zurück (vgl. auch Joh 6,45 und als Imperativ in Barn 21,6: γίνεσθε δὲ θεοδίδακτοι). Aber auch der übergreifende Zusammenhang von Geistbegabten/Weltmenschen und der Unterweisung der ersten Gruppe durch den Geist findet sich mit wörtlichen Entsprechungen in der joh Trad. (Joh 14,17.26), was die Annahme einer eigenen Vorgeschichte der pl Ausführungen in 2,6–16 nur erhärtet. V. 13 b nimmt entweder den Grundsatz ‚Gleiches durch Gleiches' nochmals auf, um zu behaupten: vergleichbar sind nur Dinge, die auf einer Ebene liegen. Geistliche Dinge sind mit menschlicher Weisheit nicht vergleichbar. Hierbei bezöge sich πνευματικά/πνευματικοῖς (Pl. neutr.) auf τὰ χαρισθέντα[18].

---

[16] Belege für dieses Prinzip der Analogie: Philo, Gig 9; SpecLeg I 41 ff.; Plat, Prot 337 c ff.; Tim 45 c; vgl. A. Schneider, Der Gedanke der Erkenntnis des Gleichen durch Gleiches in antiker und patristischer Zeit, Beiträge zur Geschichte der Philosophie des Mittelalters, Suppl. II, FS C. Baeumker, 1923, 65–76; C. W. Müller, Gleiches zu Gleichem, 1965; Schweizer, ThWNT VI 422 A 611.

[17] Pl schließt faktisch von der Kenntnis der göttlichen Dinge folgernd auf Geistbesitz (Conzelmann, 1. Kor 85). Erkenntnistheoretisch ist die Voraussetzung des ἐλάβομεν τὸ πνεῦμα primär, dem ist der Finalsatz nachgeordnet. In Übereinstimmung mit der Antithetik des vorangehenden Kontextes wird τὸ πνεῦμα τοῦ θεοῦ und τὸ πνεῦμα τοῦ κόσμου gegenübergestellt, ohne daß damit eine mythologische Spekulation begründet würde (vgl. κόσμος als Gegenbegriff bereits in 1,20 f. 27 f.).

[18] So vor allem Sellin, Geheimnis 80. Allerdings ist die Deutung des Plur. ntr. auf ‚Ge-

Gleichfalls möglich und wahrscheinlicher ist das mask. Verständnis von πνευματικοῖς: indem wir geistliche Dinge für Pneumatiker auslegen[19].

Nach diesen Darlegungen ist offensichtlich, daß dem ψυχικὸς ἄνθρωπος die Erkenntnis des Heilsgeschehens nicht möglich ist (οὐ δύναται γνῶναι), weil er nicht Anteil am Geist Gottes hat. Die πνευματικοί hingegen haben das πνεῦμα θεοῦ, ihre Erkenntnis reicht bis in die βάθη τοῦ θεοῦ (V. 10), sie können folglich alles beurteilen und sind keinem menschlichen Urteil unterworfen. Pl läßt sich an dieser Stelle in hohem Maße auf Vorstellungen der Gemeinde ein. Sowohl die Aufnahme der Antithese ψυχικός-πνευματικός als auch die häufige Verwendung von ἀνακρίνω sind am ehesten verständlich als Reflex auf Aussagen des Enthusiasmus[20].

Bis hierhin stellen die pl Ausführungen kaum einen Gegensatz zur Position des pneumatischen Enthusiasmus dar. Es ist immer wieder zu bedenken: diese pneumatische Erkenntnistheorie ist unter der Vorgabe des Revelationsschemas vor den korinthischen Erfahrungen entworfen, um den Gegenstand der Verkündigung, Jesus Christus als das Heilsgeschehen, als das ewige μυστήριον, den Verkündigern jetzt enthüllt, darzulegen[21]. Mag diese Erkenntnistheorie im internen Schulbetrieb entworfen sein, ihr primärer Sitz im Leben war die Apologetik des Christuskerygmas vor der jüdisch-heidnischen Welt[22]. Jetzt aber wendet Pl mit V. 16 und ab 3, 1 ff. diese Erkenntnistheorie auf sich selber an, um sie gegenüber der christlichen Gemeinde in Geltung zu bringen. Damit hat sich der Sitz im Leben grundlegend gewandelt. Mit dem Revelationsschema begründet er seine tiefere pneumatische Erkenntnis gegenüber den Pneumatikern. Der Inhalt dieser Erkenntnis liegt nicht direkt im Revelationsschema selber, sondern wird im voraufgehenden Kontext als theologia crucis dargelegt. 2, 6–16 liefern folglich eine nachfolgende

---

genstand und Mittel der Erkenntnis' (81) nicht unproblematisch, da nur πνεῦμα θεοῦ, nicht aber πνευματικά Mittel der Erkenntnis sein kann.

[19] Vgl. ausführlich 6.2.1.4.

[20] Zur Bedeutung des Wortes ἀνακρίνω im Kontext der korinthischen Theologie: Weiß, 1. Kor 67.

[21] Die mythologische Sprache und die Betonung des Geistbesitzes als Voraussetzung der Erkenntnis und Weitergabe des Mysteriums lassen fragen, ob solche Darlegung der Erkenntnistheorie wie in 1. Kor 2, 6 ff. nicht eher dazu angetan war, den pneumatischen Enthusiasmus mit zu begründen oder zumindest zu stärken. Daher kann es nicht verwundern, wenn der ganze Komplex gelegentlich Pl abgesprochen wurde, um hier eine authentische Tradition der Gnostiker wiederzufinden (Lührmann, Offenbarungsverständnis 133; Schmithals, Gnosis 145, erkennt „faktisch das σοφία-Verständnis der korinthischen Irrlehrer"). Jedenfalls sind die geschichtlichen Konturen des offenbarten μυστήριον in 2, 6–16 dünn. Das Kreuz (2, 8) kann geradezu als Versehen bewertet werden, welches dem κύριος τῆς δόξης keinen Schaden zufügt. Allein χαρισθέντα (2, 12) zeigt eine Nähe zur soteriologischen Interpretation des Christusgeschehens an.

[22] Ausführlich dazu Berger, Exegese 221–223.

Begründung des Vorgehens, die Erkenntnis vom Kreuz her geleitet sein zu lassen.

Diese apologetische Stellung des Revelationsschemas untermauert Pl doppelt: a) indem er für sich exklusiv Einsicht in den νοῦς Χριστοῦ reklamiert (2,16) und b) den πνευματικοί eben diesen Anspruch und die damit verbundene Urteilsfähigkeit in Abrede stellt (2,15; 3,1-3).

Lautet jetzt die Frage ‚τίς γὰρ ἔγνω νοῦν κυρίου, ὃς συμβιβάσει αὐτόν' (vgl Jes 40,13 LXX), so war in vergangenen Zeiten vor Christus und nach weisheitlicher Tradition eine negative Antwort zu geben: οὐδεὶς ἔγνωκεν. Hierbei ist zweifelsfrei bei κύριος an θεός zu denken. Jetzt aber, seit der ἀποκάλυψις, hat der Pneumatiker Zugang zum νοῦς κυρίου, mittels des πνεῦμα τὸ ἐκ τοῦ θεοῦ[23]. V.16b führt dieses doxologisch gebrauchte Zitat exegesierend und adversativ fort. Der νοῦς κυρίου wird als νοῦς Χριστοῦ eingeführt, welcher, da ἡμεῖς in 3,1 durch κἀγώ aufgenommen wird, nicht den Pneumatikern zu eigen ist, sondern Pl exklusiv. An dieser Stelle wird der Grundsatz ‚Gleiches wird durch Gleiches erkannt' christologisch auf die Kreuzestheologie hin zugespitzt. Will Pl darlegen, daß im σταυρὸς τοῦ Χριστοῦ die σοφία θεοῦ gegeben ist, so muß dieser νοῦς als νοῦς Χριστοῦ präzisiert werden. Entscheidet Pl sich, nichts anderes als den Gekreuzigten zu kennen (2,2), so kann solche Einsicht nur in der Teilhabe am νοῦς Χριστοῦ gründen[24].

Die korinthische Gemeinde war und ist unfähig, den Inhalt der pl Verkündigung, den λόγος τοῦ σταυροῦ, aufzunehmen (3,2). Dies impliziert nicht notwendig, daß die pl Gründungspredigt Christus als den Gekreuzigten ausgeklammert hätte[25]. So könnte man, durch 3,1 veran-

---

[23] Das Zitat Jes 40,13 ist in der Schlußdoxologie Röm 11,33-36 ebenfalls verarbeitet, wenn auch hier in 2,16 der Akzent anders gesetzt ist (Wilckens, Röm II 270f., gegen Käsemann, Röm 307).

[24] Es ist keine Frage, daß νοῦς, mit dem Zitat durch die LXX vorgegeben, mit dem πνεῦμα-Begriff parallel geht. Hier geht es freilich nicht um das πνεῦμα, welches ‚Wunder und Kräfte' wirkt, sondern den Geist Gottes, der Erkenntnis schenkt. Die christologische Deutung vertritt ausführlich Baumann, Mitte 257-261. Denkt man jedoch an den Geist Gottes, wäre gesagt: nur der Geist Gottes hat Zugang zu Gott selber, und dieser Geist weiß, was Gott schenken will (V.12). Auch SapSal 9,13-17 schließt das Revelationsschema mit dem Verweis auf den Geist Gottes ab, der den endzeitlich Erwählten die Offenbarung zugänglich macht.
Da sowohl im Bild V.10-12 θεός und πνεῦμα sich gegenüberstehen als auch im Ausdruck νοῦς Χριστοῦ ein Genitiv vorliegt, ist eine identifizierende Auslegung von νοῦς und Χριστός natürlich ausgeschlossen. Auch wenn man die v.l. νοῦν κυρίου mit den guten Textzeugen bevorzugt, ist zu bedenken, daß νοῦς hier in Analogie zu 2,11 nicht der endzeitliche Geist sein kann, sondern in anthropomorpher Redeweise der ‚Sinn Gottes' (Weiß, 1.Kor 68).

[25] Nach Wolter, Weisheit 303 A 28, spricht Pl in 1.Kor 1-3 erstmals in theologischer Reflexion über das Kreuz; vgl. dagegen aber nur 1.Thess 5,10; Gal 3,1.

laßt, denken; jedoch stellt Pl in 2,2 unmißverständlich klar, daß auch seine Gründungspredigt auf den Gekreuzigten verwies. Pl verfügt über diese σοφία θεοῦ in Christus, aber er kann sie nicht weitergeben, weil sie nur unter Pneumatikern aufgenommen werden kann. Diese Voraussetzung ist jedoch in Korinth nicht gegeben. Hier trifft er auf σαρκικοί, auf νήπιοι ἐν Χριστῷ, auf περιπατεῖν κατὰ ἄνθρωπον, auf ἄνθρωποι (3,1–4), auf eine Gemeinde, die eben nicht durch den νοῦς Χριστοῦ bestimmt ist[26]. Dieses Urteil wiegt nach 2,6–16 um so schwerer, als das Revelationsschema immer auf die Vermittlung des Mysteriums an die ἅγιοι (Kol 1,26), die ἔθνη (Röm 16,25; Eph 3,8; 2.Tim 1,11), δι᾽ ὑμᾶς (1.Petr 1,20) zielt. Kann das Mysterium aber nicht weitergegeben und aufgenommen werden, dann ist auch der Selbstanspruch in der Gemeinde, πνευματικοί zu sein, hinfällig[27].

Die pl Erkenntnis hingegen wird vollzogen in der dem Gegenstand angemessenen Weise (νοῦς Χριστοῦ). Der Ort der Erkenntnis entspricht der Niedrigkeitsgestalt des Objektes der Erkenntnis (2,1–5). Die Weitergabe der Erkenntnis ist durch eben diesen νοῦς bestimmt (ἐν διδακτοῖς πνεύματος).

Mit der Bezugnahme auf das Revelationsschema schafft Pl in apologetischer Weise eine Basis, von der er gegenüber Pneumatikern seine Erkenntnis als höhere Weisheit darlegen kann.

Exkurs: Geist und Fleisch in der paulinischen Theologie

Die Gegenüberstellung von πνευματικοί und σαρκικοί (3,1) muß in dieser Form als pl Antithese gelten. Die Analyse des Gegensatzes von Geist und Fleisch in der pl Theologie war gegen Ende des vergangenen Jahrhunderts in der nachidealistischen Exegese von der Frage bestimmt, ob Pl hierin im speziellen und, da dieser Gegensatz als konstitutiv für die pl Theologie betrachtet wurde, auch im allgemeinen abhängig von griech. oder jüd. Gedankengut sei[28].

---

[26] Da Pl die Gemeinde an ihrem Verhalten mißt, ist notwendig gegeben, daß die Mysteriensprache der vorangegangenen Ausführungen jetzt der Erziehungsterminologie weicht.

[27] Diese Argumentation kann zu Spannungen mit der Voraussetzung der sakramentalen Übereignung des πνεῦμα an die Gesamtgemeinde führen. Allerdings zeigen 1.Kor 10,1 ff., daß ein magisches Heilsverständnis abzulehnen ist. Der Geistbesitz ist an Heiligkeit des Lebenswandels gebunden. Von daher ist der Übergang zu ethischen Kategorien in 3,1 ff. einsichtig.

[28] Die ältere Forschung ist referiert bei Wendt, Begriffe 78–93 (Der paulinische Sprachgebrauch in Anknüpfung an den hellenistischen) und 93 ff. (Der paulinische Sprachgebrauch in Anknüpfung an den alttestamentlichen); zur Forschung auch Schweitzer, Geschichte 52 f.; Bultmann, Geschichte 315 f.; Sand, Begriff 3–121; Kuss, Röm 506–540. Bultmann lenkt von der religionsgeschichtlichen Frage ab, da „die hier oder

Jedoch kann gezeigt werden, daß a) der Gegensatz von πνεῦμα-σάρξ bei Pl nicht auf direkten religionsgeschichtlichen Voraussetzungen beruht und b) dieser Gegensatz für die pl Theologie nicht wirklich konstitutiv ist, sondern als Interpretament für unterschiedliche Aussagen dient.

Es ist bereits problematisch, von einem geprägten Gegensatz von πνεῦμα und σάρξ in der pl Theologie auszugehen. So kann Pl, wie auch das Judentum seiner Zeit, πνεῦμα und σάρξ als anthropologisches Begriffspaar benutzen, welches für den Menschen in seiner Gesamtexistenz steht (1. Kor 5,5; 7,34; 2. Kor 2,13 und 7,5; 7,1; vgl. auch Kol 2,5; Mk 14,38). Auch in der christologischen Formeltradition (Röm 1,3 f.; 1. Tim 3,16; 1. Petr 3,18) stellt die σάρξ keinen negativ qualifizierten Bereich dar, an anderer Stelle im NT bezieht sich das Bekenntnis der Gemeinde auf das Kommen oder Gekommensein Christi im Fleisch (2. Joh 7; 1. Joh 4,2; vgl. auch IgnPol 7,1). Eine eindeutig positive und mit πνεῦμα korrespondierende Wertung der σάρξ bietet 2. Kor 3,3, Phlm 16 u. a.

Neben diesem Befund kann man nicht darüber hinwegsehen, daß der Gegensatz von πνεῦμα und σάρξ ausschließlich den pl Spätbriefen vorbehalten ist (Gal 3,2–5; 4,29; 5,13 ff.; 6,8; Phil 3,3–6; Röm 8,5 ff. 9. 12 ff.). Im 1. Thess ist dieser Gegensatz nicht bezeugt[29]. Im 1. und 2. Kor wird gleichfalls die Opposition beider Begriffe vermißt, allein der Gegensatz πνευματικοί-σαρκικοί ist in 1. Kor 3,1–3 belegt, und er geht aller Wahrscheinlichkeit nach auf Pl selbst zurück. Schon dieser Befund läßt fragen, ob Pl in der Antithese von πνεῦμα-σάρξ eine vorgefundene variable σάρξ-Begrifflichkeit selbständig erweitert hat, da sie auf unterschiedliche theologiegeschichtliche Situationen anzuwenden war, und also die Bildung der Antithese auf der Grundlage der Voraussetzung der Gegenwart des Geistes erst in der spätpl Theologie vollzogen wurde[30].

Entscheidend für diese Annahme spricht, daß der Gegensatz von πνεῦμα und σάρξ als zwei Mächten, die sich feindlich gegenüberstehen

---

dort etwa vorliegende Vorstellung vom πνεῦμα als einem Stoff keine den πν-Begriff des Pls wirklich bestimmende" Größe sei, vielmehr sei σάρξ der ‚Inbegriff des Weltlichen' und πνεῦμα der ‚Inbegriff des Unweltlichen' (Theologie 335 f.).

[29] Dazu Schade, Christologie 172; Jewett, Terms 453: „Paul does not appear to have σάρξ as a technical term at the time of the Thessalonian correspondence."

[30] So Strecker, Befreiung 145 f. (und A 69). Sieht man von der Antithese πνεῦμα-σάρξ ab, um Voraussetzungen für die negative Qualifikation des Begriffes σάρξ zu suchen, so läßt sich „kein Text, der eine wirkliche Übereinstimmung mit der paulinischen, kosmologisch-personifizierenden Deutung der σάρξ ergeben würde", finden (Strecker, Befreiung 244; ebenfalls Davies, Paul 18; Schweizer, Komponente) vgl. zum Begriff σάρξ: Schweizer, ThWNT VII 124–136; Sand, Begriff; ders., EWNT III 549–557; Jewett, Terms 49–166.

und Einfluß auf den Menschen ausüben (Gal 5,17; Röm 8,5–7), vor Pl nicht bezeugt ist[31].

Aus dem AT wird als Voraussetzung auf Gen 6,3 und Jes 31,3 verwiesen. Gerade in letzterem Beleg fehlt in der LXX die Antithese, und in Gen 6,3 ist bei σάρξ an den Menschen als Geschöpf zu denken. Im übrigen ist ein „solcher Dualismus ... dem Alten Testament unbekannt, er würde die Fundamente der alttestamentlichen Anthropologie verleugnen."[32] Die Gegenüberstellung von Geist Gottes und menschlichem Fleisch findet sich neben Gen 6,3 auch im weisheitlichen Denken (Sap 7,1–7; 8,19f. u.ö.) und in Schriften Qumrans (1.QS 4,20f.; 1.QH 12,11f. u.ö.)[33], jedoch nicht als Gegenüberstellung zweier Mächte. Für das apokalyptische Judentum vermutet sogar Brandenburger, daß „der Gegensatz von Fleisch und Geist ... für das Gefüge des apokalyptischen Judentums terminologisch nicht konstitutiv" sei[34].

Wenngleich die Antithese von πνεῦμα und σάρξ bei Philo nicht bezeugt ist, erkennt Brandenburger hier die ‚naheliegendste Parallele' zu Pl[35]. Aber neben der terminologischen Differenz sollte die Sachdifferenz nicht vorschnell eingeebnet werden, um einen Dualismus als vorgegeben zu betonen. Die Gabe des Geistes begründet für Pl im Gegensatz zu Philo keinen Auszug aus der Welt, sondern ist Basis der positiven Ethik[36].

---

[31] Dazu Bultmann, Theologie 245; Sand, EWNT III 552. Schon Wettstein bemerkte zu Joh 3,6 (s. 851 f.): „Solent scriptores S. Spiritum carni & homines spirituales carnalibus opponere", ohne auf weitere Parallelen verweisen zu können.
Zur Erfassung der Antithese ist die Beobachtung Schweizers, ThWNT VII 131, instruktiv: in Phil 3,3; Röm 8,13f.; Gal 5,18 wird πνεῦμα mit instrumentalem Dativ eingeführt, während Pl solches für den Gegenbegriff σάρξ meidet. Dies bedeutet: die σάρξ erscheint nicht in gleicher Weise als Subjekt und wirkende Macht wie das πνεῦμα. Religionsgeschichtlich ist es auch von daher problematisch, Pl an einen vorgegebenen metaphysischen Dualismus im Spätjudentum einfach anzubinden. Vielmehr wird die Stilisierung von σάρξ und πνεῦμα zu Mächten Kehrseite der Erfahrung sein, daß die Norm, nach der man sein Leben ausrichtet, zu einer bestimmenden Macht wird (132).

[32] So Jacob, ThWNT IX 620; vgl. auch Wolff, Anthropologie 57.

[33] Es ist unverkennbar, daß 1.QS 4,20f. oder auch 1.QH 15,16f. ‚Fleisch' in negativer Qualifikation verwenden, gleichwohl aber nicht als aktive, den Geist bekämpfende Macht. Daher kann Nötscher, Geist 175, mit Recht den Dualismus von Geist und Fleisch im Vergleich mit Pl für Qumran ablehnen. Außerdem: P.v.d. Osten-Sacken, Gott und Belial, StUNT 6, 1969, 170ff.; Lichtenberger, Studien 49ff.; W.D.Davies, Paul and the Dead Sea Scrolls: Flesh and Spirit, in: The Scrolls and the New Testament, ed. by K. Stendahl, 1957, 157–182; Kuhn, Enderwartung 123f.; Gerlemann, THAT I 379.

[34] Brandenburger, Fleisch 84.

[35] Brandenburger, Fleisch 187: „Das feindliche Widereinander der Mächte Sarx und Sophia-Logos bietet trotz aller Unterschiede in der Sache und trotz des Fehlens des Wortes πνεῦμα die naheliegendste Parallele." An anderer Stelle erkennt Brandenburger hier eine ‚Vorstufe' zu Pl (157) und sieht die antiochenische Gemeinde als Bindeglied zwischen Philo und Pl (227f.). Daß dies reine Spekulation ist, hat Paulsen, Überlieferung 46 A 119, klar erkannt. Ohne Kritik stimmt hingegen von der Osten-Sacken, Römer 8, 145f. A 6, Brandenburger in dieser Hinsicht zu.

[36] Zu der Sachdifferenz: Schmithals, Neues Testament und Gnosis 55. Bezeichnend für Philo mag auch sein, daß er den möglichen atl. Anhaltspunkt für den Gegensatz von

In der Profangräzität ist der Gegensatz von πνεῦμα-σάρξ gleichfalls nicht bezeugt. Auch der von Schweizer genannte Beleg Eur, fr 971 ist nicht einmal eine ‚formale Parallele'[37].

Die nächsten Parallelen zum pl Sprachgebrauch stellen nach wie vor gnostische Texte dar, insofern hier die Antithese von σάρξ und πνεῦμα als feindlicher Machtsphären bezeugt ist. Allerdings kann ein grobflächiger Hinweis auf „die einschlägigen Texte"[38] nicht befriedigen, da in ihnen der Dualismus zumeist Gestalt findet, ohne den Gegensatz von πνεῦμα und σάρξ zu bemühen. Dies betrifft Corp Herm[39], die Mithras-Liturgie; in den Schriften ‚Vom Wesen der Archonten' und ‚Apokryphon des Johannes' dominiert der Gegensatz πνεῦμα-ψυχή. HA 138,13 ff. (NHC II 4) u. a. zeigen aber, daß ψυχικός und σαρκικός Parallelbegriffe sind und im Gegenüber zu πνευματικός stehen. In JA 50,9 f. (NHC II 1) ist eventuell, was textkritisch umstritten ist, σάρκινη ψυχή zu lesen. Die Gegenüberstellung eines sarkischen und eines pneumatischen Menschen bei Zosimus wertet Winter bereits als ‚bedeutenden Sonderfall'[40]. In der Naassenerpredigt hingegen finden wir die Gegenüberstellung des σαρκικός und des πνευματικός (Hipp, Ref V 7,40; 8,7.18.23.36 f.; 9,4), allerdings zeigt V 26,25 als Verarbeitung von Gal 5,17 unmißverständlich auf, daß pl Aussagen vorausgesetzt sind. In diesem Zusammenhang ist zu bedenken, daß der Gegensatz „in den frühesten Systemen keine wichtige Rolle zu spielen" scheint, was wiederum nach dem Einfluß Pauli auf die gnostischen Texte fragen läßt[41]. Als Sachdifferenz bleibt außerdem, daß in den gnostischen Texten „die dualistische Sprache anders als bei Paulus in ursprünglicher Einheit mit den dualistischen Gedanken" begegnet[42]. Pl geht nicht von einem ursprunghaften Pneumabesitz der Glaubenden aus.

Es ist schließlich zweifelhaft, ob Pl sich direkt an Voraussetzungen im frühen Christentum anschließen kann[43]. Formal sind die christologischen Bekennt-

---

σάρξ und πνεῦμα in Gen 6,3 seinerseits in Gig 29 ff. als Gegensatz von σάρξ und ψυχή aufnimmt.

[37] Schweizer, ThWNT VII 103; ders., Komponente 32. Dort heißt es: ‚strotzend an σάρξ erlosch er ..., das πνεῦμα zum Äther entlassend'. Hier sind σάρξ und πνεῦμα nicht antithetische Begriffe, schon gar nicht sich gegenüberstehende Machtsphären. In der Profangräzität und im hell. Judentum findet sich aber die Gegenüberstellung von σάρξ und ψυχή (Strecker, Befreiung 245 A 65). Gleichwohl bleibt die terminologische Differenz zur pl Antithese.

[38] So Schmithals, Neues Testament und Gnosis 56 f. mit Verweis auf diese Texte; auch ders., Gnosis 157 f.

[39] Zum Negativbefund: Winter, Pneumatiker 158.

[40] Winter, Pneumatiker 163, der (161 A 16) zugleich daran erinnert, daß die Datierung des Zosimus ins 3/4. Jhd. weist.

[41] So Schweizer, ThWNT VII 149 und 151.

[42] Schmithals, Neues Testament und Gnosis 57.

[43] So Berger, Geist 187; Michel, Röm 191, erkennt eine alte Tradition und vermutet, daß dieser Gegensatz wahrscheinlich ein vom Anfang an mitgegebener Zug des apostolischen Zeugnisses des Pl war (256); Paulsen, Überlieferung 68, fragt, ob die Antithese den vorpl Gemeinden zuzuweisen sei, da die Antithese von ihm der gemeinsamen Überlieferung von Gal 5,13 ff. und Röm 8,1 ff. zugewiesen wird. Es ist jedoch ebenso gut denkbar,

nisse (Röm 1,3 f.; 1. Tim 3,16; 1. Petr 3,18), in der Substanz teilweise vorpl, wohl Parallelen. Jedoch ist der Begriff σάρξ in ihnen nicht negativ, durch die ἁμαρτία qualifiziert. Nach Pl findet sich der Gegensatz noch in Joh 6,63. Indessen ist dieser Text kein Zeugnis für vorpl Herkunft des Gegensatzes. V. 63 a verwendet ein Motiv, welches durch 1. Kor 15,45 als Bestand der korinthischen Gemeindetheologie erkannt wurde. Die in Joh 6,63 hinzugefügte Antithese zur σάρξ läßt ein Stück des johanneischen Paulinismus erkennen[44].

Der religionsgeschichtliche Vergleich hat erbracht, daß der Gegensatz von πνεῦμα und σάρξ erstmals bei Pl begegnet[45]. An Voraussetzungen kann Pl auf eine zunehmende Dualisierung von göttlicher und menschlicher Welt im hell. Judentum und Hellenismus blicken[46]. Da jedoch auch der σάρξ-Begriff (als negative Macht) in der pl Fassung ohne direktes religionsgeschichtliches Vorbild ist und andererseits der pl πνεῦμα-Begriff ohne mythologische Spekulationen begegnet, vielmehr der endzeitliche Geist ist, trägt die Antithese schon von diesen Voraussetzungen her ein spezifisch christliches Gepräge.

Ein entscheidendes Argument für die pl Abkunft des Gegensatzes ist zugleich die Beobachtung, daß Pl auch an anderen Stellen entsprechende Antithesen bildet: πνεῦμα-γράμμα (2. Kor 3,6.8; Röm 2,29; 7,6), πνεῦμα-σῶμα (Röm 8,10); σοφία-πνεῦμα (1. Kor 2,13).

Fragt man nach der Absicht der pl Bildung der Antithese, so ist ihre bevorzugte Verwendung im Gegenüber zu den judenchristlichen Gegnern und also positiv im Zusammenhang der Rechtfertigungslehre auffällig. Gleichwohl kann sie nicht darauf begrenzt werden[47]. Bereits in 1. Kor 3,1–3 stellt Pl πνευματικοί und σαρκικοί gegenüber[48]. Hierin wandelt er den aus der Gemeindetheologie vorgegebenen ausschließ-

---

daß Pl die in Gal erstmal bezeugte Antithese in Röm 8 aufnimmt und verarbeitet, da sie hier in gegenüber Gal 5 abgewandelter Gestalt erscheint.

[44] Meistens wird Joh 6,63 als Zeuge für vor- oder nebenpl Herkunft der Antithese betrachtet (Käsemann, Röm 8; Becker, Joh I 215). Allerdings konnte H. J. Holtzmann, Evangelien, Briefe und Offenbarung des Johannes, HCNT IV, ³1908, 85, für seine Zeit noch sagen: „Denn dass sich hier mit dem Begriff des Fleisches nach paulinischem Vorbild der der Sündhaftigkeit verbindet, wird (...) fast durchweg anerkannt." Holtzmann versteht m. a. W. 6,63 als Beleg für den Paulinismus des Johannes. Joh 3,6 sollte für den Vergleich mit den pl Aussagen nicht herangezogen werden, da „der Blick nicht auf die Neigung der σάρξ zum Sündigen gerichtet ist, sondern an ihrer geschöpflichen Nichtigkeit haften bleibt" (Schnackenburg, Joh I 385).

[45] Deutlich auch Lohse, Analyse 137; vgl. auch Burton, Spirit 207: „The antithesis ... is ... a new development ..."

[46] Holtzmann, Lehrbuch II mit einer Zusammenstellung weiterer Attribute in diesem Gegensatz (21), aber auch mit dem Urteil, daß „... innerhalb des Paulinismus aus dem Gegensatze physisch verschiedener Substanzen ein Dualismus ethisch sich widerstreitenden Prinzipien geworden ist."

[47] Mit Recht Strecker, Befreiung 245, gegen Jewett, Terms 99.

[48] M. E. liegt auf der Differenz von σαρκικός (Röm 15,27; 1. Kor 3,3; 9,11; 2. Kor 1,12; 10,4; 1. Petr 2,11) und σάρκινος (Röm 7,14; 1. Kor 3,1; 2. Kor 3,3; Hebr 7,16) nicht immer ein Gewicht (Bauer, WB 1472; vgl. die v. l. zu 1. Kor 3,1.3). Eine Differenz zwischen Genus substantiae und Genus qualitatis ist nicht immer sicher zu erheben.

lich substanzhaft verstandenen Gegensatz von πνευματικοί und ψυχικοί ab, um ihn auch als ethischen Gegensatz zu begreifen. Das Verhalten der πνευματικοί erweist, daß sie noch zur Sphäre der σάρξ gehören. Eine Vertiefung erfährt der Gegensatz im Gal, insofern er ein Interpretament für die Rechtfertigungslehre wird und σάρξ und πνεῦμα als einander bekämpfende aktive Mächte dargestellt werden. Zum einen zeigt die kontextuelle Verklammerung des σαρκὶ ἐπιτελεῖσθε (3,3), daß solches Verhalten mit einer Ausrichtung ἐξ ἔργων νόμου zu identifizieren ist (3,2.5). Die Rechtfertigung aus Gesetzeswerken ist ein sarkisches Unterfangen. Diese Identifizierung nimmt 5,17f. auf. Kennzeichen der σάρξ sind die ἐπιθυμίαι (5,16f.24), welche der Lasterkatalog illustriert (5,21). Diejenigen, die diesen ἐπιθυμίαι τῆς σαρκός verhaftet sind, haben keine Gemeinschaft mit der βασιλεία τοῦ θεοῦ (5,21). Die Christen haben die σάρξ in der Taufe gekreuzigt (5,24), gegenwärtig kämpft der Geist selber für die Christen gegen die σάρξ (5,17). Die Gesetzesfrage steht in 5,13ff. auffällig im Hintergrund (vgl. aber neben 5,18 auch 5,19: ἔργα (!) τῆς σαρκός). Die Ausführungen mögen also gleichfalls noch von den korinthischen Erfahrungen (ἐλευθερία 5,13) mitbestimmt sein. Der Gegensatz πνεῦμα-σάρξ dient Pl als Interpretament für unterschiedliche theologische Aussagen[49].

Eine Abwandlung des überindividuellen Gegensatzes von πνεῦμα und σάρξ in 5,13-25 bietet 6,8, insofern σάρξ jetzt anthropologisch als σάρξ ἑαυτοῦ verstanden wird.

Röm 8,5-8 nimmt, worauf schon mehrmals hingewiesen wurde, den Argumentationszusammenhang aus Gal 5,13ff. terminologisch und sachlich erneut auf, vertieft aber „im Zusammenhang der paulinischen Gedankenführung den Übergang vom Indikativ zum Imperativ."[50] Wiederum stehen sich beide Größen wie Mächte, denen ein φρόνημα (8,6f.) zukommt, gegenüber. Die jeweilige menschliche Ausrichtung gibt Anteil an deren φρονεῖν (8,5). In der Zeit vor Christus hatte die σάρξ den νόμος geschwächt (8,3) und der ἁμαρτία Raum gegeben (7,11), was zu einer Versklavung unter die ἁμαρτία führte (7,14). In Christus ist die ἁμαρτία gerichtet (8,3) und die Möglichkeit eröffnet, das δικαίωμα τοῦ νόμου zu erfüllen (8,4), ohne wiederum den νόμος als Ausgangspunkt für die ἁμαρτία zu gebrauchen. Da aber grundsätzlich

---

[49] Der isolierte Blick auf den Gegensatz von πνεῦμα-σάρξ ohne Berücksichtigung der weiteren pl πνεῦμα-Aussagen, sowie der Verzicht auf die Frage nach der Funktion des Gegensatzes in der pl Theologie führen daher leicht zu Mißverständnissen. Siebecks Bindung des Geistes an das Immaterielle mißachtet die substanzhaften Geistaussagen in der pl Theologie (Beiträge 6). Nicht nachzuvollziehen ist gleichfalls die These von Przybylski, Spirit 158: Pl leite die Antithese aus dem Rückblick auf die zwei Stände Christi ab. In Röm 1,3f. begegnet die σάρξ nicht als feindliche Macht!

[50] Paulsen, Überlieferung 67.

gilt, daß die Gemeinde im Raum des Geistes lebt (8,9), soll sie ihr Leben auch κατὰ πνεῦμα vollziehen (8,5-8).

Die pneumatologische Begründung der Ethik in Gal 5,13ff. und Röm 8,1ff. ist Kehrseite der Tatsache, daß Christus die ἁμαρτία ἐν τῇ σαρκί (Röm 8,3) gerichtet hat bzw. daß οἱ δὲ τοῦ Χριστοῦ τὴν σάρκα ἐσταύρωσαν (Gal 5,24), ist also Folge der Befreiung (Gal 5,13; Röm 8,2)[51]. Daher kann Pl in Röm 8,12 von einem Schuldigkeitsverhältnis gegenüber dem πνεῦμα sprechen.

Das κατὰ σάρκα ζῆν zieht das ἀποθνῄσκειν nach sich (8,13; vgl. auch 8,6: θάνατος; Gal 6,8: φθοράν), das κατὰ πνεῦμα ζῆν tötet gegenwärtig die πράξεις τοῦ σώματος (Röm 8,13; Gal 5,24) und erwartet zukünftig das Leben (Röm 8,6.14; Gal 6,8).

In entfernter Abwandlung begegnet die Antithese letztlich in Phil 3,3: οἱ πνεύματι θεοῦ λατρεύοντες ... καὶ οὐκ ἐν σαρκὶ πεποιθότες. Doch schon die Fortführung in V.4f. (καίπερ ἐγὼ ἔχων πεποίθησιν ἐν σαρκί ... περιτομῇ ὀκταήμερος ...) zeigt an, daß hier ein gleitender Übergang vom übertragenen zum eigentlichen Verständnis von σάρξ besteht. Es ist hier keinesfalls an eine Macht, die dem πνεῦμα entgegensteht und es bekämpft, zu denken.

Ein relativ offener Begriff σάρξ wird also in den vorwiegend spätpl Briefen mit dem Geist entgegenstehenden Haltungen in Verbindung gebracht.

- 1.Kor 3,1 blickt auf das κατὰ ἄνθρωπον περιπατεῖτε (3,3)
- 1.Kor 6,17 auf die Beziehung zur πόρνη
- Gal 3,3 auf ἐξ ἔργων νόμου δικαιωθῆναι
- Gal 4,29 auf die Verfolgung der christlichen Gemeinde
- Gal 6,8 auf das Vertrauen auf das eigene Fleisch
- Phil 3,3 auf das Vertrauen auf sarkische Vorzüge

Sieht man von diesen in direktem Zusammenhang der Geist-Fleisch-Antithese stehenden Aussagen ab, finden sich in den pl Briefen freilich weitere Belege für eine auf σάρξ bezogene negative Haltung (2.Kor 11,18; Phil 3,4; Gal 6,12).

Hingegen verschärfen Gal 5,16ff. und Röm 8,5ff. diesen Ausgangspunkt, indem sie die σάρξ als Macht verstehen, die Einfluß auf die Glaubenden ausübt (vgl. τὸ φρόνημα τῆς σαρκός in Röm 8,6f.; ἔργα τῆς σαρκός in Gal 5,19). In solcher Ausrichtung steht die σάρξ dem πνεῦμα als feindliche Macht gegenüber (Röm 8,5-8; vor allem Gal 5,17). In diesem Kampf tritt der Geist für die Glaubenden ein und schenkt eschatologisches Leben (Gal 6,8; Röm 8,6.12). Nur im Paktie-

---

[51] Deutlich Harnisch, Einübung 289: „Das Wesen der christlichen Freiheit wird nun mit Hilfe des Gegensatzes von σάρξ und πνεῦμα entfaltet. Darin liegt der gedankliche Fortschritt der Aussagenreihe."

ren mit den Größen der vorchristlichen Vergangenheit (Gal 3, 1–5; Phil 3, 3–6) wird die σάρξ in diesem Kampf siegen, was für den Menschen tödlich endet (Gal 6, 8; Röm 8, 6. 13). Insofern ist dieser Kampf zwischen Fleisch und Geist nicht wirklich ein Kampf, der den Menschen nur zum Kampffeld degradiert, vielmehr ist die Entscheidung des Glaubenden unlöslich mit dem Gegensatz von Fleisch und Geist verknüpft. Im übrigen zeigt der instrumentale Dativ in Gal 5, 18; Röm 8, 13; Phil 3, 3, den Pl nur beim πνεῦμα setzt, daß der Geist in weitaus stärkerem Maße die Glaubenden bestimmt, als es dem Fleisch möglich sein wird.

Pl knüpft in alledem keinesfalls an einen mythologischen Gegensatz im Judentum bruchlos an, noch wird der Gegensatz von Geist und Fleisch ein mögliches Raster, das Ganze der pl Theologie zu erfassen.

6.5.2 Die Charismenlehre

Ein gleichfalls antienthusiastischer Charakter kommt der Ausbildung der pl Charismenlehre zu, deren Anlaß ausschließlich in den korinthischen Verhältnissen zu suchen ist[52]. Gleichwohl kommt ihr in der pl Theologie grundsätzliche Bedeutung zu, wie die Darlegung eines im Gegenüber zu den Ausführungen des 1. Kor (12, 7–11. 28–30) reflektierteren Katalogs in Röm 12, 6–8 erweist.

Es ist vorweg zu bedenken, daß ein Verständnis der pl Position von der forschungsgeschichtlichen Prämisse, es gehe in den Charismenkatalogen primär um die Frage nach Geist und Amt, völlig abwegig ist, ja geradezu den Blick für die pl Aussagen verstellt[53].

6.5.2.1 Antienthusiastische Elemente der Charismenlehre

a) Durch die korinthische Gemeindetheologie war Pl die exklusive Selbstbezeichnung πνευματικοί (1. Kor 2, 13 f.; 3, 1; 12, 1; 14, 37) und die ihr korrespondierende Wertung ekstatischer Phänomene als πνευματικά (14, 1) vorgegeben. Unter letzterem konnte bereits die Glossolalie als prägnanteste Erscheinung erkannt werden. Vorgegeben war gleichfalls die Verabsolutierung ekstatischer Erscheinungen als spezifisches Kennzeichen der Geistbegabung und in Verbindung damit die Zurückstellung der Nicht-Pneumatiker in der Gemeinde.

---

[52] So Käsemann, Röm 318; Schulz, Charismenlehre 444; Herten, Charisma 75; Brockhaus, Charisma 238 u. a. Zur Sache auch M. S. Hemphill, The Pauline Concept of Charisma, Cambridge (MS) 1976; S. Schatzmann, A Pauline Theology of Charismata, 1987 (104–112 Lit.!); J. H. Roberts, Die Gees en die Charismata in die Briewe van Paulus, Neotestamentica 3, 1969, 21 ff.

[53] Hierzu Brockhaus, Charisma 210–218; Berger, Geist 192; ders., Formgeschichte 123.

Schon die weitgehende Vermeidung des Begriffes πνευματικοί (außer Gal 6,1) zeigt eine pl Distanz an. Entscheidend aber ist die Tatsache, daß Pl selber mit χάρισμα ein neues Wort in die christliche Sprache einführt, mit dem er den auch für ihn gegebenen Zusammenhang von Geistesgabe und Geisteswirkung in einer von der Gemeindetheologie völlig abweichenden Weise zur Geltung bringt.

Schon der sprachliche Befund verlangt eine Erklärung. Χάρισμα begegnet im NT ausschließlich bei Pl und in von ihm abhängiger Literatur (Röm 1,11; 5,15; 6,23; 11,29; 12,6; 1.Kor 1,7; 7,7; 12,4.9.28.30f.; 2.Kor 1,11; 1.Tim 4,14; 2.Tim 1,6; 1.Petr 4,10[54]). In vorpl Zeit ist der Begriff nicht gesichert. In Sir 7,33 LXX ersetzt der Codex Sinaiticus in einer sekundären Lesart χάρις durch χάρισμα, in Sir 38,30 LXX ersetzt der Codex Vaticanus χρῖσμα durch χάρισμα. Beides sind spätere und insgesamt schlecht bezeugte Varianten. OrSib II 54 gilt insgesamt als christliche Interpolation aus dem 3.Jhd. Auch die Theodotion-Übersetzung zu Ps 30,22, die חֶסֶד durch χάρισμα wiedergibt, ist nachchristlich (LXX: ἔλεος). Bei Philo begegnet χάρισμα in All III 78 zweimal. Auch hier sind beide Belege textkritisch umstritten[55]. Sichere Belege finden sich erst in nachchristlicher Zeit im nichtbiblischen Griechisch. Erster Beleg durch Alciphro III 17,4 (2.Jhd), weitere Koine-Belege (ThWNT IX 393); vgl. hier die Bevorzugung von Verbalsubstantiva auf -μα (BDR § 109). Da letztere Belege nicht von Pl abhängig sein können, mag Pl den Begriff χάρισμα in der Umgangssprache seiner Zeit vorgefunden haben. Entscheidend für seinen Gebrauch des Begriffs ist allerdings die Nähe zum christlichen Gebrauch des Wortes χαίρω κτλ (vgl. etwa in 1.Kor 1,4–7).

Die Meidung des Substantivs πνευματικός und die Bevorzugung von χάρισμα in der Korintherkorrespondenz läßt es als wahrscheinlich erachten, in χάρισμα einen bewußten Gegenbegriff, der aber nicht in der Antithese aufgeht, zu sehen[56]. Seine inhaltliche Bestimmtheit ergibt, da vorneutestamentlich sichere Belege fehlen, der von Pl gesetzte Kontext. Hierbei ist zunächst zu beachten, daß kein einheitlicher Sprachgebrauch vorliegt, da der Begriff Heilsgüter (Röm 5,15), menschliche Begabungen (1.Kor 12,6) oder konkrete materielle Gaben (2.Kor 1,11)

---

[54] Zur Abhängigkeit von 1.Petr 4,10 von der pl Diktion: Brockhaus, Charisma 129 A 9.

[55] So L.Cohn, Philo von Alexandrien, NJKlAlt 1, 1898, 539 A 1; als Frage aufgenommen bei Conzelmann, ThWNT IX 393; Käsemann, Röm 318; Herten, Charisma 59 u.a.; vgl. außer dieser Stelle einen Beleg bei J.R.Harris (ed.), Fragments of Philo Judaeus, 1886, 84, sowie in der griech. Fassung von Jub 3,1 (Text nach A.-M.Denis, Fragmenta Pseudepigraphorum Quae Supersunt Graeca III, 76: ὠνόμασεν ᾽Αδὰμ τὰ ἄγρια θηρία θείῳ τινὶ χαρίσματι).

[56] Da χάρισμα im pl Schrifttum in Röm 5,15f. der χάρις parallel geht, in 1.Kor 1,7 χάρις expliziert (vgl. auch Röm 12,4.6), mag es sich zunächst um einen von Pl gewählten Wechselbegriff handeln. Als technischer Begriff für die πνευματικά ist er aber von keinem anderen als Pl eingeführt worden (gegen Conzelmann, ThWNT IX 394 A 11, mit Schulz, Charismenlehre 455).

benennt. Wohl aber zeichnet sich in Röm 12,6; 1.Kor 12,4.31 eine technische Verwendung (Geistesgabe; Gen. auct.) ab, welche auch im nachpl Schrifttum erhalten bleibt (1. Petr 4,10; 1. Tim 4,14; 2. Tim 1,6). Vorstufen dieser technischen Verwendung sind 1.Kor 1,7 und 7,7[57]. M. a. W.: Pl ist Zeuge der Entstehung des technischen Begriffs.

Was leistet der χάρισμα-Begriff? Die Differenz zu πνευματικά ist nicht begriffsgeschichtlich zu erfassen. Auszugehen ist von der Tatsache der Verabsolutierung einzelner Gaben wie der Glossolalie und ihrer Wertung als Demonstration des Geistbesitzes. Gegen solche Verabsolutierung wendet sich Pl, indem er die substantivierte Form meidet bzw. wie in 14,1 gleich relativiert, vor allem aber, indem er den Begriff χάρισμα einführt. Hierbei hält Pl durch die kontextuelle Verklammerung fest, daß χαρίσματα nur als spezifische Gabe Gottes, nicht aber als individuelle Demonstrationsmöglichkeit gesehen werden können (vgl. die Verbindung χάρισμα θεοῦ: Röm 6,23; 11,29; χάρισμα ἐκ θεοῦ: 1.Kor 7,7; die Verbindung mit διδόναι: Röm 1,11; 5,15; 12,6; 1.Kor 1,4; mit διαιρεῖν: 1.Kor 12,4-6.11). Darüber hinaus wird der χάρισμα-Begriff, der nicht zum Inventar der Sprache des hell. Enthusiasmus zählt, diesem Vorstellungsbereich genommen und der οἰκοδομή der Gemeinde zugeordnet: „Denn das unterscheidet die Charismen von den heidnischen πνευματικά: Nicht das fascinosum des Übernatürlichen, sondern die Erbauung der Gemeinde legitimiert sie ...“[58].

b) Die Charismata werden, auch dies ist antienthusiastisch, nicht mehr ausschließlich, wie solches bei den πνευματικά der Fall war, der Vermittlung des πνεῦμα zugeordnet, geschweige denn als Gestaltwerdung des πνεῦμα begriffen[59]. Die weitestgehenden Aussagen bietet noch 1.Kor 12,7-11: die χαρίσματα sind διὰ τοῦ πνεύματος (12,8) gegeben, sind ein διαιροῦν τοῦ πνεύματος (12,11)[60]. Aber schon die einleitende Trias von χαρίσματα, διακονίαι, ἐνεργήματα und πνεῦμα, κύριος, θεός schließt mit der Rückführung aller Gaben auf Gott (ὁ ἐνεργῶν τὰ πάντα ἐν πᾶσιν 12,6). Dem entspricht, daß Charismen, die in 12,7-11

---

[57] Gegen die These eines einheitlichen Sprachgebrauchs (so die Diss. von F. Grau, Der neutestamentliche Begriff Charisma, seine Geschichte und seine Theologie, Diss. Tübingen 1946, 71) mit Recht: Brockhaus, Charisma 140; Schulz, Charismenlehre 445 f. Zum Sprachgebrauch weiterhin: Lerle, Diakrisis 73-80; N. Baumert, Zur Semantik von χάρισμα bei den frühen Vätern, ThPh 63, 1988, 60-78; H. v. Lips, Der Apostolat des Paulus – ein Charisma? Semantische Aspekte zu χάρισμα und anderen Wortpaaren im Sprachgebrauch des Paulus, Bib 66, 1985, 305-343; Wambacq, Mot.

[58] Käsemann, Amt 112; ders., Röm 318; ders., Geist/Geistesgaben 1275. Demgegenüber bleibt die Ausführung von Weiß, 1.Kor 297 (‚Repräsentanz der χάρις im Einzelleben‘), problematisch. Das ist ja gerade die korinthische Position.

[59] Vgl. Schnackenburg, Charisma 811.

[60] Es ist unverständlich, wie Herrmann, Kyrios 75, hier das „... Bemühen, die Wundermacht des Pneuma zu einer personalen Potenz des Kyrios zu machen ...“, erkennt.

auf das πνεῦμα zurückgeführt werden (Prophetie, Kräfte, Heilungsgaben, Zungenrede und Deutung), in 12,28–30 als Gaben Gottes begriffen werden; vgl. auch 1.Kor 7,7: ἕκαστος ἴδιον ἔχει χάρισμα ἐκ θεοῦ. Umgekehrt werden die ἐνεργήματα insgesamt (12,6) als Gaben Gottes begriffen, im Einzelfall (12,10) aber doch wieder dem πνεῦμα zugeordnet. 1.Kor 12,28–30 führt die Charismen ausschließlich auf Gott zurück, gleichwie Röm 12,6–8, nachdem zuvor in V.3 von der Zuteilung des μέτρον πίστεως durch Gott gesprochen wurde, die Charismen in Beziehung zur χάρις setzt, die mit 12,3 (vgl. die v.l.) als χάρις θεοῦ zu verstehen ist. Das πνεῦμα erscheint in Röm 12,11 schließlich im Zusammenhang einer Reihe von ethischen Einzelmahnungen (12,7ff.). Diese Verlagerung des Ursprungs der pneumatischen Erscheinungen vom πνεῦμα auf Gott hin wehrt einer verabsolutierenden Wertung derselben als Gestaltwerdung des Geistes.

c) Ein antienthusiastisches Interesse bestimmt die pl Plazierung der ekstatischen Gaben an das Ende der Charismenlisten in 1.Kor 12,10.28.30: γένη γλωσσῶν, ἑρμηνεία γλωσσῶν, γλώσσαις λαλεῖν[61]. In Röm 12,6–8 werden diese Charismen, sowie das möglicherweise ekstatische χάρισμα ἰαμάτων (1.Kor 12,9.28.30) gänzlich vermißt[62]. So zeigt die zeitlich jüngste pl Charismenliste den Zielpunkt an: χαρίσματα sind kerygmatische, diakonische und kybernetische Gaben, die der οἰκοδομή des σῶμα Χριστοῦ dienen, nicht aber individuelle ekstatische Gaben, es sei denn, sie werden in den Dienst der Gemeinschaft gestellt. Ist dies aber nicht gewährleistet, schließt Pl sie auf dem Verbotswege aus dem Gemeindeleben aus (1.Kor 14,28).

d) Antienthusiastisch muß der Grundsatz wirken, daß jeder getaufte Christ ἴδιον ἔχει χάρισμα ἐκ θεοῦ, ὁ μὲν οὕτως, ὁ δὲ οὕτως (1.Kor 7,7)[63]. Der Blick wird von einzelnen anerkannten Ekstatikern weggeführt auf die Gesamtgemeinde. Jetzt gilt: ἑκάστῳ δὲ δίδοται (1.Kor 12,7), διαιροῦν ἰδίᾳ ἑκάστῳ (1.Kor 12,11), ἑκάστῳ ὡς ὁ θεὸς ἐμέρισεν

---

[61] Zumindest ist schon die Gleichstellung von diakonischen und enthusiastischen Charismen eine antienthusiastische Spitze (Käsemann, Röm 318).

[62] Es ist eine unbefriedigende Auskunft, die Streichung der ekstatischen Gaben mit Verweis auf ihr Fehlen in der römischen Gemeinde zu erklären (Michel, Röm 298 A 4), andererseits die in Röm 12,4–6 genannten Charismen einen direkten Reflex der römischen Verhältnisse sein zu lassen. Was weiß Pl wirklich über die römische Gemeinde? Auch kann das Fehlen der überschüssigen Glieder des Charismenkatalogs aus Röm 12,6–8 gegenüber 1.Kor 12 nicht mit Verweis auf einen vorpaulinischen Charismenkatalog aus der korinthischen Gemeinde begründet werden (so zuletzt Wolff, 1.Kor 103). Schließlich entspricht es nicht dem Gesamtanliegen von 1.Kor 12–14, wenn Wilckens, Röm III 16, behauptet, erst der Pl des Röm habe die Gemeinde als den Ort der Charismen gesehen und daher – unpolemisch – die Individual-Charismen nicht mehr erwähnt.

[63] Gegen Merk, Handeln 160, läßt Pl die Frage, ob jeder Christ ein Charisma habe, nicht offen; vgl. nur 1.Kor 7,7; 12,7.11 und den Ausgangspunkt, daß jeder Christ Geistträger ist (ausführlich Schrage, Ethik 169).

(Röm 12,3). Dieser Grundsatz findet seine theologische Begründung in der eng auf die Charismen bezogenen σῶμα Χριστοῦ-Vorstellung (1.Kor 12,12–28 zwischen beiden Charismenkatalogen; in Röm 12,4f. ihnen vorangehend). Durch sie wird jegliche Verabsolutierung eines einzelnen Charismas verunmöglicht, um eine Leidens- und Freudenge-meinschaft auf den einen Leib hin zu begründen (1.Kor 12,26)[64].

e) Antienthusiastisch ist die zeitliche Begrenzung der Charismen als Gaben vor der ἀποκάλυψις τοῦ κυρίου ἡμῶν Ἰησοῦ Χριστοῦ (1.Kor 1,7). Trotz reichhaltiger Gegenwart derselben in der Gemeinde sind sie nicht Teil des Eschatons. Im Gegenteil, es steht noch eine Befestigung der Gemeinde für den Tag Christi aus (1,8). Die allgemeine Überzeu-gung des Geistbesitzes der Christen wird eingeschränkt auf eine φα-νέρωσις τοῦ πνεύματος (12,7)[65].

Hierbei ist wohl nicht an einen Gen.obj. zu denken (vgl. Bauer, WB 1687), da der Geist ja selber als Vermittler des Charismas gedacht ist (12,8). Indem schließlich diese φανέρωσις … πρὸς τὸ συμφέρον (12,7)[66] verliehen wird und also einem Gemeinplatz rationaler hell. Ethik unter-worfen wird (vgl. auch 1.Kor 7,35; 10,33), ist sie faktisch dem Enthusi-asmus genommen und der ekklesialen Gestaltung der Gemeinde zuge-ordnet. Die antienthusiastische Tendenz bestimmt schließlich 1.Kor 13,8, insofern προφητεία, γλῶσσαι und γνῶσις im Gegenüber zur ἀγάπη vergehen werden.

Als durchaus paralleler, ordnender Vorgang muß die Voranstellung der drei Ämter in 1.Kor 12,18 gesehen werden. Mag Pl mit dieser Trias auch auf vorgegebene Schemata zurückgreifen, hier lenkt die Voran-stellung jedenfalls von der Verabsolutierung ekstatischer Gaben ab[67].

---

[64] Schnackenburg, Charisma 826, lehnt zu Recht die Rede von einer demokratischen Verfaßtheit der Gemeinde, wie sie in den Charismenlisten zum Ausdruck komme, ab, da die pl Gedankenführung nicht mit der Vorstellung der ‚Volkssouveränität' zu verbinden ist.

[65] Völlig abweichend von dieser Sicht versteht Berger, Geist 192, die Charismen als zei-chenhafte und alternative Ausweise der himmlischen Existenz des Christen. Er beruft sich auf 1.Kor 7,7: die Ehelosigkeit erweise die Zugehörigkeit zur himmlischen Welt. Hier aber scheint Lk 20,34f. eingelesen zu sein. Pl selber befürwortet Ehelosigkeit, macht sie aber nicht zu einem Zeichen. Vielmehr habe ein jeglicher Christ ein Charisma, der eine so, der andere so.

[66] Die Streitfrage, ob ἑκάστῳ oder τὸ συμφέρον das Gewicht des Satzes trägt, ist von Weiß, 1.Kor 298, zu Recht mit keiner Antwort versehen worden.

[67] Herten, Charisma 68, erachtet die „Trias samt ihrer Zählung" für traditionell und verweist auf Eph 2,20; 3,5; 4,11; Apg 13,1. Es ist aber kritisch zu bedenken, daß in die-sen Belegen eben nicht alle drei Ämter in Verbindung genannt sind. Mit Berger, Formge-schichte 329, ist das aktuelle Interesse zu sehen: „Die Spitze der Argumentation ist gegen das Zungenreden gerichtet und hat positiv die Betonung der Autorität des Paulus, der Propheten und Lehrer zum Ziel, also vergleichsweise unchaotischer Begabungen."

Die übergreifende theologische Problematik der Verabsolutierung einzelner Erschei-

f) Antienthusiastisch ist endlich das Verständnis der χαρίσματα, insofern diese zu einem Interpretament der vorfindlichen Begabungen als von Gott, dem Kyrios oder dem Geist gegebener Zuteilungen werden. So wird der Blick vom vordergründigen Subjekt des Tuns auf den eigentlichen Verursacher gelenkt und zugleich der Blick dafür geöffnet, welche χαρίσματα neben der eigenen Begabung der Gemeinde insgesamt gegeben sind.

Diese Wertung berührt die Frage, ob die Charismen natürliche oder übernatürliche Gaben sind. Diese Frage ist zunächst nicht alternativ zu beantworten. Nach antikem Verständnis ist das χάρισμα ἰαμάτων und das γλώσσαις λαλεῖν eine übernatürliche Gabe, insofern beide unabdingbar an die Einwohnung übernatürlicher Kräfte bzw. Partizipation an der oberen Welt gebunden sind. Auch λόγος σοφίας und λόγος γνώσεως können nach christlichem (1. Kor 1, 5; 2, 6–16) und jüd.-hell. Verständnis (Sap 6, 12–9, 18) göttliche Gaben sein. Andererseits sind ἀντιλήμψεις und κυβερνήσεις (1. Kor 12, 28) amtlich-rechtliche Begriffe, und μεταδιδούς und ἐλεῶν (Röm 12, 8) sind Gemeinplätze antiker Ethik. Von daher ist zunächst zu sagen: Pl hält in den Charismenkatalogen fest, was er in der Gemeinde vorfindet, ohne einen Unterschied zwischen übernatürlicher und natürlicher Fähigkeit zu machen. Als Charismen kann er sie begreifen nicht aufgrund ihrer Erscheinungsform oder Absetzung von natürlichen Fähigkeiten, sondern weil er von der Überzeugung ausgeht, daß der endzeitliche Geist funktional qualifiziertes Verhalten eröffnet. Deswegen sind die Charismen διὰ τοῦ πνεύματος gegeben (12, 8). Sie werden damit jedoch nicht magisch wirkende übernatürliche Begabungen, da sie der Maßgabe κατὰ τὸ αὐτὸ πνεῦμα oder ἐν τῷ αὐτῷ πνεύματι unterstellt bleiben (12, 8 f.)[68]. Gleichfalls ist dem Gläubigen ein ‚Sich-Verhalten‘ zu den χαρίσματα ermöglicht, was wiederum diese von den ekstatischen Gaben trennt (vgl. die stereotype Verbindung mit ζηλοῦν: 1. Kor 12, 31; 14, 1. 12. 39).

---

nungsformen diskutiert zutreffend Weinel, Theologie 247: Der Enthusiasmus „... drohte auch das Evangelium zurückzustellen auf Kosten dessen, was das naturhafte Wesen an der Religion, an jeder Religion ist."

[68] Es ist Roloff, Amt 519 f., und Schlier, Herkunft 128, darin zuzustimmen, daß die natürlich-geschöpflichen Gegebenheiten nicht ausgeschaltet, sondern akzeptiert und als Charisma begriffen werden können, sofern sie der Gemeinde dienstbar gemacht werden. Conzelmanns Kritik an der idealistischen Deutung Baurs (‚schöpfungsgemäße Anlagen werden durch Einwohnung des Geistes dem geistlichen Bewußtsein zugeordnet‘) trifft in der Ablehnung des rein geistigen Verständnisses zu. Es geht ja um die Indienstnahme für die οἰκοδομή. Seine eigene Exegese läßt sich jedoch zu sehr von Gunkels Ansatz leiten („... Wirkungen sind ungeistig ... Er (der Geist; F.W.H.) reißt in die Ekstase"; ThWNT IX 395 A 24). Dem wollen die pl Charismenkataloge gerade wehren! Lerle, Diakrisis, zeigt, daß Pl sich teilweise an die hell. verwaltungstechnische Sprache anschließt (84).

6.5.2.2 Die Charismen als Explikation des Leib Christi-Gedankens

Pl beschränkt sich nicht darauf, Geistesgaben grundsätzlich zu akzeptieren und sie als χαρίσματα zu interpretieren. Entscheidender ist ihre Zuordnung zur σῶμα Χριστοῦ-Vorstellung. Dieser Zusammenhang ist von Pl bei allen drei Katalogen hergestellt (Röm 12,4 f. zu 12,6 ff.; 1. Kor 12,7–11 zu 12,12 ff.; 1. Kor 12,27 zu 12,28–30; vgl. auch bereits 1,5 zu 1,7). Hier dokumentieren die διαιρέσεις χαρισμάτων, was die Vorgabe der μέλη πολλά sagt. Zugleich hält Pl fest: die Taufe hat den Geist übereignet (1. Kor 12,13 b) und alle Täuflinge dem übergeordneten einen Leib eingeordnet. Gleichwie das christliche Handeln jetzt nur noch auf die οἰκοδομή dieses Leibes ausgerichtet sein kann, so müssen die einzelnen Handlungsfelder als unterschiedliche Funktionen der μέλη begriffen, zugleich aber auf den Geist, der ja allen Gliedern gegeben ist, zurückgeführt werden (vgl. ausführlich 6.1.1.4).

Dies ist nun im einzelnen zu explizieren und gegenüber anderslautenden Auskünften abzusetzen[69].

Daß die Charismenkataloge in der jetzt vorliegenden Form von Pl verfaßt sind, ist forschungsgeschichtlich unumstritten. Wohl aber findet sich gelegentlich die Erwägung, Pl greife einen Charismenkatalog auf, den die korinthische Gemeinde ihm vorgelegt habe, den er seinerseits mehrfach korrigiere[70]. Doch sind die pl Akzentuierungen, wie sie sich

---

[69] Exemplarisch Hainz, Ekklesia 82: gegen Käsemann sei die Leib-Vorstellung keine Hilfslinie der Charismenlehre. Aber auch Schürmann, Geistesgaben 247, erachtete das „Gefüge der Geistesgaben ... (als) verständlich von dieser Konzeption des ‚Christusleibes‘ her ...“ Unausgeglichen hierzu steht allerdings die Ableitung aus dem Damaskuserlebnis als individueller Beauftragung (245). Weitere Zustimmung zu Käsemann: Hahn, Charisma 210; Kümmel, Kor 188; Wilckens, Röm III 12. Unverständlich bleibt aber, worin die ‚Schlüsselfunktion‘ von 1. Kor 2,6–16 im Zusammenhang der Charismenlehre bestehen soll (Hahn, Charisma 212 f.)?

[70] So etwa H. Schürmann, ... und Lehrer 112 A 32; als Erwägung bereits ders., Gnadengaben 240; zustimmend Hahn, Gottesdienst 57; Wolff, 1. Kor 103. Hierbei wird die formgeschichtliche Frage, welchen Sitz im Leben solch ein vorpaulinischer Katalog in Korinth gehabt haben sollte, völlig ausgeklammert. Oder soll man vermuten, die Christen in Korinth hätten, ganz parallel zu mantischen Vorgaben (s. u. A 75), ihre eigenen Krafttaten listenmäßig erfassen wollen?
Schon J. Weiß, 1. Kor 301, hatte vermutet, daß Pl mit χαρίσματα ἰαμάτων und ἐνεργήματα δυνάμεων auf spezifischen korinthischen Sprachgebrauch zurückgreife, da a) der erste Begriff stereotyp in 12,9.28.30 erscheine und b) beide Begriffe mit χαρίσματα und ἐνεργήματα zwei Bezeichnungen verwenden, die in 12,4–6 als Sammelbegriff für alle Charismen erscheinen. In diesem Fall wäre der Begriff χάρισμα nicht von Pl, sondern von korinthischen Christen in die christliche Sprache eingetragen worden (vgl. Schürmann, Gnadengaben 241). Wohl aber ist anzunehmen, daß ἴαμα und δύναμις als enthusiastisch-ekstatische Machttaten in Korinth neben der Glossolalie in hohem Ansehen standen und nur deshalb hier und nicht in Röm 12 genannt sind (vgl. den kritischen pl Seitenblick in 1. Kor 11,30; zur Sache: H. C. Kee, Medicine, Miracle and Magic in New Testament Ti-

aus den Differenzen zu Röm 12 ergeben, nicht notwendig Korrekturen einer schriftlichen Vorgabe. Sie können ebenso gut als Reflex der besonderen korinthischen Situation verstanden werden. Ebenso hat der Versuch, aus den drei pl Charismenkatalogen eine einzige Urform zu rekonstruieren, nicht überzeugen können[71].

Weiterführend ist die Frage, ob Pl sich bei dem Grundsatz, die Geistesgabe (1. Kor 12, 7 ff.) oder die χάρις (Röm 12, 6 ff.) in vielfältige χαρίσματα aufzuteilen (vgl. auch Gal 5, 22), an religionsgeschichtliche Vorgaben anlehnt.

Berger hat verschiedentlich als Vorbild der Aufteilung auf Jes 11, 2 LXX verwiesen; hier entfaltet sich der auf dem Messias ruhende Geist in σοφία, σύνεσις, βουλή, ἰσχύς, γνῶσις und εὐσέβεια[72], vgl. zur Auslegung dieser Stelle auch äthHen 49, 3; PsSal 18, 7; 1. QSb 5, 25; 11. QMelch 18; Philo, de Sampsone 24 f. (Text in Übersetzung bei Berger, Exegese 47). Darüber hinaus ist auch an äth Hen 61, 11 zu denken: die Auserwählten loben Gott im Geist des Glaubens, der Weisheit, Geduld, Barmherzigkeit, des Rechts, des Friedens und der Güte. Und es scheint einem jüdischen Grundsatz zu entsprechen, daß Gott seinen Geist immer nur in einer bestimmten Konkretion austeilt, also in einer spezifischen φανέρωσις[73].

Man wird aber im gleichen Atemzug auch an die platonische Aufteilung der θεία μανία in μαντική, τελεστική, ποιητική und ἐρωτική (Plat, Phaedr 244–245) denken müssen. Hier liegt nicht nur eine formale Entsprechung vor, vielmehr sind hier auch die engeren inhaltlichen Parallelen gegeben (ἰάματα καὶ δυνάμεις = μανία τελεστική; προφητεύειν καὶ γλώσσαις λαλεῖν = μαντική)[74]. Schließlich ist zu bedenken, daß Pl die Gattung einer ,Liste' wählt[75]. In der griech. Mantik sind verschiedentlich die Pneumawirkungen in Listen festgehalten worden (Poll, Onom I 15; Lucanus, BellCiv V 169–174 u. a.).

---

mes, SNTS. MS 35, 1986; A. B. Kolenkow, Relationships between Miracle and Prophecy in the Greco-Roman World and Early Christianity, ANRW II. 23. 2, 1470–1506). Pl hält demgegenüber fest: auch diese Gaben sind χαρίσματα bzw. ἐνεργήματα θεοῦ (Greeven, Geistesgaben 114: ,geschenkte Heilungen').

[71] Vgl. die diesbezüglichen Ausführungen von Smalley, Gifts; Kuss, Röm 554–556; Schürmann, Gnadengaben 250 f. Kritisch bereits Weiß, 1. Kor 297; Schulz, Ethik 352; ders., Charismenlehre 446. Zur Auseinandersetzung mit J. R. Richards, Romans and First Corinthians, NTS 13, 1966/67, 14–30, dem zufolge Röm 12, 4 ff. vor 1. Kor 12 geschrieben sein müsse, weil 1. Kor 12, 27 notwendig Röm 12, 5 voraussetze, vgl. Wilckens, Röm I 47 A 121.

[72] Berger, EWNT III 1103; ders., Bibelkunde II 380; ders., Exegese 46–48; ders., Geist 192. Origenes nennt Jes 11, 2 häufig im Zusammenhang der Charismen (Belege bei Hauschild, Geist Gottes 132). Vgl. auch die Aufnahme von Jes 11, 2 im Pfingstlied EKG 97, 4.

[73] Käsemann, Röm 319, mit Verweis auf Bill II 431 (zu Joh 3, 34); vgl. dazu 1. Joh 3, 24; 4, 13 (ἐκ τοῦ πνεύματος αὐτοῦ δέδωκεν ἡμῖν); zur Auslegung von Jes 11, 2 in dieser Hinsicht bereits Volz, Geist 87 f. Dautzenberg, Prophetie 137, verweist zusätzlich auf 1. Kor 14, 12.

[74] Vgl. auch Pfister, Ekstase 974.

[75] Zu dieser Form: Berger, Formgeschichte 223 f.

Primäre Voraussetzung der Aufteilung der Charismen ist jedoch die Vorgabe der christologischen Anschauung von Leib und Gliedern (s. u.). Die Charismenkataloge unterliegen hinsichtlich ihrer Form keiner direkten Vorgabe im formgeschichtlichen Sinn, noch sind sie durchgehend einer bestimmten Gliederung unterworfen. Grundsätzlich gilt, wie für alle Reihenbildungen oder Listen: „... den Eindruck reicher individuell differenzierter Fülle zu wecken."[76].

Daß die ekklesiologische σῶμα Χριστοῦ-Vorstellung und die Charismenlisten aufeinander bezogen sind, zeigt schon ihre ausschließliche Bezeugung in Verknüpfung im pl, nicht mehr jedoch im dtpl Schrifttum. Darüber hinaus greifen Terminologie und inhaltliche Aspekte ineinander.

Wenngleich die ekklesiologische σῶμα Χριστοῦ-Vorstellung erstmals in 1.Kor 12 explizit begegnet, scheint sie hier nicht von Pl eingeführt zu sein. Vielmehr setzt er bereits in 1.Kor 6,15–17 (τὰ σώματα ὑμῶν μέλη Χριστοῦ ἐστιν) das Bild voraus (vgl. auch 1,13 und 5,7) und nimmt in 1.Kor 12 selbstverständlich ohne weitere Erläuterung darauf Bezug. Schon dieser Befund, erst recht aber die auffällige ausschließlich paränetische Verwendung des Bildes läßt fragen, auf welchen Voraussetzungen beides gründet.

Vorgegeben ist als christliche Tradition die Verwendung der σῶμα Χριστοῦ-Vorstellung in der Abendmahlsüberlieferung (1.Kor 10,16: οὐχὶ κοινωνία τοῦ σώματος τοῦ Χριστοῦ ἐστιν; 1.Kor 11,24, τοῦτό μού ἐστιν τὸ σῶμα τὸ ὑπὲρ ὑμῶν; vgl. auch 11,29). Daß hier ein Ansatz für eine ekklesiologische Ausdeutung des σῶμα-Begriffs gegeben war, ist wahrscheinlich. Freilich wird ohne zusätzliche ‚religionsgeschichtliche Leitbilder' nicht auszukommen sein[77].

Blicken wir aber zunächst auf die pl Belege, in denen in ihrem gegenwärtigen Kontext eine einheitliche lehrhafte Darlegung nicht gegeben ist.

1.Kor 12,12 und 14 rahmen die Tauftradition, der zufolge die Täuflinge in einen Leib getauft werden. Dieser Leib ist nicht als σῶμα Χριστοῦ gekennzeichnet. Der Rahmen beschreibt in der Bildhälfte (καθάπερ) das Bild des einen Leibes und vieler Glieder, in der Sachhälfte (οὕτως) wird der Vergleich überraschend mit οὕτως καὶ ὁ Χριστός (mit Artikel) gezogen. Pl läßt an dieser Stelle

---

[76] Weiß, 1.Kor 299; vgl. auch Berger, Formgeschichte 223f. Die klimaktisch gesteigerte Vorgabe in I 12,4–6 (πνεῦμα-κύριος-θεός) scheint in Kap. 12 insgesamt aufgenommen zu sein: 12,4–11: πνεῦμα; 12,12–27: Χριστός; 12,28–30: θεός. Streng durchgehalten ist sie aber nicht; vgl. die Gottesaussagen in 12,18.24, sowie das Vorkommen gleichlautender Charismen in Reihen, die auf das Pneuma oder auf Gott zurückgeführt werden, schließlich die Rückführung aller Charismen auf Gott in 12,6. Die Aufzählung 12,7–11 zeigt die geringste rhetorische Gliederung (Weiß, 1.Kor 299). In 12,28–30 ist die Enumeration der Trias vom folgenden ἔπειτα abzuheben, wo nach fünf Einzelcharismen der Verweis auf die überragende Stellung der ἀγάπη angezeigt ist. Auch in Röm 12,3-8 (der Übergang zu V.9ff. ist nicht scharf markiert) ist Pl an kein Schema gebunden (vgl. Michel, Röm 298; Hainz, Ekklesia 185).

[77] Zur Bedeutung der Abendmahlstradition und der Frage weiterer religionsgeschichtlicher Leitbilder: Klauck, Herrenmahl 335-337; Wilckens, Röm III 13; Klaiber, Rechtfertigung 42.

eine Bezugnahme auf die Abendmahlstradition erkennen: vgl. zum Bild ἕν σῶμα und πολλοί 1.Kor 10,16; zum Aorist ἐποτίσθημεν 1.Kor 10,4. Ist also hier bereits eine ekklesiologische Ausdeutung der σῶμα Χριστοῦ-Vorstellung aufgrund der die V.12–14 bedingenden Abendmahlstradition zu vermuten, so präzisiert 12,27 eindeutig: ὑμεῖς δὲ ἐστε σῶμα Χριστοῦ καὶ μέλη ἐκ μέρους[78]. Gleichwie nun 1.Kor 12,14–26 ausschließlich auf der bildhaften Ebene (Leib–Glieder) verbleiben, modifiziert Röm 12,4 f. die letztgenannte Aussage im Sinne von 1.Kor 12,14–26: οἱ πολλοὶ ἕν σῶμά ἐσμεν ἐν Χριστῷ (Röm 12,5). Zwar sind auch hier wörtliche Übereinstimmungen zu 1.Kor 10,17 und also zur Abendmahlstradition, aber es ist eben keine Entsprechung von σῶμα und Χριστός gegeben. All dies deutet darauf hin, daß Pl eine ekklesiologische Verwendung von σῶμα Χριστοῦ im Kontext der Abendmahlsüberlieferung voraussetzt, er verwendet aber diese Identität von Gemeinde und Leib Christi als Basis seiner Gemeindeethik. Zugleich läßt die singuläre Bezeugung der direkten Identität in 1.Kor 12,27 fragen, ob nicht gewisse Vorbehalte gegenüber dieser identifizierenden Rede mitzubedenken sind[79].

Die Arbeit von Klauck hat es u.E. wahrscheinlich gemacht, daß in Korinth die ekklesiologische Konzeption des Leibes Christi erste Gestalt fand. Hier lagen folgende Voraussetzungen bereit: a) das Herrenmahl gibt Anteil am Leib Christi (Analogie zu Mysterienmählern); b) die Taufe gliedert in den umfassenden Christusleib ein; c) die kosmologische-soteriologische σῶμα-Spekulation scheint in der korinthischen Anthroposspekulation (1.Kor 15,45–49) vorausgesetzt[80].

Die pl Aufnahme dieser Vorstellung und ihre Verarbeitung im Kontext der Charismenlehre vollzieht sich unter einer ausschließlich paränetischen Zielsetzung[81].

a) Die pl Interpretation greift nicht auf die religionsgeschichtliche Vorgabe des σῶμα als umfassenden Erlöserleibs zurück, sondern orientiert sich an der sozialen, paränetischen Interpretation der Leibmetaphorik, die in der stoischen Popularphilosophie vorgegeben ist. So zeigt

---

[78] Wolff, 1.Kor 113, befürwortet eine ausschließlich bildliche Verwendung des ekklesiologischen σῶμα-Begriffs. Diese Auslegung kommt spätestens bei 12,27 an ihre Grenzen. Der Verweis auf den fehlenden Artikel vor σῶμα (anders 12,12) bedenkt hier nicht, daß andernfalls Pl die Ortsgemeinde zur Gesamtgemeinde stilisiert hätte.

[79] Wir stimmen Klauck, Herrenmahl 345, darin zu, daß Pl keine ‚grundsätzliche Kritik‘ an der Eingliederung der Gemeinde in den Leib des Erhöhten übt. Gleichwohl ist zu bedenken, daß die σῶμα Χριστοῦ-Vorstellung in einer Spannung zur Kreuzestheologie stehen kann; vgl. auch Klaiber, Rechtfertigung 43–48; Schnelle, Gerechtigkeit 143 f.

[80] Zum religionsgeschichtlichen Hintergrund: Klauck, Herrenmahl 337– 346; zur korinthischen Konzeption 344–346. Käsemann, Röm 323, spricht von einem Theologumenon, welches „... der Apostel ... bereits übernommen hat und als bekannt voraussetzt ...“.

[81] Hierin besteht weitreichende Übereinstimmung: Schweizer, Kirche als Leib 288; Käsemann, Problem 183; ders., Röm 323; Klaiber, Rechtfertigung 47; Theißen, Aspekte 328; Klauck, Herrenmahl 345.

es sich in der Aufnahme des Fabelmotivs vom Leib und den Gliedern, welches die pl Ausführungen in 1.Kor 12,14–26 grundsätzlich, aber auch sprachlich bestimmt[82]. Mit dieser Verlagerung des religionsgeschichtlichen Leitbildes legt Pl das Gewicht in 1.Kor 12 auf den Organismusgedanken; dem entspricht völlig die Betonung in Röm 12,5 (τὸ δὲ καθ᾽ εἷς ἀλλήλων μέλη). Somit aber ist eine Zuordnung von χαρίσματα/μέλη zu dem einen übergeordneten σῶμα möglich.

b) Die sprachliche Verknüpfung von Charismenlisten und Leib Christi-Gedanken bestätigt ihre gegenseitige Interpretation; vgl.: νυνὶ δὲ ὁ θεὸς ἔθετο τὰ μέλη (12,18)/bzw. ἐν τῇ ἐκκλησίᾳ (12,28) als Begründung der Glieder/der Charismen; die übergreifende Zuordnung von ἓν und πολλά.

Hierin erreicht die antienthusiastische Interpretation der Charismen ihr Ziel. Die Geistbegabung verfehlt sich in der Demonstration individueller Fähigkeiten, sie ist vielmehr funktional der Auferbauung des Leibes zugeordnet[83].

6.5.3 Die kritische Akzeptanz der Glossolalie

Es ist deutlich geworden, daß Pl dem Phänomen Glossolalie als einer Gruppenerscheinung innerhalb der christlichen Kirche erstmals in Korinth begegnet. Daher beschränken sich die pl Ausführungen zu diesem Thema im wesentlichen auf 1.Kor 12–14. Hierbei leitet ihn wiederum eine antienthusiastische Tendenz, die bemüht ist, glossolales Reden auf den Privatbereich zu begrenzen bzw. in der Gemeindeversammlung in einer an die Prophetie angeglichenen Form begrenzt zuzulassen[84].

Grundsätzlich stimmt er den Enthusiasten zu. Die Glossolalie ist eine von Gott gewährte Gabe. So bezeugen es ja ihre Erwähnung in den Charismenlisten (12,10.28.30; 13,8) sowie der Wunsch unbehinderter und vielseitiger Ausübung derselben (14,5a.39), schließlich die Erwähnung des eigenen Beispiels (14,18). In 1.Kor 14 bedenkt Pl jedoch, unter welchen Bedingungen Glossolalie in dem Rahmen, den er beständig in Erinnerung ruft (ἐν ἐκκλησίᾳ: 14,19.23.28 u.ö.), statthaben kann. In dieser Hinsicht sind seine Ausführungen durchweg antienthusiastisch und kritisch. Die Glossolalie ist für Pl kein σημεῖον τοῖς πιστεύουσιν,

---

[82] Die sprachlichen Parallelen sind bei Klauck, Herrenmahl 339f. A 36; Wilckens, Röm II 12f.; Theißen, Aspekte 327–329, zusammengestellt.

[83] Theißen, Aspekte 326, spricht von einer Aktualisierung der Taufaussage, Klauck, Herrenmahl 346, von einer Ausrichtung der Sakramentsaussage auf die Praxis.

[84] Käsemann, Legitimität 518, vermutet, Pl erkenne die Glossolalie „hauptsächlich deshalb an, weil sie im gottesdienstlichen Brauch der korinthischen Gemeinde fest verankert" sei.

kein direkter Erweis der Geistbegabung. Im Gegenteil zeigt der Vergleich mit der Prophetie: „Der Heilige Geist zerstört nicht nur die Rationalität der Sprache, sondern setzt sie gerade in Kraft. Er gewährt Sprachkompetenz ..."[85].

a) Schon die Gleichsetzung dieser neben χάρισμα ἰαμάτων einzig enthusiastisch-ekstatischen Erscheinung mit anderen Gaben relativiert ihren Stellenwert, gleichwie ihre Plazierung an den Schluß der Kataloge (1. Kor 14, 10. 28–30) bzw. ihre Nicht-Erwähnung in Röm 12 die abwertende Einschätzung dieser Gabe im Verhältnis zu den übrigen Gaben wiedergibt.

b) Auf dieser grundsätzlichen Linie liegt auch der Verweis auf die eschatologische Begrenztheit dieser Gabe (1. Kor 13, 8). Auch für sie wird gelten, was für Prophetie und Erkenntnis in 13, 9 f. mit dem Gegensatz ἐκ μέρους–τέλειον gesagt ist. Trotz Partizipation an der himmlischen Sprache nimmt Glossolalie das Eschaton nicht vorweg.

c) Der Enthusiasmus muß sich grundsätzlich getroffen fühlen durch die Mahnung ταῖς δὲ φρεσὶν τέλειοι γίνεσθε (1. Kor 14, 20). Sieht man auf den voraufgehenden Kontext, so ist Glossolalie als kindliches Verhalten charakterisiert[86]. Wird demgegenüber ἡ φρήν in Geltung gesetzt, so impliziert dies ein Doppeltes. Zur Tradition des Enthusiasmus gehört gerade der Verzicht auf die Bestätigung des νοῦς (1. Kor 14, 14 f.; Philo, Heres 259–265; Plato, Phaidr 244 b!). Erst wenn die Sinne weichen, können Hiobs Töchter glossolal reden (TestHiob 48, 2; 49, 1). Die Bezugnahme auf den Verstand entspricht einem Grundzug der pl Ethik, die als vernünftiges Verhalten vor dem Eschaton gekennzeichnet ist (Röm 12, 1 f.). Der Verzicht auf den νοῦς stellt die Glossolalie als eine nutzlose (14, 6), nicht fruchtbringende Erscheinung dar (14, 9). Als solche stellt Glossolalie sich selber ins Abseits (14, 23. 33. 40).

Unter welchen Bedingungen kann Glossolalie hingegen akzeptabel sein?

a) Ein Recht kann Pl der Glossolalie als ‚privater‘ Form des Gebets beimessen[87]. So hat er für sich selber das ἐξιστάναι in Hinsicht auf Gott für gültig erachtet, solches aber aus seinem gemeindlichen Auftreten verbannt (2. Kor 5, 13; 1. Kor 14, 6). 1. Kor 14, 2 gibt unübersetzter Glossolalie ausschließlich in Hinblick auf Gott ein Recht. 14, 28 überführt diesen Grundsatz klar in eine Gemeindeordnung: ἐὰν δὲ μὴ ᾖ διερμηνευτής, σιγάτω ἐν ἐκκλησίᾳ. Und der Nachsatz bekräftigt ebenso

---

[85] Sauter, Gewißheit 213.
[86] Conzelmann, 1. Kor 284 A 13, lehnt zu Recht den Vorschlag, Glossolalie hier als Kindersprache wiedergegeben zu sehen, als unbegründet ab; im übrigen zur Auslegung: Weinel, Wirkungen 85.
[87] Der Begriff ‚Privatisierung‘ auch bei Käsemann, Schrei 231.

deutlich: nicht in der ἐκκλησία, sondern zu Hause (ἑαυτῷ) mag der Glossolale sein Gebet vorbringen[88].

b) Glossolale Rede in der Gemeindeversammlung ist grundsätzlich möglich (14,39), ihre äußere Form und ihre Zielsetzung bestimmt Pl jedoch in einem Vergleich mit der von ihm höher eingestuften Prophetie. 14,1–25 zieht einen dreifachen Vergleich:

- die Prophetie führt zur οἰκοδομή der Gemeinde, nicht die Glossolalie (14,1–11)
- im Gegensatz zur vernünftigen Prophetie bedarf die Glossolalie einer deutenden Übertragung (14,12–19)[89]
- unter missionarischem Aspekt ist Glossolalie unbrauchbar. Prophetie führt hingegen zur Kardiognosie (14,20–25).

1. Kor 14,26 ff. wendet diese eher theoretischen Überlegungen auf die Wirklichkeit der Gemeindeversammlung praktisch an (ὅταν συνέρχησθε 14,26). Grundsätzlich stehen alle Äußerungen unter der Maßgabe: πάντα πρὸς οἰκοδομὴν γινέσθω (14,26). Das bedeutet für die Glossolalie ausschließlich die Zulassung von übersetzter Rede. Hierbei steht εἷς διερμηνευέτω abgekürzt für das Charisma der ἑρμηνεία γλωσσῶν (1. Kor 12,10.28.30). Das Charisma der Glossolalie hat in der Gemeinde ein Recht ausschließlich in Verbindung mit dem Charisma der ἑρμηνεία[90].

Die pl Wertung der Glossolalie bestimmt auch hier die Diktion. Formal werden Glossolalie und Prophetie in ihrer Stellung im Gemeinde-

---

[88] Es ist Bousset, Rez. Weinel 112 A 1, darin zuzustimmen, daß Pl im Gegensatz zur korinthischen Gemeinde, welche die „ekstatisch erregte Gemeinde" betont, Glossolalie also primär als individuelles Phänomen aufnehmen kann. Pl betont jedoch nicht „die individuelle Ekstase stärker … als seine Umwelt."

[89] Pl läßt keinen Zweifel daran aufkommen, daß für ihn in Hinblick auf die gottesdienstliche Unterweisung (14,19: κατηχήσω) die Glossolalie keine Bedeutung hat (vgl. bereits 14,6). In 14,19 belegt dies der Vergleich zwischen πέντε λόγους τῷ νοΐ und μυρίους λόγους ἐν γλώσσῃ. Die Fünf-Zahl ist hier als runde Zahl im Sinne von „ein paar" (Bill III 461 f.) gesetzt. Dies bedeutet: Pl will lieber nur ganz wenig in der Gemeindeversammlung prophetisch reden als ein vielfaches glossolal (vgl. auch 1. Kor 4,5), m. a. W.: er verzichtet für seine Person um der Sache (κατηχήσω) ganz auf die Glossolalie ἐν ἐκκλησίᾳ.

[90] Während die glossolale Rede abhängig von einem weiteren Charisma ist (εἷς διερμηνευέτω), kann die prophetische Rede unmittelbar von den Gemeindegliedern vernommen und beurteilt werden (οἱ ἄλλοι διακρινέτωσαν). Wenn man hierbei, wie Dautzenberg, Prophetie 122–148, nahezulegen versucht, διακρίνειν im Sinn von ‚Deutung, Erklärung' (und also nicht ‚Unterscheidung') versteht, wird „der Vorzug der Prophetie gegenüber der auf Interpretation angewiesenenen Glossolalie" (Wolff, 1. Kor 105) verwischt; vgl. auch Dautzenberg, Hintergrund. Zur Auseinandersetzung mit Dautzenberg: W. Gudrun, A Response to Gerhard Dautzenberg on I. Cor. 12,10, BZ 22, 1978, 253–270; außerdem W. Richardson, Liturgical Order and Glossolalia in 1. Corintians 14.26 c–33 a, NTS 32, 1986, 144–153.

gottesdienst einander angeglichen. Aber dann heißt es bei der Glossolalie eben doch κατὰ δύο ἢ τὸ πλεῖστον τρεῖς, καὶ ἀνὰ μέρος. Hingegen fehlen diese Modalitäten bei der Prophetie, wenngleich ebenfalls δύο ἢ τρεῖς zugelassen sind. Pl durchbricht in V. 30 sogleich diese Einschränkung, indem er eine aktuelle Prophetie über das gesetzte Quorum hinaus zuläßt und schließlich in V. 31 allen die Möglichkeit zur Prophetie zugesteht.

Die Ausführungen im 1. Kor betreffen überwiegend kirchenorganisatorische Fragen, nicht aber die eigentliche Intention glossolaler Rede, nämlich in himmlischer Sprache an der oberen Welt partizipieren zu können. Zwar hat Pl jegliche Demonstration der Glossolalie als individueller Fähigkeit abgelehnt, kann er aber den Ansatz, das Gebet als Möglichkeit enthusiastischer Himmelsrede zu betrachten, zustimmen?

Schon die Ausführungen in 2. Kor 12,1–10 stimmen skeptisch. Zwar hat Pl in seiner Himmelsreise himmlische Sprache vernommen, doch wertet er dieses singuläre Ereignis vor 14 Jahren weder für sein Apostolat (V. 5), noch für sein pneumatisches Auftreten positiv aus. Pl erscheint in diesem Bericht ausschließlich in der passiven Rolle. Von eigener glossolaler Praxis spricht er hier gar nicht.

Pl nimmt diesen Komplex ‚Glossolalie-Gebet‘ nur an späterer Stelle noch einmal auf (Röm 8,26f.) und dies unzweideutig in „kräftige(r) Korrektur und Vertiefung"[91] der korinthischen Erfahrungen. Gleichwohl ist diese Sicht in der Forschung bis heute angefochten, insofern strittig ist, ob der Ausdruck στεναγμοῖς ἀλαλήτοις und damit die Ausführungen in 8,26f. überhaupt auf Glossolalie zu beziehen sind. Die genaue Exegese des Abschnitts zeigt jedoch, daß Pl von der Wirklichkeit glossolaler Vorgänge im gottesdienstlichen Leben, wie er sie in Korinth erfahren hat, ausgeht, im Gegensatz zur korinthischen Interpretation diese jedoch nicht der Verherrlichung der Glaubenden, sondern in paradoxaler Umkehrung Glossolalie der Unerlöstheit zuordnet. Erst der Geist bringt diese Gebete in seiner Funktion als Fürsprecher vor Gott[92].

Die Kontextbestimmung erkennt V. 19–27 in einer sachlich begründeten Gegenströmung zum doxologischen Rahmen, indem diese Verse das paradoxale

---

[91] Paulsen, Überlieferung 131.

[92] Es ist Theißen, Aspekte 333 und 338, darin zuzustimmen, daß in der differenzierten Aufnahme glossolaler Vorgänge und ihrer Neubewertung in Röm 8,26f. nicht einfach um ‚antienthusiastische Polemik‘ geht, da ja Glossolalie, wenn auch durch eine „kognitive Umstrukturierung glossolalen Erlebens" (339), integriert wird. Dennoch ist eine ‚bewußte Korrektur‘ (338) eben mit der korinthischen Situation gegeben. Deutlich erkannt bei Käsemann, Schrei 231; ders., Röm 230f.; Luz, Geschichtsverständnis 382 A 111; Balz, Heilsvertrauen 92; Paulsen, Überlieferung 125; Wedderburn, Röm 8.26; Dautzenberg, Glossolalie 239f. u. a.

Ineinander von gegenwärtigen Leiden und zukünftiger Verherrlichung als Folge der Christuszugehörigkeit (V. 17 c) zur Sprache bringen. Hierbei kann V. 18 als These verstanden werden, welche in V. 19–22; 23–25; 26 f. in drei konzentrischen Kreisen entfaltet wird[93]. In ihnen wird der Weg von außen (κτίσις) über die Glaubenden (ἡμεῖς) nach innen (τὸ πνεῦμα) beschritten. Gemeinsam ist den Kreisen das στενάζειν (V. 22. 23. 26)[94].

V. 26 setzt voraus, daß die Glaubenden in ἀσθένεια leben, hier konkretisiert Pl dieses anschließend und begründend (γάρ) damit, daß den Glaubenden das Wissen um das ‚was‘ (τί) und das ‚wie‘ (καθὸ δεῖ) fehlt. Gleichwohl trägt diese Aussage kein Gewicht in sich selbst, sie ist vielmehr Folie für das, was positiv über den Geist und sein Wirken ausgesagt werden soll[95]. Er selbst, der Geist, weiß um die rechte Anrede Gottes und vollzieht sie stellvertretend für die Glaubenden[96]. Pl greift mit dieser Aussage auf die atl.-jüd. Vorstellung der Mittlergestalten zurück und überträgt ihre Funktion hier in einer speziellen Hinsicht auf den Geist (vgl. ausführlich 8. 3)[97].

Dieses Eintreten des Geistes vollzieht sich στεναγμοῖς ἀλαλήτοις. Es ist zunächst als Sitz im Leben der Aussage durch προσευξώμεθα (V. 26) der gottesdienstliche Rahmen des Gebets vorgegeben. Sodann verbindet Pl στεναγμός mit ἀλάλητος und deutet in Entsprechung zu προσευξώμεθα auf ein sprachliches Phänomen. In der Literatur findet sich immer noch eine vereinseitigende, wenngleich mögliche Übersetzung

---

[93] Zur Gliederung überzeugend Balz, Heilsvertrauen 33 f.; Wilckens, Röm II 147 f. Von d. Osten-Sacken, Römer 8, 78–104, hat diese literarische Sonderstellung der V. 19–27 mit dem literarkritischen Urteil versehen, der Abschnitt sei eine vorpaulinische Schöpfung aus dem griech.-hell. Christentum, der sich gegen enthusiastische Strömungen in der Kirche richte. Diese literarkritisch und formgeschichtlich nicht überzeugende Lösung ist von Wilckens, Röm II 150 f., zu Recht einer Kritik unterworfen worden.

[94] Luz, Geschichtsverständnis 377, hat sich gegen diese Beurteilung ausgesprochen, weil "das Seufzen des Geistes in V. 26 einen anderen Sinn zu haben scheint, als dasjenige der Schöpfung und dasjenige der Menschen." Es sei gerade nicht "Ausdruck der Unerlöstheit", sondern der Interzession zugeordnet. Daher seien V. 26 f. für sich zu interpretieren. Die pl Interpretation versteht aber doch gerade die στεναγμοὶ ἀλάλητοι als Zeichen der Unerlöstheit, insofern der Geist nicht selber glossolal spricht, sondern die Gebete der Glaubenden stellvertretend fürsprechend vor Gott vorbringt. Die στεναγμοὶ ἀλάλητοι sind Zeichen der Unerlöstheit, der ἀσθένεια!

[95] Deutlich Balz, Heilsvertrauen 75, und Käsemann, Röm 229, gegen die verbreitete Auslegung einer ‚Gebetsaporie‘.

[96] Zu den Komposita ἀντιλαμβάνεσθαι und ὑπερεντυγχάνειν ausführlich 8.3.4.

[97] Ausführlich Balz, Heilsvertrauen 87–91, und die bei Wilckens, Röm II 162 A 715, genannte ältere Literatur. Obeng, Spirit, versteht die singuläre Aussage in Röm 8,26 auf dem Hintergrund a) der jüd. Fürsprechervorstellung; b) der christlichen Tradition von Jesus als Fürsprecher und c) der urchristlichen Ansage des Beistandes des Geistes vor Gericht; vgl. dazu 8.3.3.

als ‚wortlos, ‚stumm‘[98]. Aber es ist zu bedenken, daß Pl von Gemeindeerfahrungen ausgeht, nicht von theoretischen Überlegungen. Er setzt στεναγμοὶ ἀλάλητοι in den Gemeinden voraus und sucht hier nach einer Interpretation. Es ist nicht unterzubewerten, daß ἀλάλητος gerade im mantischen Bereich im Zusammenhang mit πνεῦμα bezeugt ist und ungewöhnliche Laute, nicht aber stumme bezeichnet. Es ist verschiedentlich an die berühmte Stelle aus Plutarch, Def 51 (II p 438 B) erinnert worden, wo die Pythia (ἀλάλου καὶ κακοῦ πνεύματος οὖσα πλήρης) spricht, und zwar hörbar mit rauher Stimme[99]. Die Verbindung von zwei Hapaxl. zu dem Ausdruck στεναγμοῖς ἀλαλήτοις kann im Kontext mit προσεύχεσθαι durchaus auf bestimmte Gebete in der Gemeinde gedeutet werden. Daß aber nicht der Geist selber Sprecher dieser στεναγμοί ist, erübrigt sich zu sagen[100].
An welche Gebete denkt Pl mit der Wahl dieses singulären und ungewöhnlichen Ausdrucks?

Grundsätzlich könnten hinter den στεναγμοὶ ἀλάλητοι, da es sich um Gebetsworte der Glaubenden handelt, geheimnisvolle Ausrufe vermutet werden. Der Geist führt ja nach Röm 8,15; Gal 6,6 zu einem κράζειν im Gottesdienst (vgl. auch 1.Kor 12,3). Gleichfalls könnte man an liturgische Gebetsrufe denken wie Halleluja, Abba, Maranatha[101]. Rufe in aramäischer Sprache konnten in griech.-hell. Gemeinden als geheimnisvoll empfunden werden (vgl. ihre Funktion in den Zauberpapyri). Es ist aber doch sehr fraglich, ob Pl die in der Urchristenheit vertrauten liturgischen Rufe hier als στεναγμοὶ ἀλάλητοι bezeichnen will. Was hätte ihn nötigen sollen, zwei Hapaxl. für Vertrautes zu suchen? Inhaltlich ist zudem kaum vorstellbar, daß Pl der Meinung sein soll, die liturgischen Gebete der Christen würden sich nicht gleich an Gott bzw. den Kyrios richten, sondern bedürften erst der Interzession des Geistes. Im Gegenteil zeigt Röm 8,15, daß die Geistesgabe zum Abba-Ruf befähigt. All dies bedenkend,

---

[98] So z.B. Schlier, Röm 269; Michel, Röm 208; Schmidt, Röm 150; Barrett, Rom 168; Wedderburn, Romans 8.26. Dagegen Käsemann, Schrei 223: Pl kann sich keine wortlose Interzession vorstellen.

[99] Theißen, Aspekte 315. Solchem Sprachgebrauch können die syn. Belege (Mk 7,37; 9,17f.25) zugeordnet werden. Balz, Heilsvertrauen 79 A 133: „Die bei H.Stephanus, Thesaurus Graecae ... angegebenen Belege zeigen deutlich, daß in Wendungen wie ἀλάλητος λαλεῖν das Adverb häufig die Bedeutung ‚sinnlos, unverständig reden‘ erhalten kann.“ Andererseits sind auch die späteren Belege der Mysteriensprache zu bedenken, die auf eine schweigende Gebetssprache deuten (Reitzenstein, Poimandres 91, zur Naassenerpredigt 18f.: ἀλάλως λαλοῦν μυστήριον ἄρρητον). Folgt man der ersten Deutung, kann auch στεναγμοί durchaus dem Motivbereich glossolaler Rede zugeordnet werden. M.Dibelius, Formgeschichte des Evangeliums, ⁶1971, 82f., zählt diese „,Seufzer‘ zur mystisch-magischen Technik“ (vgl. 83 A 1, religionsgeschichtliche Belege).

[100] Die Interzession des Geistes und das Stöhnen der Glaubenden fallen zusammen (Balz, Heilerfahrung 87).

[101] So Lietzmann, Röm 86; Schniewind, Seufzen 83.

wird es weitaus wahrscheinlicher, in dem Ausdruck στεναγμοὶ ἀλάλητοι eine pl Anspielung auf das in Korinth erfahrene Phänomen der Glossolalie zu sehen[102].

Die Deutung auf Glossolalie legt sich nahe. Einerseits wertet auch 1.Kor 14,14 die unverständlichen Äußerungen der γλῶσσαι als ein προσεύχεσθαι, hierin besteht eine Parallele zu Röm 8,26. Andererseits ist die Wahl des singulären Ausdrucks στεναγμοὶ ἀλάλητοι hinsichtlich στεναγμός durch den vorangehenden Kontext mitbedingt (V.23f.). Pl greift in 2.Kor 12,4 mit ἄρρητα ῥήματα einen entsprechenden Ausdruck auf (Subs. + Verbaladjektiv mit α-priv.), um einen Begriff für die Himmelssprache zu finden. Auf die mantische Verwendung des ἀλάλητος wurde bereits verwiesen. Daß hier allerdings die Intention, der Himmelssprache befähigt zu sein, gleich mit dem vom voraufgehenden Kontext pejorativ auszulegenden στεναγμός eingeschränkt wird, deutet auf die theologische Wertung des Phänomens in der pl Sicht. Glossolalie ist der Schwachheit der unerlösten Welt zugeordnet. In ihr wird gerade der Abstand zu Gott offenbar, denn erst der Geist bringt das glossolale Gebet vor Gott und tritt hier für die Glaubenden ein. Der Geist hält das κατὰ θεόν (V. 27), welches die Enthusiasten mißachten, ein. War den Pneumatikern in Korinth die Glossolalie ein Zeichen der Erhöhung, so wertet Pl sie als Zeichen der Schwachheit[103].

---

[102] Trotz der Kritik von Wilckens, Röm II 161; v.d.Osten-Sacken, Römer 8, 272–274; Schlier, Röm 269; Cranfield, Rom 421–424, ist dieser Deutung mit Käsemann, Schrei 215f.; ders., Röm 230f.; Balz, Heilsvertrauen 80; Paulsen, Überlieferung 122f.; Dautzenberg, Glossolalie 239f.; Stendahl, Glossolalie 123, der Vorzug zu geben.

[103] Vgl. zu dieser Interpretation die Ausführungen von Käsemann, Schrei 231; ders., Röm 230f.; Balz, Heilsvertrauen 92; Luz, Geschichtsverständnis 382 u.a. Es ist ferner Schniewind, Seufzen 91ff., darin zuzustimmen, daß die den Röm bestimmende Rechtfertigungslehre in die pl Ausführungen über Geist und Gebet eingreift. Von den Gegenargumenten gegen diese Deutung (bei v.d.Osten-Sacken, Römer 8, 272–275) verfängt nicht der häufiger genannte Einwand, Römer 8 spreche von allen Christen, nicht aber nur von den Glossolalen, nicht, da „glossolale Erfahrungen einzelner Gemeindeglieder von der Gesamtgemeinde sehr wohl als Eintreten des Geistes für die betende Gemeinde als ganze verstanden werden konnten" (Luz, Geschichtsverständnis 381, und A 107). Auch der Abba-Ruf einzelner bezeugt der Gesamtgemeinde den Stand der Sohnschaft (vgl. 8.3.3). Die Deutung dieses Geistes auf den Taufgeist (Wilckens, Röm II 161) widerspricht der rechtfertigungstheologischen Auslegung, insofern dann ja der Glaubende, der im Besitz dieses Geistes ist, selber die Interzession vor Gott vollzöge. Auch von der religionsgeschichtlichen Voraussetzung der Fürsprechervorstellung her legt es sich nahe, τὸ πνεῦμα in V.26f. auf den endzeitlichen Geist zu beziehen. Schließlich fällt Niederwimmers Auslegung völlig aus dem durch die Rechtfertigungslehre gesetzten Rahmen. Es ist nicht zutreffend, daß Pl zu einem Gottesbegriff durchgestoßen ist, „der das Beten fragwürdig, ja eigentlich sinnlos macht" (Gebet 259).

6.5.4 Geist und Heiligkeit

Der 1. Thess hat in großer Breite dargelegt, daß die Gemeinde in den Stand der Heiligkeit gesetzt ist (4,7), daß solche Heiligkeit mit der Übereignung des Geistes Gottes gegeben ist (4,8), daß sie diese übereignete Heiligkeit bis zur Parusie bewahren soll (4,1–8), wiewohl Gott selber in der Zeit die Heiligung der Gemeinde vollständig machen will (5,23).

Die vorpl judenchristlichen Tauftraditionen aus dem 1. Kor (1,30 und 6,11), die in Nähe zum 1. Thess stehen, haben als Ort der Übereignung der Heiligkeit die Taufe benannt. So kann die Gemeinde als ἡγιασμένοι ἐν Χριστῷ Ἰησοῦ (1. Kor 1,2) angeredet werden.

Christliches Leben kann sich nach den Ausführungen des 1. Kor nur in Entsprechung zu dieser neuen Wirklichkeit geheiligter Existenz in Heiligkeit vollziehen[104]. Der Ort dieses Vollzugs ist im Gegensatz zur ekstatisch-enthusiastischen Tradition die Leiblichkeit.

Die Frage nach ‚Geist und Ethik‘ stellt sich als Frage der Verhältnisbestimmung noch nicht wirklich im 1. Kor. Sie begegnet erst in den Konflikten mit den Judaisten, insofern die Frage nach der letztlich verbindlichen Norm (Gesetz oder Geist) gestellt wird, welche eine geschichtliche Entscheidung des Einzelnen fordert (Gal 5,22 ff.; Röm 8,5 ff.). Hiervon zeigt sich der 1. Kor noch entfernt, da Pl sich hier zur Begründung der ethischen Entscheidung nicht auf die Geistesgabe bezieht. Vielmehr sind Geist und Heiligkeit gesetzte Größen. Sie zu bewahren, kann Pl unterschiedliche Begründungen anführen (Lasterkatalog: 6,9 f.; die atl.-jüd. Überlieferung: 10,1–13; seine eigene Meinung: 7,25.40; die Gewohnheit: 11,16 u. a.). An keiner Stelle aber deduziert er im 1. Kor die Paränese direkt aus der Vorgabe des πνεῦμα.

Wir möchten den Stellenwert, der der Heiligkeit der Getauften im 1. Kor zukommt, kurz von zwei unterschiedlichen Aussagen her illustrieren, um hernach den Zusammenhang zwischen Geist und Heiligkeit, wie Pl ihn bestimmt, zu explizieren.

a) Die Einlaßbedingungen des Reiches Gottes, die Pl als trad. Wissen der Gemeinde ansprechen kann (1. Kor 6,9 f.; 15,50; sodann Gal 5,21; Eph 5,5), schließen den Zugang für ἄδικοι aus. Wer unter diese ἄδικοι zu fassen ist, hält der Lasterkatalog hier wie in den anderen o. g. Belegen (außer 15,50) fest. Durch ihr Verhalten hat sich die Gemeinde jedoch als ἄδικος erwiesen (6,1.8). Die Tauftradition 6,11 erinnert hingegen an die einmal vollzogene Gerechtmachung der Glaubenden und verlangt, das Verhalten in eine Entsprechung zu dieser Wirklichkeit zu setzen.

b) Wie massiv dinglich und wie wenig metaphorisch Pl die Heiligkeit der Gemeinde sieht, zeigt andererseits 1. Kor 7,14. Es mag sein, daß Pl von der Vor-

---

[104] Der an trefflichen Beobachtungen reiche Aufsatz von Synge, Spirit 86: „Perhaps it was his experience of affairs at Corinth that made him transfer the emphasis in his doctrine of the spirit from its possession to its fruits."

stellung in der Gemeinde ausgeht, das Zusammensein mit einem heidnischen Ehemann, der auf verschiedene Weise noch in einem Verhältnis zu Dämonen steht (z. B. Götzenopfer), könne übertragend sein. Pl jedenfalls argumentiert faktisch von einer entsprechenden Position aus: ἡγίασται γὰρ ὁ ἀνὴρ ὁ ἄπιστος ἐν τῇ γυναικί. Die objektive Heiligkeit überträgt sich auf den Ehepartner. So zeigt es sich ja auch in der in Korinth vorausgesetzten Überzeugung, daß auch Kinder aus Mischehen geheiligt sind, ohne daß von ihrer vorhergehenden Taufe die Rede gewesen wäre[105].

Konkret stellt sich die Frage der Heiligkeit der Gemeinde im 1. Kor als Frage nach dem Verhältnis zur πόρνη. So gewiß Pl hiermit ein trad. Thema aufgreift (vgl. bereits die Ausführungen in 1. Thess 4, 1–8; die Lasterkataloge 1. Kor 6, 9 und Gal 5, 19), so gewiß stellt es sich in 1. Kor 6, 12–20 als aktuelles Thema, welches durch die Gemeindesituation bedingt ist.

Dennoch ist vorweg zu bedenken: a) Wie die o. g. trad. Ausführungen nahelegen, hat die pl Gründungspredigt bereits im Sinne von 1. Thess 4,3 zum ἀπέχεσθαι ἀπὸ τῆς πορνείας aufgerufen. b) Der sog. Vorbrief nach der Gründungspredigt hat abermals bekräftigt μὴ συναναμίγνυσθαι πόρνοις (1. Kor 5,9). c) In der Gemeinde ist der Vorbrief, wie Pl selber zu erkennen gibt (5, 10 f.), unterschiedlich verstanden worden und hat in einem Teil der Gemeinde asketische Tendenzen begünstigt (7, 1). d) Im Antwortbrief präzisiert Pl, die Gemeinschaft mit dem ἀδελφός, der sich als πόρνος erwiesen hat, sei aufzugeben (5, 11). Zugleich sucht er weitere Konflikte der Gemeinde mit πορνεία so zu umgehen, daß er für diejenigen, die nicht das χάρισμα der Enthaltsamkeit besitzen (1. Kor 7,7), die Ehe als legitimen Ort der Sexualität empfiehlt (7, 1 ff.).

Es gibt gute Gründe, 6, 12–20 in der Substanz zum Vorbrief zu zählen[106]. Hier geht es (neben 11, 2–34; 5, 1–8; 9, 24–10, 22; 6, 1–1) stets um die Außenbeziehungen der Gemeinde, die das Konfliktpotential der in der Taufe übereigneten Heiligkeit darstellen. In welchem Maße sind diese Außenbeziehungen überhaupt hinsichtlich der Bewahrung der übereigneten Heiligkeit relevant?

Pl eröffnet in 6, 12–20 seine Argumentation, indem er in V. 13 c thematisch[107] eine wechselseitige Beziehung von κύριος und σῶμα behaup-

---

[105] Im einzelnen bleibt offen, wie sich Pl die Übertragung der Heiligkeit vorstellt, eine Vermittlung der Heiligkeit durch den Geschlechtsverkehr (Lietzmann, Kor 31) ist in keiner Weise angezeigt, könnte auch schwer in die pl Sexualvorstellungen eingepaßt werden. Weiß, 1. Kor 181, hat mit Recht die Auffassung zurückgewiesen, ἐν τῇ γυναικί sei ἐν Χριστῷ nachgebildet, um den Gemeinschaftsaspekt auszudrücken; vgl. zu V. 14 b die Diskussion bei J. Jeremias, Hat die Urkirche die Kindertaufe geübt?, ²1949, 37–40; ders., Die Kindertaufe in den ersten vier Jahrhunderten, 1958, 52–56; ders., Nochmals: Die Anfänge der Kindertaufe, TEH 101, 1962, 30–32. Schrage, Heiligung 232 f., diskutiert die Stelle ausführlich und erinnert an „ein Denken in Machtsphären" (232).

[106] Auch wenn Merklein, Studien 345–357, hinsichtlich der Frage, ob der sog. Vorbrief zu rekonstruieren sei, skeptisch ist (374), sei bezüglich der Forschungsgeschichte auf diesen Beitrag verwiesen.

[107] Als Themavers des Ganzen klar erkannt von Niederwimmer, Askese 77.

tet: τὸ δὲσῶμα ... τῷ κυρίῳ, καὶ ἡ κοιλία τοῖς βρώμασιν. Diese Aussage ist zwar V. 13 a nachgebildet (τὰ βρώματα τῇ κοιλίᾳ, καὶ ἡ κοιλία τοῖς βρώμασιν), aber das hier gegebene unbedingte Aufeinandergewiesensein bestimmt wiederum das Verhältnis von σῶμα und κύριος, wie es der anschließende V. 14 als Schicksalsgemeinschaft expliziert[108]. Diese Zuordnung von σῶμα und κύριος scheint in Korinth strittig gewesen zu sein, der von Pl bejahte Grundsatz πάντα μοι ἔξεστιν hält ja auch verschiedene Interpretationsmöglichkeiten offen. Pl stimmt zu: in bezug auf Speisen stehen die Christen in Freiheit. Speisen sind vergänglich. Anders ist hingegen die Stellung zum σῶμα bestimmt, welches gerade nicht dinghaft dem ‚ich‘ gegenübersteht. Der Mensch ist σῶμα; und er ist nicht vergänglich. Daß es angesichts dieser Verbundenheit unstatthaft ist, das σῶμα der πόρνη zu übereignen (V. 13 c), versteht sich von selbst[109], wird aber in V. 14 ff. drastisch zugespitzt, indem Pl „den jetzigen Einfluß des Auferstandenen auf uns" zur Sprache bringt[110].

Wohl durch κολλώμενος (V. 16 a) angeregt, erweitert Pl, zunächst in Anspielung an Gen 2, 24 (προσκολληθήσεται πρὸς τὴν γυναῖκα), dann zitierend: ἔσονται ... οἱ δύο εἰς σάρκα μίαν. Diese Aussage ist weithin epexegetisch verstanden worden, so als wolle Pl nicht mehr als die somatische Gemeinschaft betonen[111]. So gewiß dies für Gen 2, 24 LXX zutrifft, in 1. Kor 6, 16 f. spielt Pl auf den Gegensatz von σάρξ und

---

[108] 1. Kor 6, 14 ist gegen Schnelle, 1. Kor 6, 14, nicht als Glosse aus dem Zusammenhang auszuscheiden; vgl. bereits die ausführliche Kritik von Sellin, Streit 50 A 49; aber auch J. Murphy-O'Connor, Interpolations in 1. Corinthians, CBQ 48, 1986, 81–84.

Hinzuzufügen ist noch: 1. Kor 6, 14 kann neben 2. Kor 4, 14 und Röm 8, 11 b als ‚Auferweckungs-‘ (Wengst, Formeln 27–48) oder ‚Begründungsformel‘ (Müller, Geisterfahrung 14 ff.) verstanden werden, die älter ist als ihr jeweiliger Kontext (Zustimmung durch Bekker, Auferstehung 134 f.; Schade, Christologie 347 f.). Wahrscheinlich ist die mysterienhafte bzw. sakramentale Verwendung (Röm 6, 4; Kol 2, 12) sekundär gegenüber einer apokalyptischen Perspektive. Daß sie nicht immer spannungsfrei eingepaßt worden ist, braucht nicht zu verwundern. Auch Röm 8, 11 b scheint den in 1. Kor 15 dargelegten Verwandlungsgedanken nicht zu bedenken.

[109] Heines Frage (Glaube 140), weshalb sich für Pl Geschlechtsverkehr mit der Dirne und Christusgemeinschaft ausschließen, ist mit der in V. 16 f. dargelegten Sicht der ganzheitlichen Bindung an das Gegenüber noch nicht beantwortet. Der eheliche Geschlechtsverkehr steht ja der Bindung an den Kyrios nicht im Wege (1. Kor 7, 3). So wird man gegen Heine doch die ethische Qualifikation von πορνεία nicht ausschließen dürfen, hierbei vor allem die Nähe zum Götzendienst (6, 12; 10, 23) sehen müssen; vgl. Fitzer, EWNT III 334.

[110] E. Fuchs, Die Herrschaft Christi. Zur Auslegung von 1. Kor 6, 12–20; in: H. D. Betz und L. Schottroff (Hg.), Neues Testament und christliche Existenz, FS H. Braun, 1973, 188.

[111] So Bultmann, Theologie 196 und 210. Abwegig ist die Vermutung von J. I. Miller, A Fresh Look at I. Corinthians 6. 16 f., NTS 27, 1981, 125–127: Pl wolle gerade nicht an geschlechtliche Vereinigung denken, weil er gegen Gen 2, 24 LXX nicht das Kompositum προσκολλᾶσθαι bezeuge.

πνεῦμα an[112], was auch noch die Auslegung des V. 17 bestimmt. Es ist abwegig, diese Aussage von 2. Kor 3, 17 her zu interpretieren. Pl will primär keine Aussage über das Wesen des Kyrios noch des Geistes machen. Vielmehr: die Beziehung zur πόρνη wie zum Kyrios führt zu einer somatischen Gemeinschaft. Erstere entspricht dem Wesen der σάρξ, letztere dem Wesen des πνεῦμα. Diesem Gegensatz gehen die Begriffe μέλη πόρνης und μέλη τοῦ Χριστοῦ völlig parallel[113]. Beide Beziehungen vermitteln Teilhabe an dem, worauf sie sich ausrichten. Dies ist nicht der Geist des Kyrios, sondern das πνεῦμα ἅγιον, οὗ ἔχετε ἀπὸ θεοῦ (6, 19). Daß der Kyrios zu diesem Bereich gehört und an ihm partizipiert, ohne mit ihm identisch zu sein, ist bei dieser Begründung vorausgesetzt (vgl. den Exkurs hinter 7.1.2.2).

Bedenkt man darüber hinaus, daß sowohl V. 15 als auch V. 19 das neue Eigentumsverhältnis der Christen zum Kyrios in Erinnerung gerufen haben, so muß sich das leibliche Verhalten von der sarkischen Sphäre distanzieren (V. 18), um, wie V. 20 abschließend in völliger Abkehr von enthusiastischen Tendenzen festhalten, Gott am eigenen σῶμα zu preisen (zur Verwendung des Tempelmotivs vgl. bereits 4.1.2).

Die ungewöhnlich vielfältige Verwendung der σῶμα-Begrifflichkeit im 1. Kor und ihre Zuordnung zur Heiligkeit der Gemeinde, zur Ekklesiologie (1. Kor 12) und zur Eschatologie (1. Kor 15), ist insgesamt nur zu verstehen auf dem Hintergrund der sich abzeichnenden Konzeption, den Geist als Angeld zu verstehen, welches die Glaubenden in ihrer geschichtlichen Existenz festhält, um dort die Gabe des Geistes im individuellen und ekklesiologischen Bereich zu ‚verleiblichen‘[114].

---

[112] Deutlich erkannt bei Lietzmann, Kor 28; Kümmel bei Lietzmann, Kor 175; Schmitz, Christus-Gemeinschaft 156; Bousset, 1. Kor 100; Berger, Formgeschichte 101.

[113] Schmitz, Christus-Gemeinschaft 168 f. A 1.

[114] Sellin, Hauptprobleme 3027, verweist auf das Vorkommen von 45 σῶμα-Belegen im 1. Kor gegenüber insgesamt 70 bei Pl. Käsemann, Anthropologie 37 ff., hat gerade von der Exegese von 1. Kor 6, 12–20 her gegenüber Bultmann, Theologie 199, die „Bezogenheit auf eine ihm (dem Menschen, F. W. H.) jeweils vorgegebene Welt" betont. Außerdem Schweizer, ThWNT VII 1060 f.; K.-A. Bauer, Leiblichkeit – das Ende aller Werke Gottes. Die Bedeutung der Leiblichkeit des Menschen bei Paulus, StNT 4, 1971.

7 Die Auseinandersetzungen mit der judenchristlichen Gegenmission

Der 2. Kor, Gal und Phil sind durch judenchristliche Reaktionen auf die pl Mission gezeichnet, die in den pl Gemeinden zur Gefährdung des gesetzesfreien Evangeliums führen und Pl wiederum nötigen, seine Verkündigung in Abgrenzung zu präzisieren. Neben der Frage der Rechtmäßigkeit seines Apostolats tritt die Diskussion um den Stellenwert des Geistes bestimmend in den Vordergrund, insofern Pl die für ihn maßgebliche Vorgabe des Geistes behaupten muß gegenüber den überkommenen und für seine judenchristlichen Gegner in unterschiedlichem Maße weiterhin bestimmenden Größen γράμμα, νόμος und περιτομή[1].

Wir verfolgen zunächst die Auseinandersetzung mit den judenchristlichen Gegnern und den durch sie verunsicherten Gemeinden so, wie sie sich in den einzelnen Gemeindebriefen darstellt.

7.1 2. Korintherbrief: Buchstabe und Geist

Pl bietet in 2. Kor 3 eine ausführliche Abhandlung zum Thema ‚γράμμα-πνεῦμα'. Sie erscheint wie eine thematische Einlage in der Apologie des pl Apostolats, ist aber schon vom engeren Kontext her eng mit den Gesamtausführungen des 2. Kor verknüpft, kann also nicht unter Absehung derselben interpretiert werden. 2, 17–3, 6 einerseits und 4, 1 ff. andererseits sind der direkte apologetische Rahmen, welcher angesichts der Gegner die Frage nach der Rechtmäßigkeit der διακονία, dem apostolischen Dienst des Pl stellt. Pl seinerseits spitzt in 3, 6 diese Frage auf den Gegensatz διακονία τοῦ πνεύματος bzw. διακονία γράμματος zu und schließt 3, 7–18 als Begründung seiner διακονία an.

Wer sind die Gegner, auf die Pl seine Ausführungen bezieht?

7.1.1 Zur Frage der Gegner im 2. Korintherbrief

Vorweg sind Überlegungen zur Literarkritik des 2. Kor voranzustellen, insofern sie zur Ermittlung der gegnerischen Position und der pl Antwort unabdingbar sind.

---

[1] In Hinblick auf diese Auseinandersetzungen muß man mit Jervell, Volk 90, auch die pl Geistlehre als ‚Kampfeslehre' verstehen.

Daß Kap. 1–9 und 10–13 nicht einem einzigen Brief zugerechnet werden können, ist angesichts der inhaltlichen Differenzen seit J. S. Semler, Paraphrasis II. Epistulae ad Corinthos, 1776, bei vielen Forschern anerkannt. Auch das Argument der ‚schlaflos durchwachten Nacht' (Lietzmann), von Kümmel auf einen ‚gewissen zeitlichen Abstand' ausgedehnt, kann nicht als befriedigende Antwort gegen die Annahme von zwei unterschiedlichen Briefen angeführt werden[2]. Geht man von der Eigenständigkeit zweier Briefe aus, müssen sie in die Korrespondenzangaben der Korintherbriefe eingepaßt werden können.

Nach dem Antwortbrief (= 1. Kor) empfängt Pl in Ephesus schlechte Nachrichten über den Zustand der Gemeinde. Sein sog. ‚Zwischenbesuch' (in 12,4; 13,1 vorausgesetzt) endet für Pl mit einem Zwischenfall (2,5; 7,12), der ihn zur überstürzten Abreise veranlaßt. Aus Ephesus schreibt er den sog. ‚Tränenbrief' (2,4; 7,8), den wahrscheinlich Titus überbracht hat. Pl und Titus treffen sich in Makedonien (7,6 f.). Pl erfährt von der Bestrafung des Übeltäters (2,6) und der allgemeinen Festigung der Gemeinde. Pl schreibt den sog. ‚Versöhnungsbrief'. Wir stimmen denjenigen neueren Untersuchungen zu, die im sog. Vierkapitelbrief (2. Kor 10–13) den Tränenbrief im wesentlichen erhalten sehen und in Kap. 1–9 den Versöhnungsbrief und den Abschluß der Korintherkorrespondenz. Aufgrund der Differenzen in Kap. 8–9 mag man zusätzlich überlegen, ob Kap. 9 den ältesten Bestand aus dem 2. Kor repräsentiert und eventuell Titus als Empfehlungsschreiben vor dem Zwischenfall mitgegeben worden ist[3].

---

[2] Vgl. Lietzmann, Kor 139; Kümmel, Einleitung (252 f.) und 254: „… daß 2. Kor so, wie er überliefert ist, eine ursprüngliche briefliche Einheit bildet."

[3] Die Literatur kann hier nicht in extenso geboten werden. Die Vorordnung von Kap. 1–9 vor 10–13 liegt etwa den Kommentaren von Windisch, Barrett und Furnish zugrunde; vgl. aber auch Georgi, Gegner 24; Gräßer, Paulus 35 u. a. Dagegen erscheint für Vielhauer, Geschichte 152, „das Fragment 10–13 als Stück des Tränenbriefs am besten verständlich"; ebenso Köster, Einführung 561–564, mit dem Verweis, daß Kap. 10–13 nach den versöhnlichen Aussagen der Kap. 1–9 einer Motivierung entbehren. Es scheint zudem denkbar, daß 2. Kor 13,11–13 den ursprünglichen Schluß des Tränenbriefs darstellen. Ausführlicher begründet findet sich die Verordnung von Kap. 10–13 bei Dautzenberg, Zweiter Korintherbrief 3050 A 21 u. ö.; Zimmermann, Methodenlehre 236; Aejmelaeus, Streit 321 u. ö. mit Verweis auf Vorgänger dieser Lösung (11–17); Bruce, Cor 166–170; Klauck, 2. Kor 7–9. Im Einzelfall kann sogar Windisch, 2. Kor 102, diese Lösung favorisieren. Watson, 2. Cor X–XIII, widerlegt den häufig gegen diese Vorordnung gemachten Einwand, er reflektiere nicht den Zwischenfall. Darüber hinaus zeigt er, daß 10,1–11 sich vornehmlich auf die Gemeinde und ihr Verhalten beziehen und daß Pl erst ab 10,12 auf die Opponenten eingeht. Klauck, 2. Kor 8, wendet sich gegen eine isolierte Betrachtung des Zwischenfalls, indem er ihn als Symptom der Entfremdung der Gemeinde von Pl wertet.

Häufig wird 2. Kor 2,14–7,4 als ‚Apologie' aus dem Versöhnungsbrief ausgeklammert und als eigenständiges, zumeist als erstes Schreiben nach dem 1. Kor angesehen (Bornkamm, Vorgeschichte 178). Natürlich ist die Wiederaufnahme der Makedoniennotiz (2,13) in 7,5 auffällig. Andererseits ist es aber denkbar, daß die genannten Makedoniennotizen als literarischer Rahmen für die Darlegung des Apostolats nicht dem Kompilator, sondern Pl gedient haben (vgl. etwa die Funktion der Reisenotizen im lk Reisebericht; dazu Horn, Glaube 260 f.). Im übrigen blickt der Charis-Spruch in 2,14 auch auf V. 13,

Die Frage nach den Gegnern hat daher zunächst allein 2. Kor 10–13 im Blick zu behalten. Hier ist ihre Position in der pl Reaktion am direktesten zu greifen[4].

Dabei muß die Tatsache, daß in der Forschung die Verortung der Gegner zu mindestens sieben völlig verschiedenen Ergebnissen geführt hat[5], vorweg zu einer methodenkritischen Besinnung führen:

Wir unterscheiden innerhalb der pl Aussagen in 2. Kor 10–13 a) pl Aussagen über das Selbstverständnis der Gegner; b) antipl Vorwürfe; c) Äußerungen der Gemeinde; d) pl Verteidigung.

Hierbei legen wir nur solche Aussagen zugrunde, die einen hohen Grad von Wahrscheinlichkeit besitzen, einer dieser Rubriken zugeordnet werden zu können. Zuvor ist festzuhalten: 11,4 (ἐρχόμενος) und 11,20 f. (τις) sind als kollektiver Singular aufzufassen. Es handelt sich also um eine Gruppe; vgl. 11,13 (οἱ τοιοῦτοι), 11,18 (πολλοί); 11,12 (τῶν θελόντων). Diese Gegner sind in sich wiederum nicht in unterschiedliche Parteien aufzuteilen, etwa in ‚Pseudoapostel' (11,13) und ‚Überapostel' (11,5).

a) Die Gegner verstehen sich als Ἑβραῖοι, Ἰσραηλῖται, σπέρμα Ἀβραάμ (11,22) und betonen damit ihre jüdische Abkunft im Gegenüber zu Proselyten, diese Ehrentitel deuten aber nicht notwendig auf palästinische Herkunft. Sie nennen sich ἀπόστολοι Χριστοῦ (11,13), διάκονοι Χριστοῦ (11,22). Wenn 10,1–11 noch nicht wirklich die Gegner im Blick haben sollten, wie Watson vermutet, sondern die Gemeinde, kann die prononcierte Betonung des Χριστοῦ εἶναι (10,7) für das Selbstverständnis der Gegner nicht in Geltung gebracht werden. Die Gegner sind aufgrund der o. g. Bezeichnungen als Missionare zu verstehen. Als solche leben sie nicht nur vom Unterhalt der Gemeinde, sondern begegnen ihr darüber hinaus mit erniedrigenden Verhaltensformen (11,20). Es scheint, als haben diese Gegner Empfehlungsschreiben mitgebracht und zugleich von der korinthischen Gemeinde begehrt (10,10.18; vgl. auch 3,1: ἐπιστολῶν πρὸς ὑμᾶς ἢ ἐξ ὑμῶν). Diese Schreiben stellen ein

---

um schließlich die Reisenotiz als Triumphzug zu präzisieren. Insofern besteht eine ursprüngliche Klammer zwischen 2,13 und 2,14.

[4] Angesichts der methodologischen Problematik der Rückfrage nach den Gegnern (vgl. Berger, Gegner 377 zu 2. Kor) ist dem Grundsatz von Furnish, 2. Cor 50, beizupflichten: „The evidence from Letter D (2. Cor 1–9) and Letter E (2. Cor 10–13) must be examined independently, and without presuming anything on the basis of the situation being addressed in Letter B (1. Cor)."

[5] Ohne die Positionen jetzt im einzelnen darzustellen und kritisch zu beurteilen, stehen sich folgende Charakterisierungen der Gegner in der Forschung grob gegenüber: a) Baur, Christuspartei: palästinische Judaisten; b) Lütgert, Freiheitspredigt: Pneumatiker; c) Schmithals, Gnosis: Gnostiker; d) Käsemann, Legitimität: Jerusalemer Delegaten; e) Friedrich, Gegner: Anhänger des Stephanuskreises; f) Georgi, Gegner: judenchristlich-hell. Missionare; g) Lang, Kor: antiochenische Abgesandte der Petrusmission.

Ausführlicher informiert wieder das Schaubild von Gräßer, Paulus 75, sowie Machalet, Paulus.

wesentliches Element ihres Selbstverständnisses dar (Stichwort καυχᾶσθαι 10,15; 11,17f.; 12,1).

b) Wir können die Verkündigung dieser Missionare nicht wirklich rekonstruieren, wohl aber die sie bestimmenden antipl Vorwürfe, die in der korinthischen Gemeinde partiell aufgenommen worden sind. Zentral scheint der Vorwurf, das pl Auftreten offenbare ἀσθένεια, nicht aber die δύναμις θεοῦ. Belegt wird die Schwachheit des Apostels mehrfach. Es ist zum einen die Diskrepanz zwischen den kraftvollen Briefen des Pl und seinem schwachen Auftreten in der Gemeinde (10,1f.10); hierher gehört der Vorwurf, Pl sei ein ἰδιώτης τῷ λόγῳ (11,6). Mit Machalet wird man in 4,3 diesen Vorwurf eventuell präziser wiederfinden können: die pl Verkündigung sei verhüllt (καλύπτειν nur hier in den pl Briefen; wohl aber auch Reflex des κάλυμμα-Motivs aus 2. Kor 3). Ihr fehle das Kennzeichen antiker Rhetorik, die persuasio. Zentral ist daneben der Vorwurf, Pl verzichte auf das apostolische Unterhaltsrecht (11,7ff.). Die Gegner setzen voraus, daß Pl die Gegenwart des Geistes als Wirkursache des apostolischen Dienstes betont hat (vgl. nur 1. Kor 2,4; 1. Thess 1,5f.), fragen ihn jetzt aber persönlich nach dem Erweis dieser Vorgabe, nach σημεῖα τοῦ ἀποστόλου (12,12; vgl. auch 12,1).

c) In der Gemeinde haben die antipl Vorwürfe eine Aufnahme gefunden, als sie sich durch den Unterhaltsverzicht des Pl konkret gegenüber anderen Gemeinden zurückgesetzt weiß und so in Distanz zum Gemeindegründer steht (ἡσσώθητε ὑπὲρ τὰς λοιπὰς ἐκκλησίας 12,13). Zum anderen nimmt sie den Vorwurf mangelnden Pneumatikertums insofern auf, als auch sie einen Beweis bei Pl für seine Vollmacht sucht (δοκιμὴν ζητεῖτε τοῦ ἐν ἐμοὶ λαλοῦντος Χριστοῦ 13,3).

Aus dem Gesagten ist bislang nur deutlich geworden: die Gegner sind nach Pl in die korinthische Gemeinde eingedrungen (11,4). Sie sind judenchristlicher Herkunft (11,22). Sie bestreiten die Legitimität des pl Apostolats. Wir stellen die pl Apologie einstweilen zurück, halten aber dies fest: neben seinen apologetischen Ausführungen mißt er die Gegner an einem μέτρον τοῦ κανόνος (10,13), was mit guten Gründen auf die Jerusalemer Aufteilung der Missionsgebiete (Gal 2,9) bezogen werden kann[6].

---

[6] Die Gegner haben also, woher immer sie auch kommen, den Grundsatz verletzt, an den Pl sich hält. Sie sind in fremdes Missionsgebiet eingedrungen und rühmen sich fremder Arbeit (11,15). Zur Deutung auf die Jerusalemer Aufteilung der Missionsgebiete: Lüdemann, Paulus II 140. J.F.Strange, 2. Corinthians 10,13–16 illuminated by a recently published Inscription, BA 46, 1983, 167–168, bezieht sich dagegen auf einen Inschriftenfund aus dem Jahr 13 n.Chr., in welchem κανών ein Verzeichnis darstellt, welches die Arten der Unterstützung für durchreisende Reichsbeamte festhält. Strange versteht κανών nun in Umkehrung dieser Verordnung als Bezeichnung der Dienste, die ein Missionar für ein bestimmtes Gebiet zu leisten hat. Von dem Aspekt der Eingrenzung eines bestimmten

Wenngleich die Verortung der Gegner zu sehr unterschiedlichen
Auskünften geführt hat, bezeichnet der überwiegende Teil der Forschung dieselben als ,Pneumatiker'. Diese Auskunft ist unwahrscheinlich, und sie vermag nicht zu erhellen, mit welchem Recht Pl dann im
Versöhnungsbrief seinen eigenen Dienst als διακονία πνεύματος im Gegensatz zu διακονία γράμματος begreifen kann.

Mit dem gegnerischen antipl Vorwurf ,mangelnden Pneumatikertums' ist noch nicht gegeben, die in die Gemeinde eingedrungenen Apostel nun selber von ihrem Selbstverständnis her als ,Pneumatiker' zu betrachten. Im Gegenteil: sie messen Pl gerade um der Legitimität des
Apostolats willen am Maßstab seines eigenen pneumatischen Evangeliums. Die gegenteilige Annahme kann sich dagegen kaum auf positive
Aussagen des 2. Kor berufen.

In 2. Kor 12,1 greift Pl ein vorgegebenes Thema auf: εἰς ὀπτασίας
καὶ ἀποκαλύψεις κυρίου. Das einführende ἐλεύσομαι wird in der
griech.-hell. Literatur als Übergangswendung zu einem neuen Thema
gebraucht[7], hier wohl zu einem an Pl herangetragenen Thema. Der fehlende Artikel und der Gebrauch des Plurals erweisen ὀπτασίαι καὶ ἀποκαλύψεις als stehende Wendung, die nicht an eine spezifische Situation
gebunden ist. Beide Begriffe interpretieren sich gegenseitig: ὀπτασία ist
in ntl. Zeit überwiegend auf Visionen zu beziehen (Lk 1,22; Apg
26,19), ἀποκάλυψις spezieller auf eine Offenbarung (Gal 1,12; Eph
1,17). Die Interpretation des Genitivs κυρίου ist nicht unproblematisch.
Faßt man ihn als Gen. obj., so wäre nach der Christusschau gefragt (so
Pl selber in Gal 1,12.16). Faßt man den Genitiv als Gen. subj., so wäre
Christus als Urheber der Visionen genannt. Wenn in 12,8 κύριος auf Jesus und nicht auf Gott zu beziehen ist, dann ist die erstere Auslegung
wahrscheinlich, insofern dann der Entrückungsbericht ja präzise als Beweis des gestellten Themas ,Offenbarungen, die Christus zum Inhalt
haben' verstanden werden kann (vgl. auch Lk in Apg 26,19)[8]. Hinter
dem angeschlagenen Thema ὀπτασίαι καὶ ἀποκαλύψεις κυρίου steht
also nichts anderes als die Frage nach der Legitimität des Apostels, wel-

---

Gebietes kann dieser Inschriftenfund die von Lüdemann vorgeschlagene Deutung also
bestätigen. Pl nimmt das μέτρον τοῦ κανόνος hier für sich in Anspruch. Es ist aber nicht
zu erkennen, daß er die Gegner an diese Übereinkunft erinnern oder binden will.

[7] Belege bei Windisch, 2. Kor 369; Schramm, EWNT II 140.

[8] Windisch, 2. Kor 368; Heinrici, 2. Kor 384; Barrett, 2. Cor 307, versteht als Gen. auctor.; Bultmann, 2. Kor 220, hält den Gen. obj. für unwahrscheinlich; Zmijewski, Stil 330,
unterscheidet zwischen pl (Gen. auctor.) und gegnerischem Gebrauch (Gen. obj.).
Schmiedels Hinweis (2. Kor 251), κυρίου (als Gen. obj.) passe nicht zu ἀποκαλύψεις, mißachtet Gal 1,12 (dazu Mußner, Gal 68, mit Verweis auf Gal 1,15).

che – auch für Pl – durch eine Christuserscheinung (1. Kor 15, 8) begründet ist[9].

Auch in 2. Kor 12, 12 greift Pl in σημεῖα τοῦ ἀποστόλου einen festen Terminus, der möglicherweise so von der Gemeinde an Pl herangetragen worden ist, auf[10]. Der Ausdruck setzt ein Verständnis dafür voraus, daß dem Apostolat spezifische σημεῖα zugeordnet werden. An welche die Gegner hierbei denken, ist nicht erkennbar. Nicht die Gegner zwingen Pl zu einem Vergleich pneumatischer Fähigkeiten, sondern die Gemeinde selber erklärt dieses Kriterium zum Maßstab (ὑμεῖς με ἠναγκάσατε 12, 11 a). Pl beantwortet seinerseits das Thema in V. 12 b mit Verweis auf seine machtvolle Verkündigung und sein machtvolles Auftreten (vgl. dazu Röm 15, 18 f.; Gal 3, 5). Es ist verschiedentlich vermutet worden, den Begriff von der synoptischen Aussendungstradition her zu erfassen, auch um den judenchristlichen Hintergrund der Gegner festzuhalten[11]. Doch ist die Frage nach pneumatischen σημεῖα in der Gemeinde bestimmend (vgl. nur Mk 16, 17). Der judenchristliche Hintergrund ergibt sich eindeutiger von der Problematisierung des Apostolats. Wer die primären Voraussetzungen des Apostolats wie Pl gegenüber den Jerusalemer Aposteln durch fehlende Zugehörigkeit zum Jüngerkreis bzw. fehlende Erstlingszeugenschaft des Auferstandenen nicht erfüllt, muß sich beiden Anfragen, der Frage der Gegner nach der Christusvision (12, 1) und der Frage der Gemeinde nach den dem Apostolat zugeordneten σημεῖα (12, 12) stellen. Diese Themavorgaben zeigen aber keinesfalls, daß die Gegner im 2. Kor sich durch solche σημεῖα, eventuell auch durch eine Christusvision ausgewiesen haben. Dies muß für sie kein notwendiger Bestandteil des Apostelbegriffs gewesen sein.

Daher fallen mit 2. Kor 12, 1 und 12 die wichtigsten Stützen weg, die pl Gegner als ‚Pneumatiker‘ zu betrachten.

Bedenken wir weitere Argumente für einen angeblichen Pneumatismus der Gegner:

---

[9] Diejenigen Ausleger. die aus 12, 1 einen Pneumatismus der Gegner erkennen wollen (Schmithals, Gnosis 198 f.; Bultmann, Probleme 317; Barrett, 2. Cor 306), beziehen sich zumeist auf ὀπτ. καὶ ἀποκ. (ohne Gen.), um ekstatische Erlebnisse zu erschließen. Doch hatte schon Windisch, 2. Kor 268, dies „hier nirgends angedeutet" gesehen; so auch Lietzmann, Kor 153. In unserem Sinn ausführlich Meyer, 2. Kor 292, und in Zustimmung zu Meyer dann de Wette, 2. Kor 274.

[10] Üblicherweise erkennt man in diesem Ausdruck ein von den Gegnern in die Diskussion gebrachtes Schlagwort (Käsemann, Legitimität 477 u. a.) und verweist zusätzlich auf 1. Kor 1, 22: es entspricht jüdischer Tradition, σημεῖα zu fordern. Man wird jedoch mit Barrett, opponents; ders., 2. Cor 320 f. sehr genau zu unterscheiden haben zwischen dem, was die Falschapostel in die Gemeinde eintragen, und was diese daraus macht: „Paul owed the phrase not to his opponents but to the Corinthian Christians, who certainly regarded themselves as judges of apostles ...". „Of any supposed apostle they demanded σημεῖα ...“; zustimmend Martin, 2. Cor 435.

[11] Lüdemann, Paulus II 136 f.; Furnish, 2. Cor 553.

Die überzeugende Analyse von 2. Kor 11,4 durch Barrett hat erwiesen, daß diese Stelle nicht Auskunft gibt über die Verkündigung der Gegner, sondern den Standpunkt freilegt, von dem aus Pl die Gegner und darüber hinaus die Gemeinde beurteilt. Sie läßt sich verführen, so gilt ihr der Tadel (καλῶς ἀνέχεσθε)[12].

Als problematisch ist in der Forschung mit Recht der Versuch empfunden worden, die Gegner des 2. Kor einer spezifischen religiösen Gruppierung der ntl. Zeit zuzuweisen, weil dieser Vergleich aus dem ntl. Quellenmaterial nicht schlüssig gezogen werden kann. Dies betrifft den von Georgi u. a. dargebotenen Vergleich mit der θεῖος ἀνήρ-Frömmigkeit wie auch die von Friedrich konstruierten Linien zum Stephanuskreis[13].

Pl läßt sich an mehreren Stellen auf einen Vergleich mit den Überaposteln ein. Hierbei fehlt merkwürdigerweise der Vergleichspunkt pneumatischen Verhaltens. Zwar scheint Pl in 12,11–13 auf einen Vergleich abzuheben, indem er auf sein vergangenes machtvolles Auftreten verweist. Der wahre Hintergrund dieser Aussage liegt jedoch im defizitären Bewußtsein der Gemeinde, die nur mittelbar Pl mit den Überaposteln, primär aber sich mit anderen Gemeinden mißt, und zwar in der Unterhaltsfrage.

Käsemann hat zu Recht gegen Lütgert eingewendet, daß es nicht statthaft sei, für die Beweisführung der Gegner als Pneumatiker sich die positiven Argumente aus dem 1. Kor zu entleihen. Vergegenwärtigt man sich darüber hinaus die dort gegebenen einzelnen Elemente des pneumatischen Enthusiasmus (Verankerung in der Tauftheologie, Glossolalie, Selbstbezeichnung πνευματικός, Ablehnung der leiblichen Auferstehung u. a.), dann „fällt das in II. Cor geübte Schweigen über all diese Dinge um so stärker auf."[14].

Es bleibt also lediglich der Versuch, aus 2. Kor 1–9 Argumente für ein Pneumatikertum der Gegner zu finden. Dies ist jedoch Georgi, Schulz u. a. mit dem Hinweis auf eine in 2. Kor 3,7 ff. zu greifende Tradition der Gegner, welche ein

---

[12] Barrett, Opponents 240–244, beruft sich einerseits für diese Auslegung auf J. Munck, Paulus und die Heilsgeschichte, 1954, 171, andererseits auf Bultmann, Probleme 317 f.; zustimmend und in Auseinandersetzung mit Schmithals, Gnosis 158, jetzt Lüdemann, Paulus II 137–139. Wie Schmithals erachtet auch Käsemann, Legitimität 480, 2. Kor 11,4 als ‚Schlüsselpunkt‘ für das Verständnis der Gegner. Ausführlich handelt über 11,4 Zmijewski, Stil 92–113 (vgl. S. 93 zur textkritischen Bevorzugung des ἀνείχεσθε). Gegen eine präzise Erfassung des Inhalts der gegnerischen Verkündigung mit Hilfe von 11,4 sprechen auch a) die Allgemeinheit und die Ganzheitsformulierung (Dreizahl) der Aussage; b) die Verwendung typisch pl Ausdrucksweise: κηρύσσειν (2. Kor 1,19; 4,5 u. ö.), πνεῦμα λαμβάνειν (Röm 8,15; Gal 3,2), δέχεσθαι τὸν λόγον (1. Thess 1,6; 2,13).

[13] Die reiche Liste von Zustimmungen zur Position Georgis (bei Barth, Eignung 259 A 7) kann über die Problematik seiner und Friedrichs Ausführungen nicht hinwegtäuschen; vgl. dagegen etwa die Ausführungen von Barrett, Opponents 234–236. Friedrichs Rekonstruktion, der Versteeg, Christus 401, noch einmal beigepflichtet hat, übergeht die Frage, welche Motive in der Darstellung des Stephanuskreises redaktionell sind, völlig und kann daher schon methodisch nicht überzeugen.

[14] Käsemann, Legitimität 484 (unbeschadet der Einschränkungen von Barrett, Opponents 248, und Vielhauer, Geschichte 150). In 2. Kor 12 greift Pl auf ein Entrückungsgeschehen mit glossolaler Erfahrung in seiner vita zurück, ohne solches zugleich für die Gegner vorauszusetzen.

vorbildliches und zu verehrendes pneumatisches Bild von Mose als θεῖος ἀνήρ zeige, nicht gelungen (vgl. 7.1.2)[15].

Die Gegner des Pl im 2. Kor sind Judenchristen. Um keine falschen Alternativen aufzubauen: sie mögen sich im Einzelfall die Attribute eines Pneumatikers zugelegt haben, aber der Pneumatismus ist kein ursprüngliches und wesentliches Element ihres Auftretens[16]. Im Mittelpunkt ihres Interesses steht die Bestreitung der Legitimität des pl Apostolats. Die korinthische Gemeinde knüpft an diese Bestreitung nicht grundsätzlich an, wohl aber befindet sie sich seit der Zurückdrängung des pneumatischen Enthusiasmus in einer Distanz zu Pl. Tritt nun jemand – wie es die Überapostel tun – kritisch gegenüber Pl auf, so weiß die Gemeinde sich ins Recht gesetzt, ihrerseits von den in ihrer Mitte geltenden Maßstäben an Pl Kritik zu üben. Ihm ermangelt das äußerliche Gehabe des Pneumatikers hell. Provenienz. Auch dieser Gemeindevorwurf steht hinter den Anfragen 12,1.12. Und Pl wird sich in der ‚Narrenrede' dialektisch präzise diesem Vorwurf stellen.

Da kaum anzunehmen ist, daß Pl mit dem 1. Kor (als Antwort auf den Fragebrief) die Gemeinde in ihrer Gesamtheit wieder unter seine Autorität hat bringen können (vgl. 1. Kor 4,1ff.), ist die Annahme, daß Pl sich z. Z. des 2. Kor in einer Doppelfront gegenüber dem pneumatischen Enthusiasmus und seinen noch in Geltung befindlichen Maßstäben und den von außen kommenden judenchristlichen Missionaren befindet, am wahrscheinlichsten[17].

Die pl Reaktion zeigt eine doppelte Präzisierung innerhalb der Pneumatologie: a) gegenüber den Vorwürfen aus der Gemeinde wird die Schwachheit als Offenbarungsort des Wirkens des Geistes behauptet; b) gegenüber den judenchristlichen Eindringlingen wird in 2. Kor 3, ausgehend von dem Faktum der Empfehlungsbriefe, der Gegensatz von γράμμα und πνεῦμα eröffnet.

Wir übergehen an dieser Stelle die Darstellung des ersten Aspektes, um ihn dort aufzunehmen, wo er auf die Gesamtgemeinde hin entschränkt und in Römer 8 zu einem grundsätzlichen Signum der pl Pneumatologie ausgearbeitet wird (vgl. 8.3.3).

---

[15] Zustimmung zu Georgi jetzt noch einmal durch Köster, Einführung 561, und Sellin, Hauptprobleme 3022f. A 437.

[16] Deutlich erkannt von Kümmel, Einleitung 248; Barrett, Opponents 242; Klauck, 2. Kor 11.

[17] So bereits Windisch, 2. Kor 25f.; Bultmann, 2. Kor 216; Bornkamm, Vorgeschichte 8–10; Gnilka, Phil 213; Lüdemann, Paulus II 125; Sellin, Streit 66, und die bei Schmithals, Neues Testament und Gnosis 30, Genannten.

7.1.2 Buchstabe und Geist (2. Kor 3)

Bedingt durch die Anlässe, die zur Abfassung des Tränenbriefs führten, verteidigt Pl sein Apostolat als διακονία τοῦ πνεύματος grundsätzlich gegenüber den mit Empfehlungsbriefen ausgestatteten Überaposteln. Während diese mit der Hochschätzung der Briefe im Bereich des Vorfindlichen, des γράμμα, der Zeit vor Christus verbleiben, realisiert der Dienst des Pl den Standort innerhalb der Zeit des neuen Bundes, der eben ausschließlich geistbestimmt ist.

Nun sind die exegetischen Probleme innerhalb des Abschnitts 2,14–4,6 nicht gering. Sie betreffen zunächst grundsätzlich die formale Gestaltung des Textes und die Frage nach Tradition und Redaktion in 3,7–18. Mit der Erhellung beider Probleme ist das Verstehen der pl Aussageintention unlöslich verknüpft.

7.1.2.1 Literarkritische Fragen in 2. Korinther 3

a) die formale Gestaltung der Komposition 2. Kor 2, 14–4, 6

Es ist mißlich, daß 2. Kor 3, 17 a oder auch der Abschnitt 3,7–18 häufig ausschließlich unter Absehung des Kontextes exegesiert worden sind. 2,14–4,6 ist jedoch eine geschlossene Ringkomposition und wie folgt zu gliedern: a) 2,14–3,6: die Untauglichkeit der ‚Überapostel' und die Tauglichkeit des Pl; b) 3,7–18: christlicher Midrasch; c) 4,1–6: die Tauglichkeit des Apostels.

Der Midrasch 3,7–18 ist in den apologetischen Rahmen als Argument eingebettet und zugleich durch die Apologetik motiviert. Dies erweist die enge sprachliche Verknüpfung des Midraschs mit dem Kontext[18].

b) Tradition und Redaktion in 2. Kor 3, 7–18

3,7–18 könnte leicht dem Briefkorpus entnommen werden, ohne daß ein Bruch entstände. Schon dies deutet eine relative Eigenständigkeit

---

[18] Die Verklammerung des Midraschs mit dem apologetischen Kontext wurde klar erkannt von Windisch, 2. Kor 95 f. 131; Bultmann, 2. Kor 101; Lambrecht, Structure; Grässer, Paulus 9–11; Hanson, Midrasch 23; Richard, Study 365.
Sprachliche und inhaltliche Entsprechungen bestehen in dieser Ringkomposition natürlich zwischen 2,14–17 und 4,1–6: der Gegensatz gerettet/verloren (2,15; 4,3 f.); das apostolische Amt und seine Herrlichkeit (2,14; 4,6); die Niederträchtigkeit der Gegner (2,17; 4,2); die Erkenntnis Gottes (2,14; 4,6). Aber es bestehen auch Beziehungen zum Midrasch. Der antipaulinische Vorwurf, seine Verkündigung sei κεκαλυμμένον (4,3), reflektiert oder setzt das κάλυμμα-Motiv voraus (3,13–18). Blickt der Vorwurf der πανουργία (4,2) auf das Verhalten des Mose (3,13), der Israel betrügerisch Glanz vorspielt? Der Begriff παλαιὰ διαθήκη 3,14 setzt καινὴ διαθήκη (3,6) voraus. Schließlich verbindet διὰ τοῦτο (4,1) folgernd die Apologie mit dem Midrasch.

des Motivbereichs oder gar des Stückes an. Inhaltlich ist der Midrasch vom Kontext abzuheben, da er einen Gegensatz zum Judentum, nicht aber zu den Judaisten aufmacht. Formal zeigt der Abschnitt eine vom Kontext abweichende, an jüd. Auslegungstraditionen orientierte Gestaltung. Der Midrasch bietet eine Reihe pl Hapaxl. Die pl Briefe enthalten auch an anderer Stelle midraschartige Einlagen, bei denen gleichfalls gefragt werden kann, inwieweit sie vor der Abfassung der jeweiligen Briefe eine verfestigte Gestalt gefunden haben (1. Kor 10,1 ff.; Gal 3,6 ff.; 4,21 ff.; Röm 4,9 ff.).

Im Hinblick auf 2. Kor 3,7–18 können wir forschungsgeschichtlich im wesentlichen drei Positionen unterscheiden:

a) Sieht man von den red. Zusätzen des Pl ab, erhält man eine Mosetradition der pl Gegner in Korinth.

b) 3,7–18 gibt im Grundbestand eine christliche Tradition wieder, die älter als die Korintherkorrespondenz ist. Ihr Sitz im Leben wird unterschiedlich bestimmt.

c) 3,7–18 ist eine aktuell von Pl entworfene Einheit in Hinblick auf die Auseinandersetzung mit den ‚Überaposteln‘.

ad a) Als S. Schulz und D. Georgi ungefähr gleichzeitig hinter 3,7–18 eine Tradition der pl Gegner des 2. Kor vermuteten, schien endlich ein Weg gefunden, deren Theologie näher zu präzisieren. Beide Entwürfe sind hier nicht im einzelnen vorzustellen. Sie finden bis heute noch Befürworter[19]. Diese These ist jedoch außerordentlich problematisch. Schon die divergierende Rekonstruktion der ‚Vorlagen‘ durch Schulz und Georgi zeigt die Begrenztheit der Literarkritik an dieser Stelle auf. Beide Entwürfe lassen offen, welchen Sitz im Leben die rekonstruierte Mose-Tradition für die Gegner gehabt haben soll[20]. Gewiß kennt die jüd.-hell. Apologetik ein positives Mosebild (Philo, All III 100–102; QuaestEx II 40 ff.; VitMos IV 69 f.; Post 13 ff.; Fug 54; Jos, Ant III 75 ff. 83 ff.)[21]. Der von Georgi rekonstruierte Text erfüllt aber gerade im Vergleich mit Philo, VitMos II 69 f. nicht die Funktion, Propaganda für Mose zu machen. Ist es schließlich denkbar, daß Pl eine ihm – woher und wie auch immer – von den Gegnern überkommene Mosetradition zur Grundlage seiner eigenen Ausführungen macht und die Tradition dabei so glossiert, daß diese für den Exegeten nicht mehr deutlich erkennbar bleibt?[22]

---

[19] Schulz, Decke; Georgi, Gegner 274–282 (Schaubild 282); Zustimmung durch Lührmann, Offenbarungsverständnis 46–48. 55–59; Friedrich, Gegner 184, und die bei Jones, Freiheit 187 A 194, Genannten. Forschungsgeschichtlich verdient Erwähnung, daß schon Schlatter, korinthische Theologie 32 f., vermutete, in Korinth habe man das Bild des Mose als Angriffsmittel gegen Paulus benutzt.

[20] Schulz, Decke 27, erwägt, ein gottesdienstliches Stück zu sehen.

[21] Georgi, Gegner 258–265; vgl. auch T. Saito, Die Mosevorstellungen im Neuen Testament, EHS 100, 1977; G. Fitzer, EWNT II 1109–1115.

[22] Vgl. die Kritik von Furnish, 2. Cor 243–245; Luz, Geschichtsverständnis 129; Koch, Schrift 333; Jones, Freiheit 187 A 194; Theißen, Aspekte 136; Hickling, Sequence 380 A 3,

ad b) Da aber eine relative Eigenständigkeit von 3,7–18 gegenüber dem Kontext nicht abgestritten werden kann, haben andere eine exegetische Tradition vermutet, die die vorchristliche Mose-Anschauung des Pl (jetzt freilich kritisch kommentiert) wiedergibt[23], oder die Aufschluß gibt über eine pl Schultradition. Letzteres ist denkbar, zumal Ex 34,29–34 auch in der zeitgenössischen jüd.-hell. Exegese traktiert worden ist (Philo, VitMos II 69 f.; Jos, Ant III 212 f.; III 83 f.) und also Abgrenzung geboten war. Das Thema dieser christlichen Schultradition wäre mit dem Gegensatz von γράμμα und πνεῦμα (V. 6) gegeben, der eigentliche Aufhänger wäre aber die Frage nach der Qualität der Doxa des Mose bzw. der Christen[24]. Im jetzigen Kontext fungiert V. 6 sicher als red. Themavers für das Folgende. Doch hat Hickling vermutet, daß der in diesem Vers beschlossene Gegensatz „deep roots in Paul's thought" habe und „a continuing interior dialogue in his mind" gewesen sei[25].

ad c) Weitaus wahrscheinlicher ist jedoch, daß Pl hier nicht auf eine schriftliche Tradition zurückgreift, sondern der Exkurs als schriftliche Größe „durch die Apologetik veranlaßt ist."[26] Hierbei mögen V. 7–11 Aussagen der pl Predigt-

---

ironisiert den Vorschlag Georgis als „a curiously academic mode of conducting controversy …".

[23] Theißen, Aspekte 136–138, hat unter Beachtung der Bekehrungsterminologie in 2. Kor 4,6 vermutet, daß Pl in 2. Kor 3,7–18 seine eigene vorchristliche Moseverehrung hier korrigiere, nicht aber die seiner Gegner (142). Die Linien von 2. Kor 4,6 zur Bekehrung werden häufig gezogen (vor allem Kim, Origin); es sollte nicht übersehen werden, daß die typischen, nicht die individuellen Momente betont werden (Windisch, 2. Kor 140). Wir haben jedoch keine weiteren Belege in den pl Briefen, die dieses vorchristliche Mose-Bild ganz im Sinne der hell.-jüd. Apologetik (Mose als der wahre Hierophant) weiter belegen.

[24] Die Vermutung einer ‚Schultradition' findet sich als Erwägung bei Luz, Geschichtsverständnis 130, und Koch, Schrift 332, mit Verweis auf Conzelmann, Theologie 181 f. Jones, Freiheit 187 A 194, erachtet es als ‚klar', daß V. 7–18 vorgegeben seien, weil V. 4–6 darauf vorbereiteten. Lietzmann, Kor 111, vermutet eine ‚frühere Bildung in anderem Zusammenhang'.

[25] So Hickling, Sequence 386. Bultmann, 2. Kor 87, stimmt dem für die V. 7–11 zu, betont aber die Verklammerung mit dem Kontext. Auch Strecker bei de Lorenzi, Paolo 151, hält es für denkbar, „daß Paulus hier etwas aus seiner eigenen theologischen Tradition vorbringt, also unabhängig von einer konkreten Auseinandersetzung mit den Gegnern." Da dies eine aktuelle Verwendung, wie in 2. Kor 3 vollzogen, nicht ausschließt, besteht zum Folgenden kein Gegensatz.

[26] Windisch, 2. Kor 131 (anders aber 112); ebenso Bultmann, 2. Kor 87; Furnish, 2. Cor 245; Richard, Polemics; Lohse bei de Lorenzi, Paolo 183; Gräßer, Bund 87; ders., Paulus 30; Hickling, 2. Corinthians 387; Hanson, Midrash 23. Das Problem der Hapaxl. erweist sich bei genauerem Hinsehen als fiktiv. Ἡνίκα δὲ ἐὰν und ἐπιστρέφειν sind als Abwandlung von Ex 34,34 LXX (ἡνίκα δ'ἂν εἰσεπορεύετο) erklärlich. Und der Begriff παλαιὰ διαθήκη ist mittelbar durch Jer 38,31 LXX, unmittelbar aber durch 2. Kor 3,6 angeregt. In V. 7 ersetzt Pl das ἰδεῖν der LXX durch ἀτενίζειν. Dieses Hapaxl. ist gegen Georgi, Gegner 282, kein Beleg für die Gegnertradition. Der Begriff wird in ntl. Schriften (Apg 1,10; 6,15; 10,4) für das genaue Betrachten ‚pneumatischer' Sachverhalte verwendet. Es ist zudem zu bedenken, daß schon Philo, VitMos II 70 die LXX durchaus in Entsprechung zu Pl verändert: καὶ μηδ' ἐπὶ πλέον ἀντέχειν τοῖς ὀφθαλμοῖς δύνασθαι κατὰ τὴν προσβολὴν ἡλιοειδοῦς φέγγους … Es ist mit Windisch, 2. Kor 114, zu vermuten, daß Pl in dieser Aus-

praxis aufnehmen und V. 12–18 Kenntnis der jüd.-hell. Moseapologetik zeigen. In beiden Fällen kann jedoch nicht auf eine auch formgeschichtlich auszugrenzende Tradition geschlossen werden. Die Differenz von Rahmen und Midrasch (Gegnerschaft zu Judaisten bzw. Judentum) ist nicht unüberwindlich. Immerhin reklamieren die Gegner mit Ἑβραῖοι, Ἰσραηλῖται und σπέρμα Ἀβραάμ Ehrentitel des jüdischen Volkes für sich (2. Kor 11, 22). Zugleich verbindet ihre Hochschätzung des Geschriebenen sie mit Mose und gegenwärtigem Israel (3, 14). Ihr antipaulinischer Vorwurf, seine Verkündigung sei κεκαλυμμένον (4, 3), stellt sie selber in die Nähe des verstockten Israel (4, 4).

7.1.2.2 Die ‚pneumatische' Begründung des Apostolats

Die Auslegung von 2, 14–4, 6 hat also den apologetischen Rahmen des Midraschs stets mitzubedenken[27]. Diese Einheit steht unter dem übergreifenden Thema: die pl Verkündigung vollzieht sich durch das πνεῦμα in Unmittelbarkeit zu Gott und ist so autorisiert. Diese Unmittelbarkeit äußert sich in παρρησία und sinnfälliger Ausstrahlung (ὀσμή 2, 14. 16; φῶς 4, 6; εὐωδία 2, 15). Die Gegner verstehen ihren Dienst nur mittelbar, indem sie auf Empfehlungsbriefe angewiesen sind. Indem sie somit am γράμμα orientiert sind, entsprechen sie der Zeit des alten Bundes (3, 7) und dem mosaischen Dienst, dem – so die pl Auslegung – solche παρρησία nicht möglich war. Die allegorisierende Auslegung des κάλυμμα-Begriffs behauptet schließlich: die pl Verkündigung ist frei von jeglicher Trennung zum Kyrios (3, 18). Dagegen liegt bis zum heutigen Tag eine vierfache Decke auf ‚Mose, dem Alten Testament, Israel und der Verheißung', solange keine Bekehrung zum Kyrios vollzogen wird (3, 13–18). Wer gegenwärtig die pl Verkündigung dennoch als verhüllt bezeichnet (4, 3), zählt sich selber zum verstockten Israel (3, 14; 4, 3 f.).

Diese Gedanken entfaltet Pl argumentativ-narrativ, in Schritten und Sprüngen voranschreitend, zunehmend verdichtend, Themaverse (V. 3. 6) und Zielpunkte (V. 18) klar setzend. Fast alle neueren Arbeiten zu dieser Einheit haben in der Nachzeichnung des Gedankenganges sein

---

legungstradition steht. Schulz, Decke 11, verweist auf die Häufung der Hapaxl. in 3, 14b, von dem der ὅτι-Satz als pl Redaktion abzuheben sei. Jedoch, ἄχρι τῆς σήμερον ἡμέρας hat in 1. Kor 4, 11 und Röm 11, 8 eine weitgehende Parallele, die die Singularität des Ausdrucks an dieser Stelle erträglich macht. Κάλυμμα ist durch Ex 34, 33 f. LXX vorgegeben. Dieses Motiv fehlt in der philonischen Auslegung, kann für Jos, Ant III 212 f. allenfalls erschlossen werden. Von daher sind Aussagen über die Verwendung des Motivs im Sprachgebrauch der Gegner spekulativ (nach Georgi, Gegner 269, hätten die Gegner positiv von der Verhüllung ihrer Verkündigung gesprochen!). Daß παλαιὰ διαθήκη zur Tradition der Gegner zu zählen ist, muß angesichts der positiven vorpl Verwendung von καινὴ διαθήκη in der Abendmahlsparadosis zweifelhaft sein.

[27] Nur wenige Arbeiten sehen völlig vom Kontext ab: Stegemann, Bund 205; dagegen deutlich Gräßer, Bund 87.

Thema zu greifen gesucht[28]. Wir beschränken uns im wesentlichen auf die genannten Schaltstellen.

In 2,14–17 setzt Pl sich von der ‚Vielzahl anderer Apostel' (2,17) ab, deren Brauch, sich von der Gemeinde unterstützen zu lassen, er als ‚Verhökern des Wortes Gottes' (καπηλεύειν) interpretiert. Dagegen steht der pl Dienst ausschließlich in der Kraft Christi: θριαμβεύοντι ... ἐν τῷ Χριστῷ (2,14), ἐν Χριστῷ λαλοῦμεν (2,17)[29]. Der Apostel verbreitet daher nicht nur den Wohlgeruch der Erkenntnis (V.14), sondern wird im Sinne dieser Christusgemeinschaft selber Χριστοῦ εὐωδία (2,15), welche zu Tod oder Leben führt.

Ab 3,1 spitzt Pl die Apologie schärfer auf die aus Kap. 10–13 bekannten Gegner zu (πολλοί 2,17; τινες 3,1). Die Verklammerung stellt das Thema der Empfehlungsbriefe her (vgl. 5,12; 10,12). Πάλιν bekräftigt, „daß schon Auseinandersetzungen ähnlich denen in C (= Kap. 10–13; F.W.H.) vorausgegangen sein müssen."[30] Pl bedarf keiner Empfehlungsbriefe, die Gemeinde selber ist ihm – gleich einem Brief – ins Herz geschrieben und hat zudem – gleich einem Brief – Öffentlichkeitscharakter (3,2). Damit ist bereits das Thema der Empfehlungsbriefe beantwortet. V.3 wandelt jedoch noch weiter ab: die Gemeinde ist nicht ἐπιστολὴ ἡμῶν (V.2), sondern ἐπιστολὴ Χριστοῦ. Somit ist das in der Gemeinde vorhandene Achten und Ausstellen von Empfehlungsbriefen (3,1) ad absurdum geführt: die Glaubenden befinden sich in keiner Relation zu in Briefen vermittelter Autorität, sondern sind selber Brief Christi, stehen also unmittelbar zu Gott. Die nun folgende erste von vier ‚οὐ-ἀλλά-Antithesen' bleibt noch im Bild. Die Qualität der Gemeinde als eines Briefes liegt nicht im Geschriebenen, sondern ist durch das πνεῦμα θεοῦ ζῶντος gegeben.

Mit πνεῦμα θεοῦ ζῶντος, einer im NT singulären Wendung, deutet Pl an, daß der Geist die endzeitliche Gabe ist, durch welche die Gemeinde berufen wurde[31]. Zusammenstellungen von πνεῦμα und ζωή sind häufig belegt, zumeist im Kontext der Neuschöpfung (Ez 37,5; Röm 8,10; vgl. auch 2.Kor 6,16; Joh 6,63).

---

[28] Vgl. Koch, Schrift 333: „schrittweise Verselbständigung des Gedankengangs"; Gräßer, Bund 82: „Gedankenfortschritt".

[29] Windisch, 2.Kor 97 und 102, erklärt beide Belege als Ausfluß der Kraft der Christusgemeinschaft.

[30] Windisch, 2.Kor 102.

[31] Windisch, 2.Kor 106 A 3, und Richard, Polemics 348, vermuten, daß diese Antithese bereits auf Ex 31,18 blicke: ... πλάκας λιθίνας γεγραμμένας τῷ δακτύλῳ τοῦ θεοῦ. Dies ist gut möglich, auch weil die atl.-jüd. Auslegung um ein endzeitliches Schreiben Gottes weiß (Jer 38,33 LXX) und in der christlichen Überlieferung δάκτυλος θεοῦ und πνεῦμα θεοῦ korrelieren (Mt 12,28/Lk 11,20).

Abrupt verschiebt Pl in V. 3 c ein zweites Mal das Bild, indem, völlig
analog zur späteren polemischen Antithese gegen den Buchstaben (V.
6), die steinernen Tafeln jetzt Gegenstand der Antithese werden. Pl
scheint auf mehrere Aussagen der LXX zugleich zu blicken:

Ex 31,18: πλάκας λιθίνας γεγραμμένας τῷ δακτύλῳ τοῦ θεοῦ

Jer 38,33: καὶ ἐπὶ καρδίας αὐτῶν γράψω αὐτούς

Ez 36,26: καὶ δώσω ὑμῖν καρδίαν καινὴν
          καὶ πνεῦμα καινὸν δώσω ἐν ὑμῖν καὶ ἀφελῶ τὴν καρδίαν
          τὴν λιθίνην ἐκ τῆς σαρκὸς ὑμῶν
          καὶ δώσω ὑμῖν καρδίαν σαρκίνην.

Das Ziel der Aussage lautet: die Verheißung der Gabe des Geistes
und des fleischlichen Herzens (Ez 36,26) hat sich in der Gemeinde erfüllt; sie ist ἐγγεγραμμένη πνεύματι θεοῦ ζῶντος. Unter dieser Voraussetzung fällt ἐν πλαξὶν λιθίναις in die Zeit des zurückliegenden alten
Bundes. Paulus selber ist Diener des Christus-Briefes, die Gegner als
Befürworter der Empfehlungsbriefe fallen gleichfalls in die Zeit des alten Bundes[32].

Wodurch ist diese abrupte Ausdehnung des Themas ‚Empfehlungsbriefe' auf die Antithetik von ‚steinernen Tafeln/menschliche Herzen',
also auf die Antithetik von alter und neuer Bund begründet?

Wenn man, was unwahrscheinlich ist, in 2. Kor 3,7–18 eine Tradition der
Gegner wiederfindet, kann man vermuten, daß auch ἐν πλαξὶν λιθίναις zur
Gegnertradition zählt und von Pl hier polemisch zurückgewiesen wird[33]. Aber
das ist spekulativ. U. Luz sieht hingegen in V. 3 c ein ‚Umschlagen von phäno-
menologischen in existentiale Kategorien', Pl konfrontiere eine spezifische von
Menschen bestimmte Geschichte einer spezifischen von Gott eröffneten Ge-
genwart. Die Gegner und der apologetische Rahmen bleiben hierbei ganz außer
Betracht[34].

Die gleiche Frage stellt sich nochmals bei der Antithese 3,6 ‚γράμμα-πνεῦμα'.
Sie begegnet ebenso unvermittelt und unvorbereitet wie 3 c. Wenn die Gegner
aber keine Judaisten (wie in Galatien) waren, die Gesetzesobservanz und Beschneidung fordern, wer oder was soll dann mit den Antithesen in V. 3 und 6
getroffen werden?

Um die eigene Position zu profilieren, stellt Pl seine Gegner mit dem
Judentum zusammen und beide damit in einen gemeinsamen Gegensatz

---

[32] Daß Pl hier eine „Textmanipulation im Interesse der Antithetik von Altem und
Neuem Bund" betreibt, hat Gräßer, Bund 81 f., klar aufgezeigt. Ihm ist auch darin zuzustimmen, daß Ez 36 (und trotz 2. Kor 3,6 nicht Jer 38 LXX) die pl Argumentation bestimmt (anders Richard, Polemics 349). Die Aussage ‚... δώσω νόμους μου εἰς τὴν διά-
νοιαν' (Jer 38,33 LXX) wird in 2. Kor 3 geflissentlich übergangen; dazu Räisänen, Paul
245.

[33] So Barth, Eignung 165 f.

[34] Luz, Geschichtsverständnis 130 f.

zu sich. Beide verbindet die Beachtung mittelbarer Instanzen, seien es Empfehlungsbriefe, steinerne Tafeln oder Buchstabe. Von diesem Ausgangspunkt entfernt Pl sich ab 3,7 zunehmend, um die δόξα seines Amtes und die παρρησία darzustellen. Wenn auch die Gegner nicht als Judaisten, die Gesetzesobservanz und Beschneidung fordern, aufgetreten sind, so mag ihre Zuordnung zum alten Bund von ihrem eigenen Anspruch (11,22) her für Pl dennoch legitim gewesen sein. Pl beschreibt ihr zu erwartendes Gericht in 11,15 mit Worten, die er in 1. Thess 2,16 auf die Juden münzt[35]. In 4,3 f. zählt er die Gegner mit zu den verstockten Ungläubigen, zu dem auch das gegenwärtige Israel gehört (3,15).

In 3,4–6 nimmt Pl die Ausgangsfrage der ἱκανότης nochmals auf, um sich jetzt als διάκονος καινῆς διαθήκης zu bezeichnen (V.6). Die Genitive οὐ γράμματος ἀλλὰ πνεύματος qualifizieren hier, anders als in V. 7 ff., wahrscheinlicher die διαθήκη als den διάκονος[36]. V.6 b will diese Aussage begründen, wie der Anschluß mit γὰρ ... δέ zeigt. Auch die Verwendung der Artikel τὸ γράμμα ... τὸ πνεῦμα in anaphorischer, nicht generischer Art, deutet auf diese Explikation. Πνεῦμα ist Charakteristikum des neuen Bundes, weil es Leben schafft. Γράμμα kann nicht Teil des neuen Bundes sein, weil es das Gegenteil bewirkt, nämlich tötet. Beide Aussagen sind hinsichtlich ihrer Form in einen antithetischen Parallelismus mit gleichlautenden Wortendungen gebracht, was Windisch von einer ‚Gnome‘ hat sprechen lassen[37]. Diese begegnet an dieser Stelle zum ersten Mal in den pl Briefen, muß aber wegen Röm 2,29; 7,6 nicht zwingend ein älteres Motiv der pl Verkündigung wiedergeben (s. u.)[38]. Da bereits in V.3 das Wortfeld πνεῦμα-ζωή angezeigt war, zudem die Vorstellung des πνεῦμα ζῳοποιοῦν älter ist als die pl Briefliteratur, wird Pl bei diesem Teil der Antithese einsetzen und die Aussage über das γράμμα eben antithetisch voranstellen.

---

[35] Trefflich Berger, Gegner 380 A 49: „In 2. Kor 3,4–18 geht es um die Bestimmung der Gegner auf der Ebene von Paradigma und Analogie, und zwar für die Frage nach dem Wert des Geschriebenen ...“; auch Barth, Eignung 269. Schon Meyer, 2. Kor 66: „Ohne Zweifel ist die ganze Vergleichung ... nicht ohne Absichtlichkeit, sondern in indirekter Polemik wider die Judaisten hergestellt.“

[36] Vgl. Gräßer, Bund 83 und A 342.

[37] Windisch, 2. Kor 108 und 110; ausführlich dazu und zur Exegese von 3,6 b: Kremer, Buchstabe.

[38] Die Antithese ist in dieser Form religionsgeschichtlich analogielos. Die Beziehungen zum Kontext sprechen dafür, hier eine ad hoc formulierte Gnome zu sehen, die „vielleicht zu der Auseinandersetzung mit den Gegnern des 2. Kor erwachsen“ ist (Käsemann, Röm 181). In Röm 2,29 führt Pl die Antithese „völlig unvorbereitet wie eine dem Leser vertraute Tradition“ ein (ders., Röm 70). Ausführliche Exegese der pl Belege durch Westerholm, Letter, der in der Antithese für Pl die Funktion einer „handy formula expressing central convictions“ sieht, welche der jeweilige Kontext entfalte (229); außerdem: A. Dewey, Spirit and Letter in Paul, Diss. Harvard 1982; R. M. Grant, The Letter and the Spirit, 1957.

Während in der atl.-jüd. Literatur immer Gott Subjekt des ζωοποιεῖν ist, tritt im NT auch πνεῦμα an dessen Stelle (1. Kor 15,45; Joh 6,63; modifiziert in Röm 8. 10 f.). Eine enge Verbindung zwischen πνεῦμα und ζωή zeigen auch Röm 8,2; 2. Kor 5,4 f.; Gal 6,8. Diese Aussagen greifen freilich auf atl. Voraussetzungen zurück (Ez 37,5; Ps 104,29 u. a.). 1. Kor 15,45 zeigt, daß in einer nebenpl Tradition Christus als πνεῦμα ζῳοποιοῦν identifiziert worden ist (vgl. 6.2.2.2.2). Gegenüber dieser enthusiastischen, auf die Gegenwart bezogenen Gleichsetzung dominiert für Pl die Vorstellung der zukünftig-eschatologischen Lebendigmachung (1. Kor 15,22; 2. Kor 5,4 f.; Gal 6,8), für welche das πνεῦμα gerade ἀρραβών/ἀπαρχή ist, über die freilich auch bei ihm im Gegenüber zu den Judaisten belegte Vorstellung, daß die Gabe des πνεῦμα schon gegenwärtig als Neuschöpfung partiell in einer ‚Metamorphose‘ erfahrbar ist. Gerade 2. Kor 3,7 ff. gibt letzterer Vorstellung weiten Raum (vgl. auch 8.3.5).

Dies kann das γράμμα nicht leisten. Es ist denkbar, daß Pl hier auch vom νόμος hätte sprechen können, wie Gal 3,21 (εἰ γὰρ ἐδόθη νόμος ὁ δυνάμενος ζωοποιῆσαι) und Röm 2,26–29; 7,6 in Verarbeitung der Antithese später tun werden. Jedoch liegt Pl in Fortsetzung der Thematik von 3,1 ff. an dem Aspekt des Geschriebenen. Weshalb dem γράμμα tötende Wirkung zukommt, expliziert der Midrasch auch nur in Andeutungen. Es handelt sich im alten Bund um eine διακονία τοῦ θανάτου ἐν γράμμασιν, um eine διακονία τῆς κατακρίσεως, um etwas zeitlich Begrenztes, τὸ καταργούμενον. Erst in Röm 7 wird Pl differenzieren und die ἁμαρτία als wahren Grund benennen, der sich zwischen νόμος und ζωή geschoben hat.

Es fällt eben auf, daß die Frage nach γράμμα und νόμος z. Z. des 2. Kor bei weitem nicht die Schärfe hat wie in den späteren Briefen. In 2. Kor 3 geht es primär um die Profilierung des apostolischen Amts auf der Folie des mosaischen Dienstes. Angeregt aber wurde diese Profilierung durch judenchristliche Gegner, die mit Empfehlungsbriefen, mit ‚γράμμα‘ auftraten[39].

Die in V. 6 behauptete Antithese von γράμμα und πνεῦμα ist in ihrer Ausschließlichkeit mit der biblischen Mosetradition und ihrer jüdischen Auslegung nicht vereinbar, gilt doch Mose als Typos des Frommen, der eine pneumatische Verwandlung erfährt (Philo, QuaestEx II 29 ff.). In

---

[39] Die singuläre Verwendung der Antithese im 2. Kor erschwert die präzise Bestimmung dessen, was sie theologisch leisten will. Käsemann, Geist und Buchstabe 256, hat mit Recht gegen Hermann, Kyrios 28 f., eingewandt, daß die Antithese nicht auf den Gegensatz von geschriebenem und ungeschriebenem Gesetz reduziert werden darf. Da aber auch keine Reflexion über die ἁμαρτία wie in Röm 7 vorliegt, meint Pl mit γράμμα nicht den pervertierten νόμος, sondern den νόμος als solchen, wie er sich in der Einzelforderung bekundet (Räisänen, Paul 45). Insofern ist die Antithese grundsätzlich, erst V. 7.10.13 verankern sie geschichtlich. Die δόξα im alten Bund war endlich.

In einer anderen Hinsicht besteht eine Parallele zu Gal 4,21–31. Der 2. Kor 3 bestimmende Motivbereich πνεῦμα-παρρησία-ἐλευθερία kehrt hier wieder, auch wenn er unterschiedlich ausgelegt wird (dazu Jones, Freiheit 61–67).

V.7–11 gesteht Pl dieser Auslegung ein relatives Recht zu. Mose und der alte Bund waren durch δόξα gekennzeichnet. Vom Standpunkt des Christusgeschehens aus (V. 14) unterscheidet Pl nun aber in geschichtlichen Kategorien: τὸ καταργούμενον-τὸ μένον (V. 11). Die a minori ad maius-Argumente halten die vergangene δόξα fest, können aber nicht umhin, diese in Entsprechung zu V. 6 (ἀποκτείνει) als διακονία τοῦ θανάτου und τῆς κατακρίσεως zu benennen. V. 10 kann sogar dem alten Bund im Vergleich mit dem neuen die Herrlichkeit gänzlich in Abrede stellen. Ein besonderes Gewicht trägt hierbei das dreifache τὸ καταργούμενον. Es bezeichnet die δόξα τοῦ προσώπου Moses als vergänglich (V. 7), unterstellt Mose sogar unlautere Motive, damit die Israeliten das Ende des Vergehens der δόξα nicht bemerken (V. 13), und stellt in V. 10 grundsätzlich das τὸ καταργούμενον dem τὸ μένον gegenüber. Diese Aussagen werden natürlich weder dem atl. Text noch der jüd. Interpretation gerecht[40]. Diese pl Exegese kann nicht dadurch entkräftet werden, daß man καταργέω zu einem ausschließlich apokalyptischen, endgeschichtlichen Terminus erklärt, um an einer δόξα des Mose in der Zeit neben der δόξα der διακονία τοῦ πνεύματος festhalten zu können[41].

War in V. 7 die δόξα tertium comp. zwischen altem und neuem Bund, so ab V. 12 das in Ex 34 genannte κάλυμμα. Dieses κάλυμμα befand sich a) in der Sinaizeit auf Moses Gesicht, b) gegenwärtig auf der Verlesung des Alten Testaments und c) auf den Herzen der Israeliten. Diese Ausdeutung des κάλυμμα-Motivs steht in aktueller Absicht, um Israel von der Gemeinde der Christusgläubigen abzuheben, für die insgesamt die Schau mit ἀνακεκαλυμμένῳ προσώπῳ und Verwandlung in δόξα kennzeichnend ist. In der christlichen Gemeinde realisiert sich also, was nach atl. Tradition und jüd. Auslegung Mose allein widerfuhr: die unmittelbare Begegnung mit dem Kyrios. Aber Pl ist weit davon entfernt, diese Analogie als Typologie zu ziehen und in Mose die gegenwärtige Gottesbeziehung vorabgebildet zu sehen. Denn nach seiner Exegese des Exodustextes legt Mose die Decke auf sein Angesicht, nicht um Israel vor dem Glanz zu schützen, sondern in betrügerischer Absicht. Israel soll nicht das Vergehen des Glanzes bemerken, der scheinbar immer wieder erneuert werden muß. Weil aber Mose eines κάλυμμα bedarf, ist Israel verstockt (V. 14b. 15), sind zugleich diejeni-

---

[40] Nach rabbinischer Tradition ist die δόξα des Mose auch noch nach dem Tod im Grab verblieben (Bill III 515).

[41] So Stegemann, Bund 111. Ein Blick in die Konkordanz zeigt hingegen, daß der apokalyptischen Verwendung von καταργέω (1. Kor 6,13; 13,8. 10 f.; 15,24.26; 2. Thess 2,8) eine überwiegende Zuordnung zum zeitlichen Aufhören gegenübersteht (Röm 3,3.31; 4,14; 6,6; 7,2.6; 1. Kor 1,28; 2,6; Gal 5,4.11; vgl. auch Eph 2,15; 2. Tim 1,10; Hebr 2,14); zur Sache: Delling, ThWNT I 452–455, und Hübner, EWNT II 659–661.

gen verstockt, die in der pl Verkündigung ein κάλυμμα finden (4,3 f.).
Dieses Geschehen der Wüstengeneration hat typologische Bedeutung
für die Gegenwart. Auf der Verlesung des Alten Testaments liegt ein
κάλυμμα, das erst ἐν Χριστῷ beseitigt wird (V. 14)[42]. Hier greift Pl vor
auf die Ausführungen der V. 16-18[43].
Wovon trennt die Decke auf der Toralesung des Synagogengottesdienstes das gegenwärtige Israel? Im engeren Kontext sind drei Güter genannt, deren Israel ermangelt: παρρησία (V. 12), ἐλευθερία (V. 17), δόξα
(V. 18). Eine Änderung dieser Situation ist nur dann möglich, wenn die
Decke (gegenwärtig μὴ ἀνακαλυπτόμενον V. 14) weggenommen wird
(περιαιρεῖται V. 16). Blickt man zurück auf V. 15 und betrachtet die
Parallelität von V. 16 (περιαιρεῖται τὸ κάλυμμα) zu V. 14 (ἐν Χριστῷ
καταργεῖται), so hat Pl bereits vorweg die Antwort der oben gestellten
Frage gegeben[44].

---

[42] Es ist denkbar, daß „Paulus einen konkreten Brauch vor Augen hat, wenn er von
dieser Decke spricht" (Theißen, Aspekte 127, trotz der Kritik von Stegemann, Bund
99 A 8). Eine Freske von Dura-Europos (bei R. E. Goodenough, Jewish Symbols in the
Greco-Roman Periods IX, 1964, Pl. V und 326) zeigt die Lesung der Thora und einen mit
einer Decke verhüllten Kasten, evtl. den Thoraschrein. Diese Decke ist immer nur dann
abgebildet, wenn es sich um eine Thoralesung handelt. Für die pl Interpretation könnte
dies bedeuten: der Synagogengottesdienst demonstriert die Verstockung, in ihm kann
kein Geist sein (Jervell, Volk 89). Bedingung der Aufhebung der Verstockung ist die Aufhebung des κάλυμμα von der παλαιὰ διαθήκη (darauf bezieht sich καταργεῖται in V. 14;
ausführlich Koch, Schrift 334-336; vgl. das Stichwort ἀνάγνωσις in V. 14 f.). Doch beziehen Bultmann, 2. Kor 89; Lietzmann, Kor 113; Hanson, Midrash 18; Furnish, 2. Cor 210,
καταργεῖται direkt auf παλαιὰ διαθήκη, nicht auf κάλυμμα.
[43] Es ist müßig, an dieser Stelle die Forschungsgeschichte nochmals umfassend wiederzugeben; vgl. dazu Heinrici, 2. Kor 135-137; Hermann, Kyrios 17-19.36-48. Methodologisch ist Hermanns Arbeit insofern wegweisend, als er a) „Pneuma nicht von einem vorgefaßten System, sondern aus dem Zusammenhang der paulinischen Aussage zu verstehen sucht" (48), und er b) folgerichtig ablehnt, Pneuma „in methodisch bedenklicher
Weise aus dem Zusammenhang herausgehoben und in eine Art Scheinwerferlicht gestellt"
zu sehen (50; Zitat von Dibelius, Herr 128). Diese eklektische Verwendung als dictum
probans der mystischen Pl-Interpretation (vgl. Bousset, Kyrios; ders., 2. Kor 184) hat dahin geführt, die pl Christologie überhaupt von 2. Kor 3,17 her zu entfalten. So etwa:
Deissmann, Paulus 109 f. A 5; Reitzenstein, Mysterienreligionen 349 und 420 f.; Windisch, 2. Kor 125 („Schlüssel zum Verständnis der paul. Christus- und Geisteslehre"); die
ältere Literatur ist bei Deissmann, Paulus 111 f. A 1 recht umfassend zusammengestellt.
Schon die erste ausführliche Auseinandersetzung mit Bousset widersprach der identifizierenden Auslegung von Kyrios und Pneuma, indem sie in den Pl-Briefen einen „... Parallelismus zwischen den Aussagen über die Wirkungen des Christus und den Wirkungen
des Geistes" erkannte (P. Wernle, Jesus und Paulus. Antithese zu Boussets Kyrios Christos, ZThK 25, 1915, (1-92) 48; außerdem v. Dobschütz, Geistbesitz 235, und Schmithals,
Gnosis 299 f.
[44] Windisch, 2. Kor 124: „κάλυμμα ... κεῖται ist Voraussetzung für περιαιρεῖται τὸ
κάλ."; auch Koch, Schrift 337. Die ἐν Χριστῷ-Formel deutet nach Kramer, Kyrios 142,

Zur Struktur der V. 16–18:

Grundsätzlich stehen sich gegenüber das gegenwärtig verstockte Israel (V. 15 f. → αὐτῶν) und die christliche Gemeinde (V. 18 ἡμεῖς), jenes unter dem κάλυμμα, dieses ἀνακεκαλυμμένον. Schließt V. 16 mit der Hoffnung einer Bekehrung Israels zum Kyrios, so kann V. 18 gleich auf den Ertrag der Bekehrung zum Kyrios zu sprechen kommen. Es ist vielfach zu Recht behauptet worden, daß V. 18 direkt an V. 16 anschlösse und V. 17 also als eine Parenthese zu verstehen sei[45]. Diese Parenthese fungiert jedoch als Begründung der in V. 18 für die christliche Gemeinde behaupteten Wegnahme des κάλυμμα. Weil sie zugleich weitgehende Beziehungen zum Kontext des Kap. 3 aufweist, wird es sich nicht um eine Glosse von nachpaulinischer Hand handeln; vgl. πνεῦμα V. 3. 6; zu ἐλευθερία der παρρησία-Begriff in V. 12[46]. Die Begründung der These (V. 17 a) trägt die Form eines Syllogismus: Obersatz (V. 17 b) – wo der Geist des Herrn ist, da ist Freiheit; Untersatz (V. 18 c) – diesen Geist hat der Bekehrte, weil der Herr lebenschaffender Geist ist; Schlußsatz (V. 18 a b) – daher stehen die Bekehrten auch in Freiheit und sind nicht mehr durch eine Decke vom Kyrios getrennt[47]. Diese Verklammerung des V. 17 mit dem Kontext widerrät sowohl seiner Eliminierung (Glosse) als auch seiner Isolierung im Sinne eines christologischen dictum probans.

Verfolgen wir die pl Argumentation im einzelnen.

V. 16 verbleibt zunächst im Motivbereich der Exodustradition, ist aber eine gezielte Abwandlung von Ex 34,34 LXX.

Ex 34,34 LXX: ἡνίκα δ' ἂν εἰσεπορεύετο Μωϋσῆς ἔναντι κυρίου λαλεῖν αὐτῷ, περιῃρεῖτο τὸ κάλυμμα ἕως τοῦ ἐκπορεύεσθαι

2. Kor 3,16: ἡνίκα δὲ ἐὰν ἐπιστρέψῃ πρὸς κύριον περιαιρεῖται τὸ κάλυμμα

Unter dem Vorbehalt, daß Pl wirklich den o. g. LXX-Text vor Augen hatte, besteht seine Redaktion in einem vierfachen Aspekt[48].

a) Pl verbindet ἡνίκα nicht mit einem Verb im Imperfekt, sondern im Konjunktiv des Aorists, der futurischen Sinn hat. Schon in V. 14 f. hatte Pl die Ebene der Vergangenheit verlassen.

---

hier wie in 2. Kor 5,19; Gal 2,17; 1. Kor 15,22; Phlm 8 einen Heilsbegriff an. Nicht aber ist Christus in einem instrumentalen Sinn Subjekt der Enthüllung.

[45] Meyer, 2. Kor 79: „Da sich aber V. 18 auf die Wegnahme der Decke zurückbezieht, so erhellt, dass V. 17 nur ein Hülfsatz ist …"; Windisch, 2. Kor 124: „Eindruck einer exegetischen Glosse"; Bultmann, 2. Kor 92: ‚Parenthese'.

[46] Dagegen hatte Schmithals, Gnosis 299–308.386, jegliche Beziehungen zum Kontext für V. 17 in Frage gestellt und in V. 17 eine exegetische Glosse vermutet.

[47] Vgl. zum Syllogismus: Meyer, 2. Kor 79 f.

[48] Die Redaktionsarbeit ist ausführlich festgehalten bei Versteeg, Christus 290–294; Thrall, Conversion; Richard, Polemics 355–357.

b) Pl ersetzt εἰσπορεύομαι, welches er nie verwendet, durch ἐπιστρέφω, streicht zugleich ἔναντι ... αὐτῷ und fügt πρὸς κύριον zu ἐπιστρέφω an. Zwar begegnet ἐπιστρέφω bei Pl auch nur dreimal. Allerdings ist die volle Wendung ἐπιστρέφειν πρὸς κύριον in der LXX als term. techn. bezeugt (Dtn 4,30; 2. Chron 24,19; Jes 19,22 u. ö.), im Urchristentum auf Christus in der Bekehrungsterminologie übertragen worden (1. Thess 1,9; Apg 9,35; 11,21 u. ö.).

c) Es fällt nicht nur die Bekehrungsterminologie an sich auf, sondern auch die Zuordnung zu πρὸς κύριον. Die Verbindung von πρὸς mit κύριον begegnet in 2. Kor 3,18; 5,8; Phlm 5. In diesen Belegen ist unter κύριος immer Christus zu verstehen. Dagegen verbindet Pl zehnmal πρὸς mit θεόν.

d) Pl entnimmt dem Zitat das Subjekt (Μωϋσῆς) und läßt somit den Kontext bestimmen, wessen ‚Bekehrung‘ nun erwartet werden soll.

Obwohl V. 16 noch an Ex 34,34 LXX angelehnt bleibt und so formal als Schriftargument für V. 17 f. dienen kann, beschreibt der Vers jetzt doch die erhoffte Zukunft des unbekehrten Israel und dient damit zugleich als Folie für das, was die christliche Gemeinde hinter sich gelassen hat: ein nur mittelbares Verhältnis zu Gott. Der Aor. Konj. und der term. techn. ἐπιστρέφειν πρὸς κύριον schließen aus, daß Pl noch eine Aussage über Mose machen will, denn es geht ja um ein erhofftes zukünftiges Geschehen[49]. Zugleich fordert die Eintragung des term. techn. ἐπιστρέφειν πρὸς κύριον, an Christus zu denken. Völlig entsprechend behauptet ja schon V. 14, ἐν Χριστῷ werde das κάλυμμα entfernt. Dies alles spricht dagegen, in V. 16 κύριος mit ὁ θεός gleichzusetzen, wie ja auch die Vorstellung der Hinwendung des Mose zum Monotheismus an dieser Stelle keinen Sinn ergäbe[50]. Wenn Pl nun gegenüber der LXX Μωϋσῆς als Subjekt streicht, deutet er selber schon eine Ausweitung zum Bekehrungsvorgang an. Da Pl ab V. 13 mit den υἱοὶ Ἰσραήλ, der καρδία αὐτῶν, beschäftigt ist, wird also Israel als Subjekt zu denken sein[51]. Die Bekehrung öffnet nicht nur das Verstehen der Schrift, sondern hebt vor allem die Verstockung auf (V. 14 f.)[52].

---

[49] Wenngleich für Pl von der Präexistenzchristologie her eine Begegnung des Christus mit Mose denkbar wäre, schließen der Aor. Konj. und die Eliminierung des Mose aus dem Zitat doch aus, daß Pl die Aussage machen wollte: „Moses saw Christ in the tabernacle with unveiled face" (so Hanson, Midrash 22).

[50] Dies im wesentlichen mit Hermann, Kyrios 38–43; Windisch, 2. Kor 123. Dagegen betont Moule, 2. Cor III, 231, den Gebrauch des artikellosen κύριος in 3,16 und in der LXX. Er ist dann weiter gezwungen, auch V. 17 theologisch zu verstehen: Jahwe sei als Geist unter seinem Volk (Lev 26,12; in 2. Kor 6,16 aufgenommen).

[51] Furnish, 2. Cor 211: „... the fact, that the subject is left unexpressed, is probably a clue that Paul wishes to broaden the reference to include more than just Moses ...".

[52] Koch, Schrift 331–341; Lang, Kor 275, beziehen die Entfernung des κάλυμμα zu einseitig auf die dadurch ermöglichte wahre Schrifterkenntnis. Nach v. d. Osten-Sacken, Geist 232, bereitet die Bekehrung sogar „durch das Evangelium Zutritt zur Tora". Dage-

Blickt man nun zunächst über die Parenthese V. 17 hinweg, so behauptet Pl für die christliche Gemeinde in ihrer Gesamtheit: im Gegensatz zu den Juden schauen sie bereits die δόξα κυρίου. Dabei handelt es sich nicht um die δόξα Gottes, sondern, weil die Christen zugleich in diese εἰκών verwandelt werden, die nach 4,5 Christus als εἰκὼν τοῦ θεοῦ ist, um die δόξα κυρίου = Χριστοῦ[53]. Diese wiederum wird anschließend als πνεῦμα des Kyrios bezeichnet[54]. Somit kann mit guten Gründen gezeigt werden, daß κύριος in V. 16–18 durchweg Christus bezeichnet[55].

Mit V. 18 erreicht die antithetische Zuordnung von διακονία τοῦ θανάτου und διακονία τοῦ πνεύματος in der Zuspitzung auf die Heilswirklichkeit der Gemeinde ihren Abschluß und Höhepunkt. Es ist von Windisch gefragt worden (131), wo denn solche Verklärung zu δόξα stattfinde. Windisch verweist auf das gottesdienstliche Geschehen. Jedoch ist dies ein Sprung aus der pl Argumentation. So sehr Pl in V. 18 alle Christen im Blick hat, er exemplifiziert diese Aussage jedoch an dem seit 2,14 übergreifenden Thema: dem apostolischen Dienst. Wenn die pl Verkündigung sich in παρρησία und ἐλευθερία vollzieht, dann ist

---

gen Windisch, 2. Kor 124: „... rechnet P. hier deutlich mit einer Aufhebung der Verstockung Israels ...“, welches an die Bekehrung gebunden sei. In der Bekehrung wird ja mit der Taufe der Geist übermittelt, der lebenschaffend tätig ist.

[53] Es ist möglich, daß Pl auch hier noch in Anlehnung an Ex 34 verbleibt, da auch in der jüd. Apokalyptik die Verwandlung der Heiligen zur Ausstrahlung in Anlehnung an Ex 34 beschrieben wird (äthHen 38,4; 108,12 f.). Ἡμεῖς πάντες steht hier in Gegensatz zu υἱοὶ Ἰσραήλ und ist auf die christliche Gemeinde zu beziehen; vgl. M. Carrez, Le ‚Nous‘ en 2. Corinthiens, NTS 26, 1980, 474–486.

[54] Die Zuordnung der beiden Genitive ἀπὸ κυρίου πνεύματος ist seit jeher problematisch. Denkbar sind folgende Zuordnungen: a) ὁ κύριος τοῦ πνεύματος (Windisch, 2. Kor 129; Bultmann, 2. Kor 99). Vorausgesetzt ist der Grundsatz, daß meistens der zweite Genitiv vom ersten abhängig ist; b) τὸ πνεῦμα τοῦ κυρίου (BDR § 474,4; J. H. Moulton u. a., Grammar of the New Testament Greek III, 1963, 218); c) ὁ κύριος ὁ ἐστιν τὸ πνεῦμα (Lietzmann, Kor 114 f.; Hermann, Kyrios 56). Im einzelnen ist hierbei umstritten, ob κύριος christologisch (Lietzmann, Hermann) oder theologisch (Dunn, 2. Cor III) zu fassen ist; d) τὸ πνεῦμα ὁ ἐστιν ὁ κύριος. Für ein identifizierendes Verständnis wird die Artikellosigkeit von πνεύματος in Geltung gebracht. Unwahrscheinlich ist trotz Windischs Darlegungen die Bevorzugung des Gen. obj. Sicher hat Pl den Verklärungsprozeß im Hinblick auf den erhöhten Christus und die δόξα κυρίου vor Augen. Gerade letzterer Ausdruck läßt jedoch erwägen, ob nicht κυρίου, wie in V. 17 b und 4,4, von πνεύματος abhängig ist. Die Verwandlung wäre also vom lebenschaffenden πνεῦμα κυρίου gewirkt und auf die δόξα κυρίου hin bezogen (mit BDR § 474,5 trotz § 168,2).

[55] Die gegenteiligen Ausführungen von Dunn, 2. Cor III, und Moule, 2. Cor III (Zustimmung jetzt durch Thrall, Conversion 215; Lang, Kor 276), können nicht dahingehend überzeugen, von der Position Hermanns abzurücken. Auch ist gegen Stegemann, Bund 114 A 42, das semantische Feld nicht „womöglich bewußt offengehalten“; in unserem Sinn auch Theißen, Aspekte 134 f.; Fitzmyer, Glory 638; Strecker bei de Lorenzi, Paolo, 233–236, und Merklein ebd. 245.

hierin das μεταμορφούμεθα ἀπὸ δόξης εἰς δόξαν bereits partiell zu greifen.

Die Parenthese V. 17 liefert nun die Begründung der These des unmittelbaren Gottesverhältnisses. Ὁ steht anaphorisch und bezieht sich auf den κύριος des Zitats zurück. Auch δέ blickt wie in 1. Kor 10,4; Gal 4,25 auf den vorhergehenden, jetzt zu erklärenden Text[56]. Schließlich ist ἐστιν in solcher Bezugnahme auf atl. Aussagen ebenfalls in 1. Kor 10,4; Gal 3,16; 4,24f.; Röm 10,6–8 belegt. Diese mehrfache exegetische Verschränkung von V. 16 und V. 17 erklärt den im V. 16 genannten κύριος durch das πνεῦμα. Sicher nicht in einem vom Kontext absehenden metaphysischen Sinn, wohl aber in einer aktuellen Erklärung[57]. Sie ist Pl möglich, weil er von κύριος und πνεῦμα zugleich ein ζωοποιεῖν aussagen kann (2. Kor 3,6; 1. Kor 15,22.45). Zwar ist auffällig, daß dieses aktive ζωοποιεῖν in bezug auf den Christus ansonsten nur im zukünftigen Sinn gebraucht wird, jedoch ist im folgenden V. 18 in μεταμορφούμεθα ἀπὸ δόξης εἰς δόξαν der futurische Aspekt ja mit eingeschlossen. Pl kombiniert also in 2. Kor 3,17 das präsentische Motiv des ‚lebenschaffenden Geistes‘ (2. Kor 3,6; Joh 6,63) und das eschatologische Motiv des ‚lebenschaffenden Christus‘ (1. Kor 15,22.45) in Hinblick auf eine Bekehrungsaussage. V. 17 setzt daher die πνεῦμα-Aussagen aus V. 3.6.8 notwendig und selbstverständlich voraus und könnte folglich paraphrasiert werden: ὁ δὲ κύριος τὸ πνεῦμα ζωοποιοῦν ἐστιν. Bekehrung zu diesem πνεῦμα hieße zugleich anerkennen, daß die pl διακονία τοῦ πνεύματος legitimes, endzeitliches Geschehen ist[58].

Wenn Pl in V. 17 b als Ertrag des in seinem Dienst gegenwärtigen πνεῦμα die ἐλευθερία bezeichnet, so ist offenkundig, wie wenig ihm an einer präzisen Zuordnung von κύριος und πνεῦμα gelegen ist, wie sehr die apologetische Situation und die Frage nach dem Ertrag seiner Mission hingegen die Ausführungen bestimmen. Diese ἐλευθερία ist in V. 12 vorweg als παρρησία qualifiziert worden. Παρρησία bezeichnet in Entsprechung zur griech.-hell. Tradition eben „die Offenheit im Reden, d.

---

[56] Ausführlich Meyer, 2. Kor 79. Dagegen meinte Schweizer, ThWNT VI 415 f., eine exegetische Glosse sollte mit τὸ δὲ κύριος (vgl. Gal 4,25) eingeführt sein; vgl. aber dagegen den Hinweis von Dunn, 2. Cor III 313 A 3, daß auch 1. Kor 10,4 und Gal 3,16 ohne τό formuliert sind. In Gal 4,25 bezieht sich τό darüber hinaus auf ὄρος.

[57] Mit Meyer, 2. Kor 80, ist diese Identität „nach dem dynamischen Gesichtspunkt gemeint", also in bezug auf das, was sie wirkt (zustimmend Heinrici, 2. Kor 133; Windisch, 2. Kor 124). Weitergehende Spekulationen über die Art dieser Identität werden durch die Unterordnung des πνεῦμα unter den κύριος in V. 17 b und V. 18 sogleich ausgeschlossen. Schmiedel, 2. Kor 192, zeigt im Vergleich zu Joh 4,24 (πνεῦμα ὁ θεός), daß πνεῦμα in 2. Kor 3,17 kein Genusbegriff ist. Der Hinweis von Abramowski, Entstehung 438 f., auf die exegetische Praxis, κύριος durch πνεῦμα zu ersetzen (vgl. Apg 28,25), trägt hier nichts aus.

[58] Vgl. die entsprechende Paraphrase bei Dibelius, Herr 129 f.; ders., Glaube 113 A 28.

nichts verschweigt od. verhüllt", im Gegensatz zu „dem Verschleierungsversuch des Mose"[59].

Das Ende des Midrasch stellt deutlich den Bezug zum apologetischen Rahmen her. Der pl Dienst geschieht unmittelbar zu Gott und stellt die Glaubenden in ein unmittelbares Verhältnis zu Gott. Wenn die Überapostel an Empfehlungsbriefen festhalten, stellen sie sich selber in Relation zu Mose und zu dem unbekehrten Israel, indem sie mit Geschriebenem ein mittelbares Verhältnis der Gemeinde zu begründen suchen.

Der Gegensatz von γράμμα und πνεῦμα verbleibt in 2. Kor 3 ganz auf der geschichtlichen Ebene. Es werden eine „abgetane Vergangenheit und die von Gott eröffnete Gegenwart" gegenübergestellt[60]. Mit Hilfe dieser Antithese präzisiert Pl seinen Apostolat und stellt die judenchristlichen Gegner in eine bereits abgetane Vergangenheit[61].

Exkurs: Zum Verhältnis von Kyrios und Pneuma in der paulinischen Theologie

Da 2. Kor 3, 17 häufig als Beleg für ein identifizierendes Verständnis von Kyrios und Pneuma angesehen und darauf basierend für die gesamte pl Pneumatologie ein ‚christologisches Geistverständnis' behauptet wird, ist die Fragestellung des Verhältnisses von Kyrios und Pneuma hier im engeren Sinn auf die Zuordnung beider Begriffe in der pl Theologie zu beschränken. Daß die Fragestellung gleichwohl in das Zentrum der pl Christologie, zur Christusmystik, zur Präexistenzvorstellung, zur Zwei-Stände-Lehre führen kann, sei hier nur angemerkt.

Forschungsgeschichtlich fällt auf, daß spätestens seit den Arbeiten der religionsgeschichtlichen Schule von einer Identität beider Begriffe im pl Denken mehr oder minder ausgegangen wird. Gleichzeitig aber differieren sowohl die Erklärungen der Herkunft dieser Identität im pl Denken als auch die religionsgeschichtlichen Leitbilder solcher pneumatischen Christusmystik.

A. Deißmann fragt in ‚Die neutestamentliche Formel ‚in Christo Jesu', 1892', ob Pl diese Formel im eigentlichen oder uneigentlichen Sinn verstanden habe (84). Er erkennt, daß die Vorstellung der „Stofflichkeit die notwendige Vorbedingung für ein eigentlich lokales ἐν ist" (91). „Die Frage nach der Stofflichkeit

---

[59] Bauer, WB 1250; ebenso Schlier, ThWNT V 881. Jones, Freiheit 61–67, zeigt, daß ἐλευθερία hier nicht als ‚Freiheit vom Gesetz' zu verstehen sei, sondern als παρρησία.

[60] Ausführlich Luz, Geschichtsverständnis 131; Käsemann, Röm 68.

[61] Das unvermittelte Auftauchen des Gegensatzes von γράμμα und πνεῦμα in 2. Kor 3,6 stellt den ersten deutlichen schriftlichen Reflex innerhalb der pl Theologie zur Stellung des Gesetzes dar und ist verständlich als „Auseinandersetzung mit dem jüdisch-rabbinischen Gesetzesverständnis" (Michel, Röm 168). Eine Beziehung zur Rechtfertigungslehre ist in 2. Kor 3 jedoch noch nicht hergestellt.

des paulinischen ἐν Χριστῷ fällt daher mit der ... Stofflichkeit des pneumatischen Christus zusammen ..." (90). Die Formel ἐν Χριστῷ „charakterisiert das Verhältnis des Christen zu Jesus Christus als ein lokal aufzufassendes Sichbefinden in dem pneumatischen Christus" (97). An anderer Stelle (122) spricht Deißmann von der ‚Auferstehung und Pneumawerdung Christi‘, die Existenzweise des erhöhten Herrn sei eine pneumatische (84).

Bousset widmet in der 1. Aufl. des ‚Kyrios Christos‘ der Auslegung von 2. Kor 3, 17 im Zusammenhang der pl Christusmystik einen größeren, in der 2. Aufl. merklich geschrumpften Abschnitt (126–134. 142–148). Die Identität von Kyrios und Pneuma sei für Pl denkbar als Christusmystik, die als Kultmystik begriffen wird. Da im Kult nach urchristlicher Anschauung der Geist übereignet werde, sei der „Pneumabegriff des Paulus ... das Vehikel für die Einführung der Christusmystik geworden"(148). Die Identität von Kyrios und Pneuma beziehe sich für Pl somit auch ausschließlich auf den im Kult gegenwärtigen Herrn, nicht aber auf den Irdischen oder Erhöhten im allgemeinen Sinn[62]. Die Frage des religionsgeschichtlichen Leitbildes führe auf den „Boden hellenistischer Frömmigkeit" (164), speziell zum Mythos des sterbenden und wiederauferstehenden Gottes.

Auch Holtzmann erkennt in seiner Neutestamentlichen Theologie, daß die Identität von Christus und Geist „nirgends mehr ererbtes palästinisch-jüdisches Gemeingut darstellt, sondern nur von hellenistischen Voraussetzungen aus verstanden werden" kann (II 89). Für die Gleichsetzung beider Größen verweist er zunächst auf das Bekehrungserlebnis (II 88), andererseits aber auf eine „einfache Anwendung von Voraussetzungen, welche bezüglich der Mittelwesen (...) und speziell des Messias (...) schon in der jüd. Theologie Bestand erlangt hatten" (II 92). Weil der Präexistente Geist ist, muß es der Postexistente sein, oder umgekehrt[63].

---

[62] Diese enge Beschränkung bringt es mit sich, daß Bousset eine Identifikation von Kyrios und Pneuma nur als „zum Teil vollzogen" behauptet (142), ja das ἐν Χριστῷ εἶναι decke sich „doch nicht ganz mit dem ἐν πνεύματι εἶναι." Auch Weiß, Christus 45 f., erkannte, daß die Identität nicht durchgehend ausgeführt sei, behauptete dann aber im Sinne seiner These doch eine Auflösung und Entpersönlichung „der festen Umrisse der Gestalt des himmlischen Herrn" (50), der „die gestaltlos durch viele Wesen hindurch flutende göttliche Kraft des Pneuma sei" (ders., 1. Kor 303). Wie das überhaupt noch zu denken sei, war für Weiß „ein fast unlösbares Problem" (303); auch ders., Urchristentum 303.
Die Position von Bousset hat sich Bultmann schon recht bald in ders., Ethische Religion, 729; dann in ders., Die Christologie des Neuen Testaments, in: ders., Glauben und Verstehen I, ⁷1972, 255; ders., 2. Kor 99–101, mit nur wenigen Modifikationen, die allerdings höchst problematisch sind, zu eigen gemacht. Wenn es nun zusätzlich heißt, die Identifikation von Kyrios und Pneuma sei für Pl deshalb möglich gewesen, „weil beide Größen für ihn eschatologische Größen waren" (100), so trägt doch der Verweis auf die jüd. Eschatologie hier nichts aus, weil sie eben keine Identifikation beider Größen kennt. Im übrigen erfährt die Formalisierung der Begriffe („nach Analogie von ἐν πνεύματι das ἐν Χριστῷ gebildet") eine technische Gestalt, die dem Wortgehalt beider Begriffe nicht mehr gerecht wird.

[63] Holtzmann, Lehrbuch II; auch Weiß, Christus 52; Windisch, 2. Kor 125, erwägen neben den von Holtzmann, Lehrbuch II 92 A 2 und 3, Genannten diese Ableitung.

Diese Andeutungen zur Forschung mögen zunächst genügen. Es ist sehr die Frage, ob diese für eine weite Forschungsarbeit repräsentative Konzeptionen der Vielschichtigkeit der pl Aussagen gerecht werden und ob die religionsgeschichtlichen Leitbilder noch zutreffen[64].

1 Der exegetische Befund

Wenn wir von den direkten Zuordnungsaussagen von Kyrios (Christus, Jesus) und Pneuma (Dynamis, Doxa) ausgehen, müssen folgende Unterscheidungen getroffen werden:

a) Die Auferweckung Jesu als Tat des Geistes Gottes

Röm 1,4:   ... ὁρισθέντος υἱοῦ θεοῦ ἐν δυνάμει κατὰ πνεῦμα ἁγιωσύνης ...

Röm 6,4:   ... ἠγέρθη Χριστὸς ... διὰ τῆς δόξης τοῦ πατρός ...

2. Kor 13,4: ... ἐσταυρώθη ἐξ ἀσθενείας, ἀλλὰ ζῇ ἐκ δυνάμεως θεοῦ ...

Zu beachten sind in diesem Zusammenhang auch 1. Kor 6,14 und Röm 8,11. Zwar wird in diesen Begründungsformeln, welche die Auferweckung Jesu und die der Glaubenden in ein Verhältnis setzen, allein die Auferweckung der Glaubenden auf den jetzt gegenwärtigen Geist Gottes zurückgeführt. Man kann aber zumindest bei 1. Kor 6,14 fragen, ob das abschließende διὰ τῆς δυνάμεως αὐτοῦ nicht auch für die Auferweckung Jesu mitzubedenken ist.

Alle genannten Belege sind formelhaft und, wie bereits teilweise gezeigt, im Kern vorpaulinisch. Die Auferweckung Jesu wird als Tat des Geistes Gottes beschrieben[65]. Πνεῦμα, δόξα und δύναμις können gleichbedeutend für diese Kraft stehen. Jesus ist in diesen Aussagen Objekt

---

Der Verweis auf die Bekehrung als Erkenntnisort des Pneuma-Christus wendet sich zum Teil gegen die religionsgeschichtliche Pl-Exegese, steht aber noch im Kontext der liberalen psychologisierenden Pl-Exegese: so Bultmann, Ethische Religion 728; Olschewski, Wurzeln 126 f.; Deissner, Auferstehungshoffnung 124; Gunkel, Wirkungen 99; Sokolowski, Begriffe 232; Brückner, Entstehung 19 ff.; Feine, Theologie 321 A 1, wertet den Verweis auf die Bekehrung gar als Beweis gegen den kultischen Urgrund der Identität von Kyrios und Pneuma. Schweitzer, Geschichte 83, wendet dagegen ein, daß Pl seine Erlösungslehre nicht als „Verallgemeinerung und Objektivierung einer persönlichen innerlichen Erfahrung" darbietet.

[64] Die Forschungsgeschichte ist bei Schmitz, Christus-Gemeinschaft 22–43, präzise dargestellt. Zur älteren Forschung: Meyer, 2. Kor 79–82. Hervorzuheben ist Baurs Darstellung in Paulus II 262–276. Die Ausführungen kulminieren in der Bestimmung Christi als Geist hinsichtlich seines substantiellen Wesens. Christus sei in demselben Sinn wie Gott der ‚absolute Geist' (275).

[65] Auch Dietzfelbinger, Berufung 121 f. und 136, betont die auffällige pl Nuance, die Auferweckung Jesu auf ein ‚Mittel Gottes' zurückzuführen. Dietzfelbinger faßt die Begriffe δόξα und δύναμις jedoch nicht explizit pneumatologisch, sondern spricht von der ‚eschatologischen Machterfüllung' (136), dem ‚eschatologischen Lichtglanz' (121).

des Handelns des Geistes Gottes. Daß er an dieser Kraft jetzt als Auf-
erweckter auch partizipiert, liegt nur mittelbar (in Röm 1,4 und 2. Kor
13,4) im Blickfeld (vgl. 4.3.2).

b) Der Gekreuzigte repräsentiert die δύναμις und σοφία Gottes

1. Kor 1,23 f. bezeichnet in einer singulären, völlig vom Kontext ge-
zeichneten Aussage den Χριστὸς ἐσταυρωμένος als θεοῦ δύναμιν καὶ
θεοῦ σοφίαν. Da hier Attribute Gottes auf Christus übertragen sind, ist
nicht an den endzeitlichen Geist gedacht. Auch wird bei σοφία nicht an
die präexistente Hypostase Gottes zu denken sein, da δύναμις parallel
geht. Folglich lautet die Aussage in ihrer Paradoxie: das Wesen Gottes
hat sich sub contrario im Gekreuzigten offenbart.

c) Dem Präexistenten kommen die Attribute πνεῦμα und δόξα zu

Nach 1. Kor 10,4 trank die Wüstengeneration Israels ἐκ πνευματικῆς
... πέτρας, ἡ πέτρα δὲ ἦν ὁ Χριστός. Die pneumatische Gegenwart
Christi in atl. Zeit ist hier von dem Sakramentsverständnis, welches in
der ntl. Gemeinde Gültigkeit hat, rückprojiziert auf die Wüstengeneration. Als Präexistenter verbleibt Christus nicht bei Gott, sondern teilt
sich bereits vor seiner Inkarnation pneumatisch mit (vgl. 6.1.1.3).
1. Kor 2,8 spricht von Christus als dem κύριος τῆς δόξης (Gen. qual.).
Wird er als solcher gekreuzigt, so verfügt er zwangsläufig als Präexistenter (vgl. V.7b) bereits über solche Herrlichkeit und er wird zum
Mittel, solche δόξα den Glaubenden zu übereignen[66]. Die Aussage steht
in einer gewissen Spannung zur Kenosis-Vorstellung (Phil 2,7; Gal
4,4), entspricht eher Aussagen der joh. Christologie (Joh 1,14; 2,11).
Gemildert wird diese Spannung durch den übergreifenden Aspekt der
Paradoxie, daß mit der Kreuzigung des Herrn der Herrlichkeit gerade
die Torheit der Welt erwiesen wird.
    In diesen Präexistenzaussagen ist das Wesen Christi von der δόξα
her verstanden. Ob dies zugleich im Sinne einer Identifizierung mit
dem endzeitlichen Geist zu begreifen ist, könnte nur bejaht werden,
wenn dieser Geist ausschließlich im Präexistenten Gestalt findet.

d) Dem Erhöhten kommen die Attribute πνεῦμα und δόξα zu

Nach 2. Kor 4,4.6 kommt Christus sowohl als präexistenter[67] εἰκὼν
θεοῦ als auch als Erhöhtem das Attribut der δόξα θεοῦ zu, die ἐν

---

[66] Pl spricht hier nicht von dem „zum Herrn der Herrlichkeit Bestimmten" (so Hirsch,
Christologie 630 A 33). Ὁ κύριος τῆς δόξης ist Gottesprädikat (Ps 28,3 ὁ θεὸς τῆς δόξης;
äthHen 63,2 u.a.).
[67] Der Aspekt der Präexistenz ist von V.6 her auszuschließen, von der christlichen
Verwendung der εἰκών-Spekulation (Kol 1,15; Hebr 1,3) eventuell aber mitzudenken.

προσώπῳ Χριστοῦ dem Glaubenden erkennbar ist. Phil 3,21 zeigt, daß der Auferstehungsleib Christi durch δόξα bestimmt ist (vgl. auch Phil 4,19). 2.Kor 3,18 nennt die δόξα als Attribut des Erhöhten und zeigt zugleich, daß von einem πνεῦμα des Erhöhten gesprochen werden kann, welches seine Kraft in der Metamorphose der Glaubenden erweist. Alle Belege zeigen eine Tendenz zu plerophorer Sprache. Eine Identität von Kyrios und Pneuma wird aufgrund des Genitivs in 2.Kor 3,18 eingeschränkt. Auch geht die δόξα θεοῦ nicht völlig im Erhöhten auf (s.o. A 54).

e) Das πνεῦμα/die δύναμις des Erhöhten wirkt als Kraft auf das Leben der Glaubenden

1.Kor 5,1–5 setzt eine pneumatische Anwesenheit Christi im Gottesdienst für den Rechtsentscheid voraus. Allerdings ist in der Forschung umstritten, ob σὺν τῇ δυνάμει (V.4) überhaupt auf den Kyrios zu beziehen ist. Keinesfalls setzt dieser Rechtsentscheid eine Identität von Kyrios und Pneuma im mystischen Sinn voraus, da der Ausblick auf die ἡμέρα τοῦ κυρίου (V.5) eine geschichtliche und personale Perspektive enthält.

2.Kor 3,18 nennt die δόξα des erhöhten Kyrios (vgl. auch 4,4). Werden nun die Christen in dieselbe εἰκόνα verwandelt, so ist dies Ursache des κυρίου πνεύματος (d.h. des Geistes des Herrn; nicht des Herrn des Geistes; vgl. A 54). Es hat sich in der Auslegung von 2.Kor 3 gezeigt, daß V.16–18 nicht unter Absehung von V.3.6.8 interpretiert werden dürfen. In diesem Kontext werden Christus und Pneuma in eine gleiche Funktion gesetzt, insofern beide lebenschaffend sind. Gleichwohl hält die Genitivverbindung 2.Kor 3,18 an einer Differenz beider Größen fest.

2.Kor 12,9: ... ἵνα ἐπισκηνώσῃ ἐπ᾽ ἐμὲ ἡ δύναμις τοῦ Χριστοῦ. Auffällig ist hierbei das ntl. Hapaxl. ἐπισκηνώσῃ. Denkt Pl wiederum an Ez 37,27 (... καὶ ἔσται ἡ κατασκήνωσίς μου ἐν αὐτοῖς)? Dann könnte sogar ein Gen. obj. vermutet werden: die Kraft, die Christus zum Inhalt hat (vgl. Gal 2,20). Folglich zielt die Aussage darauf, daß in der conformitas cum Christo als des Gekreuzigten sich paradoxerweise die Kraft offenbart, d.h. Christus sich vergegenwärtigt. Diese Kraft wird im Kontext als Bevollmächtigung zum Apostolat bestimmt. Es liegt also der Akzent auf der Leidensgemeinschaft mit Christus, in welcher Kraft zugeeignet wird. Über eine pneumatische Vermittlung derselben schweigt 2.Kor 12,9 wie auch Gal 2,20.

f) Pneumatische Gemeinschaft mit dem Erhöhten

1.Kor 6,15 nennt die σώματα der Christen μέλη Χριστοῦ; ein Gedanke, der unter Voraussetzung der Sakraments- und Leib-Christi-

Vorstellung (1. Kor 12, 12 f. 27) verständlich ist. Das Verhältnis zur πόρνη ist sarkischer Art (οἱ δύο εἰς σάρκα μίαν) und kann nicht der Heiligkeit, die mit der Gabe des πνεῦμα ἅγιον, οὗ ἔχετε ἀπὸ θεοῦ (6, 19) gesetzt ist, entsprechen. Das Verhältnis zum Kyrios ist pneumatischer Art, d. h. das πνεῦμα ist das verbindende Element, welches Kyrios und Glaubende umgreift. So gewiß dieses ἓν πνεῦμα in Antithese zu εἰς σάρκα μίαν steht, so ist damit V. 17b allein nicht zu erklären. Vorausgesetzt ist vielmehr, daß, gleichwie die Glaubenden, so auch der Kyrios in Gemeinschaft mit dem πνεῦμα steht, was wiederum die pneumatische Gemeinschaft ermöglicht. Von der durch κολλᾶσθαι angesprochenen personalen Beziehung der Glaubenden zum Kyrios her ist jedoch die Annahme einer mystischen Identität für Kyrios und Pneuma in 6, 17 abzuweisen[68].

Zu Gal 4, 6 wurde sogar von Schmitz festgestellt, daß „der Gedanke also zur pneumatischen Gemeinschaft mit Christus" hintendiere[69]. Beachtet man aber die Argumentationsstruktur in Gal 4, 4–6, so ist dies für Pl allenfalls ein Hilfsgedanke, den er in Röm 8, 15, wo er von der in Gal 4 geführten Beweisführung frei ist, aufgibt. V. 3 beschreibt den einstigen Zustand als νήπιοι in Knechtschaft, V. 4 f. die Heilstat Gottes in der Sendung des Sohnes zur Vermittlung der υἱοθεσία. Jetzt sind die Glaubenden Söhne (Präs.), seitdem ἐξαπέστειλεν ὁ θεὸς τὸ πνεῦμα τοῦ υἱοῦ αὐτοῦ εἰς τὰς καρδίας (Aor. deutet auf die zurückliegende Taufe), gegenwärtig bezeugt der Abba-Ruf (Präs. κρᾶζον) diese Sohnschaft. V. 7 blickt auf den Einst-Stand nochmals zurück. Faktisch geht Pl vom Abba-Ruf, den er in der Gemeinde vorfindet, aus. Dieser für Jesus und Gemeinde gemeinsame Gebetsruf dokumentiert ja gerade die Gleichstellung von Sohn und Söhnen im Verhältnis zu Gott. Insofern kann er den Abba-Ruf auf die Sendung des πνεῦμα τοῦ υἱοῦ αὐτοῦ εἰς τὰς καρδίας ἡμῶν zurückführen. Die Gemeinschaft mit Christus besteht also unmittelbar im Abba-Ruf, mittelbar in der Gemeinschaft des πνεῦμα αὐτοῦ[70].

---

[68] Dieser Gedanke der pneumatischen Gemeinschaft ist so im pl Schrifttum singulär. Kümmel bei Lietzmann, Kor 175, erwägt, daß für Pl die Gleichung ἓν σῶμα nähergelegen habe, was aber wegen V. 16 zu einer Wiederholung geführt hätte. Sachlich ist dieses Bild in V. 17 sicher noch das Mitbestimmende.

[69] Schmitz, Christus-Gemeinschaft 163 A 1.

[70] Deutlich Dibelius, Gal 27: „... das ‚Abba' des Betenden als Beweis dafür verwertet wird, daß er den Geist und damit die Sohnesqualität hat." Röm 8, 15 spricht vom Empfang des πνεῦμα υἱοθεσίας im Gegensatz zu πνεῦμα δουλείας. Die Parallelität der Aussagen in Gal 4 und Röm 8 hat verschiedene Exegeten eine gemeinsame Tradition vermuten lassen (v. d. Osten-Sacken, Röm 8, 130 f.; Paulsen, Überlieferung 87–96). Wenn aus dem gemeinsamen Stoff der Zusammenhang von Abba-Ruf und Geistempfang herausragt und, wie Gal 4, 6 nahelegt, im Kontext der Taufe einen Sitz im Leben hat, dann wird der

Auch bei Phil 1, 19 ist der Kontext mitzubedenken. Pl befindet sich in leidvoller Gefangenschaft (1, 17), gleichwohl hofft er, daß diese Situation (τοῦτο in V. 19) sich für ihn umkehrt zur σωτηρία. Die Anspielung auf Hiob 13, 16 LXX mag einerseits Rechtsgrund solcher Hoffnung sein. Andererseits weiß Pl sich in der Gefangenschaftssituation getragen διὰ τῆς ὑμῶν δεήσεως καὶ ἐπιχορηγίας τοῦ πνεύματος Ἰησοῦ Χριστοῦ. Formal handelt es sich hierbei um einen Chiasmus, denn der Artikel und ὑμῶν sind nur auf δεήσεως zu beziehen[71]. Es ist umstritten, ob die Genitivverbindung τοῦ πνεύματος Ἰησοῦ Χρ. gleichfalls als Gen. subj. zu ἐπιχορηγίας aufzufassen ist[72]. Gerade die Parallele in Gal 3, 5 (ὁ οὖν ἐπιχορηγῶν ὑμῖν τὸ πνεῦμα) kann den Gen. obj. nahelegen. Der Chiasmus bleibt im Fall eines Gen. subj. besser gewahrt, und Ἰησοῦ Χριστοῦ ist zusätzlicher Gen. der Zugehörigkeit. Auffällig bleibt, daß das Fürbittengebet der Gemeinde der Hilfe des Geistes Jesu Christi vorgeordnet ist. Es mag daher der Gedanke mitschwingen, daß das Gebet eben auf die Unterstützung des Geistes zielt (vgl. Apg 4, 29–31). Ein Bezug zu Mk 13, 11 ist allenfalls angedeutet[73]. Es geht in Phil 1, 19 um die σωτηρία, nicht um die Rede vor Gericht. Wichtiger ist die Frage, weshalb Pl hier überhaupt das πνεῦμα Ἰησοῦ Χριστοῦ bemüht?[74] Die gesamte Hoffnung des Apostels kulminiert in der Erwartung ὅτι ... μεγαλυνθήσεται Χριστὸς ἐν τῷ σώματι μου. Um diese Christusförmigkeit gegenwärtig bereits zu erreichen, läßt Pl sein σῶμα auf das πνεῦμα Ἰησοῦ Χριστοῦ angewiesen sein. In dieser pneumatischen Gemeinschaft mit dem Erhöhten wird die Differenz von Kyrios und Pneuma gewahrt, insofern die volle Vereinigung mit Christus postmortale Hoffnung bleibt (1, 23).

In Röm 15, 30 begegnet der aus Phil 1, 19 vertraute Motivbereich gleichfalls im Kontext einer für den Apostel kritischen Situation. Seine Hoffnung bezieht sich wie in Phil 1, 19 auf die Gebete der Gemeinde

---

spezifischere Hinweis auf das πνεῦμα τοῦ υἱοῦ αὐτοῦ auf die Beweisführung von Gal 4 zurückgehen und also kein trad. Motiv sein.

[71] Gegen diese allgemein anerkannte Stellung des Chiasmus (Haupt, Phil 30; Dibelius, Phil 57; Schenk, Philipperbriefe 146 A 104) hat sich Schmitz, Christus-Gemeinschaft 166, gewandt. Indem er den Artikel und ὑμῶν zu δεήσεως und ἐπιχορηγίας zieht, kann er den Genitiv τοῦ πνεύματος Ἰησοῦ Χρ. als Gen. obj. verstehen (vgl. auch Lipsius, Phil 204, und wieder Barth, Phil 29).

[72] Für den Gen. subj.: Gnilka, Phil 67; Riesenfeld, Gemeinschaft 111; Lohmeyer, Phil 52; de Wette, Phil 186.

[73] So allerdings Barth, Phil 30; Friedrich, Phil 143; Lohmeyer, Phil 52. Das Motiv ‚Gefangenschaft-Geistesgabe-Parresia' ist nicht auf Mk 13, 11 zu begrenzen; vgl. Apg 4, 29–31.

[74] Es ist wenig hilfreich, hier wieder eine Identität von Kyrios und Pneuma vorauszusetzen (Gnilka, Phil 67) oder andererseits dem Zusatz Ἰησοῦ Χριστοῦ jegliche Absicht abzusprechen (so Haupt, Phil 30).

und die Liebe des Geistes (Gen. auct.). Die Mahnung gründet in der Autorität Jesu Christi (διὰ τοῦ κυρίου). So sind hier die Wirkung des Geistes und die Autorität des Kyrios geschieden[75]. Schließlich ist Röm 8,9 c, die vorpl Scheideformel, zu nennen. Ihr zufolge erweist sich die Christuszugehörigkeit durch Teilhabe an seinem Geist. Diese Formel konnte bereits als Parole des pneumatischen Enthusiasmus verstanden werden. Pl bettet die Formel in einen Kontext ein, der deutlich vom πνεῦμα θεοῦ spricht (vgl. ausführlich 6.4.3.2).

g) Die Identität von Kyrios und Pneuma

Eine funktionale Identität von Kyrios und Pneuma bezeugen in den pl Briefen allein 2. Kor 3,17 und 1. Kor 15,45. Beide Aussagen identifizieren das πνεῦμα ζῳοποιοῦν (1. Kor 15,45; 2. Kor 3,6) mit dem ἔσχατος Ἀδάμ (1. Kor 15,45) oder dem Kyrios (2. Kor 3,17). Beide Aussagen erwachsen unterschiedlichen Argumentationszusammenhängen. Für 1. Kor 15,45 konnte eine Gemeindeanschauung vorausgesetzt werden, die den πρῶτος ἄνθρωπος, den Präexistenten, als πνεῦμα ζῳοποιοῦν versteht. Pl hingegen kehrt diese Heilsontologie um und erwartet erst zukünftig das ζῳοποιηθήσονται (1. Kor 15,22). Nicht der Präexistente, sondern Christus als letzter Adam kann mit dem lebenschaffenden Geist identifiziert werden.

Die Argumentation in 2. Kor 3 steht unter der Antithese von γράμμα und πνεῦμα. Das gegenwärtige Israel bleibt solange unter der Macht des tötenden Buchstabens (3,6), unter der Decke des Mose (3,13 f.), als die Bekehrung zum Herrn (= Christus) nicht vollzogen worden ist (3,16). Erst dies schenkt die Wegnahme des trennenden κάλυμμα (3,14), schenkt παρρησία und ἐλευθερία, also das, was Mose fehlt. Wie ist dieses möglich? Bekehrung zum Kyrios ist – so 3,17 – in Wahrheit Anerkennung des Geistes als der die Gegenwart bestimmenden Größe. Der Geist aber ist zuvor als lebenschaffend (3,6) eingeführt worden. Es steht folglich in seiner Macht, ἐλευθερία und παρρησία zu schenken. Dieser Geist wird in 3,17 b. 18 b als Geist Christi verstanden. Diese Zuordnung ist Pl möglich, weil die Wirkungen des Geistes und die Wirkungen Christi im Falle des ζῳοποιεῖν (1. Kor 15,22.45; 2. Kor 3,6) oder der Gabe der Freiheit (Gal 5,1; Röm 8,2; 2. Kor 3,18) zusammenfallen. Übergeordnet ist der apologetische Rahmen: Bekehrung zu diesem Kyrios/Pneuma fordert die Anerkenntnis, daß die pl διακονία τοῦ πνεύματος ein legitimes, endzeitliches Geschehen ist (ausführlich 7.1.2).

---

[75] Hermann, Kyrios 92, ergänzt freilich im Sinne seiner These hinter πνεύματος ein αὐτοῦ, um in Analogie zu Phil 1,19 Geist und Kyrios verbinden zu können.

Die Durchsicht der pl Zuordnungsaussagen zeigt zweifelsfrei, daß eine Identität von Kyrios und Pneuma einer breiten Textgrundlage entbehrt[76]. Wohl aber kann Pl in wenigen Aussagen das Pneuma als Pneuma des Kyrios verstehen (Gal 4,6; Phil 1,19) oder auch von einer pneumatischen Gemeinschaft mit dem Erhöhten sprechen (1.Kor 6,17). Diese genannten Stellen, wie auch die Identitätsaussagen in 2.Kor 3,17 und 1.Kor 15,45, setzen allerdings keine spezifische Konzeption voraus, sondern sind aus ihrem jeweiligen Kontext oder der zugrundeliegenden Tradition bestens verständlich. Diese wenigen Zeugnisse berechtigen nicht zu der Annahme, der Kyrios sei stets Vermittler des πνεῦμα an die Glaubenden oder grundsätzlich mit ihm identisch[77].

Käsemann hat stets betont, gegenüber dem Enthusiasmus binde Pl das πνεῦμα an den Kyrios. Von der vermuteten korinthischen Position der Protologie des πρῶτος ἄνθρωπος als πνεῦμα ζῳοποιοῦν, von der Scheideformel (Röm 8,9 c), sowie dem Selbstverständnis der πνευματικοί in Korinth her ist es eher wahrscheinlich, daß im pneumatischen Enthusiasmus erstmals die Bindung des πνεῦμα an den Präexistenten und Erhöhten gedacht worden ist (vgl. bereits 6.4.3.1).

h) Die Korrespondenzformeln

Ein weiteres häufig genanntes Argument für einen christologischen Pneumabegriff sind die Korrespondenzformeln ἐν πνεύματι und ἐν Χριστῷ[78]. Bezeichnend für die Vorgabe der Identitätsthese ist die in der Forschung im Vordergrund stehende Frage, ob ἐν Χριστῷ aus ἐν πνεύματι abgeleitet sei, oder umgekehrt. Für die Ableitung der ἐν Χριστῷ-Formel aus der ἐν πνεύματι-Formel plädierten Gunkel, Sokolowski u. a.[79], für die gegenteilige Sicht traten Pfleiderer u. a. ein[80]. Mißt man den Formeln solches Gewicht bei, ist eine Überprüfung des pl Sprachgebrauchs angezeigt, ohne die These der Identität von Kyrios und Pneuma gleich vorauszusetzen. Dieser Vergleich soll sich zunächst

---

[76] Gegen Hermann, Kyrios 132; Dibelius, Paulus 59; Hamilton, Spirit 83; Kertelge, Geist 29 u. a.

[77] So aber Lietzmann, Kor 114: „Daß somit stets Gott als der Sender des Geistes erscheint. (...), beweist nichts dagegen, denn der Geist wird doch nie ... unter Übergehung Christi verlieren“; so auch Büchsel, Geist 410; Käsemann, Röm 9; ders., Anliegen 271; ders., Art.: Geist 1274; Kertelge, Geist 29–31.

Das entspricht der dogmatischen Fixierung des ‚filioque‘, nicht aber in dieser Ausschließlichkeit der pl Theologie. In biblisch-dogmatischer Perspektive ist nach wie vor lesenswert: M. Kähler, Das schriftgemäße Bekenntnis zum Geiste Christi, in: ders., Dogmatische Zeitfragen I/1, 1898, 137–176.

[78] So z.B. Bultmann, 2.Kor 100; Sokolowski, Begriffe 230.

[79] Gunkel, Wirkungen 92 f.; Holtzmann, Lehrbuch II 89; Sokolowski, Begriffe 230; Deissmann, Formel 85; Käsemann, Röm 211; Bultmann, 2.Kor 100.

[80] Pfleiderer, Urchristentum 202 ff.; Schnelle, Gerechtigkeit 230 A 55.

auf die lokale Vorstellung der Inexistenz der Glaubenden im Kyrios/ Pneuma beziehen.

Überblickt man alle ἐν πνεύματι-Aussagen in den pl Briefen, so ist nur in Röm 8,9 der gegenwärtige Stand der Glaubenden ἐν πνεύματι (als Gegenbegriff zu ἐν σαρκί) bezeugt und dies sogleich mit der parallelen Aussage des Χριστὸς ἐν ὑμῖν (V. 10). Freilich ist Gal 5,25 zu dieser Vorstellung noch hinzuzuziehen, wenngleich die Präposition ἐν (wie auch in Gal 3,3; 5,5. 16. 18) fehlt. Darüber hinaus verwendet Pl ἐν πνεύματι im anthropologischen Sinn (Röm 1,9; Phil 1,27), als ethischen Begriff (2. Kor 6,6; Gal 6,1), als kausative Wirkursache eines christlichen Verhaltens (1. Kor 12,3.9; 14,16 v.l.; Röm 9,1; 14,17) oder des christlichen Heilsstandes (1. Kor 6,11; 12,13; Röm 2,29)[81].

In allen letztgenannten Belegen handelt es sich hierbei um das πνεῦμα ἅγιον oder πνεῦμα θεοῦ. Dieser variable Gebrauch der Wendung ἐν πνεύματι entspricht der gleichfalls gegebenen variablen Verwendung von ἐν Χριστῷ/κυρίῳ. Die Beachtung des religionsgeschichtlichen Umfeldes schließt auch eine direkte gegenseitige Ableitung der Formeln aus. Denn ἐν πνεύματι ist Pl ja neben der LXX durch den griech.-hell., wie urchristlichen Sprachgebrauch vorgegeben. Hierbei ist wiederum kein einheitliches Wortfeld zu erschließen. In Apok 1,10; 4,2; 17,3; 21,10; Mk 12,36 ist ἐν πνεύματι term. techn. der ekstatischen Erregung. Da ἐν πνεύματι in bezug auf den Heilsraum nur in Röm 8,9 (vgl. noch Gal 5,25) dem ἐν Χριστῷ parallel geht, ist es also nicht wahrscheinlich, daß ἐν πνεύματι aus ἐν Χριστῷ abgeleitet ist oder umgekehrt, noch kann ein durchgehend gleicher Gebrauch der Wendung ἐν Χριστῷ/ἐν πνεύματι als eines identischen Heilsraumes erwiesen werden[82].

2 Religionsgeschichtliche Beobachtungen

Die Behauptung der Identität von Kyrios und Pneuma bedarf einer Abstützung im religionsgeschichtlichen Umfeld.

In der atl.-jüd. Trad. lebt die Erwartung des geistbegabten Messias. Pl knüpft aber nicht an diese Tradition an (vgl. nur Röm 1,3f.). Die weitergehende Vorstellung einer direkten Identität von Messias und endzeitlichem Geist ist in der atl.-jüd. Trad. gar nicht bezeugt[83].

---

[81] Vgl. auch den Überblick bei du Toit, Formule.

[82] Gegen Warnach, Wirken 188, fallen die Christussphäre und die Wirksamkeit des Geistes nicht grundsätzlich zusammen. Während z. B. die Wirksamkeit Christi auf den Kosmos bezogen ist (Röm 8,37–39; Phil 2,10f.), wird eine entsprechende Aussage über die Wirksamkeit des Geistes vermißt. Im übrigen steht die Parusieerwartung (1. Kor 15,23) einer Identifizierung entgegen.

[83] Vgl. ThWNT VI 382; Braun, Qumran II 255. Die weitestgehende Aussage in dieser Hinsicht bietet äthHen 49,3. Allerdings spricht die hier gegebene vierfache Zerlegung des

H. Windisch hat als ‚theologische Vermittlung' der Identität von Christus und Geist an die jüd. Hypostasenlehre erinnert, der zufolge „der präexistente Christus und die göttliche Weisheit der Juden als ein und dieselbe Gestalt" anzusehen seien[84]. Der lehrreiche und für die Erforschung der Präexistenzchristologie wegweisende Aufsatz von Windisch in der Heinrici-Festschrift kommt allerdings in unserer Fragestellung zu dem Vorbehalt, daß für Pl „nur der Geist ... selbständig neben Christus (wirkt; F. W. H.); aber er ist eigentlich ein Doppelgänger Christi ..."[85]. Also ist die Übertragung der pneumatischen Sophia aus dem hell. Judentum auf den Christus durchaus problematisch. Die gegenwärtige Diskussion hat von der Hypothese, in der Sophiaspekulation über die Präexistenzvorstellung für Pl eine Brücke zum pneumatischen Christus zu finden, eher Abstand genommen. Die pl Rezeption der atl.-jüd. Präexistenzvorstellung (Spr 1, 20-33; 8, 1-30; SapSal 9, 1 ff.; Sir 24; äthHen 42, 1; 84, 3) steht nicht in dem Interesse, das pneumatische Wesen des Messias zu belegen. Die bei Pl begegnenden Sendungsformeln

---

Geistes in ethische Eigenschaften gegen die Annahme einer Identität des einen Geistes Gottes mit dem Menschensohn. Zudem ist die Vorstellung der Präexistenz des Messias im vorchristlichen Judentum auf die Bilderreden des äthHen zu beschränken, sie ist folglich nicht repräsentativ für ein allgemeines Denken (Schimanowski, Weisheit 317 f.); zum rabbinischen Material: Bill II 349-352; Schimanowski, Weisheit 295-298; Hengel, Sohn 110 f. A 126. Unverständlich bleibt jedoch, weshalb für Hengel die späte rabbinische Überlieferung, die den Schöpfungsgeist (Gen 1,2) unter Einbeziehung von Jes 11,2 auf den Messias deutet (Pes. R. 33,6; vgl. Gen. R. 2,4), nun zu einer Voraussetzung für das Urchristentum benannt wird, welche „die Einführung des Präexistenzgedankens in die Christologie ... aus innerer Notwendigkeit" belegen soll (111 f.). Hengel zeigt im selben Zusammenhang (110 f. A 126), daß diese Auslegung von Gen 1,2 nicht repräsentativ für die rabbinische Exegese war. Die von Windisch, 2. Kor 125, als möglich erachtete ‚scheinbare atl. Vorbereitung' in Threni 4, 20 LXX (πνεῦμα προσώπου ἡμῶν Χριστὸς κυρίου) ist von R. Hanhart, Die Bedeutung der Septuaginta in neutestamentlicher Zeit, ZThK 81, 1984, 395-416, als eine „einhellig überlieferte ‚Interpretatio Christiana' in LXX, deren jüdische Herkunft ausgeschlossen ist" (411); erkannt worden. Mußte v. Dobschütz, Geistbesitz 235 A 3, sich noch zu CD 2,12 gegenüber einer identifizierenden Interpretation des משׁיח רוּחַ zur Wehr setzen, um eines von beiden Wörtern zu Glosse zu erklären, so ist jetzt deutlich, daß משׁיח mit Lohse, Texte 257 A 11, auf die Propheten zu beziehen ist. Gegen die Quellenzeugnisse hält Schmithals, Anthropologie, ‚an jüdischer Provenienz' der Gleichsetzung ‚Geist-Christus' fest. Sie gehöre in „den jüdischen Zweig des orientalischen Dualismus der Gnosis" 109 f.). In ders., Gnosis 58, wird als „weitaus beste Quelle" dieser Anschauung das NT genannt.

Für das Verhältnis Menschensohn-Geist gilt zu bedenken, daß die syn. Trad. die Menschensohn-Überlieferung nicht völlig ohne (so Schmithals, Neues Testament 59), aber doch in keiner dominanten Verbindung zur Präexistenz-Christologie bietet (vgl etwa Lk 19,10).

[84] Windisch, Christologie; ders., 2. Kor 125; außerdem Holtzmann, Lehrbuch II 92; Wrede, Paulus 86; Brückner, Entstehung 65.

[85] Windisch, Christologie; in ders., 2. Kor 125, fast wörtlich übernommen; ebenso Wernle, Jesus 48.

(Gal 4,4; Röm 8,3) bezeugen im Gegenteil den Weg in die Niedrigkeit. Die Verwendung des Begriffs ‚υἱός' in der Sendungsformel distanziert diese gerade von der Voraussetzung einer präexistenten Identität von Sohn und Geist, da nach pl Anschauung Christus als Sohn ja erst in der durch den Geist bewirkten Auferstehung erwiesen wird (Röm 1,3f.). Auch der Philipperbriefhymnus bezeugt erst für den Erhöhten das Prädikat des κύριος (Phil 2,11)[86]. Es ist nicht statthaft, diese Attribute des Postexistenten auch einfach dem Präexistenten zuzuweisen. 1.Kor 2,8; 8,6 und 2.Kor 8,9 haben keinen Bezug zur Geistthematik. So bleibt 1.Kor 10,4 als einziger deutlicher Beleg. Jedoch, so gewiß Pl auf atl.-jüd. Vorgaben zurückgreifen kann (Sap 10,17; Philo, All II 86; Det 115ff.), so gewiß ist die pl Argumentation hier eine typologische Rückprojektion des christlichen Sakramentsverständnisses.

In der jüd.-hell. Sophiaspekulation lagen Voraussetzungen für ein identifizierendes Verständnis von Geist und Christus bereit, insofern der Weisheit Funktionen zugeschrieben werden, die auch Christus erfüllt, insofern die Weisheit in der Nähe des πνεῦμα steht oder gar mit ihm identisch ist[87]. Scheint man sich dem in Korinth geöffnet zu haben, so nennt Pl dagegen den Gekreuzigten ‚σοφία θεοῦ', den Erhöhten ‚πνεῦμα ζωοποιοῦν'. Gegen Windisch hat die jüd.-hell. Sophiaspekulation für Pl nicht die ‚theologische Vermittlung' für den Pneuma-Christus dargestellt[88].

Bousset hingegen leitet die Christus–Pneuma-Anschauung aus der Kultmystik der hell. Gemeinde ab. Hier seien Kyrios und Pneuma identische Erfahrungsgrößen gewesen[89]. Diese Identifizierung sei zwar im Kultus ansässig, jedoch „auf dem Boden hellenistischer Frömmigkeit

---

[86] Zur Unterscheidung des Seins des Präexistenten von dem des Postexistenten im Philipperbriefhymnus: Strecker, Redaktion 153f. A 45.

[87] Ausführlich Wilckens, ThWNT VII 497–503; Schimanowski, Weisheit 306f. u.ö.

[88] Zur Problematik Präexistenzchristologie und Pneuma-Christus jetzt Schmithals, Neues Testament und Gnosis 57–63. Gegen Schmithals (und Hengel, Sohn 104–120) ist es aber zweifelhaft, daß die Präexistenzchristologie überhaupt „einer sehr frühen Entwicklungsstufe der Christologie" angehört, betont er doch selber „den relativ schmalen Traditionszweig" (59) und das Bedürfnis ihrer Ausbildung aus kirchlichem Interesse (62). Ebenso G. Schneider, Präexistenz Christi, in: Neues Testament und Kirche, FS R. Schnakkenburg, hg. von J. Gnilka, 1974, (399–)412: „Führend sind bei der Entfaltung genuin christliche Impulse ...". Außerdem: E. Schweizer, Zur Herkunft der Präexistenzvorstellung bei Paulus, in: ders., Neotestamentica, 1963, 105–109; ders., Aufnahme und Korrektur jüdischer Sophiatheologie im Neuen Testament, ebd. 110–121; H. Merklein, Zur Entstehung der urchristlichen Aussage vom präexistenten Sohn Gottes, in: G. Dautzenberg u.a. (Hg.), Zur Geschichte des Urchristentums, QD 87, 1979, 33–62; Schimanowski, Weisheit; R. G. Hamerton-Kelly, Pre-Existence, Wisdom and the Son of Man. A Study of the Idea of Pre-Existence in the New Testament, MSSNTS 21, 1973.

[89] Bousset, Kyrios (1.Aufl.) 144f.; (3.Aufl.) 110; außerdem Gunkel, Wirkungen 89–93; Darstellung der Position Boussets bei Güttgemanns, Apostel 344–351.

gewachsen" (3. Aufl. 134). Bousset denkt speziell an den gnostischen Urmensch (Anthropos)-Mythos. Beredtes Zeugnis dieses Mythos sei CH 1 (Poimandres), von Bousset ins 1. Jhd. datiert (137 A 2), Pl eventuell durch jüdische Vermittlung überkommen. Allerdings hält Bousset ‚fundamentale Unterschiede‘ zu Pl fest (142) und will auch Pl nicht ausschließlich auf diesen Mythos als Vorlage hin festlegen (130. 134).

Erst Reitzenstein, Mysterienreligionen, engte diese Ableitung deutlicher auf Poimandres ein (423) und konnte sogar ganz von Voraussetzungen im hell. Judentum absehen (284 A 2). Gegenwärtig muß auch diese Ableitung über Poimandres problematisch erscheinen, weil a) in vorchristlicher Zeit eine Erlösergestalt als konkrete Figur in der Gnosis nicht bekannt ist und b) weil CH 1 als Zeugnis für den Anthropos-Mythos nicht in ntl. Zeit zu datieren ist, sondern weitaus wahrscheinlicher ins 3. Jhd.[90].

Auf präzisere Textbasis stellte Schmithals die gnostische Ableitung des Pneuma-Christus. Zwar betont er mit großer Vehemenz, daß Pl ‚in seiner Vorstellung Christus und den Geist streng unterscheide‘ (Gnosis 300), andererseits aber setze Pl, wenn auch in abgeschliffener Gestalt (59), eine ‚vorchristliche gnostische Christologie‘ voraus, auf welche die ntl. Identifizierung von Christus und dem Pneuma, von den Gegnern in Korinth vertreten (307 f.), zurückgehe. Diese Gleichsetzung habe sich bis in die spekulativen Systeme der Gnosis erhalten (54): Hipp VI 36; 49,5; X 21,3; Iren I 2,5 f.; 30,12; Epiph, Haer XXX 3,6 (über die Ebionäer). Nun wird man jedoch gerade an die von Schmithals genannten älteren Belege die Frage zu richten haben, ob sie Belege für den mythologischen Ursprung des Pneuma-Christus sind, oder ob sie nicht vielmehr urchristliche Anschauungen aufnehmen.

Ign, Magn 15: ... κεκτημένοι ἀδιάκριτον πνεῦμα, ὅς ἐστιν Ἰησοῦς Χριστός.

Die Gleichsetzung des πνεῦμα mit Jesus Christus begegnet im Schlußgruß des Briefes an die Magnesier, also an einer Stelle, die zur plerophoren Ausschmückung im Hinblick auf Geistaussagen auch in den pl Briefen dient (2. Kor 13,13). Hier muß man fragen, ob die Gleichsetzung des πνεῦμα mit Jesus Christus nicht gerade durch das Stichwort ἀδιάκριτον bedingt ist, da an anderer Stelle Ign, Eph 3,2 Ἰησοῦς Χριστὸς, τὸ ἀδιάκριτον ἡμῶν ζῆν‘ heißt. Insofern ist die Vermutung, daß diesem Gruß die gnostische Vorstellung, Christus wirke als Geist in den Pneumatikern, zugrundeliege, nicht überzeugend[91].

---

[90] Einzelnachweise bei J. Büchli, Der Poimandres. Ein paganisiertes Evangelium, WUNT II 27, 1987, 73–101. Dagegen hält Schmithals, Neues Testament und Gnosis 63–67, an der Vorgabe einer erlösenden Zentralgestalt fest, ohne dies quellenmäßig belegen zu können.

[91] Schmithals, Gnosis 53.

Herm, Sim V 6,5: τὸ πνεῦμα τὸ ἅγιον τὸ προόν,
τὸ κτίσαν πᾶσαν τὴν κτίσιν
κατῴκισεν ὁ θεὸς εἰς σάρκα ἣν ἠβούλετο.

Herm, Sim IX 1,1: θέλω σοι δεῖξαι ὅσα σοι ἔδειξε τὸ πνεῦμα τὸ ἅγιον
τὸ λαλῆσαν μετὰ σοῦ
ἐν μορφῇ τῆς Ἐκκλησίας
ἐκεῖνο γὰρ τὸ πνεῦμα ὁ υἱὸς τοῦ θεοῦ ἐστίν.

Herm, Mand III 1: καὶ πᾶσα ἀλήθεια ἐκ τοῦ στόματός σου ἐκπορευέσθω,
ἵνα τὸ πνεῦμα,
ὃ ὁ θεὸς κατῴκισεν ἐν τῇ σαρκὶ ταύτῃ,
ἀληθὲς εὑρεθῇ παρὰ πᾶσιν ἀνθρώποις,
καὶ οὕτως δοξασθήσεται ὁ κύριος ὁ ἐν σοὶ ὁ ἐν σοὶ κα-
τοικῶν.

Herm, Sim V 6,5 scheint Joh 1,14; Mand III 1 hingegen 1.Kor 3,16; Eph
3,17 vorauszusetzen. Mand III 1 bezeugt keine Identität, sondern spricht von
der Einwohnung Christi ἐν τῇ σαρκί bzw. ἐν σοί. Zugleich ist keine reine Geist-
christologie bezeugt. Sim IX 1,1f.9 u.a. zeigen, daß der Sohn Gottes sowohl
Geist als auch Engel genannt werden kann. Schon dies deutet trinitarische Spekulationen an, aber auch, daß Hermas die judenchristliche Engel-Pneumatolo-
gie voraussetzt (AscJes 3,16; 4,21; 7,35f. u.ö.; Hipp, Ref IX 13,2f. u.a.) und
sie mit christologischen Aussagen verbindet. Sim V 6,5 setzt die jüd.-hell. Auslegung der Präexistenz der Sophia als Schöpfungsmittlerin voraus. Von alledem
her ist es problematisch, Hermas zu einem Zeugen der vorchristlichen gnostischen Christologie zu machen. Vielmehr ist nur deutlich, daß im hell. Judentum
und Judenchristentum (Engelpneumatologie) Gedanken bereitlagen, die für
eine Identifizierung des Christus und des Geistes verwendet werden konnten.
Hermas macht davon partiell, nicht aber in dogmatischer Präzision Gebrauch[92].

Bedenken wir schließlich mögliche urchristliche Voraussetzungen.
Jesus hat den Geist nicht in das Zentrum seiner Verkündigung gestellt,
noch sich selber explizit als Geistträger verstanden. Die Darstellung
Jesu als des geistbegabten Messias gewinnt erst im Laufe der synoptischen Tradition Konturen (vgl. 4.3.3). Pl greift auf beide Komplexe
nicht zurück, sieht in der Vorstellung Jesu als eines Geistträgers keine
Brücke zum Pneuma-Christus. Im Gegenteil betont Pl, daß der Präexistente als Irdischer den Bedingungen geschichtlichen Seins unterworfen
(Phil 2,8; Röm 8,3; 2.Kor 5,2 u.ö.) und nicht kraft eines pneumatischen Wesens darüber erhaben war.

---

[92] Vgl. zu Hermas: Opitz, Ursprünge 52ff.; Hauschild, Gottes Geist 81f.; Mees, Hermas 354f.; zur Bedeutung der Präexistenzchristologie für die Geistchristologie: A.Adam,
Lehrbuch der Dogmengeschichte I, ²1970, 130f. Opitz, Ursprünge, zeigt, daß der präexistente Christus und der Geist nicht identisch sind, wohl aber der präexistente Geist und
die Kirche.

Ebenso abwegig ist die in älterer Literatur begegnende These, der Bericht über Jesu Taufe habe in der vorsynoptischen Gestalt für Pl notwendig die Bindung des Geistes an den Christus ergeben. Pl reflektiert an keiner Stelle die Tradition der Taufe Jesu. Sie hat in seiner Theologie keine Bedeutung.

Psychologisierend ist schließlich der bereits erwähnte Verweis auf die Berufung Pauli. So gewiß Pl sie mit einer Vision des Erhöhten gleichsetzt, so beschreibt er diesen Erhöhten dennoch weder als πνεῦμα, noch führt er die Vision auf eine Wirkung des πνεῦμα zurück. Dieser Negativbefund sollte nicht verallgemeinernd dahingehend interpretiert werden, daß die Bekehrung nicht anders denn als pneumatisches Geschehen zu verstehen sei. Unsere Erkenntnis dessen, was für Pl ein pneumatisches Geschehen ist, kann sich nicht völlig vom Wegweiser der Verwendung des Wortes πνεῦμα dispensieren.

Den gegensätzlichen Weg hat Gunkel[93] beschritten: „Nun ist leicht einzusehen, wie Paulus zu dieser Gleichsetzung πνεῦμα-Χριστὸς gekommen ist. Seine Bekehrung war ja nicht so erfolgt, dass andere ihn zum Glauben an Jesum den Christ bekehrt hatten, sondern der Herr selbst war ihm in seiner göttlichen Herrlichkeit erschienen und hatte ihn ‚ergriffen'. Die erste pneumatische Erfahrung Pauli war eine Erfahrung von Christo. Fortan ist ihm Christus τὸ πνεῦμα" (91). „In diesem Gemütsinteresse hat seine Lehre vom πνεῦμα diese eigentümliche Gestalt gewonnen" (92). Anders liest sich jedoch die Erklärung der Christusvision in ders., Verständnis 90 f. Gunkel verweist darauf, „dass der Visionär die himmlische Welt in derjenigen Form (gesperrt gedruckt; F. W. H.) schaut, an die er schon vorher geglaubt hat" (91). „Das Bild vom himmlischen Christus muss schon vor dem N. T. irgendwo bestanden haben" (93). Die religionsgeschichtlichen Voraussetzungen eines vorchristlichen Pneuma-Christus sind jedoch völlig ungeklärt (s. o.). Aber auch der Rückführung der Identitätsaussagen auf die Damaskuserfahrung stehen gravierende Vorbehalte entgegen. In folgenden Texten reflektiert Pl das Damaskusgeschehen: 1. Kor 9,1; 15,1–11; Gal 1,12–16; Phil 3,4 b–11. Der Inhalt des hier beschriebenen Ereignisses wird ausschließlich christologisch-soteriologisch gefaßt. An keiner Stelle der direkten Berufungsaussage deutet Pl also eine Identität dieses geschauten Kyrios mit dem Pneuma an[94]. Und diese Vision ist nach Gal 1,16 ausschließlich Gabe Gottes, nicht aber Selbsterschließung des Pneumas.

---

[93] Gunkel, Wirkungen 91; dann auch Olschewski, Wurzeln 137 f. („Hier in dem Damaskuserlebnis und nur hier allein haben wir den Prototyp jener innigen organischen Verschmelzung von Christologie und Pneumatologie") und Holtzmann, Lehrbuch II 88 („Nichts kennzeichnet die Christologie des Apostels so eigentümlich als diese, dem Geburtsmoment seines Christentums entsprechende, Verkettung der Christologie mit der Vorstellung vom Wesen des Geistes"). Gunkel fügt in dem letzten o. g. Zitat einschränkend (92 A 1) „gegen häufige Modernisierungen" hinzu, daß nur eine „teilweise Identifikation" von Christus und τὸ πνεῦμα gegeben sei, daß „das Wirkungsgebiet Christi größer als das des Geistes" sei.

[94] Deißmann, Paulus 104, beschreibt das Damaskusgeschehen als gottgewirkte Offenbarung des Christus und apostolische Sendung und folgert daraus: „Und diese Charakte-

Im Zusammenhang der Berufungsaussagen ist jedoch die Überlegung bedenkenswert, ob 2. Kor 4,6 nicht allein auf den apostolischen Dienst (4,1–5) zu beziehen ist, sondern zugleich das beschreiben will, was Pl nach den Konversionsberichten der Apg (9,3; 22,6; 26,13) in seiner Berufung widerfuhr: die Erkenntnis der δόξα θεοῦ ἐν προσώπῳ Χριστοῦ[95]. Schon der Motivbereich ‚Aufgehen des Lichtes in den Herzen‘ deutet in der jüd.-hell. Überlieferung als Anlehnung an die Schöpfungsaussage auf ‚Neuschöpfung in der Konversion‘ (vgl. JosAs 8,10f.; 15,13; 18,9; TestGad 5,7 u. ö.); vgl. dann im NT: Röm 2,19; 1. Thess 5,4f.; Eph 5,8; 1. Petr 2,9. Andererseits aber mahnt die Erkenntnis, daß Pl in der Verwendung dieses Motivbereiches einer breiten Tradition folgt, zur Vorsicht, aus 2. Kor 4,6 viel für das Verständnis der individuellen Berufung Pauli entnehmen zu können. Wie bereits Windisch[96] gegenüber der Annahme einer direkten Anspielung auf die Berufung einschränkend anführte, handelt es sich in 2. Kor 4,6 a) um ein typisches, nicht individuelles Geschehen; b) nicht um eine Vision; c) es fehlt der Verweis auf ein bestimmtes Erlebnis. Bezieht man diese Ausführungen dennoch auf die Bekehrung Pauli, so bliebe als einziges individuelles oder subjektives Moment in dieser an Gen 1 und an Bekehrungsterminologie angelehnten Aussage, daß dieser φωτισμὸς ἐν ταῖς καρδίαις ἡμῶν geschieht. Der Blick auf 2. Kor 1,22; 3,2; 7,3 und der Gegensatz zu 3,15 erweisen, daß auch dies eine völlig unspezifische Wendung ist. Schließlich kann man natürlich fragen, ob die Vision Christi überhaupt anders als pneumatisch verstanden werden kann. 1. Kor 15 beantwortet die Frage, in welcher Gestalt die Auferstehungsleiblichkeit vorstellbar sei, mit dem Verwandlungsmotiv (V. 51): dem irdischen σῶμα ψυχικόν steht das zukünftige, himmlische σῶμα πνευματικόν gegenüber (V. 45). Insofern Pl in 1. Kor 15,22ff. gerade an der Typologie des Geschicks von Adam und Christus zu dem der Glaubenden gelegen ist, wird man annehmen können, daß der Erhöhte bereits jetzt in der Gestalt dieses σῶμα πνευματικόν ist, einer Gestalt also, welche den Glaubenden erst nach der Verwandlung durch die Tätigkeit Christi als πνεῦμα ζῳοποιοῦν zukommt. Die Literatur diskutiert in der Regel die Frage, wie ein σῶμα πνευματικόν überhaupt Gegenstand einer Vision sein könne. Mit σῶμα ist Gestalthaftigkeit ausgesagt, πνευματικόν dürfte dann nicht gestaltlos (‚ätherisch‘), sondern gerade durch Attribute wie Licht (vgl. V. 41f.) ausgezeichnet verstanden werden (vgl. Phil 3,21). Jedoch ist nicht zu übersehen, daß Pl diese in 1. Kor 15 vorgetragene Konzeption z. Z. des 1. Thess noch nicht vorlag, sie also auf keinen Fall der Zeit des Damaskusgeschehens zugeordnet werden darf. Vielmehr ist die realistische Beschreibung der Parusie des Kyrios und der Entrückung der Auferweckten mit den Lebenden in 1. Thess 4,13–18 von der Auferweckungs- und Verwandlungsvorstellung (1. Kor 15) noch getrennt. Auch dies spricht dagegen, die Konzeption des Pneuma-Christus auf das Damaskusgeschehen zurückzuführen.

---

ristik des Bekehrungsvorgangs genügt dem Historiker völlig.“ Gleichwohl interpretiert Deißmann die entstehende Christusmystik als Reaktion auf das Damaskuserlebnis (105).

[95] Es beziehen 2. Kor 4,6 auf das Damaskusereignis: Kim, Origin 5–13. 229f.; Dietzfelbinger, Berufung 62–64 u. a. Kritisch zu dieser Auslegung: Furnish, 2. Cor 250–252 u. a.

[96] Windisch, 2. Kor 138–141.

3 Folgerungen

Forschungsgeschichtlich kann gezeigt werden, daß die Behauptung der Identität von Kyrios und Pneuma seit Bousset fast fraglos übernommen und als Grundlage der pl Christologie angesehen wird. Ist schon dies eine dem pl Befund nicht gerecht werdende Verengung des Blickwinkels, so führt die Suche nach vorntl. religionsgeschichtlichen Vorgaben dieses behaupteten Pneuma-Christus in weitere Aporien. Es ist gut verständlich, daß angesichts dieses Sachverhalts der Ruf laut wird, das Problem des Verhältnisses von Kyrios und Pneuma erneut, und zwar in historischer Fragestellung anzugehen[97].

Am Anfang des hell. Christentums steht nicht die präzise Konzeption einer Zuordnung von Kyrios und Pneuma. Die pl Aussagen sind nicht von einer spezifischen Erfahrung (Bekehrung, Kultmystik) oder Tradition (Präexistenz der Hypostase) her entworfen, noch von einem einzigen religionsgeschichtlichen Hintergrund her verstehbar[98]. Das Verhältnis von Kyrios und Pneuma bleibt in den pl Briefen in vielem unbestimmt, dennoch sind spezifische Präzisierungen in der Abfolge der einzelnen Briefe festzustellen.

Es ist zunächst zu sehen, daß die Zuordnung von Kyrios und Pneuma im Sinne einer Identität bei Pl keine begriffliche Fixierung gefunden hat: πνεῦμα Χριστοῦ (Röm 8,9), πνεῦμα τοῦ υἱοῦ αὐτοῦ (Gal 4,6), κυρίου πνεῦμα (2. Kor 3,18), πνεῦμα Ἰησοῦ Χριστοῦ (Phil 1,19). Bousset hat diesem Sachverhalt insofern Rechnung getragen, als er ge-

---

[97] So Luck, Fragen 846. Hilfreich für diese Fragestellung sind: Dibelius, Herr; Wood, Spirit 228–231; Hirsch, Christologie; Hermann, Kyrios; Versteeg, Christus; B. Przybylski, Der Geist Jesu Christi. Aussagen des Neuen Testaments, in: ders. (Hg.), Der Heilige Geist im Leben der Kirche, 1980, 27–52.
Es sei nur am Rande angemerkt, daß neben dieser auf das Neue Testament bezogenen Fragestellung auch Überlegungen zu verzeichnen sind, inwiefern Christus und die Šekiña zusammenzudenken sind (C. Thoma, Die Šekiña und der Christus, Jud 40, 1984, 237–247) bzw. inwiefern Christus für das gnostisch verstandene pleroma stehen kann (vgl. bereits Kol 1,19).
[98] Hier ist auch zu konstatieren, daß im übrigen NT nur noch 1. Petr 1,11 vom präexistenten πνεῦμα Χριστοῦ spricht und Apg 16,7 in Abwandlung zu V.6 (πνεῦμα ἅγιον) vom πνεῦμα Ἰησοῦ. Auch Lk 9,55 v.l. wird auf den Geist Christi bezogen. Verweisen kann man auch auf den Sachverhalt, daß in später Zeit nicht mehr Jesus, sondern der Geist die Ämterübertragung vollzieht (Apg 13,1–3; 1. Tim 4,14; 2. Tim 1,6). Apg 7,51 und 22,7 beziehen das ‚Widerstehen‘ auf Geist und Jesus. Lk 21,15 läßt gegenüber Mk 13,11/Mt 10,20 (Apg 6,10) Jesus an die Stelle des Geistes treten. All dies sind Zuordnungen in spätntl. Zeit, sie deuten nicht auf eine ursprüngliche präzisere Zuordnung von Kyrios und Pneuma. Nach W. Pannenberg, Art.: Christologie II, RGG³ I, 1762, ist im nachapostolischen Zeitalter der Gedanke, „daß der göttliche Geist sich in Jesus verkörpert habe", eine „mehr oder weniger unbestimmte Vorstellung"; deutlich ist die sekundäre Entwicklungsstufe dieser christlogischen Reflexion für die ntl. Zeit von Hahn, Gottesdienst 34 A 7, und Müller, Geisterfahrung 255, erkannt.

genüber der begriffsgeschichtlich orientierten Exegese die allgemeine Kultmystik zum verbindenden Glied erklärt hat (1. Aufl. 144 f.). Hierbei wird allerdings nicht genügend berücksichtigt, daß Pl überwiegend vom πνεῦμα θεοῦ (Röm 8,9.14; 1. Kor 7,40; 12,3; 2. Kor 3,3; Phil 3,3), πνεῦμα τοῦ θεοῦ (1. Kor 2,11.14; 3,16; 6,11); πνεῦμα ἐκ τοῦ θεοῦ (1. Kor 2,12) spricht und bei der absoluten Verwendung in Röm 8,6.10.11.13.16.26.27; 11,8; 12,11; 15,30; 1. Kor 2,4.10.13; 4,21; 12,4.7.8.9.10 f.; 12,13; 14,2.12; 2. Kor 3,6.8; 4,13; 11,4; 12,18; Gal 3,2,3,5,14; 4,29; 5,5.16.17.18.22.25; 6,1.8; Phil 1,27; 2,1; 1. Thess 5,19 an diesen Geist Gottes denkt. Es ist nicht angezeigt, diese Belege alle einem christologischen Verständnis zu subsumieren. Die Verwendung des Ausdrucks πνεῦμα ἅγιον bringt die Zuordnung zu Gott mit seinen wenigen atl.-jüd. Parallelen noch stärker zum Ausdruck (Röm 5,5; 9,1; 14,17; 15,13.16.19; 1. Kor 6,19; 12,3; 2. Kor 6,6; 13,13; 1. Thess 1,5.6; 4,8). Die Einleitung des Charismenkatalogs (12,4–6) trennt zwischen Gaben, die dem Pneuma, dem Kyrios und Gott zuzuordnen sind.

Die frühpl Theologie bis zum 1. Thess kennt ausschließlich einen theologischen Geistbegriff. Der Geist eröffnet funktional endzeitliches Verhalten, steht aber in keinem direkten Bezug zu Christus (vgl. 5.2.2). In dieser Frühphase fehlen in der pl Theologie noch völlig die Korrespondenzformulierungen in reziproken Formeln, die in Umkehrung der Theorie von der Gabe des Geistes zugleich von einem Sein ἐν πνεύματι sprechen. Wohl aber bezeugt Pl in 1. Thess 4,16 die Vorstellung des gegenwärtigen Heilsraums der verstorbenen Glaubenden ἐν Χριστῷ, ohne allerdings einen Bezug zur Pneumatologie herzustellen. Es ist im 1. Thess der Geist die gegenwärtige Heilsgabe, der Erhöhte der zukünftige Retter im Endgericht[99].

Eine von dieser Bestimmung abweichende Gestalt bietet die Gemeindetheologie Korinths, die neben der pl Gründungspredigt verstärkt auf nebenpaulinische Einflüsse zurückgreift. Schon die ursprünglich wohl unpaulinische Selbstbezeichnung πνευματικοί interpretiert die urchristliche Verkündigung der Gabe des Geistes im Sinn einer dualistischen Entgegensetzung zur ψυχή und behauptet für die Glaubenden eine naturhafte Verbindung mit dem πνεῦμα in einem magischen Sinn. Die in diesen Kontext gehörende Scheideformel Röm 8,9c spricht erstmals vom πνεῦμα Χριστοῦ und macht die Partizipation am πνεῦμα Χριστοῦ zur Bedingung der Christuszugehörigkeit. In Korinth gilt Christus (als

---

[99] Die ‚Christusmystik' hat also eine Grundlage im frühesten pl Brief. Ein bestimmender Faktor wird sie jedoch im Zusammenhang des Sakraments (1. Kor), sodann als ‚Passions- und Auferstehungsmystik' (2. Kor, Phil). Daher ist Hübner, Proprium 459, zuzustimmen: die Christusmystik erfährt bei Pl eine zunehmend deutlichere Profilierung.

pneumatischer Urmensch) als πνεῦμα ζῳοποιοῦν (1. Kor 15, 45). Von
hier aus sind die erstgenannten Aussagen verständlich. Der pneumatische Enthusiasmus weiß um die Gegenwart des Pneuma-Christus, und
die Taufe ist der rituelle Ort, diesem Pneuma-Christus übereignet zu
werden. Ein bedingender Faktor, Pneuma und Kyrios zu identifizieren,
war mit der Präexistenzchristologie und Spekulationen über den pneumatischen Urmenschen gegeben. Daß dieser gedankliche Zusammenhang nicht unmittelbar aus der frühpaulinischen Verkündigung ableitbar ist, noch von Pl in vollem Umfang geteilt wird, ist gezeigt worden.

Dennoch stimmt Pl schon durch Übernahme der Tauftraditionen
(1. Kor 12, 13; Gal 3, 27; Röm 6, 4) der sakramentalen Fundierung im
Ansatz zu, betont jedoch den eschatologischen Vorbehalt und die mit
der Übereignung an Christus verbundene ethische Verpflichtung
(1. Kor 10, 1–13; 15, 44–46).

Darüber hinaus ist ab der Korintherkorrespondenz eine offenere Zuordnung von Kyrios und Pneuma auch für Pl zu konstatieren. Sie zeigt
sich schon in der Rücknahme der ausschließlich eschatologischen Erwartung der Übertragung der εἰκών des Erhöhten (1. Kor 15, 49) in eine
auf die Zukunft hin offene Vergegenwärtigung (2. Kor 3, 18). Fragt
man nach den Gründen dieser offeneren Zuordnung, so sind mehrere
Faktoren zu bedenken. Wenn die Taufe nicht mehr nur allein auf den
Geist als Mittel der Übertragung des Heilswerks Bezug nimmt (so die
judenchristliche Trad. 1. Kor 6, 11), sondern den Geist übereignet und
den Glaubenden zugleich dem Christusleib überführt, so verlangen die
an sich nebeneinander laufenden Wirkungen der Taufe einen gedanklichen Ausgleich. Entsprechendes gilt für das Herrenmahl. Der Kelch
gilt als πνευματικὸν πόμα (1. Kor 10, 4; 12, 13), zugleich aber ist dieses
πόμα als Blut Christi durch die Abendmahlstradition bekannt (1. Kor
11, 25). Der sakramentale Trank übermittelt den Geist und Christus zugleich[100]. Daneben tritt mit dem Zurücktreten der apokalyptischen
Eschatologie des 1. Thess der gegenwärtige Kyrios bestimmend in den
Vordergrund (vgl. nur 1. Kor 1, 2. 5. 8). Wirkungen, die bisher als Folge
der Pneumagabe galten, können jetzt auch auf den Kyrios zurückgeführt werden.

1. Kor 6, 11:   ἐδικαιώθητε … ἐν τῷ πνεύματι τοῦ θεοῦ
Gal 2, 17:   δικαιωθῆναι ἐν Χριστῷ

1. Kor 12, 9:   χαρίσματα … ἐν τῷ ἑνὶ πνεύματι
Röm 6, 23:   χάρισμα … ἐν Χριστῷ

---

[100] Deutlich Heitmüller, Namen 321, und Hermann, Kyrios 84: „Die paulinische Tauftheologie leistet damit einen entscheidenden Beitrag zum Verständnis des Verhältnisses
von Kyrios und Pneuma."

1. Kor 12,3:   ἐν πνεύματι θεοῦ λαλῶν
2. Kor 2,17:   ἐν Χριστῷ λαλοῦμεν

Röm 8,9:   ... ἐστὲ ... ἐν πνεύματι
1. Kor 1,30:   ... ἐστε ἐν Χριστῷ Ἰησοῦ

2. Kor 3,6:   τὸ πνεῦμα ζῳοποιεῖ
1. Kor 15,22:   ἐν Χριστῷ ... ζῳοποινθήσονται

Zugleich werden Glaubensaussagen auf den Erhöhten und auf das Pneuma bezogen[101]:

Gal 3,26:   διὰ τῆς πίστεως ἐν Χριστῷ Ἰησοῦ
1. Kor 12,9:   πίστις ἐν τῷ αὐτῷ πνεύματι

Phil 4,1:   στήκετε ἐν κυρίῳ
Phil 1,27:   στήκετε ἐν ἑνὶ πνεύματι

2. Kor 5,21:   δικαιοσύνη θεοῦ ἐν αὐτῷ,
Röm 14,17:   δικαιοσύνη ... ἐν πνεύματι ἁγίῳ

Phil 3,1:   χαίρετε ἐν κυρίῳ
Röm 14,17:   χαρὰ ἐν πνεύματι ἁγίῳ

1. Kor 1,9:   εἰς κοινωνίαν τοῦ υἱοῦ αὐτοῦ
2. Kor 13,13:   ἡ κοινωνία τοῦ ἁγίου πνεύματος

1. Kor 1,2:   ἡγιασμένοι ἐν Χριστῷ
Röm 15,16:   ἡγιασμένη ἐν πνεύματι ἁγίῳ

Phil 4,7:   εἰρήνη τοῦ θεοῦ ... ἐν Χριστῷ Ἰησοῦ
Röm 14,17:   εἰρήνη ... ἐν πνεύματι ἁγίῳ

Röm 8,9:   πνεῦμα θεοῦ οἰκεῖ ἐν ὑμῖν
Röm 8,10:   Χριστὸς ἐν ὑμῖν

Röm 13,14 setzt deutlich Gal 5,16 und den dort bezeugten Gegensatz von Geist und Fleisch voraus, setzt hier aber den Kyrios in Antithese zum Fleisch. In Röm 9,1 stehen ἐν Χριστῷ und ἐν πνεύματι ἁγίῳ als modale Bestimmungen nebeneinander. Der Geist ist nach Röm 8,23 Angeld der Erlösung, nach 8,29 f. ist Christus der Erstgeborene unter vielen Brüdern. Nach Röm 8,27 vertritt der Geist (ἐντυγχάνει) die Heiligen bei Gott, nach Röm 8,34 vollzieht diese Aufgabe der erhöhte Christus.

Sowohl für Kyrios und Pneuma sind ab den Korintherbriefen Korrespondenzaussagen belegt:

---

[101] Die Liste ließe sich erheblich erweitern, wenn die dtpl Literatur noch mit einbezogen würde (so Deissmann, Formel 85 f.); vgl. auch Deissner, Auferstehungshoffnung 94 f.; Sokolowski, Begriffe 230 f.; Schweizer, ThWNT VI 416 A 568. A. Schlatter, Die Theologie des Neuen Testaments II, 1910, 319, erkennt in der Ineinssetzung von Wirkungen, die auf Christus und den Geist zurückgeführt werden, etwas grundsätzlich Neues in der pl Theologie.

Die Gabe des Geistes an die Gläubigen (Röm 5,5; 2.Kor 1,22)
und das Sein der Gläubigen im Geist (Röm 8,9; Gal 5,25)

Die Gabe des Christus an die Gläubigen (1.Kor 10,4.16)
und das Sein der Gläubigen in Christus (Röm 8,10; 1.Kor 1,30).

In verdichteter Form begegnet die Korrespondenzaussage in Röm 8,9f. gleich doppelt:

Die Glaubenden sind im Geist (8,9a)
Der Geist Gottes wohnt in ihnen (8,9b)

Man kann den Geist Christi haben (8,9c)
Christus wohnt in den Glaubenden (8,10a)

Der Geist Gottes wohnt in den Glaubenden (8,11a.c)

Dies deutet zumindest eine bestimmende Tendenz im pl Denken an. Jedoch, betrachtet man den Kontext der angezeigten Stellen, werden solche Differenzen erkennbar, daß von einem wirklichen Austausch von Kyrios und Pneuma in bezug auf Wirkungen oder Glaubensaussagen kaum die Rede sein kann. Im übrigen fällt auf, daß die Gemeinsamkeiten sich bisweilen auf dermaßen allgemeine Wendungen berufen, daß sie etwa auch auf Gott bezogen werden können. Vermißt wird schließlich eine Übertragung spezifischer Pneumaaussagen (z.B.: Prophetie, Glossolalie) auf Christus und umgekehrt. Dies bedeutet: ‚Doppelgänger' (Windisch, Wernle) sind Christus und Geist nur in vereinzelten Zuordnungen, nicht aber durchgehend[102].

Daher berechtigt dieser Befund nicht zu der Auffassung, es sei „die Vorstellung von Christus erweicht, aufgelöst, in pantheisierender Weise entpersönlicht worden ..."[103]. Dem widersprechen sowohl die soteriologischen Aussagen, welche auf den Tod Christi Bezug nehmen, als auch die eschatologische Bestimmtheit der pl Theologie mit dem Ausblick auf die ἡμέρα κυρίου (1.Kor 1,8), das βῆμα τοῦ Χριστοῦ (2.Kor 5,10; vgl. auch Röm 8,34; 14,10 v.l.). Zudem werden bestimmte Aussagen nur vom Geist (Röm 5,5; 8,23.26f. u.a.), nicht aber vom Kyrios gemacht. Gegenläufig zu einer Identifizierung beider Größen steht schließlich der Befund, daß vor allem im Röm, also in der spätpl Theologie, das πνεῦμα in der Funktion einer selbständigen, von Christus unabhängigen Hypostase gesehen wird, welche das Heilsgeschehen den Glaubenden zueignet (vgl. 8.3.). Schließlich sprechen die triadischen

---

[102] So aber Deißmann, Formel 87 (in Zustimmung zu Gunkel): „Alle Arten der Wirkungen des πνεῦμα erscheinen an anderen Stellen als Wirkungen Christi selbst ..." (dieses Zitat Gunkels findet sich nicht, wie von Deißmann angegeben, auf S. 97ff., sondern in Gunkel, Wirkungen 89.
[103] Weiß, Urchristentum 303; ders., Christus 50.

Aussagen (1. Kor 12, 4–6; 2. Kor 13, 13) und binitarische Wendungen (1. Kor 6, 11; Röm 15, 30) gegen eine Identifizierung beider Größen.

Mag Pl sich auch das Wesen Christi (wie auch das Wesen Gottes) als von δόξα bestimmt und also pneumatisch vorstellen, das Pneuma geht gleichwohl nicht substantiell in Christus auf.

Bousset hat von einer Identität ausschließlich im Hinblick auf den im Kult gegenwärtigen Herrn gesprochen; d. h. er hat die Identität ausschließlich dem der menschlichen Erfahrung zugänglichen Bereich zugeordnet, hingegen die Identität von jeglichem spekulativen oder systematisierenden Interesse der Gemeinde abheben wollen. In Wahrheit findet sich außer dem Abba-Ruf, der in Gal 4, 6 singulär als vom Geist des Sohnes gewirkt verstanden wird, keine Aussage über eine Tätigkeit des pneumatisch vorgestellten Kyrios. Darüber hinaus ist in dieser Fixierung auf die Kultmystik die pl Kreuzestheologie zu gering beachtet. Es ist gerade Spezifikum der spätpaulinischen Theologie, daß die conformitas cum Christo als des Erniedrigten der Ort ist, an dem Christus und der Geist sich als Kraft vergegenwärtigen (2. Kor 12, 10; Röm 8, 26; Phil 1, 19 u. a.).

Die Tatsache, daß Pl Glaubensaussagen sowohl auf den Kyrios als auch auf das Pneuma beziehen kann, ist nicht Ausdruck einer spezifischen Pneuma-Christologie, sondern bezeugt im Gegenteil den Sachverhalt, daß eine präzise Abgrenzung der Wirkungen von Pneuma und Kyrios noch nicht gefunden war. Nicht einmal das Nicaeno-Constantinopolitanum (381) vermochte hier Klarheit zu schaffen, wie die anhaltende Debatte um das filioque zeigt. Identifizierende Zuordnungen bietet Pl ausschließlich im Hinblick auf den Präexistenten und Erhöhten, nicht aber auf den Irdischen. Diese Zuordnungen sind von keinem metaphysischen Interesse gezeichnet, sondern beschreiben für den Kyrios und das Pneuma identische Wirkungen. Dies kann zu dem Urteil, daß Pl sich auf eine funktionale Identität hin bewegt, berechtigen.

In dieser relativen Unbestimmtheit des Verhältnisses von Kyrios und Pneuma zueinander dokumentiert sich zugleich ein vielschichtiger religionsgeschichtlicher Einfluß auf Pl, nämlich die von Holtzmann beschworene Doppelwurzel im pl Denken, die einer präzisen Zuordnung von Kyrios und Pneuma, von Christusmystik und apokalyptischer Erwartung, von Gegenwart und Zukunft im Wege stand.[104]

---

[104] Klar erkannt von Kuss, Röm 575: „... teils unbefangenen, teils unfertigen, teils scheinbar ungenauen und zu Mißdeutungen einladenden Formulierungen des Apostels ...“; auch Schmithals, Gnosis 300, verweist auf das Schwanken zwischen der stofflichen und der abstrakten Vorstellung und sieht eine „Unfähigkeit, zwischen den Wirkungen des κύριος und des πνεῦμα zu unterscheiden ...“; vgl. auch Fitzmyer, EWNT II 820. Man

7.2 Galaterbrief: Gesetz und Geist

Der Galaterbrief ist mit großer Wahrscheinlichkeit unmittelbar nach dem 2. Kor geschrieben, sein Inhalt steht bereits in großer Nähe zu den Darlegungen des Röm[1]. Unmittelbarer Anlaß des Gal ist die Verwirrung der galatischen Gemeinden durch eine judaistische Gegenmission, die nach Pauli Gründungsbesuch in Galatien Fuß faßte. Die genauen Umstände und das Anliegen dieser Gegenmission bleiben in vielem undurchsichtig. Weitaus deutlicher ist hingegen die Verarbeitung des zurückliegenden Konflikts durch Pl im Brief an die Galater, insofern Pl die Gemeinden vor die alternative Entscheidung ‚Gesetz oder Geist‘ stellt. Dies jedoch ist eine Ausweitung und Zuspitzung des Konflikts, welche über die zu vermutende Verkündigung der Gegner und ihre Prätentionen erheblich hinausgeht. Gleichwohl ist auch hier vorweg die Position der Gegner in Umrissen zu bestimmen, auch und gerade, um die pl Antithese zu verstehen.

7.2.1 Zur Frage der Gegner in Galatien

Ein Forschungsüberblick würde aufgrund seiner gegenläufigen Tendenzen an dieser Stelle dokumentieren, wie wenig sichere Aussagen zu dieser Frage gemacht werden können[2]. So übergehen wir zunächst die

---

kann in diesem Zusammenhang auch daran erinnern, daß die Unbestimmtheit zwischen theologischen und christologischen Wirkungen nicht auf die Pneumatologie begrenzt ist; vgl. etwa in der Eschatologie die Vorstellung des βῆμα τοῦ Χριστοῦ (2. Kor 5,10) neben der des βῆμα τοῦ θεοῦ (Röm 14,10).

[1] Den Nachweis dieser Verortung hat u. E. Borse (Gal 9–17; zuvor ders., Standort) erbracht und Zustimmung erfahren (Mußner, Gal 10f.; Lüdemann, Paulus I 116f.; Schnelle, Gerechtigkeit 34f.; Wilckens, Entwicklung 154 u. a.). Die besondere Nähe zu 2. Kor 10–13 ist auffällig. Auch wenn dieser Briefteil, wie oben vermutet, vor 2. Kor 1–9 anzusetzen ist, bleibt die Nachordnung des Gal zu 1. Kor gewahrt. Andere Untersuchungen haben die große Nähe des Gal zu Röm betont: Paulsen, Überlieferung 67; Wilckens, Röm II 139 u. a. Demgegenüber hat Bruce, Gal 55, die beachtliche Auslegungstradition (55 A 56) zu erneuern gesucht, den Gal als „earliest among the extant letters of Paul" zu verstehen; so merkwürdigerweise auch Lührmann, Gal, im Klappentext, obwohl die Auslegung den Gal nach 1. Kor einordnet (10). Jedoch hat dieser Vorschlag weniger Wahrscheinlichkeit als die einzig diskutable alternative Lösung zu Borse, den Gal vor die Korintherkorrespondenz anzusiedeln (Hübner, Gesetz 57 A 47; ders., Galaterbrief 11; ders., Proprium 458; Köster, Einführung 550) und die Nähe der theologischen Anschauungen zum 1. Thess als dem frühesten pl Brief zu betonen. Betz, Gal 12, läßt die Frage der Chronologie der pl Briefe in Hinblick auf den Gal bewußt offen, erachtet aber Borses Lösung als ‚highly speculative‘ (11 A 78).

[2] Vgl. den Überblick bei Betz, Gal 5–9; Mußner, Gal 14–24; Eggert, Verkündigung 1–30.

wesentlichen Alternativvorschläge von ‚Gnostiker' (Schmithals) über ‚Doppelfront' (Lütgert), Judaisten' (Baur) bis Juden' (Walter) und sehen von weiteren Nuancierungen ab, um uns den hervorstechenden Aussagen im Gal selber zuzuwenden. Hierbei scheint es nicht möglich zu sein, längere Abschnitte aus dem Gal gänzlich den Gegnern zuzuweisen, um sie jetzt als von Pl redigierte Passagen zu lesen[3].

Setzt man bei dem von Pl mit eigener Hand verfaßten und also besonderes Gewicht tragenden Postscriptum (6,11-18) ein, so fällt der Versuch, zwanghaft die Beschneidung in den galatischen Gemeinden durchzusetzen (6,12 f.) auf (ἀναγκάζουσιν ὑμᾶς ... θέλουσιν ὑμᾶς περιτέμνεσθαι); vgl. außerdem 5,2. Die Übernahme dieses Ansinnens ist zuvor von Pl interpretiert worden als ὑπὸ νόμον θέλοντες εἶναι (4,21) und ἐν νόμῳ δικαιοῦσθε (5,4). Seit dem Auftreten der Gegner beobachtet die Gemeinde zudem wieder bestimmte Kalenderfrömmigkeit (4,10), was von Pl als Abwendung zu den στοιχεῖα interpretiert wird (4,9)[4]. Dies alles verweist, sofern man diese Phänomene zusammensieht, auf jüdische oder judenchristliche Abkunft der Gegner.

Der Beschneidungsfrage kommt ein besonderer Stellenwert zu, da Pl sie im Hinblick auf die Gegner (6,12 f.), auf seine Person (5,11), auf die Gemeinde (5,2 f.), im Kontext einer urchristlichen Tradition (5,6; 6,15), als polemisches Argument (5,12) und im Rekurs auf den Apostelkonvent (2,3-5.7) thematisiert. Andere Formen des ἰουδαΐζειν (2,14), etwa die Befolgung der Speisegebote, stehen in Galatien nicht zur Diskussion.

So gewiß also die Beschneidungsfrage in Galatien von aktuellem Interesse ist, so undeutlich sind die Motive, welche die Gegner zur Einführung dieses Brauchs bewegt haben können.

---

[3] Bouwman, Hagar 3145, vermutet hinter 4,21-31 eine Gegner-Tradition. Nach Walter, Paulus 354, ist dieser Abschnitt „erst auf Grund der Propaganda seiner Gegner in sein theologisches Repertoire aufgenommen" worden (Walter verweist hierzu auf J.L.Martyn, A Law-observant Mission to Gentiles: The Background of Galatians, MQuRev 22, 1983, 221-236). Eine andere Frage ist, ob Pl im Gal ‚Schlagworte' der Gegner aufgenommen und verarbeitet hat; vgl. die Zusammenstellung möglicher ‚Schlagworte' bei Mußner, Gal 13.

[4] Vgl. zur religionsgeschichtlichen Einordnung und zu den Parallelen solcher Kalenderfrömmigkeit im Judentum: D. Lührmann, Tage, Monate, Jahreszeiten, Jahre (Gal 4,10), in: R.Albertz u.a. (Hg.), Werden und Wirken des Alten Testaments, FS C.Westermann, 1980, 428-445. Jewett, Agitators 208, verweist darauf, daß die Begrifflichkeit in 4,9 f. nicht der jüdischen Terminologie entspricht, um zu folgern: die Gegner „sought instead to comment the Jewish festivals with ideas and terms generally prevalent in the Hellenistic world." Dem kann die überzeugendere Annahme von P.Vielhauer, Gesetzesdienst und Stoicheiadienst im Galaterbrief, in: Rechtfertigung, FS E.Käsemann, hg. von J.Friedrich; W.Pöhlmann; P.Stuhlmacher, 1975, 543-555, gleichwohl sachlich zugeordnet werden: Pl selbst führt den Begriff στοιχεῖα ein, um gesetzliches Verhalten dem Rückfall unter heidnischen στοιχεῖα-Dienst gleichzustellen (vgl. auch ders., Geschichte 115-117).

Überwiegend verweist man darauf, daß die Beschneidung im Denken der Gegner eine zusätzliche Bedingung zum Heil darstelle[5]. Die Quellen deuten jedoch zunächst in eine andere Richtung. Nach Gal 6,12 f. suchen die Gegner einzig (μόνον), durch die erzwungene Beschneidung der Heidenchristen selber einer Verfolgung zu entgehen. Hinzu kommt, daß sie durch solches Tun anderen zu gefallen suchen und sich hierbei der Beschneidung der Galater rühmen können[6]. Wenngleich diese pl Ausführungen im Stil der Ketzerpolemik gehalten sind, lassen sie doch zweifelsfrei erkennen: der Versuch, die Beschneidung in den galatischen Gemeinden einzuführen, erfolgt seitens der Gegner aufgrund von auf sie ausgeübtem äußeren Druck (ἵνα μὴ ... διώκωνται). Nun versteht man diese Aussagen bisweilen ausschließlich im Sinn einer polemisch typologischen Interpretation. Was die pl Verkündigung an Nachstellungen begleitet, wollen die Gegner nicht erfahren. Seitdem jedoch Jewett auf zelotische Verfolgungen der judenchristlichen Gemeinden aufmerksam gemacht hat, kann ein realer Hintergrund für das Ansinnen der Beschneidung gegeben sein. Die Beschneidung würde sowohl den Gegnern als auch der Gemeinde Schutz vor Verfolgungen der Synagoge bieten[7]. Aufgrund weiterer Belege kann diese Interpretation erhärtet werden. Ich kann gegen Mußner nicht sehen, daß 4,29 (οὕτως καὶ νῦν) in einem übertragenen Sinn auf Verfolgungen durch Judenchristen zu beziehen ist[8]. Vielmehr ruft Pl gerade gegenwärtige Verfolgungen durch Juden in Erinnerung und deutet die atl. Geschichte auf sie hin[9]. Schließlich 5,11! Die Interpretation hängt nicht unwesentlich am Verständnis von ἔτι.

---

[5] So Harnisch, Einübung 280; Suhl, Galaterbrief 3127; Hübner, Galaterbrief 6; Jewett, Agitators 206 hingegen: „... only in part motivated by the belief that it was essential for admission into the chosen people of Israel." Suhl, Galaterbrief 3127, und Bouwman, Hagar 312–39, verstehen Gal 3–4 von der Voraussetzung, daß die Gegner als Judenchristen weiterhin die Beschneidung predigen, weil erst sie in den national entschränkten Abrahambund überführt.

[6] So Eckert, Verkündigung 33; Mußner, Gal 412; Lührmann, Gal 101; Weder, Kreuz 203, spricht sich gegen eine Reduzierung auf den ‚religionspolitisch-pragmatischen Aspekt' aus. Suhl, Galaterbrief 3082, deutet die Verfolgungsaussagen ganz im Licht der Vorgänge um den Apostelkonvent.

[7] Vgl. neben Jewett, Agitators, auch Bruce, Gal 269; Schmithals, Judaisten 53; Hübner, Galaterbrief 7. Suhls Einwand, daß nicht alle Synagogen ihren Jurisdiktionsanspruch durchsetzten, kann freilich neben dem Verweis auf die Verfolgung bestehen bleiben (Galaterbrief 3002 A 62). Dagegen war noch für Eckert, Verkündigung 33, eine Beschneidungspredigt im Inneren Kleinasiens unerklärlich. Walter, Paulus, spricht von jüdischer Proselytenmission in Galatien und will ganz von judaistischen Gegnern absehen. Er vermerkt jedoch selber (356), daß „die nähere Beschreibung des Judentums der Gegner ganz offenbleiben" muß.

Im übrigen sei vermerkt, daß mittlerweile archäologische Zeugnisse für die Existenz jüdischer Gemeinden in der Landschaft Galatien vor dem 3. Jhd. n. Chr. gefunden worden sind; vgl. die Hinweise hei Vielhauer, Geschichte VII–VIII.

[8] Mußner, Gal 331, in Aufnahme einer Auslegung Zahns.

[9] Mit Recht Borse, Gal 176; Schlier, Gal 227; Lührmann. Gal 78; Betz, Gal 250; Bruce, Gal 224, dem hier die Provinzhypothese (vgl. Apg 13,50; 14,2–5.19) entgegenkommt.

Entweder sagt Pl: wenn ich (ἔτι =) zusätzlich noch Beschneidung predige, warum werde ich noch verfolgt. Dies beweist, die Beschneidung schützt vor Verfolgung nicht. Oder ἔτι wird temporal verstanden. Dies würde voraussetzen, daß die Gegner Pl selber zum ‚Bürgen‘ ihrer Beschneidungspraxis gemacht haben. Pl setzt sich dagegen ab, indem er wiederum auf seine Verfolgung verweist. Wie immer man das ἔτι versteht, so oder so zeigt Pl, daß er als Verfolgter kein Bürge für die Beschneidung sein kann. Gleichwohl setzt die Argumentation einen aktuellen Zusammenhang von Beschneidung und Verfolgung voraus[10].

Dennoch kann der konkrete Hintergrund nicht darüber hinwegtäuschen, daß es sich in Galatien um mehr als ein taktisches Eingehen auf Verfolgungen handelt. Immerhin hat die Gemeinde sich ja auch jüd. Bräuchen geöffnet (4,9 f.) und hat sich von den Gegnern in eine Distanz zu Pl bringen lassen[11].

Das entscheidende Argument für die Verortung der Gegner ist neben der Beschneidungsfrage diejenige Perspektive, in der Pl sie selber sehen will. Pl stellt die galatischen Gegner in eine Perspektive mit den ‚Falschbrüdern‘ aus Gal 2,4, die ja Heidenchristen zu ‚versklaven‘ trachten, eventuell auch in eine Linie mit den Jakobusleuten in Antiochien (2,11-14)[12]. In dieser Perspektive befürchtet Pl für Galatien, was er schon Petrus in Antiochia vorwerfen mußte: τὰ ἔθνη ἀναγκάζεις ἰουδαΐζειν (2,14). Nach alledem sind die Gegner in den galatischen Gemeinden am wahrscheinlichsten als judenchristliche Missionare zu ver-

---

[10] Während Mußner, Gal 359 sich für das erste Verständnis von ἔτι entscheidet, verstehen Weder, Kreuz 194 f.; Schmithals, Judaisten 57, ἔτι temporal. Dies bedeutet: die Gegner berufen sich auf Paulus, der selber Beschneidung ‚gepredigt‘ hat (so auch Jewett, Agitators 208; Bouwman, Hagar 31-39). Lüdemann, Christentum 183, denkt hierbei konkret an die Beschneidung des Timotheus als singulären Akt des christlichen Paulus, wertet freilich 5,11 als Vorwurf der Gegner, nicht als Erweis ihrer Übereinstimmung mit Paulus. Ausführlich hierzu: P. Borgen, Paul Preaches Circumcision and Pleases Man, in: Paul and Paulinism, FS C.K.Barrett, 1982, 37-46; ders., Observations on the Theme ‚Paul and Philo‘. Paul's Preaching of circumcision in Galatia (Gal 5:11) and debates on circumcision in Philo, in: Pedersen, Literature 85-102.

[11] Zum Antipaulinismus: Lüdemann, Paulus II 141-152; zuvor bereits Lütgert, Gesetz 22-58. Mögliche antipaulinische Schlagworte stellt Mußner, Gal 13, zusammen. Manche Aussagen lassen sich, wie bereits für 5,11 gezeigt, für und gegen Pl zugleich interpretieren. So könnte auch 2,1 ff. auf den Vorwurf blicken, Pl befinde sich in Übereinstimmung mit und Unterordnung unter Jerusalem. Dennoch scheint es gegen Schmithals, Judaisten 57, unwahrscheinlich, daß die Gegner sich als ‚konsequente Pauliner‘ ausgegeben haben sollen.

[12] Ausführlich Mußner, Gal 109; Borse, Gal 23; Holtz, Zwischenfall 344; Suhl, Galaterbrief 3083 u. a. Lüdemann, Paulus II 149, behauptet Identität der Falschbrüder mit den galatischen Gegnern. Das Verhältnis der Falschbrüder zur Urgemeinde ist zwar undeutlich (Jones, Freiheit 74 f.; Lüdemann, Paulus II 149), liegt aber eventuell schon deswegen nahe, „weil Paulus 1,13 ff. seine Beziehungen zu Jerusalem thematisiert" (Suhl, Galaterbrief 3082).

stehen, die in der pl Gemeinde eine Gegenmission betreiben[13]. Daß aus
Kap. 5–6 nicht zugleich ein Libertinismus dieser Gegner oder gar eine
Doppelfront erschlossen werden kann, wird noch zu zeigen sein.

7.2.2 Der Stand der Gemeinde

Es ist sehr zweifelhaft, ob die galatischen Gemeinden mit der Zuwen-
dung zu jüdischen Bräuchen und der Aufnahme der fremden Missionare eine grundlegende Veränderung ihres Standes beabsichtigten[14].
Nicht sie, sondern erst Pl wird scharf diagnostizieren, was die Übernahme der Beschneidung, sofern sie überhaupt erfolgte, theologisch bedeutet.

Für die Gemeinden bedeutet dieser Initiationsritus nicht notwendig
den Eintritt in den Abrahambund, der zur Einhaltung des Gesetzes verpflichtet. Erst Pl muß die Gemeinden darauf hinweisen, daß die Beschneidung verpflichtet ὅλον τὸν νόμον ποιῆσαι (5, 3). Pl unterstellt der
Gemeinde, sie wolle ὑπὸ νόμον εἶναι (4, 21), muß ihr aber gleichzeitig
sagen, das Gesetz nicht zu kennen. Wir wissen nicht, ob überhaupt ein
galatischer Christ beschnitten worden ist. Gesetzt den Fall, wären die
Gründe dieses Ansinnens hinsichtlich der Beschneidung mit der Verfolgungssituation, eventuell auch mit dem Verweis auf die Auszeichnung
des Abrahambundes erklärbar. Bezüglich des Festkalenders (4, 10) mag
neben dem ‚Aufklärungsmoment‘ noch eine Beziehung zur heidnischen
Vergangenheit und ihren liturgischen Bräuchen bestehen[15].

Es waren primär nicht theologische Gründe, die zu einer Öffnung
für die judenchristlichen Missionare führten. Erst Pl wirft „die grundsätzliche Frage nach dem Gesetz (auf) …, auch wenn die anderen das
so grundsätzlich nicht gesehen haben mögen."[16] Der Erfolg der Gegner
und die Angst vor dem εἰχῇ (3, 2–4; 4, 10) mag Pl zu dieser Vergrund-
sätzlichung bewegt haben.

---

[13] Wenn Schmithals, Judaisten 50 f., demgegenüber betont, daß die Alternative ‚Gerechtigkeit aus dem Gesetz‘ oder ‚Gerechtigkeit aus dem Glauben‘ „eine gegenüber Judaisten … schlechterdings deplazierte Argumentation" sei (50), so ist doch verkannt, daß Pl
mit seinem Schreiben sich an keiner Stelle an die Judaisten richtet, sondern immer an die
Gemeinde, die Pl unter die πίστις zurückführen möchte.

[14] So auch Borse, Gal 18; Lührmann, Gal 11; Schmithals, Judaisten 52–54.

[15] Jewett, Agitators 212: „… that the Galatians were attracted by circumcision and the
cultic calendar of reasons which were not nomistic at all." Im übrigen ordnet Jewett die
Beschneidung einem Vollendungsenthusiasmus zu, der Abrahamskindschaft als ‚final le-
vel of perfection‘ begreift (vgl. bereits A 5). Diese Zuordnung verläßt den Konnex von
Beschneidung und Verfolgung, den Jewett selber aufgezeigt hat.

[16] Lührmann, Gal 11.

Eine hiervon völlig abweichende Sicht hat H. D. Betz in verschiedenen Veröffentlichungen vorgetragen[17]. Nach einem anfänglichen Enthusiasmus habe die Gemeinde Probleme mit der σάϱξ (5, 13. 16. 17. 19; 6, 12. 13) bekommen und diese mit Hilfe der Anfangsverkündigung nicht lösen können. Die Gegner hingegen, die nach Pl in die Gemeinde kommen, verweisen die Gemeinde auf Tora und Beschneidung und bieten feste Orientierung. Solange die Gemeinde sich gesetzeskonform verhalte, stehe sie unter dem Schutz Christi, der gegenwärtig den Kampf gegen Beliar führt. Betz weist 2. Kor 6, 14–7, 1 den Gegnern des Pl in Galatien zu[18]. Während der pl Verweis auf den Geist das Leben zu einem ‚dance on the tightrope‘ mache, biete die gegnerische Verkündigung sowohl ethische Orientierung als auch die Auszeichnung der Teilhabe am Abrahambund[19].

Diese These von Betz ist ausgesprochen unwahrscheinlich. Die Zuordnung von 2. Kor 6, 14–7, 1 zu den galatischen Gegnern entbehrt jeglicher Anhaltspunkte. Blickt man auf die konkreten Probleme der Gemeinde (z. B. Gal 6, 1), so sind sie im Vergleich mit denen des 1. Kor in keiner Weise von einer Gestalt, die zur Orientierung am νόμος drängen würde. Überhaupt bietet die Paränese wenig Eigenständiges. Zudem ist die Vorstellung, Pl habe in der Gründungspredigt nicht auch die ethischen Implikationen des Evangeliums betont, abwegig. Dagegen spricht schon das Zeugnis des frühesten pl Briefes, des 1. Thess (4, 1 ff.; 5, 1 ff.). In Gal 5, 21 verweist Pl ausdrücklich (καθὼς προεῖπον) auf seine zurückliegende ethische Belehrung in Galatien[20].

Die von Pl gegründeten heidenchristlichen Gemeinden in Galatien stehen seit ihrer Konversion im Kraftfeld des Geistes. Mehrfach erinnert Pl die Gemeinden in der probatio (3, 1–5. 12) an jeweils entscheidender Stelle an dieses neue Sein[21]. Er verweist in 3, 1–5 auf den Geistempfang durch Glaubenverkündigung. Der Aorist ἐλάβετε mag auf die zurückliegende Taufe verweisen. Seit dieser Zeit reicht Gott den Geist ständig dar (ἐπιχορηγῶν 3, 5; Part. Praes.). 3, 14 faßt die Argumente des

---

[17] Betz, Geist (in engl. Sprache in Svensk Exegetisk Arsbok 39, 1974, 145–160); ders., Composition; ders., Defense; ders., 2. Cor 6, 14–7, 1. Bündig zusammengefaßt ist seine Position in ders., Gal 8 f.

[18] Betz, 2. Cor 6, 14–7, 1; zu dieser These: Furnish, 2. Cor 376 f.

[19] Marxsen hat sich in der 4. Aufl. seiner Einleitung partiell dem Erklärungsversuch von Betz angeschlossen (66–68), jedoch ohne auf 2. Kor 6, 14–7, 1 oder eine Überbewertung der σάϱξ-Aussagen Bezug zu nehmen. Die Kritik an Marxsen durch Schmithals, Judaisten 35, bezieht sich inkorrekterweise auf das Referat über Betz durch Marxsen (68). Kritik an Marxsen auch durch Suhl, Galaterbrief 300 A 54. Neben Marxsen noch Zustimmung zu Betz durch R. Heiligenthal, Soziologische Implikationen der Paulinischen Rechtfertigungslehre, Kairos 26, 1984, 38–51, und Klumbies, Pneuma 117.

[20] Schmithals, Judaisten 35 f., betont zu Recht, daß das pl Evangelium die Christen nie von der durch die hell. Synagoge vertretenen Ethik entfremdet habe.

[21] Ich kann Hübner, Verhältnis 246, nicht darin zustimmen, daß „die Geistthematik in der probatio eher sekundär ist", wohl aber darin, daß die exhortatio „wegen ihres pneumatologischen Tiefgangs ... als theologische Folgerung aus der probatio zu beurteilen" ist.

ersten Teils des Abrahambeispiels in einer christlichen Interpretation zusammen: die Abraham gegebene Segensverheißung wird universal entschränkt (3,14 a) und besteht inhaltlich in der Gabe des Geistes. Die Darlegung des Standes in der Sohnschaft ist gerahmt durch zwei trad. Aussagen, welche die pneumatische Existenz der Gemeinde bekräftigen: a) die Tauftradition 3,26–28; b) 4,6 verklammert gegenwärtige Sohnschaft (ἐστε Praes.) mit vergangener Geistübermittlung (ἐξαπέστειλεν Aor.) und gegenwärtiger Wirkung (κρᾶζον Praes.). 4,29 nimmt den Gegensatz κατὰ σάρκα – κατὰ ἐπαγγελίας ad vocem κατὰ σάρκα – κατὰ πνεῦμα auf, um die gegenwärtige heidenchristliche Gemeinde als pneumatische Größe zu beschreiben. Schließlich redet Pl die Gemeinde als πνευματικοί an, dies nicht ironisch, sondern in parakletischer Konsequenz des zuvor gezogenen Grundsatzes (5,25) und der Ausführungen in der probatio, sich also nun auch entsprechend zu verhalten (vgl. 6.2.1.5).

Was veranlaßt Pl, der Gemeinde in Galatien so nachdrücklich in der exhortatio die Einstellung auf den Geist anzuempfehlen? In Galatien ist kein enthusiastisches Überspringen der Lebenswirklichkeit erkennbar, eher schon eine fehlende Konsequenz, der Vorgabe des Geistes so zu folgen, wie Pl es für richtig hält. Darüber hinaus sieht Pl in dem Versuch der Gegner, die Beschneidung in Galatien durchzusetzen, das Unterfangen, die Gemeinde wieder an den νόμος zu binden. Allein dies nötigt ihn, in 3,1–5,12 grundsätzlich das Verhältnis von πνεῦμα und νόμος darzulegen und in 5,13–6,10 eine Paränese in Erinnerung zu rufen, die nicht am νόμος orientiert ist, sondern sich ausschließlich in Übereinstimmung mit dem πνεῦμα vollzieht.

7.2.3 Gesetz und Geist

7.2.3.1 Das exklusive Verhältnis von Gesetz und Geist in soteriologischer Sicht

Pl hat in 3,1–5 den Stellenwert der Übernahme der Beschneidung, die er immer als Rückfall unter das Gesetz interpretiert, in Fragen, die in Wahrheit bereits Appelle sind, präzisiert. Es ist nicht allein der Gegensatz von ἔργα νόμου und ἀκοὴ πίστεως (3,2.5; vgl. bereits 2,16), der sich für die Gemeinde auftut, sondern die Alternative zwischen πνεῦμα und σάρξ (3,3). Es stehen sich also einander ausschließende Mächte gegenüber.

Ab V.6 vergleicht Pl den Glaubensstand der Galater im Geist mit dem Abrahambeispiel, welches zugleich als Schriftbegründung dient. Die Abraham gegebene Verheißung hat sich durch den Tod Christi erfüllt (3,13), sie besteht inhaltlich in der Gabe des Geistes, die jetzt im Glauben empfangen wird (3,14)[22].

---

[22] Der Genitiv ἐπαγγελία τοῦ πνεύματος ist als Gen.epex. zu verstehen (Bauer, WB

Die Abraham gegebene Verheißung wird mit der Aussage der LXX exklusiv auf τὸ σπέρμα bezogen (Sing.). Dies berechtigt Pl, Χριστός als Erfüllung dieser Verheißung zu begreifen (3,16), zugleich aber durch die Tauftradition 3,26–28 und ihre Kommentierung in V.29 auf alle Glaubenden auszudehnen, insofern sie εἷς ἐν Χριστῷ Ἰησοῦ und also rechtmäßig σπέρμα Ἀβραάμ sind. Das Gesetz wird nun als etwas Sekundäres nach der Verheißung begriffen (3,17), und seine Geltung ist exklusiv zeitlich begrenzt bis zu der Zeit, ἄχρις οὗ ἔλθῃ τὸ σπέρμα ᾧ ἐπήγγελται (3,19). So gibt es eine Zeit des Gesetzes πρὸ τοῦ δὲ ἐλθεῖν τὴν πίστιν (3,23). Das Gesetz war παιδαγωγὸς εἰς Χριστόν; jetzt aber, da die πίστις gekommen ist, sind die Glaubenden nicht mehr unter dem παιδαγωγῷ (3,24f.). Neben dieser zeitlichen Bestimmung wird festgehalten, was das Gesetz in der Zwischenzeit zwischen ἐπαγγελία und πίστις leisten konnte: es wurde gegeben τῶν παραβάσεων χάριν (3,19), konnte in dieser Zeit aber nicht lebenschaffend wirken (3,21)[23]. Für die ehedem heidnischen Galater parallelisiert Pl ‚Gefangenschaft unter dem Gesetz‘ (3,23.25) mit der aus vorchristlicher Zeit vertrauten versklavenden Bindung an die στοιχεῖα τοῦ κόσμου (4,3)[24].

Aus der Knechtschaft des Gesetzes, über die Pl jetzt nur noch im Rückblick urteilen kann (4,3–6: einst–jetzt-Schema), hat Christus die Glaubenden freigekauft (4,5). Dies ist der Sinn der Sendung Jesu (4,4). Die Gemeinde hat einen Ortswechsel von der Knechtschaft in die Sohnschaft vollzogen (4,6f.)[25]. Einen weiteren Beweis für diesen neuen Stand kann Pl mit dem Midrasch 4,21–31 bieten. In 4,29 springt Pl von der Auslegung der atl. Geschichte in die Gegenwart der Gemeinde. Die Verfolgungssituation erweist gerade die Zugehörigkeit

---

555). Wegen Eph 1,13; Apg 2,33 mag Pl eventuell eine trad. Vollendung aufnehmen und hier – in einer interpretatio christiana (Mußner, Gal 235) – auf die Abrahamverheißung beziehen. Während Dahl, Atonement 23, die auffällige Nebeneinanderreihung der beiden ἵνα-Sätze damit erklären will, daß V.14b eine pl Kommentierung einer vorpaulinischen Trad. (V.13.14a) darstelle, zeigen Borse, Gal 130f.; Betz, Gal 152, und Bruce, Gal 168, daß für Pl jedenfalls V.14b keinen Gegensatz zu V.13.14a aufmacht, sondern den heilsgeschichtlichen Ertrag des Todes Christi explikativ festhält. Im übrigen sind Zusammenstellungen mit zwei ἵνα-Sätzen für Pl nicht unüblich: Gal 4,5; 1.Kor 4,6; 2.Kor 12,7.

[23] Die Diskussion mit der Literatur muß an dieser Stelle unterbleiben; vgl. neben den Kommentaren vor allem: Klein, Individualgeschichte; Hübner, Gesetz 16–21, und die zum Artikel Ἀβραάμ in ThWNT X/2, 946f. nachgetragene Literatur.
Hinsichtlich des Verständnisses von τῶν παραβάσεων χάριν in 3,19 hat Hübners Vorschlag (Gesetz 27–29), das Gesetz solle gerade die Sünden provozieren, nicht nur aufdekken (so z.B. Mußner, Gal 246 A 5), jetzt durch Bruce. Gal 175f., Zustimmung erfahren; dagegen jedoch Wilckens, Entwicklung 171 und A 51 (Lit.).

[24] Hübner, Galaterbrief 8, sieht hierin mit Recht die antinomistische Spitze des Gal.

[25] Die Zuordnung der einzelnen Satzglieder ist umstritten. Der Zusammenhang mit V.5 ist, wie δέ anzeigt, zu beachten. Nun ist bereits die υἱοθεσία als Gabe des Heilswerks Jesu benannt. Diesem geschichtlich verankerten Geschehen (4,4) korrespondiert die Gabe des Geistes als gleichfalls zu einem bestimmten vergangenen Zeitpunkt übereignete Größe (ἐξαπέστειλεν, Aor., deutet auf die Taufe). Wiewohl in beidem ein vergangenes Geschehen geschildert wird, wird die Gabe des Geistes als Folge der Sohnschaft zu verstehen sei (ausführlich Mußner, Gal 274f.; Betz, Gal 209f.). Die Betonung liegt jedoch auf dem gegenwärtigen Ertrag des Heilsgeschehens, welchen präsentische Formulierungen festhalten: ἐστε υἱοὶ ... κρᾶζον ἀββά.

zu den τέκνα τῆς ἐλευθέρας, zu dem γεννηθεὶς κατὰ πνεῦμα. 5,1 knüpft über ἐλευθερία an die letzte Aussage (4,31) an, greift aber insgesamt weiter zurück (3,13; 4,4) und benennt den Ertrag des Heilswerks Christi mit ἐλευθέρωσεν. Der Freikauf gilt nicht nur Juden, sondern schließt Heiden mit ein (ἡμᾶς), da sowohl Gesetz als auch heidnische στοιχεῖα τοῦ κόσμου (4,3) in δουλεία geführt haben. Wird jetzt aber in der Gemeinde wiederum über die Beschneidung das Gesetz eingeführt, dann ist das Ziel der Sendung Christi – ἵνα τοὺς ὑπὸ νόμον ἐξαγοράσῃ (4,5) – mißachtet. Die solches tun, können mit Christus keine Gemeinschaft haben (5,4), sind vielmehr verpflichtet, dem zu folgen, was vor Christus galt: ὅλον τὸν νόμον ποιῆσαι (5,3), ἐν νόμῳ δικαιοῦσθε (5,4). Doch ist dies keine wirkliche Alternative mehr[26]. In Wahrheit kennt Pl gegenüber dieser Gegnerschaft nur noch die Ankündigung des Gerichts (5,10) und Spott. Die Aufwiegler und Einführer der Beschneidung sollen sich entmannen lassen (5,12). Seit Christus sind Beschnittenheit und Unbeschnittenheit keine zu beachtende Größen mehr[27]. Dies schärft Pl in 5,6 und in dem Postscriptum 6,15 nochmals eindringlich ein. Sein Friedensgruß kann daher nur denen gelten, die in Übereinstimmung mit diesem Grundsatz leben (6,16).

Wer so sehr, wie Pl im Gal, Zeit des Gesetzes und Zeit des Geistes trennt, muß sich die Frage gefallen lassen, was denn jetzt, wo das Gesetz als normative Größe hinfällig geworden ist, das Handeln der Christen bestimmen soll. Diese Frage ist an Pl gerichtet worden in Form von Vorwürfen: Χριστὸς ἁμαρτίας διάκονος (Gal 2,17), ἐπιμένωμεν τῇ ἁμαρτίᾳ (Röm 6,1), ἁμαρτήσωμεν, ὅτι οὐκ ἐσμὲν ὑπὸ νόμον (Röm 6,15); vgl. auch Röm 3,5. Vorstellbar sind diese Fragen im Munde jüdischer, aber auch judenchristlicher Gegner[28].

7.2.3.2 Die Zuordnung von Gesetz und Geist in ethischer Perspektive

So gewiß Pl Gesetz und Geist als heilsgeschichtliche Größen auseinanderdividiert hat, so sehr hält er an der für ihn entscheidenden Forde-

---

[26] Gal 5,4b-5 scheinen sich auf der Ebene einer alternativen Erörterung zu bewegen: οἵτινες ἐν νόμῳ δικαιοῦσθε (V.4b) steht im Gegenüber zu ἡμεῖς (γὰρ πνεύματι) ἐκ πίστεως (ἐλπίδα) δικαιοσύνης (ἀπεκδεχόμεθα). Die Korrespondenz ist unübersehbar. Jedoch bezieht sich γάρ auf den in V.4 genannten Ausschluß von Christus und das Herausfallen aus der Gnade. So ist eine echte Alternative hinfällig. Die modale Bestimmung πνεύματι ist schwerlich zu präzisieren. Dibelius, Gal 37, erkennt einen Gegensatz zu σαρκί (V.6), aber davon spricht Pl nicht. Wahrscheinlicher stehen hier beide modale Bestimmungen (πνεύματι ἐκ πίστεως) in gegenseitiger Interpretation zueinander; vgl. auch Gal 3,14.

[27] Mußner, Gal 278, betont zu Recht, daß im Gal Gesetz und Evangelium in einem „heilsgeschichtlichen Koordinatensystem, aus dem sie nicht herausgelöst werden dürfen", stehen.

[28] Wilckens, Röm I 160, erkennt in Röm 3,1-8 die Abwehr jüdischer Einwände. Schmithals, Judaisten 39; Lührmann, Gal 45, verorten den Einwand in die Synagoge. Mußner, Gal 176; Schlier, Gal 95; Lietzmann, Gal 16, entscheiden sich für judaistische Fragen. Lüdemann, Paulus II 220, verweist zusätzlich auf das Zeugnis des Jak.

rung des Gesetzes – dem Liebesgebot – fest. In dieser Hinsicht besteht kein Gegensatz zum Evangelium. Trotz der heilsgeschichtlichen Wende erfährt die Tora nicht zugleich auch eine eschatologische Verwandlung, allein ihre Hauptforderung bleibt gültig. Während in vorchristlicher Zeit aber die Sünde am allzeit präsenten Gebot Anstoß nahm und Begierden hervorrief (Röm 7,8), steht die Gemeinde jetzt grundsätzlich nicht mehr unter dieser Gegenwart des Gesetzes (Gal 5,18). Ist damit schon die Ursache der Begierden hinfällig, so noch vielmehr durch die Kreuzigung der σάρξ (Gal 5,24) und der Gabe des Geistes. Denn jetzt kämpft der Geist für die Glaubenden gegen das Fleisch (5,17). Die Spitze der pl Argumentation liegt folglich in dem Aufruf, sich dieser Kraft des Geistes anzuvertrauen (5,16.18.25; 6,8). Wenngleich die Gemeinde seit der Taufe oder der Glaubensentscheidung (3,1-5) den Geist als Gabe besitzt, ist diese Aufforderung des Verhaltens in Entsprechung zum Geist insofern sinnvoll, als dieser Geist selber ethisch qualifiziert ist und ,Früchte' erwirkt (5,22f.). Da diese ,Früchte' aber in Übereinstimmung mit der Hauptforderung des Gesetzes stehen, bleibt eine Kontinuität zum Gesetz. Nur aus dieser dialektischen Position, die Freiheit vom Gesetz und zugleich die Übereinstimmung mit dem Gesetz anzusagen, ist die Bildung des Ausdrucks νόμος τοῦ Χριστοῦ (6,2), welcher auch die Hauptforderung des Gesetzes in der neuen Zeit verankern will, verständlich.

Bevor diesem Zusammenhang, den Pl in 5,13-6,10 darlegt, im einzelnen nachgegangen wird, sind zwei kontrovers geführte Fragen vorweg zu bedenken. Sie betreffen a) die Stellung des paränetischen Abschnitts im Briefganzen und b) die Frage nach der möglichen aktuellen Veranlassung dieser Paränese.

ad a) Mit O. Merk erscheint es am einleuchtendsten, daß „5,1-12 die verschiedensten Kennzeichen einer Zusammenfassung des Voranstehenden (3,1-4,31)" trägt und also erst ab 5,13 der paränetische Abschnitt beginnt[29]. Hingegen lassen Betz die exhortatio in 5,1, andererseits Suhl in 6,1 einsetzen[30].

---

[29] Merk, Beginn 104; ders., Handeln 68.
[30] Betz, Gal 14-25. Zustimmend zu dieser Position Harnisch, Einübung 286-289, und zugleich weiterführend, als er gegenüber Betz, der bekanntlich für die exhortatio kein Äquivalent in der forensischen Rede gefunden hatte, hier einen Übergang vom genus iudicale zum genus deliberativum sieht und konkret an Redehandlungen der Ratsrede erinnert (287). Aber auch Harnisch nennt 5,13-24 das eigentliche Hauptstück der exhortatio (289).
Problematischer ist der Vorschlag von Suhl. Es geht nicht an, „die Argumentation bis Gal 5,25 ... noch zur sachlichen Widerlegung der Einwände gegen das gesetzesfreie Evangelium" (3127) zu ziehen und V.24-26 die Überleitung zur Schlußparänese sein zu lassen. Die Aufnahme indikativischer Aussagen innerhalb der Paränese ist für Pl nicht ungewöhnlich (Röm 14,7ff.; vgl. auch die Stellung von 1.Thess 4,13-18). Vor allem aber gehören Tugend- und Lasterkatalog unabdingbar zum paränetischen Gut der Briefe,

ad b) Es kann nicht angehen, dem Abschnitt 5,13–6,10 den Charakter konkreter Gemeindeparänese abzusprechen, sei es aufgrund der Unmöglichkeit, dieselbe in der antiken Epistolographie ansässig machen zu können, sei es im Verweis auf den allgemeinen und unspezifischen Charakter der Paränese[31]. Im Gegenteil, nach der Ansage der Freiheit vom Gesetz stellen 5,13–6,10 eine notwendige Folgerung aus der Rechtfertigungslehre dar[32].

Die Gemeinde ist ἐπ' ἐλευθερία berufen, sie ist einerseits von vorgängigen Bindungen, die gegen Christus auftreten, befreit (4,9; 5,1), andererseits ist sie hiermit in den Stand gesetzt, diese Freiheit zwischen σάρξ und ἀγάπη zu bewähren. Das Pneuma, so wird Pl mehrfach bekräftigen, verhilft, der σάρξ nicht zu erliegen, da es stellvertretend für die Christen den Kampf gegen die σάρξ führt.

Die Berufung zur ἐλευθερία impliziert die Möglichkeit einer freien geschichtlichen Entscheidung für das, was man tun will. Da sich aber diese Ausführungen an Christen richten, die vom Pneuma bestimmt sind, setzt Pl voraus, daß diese Entscheidung in Richtung auf das hin verläuft, was dem Pneuma gemäß ist[33]. Alles, was hingegen ausgeschlos-

---

wenngleich sie auch außerhalb der paränetischen Abschnitte bezeugt sind (Röm 1,29–31). Sicher ist die Verschränkung von theologischer Argumentation und Paränese in 5,13–6,10 dichter als an anderen Stellen. Dennoch kann der Teil bis 5,25 nicht ausschließlich als Entgegnung der Verdächtigung, das pl Evangelium verleite zum Sündigen, verstanden werden (3122).
Völlig abwegig ist der noch weitergehende Versuch von R.C. Hall, The Rhetorical Outline for Galatians. A Reconsideration, JBL 106, 1987, 277–287, Gal 1,10–6,10 als eine zusammenhängende probatio aufzufassen.

[31] Schmithals hat gegenüber Vielhauer zu Recht vor einer gegenseitigen Ausspielung von ‚traditioneller Formulierung und aktueller Motivierung der Paränese', gewarnt (Judaisten 34). Könnte also Gal 5,13 ff. wirklich „so in jeder paulinischen Gemeinde gesprochen sein …" (Becker, Gal 4)? Kann man mit Schulz, Ethik 150, in 5,26–6,10 eine vorpl Tradition wiederfinden? Dagegen spricht doch schon die Fortführung des Themas ‚νόμος' in 5,14.18.23 oder die Einführung des Begriffs νόμος Χριστοῦ in 6,2. Wilckens, Entwicklung 173, erinnert neben 5,15 an die aktuelle Warnung 6,1f. „Einer ‚ertappt' einen anderen bei einer ‚Gebotsübertretung', um sich zugleich selbst (bei den neuen Autoritäten?) ins Licht zu rücken." War also die Gesetzesindoktrination doch umfassender? Auch Suhl, Galaterbrief 3132, erachtet 6,1–10 als „in jedem Fall doch wohl sehr konkret gemeint …"

[32] Es ist allerdings unverständlich, wenn Borse, Gal 21, trotz Gal 2,16 noch ausführen kann: „die ‚ethischen' Ausführungen des Briefes stellen demnach einen notwendigen Bestandteil der pln Rechtfertigungslehre dar."

[33] Jones, Freiheit 102–106, hat gezeigt, daß es unstatthaft ist, ἐλευθερία hier sogleich als Freiheit vom Gesetz zu verstehen. Gleichwohl scheint dieser Gedanke zur Voraussetzung des pl Freiheitsbegriffs im Gal zu gehören (vgl. 5,1 und auch die Verklammerung von 5,13 mit dem Vorangehenden durch γάρ). Hier aber kann ἐλευθερία als ‚Freiheit, das zu tun, was man will' (106) verstanden werden. V. 17 wird diesen griech. Freiheitsaspekt explizit aufnehmen und auf Christen hin bedenken. Schon Betz, Gal 273, hatte darauf verwiesen, daß 5,13 nicht eigentlich die Freiheit definiere, sondern die mit ihr eröffneten Wahlmöglichkeiten.

sen werden soll, wird unter μόνον … εἰς ἀφορμὴν τῇ σαρκί subsumiert
(5, 13). Diese Einschränkung ist gewiß auch als Replik auf die korinthischen Erfahrungen zu verstehen, insofern dort die Freiheitsbotschaft
gerade Indifferenz zur σάρξ begründet hatte (vgl. 1. Kor 6, 11 ff.; 8, 9
u. a.)[34]. Hier wendet sich Pl dagegen, die ἐλευθερία als ‚Operationsbasis‘[35] für sarkisches Verhalten zu verstehen, und der Lasterkatalog wird
darlegen (5, 19–21), worin dieses im einzelnen bestehen kann. Dies erweist aber zugleich, daß die σάρξ (anders als in Gal 2, 16. 20; 3, 3;
4, 13. 14. 23. 29) erstmals als aktive und feindliche Größe in Blick
kommt, welche bestimmte Handlungen provoziert (ἔργα τῆς σαρκός =
Gen. subj.), die dem πνεῦμα entgegentreten. Die Bewahrung und Bewährung der Freiheit kann sich für Pl, so zeigt die elliptische Zuspitzung μόνον … ἀλλά, aber auch die Verklammerung mit dem Vorangehenden in 5, 14 durch γάρ, nur in der Nächstenliebe vollziehen.

Der Verweis auf das Liebesgebot erscheint in V. 14 geradezu selbstverständlich. Allerdings ist diese Erwähnung eingebunden in die polemische Entgegensetzung, daß ὁ πᾶς νόμος nun gerade ἐν ἑνὶ λόγῳ, eben
in dem Liebesgebot Erfüllung findet. Damit ist der Anspruch der Tora
radikal reduziert, und dies nicht nur in dem Sinn, daß jetzt das eine
Wort pars pro toto für die vielen Worte der Tora steht. Man kann noch
weitergehen: wenn die Gemeinde die Liebe praktiziert und darin das
ganze Gesetz erfüllt, dann ist nicht nur jeglicher weitere Gesetzesan-
spruch abgewiesen, diese ἀγάπη wird sogar im weiteren Kontext als Äußerung der πίστις (5, 6) oder als Frucht des Geistes (5, 22) begriffen.
Damit hat Pl faktisch die ἀγάπη aus der Tora übernommen, jedoch einem völlig neuen Koordinatensystem zugeordnet.

Die Erfüllung des Liebesgebotes bedeutet dennoch nicht zugleich
eine Unterordnung unter das Gesetz, ist nicht ein positives Mittel, der
σάρξ auszuweichen. Sie ist vielmehr die konkrete Vollzugsform des
πνεύματι περιπατεῖν und erscheint in 5, 22 als erste Frucht des Geistes.
Daher konkludiert V. 18: wer im Geist lebt (und das Liebesgebot erfüllt), steht nicht mehr unter dem Gesetz (= mosaisches Gesetz, ohne
Artikel; vgl. 4, 21).

---

[34] Die Annahme eines Libertinismus in den galatischen Gemeinden wird gelegentlich
mit der Vermutung begründet, die Gegner hätten „neben einem ausgesprochenen Nomismus auch einen Antinomismus vertreten" (Mußner, Gal 20); dagegen und grundsätzlich
gegen die These libertinistischer Gegner: Eckert, Gegner 232. Wenn andererseits Mußner, Gal 367, und Harnisch, Einübung 290, in V. 13 b. c einen pl Vorbehalt gegen möglichen Libertinismus entdecken, so gründet dies kaum in einer enthusiastischen Interpretation des Geistempfangs innerhalb den Gemeinden (Jewett, Agitators 209–212), für die
„eher ein verzagtes Zögern, der Macht des Geistes zu vertrauen" (Suhl, Galaterbrief
3080 A 54) kennzeichnend ist.

[35] Jones, Freiheit 103, mit griech.-hell. Parallelen für dieses Verständnis von ἀφορμή.

Es ist in der Forschung ,ein fast naives Vertrauen auf den Geist' konstatiert worden, welches zur Überwindung der σάρξ führen solle[36]. Auffällig ist ja bereits in V. 16 der Dativ πνεύματι (περιπατεῖν), der völlig entsprechend in V. 18 (πνεύματι ἄγεσθε) und V. 25 (πνεύματι ζῶμεν bzw. στοιχῶμεν) begegnet. Als modaler Dativ beschreibt er Grund und Art des Verhaltens, ist aber zugleich, wie V. 25 a zeigt, offen für ein lokales oder normatives Verständnis. Röm 8, 4 f. sprechen hingegen von einem περιπατεῖν bzw. φρονεῖν κατὰ πνεῦμα und weisen so deutlicher auf eine Norm, zu der sich der Christ zu verhalten hat. Allerdings kennt auch Röm 8, 14 das πνεύματι ἄγονται. Auf jeden Fall sucht der modale Dativ gegenüber der κατά-Formulierung die Bezogenheit des Glaubenden auf den Geist nicht der jeweiligen Entscheidung zu überlassen, sondern er beschreibt ein völliges Bestimmtsein. Am weitestgehenden ist in dieser Hinsicht gewiß die passivische Formulierung (πνεύματι ἄγεσθε; vgl. auch Röm 8, 14), welche die Eigenverantwortlichkeit weit zurückzudrängen scheint; vgl. 1. Kor 12, 2 und den enthusiastischen Charakter der Wendung. Auch der Tugendkatalog wird von dem καρπὸς τοῦ πνεύματος sprechen (5, 22). Die Verben περιπατεῖν (5, 16) und στοιχεῖν (5, 25) betonen hingegen stärker die Verantwortung, was von einer strengen Systematisierung absehen läßt[37].

Mit dem imperativischen Vordersatz πνεύματι περιπατεῖτε korrespondiert in konditionalem Sinn die Zusage: ἐπιθυμίαν σαρκὸς οὐ μὴ τελέσητε[38]. Schon hier kommen aufgrund der chiastischen Struktur des Satzes πνεῦμα und σάρξ in ihrer gegensätzlichen Feindschaft in Blick, letztere ist Subjekt der ἐπιθυμία (Sing.), welche mit der Christuszugehörigkeit unvereinbar ist (5, 24).

Man kann fragen, aus welchem Grund Pl solch grundsätzliche Aussagen über die Wirksamkeit des Geistes im Kampf gegen die σάρξ macht. Hier ist zu differenzieren. Die unmittelbare Begründung für V. 16 liefert V. 17. Im Hintergrund der Ausführungen steht jedoch einerseits die Frage, woran sich das Verhalten orientiert, wenn das ὑπὸ

---

[36] So Betz, Gal 92. Für Betz ist dies zugleich ein Argument, den Gal in die Frühzeit der pl Briefe zu verorten. In den Korintherbriefen sei die Position des Gal bereits revidiert (vorsichtiger ders., Gal 11).

[37] Lipsius, Gal 56, zieht die Differenz zu den κατά-Wendungen bewußt aus, weil „gerade dieser Hinweis auf das göttliche πνεῦμα als Prinzip des sittlichen Handelns ... zugleich die beste Entkräftung der judaistischen Befürchtung (sei), als ob die von P verkündigte ἐλευθερία zu einem Wandel in Fleischeslust führe." De Merode, Eschatologie 102, verweist auf die Nähe der pl Formulierung zur stoischen Formel ζῆν κατ' ἀρετήν oder κατὰ λόγον.

[38] Mußner, Gal 375 (mit Verweis auf K. Beyer, Semitische Syntax des NT, ²1968, 253): „Der Imperativ ... in Verbindung mit καί und Konj. Aor. (τελέσητε) anstelle eines Futurs hat dabei konditionalen Sinn ..."; vgl. zu οὐ μή mit Konj. Aor. BDR § 365 und 1. Thess 4, 15; 5, 3.

νόμον θέλοντες εἶναι (4,21) keine christliche Möglichkeit mehr darstellt, sowie andererseits der judenchristliche Vorwurf, die Berufung
auf die Freiheit stelle eine ‚Operationsbasis' für die σάρξ dar (5,13).
Wenn V. 18 abschließend festhält, daß diejenigen, die sich vom Geist
führen lassen, nicht mehr unter dem Gesetz sind, so ist gesagt, daß eine
Notwendigkeit strikter Gesetzesobservanz ausgeschlossen ist, weil der
Geist diese Führung übernommen hat. Der mittelbare Anlaß ist also
nach wie vor im Thema ‚Gesetz-Geist' gegeben.

Dieser konkrete Hintergrund läßt davon absehen, Gal 5,16 im Sinne
eines Syllogismus practicus zu verwenden (fleischliche Verfehlungen
deuten auf mangelnde Übereinstimmung mit dem Geist)[39]. Wenn Pl in
5,17 zeigt, daß der Geist selber gegen das Fleisch kämpft, dann ist die
σάρξ eben trotz 5,24 noch nicht endgültig besiegt. Die ethischen Aussagen ab 6,1, wie auch 5,13, setzen Fehlverhalten in der Gemeinde deutlich voraus, halten Pl dennoch aber nicht davon ab, die Gemeinde als
πνευματικοί anzureden. Es fällt auf, daß Pl ihr gegenüber sowohl päd-
agogische Hilfestellungen (6,3) gibt, als auch dazu auffordert, die
Pneumaexistenz zu realisieren (5,25; 6,8). Dies zeigt, wie wenig ideali-
stisch seine Sicht ist. Die Frage der Sündlosigkeit stellt sich im Anschluß an 5,16f. weder begrifflich noch sachlich.

Die unmittelbare Begründung für V.16 liefert, wie der Anschluß mit
γάρ zeigt, V.17.
Zur Struktur der Aussage:

ἡ γὰρ σάρξ ἐπιθυμεῖ κατὰ τοῦ πνεύματος
τὸ δὲ πνεῦμα κατὰ τῆς σαρκός
ταῦτα γὰρ ἀλλήλοις ἀντίκειται
ἵνα μὴ ἃ ἐὰν θέλητε ταῦτα ποιῆτε[40].

In V.17ab sind σάρξ und πνεῦμα absolut gebraucht und zugleich
personhaft dargestellt, insofern sie gegeneinander aufbegehren (ἐπιθυμεῖν in feindschaftlicher Ausrichtung: Röm 1,24; 1.Kor 10,6; Jak 4,2).
Wenn ἐπιθυμεῖν in V.17 für das πνεῦμα nicht bezeugt wird, so ist dies
am wahrscheinlichsten mit der überwiegend negativen Qualifikation
des Begriffs ausgeschlossen (vgl. auch 5,24). Daß gleichwohl ein gegenseitiger Kampf stattfindet, hält V.17c deutlich fest[41]. Insofern die σάρξ

---

[39] So allerdings Borse, Gal 194.
[40] Zwar ist in V.17c δέ gut bezeugt. Die textkritischen Argumente reichen aber nicht
aus, um δέ zu lesen und in V.17c eine ‚eigenständige Aussage' beginnen zu lassen (so
Borse, Gal 195).
[41] Oepke, Gal 174, schlägt vor, ἐπιθυμεῖ auch für das πνεῦμα mitzulesen, und zwar im
neutralen oder guten Sinn. Dies ist vom Begriff her möglich (vgl. 1.Tim 3,1; Luk 22,15),
hier aber doch nicht angezeigt. Suhl, Galaterbrief 3125, schlägt vor, das „wohl viel ange-
messenere ἀντίκειμαι" zu ergänzen.

Macht auf den Menschen ausübt, um seinen Willen zu beeinflussen (V. 17 d), kann σάρξ auf keinen Fall mit dem Menschen, seinem inneren Wesen, gleichgesetzt werden[42]. Auch τὸ πνεῦμα erscheint hier keinesfalls im anthropologischen Sinn, ja auch die Bestimmung als ‚Taufpneuma‘ ist nicht vom Kontext angezeigt[43]. V. 17 c schließt durch γάρ abermals begründend und zugleich resümierend an. Sprachlich muß die enge Verknüpfung mit dem Kontext durch ἀλλήλοις auffallen (5, 13. 15. 17. 26; 6, 2). Ihr kommt zugleich für die Auslegung sachliche Bedeutung zu.

Die Auslegung von V. 17 d ist von der Frage bestimmt, a) ob ἵνα final oder konsekutiv auszulegen ist und b) welche Bezugsgröße ἐὰν θέλητε hat.

Bei finaler Deutung des ἵνα wäre gesagt, der Streit zwischen Fleisch und Geist habe zum Ziel, den Menschen am Tun dessen, was er wolle, zu hindern[44].

Im einzelnen wäre hier zu diskutieren, wem eigentlich an der Hinderung gelegen ist (Geist, Fleisch, beiden oder einer dritten Größe)[45]. Die konsekutive Deutung würde hingegen sagen, der Widerstreit der beiden Mächte habe den Zweck, daß der Mensch das, was er eigentlich wolle, nicht tue. Es gehe mit anderen Worten nicht um die grundsätzliche Verunmöglichung christlichen Handelns, vielmehr bezwecke der Kampf zwischen σάρξ und πνεῦμα, ein spezifisches von Christen beabsichtigtes Verhalten nicht zu ermöglichen. Diese konsekutive Auslegung des ἵνα besitzt weitaus mehr Wahrscheinlichkeit, wie auch die Verankerung im Kontext ergibt[46].

Dieser Kampf zwischen σάρξ und πνεῦμα ist bezogen auf ἃ ἐὰν θέλητε, und er bewirkt, daß dieses Vorhaben nicht getan wird (ἵνα μὴ ... ταῦτα ποιῆτε)[47]. Die Exegese darf sich nicht von Röm 7, 15. 17. 20. 23 leiten lassen. Pl hat dort

---

[42] Ausführlich hierzu der Exkurs hinter 6.5.1.2. Zu Gal 5, 17 besteht in der neueren Forschung kein Dissens. Wenngleich dem pl σάρξ-Begriff unterschiedliche Bedeutungen zukommen (Zeller, Röm 134 f.), ist hier eindeutig an eine gottfeindliche Macht gedacht. Man kann nicht mit Schweizer, ThWNT VII 131, die σάρξ ganz davon freisprechen, auch ‚Subjekt eines Handelns‘ zu sein. Gerade im engeren Kontext Gal 5, 19 erscheint die Verbindung ἔργα τῆς σαρκός mit einem Gen. subj. (vgl. hierzu auch 1. QS 2, 5; 4, 23).

[43] So allerdings Mußner, Gal 376. Zur Begründung verweist er auf 5, 22 und 6, 8. Dem kann man zustimmen, sofern man den Kampf zwischen Geist und Fleisch nicht darauf reduziert, ein Gegensatz zweier Mächte im Menschen zu sein, weil beide den Menschen bewohnen (Röm 7, 17; Röm 8, 9–11). Von der Einwohnung der Sünde im Menschen spricht Pl nur im Blick auf den Menschen vor der πίστις. Also übt die σάρξ von außerhalb Macht auf den Menschen unter der πίστις aus.

[44] Für die finale Deutung: Mußner, Gal 377; Schlier, Gal 249.

[45] Diese Diskussion ist ausführlich geführt bei Oepke, Gal 174 f., und Suhl, Galaterbrief 3124. Beide verneinen die finale Deutung; ebenso Borse, Gal 195, der V. 17 zugleich als Aussage über die σάρξ versteht, erst V. 18 teile mit, was die Wirkung des πνεῦμα sei.

[46] Befürwortet wird die konsekutive Deutung bei Oepke, Gal 175; Borse, Gal 195, und den bei Mußner, Gal 377 A 19, Genannten. Außerdem Radermacher, Grammatik 193; Bruce, Gal 244.

[47] ταῦτα greift auf ἃ zurück; Mußner, Gal 377 A 21: ‚anaphorisches Demonstrativ‘.

den unbekehrten Menschen im Blick, der von der Sünde bewohnt (7,17) und gezwungen wird, ihr auf das hin zu gehorchen, was er selber gerade nicht will. Gal 5 aber blickt auf den Menschen, der der Sünde gestorben ist (5,24)[48]. Versteht man nun ἃ ἐὰν θέλητε von der σάρξ her, dann kämpft sie gegen das πνεῦμα, damit die Christen nicht tun, was sie wollen, nämlich was dem Geist entspricht[49]. Bezieht man den Relativsatz hingegen auf das πνεῦμα, dann kämpft dieses gegen die σάρξ, damit die Christen nicht tun, was sie wollen, was nämlich der σάρξ entspricht. Gegenwärtig hat Suhl dieser Auslegung ausführlich zugesprochen. Neben der Sachdifferenz zu Röm 7 verweist er auf die Unwahrscheinlichkeit, daß „Paulus, im Blick auf die gegenwärtige Geisterfahrung des Christen so eindeutig der σάρξ … den Sieg zusprechen sollte …"[50]. Im Kontext kann ἃ ἐὰν θέλητε direkt bezogen werden auf das sarkische Verhalten innerhalb der Gemeinde, welches V.15 und später noch 6,1 beschreiben. In diesem gegenseitigen Auffressen spiegelt sich der Kampf, den Geist und Fleisch gegeneinander führen, wider.

V.17 d gibt nun den Gemeinden die Zusage, daß der Geist in diesem Kampf siegen und es verhindern wird, daß die σάρξ in den Gemeinden letztlich bleiben wird. Von dieser Aussage her begründet sich V.16: im geistlichen Wandel wird die Begierde des Fleisches nicht zum Ziel kommen, da der Geist selber gegen die σάρξ kämpft.

Somit ist bis zu V.18 der Vorwurf, die ἐλευθερία könne als ἀφορμὴ τῇ σαρκί verstanden werden, entkräftet, insofern der Geist selber gegen die σάρξ kämpft, sich zugleich die Notwendigkeit einer Bindung an den νόμος erübrigt, weil das πνεῦμα die Glaubenden leitet. Dem Tugend- und Lasterkatalog (V.19–22) kommt eine Übergangsfunktion zu, die auf die Paränese, sich auf den Geist einzustellen (V.24f.), hinweist. Zum einen belegt die Tugendreihe (V.22f.) die in V.16–18 dargelegte These, daß der unter dem Geist Stehende der Führung des Gesetzes nicht bedarf. Denn die Tugenden, unter denen die ἀγάπη die erste Stelle einnimmt, werden als καρπὸς τοῦ πνεύματος betont dem ἔργα-

---

[48] Die Interpretation von Gal 5,17 im Licht von Röm 7 hat P.Althaus, Daß ihr nicht tut, was ihr wollt (Zur Auslegung von Gal.5,17), ThLZ 76, 1951, 15–18 vorgetragen; dagegen Oepke, Gal 175; Mußner, Gal 377; Dibelius, Gal 40 u.a.

[49] Diese Auslegung unterscheidet mit Röm 7 einen eigentlichen Willen des Menschen von dem aktuell Korrumpierten; in bezug auf Gal 5,17 vertritt diese Auslegung R.Bultmann, Christus des Gesetzes Ende, in: ders., Glauben und Verstehen II, [5]1968, 46. Ausführlich widmet sich Betz, Gal 280, dem Vergleich mit Röm 7.

[50] Suhl, Galaterbrief 3124. Zusätzlich führt er 3125 A 204 gegen Bultmann an, es sei „sprachlich problematisch, daß ausgerechnet ἐὰν θέλητε … das dem göttlichen Willen Gemäße" ausdrücken solle; so auch Weiß, Paulinischen Briefe 362; Sand, Begriff 212f. Dagegen betont Mußner, Gal 378, die „Freiheit echter Entscheidungsmöglichkeit" zwischen σάρξ und πνεῦμα. Hierbei erscheint jedoch der Gegensatz dieser beiden Größen im Blick auf existentiale Folgerungen bereits reduziert. Will Pl aber in 5,17 nicht sagen, daß dieser Kampf wirklich geführt wird, und zwar nicht nur in der jeweiligen Entscheidung des Glaubenden?

Prinzip (V. 19) entgegengestellt (vgl. auch Eph 5, 9)[51]. Zum anderen leitet die Verbindung von Laster- und Tugendkatalog zum paränetischen
Aspekt über. Zwar sind beide Kataloge „nicht direkt paränetisch gewandt"[52], gleichwohl explizieren sie das geforderte πνεύματι στοιχῶμεν
(V. 25) oder πνεύματι περιπατεῖν (V. 16).

Die Kataloge mögen in der Taufparänese verankert sein, auf die sich καθὼς
προεῖπον eventuell bezieht (V. 21 a). Auch für V. 21 b kann ein solcher Sitz im
Leben schon mit der trad. Verbindung des Motivs des Eingehens in das Reich
Gottes mit den Katalogen (vgl. auch 1. Kor 6, 9 f.) vermutet werden. Schließlich
kann V. 24 solchem Rückverweis auf die Taufe zugeordnet werden (vgl. Röm
6, 6)[53]. Die Aussage erinnert an die zurückliegende willentliche Absage an die
σάρξ. Schließlich knüpft V. 25 an den mit V. 19 bestimmenden Taufkontext an,
um die Taufgabe des πνεῦμα in Erinnerung zu rufen[54].

Εἰ ζῶμεν πνεύματι, πνεύματι καὶ στοιχῶμεν gehört ohne Zweifel zu
den pl Sätzen, für die Deissmann eine „geniale, geradezu heraklitisch
plastische Gestaltungskraft" feststellte[55]. Beide Satzteile haben keine direkten Entsprechungen innerhalb der pl Briefe, daher ist zunächst ihre
Form philologisch präzise zu bestimmen. Formal handelt es sich um einen Chiasmus, in dem Verb und Dativobjekt nach ‚abba' zugeordnet
sind[56]. Der Vordersatz nennt mittels εἰ die Bedingung, auf die sich der
Konjunktiv Praes. als Aufforderung bezieht[57]. Ausgangspunkt ist die
Voraussetzung, gegenwärtig ‚im Geist zu leben'[58]. Diese Wendung ist
singulär in den pl Briefen. Ein entsprechender Dativ begegnet in 5, 14
(vgl. auch 5, 18) neben περιπατεῖν. Häufig wird dieser Dativ instrumen-

---

[51] Schrage, Ethik 177 f., verweist zu Recht auf den mit dem Numeruswechsel (καρπός-
ἔργα) verbundenen Gegensatz von christlichem Gehorsam und vorchristlichem Tun.

[52] E. Kamlah, Die Form der katalogischen Paränese im Neuen Testament, WUNT 7,
1964, 16; so bereits auch A. Vögtle, Die Tugend- und Lasterkataloge im Neuen Testament, NTA 16/4. 5, 1936, 30.

[53] So die meisten Ausleger (anders Sand, Begriffe 214; Borse. Gal 206). Es ist aber eine
nicht unwichtige Beobachtung, daß der Aorist ἐσταύρωσαν nicht unmittelbar dem Taufgeschehen zugeordnet werden kann, welches Pl ja zumeist im Passiv beschreibt. Betont Pl
also bereits hier den Entscheidungsaspekt des Täuflings (vgl. auch ἀπελούσασθε in 1. Kor
6, 11)?

[54] Zur Verbindung der V. 24 und 25: Sieffert, Gal 329; Suhl, Galaterbrief 3127. Mußner, Gal 391, versteht 5, 25 im Zusammenhang von 5, 16–25 als inclusio. Dagegen ziehen
Borse, Gal 207; Schlier, Gal 268; Berger, Bibelkunde 397, V. 25 als Überschrift zum Abschnitt 5, 25–6, 10. Hierbei ist der formgeschichtliche Neueinsatz einer Reihe von Einzelmahnungen ab 5, 26 verkannt. Andererseits ist der Übergang zur πνεῦμα-Aussage in V. 25
unmittelbar von V. 24 (σάρξ) her motiviert (Sieffert, Gal 329; Sokolowski, Begriffe 42).

[55] Deissmann, Paulus 47 f., mit Verweis auf 2. Kor 3, 6; 1. Kor 1, 22; 4, 20; 8, 1 u. a.

[56] Vgl. J. Jeremias, Chiasmus in den Paulusbriefen, in: ders., Abba, 1966, 278.

[57] Radermacher, Grammatik 169: „Bei den neutestamentlichen Autoren ist der Konj.
des Präsens in der Aufforderung (1. Pers. Plur.) noch durchaus geläufig."

[58] BDR § 372: εἰ mit Indikativ der Wirklichkeit.

tal verstanden: wenn wir wirklich durch den Geist leben[59]. Nun würde
dies eine Nuance darstellen gegenüber 5,16, insofern der Dativ in Verbindung mit περιπατεῖν die Sphäre bezeichnet, in der man geht, nicht
aber das Mittel[60]. Beide Möglichkeiten deuten jedenfalls in die Richtung, daß der Grund und die gegenwärtige Wirklichkeit des Lebens im
Pneuma gegeben ist. So entspricht es auch den Aussagen der Tauftraditionen (1.Kor 12,13; 6,11), zu denen 5,19-25 eine gewisse Nähe aufweist. Man wird allerdings vorsichtig sein müssen, die oft beschworene
Parallelität von ἐν Χριστῷ zu ἐν πνεύματι auch hier zu strapazieren. Im
lokalen Verständnis findet sich ἐν πνεύματι (neben Gal 5,25) nur noch
nebenpaulinisch in Röm 8,9.

Solange in V.25b στοιχεῖν als synonyme Wendung für περιπατεῖν
(V.16) angesehen wird, kann der zweite Dativ als Dativ der Norm aufgefaßt werden[61]. Im ursprünglichen Sinn bedeutet στοιχεῖν aber als militärischer term.techn. ‚sich einordnen, einer Reihe angehören‘[62]. Legt
man dieses Verständnis für Gal 5,25b zugrunde, würde Pl aufrufen,
„der Marschordnung des Geistes (zu) folgen.“[63] Möglich ist aber auch,
wenngleich der Unterschied nicht von großem Gewicht ist, ein übertragenes Verständnis des Begriffs[64]. Dies ist auch in der Profangräzität
und vor allem im direkten Kontext Gal 6,16 bezeugt und kann mit ‚in
Übereinstimmung sein mit‘ übersetzt werden[65]. Insofern ist στοιχεῖν an

---

[59] So Sieffert, Gal 329; Mußner, Gal 391; Oepke, Gal 186.

[60] Ausführlich Sieffert, Gal 318. Schon de Wette, Gal 80 f., erinnerte entsprechend zu
5,25 an den Dativ des Zustands. Sieffert lehnt zu 5,16 die auch vertretene Auslegung eines Dativs der Norm bzw. eines Dat.commodi ab, da „der dem klass. Dativ der Art und
Weise verwandte aber der LXX u. dem z.T. eigenthümliche, bei Verben des Gehens gebrauchte Dativ zur Bezeichnung des Weges oder der Sphäre ..." vorliege. Nicht überzeugend ist Sokolowskis Argument (Begriffe 42), beide Dative in V.25 erforderten notwendig die gleiche Auslegung.

[61] So noch de Wette, Gal 81. Im NT käme Phil 3,16; Röm 4,12 diesem Verständnis
nahe. Gegen eine synonyme Interpretation in Gal 5,25: Oepke, Gal 186; Jewett, Agitators
210.

[62] Belege bei Delling, ThWNT VII 666 f.; Oepke, Gal 186; Plümacher, EWNT III
666 f.; Betz, Gal 293 f.

[63] So Oepke, Gal 186: „... die Übereinstimmung zwischen Lebensgrund und Lebensgestaltung ...“.

[64] Schlier, Gal 268 f. entscheidet sich für einen ‚Doppelsinn‘. Es ist ja nicht zu verken-
nen, daß Pl in 5,17 eine Kampfsituation beschrieben hat. Insofern ist στοιχεῖν in doppelter Bedeutung als militärischer und zugleich als übertragener Begriff gegeben.

[65] Für dieses Verständnis sprechen auch Delling, ThWNT VII 668; Plümacher, EWNT
III 666; Lührmann, Gal 96; Mußner, Gal 391; vgl. auch die profanen Belege für die übertragene Bedeutung bei Delling 666 f.; Schlier, Gal 268 f. Lührmann stellt zusätzlich eine
Beziehung zu den στοιχεῖα τοῦ κόσμου her. Für die Gemeinde gelte nicht die Übereinstimmung mit der Weltordnung, Kosmologie und Ethik, sondern mit dem Geist. Dieses
Argument gewinnt insofern an Gewicht, weil Pl ja selber den Begriff στοιχεῖα τοῦ κόσμου
eingeführt hat.

dieser Stelle nicht mit περιματεῖν identisch. Es ist also abwegig, den zweiten Dativ als Dativ der Norm aufzufassen. Es kann sich nur um einen modalen Dativ handeln[66].

Bedenkt man jetzt den Zusammenhang von V. 16–25 insgesamt, dann ist deutlich, wie sehr V. 25 die vorangehenden Argumente abschließt. Geist und Fleisch stehen sich unversöhnlich gegenüber (V. 17), was die Kataloge zugleich anschaulich belegen. In Übereinstimmung mit dem Geist wird die Gemeinde der σάρξ nicht erliegen (V. 16), da der Geist selber gegen die σάρξ kämpft. Die Glaubenden haben sich bei der Taufe gegen die σάρξ entschieden (V. 24). Ihr jetziges Leben ist Leben im Geist, so kann V. 25 nur dazu aufrufen, dieses Leben nun auch wirklich in ausschließlicher Übereinstimmung mit dem Geist, und eben nicht mit der σάρξ zu führen[67].

Die pneumatologischen Aussagen des Gal setzen den Konflikt, dem die galatischen Gemeinden seit dem Eindringen judaistischer Gegner ausgesetzt sind, beständig voraus. Ihr Ziel ist es, das Vertrauen in das Pneuma, welches Anfang (3, 1–5) und Ende (6, 8) des christlichen Lebens umgreift, zu bekräftigen. Ein Gehorsam gegenüber Gesetzesforderungen wird hingegen als Rückfall in die σάρξ (3, 3), d. h. in den pneumafeindlichen Bereich bewertet. Dieser Rückfall führt zurück in die Verstrickung von Sünde und Gesetz, in eine Vergangenheit also, die Röm 7 in ihrer Ausweglosigkeit eigens darstellen wird.

Man hat den pl Ausführungen ein ‚fast naives Vertrauen auf den Geist' unterstellt[68]. Sicher wird Röm 8, 5 ff. die Verantwortlichkeit der ethischen Entscheidung in den κατά-Formulierungen deutlicher betonen. Naiv wäre die pl Position, wenn das Wirken des Geistes und das jeweilige Verhalten des Glaubenden zwangsläufig identisch wären. Pl betont hingegen in Gal 3, 5. 14; 4, 6 die Vorgängigkeit des Geistes im Sinne einer promissio, stellt sie als die bestimmende Wirklichkeit dar[69]. Dies schließt die Einstellung auf diese Wirklichkeit notwendig ein (5, 25). Daher ist das Vertrauen auf den Geist nicht naiv, sondern konsequent. Inkonsequent hingegen ist das gleichzeitige Beachten anderer Bezugsgrößen (Gesetz), insofern sie die Vorgängigkeit des Geistes in

---

[66] Sieffert, Gal 329; Mußner, Gal 391.

[67] Klumbies, Pneuma 125 f., distanziert Gal 5, 25 doch zu sehr von einer ethischen Ausrichtung. So gewiß der Vers nicht direkt auf Ethik zielt, „sondern auf die Bewahrung des Pneumas in Freiheit ohne jede Ergänzung" (126 A 50), so ist diese Aussage in dem paränetischen Kontext doch fest verankert.

[68] So Betz, Geist 92; ders., Gal 12.

[69] Wrede, Paulus 64 A 61, zu Gal 5, 25: „Dies ist die charakteristische Form, in der Paulus vom Geist als einer ethischen Größe redet. Er stellt keinen Maßstab für den einzelnen auf, woran man erkennen könnte, ob er den Geist habe oder nicht. Er setzt vielmehr bei allen den Geist voraus …".

Frage stellen und der σάϱξ das Feld bereiten. Die Einführung von Beschneidung und Kalenderfrömmigkeit stellt sich insofern als funda-
mentaltheologische Frage der Verhältnisbestimmung von Gesetz und
Geist dar.

Aus diesem Zusammenhang von σάϱξ und νόμος ist das Liebesgebot
und seine Befolgung ausgenommen (5,14.22.23; 6,2). Vielmehr ist die
Erfüllung des Liebesgebotes nicht nur im Gal, sondern in der gesamtpl
Theologie stets dem Bereich des πνεῦμα zugeordnet. Bleibt also materialethisch eine schmale Brücke zur Tora, so überführt der Ausdruck
νόμος Χϱιστοῦ (6,2) den Inhalt der Weisung unter die Autorität des
Kyrios, um jegliche Gesetzesobservanz im Raum der christlichen Gemeinde auszuschließen.

Der folgende Exkurs wird zeigen, wie sehr, aber auch wie unterschiedlich Gesetz und Geist bei Pl in der Konzentration auf das Liebesgebot aufeinander bezogen sind.

Exkurs: Gesetz und Geist in der paulinischen Theologie

Die radikale Gegenüberstellung von ‚Gesetzeswerken' und ‚Glaubensgehorsam' (2,16; 3,2.5), die heilsgeschichtliche Begrenzung des
Gesetzes (3,19.23–25) und die ausschließliche Verwerfung des Geset-
zesweges (5,4), ja die Gleichstellung mit der σάϱξ (3,3) werfen die
Frage auf, ob Pl für solche Gesetzeskritik auf Voraussetzungen innerhalb der urchristlichen Theologie zurückgreifen kann oder ob seine
Stellungnahme im Gal nicht unwesentlich durch die Situation bedingt
ist. Andererseits stellt sich die Frage, in welchem Maße das ethische
Handeln zugleich auch von der Vorgabe der Tora dispensiert wird, ob
durch die Gabe des Geistes diese Norm aufgehoben oder gerade ein
neuer Zugang zu ihr gegeben ist.

Die gegenwärtige Diskussion ist durch gewichtige Forschungsdifferenzen
bestimmt:
– M. Hengel geht davon aus, daß bereits für die Hellenisten „Kritik am Gesetz
und Tempel" mit der Überlieferung (Apg 6) belegt sei und daß diese Kritik
„mit dem geistgewirkten eschatologischen ‚Enthusiasmus'" zusammenhänge.
Hierbei handle es sich um „geistgewirkte Interpretation der Botschaft Jesu
im neuen Medium der griechischen Sprache."[70] Folge der Kritik sei „Freiheit
gegenüber Tempel und Ritualgesetz" (198) und Konzentration auf den wahren Gotteswillen.

---

[70] Hengel, Jesus 195. In ders., Geschichtsschreibung 64, findet sich die Einschränkung,
die „Kritik an der Thora hatte zwar noch nicht jene theologisch durchreflektierte Rationalität, wie sie uns bei Paulus begegnet …". „Die Vollmacht zu dieser Kritik empfangen
sie aus der Gabe des Geistes." Zustimmung zu Hengel u.a. durch Stuhlmacher, Auferweckung 82.

– Mit der Bekehrung des Pl wird nach wie vor die Annahme verbunden, daß die „Berufung zum Heidenmissionar zu einer Reflexion über eine zumindest grundsätzliche Bejahung der Freiheit vom Gesetz" Veranlassung gegeben hätte[71]. Verbindet man dann noch den Gedanken, daß „die Bekehrung des Paulus davon abhängig (war), ob er die Legitimität des Geistbesitzes bei dieser Gruppe", die er verfolgte, anerkannte, so wäre Gesetzesfreiheit und Geistthematik bereits in der Berufungssituation verbunden[72].

– Dagegen hat G. Strecker gezeigt, daß „die Gesetzesproblematik bis in die Zeit des 1. Thessalonicherbriefs durch Paulus noch nicht voll durchdacht worden" sei. In diesem „verhältnismäßig offenen Urteil über die Geltung des jüdischen Gesetzes" stimme Pl mit der Urgemeinde überein (231). Pl handhabe die Tora im Sinn eines ‚Adiaphorons' (230). Keinesfalls aber sei von einer pneumatisch motivierten Kritik am Gesetz durch die Hellenisten vor Pl auszugehen[73].

Die vorgestellten Entwürfe sind in diesem Exkurs zunächst ausschließlich auf die Frage hin zu diskutieren, ob Pl eine wie auch immer bestimmte Zuordnung von Gesetz und Geist als Grundlage für die Ausführungen des Gal voraussetzen kann.

Wir haben es in 5.3 für wahrscheinlich erachtet, daß Lk in Apg 6, 11–14 eine Traditionsgrundlage zur Verfügung hat. Das Tempelwort (vgl. Mk 14, 58) entspricht keineswegs der lk heilsgeschichtlichen Konzeption. Für den Redaktor ist es im Evangelium unerträglich. Er hat noch Mühe, Stephanus hiervon zu distanzieren, was ihm allerdings die Vorgabe des ἐψευδομαρτύρουν (14, 57) erleichtert. Gleichwohl bleibt die genaue Bestimmung der Gesetzeskritik des Stephanus offen. Von Apg 6 her haben wir keinen Anlaß, eine grundsätzliche Kritik der Tora

---

[71] Hübner, Galaterbrief 8; ders., EWNT II 1168; außerdem Dietzfelbinger, Berufung 90 ff.; Stuhlmacher, Ende 182: „Mit der Damaskusepiphanie gewann Paulus also die Erkenntnis Jesu Christi als des Endes des Gesetzes …"; vgl. auch Klein, Gesetz 65; nach Wilckens, Entwicklung 154, hat „die Gesetzesfrage von Anfang an im Brennpunkt des Denkens des Apostels gestanden …".

[72] Berger, Geist 181, der an späterer Stelle allerdings darauf verweist, daß es bei der Bekehrung nicht um die Gesetzesfrage ging, sondern „um diese Grundlage, auf der dann allerdings später im Konfliktfall auch die Stellung zum Gesetz beantwortet wurde" (183). Enger verknüpft Geist und Gesetz mit Damaskus Stuhlmacher, Gerechtigkeitsanschauung 90: „Seit seiner Berufung zum Apostel ist der Schriftgelehrte Paulus bemüht gewesen, ein von Gott neu belehrter Jude im Geist … zu sein." Luck, Fragen 847, behauptet, Pl wurde in der Bekehrung vom πνεῦμα erfaßt, und es wurde sofort die Frage nach dem Verhältnis von Gesetz und Geist gestellt.

[73] Strecker, Befreiung 231; Zustimmung durch Lüdemann, Paulus und das Judentum 30; Schnelle, Gerechtigkeit 99 f. Räisänen, Legalism 81 A 84 (in Pedersen, Literatur) verortet die Gesetzeskritik hinter die antiochenischen Erfahrungen. Strecker unterstellt nicht „dem Apostel mangelnde Klarheit über die Konsequenzen seiner Konversion" (so Klumbies, Pneuma 130 A 63), vielmehr legt er die Konsequenzen so dar, wie sie sich vom exegetischen Befund her ergeben.

anzunehmen[74]. In welchem Sinn das ἀλλάξει τὰ ἔθη (Apg 6,14) zu interpretieren ist, bleibt offen. Es ist nicht zwangsläufig an Gesetzesabrogation zu denken. Ebensogut ist die Annahme möglich, daß Stephanus die Konzentration auf den eigentlichen Gotteswillen im Sinne Jesu verkündet hat, ohne entscheidende Teile des Zeremonialgesetzes, wie die Beschneidung, in Frage zu stellen. Ein anderes ist in Apg 6 deutlicher. Die Betonung des Geistbesitzes in Apg 6,8.10 ist sprachlich eine lk Stilisierung. Sie wird für Stephanus wie auch für Philippus dennoch einen Anhalt an der Tradition haben und sich möglicherweise auf die Predigttätigkeit beziehen. An keiner Stelle aber ist diese Geistbegabung in Beziehung gesetzt zum Inhalt seiner Rede, den Tempel- und Gesetzesaussagen, noch ist der Geist selbst in irgendeiner Form Gegenstand der Verkündigung. Daher ist G. Streckers Vorbehalt gegen die These, die Hellenisten hätten als pneumatische Enthusiasten „eine eschatologisch begründete Kritik am jüdischen Gesetz geübt", nur sachgemäß[75].

---

[74] So Klein, Gesetz 62; Suhl, Paulus 31 f.; Hahn, Gottesdienst 51. Kritisch dazu: Lüdemann, Christentum 91; Weiser, Apg I 173; Strecker, Befreiung 231. Problematisch ist die Quellenauswertung der Rekonstruktion der Theologie des Stephanuskreises bei Stuhlmacher, Auferweckung 78 f.; ders., Gesetz 154 f. Problematisch ist gleichfalls die Rekonstruktion Bergers, Geist 183: daß die Hellenisten die Tradition ‚Beschneidung des Herzens – Beschneidung des Fleisches' rezipierten, ist nicht nur „historisch sowieso wahrscheinlich, sondern auch wohl durch Apg 7,51 erweisbar ..." Pl rezipiere diese Tradition in Röm 2,29; 7,6 und 2. Kor 3,6 bereits in abgeschliffener Gestalt. Dagegen haben Lüdemann, Christentum 94 und Weiser, Apg I 187, die V. 51–53 der lk Redaktion zugewiesen.

[75] Strecker, Befreiung 231 A 8. Weiser, Gesetzeskritik, geht auf den ‚Enthusiasmus' der Hellenisten erst gar nicht ein. Schrage, Ekklesia, 197 f., und Klein, Gesetz, stellen die antiochenische Gemeinde in ein genetisches Verhältnis zu den Hellenisten. Als wesentliches Argument der Gesetzesfreiheit der antiochenischen Gemeinde nennt Klein (mit Betz, Gal 85) die ‚provokative Mitnahme des Titus' als eines Unbeschnittenen zum Apostelkonvent (63). U. E. liegt das provokative Element der zurückliegenden Tatsache allein in der Mitteilung derselben an die galatischen Christen, die ja in der Gefahr stehen, die Beschneidungsforderung zu übernehmen. Sie würden damit hinter einen in Jerusalem erreichten Stand zurückfallen, denn Titus wurde zur Beschneidung nicht gezwungen. Suhl, Galaterbrief 3096: „Im Blick auf die derzeitige Beschneidungsforderung in Galatien Gal 6,12 wird eigens hervorgehoben, daß damals nicht einmal Titus zur Beschneidung gezwungen wurde V. 3 ..."; ebenso Borse, Gal 79. Für die galatischen Christen mag diese ausdrückliche Nennung der Nichtbeschnittenheit des Titus insofern zusätzlich bedeutsam sein, als eben dieser Titus inzwischen als engster Mitarbeiter des Pl (vgl. die Erwähnungen in 2. Kor 2,13; 7,6.13.14; 8,6.16.23; 12,18) bekannt geworden ist. Es ist sogar nicht einmal mit Sicherheit nachzuvollziehen, ob die Mitnahme des Titus als ‚Testfall' (Mußner, Gal 106) für die Anerkennung des pl Evangeliums in Jerusalem geplant war. Er mag ebenso gut als ‚Beispiel eines gläubigen Heiden' (Borse, Gal 79) mitgenommen worden sein. Wenn allerdings der in Gal 2,11–14 erwähnte antiochenische Zwischenfall als dem Apostelkonvent zeitlich vorausgehend datiert wird (so Lüdemann, Paulus I 101–105), und dieser Zwischenfall als der unmittelbare Anlaß für Pl und Barnabas, sich nach Jerusalem zu begeben, verstanden wird (105), dann könnte in der Mitnahme des Titus zum Konvent ein provokatives Moment gegeben sein, insofern der antiochenische Zwischenfall ja die

Im übrigen sollte bedacht werden, daß, wenn die Hellenisten in ihrer Gesetzesauslegung die Konzentration auf den eigentlichen Willen Gottes propagierten und sich hierbei in der Nachfolge der Gesetzesauslegung Jesu gesehen haben sollten, ja auch Jesus selber an keiner Stelle seine Gesetzesauslegung auf die besondere Geistbegabung zurückführt. Gesetzeskritik war also nicht notwendig an Geistbesitz gebunden. Dies bestätigen die innerjüdischen Kontroversen um die Gesetzesauslegung zur Genüge.

Der Rekurs auf die Hellenisten verhilft nicht zur Klärung der Voraussetzungen der alternativen Gegenüberstellung von Gesetz und Geist im Gal, insofern eine Verschränkung beider Größen erst auf der lk Redaktionsebene erkennbar ist[76].

Ebenso vieldeutig bleibt der Verweis auf die Bekehrung. Pl selber setzt in seinen Briefen, wo immer er auf die Bekehrung zu sprechen kommt, diese nicht mit dem Beginn der Gesetzeskritik in eins, schon gar nicht mit einer vom πνεῦμα getragenen Abrogation[77].

Insofern ist die Frage nach Voraussetzungen der Zuordnung von Geist und Gesetz zunächst an die pl Briefe vor dem Gal gewiesen. Es ist zutreffend, daß „in den Briefen des Paulus vor dem Auftreten der judaistischen Gegner das Gesetz nirgendwo thematisch hervortritt ...“[78]. Es gibt einige Einzelaussagen, die für das Verständnis der im Gal dargelegten Alternative nicht einfach ausgeklammert werden dürfen, nur weil die entsprechende Gesetzesterminologie fehlt[79].

Unsere Auslegung von 1. Thess 4, 8 f. hat deutlich gezeigt, daß sich Pl hier auf Ez 36, 27; 37, 14 LXX bezieht. Während allerdings nach der atl. Tradition die Gabe des Geistes auf das ‚Gehen in den Geboten und das Halten der Rechte‘ (36, 27; 37, 24; Jer 38, 33) bezogen ist, füllt Pl in 1. Thess 4, 3 ff. dieses θέλημα θεοῦ in Übereinstimmung mit der jüd.-

---

Verbindlichkeit des Zeremonialgesetzes zum Gegenstand hat. Schließlich ist im Anschluß an Schrage, Ekklesia 197 f., zu fragen, weshalb allein die Hellenisten von der Verfolgung betroffen waren, nicht aber die Zwölf. Schrage stellt christologische Gründe zurück, um ausschließlich auf den Aspekt der Gesetzeskritik zu verweisen.

[76] Es ist auch Vorsicht geboten, zu enge Verbindungslinien von Pl zum Stephanuskreis zu ziehen. Pl selber zeigt das nicht an. Es ist nicht zwingend anzunehmen, daß Pl in Gal 2, 18 „die Terminologie des Tempellogions verwendet" (Hahn, Gesetzesverständnis 53 A 76; zustimmend Stuhlmacher, Gesetz 158 A 35). Michel, ThWNT V 145, hatte zu Gal 2, 18 an eine rabbinische Redeweise erinnert (bBer 63 a); vgl. Bill III 537.

[77] Vgl. im übrigen die eingehende Kritik anderslautender Ausführungen durch Strekker, Befreiung 230–237. Auch Dietzfelbinger, der die veränderte Sicht der Tora mit der Berufung verbindet, hält immerhin fest (Berufung 97), daß die Konsequenzen der Berufung für das Toraverständnis nicht insgesamt gleich gegeben sind.

[78] Wilckens, Entwicklung 157.

[79] So allerdings Wilckens, Entwicklung 158; Drane, Paul, stellt ebenfalls nur eine Entwicklung von Gal über 1. Kor zu Röm dar; vgl. die berechtigte Kritik bei Räisänen, Torah 5.

hell. Tradition als Abkehr von πορνεία und πλεονεξία. Spezifischer ist
jedoch seine Interpretation in 4,9. Durch die Gabe des Geistes ist die
Gemeinde belehrt, einander zu lieben. An die Stelle der νόμοι (Jer
38,33) ist das Liebesgebot im innergemeindlichen Raum getreten. Die
Geistesgabe stellt nicht in einen Gegensatz zum Gesetz, vielmehr ermöglicht und fordert sie die Erfüllung des für Pl zentralen Inhalts (vgl.
später noch 1.Kor 12,31 zu 13,1-13; Gal 5,14.22; 6,2.10; Röm
13,8-10). Nicht die Gesetze hat die Gemeinde durch die Geistesgabe
internalisiert, sondern allein die Hauptforderung: das Liebesgebot. Dies
impliziert keine Gesetzeskritik, vielmehr steht Pl mit dieser Konzentration auf das Liebesgebot im Kontext der jüd.-hell. und urchristlichen
Toraauslegung[80].

Die erste wirklich kritische Wendung zum νόμος vom Blickwinkel des
πνεῦμα bietet 2.Kor 3,6. Jedoch unterwirft Pl nicht die Tora insgesamt einer
Kritik. Vielmehr mißt er, angeregt durch das Auftreten der Gegner mit ‚Empfehlungsbriefen‘, dem Beachten des γράμμα tötende Wirkung bei, dem πνεῦμα
hingegen lebenschaffende Kraft. Daher zeigt diese Wendung in 2.Kor 3,6, die
in späteren Aussagen (Gal 3,21; Röm 2,29; 7,6) präzisere Gestalt findet und
vor allem auf den νόμος bezogen wird, daß Pl Vorbehalte gegenüber einer lega-
listischen Anwendung des νόμος und dem einzelnen γράμμα hat. Dies wiederum befreit ihn andererseits, das Liebesgebot als Erfüllung des ganzen νόμος
zu betrachten.

Diesen Gedanken aus 1.Thess 4,9 nimmt Pl im 1.Kor an einer Stelle
auf, die zumeist in diesem Zusammenhang übersehen wird. Im Kontext
der Sklavenfrage nennt Pl den aus der Tauftradition bekannten Grundsatz ἡ περιτομὴ οὐδέν ἐστιν καὶ ἡ ἀκροβυστία οὐδὲν ἐστιν (vgl. 1.Kor
12,13 und Gal 3,27 mit dem Gegensatzpaar Jude–Grieche; sowie Gal
5,6; 6,15) als ein Argument, eine Standesveränderung nicht anzustre-
ben. Weshalb stellt Pl nun in 1.Kor 7,19 diesem Grundsatz die Mahnung ἀλλὰ τήρησις ἐντολῶν θεοῦ an die Seite? Es will schwer einleuchten, daß Pl ‚ungeschützt‘ „die Gebote der Tora als Gebote Gottes …
nicht nur verbindlich gemacht, sondern zugleich als faktisch erfüllbar
behauptet …"[81] 1.Kor 7,19a enthält ein aus Tauftraditionen bekanntes,
von Pl häufiger benutztes Argument. In Gal 5,6 fährt er fort: … ἀλλὰ
πίστις δι' ἀγάπης ἐνεργουμένη; in Gal 6,15: … ἀλλὰ καινὴ κτίσις. Diese
Aussagen stellen den Interpretationshorizont dar, auf den 1.Kor 7,19

---

[80] Wir können daher Wilckens, Entwicklung 158, darin nicht folgen, daß in den Thes-
salonicherbriefen die Gesetzesfrage deswegen kein Thema gewesen sei, weil „die Gesetzesfreiheit hier die mehr oder weniger selbstverständliche Basis" abgibt. Vgl. zur Konzentration auf das Liebesgebot im zeitgenössischen Judentum: K. Berger, Die Gesetzesauslegung Jesu I, WMANT 40, 1972, 99-136; A. Nissen, Gott und der Nächste im antiken
Judentum, WUNT 15, 1974.
[81] So Wilckens, Entwicklung 159.

hin zu deuten ist. Unter den ἐντολαὶ τοῦ θεοῦ ist möglicherweise die Liebesforderung zu verstehen (Gal 5,6), die im Bereich der Neuschöpfung in Gültigkeit ist[82]. Weitaus deutlicher als in 1.Thess und 1.Kor zeigt der Gal diesen Zusammenhang von Geistbegabung und Liebesgebot auf. Die ἀγάπη ist die erste Frucht des Geistes (Gal 5,22); vgl. entsprechende Zuordnungen in 1.Kor 12,31ff. und 2.Kor 6,6. Diese ἀγάπη ist in Gal 5,14 explizit als Zusammenfassung des νόμος begriffen und bleibt als solche für die Gemeinde in Gültigkeit[83]. Wenn aber die ἀγάπη in der πίστις getan wird (5,6) und Frucht des Geistes ist (5,22), dann entspricht dieses zwar dem Anspruch des Gesetzes (5,23) und erfüllt ihn vollkommen (5,14), bedarf aber seiner Forderung nicht mehr.

Das Liebesgebot bleibt im Gal also nur unter anderen Vorzeichen bestehen und kann von Pl in einer ‚Kontrastbildung'[84] (vgl. auch Röm 3,27; 1.Kor 9,21) in Gal 6,2 als νόμος τοῦ Χριστοῦ bezeichnet werden[85]. Es ist deutlich: in keinem Brief wird Pl so sehr am Liebesgebot

---

[82] Der Vordersatz 7,19a impliziert natürlich die Freiheit von der Beschneidungsforderung. Diese Freiheit bestand ja schon in der antiochenischen Gemeinde, wie der Fall des Titus (Gal 2,3) beweist. Im näheren Kontext bleibt der Verweis auf das Halten der Gebote, auch wenn man dies auf das Liebesgebot zuspitzt, isoliert. Dies ist gewiß auch eine Folge der Traditionsbedingtheit von V.19a. Eine wesentliche Parallele für unser Verständnis von τήρησις ἐντολῶν θεοῦ im Sinn des Liebesgebots stellt das joh. Schrifttum dar: 1.Joh 2,3ff.; vgl. auch Joh 15,10.

[83] Hübner hat in verschiedenen Veröffentlichungen Gal 5,14 als „kritisch-ironische Wendung des Paulus" betrachtet (Gesetz 38; ders., EWNT II 1169; ders., Galaterbrief 9). Pl mache sich die sprachliche Nuance von ὁ πᾶς νόμος gegenüber ὅλος ὁ νόμος zunutze (5,3), um hier dem ganzen Gesetz in paradoxer Weise nur ein Wort gegenüberzustellen. So gewiß dieser Gegensatz zu berücksichtigen ist, kann es nicht überzeugen, Gal 5,14 von der entsprechenden Aussage in Röm 13,8 völlig zu distanzieren (Gesetz 39); vgl. zur Kritik: Klein, Gesetz 65 (das Liebesgebot sei ‚vertraute Gemeindetradition'); Wilckens, Entwicklung 189; ders., Röm III 69 A 383; Kertelge, Gesetz 390.

[84] Ebeling, Dogmatik III 266.

[85] Nach Wilckens, Entwicklung 175f.; Stuhlmacher, Gesetz 158; Betz, Gal 298–301; Bruce, Gal 261, sind νόμος Χριστοῦ und Liebesgebot (in Gal 5,14) also identisch; ausführlich dazu: H.Schürmann, Das Gesetz des Christus, in: Neues Testament und Kirche, FS R.Schnackenburg, 1974, (282–300) 289. Es ist nicht zu erkennen, daß Gal 6,2 und 1.Kor 9,21 eine alte Tradition darstellen sollen, die noch den Apostolischen Vätern bekannt sei (so Hengel, Jesus 191f. A 137; Stuhlmacher, Gesetz 158; Friedrich, Gesetz 113f.). Barn 2,6 spricht von dem καινός νόμος τοῦ κυρίου, 2,1 von den δικαιώματα κυρίου im Gegensatz zum Zeremonialgesetz. Dies ergibt aber keinen Aufschluß über den Umfang der Gesetzeskritik des Stephanus (vgl. zu Barn 2,1ff.: Wengst, Schriften II 134–136, unter teilweiser Autorschaft von H.Stegemann).
Gleichfalls hat die gelegentlich geäußerte Vermutung (Klein, Gesetz 72; Wilckens, Entwicklung 176; H.D.Betz, Die hermeneutischen Prinzipien in der Bergpredigt (Mt 5,17–20), in: Verifikationen, FS G.Ebeling, 1982, 27), Pl nehme in ὁ νόμος τοῦ Χριστοῦ ein gegnerisches Stichwort auf, keine überzeugenden Anhaltspunkte im Gal. Als Kontrastbildung scheint sie von Pl eher ad hoc geformt zu sein. Ein Bezug zur rabbinischen

als Forderung der Tora festhalten und es zugleich doch so weit von ihr entfernen. Ohne seiner Autorität zu bedürfen, besteht materialethisch Kontinuität zur Tora. So auch in 5,23, insofern das Gesetz in Übereinstimmung zu dem steht, was der Tugendkatalog, der Früchte des Geistes festhält, aussagt (τοιούτων V.23 also neutr.). Dieser νόμος τοῦ Χριστοῦ ist als erfüllbar gedacht für die, welche als πνευματικοί angeredet werden. Völlig entsprechend wird in 6,8–10 als erstes Beispiel des εἰς τὸ πνεῦμα ... θερίζειν das καλὸν ποιεῖν, das ἐργάζεσθαι τὸ ἀγαθόν genannt, was sachlich dem Liebesgebot entspricht und dieses doch zugleich in Worten hell. Ethik wiedergibt.

In Röm 13,8–10 schließlich wird der Stand der Geistbegabung nicht sonderlich angezeigt, wenngleich durch 12,6.11 vorausgesetzt, um die Liebesforderung als Summe des Gesetzes in Erinnerung zu rufen[86]. Es ist keine Frage, daß für Pl das Liebesgebot als ‚erfüllbar' vorgestellt wird. Es begegnet ja nicht nur als Imperativ, sondern erscheint zugleich als Gabe (Gal 5,22). Auf den ersten Aspekt deutet auch der Gebrauch des πληροῦν in Röm 13,8; Gal 5,14, Röm 8,4 und ἀναπληροῦν in Gal 6,2[87].

Eindeutiger ist hingegen die Verschränkung von Geistbegabung und Erfüllung der entscheidenden Rechtsforderung des Gesetzes in Röm 8,4 bezeugt. Der voraufgehende Kontext zeigt: die Erlösung aus der Verstrickung νόμος-ἁμαρτία-μέλεσίν μου (Röm 7,23–25 a) ist mit Christus gegeben, so daß die anklagende Funktion des νόμος aufgehoben ist. Die Befreiung aus dem νόμος τῆς ἁμαρτίας καὶ τοῦ θανάτου wurde erwirkt, so expliziert 8,2, durch den νόμος τοῦ πνεύματος τῆς ζωῆς. Die Struktur des Satzes ist bereits auffällig. Stellt man ὁ νόμος τοῦ πνεύματος τῆς ζωῆς dem νόμος τῆς ἁμαρτίας καὶ τοῦ θανάτου gegenüber, so ist deutlich, daß ἐν Χριστῷ Ἰησοῦ zu ἐλευθέρωσεν zu ziehen ist. Das καί zwischen den letzten beiden Genitiven stört die Parallelität zur ersten Genitivfolge nicht wirklich. Die Zeitstufe Aor. läßt an ein einmaliges zurückliegendes Ereignis denken, in dem das Gesetz des Geistes des Lebens diese Befreiung erwirkt hat. Man wird diese Aussage mit Weber wie folgt paraphrasieren müssen: „Der mit dem Telos des Le-

---

Vorstellung der Auslegung der alten Tora durch die Tora des Messias (Bill III 577) fehlt schon von daher, daß Gal 6,2 keine Auslegung der Tora beinhaltet, sondern ihre Reduzierung auf ein Wort. So sehr Hofius, Gesetz 282, darin zu folgen ist, daß Gal 6,2 „nicht von der Verwendung des Begriffes νόμος her", sondern „vielmehr aus dem Textzusammenhang erschlossen werden" muß, so wenig überzeugend ist die traditionsgeschichtliche Überlegung, Gal 6,2 auf dem Hintergrund des 1. Gottesknechtsliedes als „Weisung des Gekreuzigten" (284) zu verstehen (ähnlich Zeller, Röm 157).

[86] In Röm 13,8 ist ἕτερον auf ἀγαπᾶν zu beziehen, nicht auf νόμος (so Röm 7,23).

[87] πληροῦν ist von der hermeneutischen Bedeutung des Wortes πλήρωμα (Röm 11,12.25; 15,29; Gal 4,4; 1.Kor 10,26) abzuheben und hier konkret auf das Tun des Gesetzes zu beziehen (vgl. Strecker, Strukturen 142).

bens versehene ‚pneumatische Nomos' bedient sich zu seinem Befrei-
ungswerk instrumentell der Person Jesu Christi ..."[88]. Aber ist hierbei
wirklich an den νόμος als Tora zu denken? Wenn man den näheren
Kontext in Betracht zieht, fällt auf, daß die Bedeutung von νόμος mehrfach wechselt und nicht eindeutig auf die Tora festgelegt ist[89]. Von daher haben viele Exegeten in 8,2 νόμος im Sinn von ‚Regel oder Ordnung' übersetzt[90]. Und auch die Gegensätzlichkeit zweier νόμοι (nicht
als Tora) ist ja im voraufgehenden Kontext vorgegeben (7,23). Für die
Annahme eines uneigentlichen Sprachgebrauchs spricht zweifelsohne
auch, daß die Begriffsverbindung von πνεῦμα und ζωή in ihren verschiedenen Varianten als geprägt vorliegt (Ez 37,5 LXX; Röm 8,6.11;
Gal 6,8; 2.Kor 3,6; 1.Kor 15,45). Problematisch an dieser Auslegung
ist neben dem sprachlichen Vorbehalt, νόμος als Regel verstehen zu
müssen[91], die Tatsache, daß Pl in Röm 7,14 den νόμος gerade πνευματικός genannt hat (vgl. auch 7,12.16). Der Erfüllung der Forderung dieses geistlichen Gesetzes steht nach 7,14 im Weg, daß der Mensch vor
Christus unter der σάρξ steht und an die Sünde verkauft ist. Nimmt
man nun die ‚Ortsbestimmung in Christus Jesus' in 8,2 ernst (vgl. auch
Gal 5,24), so ist ja dieser Hinderungsgrund an der Erfüllung des Gesetzes hinfällig geworden, und der Glaubende steht diesem Gesetz nicht
mehr fremd gegenüber[92]. V.3 – ein Anakoluth – begründet sowohl V.2
als auch V.4, insofern das Gesetz bis Christus wegen der σάρξ schwach
war. Seitdem aber die σάρξ in Christus gerichtet worden ist und die
Sendung des Christus eben darin bestand, den νόμος von der σάρξ zu
befreien, kann die Rechtsforderung des Gesetzes erfüllt werden.

Trotz der forschungsgeschichtlichen Differenz zur Auslegung von
8,2, speziell zur Interpretation des νόμος-Begriffs, wird zu Röm 8,4
mehrheitlich betont, daß νόμος hier im Sinn von Tora zu verstehen sei[93].
Hierbei gibt das einleitende ἵνα in V.4 den Zweck des Befreiungs-
werks an: die Erfüllung des δικαίωμα τοῦ νόμου. Der auffällige Singular δικαίωμα läßt von vornherein nicht an eine Vielzahl von Satzungen

---

[88] Weber, Geschichte 165.

[89] Räisänen, Gesetz 113, nennt zu 7,21 (Regel, Zwang), 22 (Tora), 23a.b (Willensrich-
tung), 23c (Regel, Zwang), 25b (Tora und Macht).

[90] So zuletzt Weber, Geschichte 165f., und die 166 A 72 Genannten; auch Blank, Gesetz 97; H. Saake, Konstitutionsprobleme in Röm 7,22–8,3; SymbOsl 48, 1973, 109–114;
auch die bei Paulsen, Überlieferung 64 A 213, Genannten. Noch weitergehend ist Friedrichs Vorschlag (Gesetz 113), über νόμος ganz hinwegzulesen. Alle wesentlichen Argumente sind bei deWette, Röm 103f., zusammengestellt.

[91] Nach Wilckens, Röm II 122, ist „ein solcher Sprachgebrauch in der klassischen wie
hellenistischen Gräzität ... nicht zu belegen ..."

[92] So vor allem Lohse, Gesetz; ders., Analyse 140; aber auch Wilckens, Röm II 122f.
und die A 492 Genannten; auch die bei Weber, Geschichte 166 A 72, Genannten.

[93] Exemplarisch Räisänen, Gesetz 117; Lohse, Gesetz; ders., Analyse 165.

denken, sondern an die Rechtsforderung des Gesetzes insgesamt[94]. Diese wiederum, von Pl in Gal 5,14; Röm 13,8 als ‚Liebesgebot' festgehalten, wird erfüllt ἐν ἡμῖν, durch die oder unter den Glaubenden, deutlicher sagt es die folgende Apposition, im περιπατεῖν κατὰ πνεῦμα. Wenngleich die ἀγάπη hier nicht explizit als δικαίωμα τοῦ νόμου genannt ist, wird man wegen 13,10 nicht fehlgehen, an sie zu denken[95]. So bestätigt es schließlich die Verankerung von τῇ πνεύματι ζέοντες (12,11) im engeren Kontext. Keinesfalls ist diese ‚Brünstigkeit im Geist', wie das Verb nahelegen könnte (vgl. Apg 18,25), auf ekstatisch-enthusiastische Äußerungen bezogen, sondern in lockerer Zuordnung gerahmt von ἀγάπη, φιλαδελφία, φιλοξενία.

Bedenkt man diese differenzierten Zusammenhänge von Geist und Gesetz in soteriologischer und ethischer Perspektive, kann die These,

---

[94] Vgl. zu δικαίωμα Wilckens, Röm I 324 A 1086: „Die antithetische Entsprechung zu εἰς κατάκριμα erzwingt für εἰς δικαίωμα die Bedeutung ‚zum Rechtfertigungsurteil' im Unterschied zu V.18, wo zwischen δικαίωμα als ‚Rechttat' ... und δικαίωσις ‚Rechtfertigung' ... unterschieden wird, und im Unterschied zu 1,32; 2,26; 8,4, wo δικαίωμα die ‚Rechtsforderung des Gesetzes' bezeichnet."

Käsemann, Röm 204 ff., verweist auf das Passiv πληρωθῇ und übersetzt ‚der Rechtsanspruch des Gesetzes sollte bei uns damit erfüllt werden'. Obwohl er sieht, daß vom Wortlaut diese Übersetzung nicht zwingend ist, glaubt er, Pl auch in V.4 noch von der Beschreibung dessen, was Gott getan hat, verstehen zu sollen. Zugleich vermutet er aufgrund des hierfür untypischen Gebrauchs von πληροῦν, daß Pl ältere judenchristliche Aussagen fragmentarisch wiedergibt. Es ist jedoch wahrscheinlicher, daß V.4 bereits das Ziel des Befreiungsgeschehens (V.2 f.) aufzeigt, welches sich für den Christen ergibt: er ist jetzt befreit, den Rechtsanspruch des Gesetzes zu erfüllen, weil er der Forderung des Gesetzes befreit gegenübertritt. Daher kann die ursprüngliche Bestimmung des Gesetzes bei ihm zum Tragen kommen (vgl. Bultmann, Theologie 262 f.269; Kuss, Röm 496; Wilckens, Röm II 128 f.; Kertelge, EWNT I 810; Zeller, Röm 153 u.a.). Hierbei deutet schon der Übergang zum Wir-Stil auf die Applikation ad vocem Gemeinde. Ἐν ἡμῖν kann lokal (Cranfield, Rom 384 f.) oder auch instrumental (Schlier, Röm 243; Zeller, Röm 153) übersetzt werden: durch uns soll die Rechtsforderung erfüllt werden. Dieses instrumentale Verständnis legt sich durch die folgende Apposition ‚περιπατοῦσιν κατὰ πνεῦμα' nahe. Sie hält in aktiver Formulierung unter Verwendung eines ethischen Begriffs (mit Akk. der Norm) fest, daß im Bereich derjenigen, die ihr Leben am Pneuma orientieren, die Erfüllung des νόμος möglich geworden ist. Dies bestätigt schließlich 8,7: Leben nach dem Geist gefällt Gott, ist keine Feindschaft gegen Gott, ist dem Willen Gottes untertan.

[95] Deutlich Hofius, Gesetz 281; Klein, Gesetz 72 u.a. Völlig abweichend von dieser Sicht hat Weber, Geschichte 168 f. u. ö., δικαίωμα τοῦ νόμου auf die Schöpfungstora, nicht aber auf die Sinaitora oder einen Teil derselben bezogen. Pl deute also „Christus als den Erfüller und Ermöglicher des ursprünglichen Schöpfungswillens Gottes." Dieser These kann ich nicht zustimmen. Ich sehe nicht, welchen Inhalt Pl der Schöpfungstora beimißt, welche Forderung sie erhebt. Hingegen gesteht Weber 168 A 88, unserer Auslegung ‚particula veri' zu. Der gegenüber der Zuspitzung auf das Liebesgebot erhobene Einwand, das ‚reduktionistische Verfahren' nehme dem ‚Terminus jeglichen selbsteigenen Sinn', mißachtet eben solches Verfahren Pauli in Gal 5,14; 6,2; Röm 13,8-10.

Pl ersetze das Gesetz als Lebensordnung durch den Geist, nicht überzeugen[96].

Problematisch sind zugleich alle Versuche, über den Umweg des
Evangeliums das Gesetz relativ ungebrochen wieder in Kraft zu setzen[97]. Es geht Pl um die Grundforderung des Gesetzes, nicht um die
Tora in toto. Außerdem distanziert 8,4 von einer neuen Werkethik, da
die Erfüllung des Liebesgebotes sich im Bereich des Geistes vollzieht
und hier nicht nur als Erfüllung des Gebotes (Gal 5,14; 6,2; Röm 8,4),
sondern zugleich als Frucht des Geistes verstanden wird (Gal 5,22).
Das Verständnis eines tertius usus legis ist daher im strengen Sinn der
pl Theologie nicht angemessen[98].

7.3 Philipperbrief: Beschneidung und Geist

Die pneumatologischen Aussagen des Phil sind nur in zweifacher
Hinsicht spezifisch. In 1,19 begegnet die singuläre Wendung der ἐπιχορηγία τοῦ πνεύματος Ἰησοῦ Χριστοῦ, welche bereits im Exkurs (hinter 7.1.3.2) analysiert wurde. Daneben ist die Spiritualisierung des περιτομή-Begriffs und seine Beziehung auf den Apostel, der im Geist Gottes dient, auffällig (3,3). Diese Aussage leitet den sog. Kampfbrief
(3,2–4,3?), ein Fragment eines ursprünglich wohl eigenständigen Phil-
ipperbriefs, ein, der sich gegen Judaisten wendet, die Einfluß auf die
Gemeinde zu nehmen scheinen. Wenngleich Differenzen zu der Gegnerschaft des 2. Kor und Gal bestehen, findet sich in Phil 3 also die
letzte pl Stellungnahme im Gegenüber zur judenchristlichen Gegenmission, in der er sein Verständnis des Geistes zu präzisieren sucht.

Neben diesen beiden genannten Stellen wird στήκετε ἐν ἑνὶ πνεύματι, μιᾷ
ψυχῇ συναθλοῦντες (1,27) sich in beiden Bestimmungen durchaus gegenseitig
interpretieren und die Gemeinschaft der Gemeinde angesichts der erwarteten
Ankunft des Apostels betonen wollen[1]. In Phil 2,1 ist bei dem Ausdruck

---

[96] So allerdings de Merode, Eschatologie 112.

[97] So Michel, Röm 190: „Das Heilsgeschehen dient dazu, die Aktualität des Gesetzes
aufzurichten und durchzusetzen …“; Zeller, Röm 156: „… als Ausdruck des göttlichen
Heiligungswillens wird es für die Gerechtfertigten erst richtig in Kraft gesetzt (3,31).“
Dagegen mit Recht Käsemann, Röm 207 f.; Hofius, Gesetz 280 f. Andererseits kann aber
auch der von Reinmuth, Gesetz 70, dargelegte Auslegungsvorschlag, der Geist selber vollzieht die Gesetzeserfüllung in den Christen, nicht nachvollzogen werden. Die κατά-Wendungen in 8,4f. halten die Eigenverantwortlichkeit des Christen fest.

[98] So auch Hübner, Gesetz 127; Hofius, Gesetz 280 f.

[1] In der Literatur ist es freilich umstritten, ob überhaupt eine parallele Aussage vorliegt

κοινωνία πνεύματος zunächst an das πνεῦμα ἅγιον zu denken, wie 2. Kor 13,13 explizit belegt. Von letzterer Stelle her ist zugleich gegeben, daß ein Gen. subj. vorliegt, d. h. die Gemeinschaft ist vom Geist gestiftet (vgl. 8.3.3). Der Akzent liegt jedoch auf κοινωνία: wenn es die in V.1 genannten Attribute noch gibt, dann sollen sie jetzt in bezug auf Pl (V.2) Anwendung finden. In Phil 4,23 ist eindeutig bei πνεῦμα ὑμῶν das anthropologische Verständnis bezeugt. Es liegt der ansonsten übliche Schlußgruß ‚mit euch allen‘ (Röm 16,24; 2. Kor 13,13; 2. Thess 3,18; Hebr 13,25), bzw. ‚mit euch‘ (Röm 16,20; 1. Kor 16,23; Kol 4,18) zugrunde (vgl. auch Phlm 25: μετὰ τοῦ πνεύματος ὑμῶν).

7.3.1 Zur Situation des Kampfbriefes

Wir können uns folglich auf die Analyse der Spiritualisierung des πε-ριτομή-Begriffs (3,3) im sog. Kampfbrief beschränken[2]. Dieser Brief gilt in der Forschung überwiegend als das letzte der in den Philipper-brief inkorporierten Schreiben[3].

(vgl. Gnilka, Phil 99 A 19). Gegen diese Annahme könnte geltend gemacht werden, daß Pl bei ἐν ἑνὶ πνεύματι in Gegensatz zu μιᾷ ψυχῇ eine anthropologische Akzentuierung ausschließen will, um an den Gottesgeist zu denken (so Gnilka, Phil 99). Dagegen hatte schon de Wette, Phil 191, eingewandt, daß Pl dann ἐν τῷ ἑνὶ πνεύματι lesen würde. Schenk, Philipperbriefe 168, bezieht die Wendung auf „den auferweckten, gegenwärtigen Herrn als den Christus der messianischen Zwischenzeit." Wenn er zur Begründung dieser These, die von den 168 A 20 genannten Exegeten durchweg nicht (!) geteilt wird, auf Phil 2,1 verweist, so kann dies keinesfalls überzeugen. Die κοινωνία τοῦ πνεύματος ist in 2. Kor 13,13 gerade nicht mit den Wirkungen Gottes und Christi identisch. Und auch in Phil 2,1 steht κοινωνία τοῦ πνεύματος der παράκλησις ἐν Χριστῷ gegenüber. Für einen anthropologischen Gebrauch in 1,27: Bauer, WB 1339 (mit Verweis auf 1. Thess 5,23; Hebr 4,12; Apg 4,32) und die bei Gnilka, Phil 39 A 18, Genannten. Auch Phil 2,2 und 1. Kor 1,10 verwenden anthropologische Begrifflichkeit im Kontext der Mahnungen zur Einheit.

[2] Der Umfang des Kampfbriefes wird in der Forschung unterschiedlich bestimmt. Es ist einerseits deutlich, daß 3,2 stilistisch und sachlich ein neues Thema anschlägt und zu-gleich 4,4 thematisch (χαίρετε) an 3,1 anknüpft. Es ist denkbar, 3,1 b zum Beginn des Kampfbriefes zu zählen (Gnilka, Phil 185). Endet der Kampfbrief unmittelbar zuvor mit 4,3 (Vielhauer, Geschichte 164) oder ist sein Abschluß in 4,8 f. gegeben (Gnilka, Phil 10; Schenk, Philipperbriefe 250), wobei entweder 4,2–7 oder 4,4–7 dem vorhergehenden Ge-fangenschaftsbrief zugewiesen werden? Die Zuordnung von V.8 f. zum Kampfbrief trägt der Tatsache Rechnung, daß τὸ λοιπόν, ἀδελφοί in V.8 wie bereits in 3,1 Kennzeichen des Briefschlusses ist (Schenk, Philipperbriefe 242).

[3] Dies gilt unabhängig von der Frage, ob neben dem Kampfbrief nur noch ein Gefan-genschaftsbrief (so Gnilka), oder auch ein Dankesbrief (4,10–20), die fragmentarisch er-halten sind, zu finden sind (Barth, Phil 11; Schenk, Philipperbriefe 29 ff.; R. Pesch, Paulus und seine Lieblingsgemeinde, 1985). Dieser Dankesbrief würde dann das früheste Schrei-ben darstellen und wäre als direkte Antwort auf die Spende der Gemeinde verständlich. Für die Spätdatierung des Kampfbriefes spricht, daß Pl eine genauere Kenntnis der Ge-meinde verrät und die Gefangenschaftssituation jetzt nicht mehr erwähnt wird (dazu Baumbach, Philipperbriefe 296). Sicher muß man fragen, ob diese drei Briefe ursprüng-lich alle an die Gemeinde in Philippi gerichtet waren. Bedenkt man aber, daß die genann-

Das Forschungsinteresse hat sich stets auf den Versuch, mögliche Gegner konkret als Hintergrund des Kampfbriefes zu bestimmen, konzentriert. Die Disparatheit der Auskünfte ist jedoch so groß, daß ein Überblick an dieser Stelle unterbleiben muß. Wir stellen vielmehr die uns wahrscheinliche Sicht dar und grenzen sie, wo es nötig ist, von anderen Auffassungen ab. Das methodologische Problem, inwieweit Gegner überhaupt aus den pl Aussagen präzise rekonstruiert werden können, stellt sich beim Kampfbrief um so dringender, als in der Forschung für jeden Abschnitt des Kampfbriefes (3,1b–11.12–16.17–4,3) die Gegnerfrage einer anderen Lösung zugeführt wird[4].

Es ist aus dem Kampfbrief nicht erkennbar, daß bestimmte Gegner in der Gemeinde Fuß gefaßt haben. Vielmehr ermutigt Pl in diesem Schreiben die Gemeinde im Angesicht möglicher Gegnerschaft, die er in großer Nähe zu der judenchristlichen Gegenmission des 2. Kor und Gal darstellt, zum Festhalten an dem gegenwärtigen Glaubensstand.

Als Abschluß des Abschnittes 3,13ff. fordert V.16 auf, in Übereinstimmung mit dem gegenwärtig erreichten Stand auch fernerhin zu leben. Hierbei blickt Pl zurück auf die zuvor (V.15) gegebene Charakterisierung der Gemeinde als τέλειοι (s. u.), schließt andererseits in V.17 nachdrücklich den Verweis auf sein eigenes Vorbild für die Gemeinde an. Dem korrespondiert die Schlußmahnung (4,8 f.), in der Pl nochmals die Gemeinde in Relation zu seinem Vorbild stellt. Mahnungen zur Einheit (4,1 f.) stellen den weiteren Rahmen dar.

Dieser Verweis auf das Vorbild des Apostels und die längere Ausführung über seine vorchristliche Zeit (3,4–12) sind verständlich als Versuch, die Gemeinde an seine Person zu binden, da a) andere Missionare als Gefahr drohen und b) diese zugleich das Anliegen der gesetzesfreien Mission Pauli im Kern zu erschüttern suchen.

Der Kampfbrief ist in dieser Situation eine präventive Maßnahme des Apostels.

Die Vermutung, daß die von Pl in 3,2 in Invektiven beschriebenen Gegner nicht bereits in der Gemeinde arbeiten, sondern nur als mögliche Gefahr genannt sind[5], gründet in folgenden Beobachtungen:

---

ten Briefe nur fragmentarisch erhalten sind und Kürzungen vor allem in den Rahmenteilen erfolgten, dann kann vermutet werden, daß gerade die Aussagen in diesem Rahmen Anlaß gaben, die Brieffragmente zu einem Brief zusammenzufügen.

[4] Einen Überblick vermitteln: Mearns, Identity; Baumbach, Philipperbriefe; Koester, Purpose; J. Gnilka, Die antipaulinische Mission in Philippi, BZ 9, 1965, 258–276; Jewett, Movements; Lüdemann, Paulus II 155–158; Mengel, Studien 212–221; Schmithals, Neues Testament und Gnosis 33–37, und Klein, Antipaulinismus.

[5] So übrigens auch de Wette, Phil 210; Dibelius, Phil 67. Daß Pl angesichts solcher Gefahr ‚in Tränen' spricht (3,18), zeigt nicht, daß der Kampf in der Gemeinde tobt, will aber neben der rhetorischen Wirkung auch darauf hinweisen, daß die Gegner Christen sind (Dibelius, Phil 71).

- Wenn 3,1 b bereits zum Kampfbrief gehört (s. o.), dann stellt die Wendung ὑμῖν δὲ ἀσφαλές in Aussicht, daß die folgenden Ausführungen vor einem möglichen Konflikt zur Sicherheit der Gemeinde dienen wollen[6].
- Das dreimalige βλέπετε kann übersetzt werden mit ‚seid auf der Hut vor‘. Obwohl βλέπετε mit Akk. in Verbindung steht, ist es nicht zwingend, es wörtlich als Aufforderung zum Anblick der Gegner zu übersetzen[7].
- Der Kampfbrief unterrichtet uns nicht über eine eventuelle Tätigkeit der Gegner in der Gemeinde zu Philippi. Er stellt nur vor Augen, was als Gefahr denkbar ist. Hierbei fallen der Verweis auf die περιτομή (bzw. κατατομή) in V. 2 f. und die Ausführungen zur Person Pauli (V. 4–15) besonders ins Auge[8].
- Diese Gegnerschaft hat sich für Pl und die Gemeinde schon seit längerem abgezeichnet. Pl hat die Gemeinde mehrfach darauf hingewiesen (V. 18), dieser Kampfbrief versteht sich als letzte, scharfe Warnung. Die konkreten Gemeindeanweisungen in 4,1 ff. 7 f. gehen allerdings nicht auf direkte Vorfälle ein[9].

An der Bestimmung dieser möglichen Gegnerschaft als ‚judenchristlich‘ kann kein Zweifel bestehen[10]. Es ist vom Kontext der Ausführungen in Phil 3 her

---

[6] Zum Begriff Bauer, WB 236. IgnSm 8,2 verwendet ἀσφαλές entsprechend. Furnish, Opponents, bezieht die Ausführungen ab 3,2 ff. insgesamt zurück auf das Stichwort ἀσφαλές.

[7] Die absolute Verwendung von βλέπετε im Sinn von ‚achtgeben‘ ist im NT mehrfach bezeugt (Mk 13,9; 2.Joh 8 u. ö.), bei Pl in 1.Kor 8,9; Gal 5,15 u. ö. Das Übersetzungsproblem entsteht durch die Verbindung des transitiven Verbs mit Akkusativobjekt. Nach der Untersuchung des ntl. Sprachgebrauchs, sowie desjenigen der LXX und der Apostolischen Väter, kommt G. D. Kilpatrick, ΒΛΕΠΕΤΕ Philippians 3,2, in: M. Black/G. Fohrer (edd.), In Memoriam Paul Kahle, BZAW 103, 1968, 146–148, zu dem Ergebnis: „... there is no example of βλέπειν used with the accusative demonstrably with the meaning ‚beware of‘“ (147). Dieser begriffsgeschichtliche Hinweis steht im Widerspruch zu einer Vielzahl lexikographischer Werke, die βλέπετε in Phil 3,2 im Sinn von ‚aufpassen, achtgeben vor‘ übersetzen: C. L. W. Grimm, Lexicon Graeco-Latinum in Libros Novi Testamenti, ³1988, 71; H. Stephanus, Thesaurus Graecus Linguae, III, 1954 (Nachdruck), 282; Bauer, WB 285; unentschieden Liddell-Scott, Lexicon 318. B. Weiß, Der Philipper-Brief ausgelegt und die Geschichte seiner Auslegung kritisch dargestellt, 1859, 220 f., zeigt, daß die älteren Ausleger βλέπετε im Sinn von ‚cavete‘ übersetzten. Erst die ‚Neueren‘ gingen zur wörtlichen Bedeutung über. Allerdings sprechen sich auch gegenwärtig für die übertragene Bedeutung aus: Schenk, Philipperbriefe 253; Lohmeyer, Phil 124; Barth, Phil 56; Dibelius, Phil 68; Jewett, Movements 382 u. a. Man kann kritisch gegen Kilpatrick einwenden: a) im Gegensatz zu Phil 3,17 (σκοπεῖτε τοὺς οὕτω περιπατοῦντας) kommt der singulären Verwendung von βλέπετε schwerlich dieselbe eigentliche Bedeutung zu; b) eine uneigentliche Verwendung von βλέπειν + Akk. bezeugen auch 1.Kor 10,18; Kol 2,5; 4,17; Barn 10,11 a. Diese Texte sind nicht als visuelle Vorgänge interpretierbar.

[8] Es ist unwahrscheinlich, daß Pl in dem Kampfbrief eine mehrfache Frontstellung vor Augen hat (vgl. dazu Baumbach, Philipperbriefe 298; Schenk, Philipperbriefe 291). So kann auch der Hinweis auf τοὺς ἐχθροὺς τοῦ σταυροῦ gut zu der möglichen Gegnerschaft, die V. 2 f. anvisiert, zugeordnet werden. In Gal 5,11 nennt Pl die Gegner Feinde des Kreuzes Christi.

[9] All dies macht verständlich; daß Pl die Gegner mit Invektiven einführen kann. Er setzt voraus, daß die Gegner der Gemeinde bekannt sind (Lüdemann, Paulus II 155).

[10] Vgl. im einzelnen die Ausführungen bei Lüdemann, Paulus II 157 f. Auch Schmit-

nicht geboten, die Erwähnung der τέλειοι in V. 15 auch auf diese Gegner zu beziehen und diese also als judenchristliche Gnostiker zu verstehen[11].

7.3.2 Beschneidung und Geist

Die Warnung vor den Gegnern mit ‚βλέπετε τὴν κατατομήν‘ (3,2) setzt voraus, daß für dieselben περιτομή eine Auszeichnung war, aber auch innerhalb der christlichen Gemeinden aus Gründen, die unterschiedlicher Art sein konnten, eine gewisse Attraktivität besitzen konnte[12]. Nur so ist verständlich, daß Pl in V. 3 sogleich diese Auszeichnung für die Gemeinde vereinnahmt (V. 3 a), indem er sie, freilich von ganz anderen Voraussetzungen her, interpretiert (V. 3 b-d). Grundsätzlich gilt für Pl und die heidenchristlichen Gemeinden, daß die Beschneidungsfrage kein heilsrelevantes Gewicht hat (1. Kor 7,19; Gal 5,6; 6,15), der jeweilige Zustand also ein Adiaphoron ist.

Das Beachten der Struktur der pl Argumentation ist wiederum aufschlußreich. Nach den drei Invektiven (V. 2) folgt rückbeziehend (γάρ) die Gleichsetzung von Gemeinde und περιτομή. V. 2 c. 3 a sind durch Paronomasie (κατατομή-περιτομή) verbunden. In V. 3 b-d folgt eine Ringkomposition mit drei Partizipien. In ihr stehen sich die Eckadverbialbestimmungen ἐν πνεύματι – ἐν σαρκί antithetisch gegenüber, wobei die letztere in V. 4 noch zweimal aufgenommen werden wird[13].

---

[11] hals, Neues Testament und Gnosis 33–36, hält trotz der Gnostikerhypothese an dem judenchristlichen Hintergrund fest. Die Invektive bezeugen im Vergleich mit 2. Kor 11,13, daß Pl die Gefahr noch kritischer einschätzt. Zur Kritik an der These jüdischer Abkunft der Gegner: Gnilka, Phil 211–218.

[11] So Schmithals, Neues Testament und Gnosis 36 f.; zuvor bereits Koester, Purpose 322 A 5: „It is also highly probable that the opponents counted among the signs of such perfection spiritual revelations …“ Darüber hinaus versteht Koester die Gesetzesobservanz der Gegner als Voraussetzung, der endzeitlichen Geistesgaben teilhaftig zu werden. In Phil 3,12 hat Pl für seine Person betont: οὐχ ὅτι … ἤδη τετελείωμαι. Dies und die weitere Verwendung des Begriffs τέλειος bei Pl (1. Kor 2,6; 13,10; 14,20; Röm 12,2) legen nahe, daß Pl selber den Begriff hier einführt und er nicht von den Gegnern vorgegeben war. Trotz des Gegensatzes zu V. 12 ist τέλειοι in V. 15 eine positive Bezeichnung für einen Teil der Gemeinde, dem Pl sich zurechnet (1. P. Pl.). Τέλειος wird der Christ nach Pl durch eine ἀποκάλυψις und das Befolgen ihres Inhalts (1. Kor 2,10). Phil 3,15 erhofft solche ἀποκάλυψις für den Teil der Gemeinde, der den voranstehenden Ausführungen (3,2–14; rückbezügliches τοῦτο in V. 15) noch nicht zustimmen kann.

[12] Die Gegnerfrage scheint hier ganz auf die Beschneidungsfrage reduziert zu sein. Stehen die galatischen Erfahrungen im Hintergrund? Balz, EWNT II 665, verweist darauf, daß Pl auch in Gal 5,11 dem περιτομή-Begriff polemisch begegne; zum Begriff κατατομή: Koester, Purpose 320 f.

[13] Zur Struktur: Schenk, Philipperbriefe 252–256; Lohmeyer, Phil 127. Zur Auslegung von Phil 3 insgesamt: F. Bovon, L'homme nouveau et la loi chez l'Apôtre Paul, in: Die Mitte des Neuen Testaments, FS E. Schweizer, hg. von U. Luz und H. Weder, 1983, 22–33.

Hinsichtlich der Spiritualisierung des περιτομή-Begriffs in V. 3 a, seiner Entfernung vom ursprünglichen Brauch und seiner Anwendung auf die christliche Gemeinde, kann Pl auf Voraussetzungen im Judentum zurückgreifen (Jer 4,4; 9,26; Dtn 10,16; Ez 44,7; 1.QS 5,5.26; 1.QpHab 11,13; vgl. auch Bill III 126 u. a.). Pl überschreitet allerdings die jüd. Voraussetzungen, indem er dem äußeren Vollzug der περιτομή für seine vorchristliche Zeit jegliche Bedeutung beimißt (3,5), für die Gegenwart aber abspricht. Wenn Pl nun, wie in Phil 3,3, die Gemeinde mit dem Begriff περιτομή auszeichnet, dann ist auf sie ein Vorrecht übertragen, das Pl ansonsten dem jüd. Volk vorbehält (Röm 3,30; 4,9; Gal 2,7–9; vgl. auch 6,16). Sollte die endzeitliche Beschneidung nach manchen jüd. Aussagen (Jub 1,23; 1.QpHab 11,13; vgl. auch OdSal 11,1–3) kein äußerer Ritus mehr sein, sondern am Herzen vollzogen werden und im Geist Bestand haben, dann hat sich diese Erwartung ja erfüllt. Primäres Kennzeichen der Gemeinde ist das πνεύματι θεοῦ λατρεύειν (V. 3 b). Der Ausdruck ist sicher nicht auf den kultisch-liturgischen Bereich einzugrenzen (so Joh 4,24), sondern hier auf die gesamte christliche Existenz zu beziehen. So wird er in V. 3 c d nochmals in positiver und negativer Hinsicht explikativ aufgenommen. Eine weitere urchristliche Parallele für diese spiritualisierte Verwendung des περιτομή-Begriffs und dessen Vereinnahmung für einen christlichen Brauch bietet in Hinblick auf die Taufe Kol 2,11[14].

Während Pl also im Gal die Beschneidungsfrage als Gesetzesfrage expliziert, zeigt er im Phil, daß im Angesicht drohender Gegenmission ein Eingehen auf eine mögliche Beschneidungsforderung abzulehnen ist, da die Gemeinde als geistbegabte Größe die endzeitliche Beschneidung erfahren hat. Ein gleichzeitiges Vollziehen des äußeren Ritus würde diese Vorgabe in Frage stellen, ja mißachten.

7.4 Überlegungen zum Verständnis des Geistes im palästinischen Judenchristentum

Die Gegnerschaft, die Pl im 2.Kor, Gal und Phil entgegentritt, ist judenchristlichen Ursprungs. Ihr gegenüber präzisiert Pl das Verhältnis von πνεῦμα zu γράμμα, νόμος und περιτομή. Richtet Pl Alternativen auf, wo das pal. Judenchristentum additive Zuordnungen sieht? Dies

---

[14] Wenn Schweizer, Kol 110 A 339, darauf hinweist, daß in Kol 2,11 ein Hinweis auf den Geist fehle, so ist dem nicht zu widersprechen. Allerdings sollte bedacht sein, daß Kol 2,11 im Kontext einer Tauftradition begegnet; vgl. wiederum Schweizer, Christus 186: „Schließlich ist bei Paulus auch die Taufe, von der ja Kol 2,11 redet, durchaus als Geschehen des Geistes verstanden ..."

läßt fragen, wie das Verständnis des Geistes im pal. Judenchristentum
bestimmt ist.

Forschungsgeschichtlich ist damit ein grundsätzlicher Dissens verbunden. So sehen Goguel, Leisegang u. a.[1] die Entfaltung der urchristlichen Pneumatologie primär als ein Werk der hell. Gemeinde, während
Käsemann, Vielhauer u. a.[2] aus form- und traditionsgeschichtlichen Erwägungen auch das pal. Judenchristentum als pneumatisch bestimmte
Größe verstehen.

Unsere Kenntnisse über das frühe pal. Judenchristentum sind recht
begrenzt. Sie beziehen sich primär auf folgende mögliche Textkom-
plexe: a) die Traditionen der Apg, b) bestimmte syn Trad., vor allem
das aus den Texten der Logienquelle zu erschließende Selbstverständnis der pal. Lehrer und Wandermissionare; c) die pl Anspielungen auf
judenchristliche Gegner in seiner Gemeinden.

Die Annahme eines pneumatisch bestimmten Urchristentums in Jerusalem beruft sich auf den lk Pfingstbericht und nimmt ihn als positives
Zeugnis für ein pneumatisches Bewußtsein der Urgemeinde[3]. Die Analyse (4.2.3) hat jedoch gezeigt, daß der historische Kern der von Lk verarbeiteten Tradition im Dunkeln liegt, jedenfalls erst von Lk mit Jerusalem und dem Datum Pfingsten in Verbindung gebracht worden ist.
Daß ein glossolaler Ausbruch auf dem Hintergrund atl.-jüd. Geisterfahrung im pal. Judentum kaum als Wiederkehr des Geistes gewertet
worden wäre, wird zumeist völlig übersehen.

Man kann fragen, ob die Differenz von Hellenisten und Hebräern
nicht auch mit der Geistthematik zusammenhängt, hat aber zugleich zu
bedenken, daß die Kennzeichnung der Hellenisten als ‚pneumatische
Enthusiasten‘ und ‚Charismatiker‘ dem Quellenbefund im Vergleich mit
der Korintherkorrespondenz nicht gerecht wird (5.3)[4].

---

[1] Goguel, Naissance 113 f. (und die 113 A 1 angegebene Lit.); Leisegang, Pneuma
140–143; Volz, Geist 198; in der Tendenz auch Conzelmann, Grundriß 54. Koch, Geistbesitz 76 f., vermutet zur Differenz Hellenisten/Hebräer (Apg 6), „daß der Geistbesitz
selbst den ursprünglichen Konfliktgegenstand darstellte."

[2] Käsemann, Sätze; Vielhauer in Schneemelcher, Apokryphen II 426. Beide berufen
sich auf die ‚Sätze heiligen Rechts‘. Deren Vereinnahmung für einen Pneumatismus ist jedoch ausgesprochen problematisch (s. o. 6.4.3.2). Es ist in den betreffenden Texten nicht
angezeigt, für den Sprecher das Bewußtsein allgemeiner endzeitlicher Geistbegabung vorauszusetzen. Die von Käsemann in Geltung gebrachte enthusiastisch-apokalyptische Ausrichtung orientiert sich an der βασιλεία.

[3] Für Köster, Einführung 520, stammt Apg 2, 1 ff. in der „ursprünglichen Form aus der
Gemeinde Jerusalems und ist das wichtigste Zeugnis ihres Selbstbewußtseins." Schweizer,
ThWNT VI 402 A 462, vermutet sogar ein „ausgesprochenes Pneumatikertum" in der
pal. Gemeinde; vgl. im übrigen die Ausführungen in 4.2.3.

[4] Nicht überzeugen kann der Versuch, auch die ‚Hebräer‘ zu Charismatikern zu machen. Die Wundertaten des Petrus (3, 1 ff.; 5, 1 ff.) nennen selbst in der red. Gestaltung

In der Jerusalemer Gemeinde stand nach v.Campenhausen[5] schon die Form der Gemeindeleitung durch die Zwölf bzw. durch Jakobus und die Desposynoi einem geistlichen Gemeindeverständnis im Weg. Dieses Argument ist freilich nicht zwingend, da auch die hell. Gemeinden nicht ohne ‚Amtsstrukturen‘ auskommen. Die Quellen sprechen jedoch nie von einer Geistbegabung des Jakobus[6]. Die Agabusnotiz (Apg 11,28; 21,10f.) erweist keinesfalls eine allgemeine Geistbegabung der Jerusalemer Gemeinde, sondern zeigt nur, daß Prophetie in Jerusalem als akzidentielles Phänomen nie erloschen war.

Der Antipaulinismus hat, so G.Lüdemann, seinen primären Ursprung in der Jerusalemer Gemeinde. Die Gegner in den pl Briefen, die in unterschiedlich stark ausgeprägter Verbindung zu Jerusalem stehen, werfen Pl in 2.Kor 10,1.10; 13,1–3 mangelndes Pneumatikertum vor. Es ist nicht anzunehmen, daß sie diesen Vorwurf im Vergleich mit ihrem eigenen Auftreten erheben. Vielmehr suchen sie den pl Selbstanspruch zu widerlegen und die apostolische Autorität in Frage zu stellen. Dabei scheint dieser spezifische Vorwurf fehlenden Pneumatikertums ursprünglich von den korinthischen Enthusiasten zu stammen und von den pl Gegnern als zusätzliches Argument aufgegriffen worden zu sein. Pl selber reflektiert in seiner Entgegnung nicht ein erwiesenes Pneumatikertum seiner Gegner. Gleichfalls gibt er in 2.Kor 11,4 zu verstehen, daß ihre Verkündigung nicht denjenigen Geist übermittelt, der seine Gemeinden auszeichnet. Während Pl sein Apostolat ‚pneumatisch‘ begründet, verweisen die Gegner neben ihrer pal. Herkunft (2.Kor 11,22) auf Beglaubigungsschreiben, im Einzelfall wohl auch auf das Faktum der Augenzeugenschaft bzw. der Bekanntschaft mit dem Irdischen.

Die Logienquelle als weiterer Zeuge pal. judenchristlicher Theologie spricht in Lk 7,22 par als Anspielung auf Jes 61,1 implizit, in Lk 11,20 par verhüllt von einer funktionalen Geistbegabung Jesu (πνεῦμα ἅγιον in der mt Parallele ist sek.; δάκτυλος als Verweis auf Gottes Macht: Ex 8,15; Ps 8,4 LXX)[7]. Der Makarismus Mt 13,16f. par preist die Nachfolgenden, die Augen- und Ohrenzeugen. Dies impliziert aber keinesfalls eine allgemeine Geistbegabung der Gemeinde[8]. Alle weiteren Geistaussagen in Q verdanken sich wahrscheinlich einer Rückwirkung der Markusüberlieferung auf Q, sind also zeitlich als jung und im

---

der Wunderüberlieferung durch Lk das Geistmotiv nicht; dies gegen W.G.Kümmel, Das Urchristentum, ThR 17, 1948/49, 26f.; Schweizer, ThWNT VI 402 A 462; Larsson, Hellenisten 221f.

[5] v.Campenhausen, Amt 196–198.

[6] Vgl. Lohmeyer, Galiläa 76 u.ö.; vgl. zur Jakobustradition grundsätzlich: W.Pratscher, Der Herrenbruder Jakobus und die Jakobustradition, FRLANT 139, 1987.

[7] Schulz, Q 203–213; Laufen, Doppelüberlieferungen 147; Schneider, EWNT I 659.

[8] So Käsemann, Anfänge 90.

Kontext der hell. Redaktion der Logienquelle zu vermuten[9]. In Lk
3,16 par ist πνεύματι ἁγίῳ (vgl. Mk 1,8) in das Bild der zukünftigen
Feuertaufe eingefügt, was den Q ursprünglich bestimmenden Gegensatz Feuer–Wasser sprengt und über die Stichwortassoziation mit πῦρ
(Mt 3,10. 11. 12) hinausführt. Lk 4,1 par kann durch Mk 1,12 angeregt
sein. Das Verbot der Lästerung des Geistes (Lk 12,10 par) geht im
Nachsatz weitgehend mit Mk 3,29 parallel. War das Wort bei Mk auf
den Beelzebulstreit bezogen (Mk 3,30), so kommt in der Q-Fassung
eine heilsgeschichtliche Periodisierung zur Sprache (Zeit des Menschensohns – Zeit des Geistes), welche erst die Gegenwart als geistbe-
stimmte Zeit versteht. Auch Lk 12,12 hat in Mk 13,11 eine Parallele,
weist im übrigen aber von der Sache her in spätere Gemeindetheologie.
Die Tatsache der mk Parallelen läßt erwägen, daß die genannten Geistaussagen sek. in die Q-Überlieferung eingeschleust wurden. Formgeschichtlich finden sich in Lk 11,14–23 par zudem die für Mk typischen,
für Q unüblichen Gattungen Streitgespräch und Wundergeschichte. Im
Grundbestand von Q vor der hell. Redaktion wird demnach eine positive eindeutige Aussage über eine allgemeine Geistbegabung der Christen und des Christus vermißt.

Schulz[10] gesteht dies zu, geht aber davon aus, daß die Q-Gemeinde
im Bewußtsein des Geistbesitzes Jesu, nicht Gottes(!), lebe. Dieser
Geist intensiviere die apokalyptische Erwartung zu einem prophetischen Enthusiasmus. Doch ist es problematisch, von der Intensivierung
überkommener prophetischer Redeformen auf das Bewußtsein der
Teilhabe des Geistes (Jesu) zu schließen. Mag dies etwa in anderer
Form für Qumran mitzubedenken sein, so ist es dennoch nicht typisch
für das pal. Judentum. Traditionsgeschichtlich ist auch die einseitige
Zuordnung des Spruchgutes der Logienquelle zur Prophetie problematisch[11]. Den ‚Enthusiasmus' begründet das in naher Zukunft liegende

---

[9] Von einer Rückwirkung der Markus-Stoffe auf die jüngere Q-Überlieferung sprach
bereits Schulz, Q 43.283 u.ö. Hierbei ist etwa zu denken an eine Anlehnung an die mk
Konzeption des Evangeliums, indem auch die Redaktoren der Logienquelle den mk In-
troitus von Täuferpredigt, Taufe Jesu (?), Versuchung in einer gegenüber Mk erweiterten
Form ihrer eigentlichen Logiensammlung (wohl ab Lk 6,20 ff. par) voranstellen. Natürlich wäre hier im einzelnen zu differenzieren zwischen einem möglichen Verhältnis von
vormk Tradition auf die Tradenten von Q oder einer Rückwirkung des Mkev als abge-
schlossener literarischer Größe auf die Redaktoren. Aus dieser Verhältnisbestimmung
sind die sog. Doppeltraditionen, sofern sie in die mündliche Überlieferung zurückreichen, auszuklammern.

[10] Schulz, Q 63 f.

[11] Polag, Christologie. Auch kann gegen Boring, Sayings 81–86, nicht von einer allgemeinen Charakteristik der ‚Prophetie als geistbegabter Rede' ausgegangen und als Voraussetzung für Q angenommen werden. Ortsprophetie hell. Gemeinden und Wanderpro-
phetie sind zu unterscheidende Phänomene.

Kommen der βασιλεία bzw. des Menschensohns, nicht aber die Gegenwart des Geistes. Daher ordnet die Logienquelle in der Aussendungstradition die Krankenheilungen der Jünger der Ansage des Reiches Gottes zu (Lk 10,7f.par), nicht aber, wie etwa Mk 6,7.13 und das hell. Christentum (1.Kor 12,9.28.30), dem geistgewirkten medizinisch-thaumaturgischen Bereich.

Im pal. Judenchristentum scheint eine grundsätzliche Distanz zum ausgeprägt pneumatischen Christentum verblieben zu sein. So stellt die Tradition in Mt 7,22 f. die Propheten und Wundertäter ins Abseits und rügt fehlende Werkgerechtigkeit[12]. Die Fassung der Versuchungsgeschichte Jesu in der Logienquelle (Lk 4,1ff.par) scheint Jesus von einem durch Schauwunder ausgewiesenen Messiasbild distanzieren zu wollen. Mk 9,38-40 weiß um Dämonenaustreibung im Namen Jesu, die nicht in Übereinstimmung mit der Jesusnachfolge, d.h. hier den Aposteln(!) geschieht. Der Jakobusbrief, den manche Exegeten als judenchristliche Schrift verstehen möchten, kennt keinen theologischen, nur einen anthropologischen Geistbegriff (2,26; 4,5). Auch die Quellen für das nachntl. Judenchristentum entbehren positiver Aussagen über die Stellung des Geistes in der frühen Gemeinde[13].

Die Gründe für diese Distanz werden grundsätzlicher Natur sein. Kümmel hat Goguel gegenüber zugestanden, daß christologische Differenzen zwischen pal. und hell. Christentum zu unterschiedlichem Geistverständnis führen konnten[14]. Gleichfalls tritt der Grundsatz der Geistbegabung der Gemeinde zunehmend, wie die pl Briefe zeigen, in Gegensatz zu den das Judenchristentum weiterhin bestimmenden Größen Buchstabe, Gesetz und Beschneidung. War man im hell. Christentum mit der profanen Umwelt offen, außergewöhnliche Phänomene dem Geist zuzuschreiben, so versteht das pal. Judenchristentum enthusiastische Zustände widerstrebend als Erweis des Geistes. Die Folgen des allgemeinen Bewußtseins, daß der Geist erloschen war, werden nicht ad hoc zu überwinden gewesen sein. Im hell. Christentum hat sich dieses Problem nicht gestellt, im Gegenteil, eher erhob sich die Frage der Abgrenzung zum profanen Pneumatismus. Die Differenzen der pal. zur hell. Gemeinde in der Pneumatologie verbinden sich mit anderen Gegensätzen (Heidenmission, Einhaltung des Zeremonialgesetzes, Rechtfertigungslehre u.a.).

---

[12] Dazu Strecker, Bergpredigt 171-175; auch Polag, Christologie 27 A 81.
[13] Vgl. Strecker, Judenchristentum 203f., zum Taufverständnis im Judenchristentum; ders., Art. Judenchristentum.
[14] W.G.Kümmel, Das Urchristentum, ThR 17, 1948/49, 26f.

III Der Ertrag

Entscheidend ist für Pl der urchristliche Ausgangspunkt: die erwartete endzeitliche Gabe des Geistes ist gegenwärtig den Glaubenden gegeben. Die Interpretation dieses Ausgangspunktes vollzieht sich für Pl in den genannten Phasen, was von der These absehen läßt, bereits zu Beginn seiner Mission habe Pl eine voll entfaltete Pneumatologie zur Verfügung gestanden[1]. Gleichfalls muß das Bemühen, die pl Pneumatologie ausschließlich aus dem Bekehrungserlebnis oder einer vorgängigen, prägenden Tradition abzuleiten, als apologetischer Versuch angesehen werden, die wirksamen Kräfte des Judentums und des Hellenismus der Zeitenwende auf Pl grundsätzlich und innerhalb dieses Interpretationsprozesses an den Rand zu schieben[2].

Die einzelnen Ergebnisse sind hier nicht zu wiederholen. Dies könnte zudem das Mißverständnis begünstigen, die Summierung der Einzelaspekte könnte gleichsam den Ertrag der pl Pneumatologie erweisen. Jedoch wäre solches Vorgehen noch zu sehr an der Vorgabe der Aufteilung in Lehrtopoi orientiert und stünde in der Gefahr, die Situationsbezogenheit der pl Aussagen nur ungenügend zu berücksichtigen[3].

Der Ertrag der Auseinandersetzungen für die Gestalt der pl Pneumatologie liegt in der gedanklichen Bewältigung, welche vor allem in Römer 8 dokumentiert wird und in der Zuspitzung auf den Begriff ‚Angeld des Geistes' Gestalt gefunden hat. Der Ertrag wird gewonnen in den Auseinandersetzungen, liegt aber in verdichteter Form ihnen folgend vor. In diesem Begriff ‚Angeld des Geistes' konvergieren die in den Auseinandersetzungen erbrachten Erkenntnisgewinne, sind aber zugleich die Gefahren und das Anliegen des Enthusiasmus und der judenchristlichen Gegenmission, wenn auch nicht faktisch, so doch gedanklich abgewiesen. Wenn ein Begriff das Sachanliegen der pl Pneumatologie sachgemäß einfangen kann, dann dieser.

---

[1] So allerdings Schnelle, Gerechtigkeit 112; ders., erste Thessalonicherbrief 219.

[2] Deutliche Kritik in dieser Hinsicht von Windisch, Urchristentum 223, etwa an Deissner, Paulus und die Mystik.

[3] Dieser Gefahr sind Bardy, Saint Esprit; Stalder, Werk, und Knoch, Geist Gottes, nicht entschieden genug entgegengetreten. Die Rezension des Buches von Stalder durch G. Fitzer, ThZ 20, 1964, 139–145 hat auf diese methodologischen Probleme deutlich hingewiesen.

Auch der Appendix D bei Isaacs, Concept 154–156, sowie die Aufstellung bei Burton, Spirit 178–184; ders., Commentary on the Epistle to the Galatians, ICC, 1921, 490–492, kann leicht im Sinne einer dicta probantia-Theologie ausgewertet werden.

8 Das Angeld des Geistes

8.1 Übergreifende Aussagen in den paulinischen Briefen

Vor der Darstellung des letztgenannten Aspektes sind die übergreifenden Aussagen festzuhalten, die unabhängig von den Auseinandersetzungen in der Früh- und Spätphase der pl Theologie belegt sind. Es handelt sich a) um das Verständnis der Verkündigung als eines geistgewirkten Geschehens; b) speziell um die Heraushebung der Prophetie als besonderer Gabe des Geistes; c) um die Verpflichtung eines dem πνεῦμα angemessenen Verhaltens in Heiligkeit.
Man wird annehmen dürfen, daß diese Aussagen aufgrund ihrer übergreifenden Bezeugung in allen Phasen der pl Theologie und ihrer fehlenden ‚Christlichkeit‘ bzw. wegen der positiven jüd. und jüd.-hell. Parallelen zum Gerüst der pneumatoloischen Anschauungen des vorchristlichen Paulus zählen. Sieht man zugleich, wie wenig die pl Theologie durch einen ekstatischen Pneumatismus geprägt ist, wie sehr Pl diesem gegenüber Vorbehalte äußert, dann wird man schwerlich den vorchristlichen Saulus in einem enthusiastisch-ekstatischen Judentum beheimatet sehen können[1].

a) Die Evangeliumsverkündigung ist ein geistgewirktes Geschehen

In 1.Thess 1,5; 1.Kor 2,4 und Röm 15,18 f. distanziert Pl sich von der Annahme, die Evangeliumsverkündigung sei menschliches Wort und inhaltlich durch mögliche Attribute desselben wie Weisheit ausgezeichnet. Hingegen erweist gerade die Wirksamkeit der Verkündigung, insofern sie Glauben hervorruft, daß sie geistgewirktes Geschehen ist (vgl. 1.Thess 1,6; 1.Kor 12,9; Gal 5,22; dagegen wird nach Gal 3,2.5.14; 5,5 der πίστις das πνεῦμα zuteil; beide Reihen bestätigen nur die Verschränkung von Geist und Glaube). Die geistgewirkte Verkündigung wendet sich an die Heiden (1.Thess 1,4 f.; Gal 3,14; Röm 15,16). Lukas hat in Apg 2,17 ff. den atl. Text Joel 3,1-5 als Verheißung der Geistbegabung der Heiden verstanden. Sowenig diese Sicht Joel 3,1-5 entspricht, so ist doch möglich, daß auch Pl als Jude eine ent-

---

[1] Bousset, Rez. Weinel 757, leitet das visionär-ekstatische Element der pl Theologie aus seiner jüd. Vergangenheit ab. Völlig divergent zu dieser Auskunft hält Reitzenstein, Mysterienreligionen 392, fest, gegenüber dem Enthusiasmus beruhe die „stärkste Wirkung ... auf dem, was er aus dem Judentum beibehalten hat" (Zustimmung zu E. Schwartz, Charakterköpfe aus der Antike II, hg. von J.Stroux, ³1950, 222).

schränkte Sicht nicht unbekannt war[2]. Primärer Begleitumstand der geistgewirkten Verkündigung ist die Freude (1. Thess 1,6; 2. Kor 1,24; 3,12; Gal 5,22; Röm 15,13; 14,17; Phil 1,19 f.). Pl verwendet χαρά nie in profanem Sinn, überwiegend aber als eschatologisches Phänomen. Eine Nähe zum jüd. Motiv ‚Freude in Leiden' (2. Makk 6,30; 4. Makk 10,20) kann für 1. Thess 1,6; 2. Kor 6,10 vermutet werden, dominant ist aber die Vorstellung der endzeitlichen Freude (vgl. auch 1. QS 4,6 f.; Apg 2,46; 13,52). Aber auch im Hellenismus wird die Freude religiösen Zusammenhängen, speziell der Erwartung des Soters zugeordnet[3].

b) Die Geistesgabe begründet Prophetie

In allen Phasen der Verkündigung hebt Pl die Prophetie als besondere Gabe des Geistes hervor (1. Thess 5,19 f.; 1. Kor 12,10.28 f.; 13,2.8; 14,3.6.22.31; Röm 12,6). Sie ist das Charisma, das zu keiner Zeit strittig ist. Diese Prävalenz ist vom jüd. Hintergrund verständlich. Sind die Propheten entschlafen, ist die Prophetie von Israel gewichen, so muß mit der Geistbegabung Prophetie erstarken. „Überwunden wird die Sprachlosigkeit nur durch das Kommen des Heiligen Geistes."[4] Seit der nachexilischen Zeit hat Israel Prophetie als Wirken des Geistes verstanden[5]. CD II 12 nennt die Propheten die ‚Gesalbten seines Heiligen Geistes'. Auf die Gleichsetzung von Heiliger Geist und Geist der Prophetie in der Synagoge ist bereits mehrfach verwiesen worden[6]. Hier heißt es im Anschluß an Joel 3, daß in der Endzeit alle Israeliten Propheten sein werden. Im hell. Judentum kann der Prophet als ein von Gott ergriffener Ekstatiker dargestellt werden (Philo, Her 259–268). Die Prävalenz der Prophetie als primärer Erscheinungsform des Geistes wird zusätzlich auf dem Hintergrund der populären griech.-hell. Inspirationsmantik verständlich, in der, wie im frühen Christentum, die Wortgruppe πνεῦμα und προφητεύειν bezeugt ist[7]. Auch neben Pl wird im Urchristentum die Prophetie als besondere Gabe des Geistes erwähnt (Apg 2,18 mit Joel 3,1–5; Eph 3,5; Apg 13,1 f.; Apok 3,7). Auch wo der Bezug zum Geist nicht eigens angezeigt ist, kann man, wie etwa bei den johanneischen Ich-bin-Worten, fragen, ob er vorauszusetzen

---

[2] Wolff, Joel 84, zeigt, daß diese Ausweitung „in der Fluchtlinie alttestamentlicher Erwartung" lag. Auch Röm 15,16 beruft sich ja in Anspielung auf Jes 66,20 auf eine atl. Vorgabe.

[3] Ausführlich Bultmann, ThWNT I 18–20; Conzelmann, ThWNT IX 350–362.

[4] R. Bohren, Predigtlehre, [2]1972, 65.

[5] Westermann, THAT II 746 f. Im antiken Judentum bedeutet dann Geistmitteilung „fast immer prophetische Inspiration" (Jeremias, Theologie 59), so auch im rabbinischen Judentum (Kuhn, Offenbarungsstimmen 314).

[6] Jeremias, Theologie 83; Schäfer, Heiliger Geist 27; Abelson, Immanence 238–257.

[7] Ausführlich Kleinknecht, ThWNT VI 333–357; Krämer, ThWNT VI 783–795.

ist. So ist zu vermuten, daß der von Pl bezeugte Zusammenhang von ortsansässiger Prophetie und Geistbegabung auf Voraussetzungen im hell. Judentum zurückgreift und seine Parallelen primär im hell. Judenchristentum hat.

c) Die Geistbegabung begründet und fordert Heiligung

Das Verhältnis von Geist und Ethik findet in den pl Briefen unterschiedliche Ausformung. Gleichwohl ist unbestritten, daß eine Zuordnung in allen Phasen besteht (1.Thess 4,8f.; 1.Kor 3,16; 6,19; Gal 5,16.25; Röm 8,4.13 u.a.). Gunkel hat diese Einsicht mit der weitergehenden These verbunden, in der populären Anschauung vor Pl finde sich solche gegenseitige Bezugnahme nicht, erst Pl mache den Geist zum ,Prinzip des christlichen religiös-sittlichen Wandels' (6). Gunkel führt zur weiteren Begründung an, daß auch im Judentum der Geist nicht mit der Ethik verbunden gewesen sei (10)[8]. Die Größe der ,populären Anschauung' ist problematisch, vor allem aber das religionsgeschichtliche Urteil über die atl. und jüd. Aussagen (8–10). Man hat an Ez 36,26f.; Sap 1,5; 7,20.27.30 u.a. erinnert. Die Schriftrollen Qumrans haben einen diesbezüglichen Zusammenhang auch für das pal. Judentum erwiesen (1.QH 16,6.11f.; 1.QS 4,20–22 u.a.). Aristobul 2 weiß, daß die Menschen ohne σοφία böse sind, sie sollen ihr daher (2,10) als der Fackel nachfolgen. Nach TestBenj 8,2 erwirkt die Gabe des Geistes einen Blick, der nicht zur Sünde verleitet. Gewiß sind die positiven Zuordnungen nicht reichlich und zudem von der rabbinischen Vorstellung, der Geistbesitz sei Folge der Gesetzesbeobachtung, zu unterscheiden[9]. Mit alledem soll jedoch gezeigt sein, daß die pl Zuordnung von Geist und Ethik im Judentum, vor allem aber in der atl. Prophetie (Ez 36,26f.; vgl. 1.Thess 4,8) angelegt ist.

Die spezifische Zuordnung von Geist und Ethik läßt in den pl Briefen mindestens zwei Akzentuierungen erkennen:
– In der frühpl Theologie ist mit der Geistesgabe die Heiligkeit der Gemeinde gesetzt (1.Thess 4,8; 1.Kor 3,16; 6,19), da sakramental übereignet (1.Kor 6,11). Die Forderung der Heiligung erwartet, in Entsprechung zu diesem neuen Stand zu leben (1.Thess 2,13; 4,3f.). Hierbei ergibt sich für Pl kein Gegensatz zu wesentlichen Inhalten des Gesetzes (1.Thess 4,3). Diese Aussagen begegnen nur noch im 1.Kor und 2.Kor 6,14–7,1, indem die o.g. Traditionen als Wissen der Gemeinde erneut in Erinnerung gerufen werden. Daß Pl z.Z. des 1.Kor noch stark der Heiligkeitsvorstellung

---

[8] Obwohl Bultmann sich schon früh von dieser religionsgeschichtlichen Sicht distanzierte (Rez. Büchsel 197), hat er sie sich an späterer Stelle (ders., Urchristentum 150) nochmals zu eigen machen können. Gegenwärtig läßt es Schrage, Ethik 119, offen, „wie weit schon vor Paulus die ethischen Implikationen des Geistes gesehen worden sind."

[9] Schäfer, Vorstellung 149; Förster, Geist 119; Cohen, Religion 125.

der Gemeinde verpflichtet ist, bezeugen so unterschiedliche Aussagen wie
1. Kor 5,1–5; 6.1–8; 6,9; 7,14.34. Die Dominanz der Heiligkeitsvorstellung tritt nach diesem Schreiben merklich zurück. Die Heiligkeitstermino-
logie begegnet nur noch in Röm 6,19.22. Hier ist jedoch deutlich, daß Pl
sich durch das trad. ,Einst–Jetzt-Schema' und durch Taufterminologie bestimmen läßt. Auch Röm 15,16 bedient sich der überkommenen kultischen
Terminologie und verrät schon von daher eine Nähe zur frühpaulinischen
Tempelterminologie (1. Kor 3,16; 6,19). Über die genannten Aussagen
hinaus findet sich in der Korintherkorrespondenz keine pneumatologische
Begründung der Ethik.

- Die Frage einer wirklichen Verhältnisbestimmung von Geist und Ethik
stellt sich Pl erst in den Konflikten mit der judenchristlichen Gegenmission als Frage nach der letztlich den Christen bestimmenden Norm. Der
Gal bekräftigt, daß die Gemeinde im Bereich des πνεῦμα lebt und sich ihr
Verhalten im Lebensbereich des πνεῦμα, der von der σάρξ abzugrenzen
ist, vollziehen muß (Gal 5,16.25). Demgegenüber trägt der Röm der geschichtlichen Situation und der Glaubensentscheidung des einzelnen stärker Rechnung, wenn gegenüber dem Gal, für den das πνεύματι περιπατεῖν
bezeichnend war, nun das κατὰ πνεῦμα περιπατεῖν (8,4), κατὰ πνεῦμα
φρονεῖν (8,5) bzw. κατὰ πνεῦμα ζῆν (8,12f.) betont wird. Der Bereich des
πνεῦμα oder der σάρξ ist nicht an sich auszugrenzen, wie die vorpl Scheideformel (Röm 8,9c) nahelegen möchte. Er wird vielmehr gerade da offenbar, wo Glaubende sich vom Geist führen lassen (Gal 5,18; Röm 8,14)
und sich bewußt am πνεῦμα orientieren.

Fragt man, wie solche Orientierung am Geist vollzogen werden kann,
so bietet Pl eine differenzierte Auskunft[10]. Pl geht einerseits davon aus,
daß der Geist selber die Glaubenden unterrichtet über das, was zu tun
ist (1. Thess 4,9; 1. Kor 7,40; 2,13; vgl. auch 1. Joh 2,27; Joh 14,26).
Dem entspricht, daß Prophetie geistbegabt ist und als solche den Willen
Gottes offenbart (1. Thess 5,19f.; 1. Kor 14,3 u. a.). Mit der sakramentalen Übereignung des Geistes ist zudem eine naturhafte Grundlage des
neuen Seins gegeben, die ein Verhalten im Einklang mit dem Geist erwarten läßt. Hierher gehört, daß der Geist selbst für bestimmte Lebensäußerungen verantwortlich zu sein scheint (Gal 5,22; 1. Kor 12,8.11 u.
ö.). So kann Pl in den Charismenkatalogen vorhandene Betätigungen
akzeptieren und zugleich als Gaben des Geistes verstehen. Andererseits
aber ist der Begriff πνεῦμα durch Attribute, Appositionen u. a. ethisch
qualifiziert (1 Kor 4,21; 2. Kor 6,6; Gal 5,22; 6,1; Röm 11,8; 14,17;
15,30). Damit ist eine Richtung des Verhaltens angezeigt, die in Entsprechung zu den Wertvorstellungen liegt, welche die pl Ethik prägen.
Gerade in letzterem Umfeld hat das κατὰ πνεῦμα ζῆν einen klaren Be-
zugspunkt. Im übrigen ergibt sich die Orientierung am Geist auch aus

---

[10] Bultmanns Beschreibung der Ethik als „Orientierung am Jenseitigen, Zukünftigen"
(ders., Urchristentum 191) wird den pl Textaussagen nur vereinseitigend gerecht.

der Abgrenzung gegenüber der σάρξ (d. h. konkret gegenüber dem Lasterkatalog Gal 5,19 f.).

8.2 Das Angeld des Geistes

Nur dreimal spricht Pl, dazu noch in unterschiedlicher Terminologie, von dem Angeld des Geistes (2. Kor 1,22; 5,5; Röm 8,23). Gleichwohl ist in diesem Begriff sowohl hinsichtlich seiner Begriffsgeschichte als auch von den von Pl gesetzten Kontexten her das Sachanliegen der pl Pneumatologie, wie es sich im Spätstadium seines Denkens darstellt, am präzisesten festgehalten. Begriff und Sache kommen hier zur Deckung. Dies erlaubt, die verschiedenen Aspekte der pl Pneumatologie in ihrem Reifestadium von der Bezogenheit auf und der Verankerung in diesem Begriff darzustellen[1].

8.2.1 Begriff und Vorstellung bei Paulus

Begriff und Vorstellung sind bei Pl bezeugt in
- 2. Kor 1,22: καὶ δοὺς τὸν ἀρραβῶνα τοῦ πνεύματος ἐν ταῖς καρδίαις ἡμῶν
- 2. Kor 5,5: ὁ δοὺς ἡμῖν τὸν ἀρραβῶνα τοῦ πνεύματος
- Röm 8,23: καὶ αὐτοὶ τὴν ἀπαρχὴν τοῦ πνεύματος ἔχοντες

Außerhalb der pl Briefe begegnet die ἀρραβών/ἀπαρχή-Begrifflichkeit in bezug auf das πνεῦμα nur noch
- Eph 1,13 f.: ἐσφραγίσθητε τῷ πνεύματι ... ὅ ἐστιν ἀρραβών.

Zur Begriffsgeschichte:

ἀρραβών[2] begegnet dreimal in der LXX (Gen 38,17.18.20) als Wiedergabe von ערבון und ist also ein griech. Lehnwort aus dem Semitischen. Hierbei handelt es sich um einen handelsrechtlichen Begriff (so bereits Isaeus 8,23 im 4.Jhd. v.Chr.; auch Aristot, Pol I 11 p 1259 a 12 und in Papyri bei Preisigke, Fachwörterbuch).

---

[1] Auf die Sonderstellung dieses Begriffes und der Sache hat schon Käsemann, Schrei 215, hingewiesen. Allerdings verbindet Käsemann diese Einsicht mit der unbegründeten Annahme, Pl folge hierin dem Verständnis der judenchristlichen Gemeinde. Auch Paulsen, Überlieferung 120, führt das ἀπαρχή-Motiv mit Hilfe der Sachparallelen von Jak 1,18 (1,21; 2,7) auf die vorpl Überlieferung zurück. Dies ist jedoch von der vielfältigen Bezeugung von ἀπαρχή in ntl. Zeit her nicht zwingend, zumal Jak das Motiv nicht mit einer Geistaussage verknüpft. Gegenwärtig hat Sanders, Paulus 421–438, die strukturelle Verklammerung von Gegenwart und Eschaton unter der ‚Angeld-Vorstellung‘ betont; ebenfalls v.Dobbeler, Glaube 56 f.

[2] Vgl. Behm, ThWNT I 474; Bauer, WB 216 f.; Sand, EWNT I 379. Die Genannten scheinen alle auf Windisch, 2. Kor 73, zurückzugehen. A.J.Kerr, APPABΩN schlägt vor, ‚a first instalment‘ und nicht ‚pledge‘ als zeitgemäße Übersetzung zu verwenden.

Der Begriff bedeutet: a) ein Pfand, das später zurückgegeben wird; so in Gen 38,18 Siegelring, Schnur und Stab für einen in Aussicht gestellten Ziegenbock; b) eine Anzahlung auf eine Gesamtschuld, welche zugleich einen Rechtsanspruch bestätigt (BGU 947,6; Ostraka II 1168; c) eine Anzahlung, die einen Vertrag gültig macht (PapOxy 299,2f.; BGU 446,5). Wichtig ist zugleich, daß im griech.-hell. Raum ein übertragenes Verständnis belegt ist (Menand, fr 697; Stob IV 418,13ff.). In nachntl. Literatur verwendet Pol 8,1 den ἀρραβών-Begriff: καὶ τῷ ἀρραβῶνι τῆς δικαιοσύνης ἡμῶν, ὅς ἐστι Χριστὸς Ἰησοῦς.

Die Vorgeschichte des Begriffs ἀπαρχή[3] ist breiter gestreut und bezeugt. In der LXX findet sich der Begriff a) zur Bezeichnung der naturellen Erstlingsgabe (Dtn 18,4); b) zur Benennung der Heiligtumsabgabe (2.Chron 31,5ff.) und c) religiöser Stiftungen (Ex 25,2f.). Die kultische Einbindung des Begriffs ist auffällig. Im griech.-hell. Sprachraum wird der Begriff darüber hinaus auf Menschen ausgedehnt (Plut, Thes 16; Pyth 16 u.ö.). Hierin kommt ein übertragenes Verständnis des Begriffs zum Ausdruck, welches ja auch Röm 8,23 zugrundeliegt. Daneben verwendet Pl ἀπαρχή in Röm 11,16 für die Erstlingsgabe vom Brotteig (vgl. Num 15,18–21); in Röm 16,5 für die Erstbekehrten Asiens (so auch 1.Kor 16,15) und für Christus als ἀπαρχὴ τῶν κεκοιμημένων (1.Kor 15,20.23); vgl. nach Pl noch: 2.Thess 2,13 v.l.; Jak 1,18; Apok 14,4; Did 13,3–7; Barn 1,7; 1.Klem 24,1; 29,3; 42,4 – Belege, die den weitgefächerten vorntl. Sprachgebrauch widerspiegeln, die aber nicht mit dem Geist in Verbindung stehen. 1.Klem 24,1 mag sich auf 1.Kor 15,20.23 beziehen.

Die Vorstellung eines Angeldes auf den Erwerb eines religiösen Endzieles findet sich – in anderer Begrifflichkeit – auch in der Umwelt des NT. Schon Volz erinnerte an die Heiligkeitsstufen des Rabbi Pinchas, in denen der Besitz des hl. Geistes die vorletzte Stufe vor der Auferstehung der Toten ist. Die traditionsgeschichtlichen Probleme der vielfach bezeugten Stufen (mSot 9,15; bAbZa 20b; jSheq K 3 H 4 u.a.) lassen aber nur eine entfernte Parallele aus der Zeit um 200 n.Chr. erkennen[4].

Instruktiver ist das Zeugnis der Mysteriensprache. Apuleius bezeichnet den Tag der Mysterienweihe als ,dies ... divino destinatus vadimonio' und greift damit gleichfalls auf einen rechtlichen Begriff zurück (Apul, Met XI 23). Die damit gesetzte fiducia gründet auf der Gabe des Geistes (XI 28)[5].

In den Schriften Qumrans scheint dem Geist hingegen nicht diese Funktion zuzukommen[6].

---

[3] Vgl. C.Spicq, ΑΠΑΡΧΗ (ausführliche Darstellung der ntl. und außerntl. Belege); Delling. ThWNT I 483 (mit Bezugnahme auf die Dissertation von G.Beer, Ἀπαρχή, 1914); Bauer, WB 161; Sand, EWNT I 278–280.

[4] Ausführliche Darstellung der traditionsgeschichtlichen Probleme bei Schäfer, Vorstellung 118–121.

[5] Vgl. hierzu die Ausführungen bei Reitzenstein, Mysterienreligionen 356; weitere Belege bei Meyer, 2.Kor 32.

[6] M.Burrows, Mehr Klarheit über die Schriftrollen, 1957, 105, stellt die Vorstellung des Geistes als eines Bürgen der zukünftigen Erlösung für Qumran in Abrede. Hingegen reklamiert Braun, Qumran II 259, wenn auch nicht terminologische, so doch sachliche Nähe zur pl Konzeption.

Zur Interpretation der pl Belege:

2. Kor 1,22:

Pl gibt in 1,21 f. trad. Wendungen wieder, deren Sitz im Leben die Taufsituation ist. Darauf deuten vor allem der Gebrauch von σφραγί- ζειν und die Verbindung mit der Geistverleihung[7]. Da zugleich in Eph 1,13 f. und 4,30 Einzelmotive dieser Tauftradition begegnen, wird 2. Kor 1,21 f. ein Taufverständnis repräsentieren, welches in den pl Gemeinden bestimmend geworden ist[8]. Es ist jedoch keinesfalls zwingend, aufgrund der Verbindungen zu Eph 1,13 f. in ἀρραβὼν τοῦ πνεύματος ein vorpaulinisches Motiv der judenchristlichen Gemeinden zu erblikken. Es ist zu beachten, daß den Verben βεβαιῶν, χρίσας und σφραγι- σάμενος insgesamt von ihrer Wortgeschichte ein juridischer Charakter eignet. Fragt man, weshalb Pl in V. 22 b nicht einfach die Gabe des Geistes als Folge des Taufgeschehens nennt, so erhellt gerade die Verwendung des ἀρραβών-Motivs, daß über die bereits juridischen Aussagen hinaus zusätzlich noch die mit der Taufe eröffnete neue Rechtslage bekräftigt werden soll[9]. Woraufhin dieses Angeld, das im Geist besteht, gegeben wird, ist in 2. Kor 1,21 f. nicht ausgesagt. Von der Motivgeschichte des ἀρραβών-Begriffs sowie von seiner ntl. Bezeugung (2. Kor

---

[7] Auf überkommene Taufterminologie haben bereits Windisch, 2. Kor 73; de la Potterie, Vie 110–126; Dinkler, Taufterminologie; Grundmann, ThWNT IX 549 f.; Schnelle, Gerechtigkeit 124–126, verwiesen; anders allerdings Fitzer, ThWNT VII 950. Für die Annahme einer Tauftradition spricht, daß a) in nachpl Zeit σφραγίζειν/σφραγίς zunehmend als terminus für die Taufe begegnet (Eph 1,13; 4,30; Herm, Sim IX 16,3 f.; 17,4; 2. Klem 8,6; ActPaul 25; ActThom 120 u. ö.). Herm, Sim VIII 6,3 parallelisiert ὄνομα λαμβάνειν und σφραγῖδα λαμβάνειν; b) daß in der joh. Tradition auch χρῖσμα (1. Joh 2,20.27) am wahrscheinlichsten in den Taufkontext gehört. Das Verb begegnet bei Pl ausschließlich in 2. Kor 1,22; c) daß die Aoriste in 1,21 f. sich auf ein vergangenes einmaliges Ereignis beziehen.

[8] Eph 1,13 f.: ... ἐν ᾧ καὶ πιστεύσαντες ἐσφραγίσθητε τῷ πνεύματι τῆς ἐπαγγελίας τῷ ἁγίῳ, ὅ ἐστιν ἀρραβὼν τῆς κληρονομίας ἡμῶν ...

Die Sachparallele zu 2. Kor 1,21 f. und die singuläre Verwendung von ἀρραβών außerhalb der genannten pl Belege machen einen traditionsgeschichtlichen Zusammenhang zwingend. Dafür spricht auch, daß Eph 1,13 f. in einer Eulogie geboten wird, die nach Mußner, Epheser 19, noch am ehesten überliefertes liturgisches Gut wiedergibt, zumindest aber am trad. Sprachzusammenhang partizipiert. Auch die Erwähnung der κληρονομία (V. 14) weist auf Verbindungen zum pl Gebrauch des ἀπαρχή-Motivs in Röm 8,17. Schließlich ist auch die eschatologische Ausrichtung in Eph 1,14; 4,30 gegeben. Differenzen bestehen insofern, als nach 2. Kor 1,21 f. die Gabe des Geistes Folge, nach Eph 1,13 f. aber Mittel der Versiegelung auf Christus ist.

[9] Schnackenburg, Eph 65, wendet sich gegen die Übersetzung ‚Unterpfand‘, „weil sie die Vorstellung eines Rechtsanspruches auf seiten des Pfandbesitzers erweckt". Mag man diesem Vorbehalt auch aus protestantischer Tradition gerne beipflichten, so ist aber doch zu sehen, daß Pl diesen juridischen Begriff gerade wählt, um die Zusage zu bekräftigen. Daher ist Schlier, Röm 264, zuzustimmen: „... eine Teilzahlung, durch der Erwerb des Ganzen schon gewährleistet ist".

5,5; Röm 8,23; Eph 1,13 f.) kann es sich nur um eine zu erwartende größere Gabe handeln, auf die hin der Geist Angeld ist. Man wird hierbei an das Eschaton denken müssen[10].

2. Kor 5,5:

Der übergeordnete Kontext sind die eschatologischen Ausführungen in 5,1–10. Die Hoffnung des Apostels richtet sich auf das ‚Überkleidetwerden‘ im Angesicht der Angst, ‚nackt erfunden zu werden‘, Pl löst diese bildhaften Aussagen (V. 2–4) im abschließenden Finalsatz so auf, daß das Sterbliche verschlungen wird von dem Leben. Dieser Gegensatz von θνητόν und ζωή impliziert, daß ζωή hier als ζωὴ αἰώνιος zu verstehen ist (so auch Röm 2,7 neben ἀφθαρσία; Röm 5,21; 6,22; Gal 6,8)[11]. 2. Kor 5,5 – sprachlich und stilistisch in frappierender Ähnlichkeit zu 2. Kor 1,22 (ὁ δὲ ... θεός, ὁ δούς ...) – ist durch εἰς αὐτὸ τοῦτο auf diesen Kontext bezogen, im engeren Sinn auf den Finalsatz: ἵνα καταποθῇ τὸ θνητὸν ὑπὸ τῆς ζωῆς. V. 5 will diese Hoffnung begründen: mit der in der Taufe übereigneten Gabe des Geistes ist diese Zukunft der eschatologischen Überkleidung rechtlich verbürgt[12].

Röm 8,23:

In Röm 8,18–25 stellt Pl gegenwärtige Leidenserfahrung und zukünftige Verherrlichung einander gegenüber. Nach der These (V. 18) und ihrer ersten Begründung (V. 19–21) vertiefen V. 22 f. in zweierlei Hinsicht. Nach V. 22 liegt die gesamte Schöpfung in Bedrängnis und stöhnt. Formal parallel, stilistisch aber elliptisch (οὐ μόνον–ἀλλὰ καί) bezeugt V. 23 auch für die Christen eben diesen Zustand der Erlösungsbedürftigkeit. V. 23 b nimmt mit ἡμεῖς καὶ αὐτοί die vorangehende Zu-

---

[10] Bultmann, 2. Kor 45, gibt die Struktur des Satzes nicht korrekt wieder, wenn er διδόναι τὸν ἀρραβῶνα mit βεβαιοῦν identifiziert, um zu konstatieren, die Anwendung der Rechtssprache sei nicht korrekt. Es werde nicht ein Kauf gültig gemacht, sondern Personen festgemacht. Weil Bultmann jedoch die eschatologische Ausrichtung des ἀρραβών-Motivs innerhalb der primär auf die Heilsgegenwart ausgerichteten vorangehenden Verben mißachtet, ist er gezwungen, bei ἀρραβὼν τοῦ πνεύματος an ‚pneumatische Zustände‘ (47) zu denken, wovon im Text freilich gar nichts steht. Dagegen spricht schon die juridische Terminologie und die Lokalisierung der Gabe des Geistes ἐν ταῖς καρδίαις ἡμῶν.

[11] Vgl. Furnish, 2. Cor 270. Freilich ist der ζωή-Begriff an sich nicht auf dieses Verständnis festgelegt. 2. Kor 2,16; 4,10 f. belegen einen präsentischen Sinn. Der Kontext von 2. Kor 5,1–10 bietet jedoch mehrere apokalyptische Aussagen, die hier an ζωὴ αἰώνιος denken lassen.

[12] Der Zusammenhang von Angeld des Geistes und Eschaton ist in 2. Kor 5,5 einfach gesetzt. Es ist nicht gesagt, daß diese Gabe des Geistes Voraussetzung für das Überkleidetwerden mit dem σῶμα πνευματικόν ist (so Schnelle, Wandlungen 45; als Möglichkeit von Windisch, 2. Kor 164, erwogen). Die Vorstellung des zukünftigen σῶμα πνευματικόν ist ja gerade darauf bezogen, daß der gegenwärtige Leib σῶμα ψυχικόν ist und erst Christus zukünftig als πνεῦμα ζῳοποιοῦν das σῶμα πνευματικόν schenkt. Insofern geht es auch in 2. Kor 5,5 primär um die ‚juridische, nicht organische‘ Sicherung des Eschatons (Windisch, 2. Kor 164).

sage des Geistbesitzes betont auf, um einen Unterschied und eine Gemeinsamkeit mit dem Partizipsatz καὶ αὐτοὶ τὴν ἀπαρχὴν τοῦ πνεύματος ἔχοντες zum Stöhnen der Schöpfung festzuhalten: obwohl wir das Angeld des Geistes haben, stöhnen wir[13]. Gleichwohl wird hier die Hoffnung der Christen antienthusiastisch von jeglicher Vorwegnahme des Heils etwa im Geistbesitz distanziert (V. 24f.), die christliche Hoffnung wird mit der Hoffnung der ganzen Schöpfung zusammen expliziert.

Es hat sich gezeigt, daß der pl Begriff ‚Angeld des Geistes‘ eine sakramentale Basis hat (2. Kor 1,22; 5,5). Daher ist mit der sakramentalen Übereignung des Geistes eine stoffliche Grundlage für den Auferstehungsleib gegeben (ausführlich dazu 8.2.3). Weil es sich aber um ein Angeld handelt, ist die neue Natur noch nicht in einem magischen Sinn vollkommen, andererseits ist die Angeld-Vorstellung (von ihrer eigenen Begriffsgeschichte her) nur sinnvoll, wenn ihr mit dem juridischen zugleich ein stofflicher Aspekt zukommt.

Dieses Verständnis ist nicht zuletzt begriffsgeschichtlich mit der Genitivverbindung selber gegeben. Der ἀρραβών/ἀπαρχή-Begriff benennt eine Leistung, „durch die sich der Betreffende dem Empfänger gegenüber zu weiterer Leistung verpflichtet."[14] Diese erste Leistung ist das Angeld, und es besteht im Geist. Alle angegebenen Belege sind also im Sinn eines Gen. appositivus oder explicativus zu verstehen, nicht jedoch im Sinn eines Gen. partitivus. Damit ist ein Doppeltes ausgesagt: die Gabe des Geistes ist Angeld eines Geschehens, welches erst im Eschaton zur Erfüllung kommt, in Röm 8,23 (Eph 1,14; 4,30) als ἀπολύτρωσις bestimmt wird, in 2. Kor 5,4 (vgl. Gal 6,8) als ζωή. Von der Begriffsgeschichte her können Angeld und Endgabe sachlich differieren (vgl. Gen 38,17–20 LXX). Der ἀπαρχή-Begriff läßt hingegen von seiner Wortgeschichte her (Erntegaben) an eine vorausgegebene Teilsumme einer sachlich gleichen Endsumme denken. Die Verankerung der Begriffe im Kontext zeigt aber, daß die Gabe des Geistes ein Angeld auf das Eschaton ist und nicht auf noch größere Geistmitteilung[15].

---

[13] So de Wette, Röm 116; Käsemann, Röm 226; Wilckens, Röm II 156.

[14] Bauer, WB 217.

[15] Einen Gen. part. könnte man für 1. Joh 3,24; 4,13 vermuten; wahrscheinlicher ist aber ein kausales Verständnis (BDR § 212.2). Zum Gen. appos: Heinrici, 2. Kor 83; Windisch, 2. Kor 73; Michel, Röm 205; Schweizer, ThWNT VI 420 A 595; Behm, ThWNT I 474; Schmithals, Geisterfahrung 109. Käsemann, Röm 226, und Schlier, Röm 264, deuten auf Gen. epexegeticus. Hingegen spricht Delling, ThWNT I 484, von einer ‚endgültigen Pneumatisierung des Menschen‘ am Ende; vgl. auch Meyer, Röm 326; Balz, Heilsvertrauen 57 A 63; Gunkel, Wirkungen 63 („zukünftigen Vollbesitz des Geistes"); in Anm. 1 wird jedoch die Möglichkeit des Gen. epex. als ebenso gut erwogen; Hahn, Gottesdienst 33; Cranfield, Röm 418; Bauer, WB 161 („das, was an Geist bisher zur Ausschüttung kam").

Als ἀπαρχή verbürgt der Geist das Eschaton, gleichwie der auferweckte Christus als ἀπαρχὴ τῶν κεκοιμημένων die Auferweckung der verstorbenen Glaubenden verbürgt. Der Geist ist also weder Ersatz des Eschatons, noch das Eschaton selber, noch Unterpfand der unmittelbar bevorstehenden Parusie[16]. Diesen Zusammenhang kann Pl in Gal 6,8; Röm 8,11 auch ohne das ἀπαρχή-Motiv bezeugen: wer ‚auf den Geist‘ sät, wird ‚aus dem Geist‘ das ewige Leben ernten. Der Geist ist nicht die endzeitliche Gabe selbst, wohl aber ist er die Instanz, die das Anrecht auf das ewige Leben vermittelt. Die zukünftige Auferweckung der Christen gründet nach Röm 8,11 in der gegenwärtigen Einwohnung des Geistes in den σώματα der Christen. Dies stellt eine naturhafte Voraussetzung für das Eschaton, für das σῶμα πνευματικόν (1. Kor 15,46) dar.

8.2.2 Parallelaussagen: Sohnschaft und Erbe

Der juridische Aspekt des Geistes als Angeld auf das Eschaton ist in der spätpl Theologie von Parallelaussagen flankiert, die gleichfalls die eschatologische Verschränkung von gegenwärtiger Gabe und Zukunft festhalten. Die direkte Zuordnung der jeweiligen Motivbereiche Sohnschaft und Erbe im Gal und Röm zeigt an, daß in diesen Parallelaussagen ein identisches Anliegen zur Sprache kommt.

Zunächst zum Befund: Pl spricht von den Christen als υἱοὶ θεοῦ in Gal 3,26; 4,6f.; Röm 8,14.19 und 9,26. Während die erstgenannten Belege diese Bezeichnung für die Gegenwart verwenden, enthalten 8,19; 9,26 sie erst für die Zukunft der Erlösung vor. Röm 8,16f.21 sprechen (neben wenigen anderen Stellen im pl Schrifttum) von den τέκνα θεοῦ. Hinzu kommt noch der auf Röm 8,15.23; 9,4; Gal 4,5 (Eph 1,5) im NT begrenzte Ausdruck der υἱοθεσία[17].

Im Kontext der o.g. Belege ist zugleich der Motivbereich der κληρονομία belegt (Röm 8,17; Gal 3,29; 4,30 u.a.). Die Verschränkung der Motivbereiche Erbe, Sohnschaft und Geist findet sich in Gal 4,6f. und Röm 8,12–17, in einer Interpretation, die sich an die ‚Angeld-Vorstel-

---

[16] Berger, Geist 149, zeigt zu Recht, daß die Angeld-Konzeption enthusiastische Folgerungen abweist. Hahn, Hoheitstitel 107, spricht hingegen von dem ‚Ersatz‘ für das erwartete Eschaton. Klein, Eschatologie 276, hält gegen Käsemann, Anfänge 91, überzeugend daran fest, daß der Geist nicht Unterpfand der Parusie ist. Auch kann gegen Schweizer, Geist und Gemeinde 7, nicht erwiesen werden, daß die frühe Gemeinde den Geist als Ausbruch der Endzeitkatastrophe verstanden hat. Eher müßte man fragen, ob die juridische Zuspitzung im Angeld-Motiv nicht auf dem Hintergrund der Parusieverzögerung verständlich ist.

[17] Vgl. zum juridischen Hintergrund des υἱοθεσία-Begriffs: ThWNT VIII 400f.; EWNT III 912. Der Begriff fehlt in der LXX, fungiert hingegen in der Profangräzität als adoptionsrechtlicher Begriff.

lung' anlehnt. Im vorpaulinischen Bereich ist die jeweilige Verwendung der einzelnen Motive von folgenden Aussageintentionen bestimmt.

Die Zusage, gegenwärtig im Stand der Gottessohnschaft zu sein, ist an die Taufsituation gebunden (Gal 3,26; Mk 1,10f.). So gewiß der Abba-Ruf mit dem Geistempfang und der Sohnesvorstellung im Zusammenhang steht (Gal 4,6; Röm 8,15), so unsicher ist eine Rückführung des Abba-Rufes mit den ihm in den pl Briefen zugeordneten Motiven auf die Taufsituation. Die Begründung der Gottessohnschaft durch den Geist bezeugt für den Christus neben Röm 1,4 die Tauftradition Mk 1,10f., sowie die späte Gemeindetheologie in Lk 1,35; Mt 1,18–20.

Das κληρονομία-Motiv ist hingegen eschatologisch-apokalyptisch geprägt. In die frühpl Verkündigung führen die Sprüche vom ‚Eingehen in das und Erben des Reiches Gottes' (1.Kor 6,9f.; 15,50; Gal 5,21; vgl. auch Lk 10,25; 18,18). Für Pl selber hat der Begriff βασιλεία τοῦ θεοῦ neben diesen trad. Sprüchen kaum Bedeutung (daneben noch in trad. Sprüchen in 1.Kor 4,20; Röm 14,17; einzige sichere pl Herkunft in 1.Thess 2,12).

War also bereits in dem Angeld-Motiv eine Spannung von Gegenwart und Zukunft gegeben, so führt die Zuordnung des von seiner Tradition her auf die Heilsgegenwart ausgerichteten Sohnschaftmotivs zum eschatologisch-apokalyptischen κληρονομία-Motiv zur Verschärfung dieser Spannung[18].

Wie Pl nun diese Zuordnung von Geistbesitz, Sohnschaft und Erbe vollzieht, erweisen Gal 4,5–7 und, darauf Bezug nehmend, Röm 8,14–17(12–24). Ein Vergleich von Gal 4,5–7 und Röm 8,14–17 erhellt weitreichende Übereinstimmung der Argumentation, der Sprache und der herangezogenen Motivbereiche.

Gal 4,5–7	Röm 8,14–17
4,5 ἵνα τοὺς ὑπὸ νόμον ἐξαγοράσῃ ἵνα τὴν υἱοθεσίαν ἀπολάβωμεν 4,6 ὅτι δέ ἐστε υἱοί ἐξαπέστειλεν ὁ θεός τὸ πνεῦμα τοῦ υἱοῦ αὐτοῦ εἰς τὰς καρδίας ἡμῶν κρᾶζον ἀββὰ ὁ πατήρ	8,14 ὅσοι γὰρ πνεύματι θεοῦ ἄγονται οὗτοι υἱοὶ θεοῦ εἰσιν 8,15 οὐ γὰρ ἐλάβετε πνεῦμα δουλείας πάλιν εἰς φόβον ἀλλὰ ἐλάβετε πνεῦμα υἱοθεσίας ἐν ᾧ κράζομεν ἀββὰ ὁ πατήρ

[18] Die atl.-jüd. Vorstellung des ‚Erbes' ist in der zwischentestamentlichen Literatur bereits in präsentischen Kategorien belegt: äthHen 5,7; 39,8; 4.Esr 6,59; 1.QS 11,7 (dazu Paulsen, Überlieferung 107 A 103).

4,7 ὥστε οὐκέτι εἶ δοῦλος ἀλλὰ
υἱός
εἰ δὲ υἱός, καὶ κληρονόμος διὰ
θεοῦ

8,16 αὐτὸ τὸ πνεῦμα συμμαρτυρεῖ
τὸ πνεῦμα
ἡμῶν
ὅτι ἐσμὲν τέκνα θεοῦ
8,17 εἰ δὲ τέκνα, καὶ κληρονόμοι
κληρονόμοι μὲν θεοῦ ...

- der Stand der Sohnschaft wird als gegenwärtige Wirklichkeit vorausgesetzt
  (Gal 4,6 a/Röm 8,14 b)
- er begründet sich im Hinblick auf die Gabe oder das Geführtwerden des Geistes (Gal 4,6 b/Röm 8,14 a)
- dieser Geist scheidet vom vorchristlichen Stand der δουλεία (Gal 4,7 a/
  8,15 a)
- parallel geht das λαμβάνειν πνεῦμα υἱοθεσίας (Röm 8,15 b) dem ἀπολαμβά-
  νειν υἱοθεσίαν (Gal 4,5 b)
- sowohl Gal 4,7 als auch Röm 8,15 beschreiben die Alternative mit οὐκέτι/
  ἀλλά oder οὐ/ἀλλά.
- Folge dieser Gabe des Geistes ist das κρᾶζον ἀββὰ ὁ πατήρ (Gal 4,6 c/Röm
  8,15 c)
- der Stand der Sohnschaft wiederum begründet den Stand des κληρονόμος
  (Gal 4,7 b/Röm 8,17)
- dem Begriff κληρονόμος wird der Gen. auctoris θεοῦ zugeordnet (Gal 4,7 b/
  Röm 8,17 a)

Was in Gal 4,5-7/Röm 8,14-17 nicht unmittelbar dem gemeinsamen Gut zuzuordnen ist, kann aus spezifischen Interessen des jeweiligen Briefes mühelos
erklärt werden. So nimmt 4,5 a nochmals 3,13.26 auf; vgl. zu πνεῦμα τοῦ υἱοῦ
αὐτοῦ den Exkurs hinter 7.1.3. Die Lokalisierung des Geistes εἰς τὰς καρδίας
ἡμῶν entspricht Röm 5,5; 2. Kor 1,22. Die Wendung πάλιν εἰς φόβον (8,15) bezieht sich auf möglichen Rückfall in den Gesetzesdienst (vgl. Gal 4,5 a). Röm
8,16 ist eine zusätzliche, über Gal 4,5-7 hinausgehende Aussage. Ihre Sonderstellung erhellt schon die Verwendung von τέκνα gegenüber υἱοί im vorangegangenen Kontext. Über den gemeinsamen Bestand hinaus führt gleichfalls die
christologische Zuspitzung in 8,17 b.

Man hat versucht, aus dem gemeinsamen Gut ein Traditionsstück zu rekonstruieren[19]. Doch muß zwischen möglichen trad. Einzelaussagen, wie sie etwa
Paulsen rekonstruiert, und dem Gesamtzusammenhang zwischen Gal 4,5-7
und Röm 8,14-17 unterschieden werden. Bedenkt man, daß die Parallelen über
die genannten Texte hinausgehen (vgl. noch Gal 4,4 mit Röm 8,3; 3,29; 4,1.7
mit 8,17), kann man vermuten, daß „der ganze Argumentationszusammenhang
in Gal 4 ... in Röm 8 reproduziert" wird[20].

---

[19] Ausführlich in dieser Hinsicht von der Osten-Sacken, Römer 8,128-134, sowie die
Erwägung zur Gestalt der Tradition 130 f. A 6. Nach Schmithals, Anthropologie 126, hat
Pl „V. 14-17 erst bei der Übernahme des Traktates in Röm A der Vorlage beigegeben."
Dies erweise nicht nur die Parallele in Gal 4, sondern die sek. Einfügung von Röm 8,16.
Michel, Röm 197, denkt hingegen an festen Predigtstoff.

[20] So Wilckens, Röm II 138; auch Zeller, Röm 160. Ein Argument in dieser Hinsicht ist
die Beobachtung Paulsens, daß „Gal 4,6 ein überlieferungsgeschichtlich älteres Stadium"

Wie kann die gegenwärtige pneumatische Wirklichkeit, die Angeld auf die zukünftige δόξα ist, im Sinn von Gal 4,5–7 und Röm 8,14–17 präzise erfaßt werden?

In Röm 8,14 setzt Pl einen Bestimmungssatz voran (ὅσοι … οὗτοι), in dem er πνεύματι ἄγονται und υἱοὶ θεοῦ εἰσιν gleichsetzt. Versteht man ὅσοι exkludierend, muß die Eingrenzung der υἱοὶ θεοῦ auf die ‚Geistbewegten‘ auffallen. Nach atl.-jüd. Anschauung sind alle Israeliten als Erwählte Gottes Söhne (so Pl in Röm 9,4; außerdem Sap 2,18; 12,19f.; äthHen 68,11; Jub 1,23f. u.a.). Man kann mit Michel vermuten, daß dieser Bestimmungssatz „wie eine im Kampf gegen das Judentum gewonnene Bestimmung dieser Sohnschaft klingt"[21]. Schon diese Grundsätzlichkeit der Aussage läßt davon absehen, in πνεύματι ἄγονται einen Verweis auf akzidentielle ekstatische Erfahrungen zu sehen. Dies ist zwar begriffsgeschichtlich durchaus möglich (vgl. 1.Kor 12,2; Lk 4,1), jedoch geht in Gal 5,16.18 πνεύματι περιπατεῖτε dem ἄγεσθε parallel. Gottessohnschaft ist folglich durch ein grundsätzliches ‚geführt werden von Geist‘ bestimmt[22]. Deutete schon der Begriff υἱοὶ θεοῦ auf die Taufsituation (Gal 3,26; Mk 1,11), so ist auch die Verknüpfung von Geist und Sohnschaft unlöslich mit diesem Ort verbunden (in Gal 4,6 weist ὅτι kausal auf 3,26 zurück). Während Röm 8,14 den gegenwärtigen Stand in präsentischer Formulierung beschreibt, greift 8,15 mit dem Aor. ἐλάβετε direkt zurück auf die mit der Taufe verbundene Geistverleihung. Die Antithese οὐ … ἀλλά ergibt sich im Rückblick auf Gal 4,7, sie trägt in Röm 8,15 kein besonderes Gewicht mehr. Bedeutsam ist der Übergang von υἱοὶ θεοῦ zu υἱοθεσία. Es empfiehlt sich, von dem Begriff an sich (Gal 4,5), nicht aber von der Wortverbindung πνεῦμα υἱοθεσίας (Röm 8,15) auszugehen.

In Gal 3,19–4,7 korrespondiert der Befreiung vom Gesetz die Gabe der Sohnschaft und das Recht, Erbe zu sein. Der juridische term. techn.

---

repräsentiert, insofern hier der Geist Subjekt des κράζειν ist (Überlieferung 100). Auch begegnet der Ausdruck πνεῦμα δουλείας in Röm 8,15 unvermittelt, setzt aber Gal 4 voraus (Lietzmann, Röm 83).

[21] Michel, Röm 196.

[22] So Wilckens, Röm II 136; Schlier, Röm 251. Käsemann, Röm 216, sieht gerade in der enthusiastischen Terminologie einen Hinweis auf das ‚extra nos‘ der Gnade. Dem ist nur insofern zuzustimmen, als Pl in V.16 den Abba-Ruf als Wirkung des Geistes versteht. In diesem Ruf dokumentiert sich gerade die neu eröffnete und geschenkte Gottesbeziehung der Sohnschaft. I. de la Potterie, Le chrétien, hat hingegen den enthusiastischen Hintergrund des πνεύματι ἄγονται bestritten, um 8,14 von der Exodus-Tradition als Typologie zu interpretieren. Die Begriffe δουλεία (V.15), ἄγονται (V.14), υἱοί, κληρονομία (V.14.17) und πνεῦμα hätten eine Parallele in Jes 63,7–64,11. Wie die Diskussion des Vortrags (bei de Lorenzi, Law 239–278), vor allem die Ausführungen von R. Pesch und E. Schweizer gezeigt haben, ist diese Typologie konstruiert. Problematisch ist zudem die Rückführung des πνεύματι ἄγονται an den hell. Parallelen vorbei auf das AT.

υἱοθεσία (Adoption), der in Gal 4,5 erstmals, dann noch in Röm 8,15.23; 9,4; Eph 1,5 begegnet, mag von Pl bewußt explikativ zu υἱὸς θεοῦ in Hinblick auf die hell. Leser gewählt worden sein²³. Die in der Taufe vollzogene Überführung in den Stand der Sohnschaft erinnert also an einen Rechtsakt und begründet ein Rechtsverhältnis, welches im Empfang der Sohnschaft besteht (Gal 4,7; Röm 8,17). Diese Versetzung in den Stand des Adoptierten schließt zugleich Bindungen, die zuvor bestanden (ὑπὸ νόμον in Gal 4,5), aus und schenkt mit der Sohnschaft die Freiheit. Der akklamatorische gottesdienstliche Gebetsruf ἀββὰ ὁ πατήρ belegt einerseits den Stand der υἱοθεσία, wird andererseits auf die Gabe des Geistes als ermöglichende Ursache zurückgeführt.

Wir übergehen zunächst Röm 8,16, eine Aussage, die hier gegenüber Gal 4,5–7 zusätzlich aufgenommen worden ist, um den von Pl initiierten juridischen Gedanken der Erbschaft zu Ende zu verfolgen. Die Sohnschaft impliziert Erbschaft, für beides bürgt Gott selber (Gal 4,7: διὰ θεοῦ; Röm 8,17: Gen. subj. θεοῦ). Besteht nach den trad. Sprüchen 1. Kor 6,9 f.; 15,50; Gal 5,21; Lk 10,25; 18,18 das Erbe im Empfang der βασιλεία, so präzisiert Pl in Röm 8,17 b das Heilsgut christologisch. Die Sohnschaft stellt mit Christus gleich und macht zu einem συγκληρονόμος Χριστοῦ. Bereits Gal 4,6 hatte die Gleichstellung mit dem Sohn durch Einführung des Begriffes τὸ πνεῦμα τοῦ υἱοῦ αὐτοῦ angesagt. Damit gewinnt Pl Anschluß an die in der Tauftheologie verankerte Zuordnung ‚wie Christus – so die Seinen‘ (1. Kor 6,14; 2. Kor 4,14; Röm 8,11; die σύν-Aussagen in Röm 6).

Es ist deutlich, daß mit dem Begriff ‚Angeld des Geistes‘ und den juridischen Termini υἱοθεσία und κληρονομία in den pl Spätbriefen eine terminologische Verdichtung einhergeht, welche die gegenwärtige Heilsgabe in ihrer Ausrichtung auf die Zukunft begreift.

Demgegenüber erscheinen V. 18–27 zunächst wie eine Unterbrechung. Zwar besteht eine Verschränkung beider Reihen im Verweis auf die gegenwärtigen Leiden (V. 17 c. 18), gleichwohl werden diese in V. 18–27 nicht mehr als ‚Mitleiden Christi‘ interpretiert, sondern als notwendige apokalyptische Leiden vor der zukünftigen Herrlichkeit bestimmt. Die Gabe der Sohnschaft, für V. 14–17 gegenwärtiges Angeld auf das Erbe, wird in V. 19.21.23 erst als zukünftiges Heilsgut in Aussicht gestellt.

Dieser Wechsel ist bedingt durch Aufnahme eines Vorstellungszusammenhangs, der in jüd.-apokalyptische Überlieferung verweist²⁴. Er-

---

²³ So Michel, Röm 197 A 3; dagegen schwingt nach Käsemann, Röm 216, der Sinn von Adoption kaum noch mit.

²⁴ Ausführlich zur Forschungsgeschichte: von der Osten-Sacken, Röm 8,78–80; Paul-

scheint hier die Sohnschaft als zukünftiges Heilsgut, so entspricht dies ganz denjenigen jüd. Vorgaben, die die Präsentation der Söhne Gottes vor dem Kosmos als endzeitlichen Akt betrachten. Mag man hier einen Widerspruch zu den Gegenwartsaussagen der V. 14–17 empfinden, so hat Pl doch durch die Einführung der ἐλπίς in V. 24 Gegenwarts- und Zukunftsaussagen so verschränkt, daß beides Glaubensaussagen bleiben. Allerdings werden bereits V. 29 f. in einem Kettenschluß die gegenwärtigen Heilsaussagen so in den Mittelpunkt stellen, daß sogar die Zueignung der δόξα als bereits erfolgt erscheinen kann.

Dieses Nebeneinander von gegenwärtigen Heilsaussagen (Taufe) und zukünftigen apokalyptischen Belehrungen ist einerseits durch die Vorgabe und Verwendung unterschiedlicher Traditionen bedingt. Damit wird eine antienthusiastische Tendenz einhergehen, „wenn Pneumatikertum als Stand in der Hoffnung definiert wird"[25]. Andererseits zeigt die Auseinandersetzung mit beiden Motivbereichen, daß Pl im Röm eine „Theologie einer Zwischenzeit zu erarbeiten sucht."[26]

Dennoch liegt mit der übergreifenden Aussage des Geistes als eines Angeldes ein für V. 14–17 und V. 18–27 gemeinsamer Ausgangspunkt vor. Gleichwie der Geist der Sohnschaft das zukünftige Erbe des Mitverherrlichtwerdens begründet, so wird nach der apok. Tradition das gemeinsame Leiden als notwendige Vorstufe der Erlösung, speziell aber die Gabe des Geistes, der gegenwärtig bei Gott für die Glaubenden eintritt, als sich in diesem Leiden erweisende Kraft bestimmt. In beiden Aussagenreihen ist der Geistbesitz endzeitliche Gabe vor dem Eschaton, jedoch so, daß er dieses zugleich verbürgt.

8.2.3 Die sakramentale Basis und die eschatologische Ausrichtung

Während in der vor- und frühpaulinischen Theologie der Geist als das Mittel bezeichnet wird, welches in der Taufe die Heiligung bewirkt (1. Kor 6, 11), bezeugt Pl ab der Korintherkorrespondenz den Geist als die entscheidende Taufgabe (1. Kor 12, 13; 10, 4; 2. Kor 1, 21 f.; Gal 4, 6; Röm 8, 14 u. ö.). Zugleich erwächst in der korinthischen Gemeinde ein pneumatischer Enthusiasmus, der eschatologische Aussagen als gegenwärtig realisiert beschreibt. Hier ist das Sakrament als magisch wirkendes Mittel, welches in ungeschichtlicher Weise dem Getauften die neue Natur übereignet, verstanden worden.

---

sen, Überlieferung 111–122; Balz, Heilsvertrauen 40–69, und die Kommentare. Die von v. d. Osten-Sacken, Röm 8, 96 f., vorgetragene Erwägung der ‚Möglichkeit einer schriftlichen Vorlage' in V. 19–22. 23. 26 f. hat berechtigte Kritik erfahren (Wilckens, Röm II 150 f.), gleichwie die Verortung dieser Tradition als ‚christlicher Schöpfung' in ‚enthusiastischen Strömungen' unbegründet ist.

[25] So Käsemann, Röm 220.
[26] Kuss, Röm 607.

So gewiß Pl in manchen Aussagen solchem Verständnis einer sakramental-pneumatisch vermittelten präsentischen Auferstehungsleiblichkeit beizupflichten scheint (2. Kor 3, 18; Röm 8, 28–30), so klar distanziert er sich in den direkten Ausführungen von solchem Taufverständnis.

Es zeichnet das spezifische pl Verständnis der Taufe aus, daß er die Gabe des Geistes, die im Sakrament substanzhaft übermittelt wird und insofern eine neue Natur begründet, zugleich in das ihn prägende apokalyptisch-eschatologische Geschichtsbild einordnet. Hier ist der Geist Gabe vor dem Tag des Herrn (Joel 3, 1–5). Im pl Denken nimmt diese Gabe also das Eschaton nicht vorweg, sondern begründet ein Anrecht auf dasselbe. Pl stellt sich hinsichtlich des Zeitverständnisses in Nähe zur jüdischen Tradition. Die Vorstellung des sakramental vermittelten Anrechtes entstammt jedoch der hell. Umwelt.

Dieser grundsätzliche eschatologische Vorbehalt führt hinsichtlich der Taufaussagen zu der Entscheidung, die Gabe des Geistes als ἀρραβών auf das ἐπενδύσασθαι zu verstehen (2. Kor 5, 5). Bei diesem Verständnis bleiben jedoch Fragen. Wenn ein enthusiastisches Überspringen der Gegenwart also ausgeschlossen ist, wird nicht doch mit der sakramental übermittelten Gabe des Geistes zumindest ein Kontinuum zum Eschaton geschaffen? Es entspricht jedoch auch hier der apokalyptisch-eschatologischen Ausrichtung der pl Theologie, daß sie gegenüber jeglichem Versuch, die Gabe als magisch wirkende Größe für das Eschaton, als unter der alten Hülle bereits verborgenen neuen Leib zu interpretieren, den Gerichtsgedanken in Erinnerung ruft (vgl. nur in direktem Kontext in 2. Kor 5, 10; grundsätzlich in 1. Kor 10, 1–13).

Pl bindet in seinen Hauptbriefen die Gabe des Geistes an den Ort der sakramentalen Übermittlung. Die Rede vom ‚Angeld des Geistes‘ erhält so, da sie einer objektiven Voraussetzung zu ihrer Einlösung bedarf, eine ausweisbare Grundlage. Die Taufterminologie war zudem ihrerseits bereits durch juridische Sprache geprägt (vgl. 2. Kor 2, 21 f.; 1. Kor 6, 11 u. a.). Der von Pl gesetzte eschatologische Bezug vieler Taufaussagen (2. Kor 5, 5; 1. Kor 10, 11; Röm 6, 4) sowie die direkte Verklammerung von Gegenwart und Zukunft in Geistaussagen (Röm 8, 9–11; Gal 6, 8) halten stets fest, daß mit der Gabe des Geistes ein Geschehen eröffnet ist, welches erst zukünftig zur Vollendung kommt, weil aber bereits als Angeld gegenwärtig, zugleich gewißlich zur Vollendung kommt[27].

---

[27] Die Verklammerung von Eschatologie und Pneumatologie betonen (gegen Leisegang): Barrett, Spirit 4; du Plessis, Concept 14 f.; Ladd, Spirit 213; Hamilton, Spirit 84; de Merode, Eschatologie. Die erste Untersuchung zum Thema ist Deißners Licentiatenarbeit ‚Geist und Eschatologie‘.

Im Hinblick auf diese eschatologische Ausrichtung des Geistverständnisses sind zunächst Abgrenzungen notwendig.

Gegen Ellis ist nicht zu erkennen, daß Pl die Zeit vor dem Eschaton als Zeit des Kampfes zwischen dem Geist Gottes und den bösen Geistern versteht, noch will einleuchten, daß Pl die Apostel in diesem Endkampf als ,gute Geister' identifiziere[28].

Andererseits fällt auf, daß auch da, wo Pl die kosmischen Dimensionen der zukünftigen Erlösung bedenkt, an keiner Stelle das Verhältnis des Geistes zu den Glaubenden ausgeweitet wird auf eine Pneumatisierung der ganzen Schöpfung[29]. Sind auch Glaubende und Schöpfung in ihrem ,Seufzen' verbunden, unterschieden sind sie darin, daß nur die Glaubenden jetzt durch Geistbesitz ausgezeichnet sind (Röm 8,23).

Der Bezug zum Eschaton ist in folgenden Geistaussagen direkt hergestellt: 1. Kor 15,44–46; 2. Kor 5,5; Gal 6,8; Röm 8,10.11.23; evtl. noch 1. Kor 5,5. Wie bereits für 2. Kor 5,5; Röm 8,23; Gal 6,8 gezeigt, handelt es sich um Variationen des Angeld-Motivs. Die Gabe des Geistes begründet die zukünftige ζωή (2. Kor 5,5; Röm 8,10[30]), die ζωή αἰώνιος (Gal 6,8), die himmlische υἱοθεσία (Röm 8,23).

Auch Röm 8,11 bleibt der Angeld-Vorstellung verpflichtet. In dieser Argumentationskette sind mehrere urchristliche Motive verknüpft: a) der Geist Gottes wohnt in euch (V. 11 a.c; vgl. 1. Kor 3,16; 6,19); b) Gott hat Jesus von den Toten auferweckt (V. 11 a.b; vgl. Röm 4,24); c) die Verschränkung ,wie Christus so die Seinen' (2. Kor 4,14; Röm 14,9).

Die Verknüpfung dieser Aussagen führt zu folgender Schlußfolgerung:

- der Geist Gottes wohnt in euch
- Gott, der Herr dieses Geistes, hat Jesus von den Toten auferweckt
- Gott wird eure sterblichen Leiber lebendig machen
- weil sein Geist bereits in euch wohnt.

Die Zusage der zukünftigen ,Lebendigmachung der sterblichen Leiber' ist doppelt begründet. Zum einen greift sie zurück auf die Vorstellung ,wie Jesus – so die Seinen', zum andern ist mit der gegenwärtigen Einwohnung des Geistes ein Angeld auf die zukünftige Lebendigmachung gegeben. ζωοποιεῖν wird hier mit ἐγείρειν synonym gehen (vgl. auch Röm 4,17), nicht aber neben dem deutli-

---

[28] Ellis, Prophecy 36 f. (23–44). Der Hinweis, „Apocalyptic Judaism offers the most immediate antecedent for this thought" (39), scheint hier Vater des Gedankens zu sein. Wie weit Pl von der jüd. Angelologie entfernt ist, hat Baumgarten, Apokalyptik 148–153, aufgezeigt.

[29] Ausführlich hierzu Chevallier, Silence.

[30] πνεῦμα ist in 8,10 keinesfalls anthropologisch zu verstehen (vgl. αὐτοῦ πνεύματος); ausführlich Fortna, Rom 8:10. V. 10b variiert das Motiv des ,lebenschaffenden Geistes', und es wird wegen V. 11 gleichfalls futurisch auszulegen sein. Die beiden διά-Bestimmungen in V. 10 nehmen die Ausführungen aus Röm 6,6–14 sprachlich und sachlich auf, zielen aber im engeren Kontext stärker auf die Ansage der Gabe als auf die Erinnerung der ethischen Forderung.

chen τὰ θνητὰ σώματα metaphorische Bedeutung haben. Der Gebrauch dieses Verbs ist hier durch V. 10 b (evtl. auch 8, 2) bedingt, d. h. „das ζῳοποιῆσαι präzisiert also den Ausdruck τὸ πνεῦμα ζωὴ διὰ δικαιοσύνην."[31]. Aber noch in anderer Hinsicht präzisiert V. 11 gegenüber V. 10. Mag es nach V. 10 so scheinen, als sei, weil die Macht der Sünde gebrochen, das σῶμα bereits gegenwärtig νεκρόν, so bindet V. 11 die endgültige Befreiung der θνητὰ σώματα an die zukünftige Lebendigmachung, welche das gegenwärtige Angeld des Geistes zur Voraussetzung hat[32].

1. Kor 15, 42–50 scheint solcher Verklammerung von gegenwärtiger Geistesgabe und zukünftiger Auferweckung diametral zu widersprechen. Hier erklärt Pl gerade den gegenwärtigen Leib zum σῶμα ψυχικόν, den zukünftigen, der der εἰκών Christi gleichgestaltet sein wird, hingegen zum σῶμα πνευματικόν. Ist ansonsten gerade das σῶμα zur Wohnstätte des Geistes erklärt (1. Kor 6, 19; Röm 8, 11) und mit der Gabe des Geistes die Zukunft begründet worden, so scheint Pl in 1. Kor 15 der Diskontinuität das Wort reden zu wollen.

Diese Spannung wird erklärbar, wenn die polemische Akzentuierung bedacht wird.

Übersieht man die Vorgabe einer Heilsontologie in der korinthischen Gemeinde, hilft man sich mit prekären Konstruktionen, um einen Ausgleich mit anderen pl Aussagen herzustellen. Zum einen fällt es schwer, den Übergang von einem σῶμα, das aus σάρξ besteht (V. 39), zum σῶμα ψυχικόν zu erklären. Zweifelsfrei ist σάρξ die Substanz des σῶμα, soll jetzt ψυχή diese Vorstellung auch beinhalten? ψυχή ist jedoch nicht als Substanz denkbar. Deißner hatte aus dieser Einsicht gefolgert: „Weil σῶμα ψυχικόν nicht einen Leib bezeichnet, der aus ψυχή, aus Seelenstoff besteht, so kann auch σῶμα πνευματικόν unmöglich einen Leib bedeuten, der aus πνεῦμα, aus Geiststoff gebildet ist."[33] Da aber Pl von einem zukünftigen σῶμα spricht und also einer körperlosen Fortdauer der Seele widerspricht, sei es hier notwendig, πνεῦμα als die Substanz des zukünftigen σῶμα zu betrachten. Folgerichtig erinnerte Lietzmann daran, daß „der Christ das πνεῦμα aber bereits seit der Taufe hat, so trägt er den Kern dieses

---

[31] Paulsen, Überlieferung 74.

[32] Es wird gelegentlich vermutet, auch in Röm 8, 10 eine im Kern vorpaulinische Tradition zu finden. Sie wird von Strecker, Befreiung 253, der judenchristlichen Taufüberlieferung zugeordnet, von Paulsen, Überlieferung 75, der enthusiastischen Tauftheologie, die in Kol 2, 12 f.; Eph 2, 1 ff. begegnet. Wenn Paulsen, Überlieferung 76 A 275, allerdings Röm 4, 25 als Prämisse für V. 10 betrachtet, ist der Sitz im Leben ‚enthusiastische Tauftheologie' unwahrscheinlich. Bedenkt man schließlich, daß V. 10 schon wegen des Wechsels von einer anthropologischen Aussage (Leib) zu einer theologischen Aussage (Geist) gebrochen erscheint, kann sich die Rückfrage nach einer vorpaulinischen Tradition nur auf die in V. 10 verarbeiteten Motive (Einwohnung des Christus; Gegensatz: Leben-tot; lebenschaffender Geist; Sünde-Gerechtigkeit; ... wegen der Gerechtigkeit) beziehen. Alle diese Motive sind Taufaussagen zuzuordnen, sowohl enthusiastischen als auch judenchristlichen. Fügt also Pl erst hier diese Motive ad hoc zusammen?

[33] Deißner, Auferstehungshoffnung 34.

pneumatischen Leibes bereits auf Erden …"[34], also sei auch hier an einem substanzhaften Geistbegriff festzuhalten. Ist damit aber nicht gerade die pl Antithese ψυχικός-πνευματικός unterlaufen? Kümmel wandte ein, daß die Kontinuität keinesfalls naturhaft im πνεῦμα-Besitz zu denken sei, sondern geschichtlich in der Kontinuität des σῶμα als ‚ich'[35]. Entsprechend löste Schweizer den Begriff σῶμα πνευματικόν auf als nicht „aus πνεῦμα bestehendes, sondern als ein durch πνεῦμα bestimmtes."[36].

Demgegenüber ist Conzelmanns Ausgangspunkt, V. 44–46 als polemische Ausführungen in Hinblick auf eine Gegenposition zu verstehen, für die gegenwärtige Forschung bestimmend geworden[37].

Vorgegeben ist Pl aus der korinthischen Gemeinde eine Heilsontologie, die den Präexistenten als πνεῦμα ζῳοποιοῦν prädiziert und konsequent das πνεῦμα dem ψυχικόν vorordnet (s. o. 8.2.2). In der Argumentation ab V. 42 setzt Pl diese Heilsontologie voraus und stellt sie auf den Kopf: πνεῦμα ζῳοποιοῦν ist Christus als der letzte Adam (V. 45), als δεύτερος ἄνθρωπος ἐξ οὐρανοῦ, d. h. als der Auferweckte (V. 47). Hierbei ist einerseits auch für Pl der Gedanke der Repräsentanz bestimmend: wie man τὴν εἰκόνα τοῦ χοϊκοῦ getragen hat, so auch zukünftig τὴν εἰκόνα τοῦ ἐπουρανίου (V. 40 f.). Dieser Repräsentanzvorstellung ist jedoch V. 45 nicht einfach zuzuordnen, sie ist keine „Hilfslinie, die ihm ermöglicht, der Gemeinde die Bedeutung des Ereignisses der Auferstehung Jesu klar zu machen."[38] So gewiß der erste Adam als ψυχὴ ζῶσα (mit Gen 2,7) die schöpfungsmäßige Verfaßtheit aller repräsentiert, die Einsetzung Christi in die Funktion als πνεῦμα ζῳοποιοῦν ergibt hingegen keine Repräsentanzfunktion, sondern eine Heilsmittlerstellung. Die Lebensvermittlung durch Christus ist ausstehendes Heilsgut (1. Kor 15,22). In diese so von Pl redigierte Heilsontologie wird nun die aus der Gemeinde überkommene Antithese πνευματικός-ψυχικός eingetragen. Hierbei geht es Pl ausschließlich darum, ihre Ordnung umzukehren und darzulegen, daß gegenwärtig die Glaubenden ψυχικοί sind (V. 46 a). Zwischen Gegenwart und Zukunft liegt mit Tod und Auferweckung ein Bruch, der durch gegenwärtigen Geistbesitz nicht übersprungen werden kann. Wie wenig es Pl hier um Spekulationen um die Frage, ob das πνεῦμα die Substanz des zukünftigen σῶμα ist, geht, zeigt V. 46. Hier begegnen πνευματικόν und ψυχικόν ohne σῶμα. Dies ist verständlich von der Absicht, grundsätzlich den Bereich des ψυχικόν als gegenwärtigen anzuerkennen und gegenüber dem zukünftigen pneumatischen festzuhalten.

Gleichwohl bleibt 1. Kor 15,44–46 im Vergleich mit den übrigen Aussagen, in denen Pl Sakrament und Eschatologie wie gezeigt zuordnet, in einer Sonderstellung, insofern Pl gegenüber der Gemeindetheologie Korinths die Aussagen über den gegenwärtigen Geistbesitz radikal zu-

---

[34] Lietzmann, Kor 84.
[35] Kümmel bei Lietzmann, Kor 195; ähnlich Schweizer, ThWNT IX 663; Hermann, Kyrios 118 f.
[36] Schweizer, ThWNT VI 417 f.
[37] Conzelmann, 1. Kor 337.
[38] Schweizer, ThWNT VI 417.

rückzunehmen scheint, um die Diskontinuität von gegenwärtigem Leib und Auferstehungsleib zu betonen[39].

Aber auch, wenn man von dieser polemischen Akzentuierung absieht, begründet die Gabe des Geistes noch keine bruchlose Kontinuität zum Eschaton. Die Zukunft schenkt die endgültige Gestaltwerdung nach der εἰκών Christi, nicht aber eine völlige Durchdringung mit Pneuma, wie andernfalls unter Absehung der polemischen Akzentuierung aus 1. Kor 15,46 geschlossen werden könnte. Da jedoch Pl die gegenwärtige Geistesgabe als Angeld auf die Zukunft versteht und σῶμα nur in formaler Hinsicht eine Kontinuität des jeweiligen Menschen anzeigt, liegt die Kontinuität bei dem Gott, der mit der gegenwärtigen Gabe des Geistes das Eschaton verbürgt. Von daher ist ein ‚gratia perficit naturam' unter Berufung auf die pl Pneumatologie ausgeschlossen[40].

Mit dem juridischen Begriff ‚Angeld des Geistes' sind sakramentale Basis und eschatologische Ausrichtung umgriffen, ist m. a. W. die Wirklichkeit des Geistes in Beziehung gesetzt zu dem Heilsgeschehen, seinem geschichtlichen Ausgangspunkt im Christusgeschehen und seiner eschatologischen Vollendung. Die in dieser Zuordnung zum Ausdruck kommende Verhältnisbestimmung von Christusgeschehen und Geistgeschehen kann mit Ebeling als ‚Vollstreckung des Christusgeschehens' durch das Geistgeschehen verstanden werden[41].

8.3 Das Wirken des Geistes

‚Wenn der heilige Geist redet …, dann werden die Menschen gar anders und ein solcher ist gewiß; denn es ist ihm in sein Herz geschrieben und gedruckt, er trägt ein Pfand, einen Ring und ein Petschaft, daß er keinen Zweifel habe.'
Martin Luther, WA XLVII 184

Kommt dem juridischen Begriff „Angeld des Geistes" also primär die Funktion zu, das christliche Leben von der sakramentalen zur eschatologischen Seite zu umklammern, so kann andererseits das spezifische

---

[39] Die Bedingtheit dieser Aussagen durch die korinthische Situation ist von Sellin, Streit 292 f., klar hervorgehoben; vgl. auch Baumgarten, Paulus 127 f.

[40] So etwa Reinhard, Wirken 33: „… daß einerseits der Heilige Geist selbst in der Seele wohnt, ihr andererseits neue Qualitäten und Potenzen anerschafft, die eine Erhöhung ihrer Natur und die Möglichkeit neuen sittlichen Lebens darstellen …" (einschränkend allerdings ebd. 31 f.). Von einer ‚Einwohnung in der Seele' spricht Pl im übrigen nicht (vgl. nur 1. Kor 6,19!).

[41] Ebeling, Dogmatik III 69; vgl. auch Jüngel, Lehre 108: „Die Gegenwart des heiligen Geistes löst die Geschichte Jesu nicht ab, sondern stellt zu ihr in das rechte Verhältnis." Auch v. Dobbeler, Glaube 70. Da die christliche Hoffnung vom Wirken des Geistes in Kraft gesetzt wird (Röm 15,13), erkennt Beker, Theology 312, hier eine ‚climax' des Röm.

Wirken dieses Geistes in der Zeit nicht übersehen werden. Die Auseinandersetzung mit dem pneumatischen Enthusiasmus hat deutlich werden lassen, wie wenig Pl in ekstatischen Gaben die Besonderheit des Geistes erkennen kann[1]. Wenn jetzt vom Wirken des Geistes die Rede sein soll, dann von einem solchen, das in weitaus spezifischerer Weise den Bezug zum Christusgeschehen voraussetzt und zugleich verständlich ist als Reflex der dem Römerbrief voraufgehenden Erfahrungen mit Enthusiasmus und judenchristlicher Gegenmission. Es handelt sich mithin um ein solches Wirken, das nahezu ausschließlich im Römerbrief Erwähnung gefunden hat und nur bedingt Voraussetzungen in früheren Briefen hat[2].

Hierbei ist ein Doppeltes auffällig. Der Geist erscheint gleichsam als eine von Gott abhängige, aber doch ihm zugleich gegenübertretende hypostatische Größe, der ein ganz spezifisches Handeln zukommt[3]. Dieses Handeln ist ausschließlich auf das Heilsgeschehen in Christus in dem Sinne bezogen, daß der Geist die Bezeugung und Zueignung desselben an den und für die Glaubenden wirkt. Dieses Wirken ist also nicht von einem allgemeinen Erfahrungsbegriff her zu erfassen[4]. Ande-

---

[1] Es ist das Verdienst von O. Kuss, in dem Exkurs zum pl Geistbegriff in ders., Röm 540–595, klare Worte gesagt zu haben: „... es müßte deutlich werden, daß sich der heilige Geist nicht allein, ja nicht einmal zuerst und vornehmlich in den ekstatischen ... Erscheinungen manifestierte, sondern daß die Glaubenden und Getauften ... die göttliche Wirklichkeit des Pneumas in sich trugen und darstellten." „Diese Erkenntnis in den Mittelpunkt der Pneumatheologie gerückt zu haben, gehört zu den großen Leistungen des Verkünders und Theologen Paulus."

[2] Es ist nicht zu erkennen, daß Röm 8 neben den voraufgehenden Erfahrungen mit Enthusiasmus und Judaismus zusätzlich noch auf spezifische gegenwärtige Fragestellungen der römischen Gemeinde entscheidend eingeht. Bornkamm, Römerbrief 130, zeigt überzeugend, daß der Röm „primär jedoch nicht auf die historische Situation der Christen in Rom ...., sondern auf die Geschichte, die er und seine Gemeinde im Osten hinter sich haben", zu beziehen sei. Die Fronten von damals sind verblichen. „Statt dessen sind die Gedanken jetzt fast durchweg neu durchdacht, tiefer und differenzierter begründet ...". Einen auch forschungsgeschichtlich orientierten Überblick über den Abfassungszweck des Röm stellt E. Stegemann, Der eine Gott und die eine Menschheit, Habil.-Schrift Heidelberg 1981, § 1, seiner Arbeit voran.

[3] Die Anfänge der Hypostasierung des Geistes liegen im hell. Judentum: Sap 1,5–8 beschreibt den Geist als ‚Überführer' der zuchtlosen Gedanken; der Geist erfüllt mit seiner Präsenz den ganzen Kosmos. Nach Jud 16,15–17; syrBar 21,4 vollzieht der Geist das Schöpfungswerk (vgl. dazu Bousset-Greßmann, Religion 347 f.; Bietenhard, Logos-Theologie 612 f.; G. Pfeifer, Ursprung und Wesen der Hypostasenvorstellungen im Judentum, ATh I 31, 1967); vgl. zum Begriff ‚Hypostase' die Auseinandersetzung Bietenhards mit Schäfer, Vorstellung, in dem Korrektur-Nachtrag 616 f. Die Tendenz zu hypostasierenden Geistaussagen ist im pl Schrifttum nicht auf Röm 8 zu begrenzen, vgl. nur 1. Kor 2,10; 12,8. Die Trinitätsvorstellung hat neben den direkten Zuordnungen (1.Joh 5,9 v.l.; Mt 28,19; 1.Kor 12,4–6; 2.Kor 13,13) in dieser Vorgabe hypostatischer Geistaussagen eine entscheidende Voraussetzung (dazu Schmidt, Pneuma).

[4] Vgl. hierzu die Ausführungen von Jüngel, Lehre 110–118; Luz, Geschichtsverständ-

rerseits ist die theologia crucis, die in der Korintherkorrespondenz Gestalt findet, beständig vorausgesetzt. Die Kraft des Geistes wird gerade sub contrario in der Schwachheit offenbar[5].

Zur begrifflichen Präzisierung des in der spätpl Theologie genannten Wirkens des Geistes fassen wir die Einzelaspekte im folgenden einleitend mit lateinischen Verbalsubstantiva zusammen, welche in der Regel der altkirchlichen und reformatorischen Auslegung von Römer 8 entnommen sind.

8.3.1 Repraesentatio – Der Geist vergegenwärtigt die Liebe Gottes

In der spätpaulinischen Theologie findet sich die Umschreibung des Heilswerks Christi mit dem Wortstamm ἀγαπᾶν. In 2. Kor 5,14 benennt der Begriff ἀγάπη Χριστοῦ vorwegnehmend, was Kreuz und Auferweckung Jesu bedeuten (V.14a.15); Gal 2,20 spricht in vergleichbarem Kontext vom ἀγαπᾶν des Gottessohnes. Schließlich bezeugt Röm 8,35 nochmals den Begriff ἀγάπη Χριστοῦ, nachdem V.34 von Tod und Auferweckung Jesu als soteriologischem Geschehen gesprochen hatte. Röm 8,37 begegnet wiederum das Verb.

Der Begriff ἀγάπη θεοῦ findet sich im Schlußgruß 2. Kor 13,13, sodann in dem Kontext von Tod und Auferweckung Jesu in Röm 5,5 (vgl. auch 5,7 f.) und 8,39. Gerade diese letztere Wendung ἀγάπη τοῦ θεοῦ τῆς ἐν Χριστῷ Ἰησοῦ und die Kombination von ἀγάπη Χριστοῦ (V.35) bzw. θεοῦ (V.39) mit χωρίσει erweisen, daß diese ἀγάπη völlig vom Christusgeschehen her bestimmt ist[6].

Röm 8,35.39 zeigen, daß diese so umschriebene ἀγάπη allen Gegenwartserfahrungen widriger Art, ja selbst allen Mächten und Gewalten gegenüber überlegen ist. Schon 1. Kor 13 konnte die ἀγάπη neben ἐλπίς und πίστις als eine Wirklichkeit preisen, die nie aufhören wird, also endgültig ist. Diese Qualität der ἀγάπη macht es verständlich, daß Pl sie in 2. Kor 13,13 in einem Segensgruß Aufnahme finden läßt.

---

nis 382; Bultmann, Theologie 336; v. Dobbeler, Glaube 45–75 (kritisch dazu Hübner, Methodologie 313–319).

[5] Deutlich Ebeling, Dogmatik III 103: „Die theologia crucis ist für Paulus der Schlüssel zur Pneumatologie." Vgl. zur Verhältnisbestimmung auch van der Minde, Theologia Crucis.

[6] Gegenüber dieser Auslegung von ἀγάπη θεοῦ im Sinn eines Gen. subj., die sich ganz wesentlich von Röm 5,8 her begründet, aber auch gegenüber der von uns abgewiesenen Auslegung im Sinn eines Gen. obj. (s. u. A12), versteht Schmithals, Röm 157, die Liebe Gottes als „die von Gott bzw. die von Gottes Geist gewirkte Nächstenliebe", d. h. als Gnadengabe. Zur Begründung reicht jedoch der Verweis auf den Sachverhalt, daß auch in 1. Kor 13,8–10; Gal 5,22 f. die Nächstenliebe als Geistesgabe verstanden wird, während dies von der Liebe Gottes nie gesagt sei, nicht. Entscheidend gegen die Beziehung auf die Nächstenliebe spricht, daß von der Liebe Gottes (!) die Rede ist, was V.8 abermals aufnimmt. Völlig abwegig ist dann die von Schmithals, Röm 158, gezogene Konsequenz: die Bruderliebe sei „als Wirkung des Heiligen Geistes ein sichtbares Angeld der kommenden Herrlichkeit ...".

Diese im vergangenen Christusgeschehen begründete ἀγάπη θεοῦ ist also umgreifende Wirklichkeit der Gemeinde. Pl geht jedoch über diese Konstatierung insofern hinaus, als er dem πνεῦμα θεοῦ die Funktion zuerkennt, diese ἀγάπη θεοῦ den Glaubenden persönlich zu übereignen.

Röm 5,5b lautet: ὅτι ἡ ἀγάπη τοῦ θεοῦ ἐκκέχυται ἐν ταῖς καρδίαις ἡμῶν
διὰ πνεύματος ἁγίου τοῦ δοθέντος ἡμῖν

Diese Aussage ist zunächst auf ihren vorangehenden Kontext, auf den sie durch ὅτι bezogen ist, zu bedenken.

Das Rechtfertigungsgeschehen (V. 1.2 a) begründet das Rühmen in Hinblick auf die Hoffnung der Herrlichkeit Gottes (V. 2 b). Mit elliptischem Übergang setzt V. 3 das Rühmen in Bedrängnissen parallel. V. 3 b begründet dies mit dem Wissen, daß auch die Bedrängnisse letztlich zur ἐλπίς führen. Das gegenwärtige Rühmen ist also so oder so (V. 4 b. 4 b) auf ἐλπίς bezogen. Im Hinblick auf den Zusammenhang von θλῖψις und ἐλπίς führt Pl einen Kettenschluß an, der dies vielleicht rational verständlich machen kann. Dem Ausblick auf die ἐλπὶς τῆς δόξης τοῦ θεοῦ (V. 2 b) korrespondiert in V. 5 a die im biblischen Stil (Ps 21,6; 24,10 LXX u.a.; vgl. auch Jak 1,12) gehaltene Aussage ἡ δὲ ἐλπὶς οὐ καταισχύνει.

Es mag sein, daß Pl in dem Kettenschluß paränetischer Tradition folgt (vgl. 1. Petr 1,6 f.; Jak 1,3), und es mag auch sein, daß solch ein Kettenschluß in jüdischer Tradition die Notwendigkeit des Leidens vor dem Ende betonte, um damit zugleich die Gewißheit des guten Ausgangs anzuzeigen. In Wahrheit belegt Pl die Hoffnung jedoch nicht von diesem Kettenschluß her, sondern „durch eine auffallende Begründung ..., die schon durch den Wechsel des Stiles ihre Eigenart ankündigt"[7], nämlich durch V. 5 b.

In diesem Satz konvergieren mehrere traditionelle Motive. Eine Erklärung verlangt vor allem die Erwähnung der ἀγάπη θεοῦ und ihre Verklammerung mit diesen Motiven.

– ἐκχέειν wird in der urchristlichen und atl.-jüd. Literatur seit Joel 3,1 f. mit der Ausgießung des Geistes verbunden: Sach 12,10; Test Jud 24,2; äthHen 62,2; Apg 2,33; 10,45; Tit 3,6; 1.Klem 2,2; 46,4; Barn 1,3. Die Verbindung von ἐκχέειν und ἀγάπη τοῦ θεοῦ ist jedoch in Röm 5,5 singulär bezeugt.

– Daß die Gabe des Geistes ,ἐν ταῖς καρδίαις ἡμῶν' ihren Ort hat, bezeugt Pl in 2.Kor 1,22 und Gal 4,6; vgl. auch Jer 38,33; Ex 36,2; Sir 45,26 LXX. In den weiteren Motivbereich der Geistverleihung und des Herzens gehören auch Jub 1,23; 1.QS 4,23; OdSal 11,1–3.

---

[7] Michel, Röm 133.

– Die Schlußwendung διὰ πνεύματος ἁγίου τοῦ δοθέντος ἡμῖν greift auf die urchristliche, in vielen Varianten bezeugte Formel ‚Gott hat uns den Geist gegeben' zurück (vgl. 4.1.1).

Bedenkt man die Vorgabe dieser Motive, könnte man versucht sein, mit Dibelius zu formulieren: „ἐκκέχυται ist gesagt von der Liebe, gedacht vom Heiligen Geist."[8] Doch damit wird eine Synonymität von ἀγάπη und πνεῦμα eingetragen, die vom Wortlaut her nicht gerechtfertigt ist.

Es ist jedoch zu beachten, daß auch für die Eintragung der ἀγάπη an dieser Stelle Motivzusammenhänge bereitliegen, die einer absichtslosen Gleichsetzung von ἀγάπη und πνεῦμα widersprechen.

Der Zusammenhang von ἐλπίς und ἀγάπη wird von Pl auch in 1. Thess 1, 3; 5, 8; 1. Kor 13, 13 hergestellt. Ἐκχέειν oder die von Pl bevorzugte hell. Lesart ἐκχύννειν werden in der atl.-jüd. Tradition auch auf andere göttliche Gaben, auf die χάρις (Ps 44, 3), auf ἔλεος (Sir 18, 11), auf σοφία (Sir 1, 9) bezogen. Da ἐκχύννειν in der Abendmahlstradition (Mk 14, 24; Mt 26, 28; Lk 22, 20) fest verankert ist, kann auch das Sakramentsgeschehen als Erweis der ἀγάπη θεοῦ verstanden werden. Es hat sich gezeigt, daß Pl den Begriff ἀγάπη θεοῦ von Tod und Auferweckung Christi her füllt. IgnPhld 5, 1 verbindet ἐκχύννειν und ἀγάπη in Hinsicht auf den apostolischen Dienst unmittelbar nach Ausführungen zur Eucharistie.

Von alledem her ist zunächst diejenige Auslegung abzuweisen, die den Geist als „die empirisch erfahrbare Gestalt der Liebe Gottes" versteht und folgert, „daß dieser Geist die Manifestation der Liebe Gottes darstellt"[9]. Voraussetzung dieser Auslegung ist die modale Interpretation des διά in V. 5b, die in der Forschung explizit bisher nicht vertreten worden war. Bestimmend ist das instrumentale Verständnis, welches den Geist Vermittler der Liebe Gottes sein läßt[10], seltener findet sich die kausale Auslegung[11].

Die instrumentale Interpretation berücksichtigt, daß ἀγάπη θεοῦ als geprägter Begriff hier eingetragen ist und keinesfalls mit πνεῦμα synonym gehen kann. Von der Verwendung des Begriffs ἀγάπη θεοῦ/Χριστοῦ in den pl Briefen, vor allem vom engeren Kontext (Röm 5, 8) her ist das Verständnis eines Gen. obj. zugunsten eines Gen. subj. ausge-

---

[8] Dibelius, Worte 6.

[9] So Wolter, Rechtfertigung 164 und 166. Wolter paraphrasiert Röm 5, 5 folglich mit τὸ πνεῦμα τῆς ἀγάπης τοῦ θεοῦ. Gegen die identifizierende Auslegung sprechen Käsemann, Röm 126; Wilckens, Röm I 293.

[10] So Wilckens, Röm I 293; Michel, Röm 133 f.; Kuss, Röm 206; Käsemann, Röm 126 u. a.; vgl. auch die bei Wolter, Rechtfertigung 161 A 568, Genannten.

[11] Bengel, Gnomon z. St.; Bauer, WB 359.

schlossen: es handelt sich um Gottes Liebestat[12]. Das Perfekt ἐκκέχυται kann hier als präsentisches Perfekt verstanden werden, insofern es einen Zustand ausdrückt. Die Liebe Gottes ist ausgegossen und ist gegenwärtige Wirklichkeit ἐν ταῖς καρδίαις, d. h. in dem, was einen Menschen umtreibt und bestimmt. Dieses wiederum vermittelt der Geist, der seit der Taufe (Aor.: δοθέντος) den Glaubenden gegeben ist. Diese Aussagen sind nicht zu psychologisieren, dennoch wohl so zu verstehen, daß „der uns gegebene Geist uns dieser Liebe stets neu vergewissert"[13]. Diese Vergegenwärtigung vollzieht sich in der paradoxalen Situation der θλῖψις. Es greift folglich der Angeld–Gedanke auch hier in die pl Argumentation ein. Die gegenwärtige Bezeugung der Liebe Gottes durch den Geist ist Angeld der Liebe, die jetzt und im Eschaton Geltung hat (Röm 8,35. 39; 1. Kor 13).

8.3.2 Testificatio – Der Geist bezeugt den Stand der Sohnschaft

Die folgenden Ausführungen stehen in keinem Bezug zur lutherisch-orthodoxen Lehre des ‚testimonium spiritus sancti internum‘, der zufolge der Heilige Geist in einem übernatürlichen Akt „durch das aufmerksam gelesene oder hörend aufgenommene Wort Gottes ... an das Herz des Menschen pocht, es auftut, erleuchtet und in den Gehorsam des Glaubens beugt ..."[14].

Das Zeugnis des Geistes, von dem Pl in Röm 8,16 spricht, ist gerade kein inneres, auf das Individuum begrenztes Zeugnis, sondern vollzieht sich worthaft im Gottesdienst.

Vergegenwärtigen wir uns auch hier zunächst den von Pl gesetzten Zusammenhang.

---

[12] Der Gen. obj. findet sich in der altkirchlichen Auslegung (Augustin, de spiritu 32,56). Sowohl V. Warnach, Agape, 1951, 202, als auch W. Lütgert, Die Liebe im Neuen Testament, 1905, halten am Gen. obj. partiell fest, kommen damit der Vorstellung der caritas infusa nahe. Käsemann, Röm 126, betont wie Schlatter, Gottes Gerechtigkeit 180, die Liebe als Macht und wendet sich etwa gegen Bultmanns Interpretation des Gen. subj. als ‚Gottes Liebestat‘ (Theologie 291).

[13] So Käsemann, Röm 126; ders., 127: „... wird das ‚Sein im Geiste‘ zur Bekundung des ‚Seins in Christus‘"; ebenso Michel, Röm 133; Schmidt, Röm 92; Kuss, Röm 206 f. Meyer, Röm 187, nennt den Geist hier „das Princip der Selbstmitteilung Gottes an uns". Jüngel, Lehre 99, spricht mit Blick auf Röm 5,5 von der Aufgabe der Vergegenwärtigung des Versöhnungswerks durch den Geist als der Selbstvergegenwärtigung Gottes.

[14] E. Hirsch, Hilfsbuch zum Studium der Dogmatik, [3]1958, 317; vgl. zur reformierten Tradition: H. Heppe – E. Bizer, Die Dogmatik der evangelisch-reformierten Kirche, [2]1958, 21 f.; zur Einordnung in den theologiegeschichtlichen Zusammenhang der Kanonfrage: W. Elert, Morphologie des Luthertums I, 1952 (Nachdruck), 168–176. Ins Wanken geriet die Lehre des ‚testimonium internum‘ durch rationalistische Einwände innerhalb der Orthodoxie. Johann David Michaelis, gest. 1791 in Göttingen, bekannte, nie etwas von diesem ‚testimonium internum‘ verspürt zu haben (dazu: C. E. Luthardt, Kompendium der Dogmatik, [7]1886, 57 f.).

Übergeordnet ist die Gleichsetzung von Gottessohnschaft und Geist-bewegtheit (8,14). Beide Momente sind in V. 15 verdichtet in den Be-griff πνεῦμα υἱοθεσίας. In diesem Geist der Sohnschaft ist die Gottes-anrede ἀββά der Gemeinde eröffnet. Diese Anrede ist keine menschli-che Möglichkeit, sondern Gabe, welche wiederum dem menschlichen Geist den Stand der Sohnschaft bezeugt (V. 16).

Diese so verkürzt wiedergegebene Argumentation in Röm 8,14–16 ist in einzelnen Fragen in der Forschung durchaus strittig. Sie sind zu diskutieren im Vergleich mit Gal 4,6, einem gegenüber Röm 8,15 f. überlieferungsgeschichtlich älteren Text.

Vorweg ist zu bemerken, daß der von Jeremias[15] erwogene Interpunktions-vorschlag, nach υἱοθεσίας (V. 15) einen Punkt zu setzen, mit der 26. Aufl. des NT Graece noch unwahrscheinlicher geworden ist.

Der Empfang des πνεῦμα υἱοθεσίας (Röm 8,15), des πνεῦμα τοῦ υἱοῦ αὐτοῦ (Gal 4,6), begründet den Abba-Ruf der Gemeinde. Wie bereits erwähnt, dokumentiert dieser Gebetsruf den Stand der Sohnschaft, in-sofern Kyrios und Gemeinde gemeinsam in solcher Anrede als Söhne Gottes miteinander verbunden sind.

Dennoch kommt in solcher Anrede für Pl eine Gottesbezeichnung zur Sprache, die nicht menschliche Möglichkeit ist, sondern nur als Zeugnis und Gabe des Geistes verstanden werden kann. Schon der reli-gionsgeschichtliche Befund zeigt eine Sonderstellung der pl Aussage an. Billerbeck[16] konnte zu Röm 8,16 keinen Beleg aus der rabbinischen Literatur, der Gebet und Geist verknüpft, beibringen (vgl. aber neben Röm 8,15 noch Gal 4,6; Joh 4,23; Eph 6,18; Jud 20). Hingegen führt Röm 8,15 den Abba-Ruf als menschlichen Akklamationsakt auf die Wirksamkeit des Geistes zurück (ἐν ᾧ κράζομεν). Demgegenüber läßt Gal 4,6 den Abba-Ruf direkte Auswirkung des Geistes sein (κρᾶζον). Letztere Wendung repräsentiert ganz sicher die überlieferungsge-

---

[15] Jeremias, Abba 66 A 75; ders., bei de Lorenzi, Spirit 147; BDR § 463.1.

[16] Bill III 243. Gegenüber diesem vereinseitigenden Urteil ist freilich auf 1. QH 9,10 f.; 11,4 f.; äthHen 71,11, zu verweisen. Ausführlich hat Dietzel, Beten, die Hodajot mit den urchristlichen Aussagen verglichen.

In der Literatur zu Röm 8,15 ist durchweg strittig, ob überhaupt der Abba-Ruf als Ge-bet zu interpretieren sei (so Grundmann, ThWNT VIII 899 f.). Diese Auslegung steht im Einfluß der problematischen Voraussetzung, im Abba-Ruf den Anfang des Herrengebets zu sehen (als Erwägung jetzt wieder von Lührmann, Gal 69). Wenn jedoch der Abba-Ruf eine Akklamation der gottesdienstlichen Gemeinde war – wie Maranatha, Halleluja –, dann fällt er nicht unter die Bedingungen des Gebets. Es ist andererseits nicht angezeigt, den Abba-Ruf speziell in Beziehung zu setzen zur Glossolalie (Oepke, Gal 134; Mußner, Gal 275) oder zur Ekstase (Kuss, Röm 550 f. 600 f.; Käsemann, Röm 218). Dies ist nicht seine primäre Intention, wohl aber ist er in dieser Hinsicht interpretierbar oder auch als glossolales Versatzstück verwendbar gewesen.

schichtlich ältere Stufe[17]. Aber das in Röm 8,15 gesetzte ἐν ᾧ hält die direkte Verknüpfung von Geist und Gebet auch noch fest.

Der Gebrauch von κράζειν bleibt bei Pl auf diese beiden genannten Belege (und Röm 9,27) beschränkt. Wie ist der Motivbereich, auf den Pl zurückgreift, zu bestimmen?

Wiederum Billerbeck hatte zu Gal 4,6 angemerkt, daß die Verbindung von κράζειν (נעק) und Heiligem Geist im Rabbinat häufig belegt sei[18]. Allerdings handelt es sich hierbei in der Regel um eine Zitationsformel, die der Autorisierung des Sprechers dient, weniger dem Inhalt seiner Rede[19].

Die Verwendung von κράζειν[20] in ntl. Zeit ist eher wegweisend. Vorgegeben ist die Verbindung mit Gebetsrufen in der LXX (Ex 22,22; Ri 3,9; Ps 3,5 u. a.). Im NT wird κράζειν bezogen auf das Geschrei der Dämonen oder das Geschrei eines Engels (Mk 1,23; 3,11; 4,41; 5,5.7; 9,26; Lk 9,39; Apg 16,17; Apok 10,3). Dies deutet also auf inspiriertes Schreien. So entspricht es der profanen Verwendung: Plut, Pyth 438b von der Pythia; Hipp, Philos V 8,40 vom eleusinischen Hierophanten; Jos, Ant II 117 vom Propheten Jeremias. Von diesen Belegen insgesamt ist eine Nähe von κράζειν zum dämonischen oder geisterfüllten Sprechen angezeigt (vgl. bereits das zum Enthusiasmus hin offene ἄγονται in Röm 8,14). Dieser Ruf äußert sich akklamatorisch, nicht aber als inneres Sprechen des Geistes im Menschen[21].

Der in der gottesdienstlichen Gemeindeversammlung laut werdende Abba-Ruf ist also eine Akklamation, die der Geist selber bewirkt (Gal 4,6), die in der Kraft des Geistes gesprochen wird (Röm 8,15). Vorausgesetzt ist nicht nur die Gegenwart des Geistes im einzelnen Glaubenden, sondern speziell auch in der gottesdienstlichen Gemeindeversammlung (1. Kor 14,25).

Was kommt in solchem Geschehen zum Ausdruck?

Mit diesem Abba-Ruf bezeugt der Geist, indem er die Glaubenden das Abba rufen läßt, daß sie im Stand der Sohnschaft sind.

Hierbei ist zu bedenken, daß die Wendung αὐτὸ τὸ πνεῦμα sich rückbezieht auf das πνεῦμα υἱοθεσίας. Die zweite Wendung τῷ πνεύματι ἡμῶν hingegen ist anthropologisch zu verstehen (vgl. auch 1. Kor 2,10; 1. Thess 5,23) und auf das „menschliche Empfangsorgan des göttlichen

---

[17] Paulsen, Überlieferung 96, mit Verweis auf Romaniuk, Spiritus 197; auch Schlier, Gal 199.

[18] Bill III 571; zustimmend Grundmann, ThWNT VIII 900.

[19] Paulsen, Überlieferung 94 f. (in Auseinandersetzung mit Romaniuk, Spiritus); Fendrich, EWNT II 774–776.

[20] Ausführlich zum Begriff: Schlier, Gal 198 f. A 2.

[21] So mit Recht von der Osten-Sacken, Röm 8, 130, gegenüber Bauer, WB 885.

Zeugnisses" zu beziehen[22]. V. 16 will also das in V. 14 f. Gesagte deutend aufnehmen, nicht aber einen neuen Gedanken einführen. Die gegenteilige Auffassung, etwa von Michel vertreten, beruft sich auf den auffälligen Gebrauch des Kompositums συμμαρτυρεῖν, welches die Vorstellung einer Mitzeugenschaft des Geistes neben dem Abba-Ruf nahelegen möchte. Sprachlich ist diese Exegese möglich (Röm 2, 15; 9, 1). Andererseits hat im NT die Präposition συν– häufig verstärkende Funktion und kann daher sachlich wie das Simplex gebraucht werden. So wechseln in 8, 21.23 συστενάζειν und στενάζειν ohne Bedeutungsunterschied. Die Übersetzung des Kompositums mit ‚bezeugen' ist daher korrekt wiedergegeben[23].

Es ist deutlich, wie wenig diese Aussage auf einen inneren Vorgang im einzelnen festzulegen ist, wie wenig sie ein Faktor in der Lehre von der certitudo salutis ist[24]. Das objektive Vorkommen des Abba-Rufs einzelner Christen im Gottesdienst bezeugt als geistgewirktes Geschehen der Gesamtgemeinde den Stand ihrer Sohnschaft[25].

8.3.3 Adiuvatio – Der Geist hilft in der Schwachheit auf

F. Hahn hat die Vorstellung, daß der Geist eine Kraft Gottes in der Schwachheit ist, zu Recht eine Besonderheit der pl Pneumatologie genannt[26]. Wiewohl wenige Aussagen des 1. Kor bereits darauf vorbereiten (1. Kor 1, 27; 4, 10), eine präzise Form und Begründung findet die-

---

[22] So Wilckens, Röm II 138; Lietzmann, Röm 84; Schlier, Röm 254; Zeller, Röm 160; Bultmann, Theologie 208; Bauer, WB 1340; von der Osten-Sacken, Römer 8, 135 u. a. Hingegen hat Käsemann, Röm 218 (in Aufnahme von Schlatter, Gottes Gerechtigkeit 266) τὸ πνεῦμα ἡμῶν auf den göttlichen Geist in jedem einzelnen Christen bezogen, von dem er den in der Gemeindeversammlung waltenden Geist (αὐτὸ τὸ πνεῦμα) unterscheidet. Diese Auslegung behauptet folglich ein doppeltes Zeugnis des Geistes: a) das objektive Zeugnis des in der Gemeindeversammlung waltenden Geistes in der Akklamation; b) das persönliche innere Zeugnis, das der in jedem Christen waltende Geist ablegt. Dieser Auslegung kommt der Vorschlag von Michel, Röm 198, nahe. Michel erkennt im Gebetsruf und im Zeugnis des Geistes zwei Zeugen, die den gleichen Dienst tun. Formal sieht er sich durch den asyndetischen Anschluß ins Recht gesetzt. Hiermit ist jedoch das Problem gestellt, wie dieses vom Abba-Ruf zu unterscheidende Zeugnis erfahrbar werden soll. Michel denkt hierbei an ein ‚zugesprochenes Wort' (199). Kritisch zu der Trennung von V. 15 und V. 16 bereits Kuss, Röm 604.

[23] Vgl. Bauer, WB 1541; G. Schneider, EWNT III 687. Kuss, Röm 605 f., verweist auf die Vulgata: ipse enim Spiritus testimonium reddit spiritui nostro.

[24] Gegen Lipsius, Röm 137; vgl. auch de Wette, Röm 112.

[25] Der Akzent liegt also auch hier, wie bereits das Verb συμμαρτυρεῖν anzeigt, weitaus wahrscheinlicher auf der Ebene der Proklamation eines rechtsgültigen Tatbestandes (Zeller, Röm 160). Michel, Röm 199, verweist zusätzlich auf das betonte ἐσμέν in V. 16. Diese Stellung und die Verbindung des Verbs mit τέκνα θεοῦ stellen eine Parallele zu 1. Joh 3, 1 dar.

[26] Hahn, Verständnis 141.

ser Sachverhalt erst in Bezug auf die apostolische Existenz in 2. Kor 10-13 und für die Gesamtgemeinde in Röm 8,18-30. Hierbei distanziert Pl sich von der gemeinantiken Vorstellung, ein Pneumatiker müsse äußerlich durch Machttaten als solcher erwiesen werden.

Pl versteht hingegen den Geist als die Kraft, die zur οἰκοδομή der Gemeinde gegeben ist (2. Kor 10,8; 13,10). Das apostolische Amt ist Mittel des Geistes, diese οἰκοδομή voranzutreiben. Von dieser Bestimmung her können in ihm pneumatische Machttaten nur statthaben, sofern sie diesem Zweck zugeordnet sind (so in 2. Kor 12,11-13). Will Pl dem Verlangen nach einer Demonstration dennoch nachgeben, so kann er es nur in der Form einer ‚Narrenrede' tun. Ihr Inhalt erweist sich sogleich wieder als Nicht-Demonstration. In dieser Funktionsbestimmung ‚πνεῦμα-οἰκοδομή' kann Pl gerade die Peristasenkataloge als Beweis anführen, denn der Geist hat in der hier zur Erscheinung kommenden ἀσθένεια ja die οἰκοδομή der Gemeinden bewirkt (2. Kor 13,4.10 u. a.).

Die ἀσθένεια wird von Pl als der Ort qualifiziert, der
- dem Geist überhaupt Raum zur Wirksamkeit gibt (2. Kor 12,9)
- der Niedrigkeit Christi gemäß ist (2. Kor 13,4).

Auszugehen ist von dem aus Korinth gegenüber Pl erhobenen Vorwurf (φησίν!), die παρουσία τοῦ σώματος sei ἀσθενής (2. Kor 10,10). Dies mag verschiedene sachliche Anhaltspunkte haben (vgl. 10,2-4; 10,10.18; 11,6.7.20; 11,20 im Gegensatz zu 11,2; die Bekanntheit der paulinischen Leiden?), entscheidend ist die Differenz zwischen dem Ideal des ‚Pneumatikers' in spätantiker Sicht und dem pl Auftreten. Der θεῖος ἀνήρ ist über die in den Peristasen geschilderten Umstände erhaben bzw. er unterliegt ihnen erst gar nicht. Er ist kein ἰδιώτης τῷ λόγῳ (11,6), hat keinen σκόλοψ τῇ σαρκί (12,7), würde auch das ἐν σαρκὶ περιπατοῦντες (10,3) von sich abweisen. Er besticht hingegen u. a. durch körperliche Schönheit, Wortgewandtheit, durch Heilungsgaben und Entrückungserlebnisse[27]. J. Jervell hat erneut vorgeschlagen, ἀσθένεια konkret auf die Krankheit des Pl beziehen zu sollen, um den Gegensatz zum θεῖος ἀνήρ noch krasser nachempfinden zu können. Dies ist jedoch weder vom Begriff noch von seiner Verwendung in den Korintherbriefen her notwendig[28].

---

[27] Zum Vergleich mit der spätantiken θεῖος ἀνήσ-Vorstellung: L. Bieler, ΘΕΙΟΣ ΑΝΗΡ. Das Bild des göttlichen Menschen in Spätantike und Frühchristentum I. II, 1935/36; D. Stutzinger u. a., ΘΕΙΟΣ ΑΝΗΡ, in: H. Beck und P. C. Bol (Hg.), Spätantike und frühes Christentum, 1983, 161-222; C. R. Holladay, Theios aner in Hellenistic Judaism, SBL. Diss. Ser. 40, 1977; H. D. Betz, Art.: Gottmensch II, RAC XII 234-312; ders., Lukian von Samosata und das Neue Testament, TU V/21, 1961, 100-143.
[28] Jervell, Charismatiker 191 f., engt die pl Verwendung zu sehr ein. Weder sind die

Formgeschichtlich kommt der paradoxe Satz 2. Kor 12,9 ἡ γὰρ δύναμις ἐν ἀσθενείᾳ τελεῖται einer allgemeingültigen Gnome nahe²⁹. Faktisch vollzieht sich diese δύναμις als τελείωσις des Apostels nicht in äußerer δόξα, sondern erweist sich als Kraft im apostolischen Dienst, der durch ἀσθένεια gezeichnet ist. Wenn also Rühmen angesagt ist, so will Pl sich der Schwachheit rühmen (2. Kor 11,30; 12,5. 10)., denn sie ist der einzige Ort, den die δύναμις τοῦ Χριστοῦ ergreift und verändert (12,10).

In solcher Ausrichtung des apostolischen Amtes offenbart sich wahrhaft das von den Gegnern exklusiv für sich in Anspruch genommene Χριστοῦ εἶναι (2. Kor 10,7), insofern Pl an der Schwachheit Christi Anteil hat (13,4). Mit dieser letzten Begründung greift Pl auf trad. Formulierungen zurück (2. Kor 4,14; 1. Kor 6,14; Röm 6,4 u. a.), die allesamt eine Entsprechung ‚wie Christus – so die Seinen‘ behaupten³⁰. Geht es ursprünglich in diesen Parallelismen um die Entsprechung von Gegenwart und Zukunft der Glaubenden zum Geschick Jesu, so hier um die Entsprechung des apostolischen Dienstes zum paradoxalen Beieinander von Schwachheit und Kraft im Geschick Jesu. Mit ἐν αὐτῷ deutet Pl auf diejenige Christusgemeinschaft, die in eine Relation zu den Todesleiden Christi stellt (vgl. ausführlich 2. Kor 4,10!)³¹. Der zweite Halbsatz scheint in sich unstimmig zu sein, insofern das zukünftige Leben (ζήσομεν; vgl. Röm 6,4f; 1. Kor 15,22) nun doch mit einem Gegenwartsaspekt (εἰς ὑμᾶς) verknüpft wird. Dies jedoch erhellt gerade die pl Absicht: über die trad. Entsprechung ‚wie Christus – so die Seinen‘ hinaus drängt Pl auf die Zusage, daß die Kraft Gottes in der paradoxalen Gestalt der ἀσθένεια schon jetzt wirksam ist, insofern sie in den Gemeinden Glauben wirkt³².

Korinther krank (1. Kor 1,27), noch ist Christus krank (2. Kor 13,4); so aber müßte bei konsequenter Anwendung der These gefolgert werden können.

²⁹ Ausführlich zur Stelle: Zmijewski, Stil 379–385; Käsemann, Legitimität 499–503, und G. G. O'Collins, Power made perfect in Weakness, CBQ 33, 1971, 528–537. Windisch, 2. Kor 391, spricht von einer ‚allgemeingültigen Gnome'; Betz, Christus – Aretalogie 296, von einem ‚Grundsatz heiligen Rechts'. Δύναμις ist hier mit 2. Kor 13,4; Röm 1,4; Phil 3,10 auf die Auferweckungsmacht Gottes zu beziehen; vgl. aber auch 1. Kor 1,27.

³⁰ Zum trad. Charakter der Wendungen: Windisch, 2. Kor 418f. Dagegen hat Käsemann, Legitimität 501, eingewandt, daß nicht wirklich von ‚Formeln' zu sprechen sei. In der Tat ist der Entsprechungsgedanke in 1. Thess 4,14 noch nicht bezeugt. Da aber Pl alle Belege auf den Kontext hin abwandelt, wird von einer seit der Korintherkorrespondenz bestehenden trad. Wendung auszugehen sein.

³¹ Gegen Weder, Kreuz 174, ist eine sakramentale Begründung der Christusgemeinschaft nicht auszuschließen, um von 2. Kor 13,4 her den Zusammenhang zwischen Paulus und Christus streng geschichtlich zu denken.

³² Bultmann, 2. Kor 246, verweist zusätzlich auf das vorangehende ἐν ὑμῖν; Windisch, 2. Kor 419, auf 2. Kor 4,14 (παραστήσει σὺν ὑμῖν).

Schließlich der Entrückungsbericht in 2. Kor 12, 1–10. Er scheint dem gestellten Thema präzise zu begegnen: ὀπτασίας καὶ ἀποκαλύψεις κυρίου. Und doch wird gerade dieser Bericht, der schon aufgrund seiner traditionsgeschichtlichen Nähe zur Gattung der Himmelsreise eigentlich die Überlegenheit des Pneumatikers demonstrieren soll, zu einem Exempel der ἀσθένεια des Apostels. So spricht Pl vorweg seinen Ausführungen jeglichen Erkenntniswert im Hinblick auf das gestellte Thema ab: οὐ συμφέρον. Pl weiß nicht, ob die Entrückung ἐν σώματι, ἐκτὸς bzw. χωρὶς τοῦ σώματος statthatte (V. 2 f.). Religionsgeschichtlich sind leiblose und leibliche Entrückungsberichte bekannt. Pl läßt sich auf keine genauere Beschreibung dieser Frage ein (οὐκ οἶδα), ja er faßt den ganzen Entrückungsvorgang, der in der antiken Literatur eine entscheidende Rolle spielt, in ἁρπαγέντα ... ἕως τρίτου οὐρανοῦ bzw. ἡρπάγη εἰς τὸν παράδεισον ... zusammen.

Schon dies unterscheidet 2. Kor 12 von solchen Entrückungsberichten, welche die einzelnen Stadien des Entrückungsvorgangs festhalten. Die Entrückung gibt Pl Kenntnis von ἄρρητα ῥήματα, von himmlischen Worten, die er aber nicht mitteilt, weil es weder statthaft (οὐκ ἐξόν) noch nützlich (οὐ συμφέρον) ist. So offenbart der Entrückungsvorgang wenig über das zurückliegende Ereignis (vgl. auch 2. Kor 5, 13). Die folgenden V. 9 f. verknüpfen wieder stärker mit dem übergreifenden Thema. Konnte und wollte schon der Entrückungsbericht nicht den Beweis für pneumatische, ekstatische Kraft erbringen, so stellt Pl seine Person diametral in Entgegensetzung zu positiven ekstatischen Beschreibungen dar, die sich mit der Themavorgabe (12, 1) verbunden haben können. Pl steht in Anfechtung eines Satanengels, der ihm Schmerzen zufügt. Sein mehrfaches Gebet wird nicht erhört. Was Pl also zu dem gestellten Thema einbringt, ist der „Verzicht auf jede enthusiastische Begründung des Apostolates ...".[33]. Die Kraft des Geistes ist für ihn in der Schwachheit erfahrbar. Hier wiederum erweist sie sich nicht in individueller Erhebung, sondern als Kraft zur οἰκοδομή.

Pl nimmt diesen Gedanken der adiuvatio des Geistes, den er in den bislang betrachteten Texten exemplarisch für seine Person dargelegt hat, im Segenswunsch (2. Kor 13, 13) erneut auf, bezieht ihn aber auf die Gesamtgemeinde. Darüber lesen freilich diejenigen Ausleger hin-

---

[33] Käsemann, Legitimität 520, in Aufnahme einer Aussage von Rengstorf, ThWNT I 441 f. Man kann natürlich fragen, ob die polemische Situation in 2. Kor 10–13 nicht den Sachverhalt verdeckt, daß Pl trotzdem ‚Ekstatiker' war (vgl. dazu bereits 6. 4. 4. 2. 1). Es ist jedoch keinesfalls gegen Saake, Paulus 154, zu erkennen, daß Paulus in 2. Kor 12 „aus einem umfassenden Erfahrungszusammenhang nur wenige ... Details" herausgreift; im übrigen zu 2. Kor 12: Zmijewski, Stil 324–411; außerdem A. T. Lincoln, Paul the Visionary. The Setting and Significance of the Rapture to Paradise in II Corinthians XII. 1–10, NTS 25, 1979, 204–220.

weg, die das in den übrigen Segenswünschen fehlende ἡ κοινωνία τοῦ
ἁγίου πνεύματος als Gen. obj. auflösen und auf die Gemeinschaft mit
dem heiligen Geist beziehen[34]. Für dieses Verständnis kann der Gebrauch von κοινωνία bei Pl sprechen: κοινωνία erscheint häufig im Zusammenhang eines Gen. obj. (1. Kor 1,9; 10,16; Phil 3,10).

Problematisch bleiben hierbei jedoch die Zuordnung der drei Einzelglieder des Segenswunsches, sowie die Aussage der Parallele in Phil 2,1.
Beides deutet eher auf einen Gen. subj. hin[35].

Da bei ἡ χάρις τοῦ κυρίου Ἰησοῦ Χριστοῦ und bei ἡ ἀγάπη τοῦ θεοῦ
der Gen. subj. nicht zweifelhaft ist, bestünde der zweiten Auslegung zufolge ein Bruch zum dritten Glied. Andernfalls aber, bei gleichem Verständnis der Genitive, wäre „die κοινωνία wie oft im griechischen Sinn
als ὁμιλία, bzw. φιλία gedacht oder konkreter als Hilfe wie 2. Kor 9,13;
Röm 15,26; Hebr 13,16"[36]. Diese Hilfe wiederum würde der Geist er-
wirken.

Solchem Verständnis kann Phil 2,1 zugeordnet werden. Hier begegnet nicht nur der Begriff κοινωνία πνεύματος, sondern dieser Begriff
zugleich in einer 2. Kor 13,13 ähnlichen Motivverbindung:

2. Kor 13,13:   ἡ χάρις τοῦ κυρίου Ἰησοῦ Χριστοῦ καὶ ἡ ἀγάπη τοῦ θεοῦ
                καὶ ἡ κοινωνία τοῦ ἁγίου πνεύματος …

Phil 2,1:   παράκλησις ἐν Χριστῷ … παραμύθιον ἀγάπης … κοινωνία πνεύ-
                ματος

Die κοινωνία πνεύματος (Phil 2,1) wird konkret in der unmittelbar
zuvor in 1,19 genannten ἐπιχορηγία τοῦ πνεύματος (Gen. subj.). Der
Geist erweist sich als gemeinschaftsbildende Kraft, indem er den Apostel und die Gemeinde zusammenschließt (vgl. in Phil 1,19 neben der
Unterstützung des Geistes das Gebet der Gemeinde für den Apostel; in
2. Kor 13,13 die Form des Schlußgrußes, der eine Verhältnisbestimmung von Apostel und Gemeinde intendiert).

All diese Zusammenhänge hat Reitzenstein mißachtet, wenn er ‚Paulus als Pneumatiker‘ vorstellt, der im gegenwärtigen Geistbesitz die

---

[34] So Windisch, 2. Kor 428; Kümmel bei Lietzmann, Kor 214; Hauck, ThWNT III 807;
Hermann, Kyrios 135; ausführlich R. P. Martin, The Epistle of Paul to the Philippians,
TyndNTC, [7]1977, 46–50; Pryke, Spirit 346, mit Verweis auf 1. QS 9,3.

[35] So Heinrici, 2. Kor 435; Bultmann, 2. Kor 253 f.; G. V. Jourdan, Koinonia in I Corinthians 10,16, JBL 67, 1948, 111–124; C. Spicq, Agape in the New Testament II, 1965, 217;
Riesenfeld, Gemeinschaft; Bruce, Cor 255; Goppelt, Theologie 453 A 9 u. a. Ausführlich
in unserem Sinn auch J. Hainz, Koinonia. ‚Kirche‘ als Gemeinschaft bei Paulus, BU 16,
1982, 47–51. Hainz denkt an einen Genitiv der Herkunft und spricht von der ‚Gemeinschaft, vermittelt durch den heiligen Geist‘, allerdings auch von der Gemeinschaft, vermittelt durch die gemeinsame Teilhabe am heiligen Geist‘ (50).

[36] Bultmann, 2. Kor 254.

Apotheose vollziehe. Gleichwie Pl den Begriff πνευματικός für seine Person auffällig gemieden hat, sollte ihn die Exegese als Kategorie vermeiden, da er religionsgeschichtlich gegenüber der pl Theologie unangemessen ist[37].

In Röm 8,26a kommt Pl ein letztes Mal auf ἀσθένεια zu sprechen. Jetzt charakterisiert dieser Begriff jedoch den Zustand der Gemeinde in der Gegenwart (V. 18), welcher in παθήματα (V. 18) und στενάζειν (V. 23) als Stand der Anfechtung im Angesicht der zukünftigen Doxa erscheint. Hingegen hatte Pl ἀσθένεια in 1. Kor 2,3; 2. Kor 11,30; 12,5.9f. auf den apostolischen Dienst, in 2. Kor 13,4 auf Christus in seiner irdischen Existenz, in Gal 4,13; Röm 6,19 auf die σάρξ, in Röm 8,3 auf das Gesetz bezogen.

Der Stand in ἀσθένεια ist von dem vorangehenden auf Eschatologie bezogenen Wortfeld der V. 18ff. bereits als Verheißungsstand gezeichnet. Hier jedoch beruft Pl sich nicht auf die Parallelität des Christusgeschehens (2. Kor 13,4) bzw. auf die sich in der Schwachheit erweisende Kraft des Christus (2. Kor 12,9f.), sondern explizit auf den Geist.

Mag es auch so scheinen, als würde Röm 8,26a einen allgemeinen Grundsatz aufstellen, so bleibt diese Aussage doch an die anschließende Präzisierung in Röm 8,26b.c gebunden: die Hilfeleistung des Geistes wird konkret in der Interzession (s. u. 8.3.4). Gleichwohl zeigt die Wahl des Bikompositums συναντιλαμβάνεσθαι zur Kennzeichnung dieser Hilfestellung auf einen grundsätzlicheren Aspekt. Das Verb begegnet im NT nur in Röm 8,26 und Lk 10,40, ἀντιλαμβάνεσθαι in Lk 1,54; Apg 20,35; 1. Tim 6,2. Sowohl das Kompositum als auch das Bikompositum sind in der LXX vorgegeben. Die Präposition συν- ist in Röm 8 in V. 22.28 im engeren Kontext zur Verstärkung gewählt. In beiden Begriffen kommt a) der Aspekt der tätigen Hilfe zum Ausdruck (Lk 1,54; Gen 48,17; Ps 88,27 LXX als Gottesprädikat). Beides deutet voraus auf die Interzessionsaussage in Röm 8,26. Übersetzt man V. 26 korrekt, so verändert der Geist nicht die äußere Befindlichkeit der ἀσθένεια. Das Bikompositum wird mit dem Dativ gebildet. Der Geist kann jedoch nicht, wie Maria mit Martha (Lk 10,40), mit der Schwachheit zusammen helfen. Insofern empfiehlt sich die Übersetzung: „der Geist steht uns in unserer Schwachheit bei"[38]. Das eigentliche Objekt der Hilfe sind folglich die Glaubensäußerungen der Glaubenden, ihr Gebet (Röm 8,26; Phil 1,19), ihr Dienst (2. Kor 13,10). Die ἀσθένεια

---

[37] Reitzenstein, Mysterienreligionen 333–393. Diese Urteil ‚Paulus als Pneumatiker' findet sich bei Gunkel, Wirkungen 58; Büchsel, Geist 268; Wood, Spirit 214; Saake, Pneumatologia 214; Schnelle, Gerechtigkeit 161–168.

[38] So Bauer, WB 1553; Balz, Heilsvertrauen 71; Wilckens, Röm II 161 A 706; Barrett, Rom 168.

wird nicht genommen, wohl aber erweist sich der Geist inmitten dieser Situation als Kraft[39].

8.3.4 Intercessio – Der Geist tritt für die Glaubenden ein

Die Weise der adiuvatio des Geistes konkretisiert Röm 8,26f.: der Geist tritt für die Glaubenden vor Gott ein, indem er ihr Gebet dort in der gebührenden Form vorbringt.

Diese Aussage findet sich im NT nur an dieser Stelle, und sie hat auch keine direkten Entsprechungen in der atl.-jüd. Literatur. Sie begegnet zudem hier in einer sprachlich ungewöhnlichen Gestalt. Ihr historischer Kontext konnte bereits partiell erhellt werden (s. o. 6.5.3), insofern hier gerade das glossolale Gebet antienthusiastisch der Schwachheit zugeordnet wird. Gleichwohl sind die Ausführungen in Röm 8,26f. zu grundsätzlich, um in dieser antienthusiastischen Ausrichtung allein aufzugehen. Die in 6.5.3 gemachten Beobachtungen sind im Folgenden vorausgesetzt.

Betrachten wir zunächst präzise die sprachliche Gestalt und den Motivbereich der V. 26f.

Pl spricht in V. 26 vom Wirken des Geistes als eines ὑπερεντυγχάνειν, in V. 27 als eines ἐντυγχάνειν. Das Kompositum ἐντυγχάνειν begegnet im NT fünfmal (Apg 25,24; Röm 8,27.34; 11,2; Hebr 7,25). Auffällig ist die Verbindung mit ὑπέρ und dem Subjekt Christus/Geist in Röm 8,27.34; Hebr 7,25, da im hell. Griechisch die Präposition περί nach ἐντυγχάνειν überwiegt (so auch Apg 25,24 und Röm 11,2). Das Bikompositum ὑπερεντυγχάνειν ist im vorchristlichen Griechisch gar nicht bezeugt, so daß anzunehmen ist, daß hierin eine pl Bildung vorliegt (vgl. bereits die ungewöhnliche Verbindung des Verbs mit der Präposition ὑπέρ)[40]. Nicht nur die Bildung dieses Bikompositums ist bemerkenswert, sondern zugleich seine Verbindung mit dem Geist. Denn von einem ἐντυγχάνειν ὑπέρ spricht die urchristliche Tradition in Be-

---

[39] Stählin, ThWNT I 488–492; Luz, Geschichtsverständnis 382: „Die Wirksamkeit des Geistes ist ... für Paulus gerade nicht Aufhebung menschlicher Schwachheit, sondern sie geschieht in dieser Schwachheit und ist Hilfe in ihr." Diese pl theologica crucis bleibt eine kritische Anfrage an eine katholische Pl-Exegese, sofern sie behauptet: „Der natürliche Menschengeist wird durch den heiligen Geist mit neuem, über seine Natur hinausliegenden Qualitäten, Fähigkeiten und Fertigkeiten ausgestattet" (Reinhard, Wirken 76).

[40] So Schlier, Röm 286 A 26; vgl. auch Bauernfeind, ThWNT VIII 243f.; Balz, EWNT I 1127–1129. CIAl, Paed I 6,47,4 ist von Röm 8,26 abhängig. Nach Michel, Röm 207, zeigen die „beiden im NT seltenen hellenistischen Komposita ... an, daß Pls eine Tradition von dem Geist Gottes als ‚Beistand' verwendet." Gegen Michel begegnet jedoch der Motivbereich des Fürsprechers vorpaulinisch nicht in Verbindung mit den genannten Komposita, so daß von der Annahme einer Tradition abzusehen ist (mit Paulsen, Überlieferung 126).

zug auf den erhöhten Christus (Röm 8,34; Hebr 7,25; vgl. aber auch Hebr 9,24; 1.Joh 2,1; Lk 22,32; Joh 17,9)[41].

Die Erhebung der Wortbedeutung von ἐντυγχάνειν hat von diesen ntl. Belegen auszugehen. Wie schon die ungewöhnliche Verbindung mit ὑπέρ anzeigt, greift die Vorstellung des Sühnetods Christi (1.Kor 15,3; 11,24) in diese Aussage ein, spricht jetzt aber von einem stellvertretenden Handeln des Erhöhten für die Seinen (vgl. aber auch die Verwendung von ὑπέρ in einem allgemeineren stellvertretenden Sinn in Röm 9,27; 10,1 u.ö.).

Dieses interzessorische Moment wird im vorntl. biblischen Griechisch bei ἐντυγχάνειν vermißt, findet sich in der übrigen Literatur auch nur vereinzelt (Jos, Ant 12,8, allerdings mit περί). Wohl aber ist im profanen Griechisch die Bedeutung des Vorstelligwerdens und der Fürsprache bezeugt (Polyb 4,76,9; Max Tyr 10,11; Philo, VitMos I 173). In der LXX und der jüd.-hell. Literatur findet sich u.a. die Bedeutung bitten/beten (Sap 8,21; 16,28; Dan 6,13; 3.Makk 6,37; äthHen 9,3.10)[42].

Das Wortfeld von ἐντυγχάνειν/ὑπερεντυγχάνειν bewegt sich folglich zwischen einer interzessorischen Funktion, wie sie durch die christologische Tradition (Röm 8,34; Hebr 7,25) vorgegeben ist, und einem allgemeineren Verständnis von Bitten und Fürsprache, wie es im hell. Judentum und in der Profangräzität bezeugt ist. Die Verbindung mit ὑπὲρ ἁγίων in Röm 8,27 unterstützt gegenüber der biblischen und profanen Verwendung des Verbs das interzessorische Moment, da die Verbindung mit ὑπέρ in ntl. Zeit nicht belegt ist (spätere Belege bei Bauer, WB 535). In V.26 ist dieser Aspekt im Verb enthalten.

Die στεναγμοὶ ἀλάλητοι sind, wie bereits angezeigt (6.5.3), die Gemeindegebete, speziell die glossolalen Gebete. Da ἐντυγχάνειν „m. Dat. dessen, für d. gebetet wird"[43], konstruiert ist, bezieht sich also das fürsprechende Eintreten des Geistes auf diese Gebete.

V.27 schließt mit der Argumentationsfigur a minore ad maius an. Wenn Gott als Herzenskenner der Menschen gilt (1.Sam 16,7; Spr 15,11; 1.Joh 3,19 u.ö.), um wieviel mehr weiß er, was Anliegen des Geistes ist (vgl. zur Vorstellung des φρόνημα des Geistes auch Röm 8,6). Damit ist eine Mittlerstellung begründet: den Glaubenden ermangelt das Wissen um den rechten Inhalt und die Form des Gebets; der Geist jedoch, der nach 1.Kor 2,10 Zugang zu den Tiefen der Gott-

---

[41] Auf eine urchristliche, christologische Tradition verweisen: H.Braun, An die Hebräer, HNT 14, 1984, 221; Michel, Röm 207; Balz, EWNT I 1129; Paulsen, Überlieferung 170–172; von der Osten-Sacken, Röm 8,96 f. u.ö.

[42] Ausführlich zum Begriff: Bauer, WB 534 f., Bauernfeind, ThWNT VIII 243 f.; Balz, EWNT I 1127–1129.

[43] Bauer, WB 535.

heit hat, bringt das Gebet κατὰ θεόν vor. Versteht man κατὰ θεόν als Abkürzung für κατὰ τὸ θέλημα τοῦ θεοῦ (2. Kor 7,9.11; Gal 1,4)[44] und das vorangehende ὅτι explikativ, so schließt die Argumentation mit der Zusage: der Geist tritt stellvertretend für die Glaubenden vor Gott ein, indem er ihre Gebete in der Gott gemäßen Form vor Gott vorbringt.

Sowohl von der beschriebenen Mittlerrolle als auch von dem im Hintergrund stehenden Motivbereich der Fürsprechergestalten her ist es auszuschließen, daß Pl in V. 26 f. an den ‚Taufgeist' denkt[45]. Hingegen erscheint auch hier der Geist als neben Gott stehende hypostatische Größe.

Diese Bestimmung der Aufgabe des Geistes als Interzession für die Glaubenden vor Gott kann nicht direkt von atl.-jüd. Vorgaben abgeleitet werden.

Über die atl.-jüd. Fürsprechergestalten haben Mowinckel, Johannson und Betz ausführlich gearbeitet[46]. Der Vergleichspunkt für die Interzession des Geistes kann nicht das stellvertretende Handeln einzelner irdischer Gestalten sein (Gen. 18,22–32; Ex 8,28–30; 9,28 f. etc.), sondern das der himmlischen Hypostasen für die Frommen vor Gott. Hier begegnen eine Reihe von Mittlergestalten, vor allem die Engel (Michael: TestLevi 5,6; äthHen 68,4; 1. QM 17,6 u.a.; Raphael: Tob 12,12 f.; eine Vielzahl von Engeln: äthHen 40,6 f.; 104,1). Nach äthHen 9,2 ff. bringen Michael, Uriel, Raphael und Gabriel die klagenden Rufe der Menschenseelen, die nur bis zu des Himmels Pforten gelangen, für sie zu Gott. Diese Fürsprache bringt vor allem vor dem Gerichtsforum Gottes die Werke der Frommen in Erinnerung. Dies kann in schriftlicher Form, in himmlischen Büchern o. ä., erfolgen (äthHen 47,3; 81,1; Jub 30,19 ff. u.ö.).

Es ist allerdings sehr fraglich, ob in vorchristlicher Zeit auch der Geist in dieser Funktion der himmlischen Fürsprache gesehen wurde[47].

---

[44] So Schlier, Röm 269; Bauer, WB 804 f. (mit Belegen der Profangräzität). Wilckens, Röm II 161, denkt hingegen an die Norm der göttlichen Sprache. Für das explikative Verständnis des ὅτι-Satzes: Michel, Röm 209; Schlier, Röm 269; Balz, Heilsvertrauen 80 f.; für kausale Deutung: Käsemann, Röm 231; Wilckens, Röm II 161 A 710.

[45] So Wilckens, Röm II 161. Diese Auslegung könnte sich freilich darauf berufen, daß die Kardiognosie Gottes die Herzen trifft (V. 27 a), in denen ja auch der Geist seine Wohnstatt nach Röm 5,5; 2. Kor 1,22 hat. Dann würde, wie bereits von Käsemann, Röm 231, gegen Michel, Röm 208; Schneider, ThWNT VII 602, vorgeschlagen, die Interzession des Geistes nicht ein himmlisches, sondern ein irdisches Geschehen sein. Jedoch kann man Käsemanns Folgerung („irdische Spiegelung dessen ist, was der himmlische Hohepriester vor Gottes Thron tut") in Frage stellen, sofern man hiermit einen Gegensatz aufmacht. Vielmehr treten sowohl Christus als auch der Geist für die Heiligen ein (vgl. auch Bauernfeind, ThWNT VIII 244; Bindemann, Hoffnung 80).

[46] Mowinckel, Vorstellungen; N.Johannson, Parakletos, 1940; O.Betz, Der Paraklet. Fürsprecher im häretischen Spätjudentum, im Johannesevangelium und in neu gefundenen gnostischen Schriften, AGSU II, 1963; außerdem Obeng, Origins, und den Exkurs bei Balz, Heilsvertrauen 87–91.

[47] So allerdings Mowinckel, Vorstellungen 130 u.ö.; Behm, ThWNT V 809; Bill III

Der Geist Gottes (Sing.) wird im Judentum nicht als Engel aufgefaßt noch in die Funktion eines Engels gesetzt[48]. Daher bemüht Betz die ,Geisterlehre' als Brücke. In 1.QS 3,19–21 werden die Geister der Wahrheit dem Fürsten des Lichtes zugeordnet (vgl. auch 1.QM 13,10). Jub 1,25 nennt ,alle Engel und alle Geister' nebeneinander (vgl. auch 15,32). TestBenj 6,1 stellt den Geist Beliars dem Engel des Friedens gegenüber. Aber es geht ja nicht nur um sachliche Zuordnungen, sondern um Funktionsbestimmungen.

Dies reduziert die Frage nach Voraussetzungen der pl Aussage auf wenige Texte im Judentum.

TestJuda 20,1–5 greift gleichfalls auf die Zwei-Geister-Lehre zurück. Der Mensch steht zwischen ,dem Geist der Wahrheit und dem Geist der Verirrung'. Alle Werke des Menschen sind auf seinem Brustknochen aufgeschrieben. Der Geist der Wahrheit tritt nun als Zeuge und Ankläger der Taten des Menschen zugleich auf (μαρτυρεῖ πάντα καὶ κατηγορεῖ πάντων V.5). Die Exegese dieser Stelle hat Gemeinsamkeiten und Differenzen zu Röm 8,26f. zugleich zu bedenken. Auffällig ist der Bezug zur Kardiognosie Gottes in beiden Texten (TestJuda 20,3: καὶ ἓν ἕκαστον αὐτῶν γνωρίζει κύριος; Röm 8,27: ὁ δὲ ἐραυνῶν τὰς καρδίας). Verbunden mit dieser Kardiognosie Gottes ist eine Tätigkeit des Geistes. TestJud 20,5 nennt das μαρτυρεῖν und κατηγορεῖν. Beide Verben begegnen in den Testamenten nur an dieser Stelle. Da ihr Gebrauch in juridischer Terminologie, auch vor dem Forum Gottes, nicht unüblich ist (Joh 5,45; Apok 12,10; Apg 15,8 u.a.), könnte folglich an Zeugnis und Anklage des Geistes der Wahrheit vor Gott gedacht sein. Allerdings ist in TestJud 20,5 die Verbindung mit dem Gewissen des Menschen auffällig eng gezogen (,und der Sünder wird aus seinem eigenen Herzen heraus entflammt und vermag sein Angesicht nicht zum Richter zu erheben'). Gerade die letztere Schlußfolgerung zeigt, daß Zeugnis und Anklage des Geistes das menschliche Gewissen trifft, nicht aber direkt vor Gott Zeugnis ablegt. Hierin steht TestJud im Kontext der hell.-jüd. Gewissenspsychologie; vgl. Jos, Ap 2,218: ἕκαστος αὐτῷ τὸ συνειδὸς ἔχων μαρτυροῦν; Philo, Decal 87 (hier auch der Begriff κατήγορος) und Det 22f., wo μάρτυρος ἢ κατήγορος nebeneinander begegnen. Dies zeigt deutlich, daß TestJud 20,5 keine Parallele zu Röm 8,26f. darstellt.

Sap 1,5–8 beschreibt als Aufgabe des Geistes das ἐλέγχειν, indem er selber die Kardiognosie vollzieht. Hier jedoch muß der Sachabstand, den bereits Bultmann in der Analyse des joh. Parakleten gegenüber Mowinckel geltend machte, erkannt werden: die Aufgabe des Geistes (oder des joh. Parakleten) ist eben nicht die richtende Überführung vor dem Forum Gottes, sondern die interzessorische Fürbitte.

Es verbleiben drei Belege aus der rabbinischen Literatur. In Lev r 6,1 zu 5,1 und Dtn r 3,11 zu 9,1 tritt der Heilige Geist als Fürsprecher auf. An beiden

---

562; Balz, Heilvertrauen 89; einschränkend Sjöberg, ThWNT VI 387; ablehnend Obeng, Origins; Bultmann, Joh 439 A 6 (in Auseinandersetzung mit Mowinckel); Bietenhard, Logos-Theologie 612f. (auch A 167).

[48] Erst AscJes 4,21; 9,39f.; 10,4; 11,4 stellt den Geist als Engel dar.

Stellen jedoch zitiert er biblische Aussagen (Prov 24,28 f.; Ps 122,8; 78,36; Ex 24,7; Dtn 9,26). In Wahrheit handelt es sich hierbei also nicht um Interzession, sondern um eine Form der Schriftauslegung[49].

Schließlich Cant r 8,11 zu 8,10, für Sjöberg die einzige Stelle in der rabbinischen Literatur, „an der die Vorstellung vom Geist als Fürsprecher vermutet werden kann"[50]. Sie lautet: ‚Ich werden den Israeliten einen Fürsprecher inmitteln der Völker der Welt ... schaffen. Wer ist das? Das ist die Bath-Qol ...‘ (Text nach Bill II 562). Diese, auch nach Billerbeck einzige Parallele, kann schwerlich zur Voraussetzung der pl Aussage erklärt werden, zumal sie von ihm ins 4. Jhd. datiert wird.

Dieser Negativbefund läßt nach urchristlichen Voraussetzungen für Röm 8,26 f. fragen. Mk 13,11 und die joh. Parakletaussagen stellen eigene und unterschiedliche pneumatologische Aussagen der Gemeindetheologie dar. Sie stehen kaum in einem direkten traditionsgeschichtlichen Zusammenhang mit Röm 8,26 f.[51].

So bleibt am wahrscheinlichsten: Pl selber überträgt das jüd. Motiv der himmlischen Fürsprechergestalt auf den Geist und bindet dessen Funktion an die Interzession für die Gebete der Glaubenden[52]. Sprachlich ist hierbei die urchristliche Tradition der himmlischen Interzession Christi (Röm 8,34; Hebr 7,25) für die Geistaussagen bestimmend[53].

8.3.5 Glorificatio – Der Geist verwandelt zur Doxa hin

Die folgenden Ausführungen setzen das in 8.2.3 Gesagte voraus: der Geist als lebenschaffende Kraft schenkt zukünftig die himmlische Doxa. Diese eschatologische Glorificatio ist gewiß, weil gegenwärtig der Geist als Angeld gegeben ist und Wohnung in den Glaubenden genommen hat.

Dennoch sind für Pl Gegenwart und Zukunft nicht einfach wie auf einer Zeitschiene voneinander abzugrenzen. Vielmehr finden sich Ver-

---

[49] So auch Bietenhard, Logos-Theologie 612 f.; Sjöberg, ThWNT VI 387; Obeng, Origins 622.

[50] Sjöberg, ThWNT VI 387; vgl. auch Bill II 562.

[51] Auch der joh. Kreis bezeugt wie Pl das Nebeneinander von Christus (1. Joh 4,1; Röm 8,34) und Geist (Joh 14,16.26; 16,7; Röm 8,26 f.) als Fürsprecher. Was im Folgenden für Pl vermutet wird, vollzieht sich im joh. Kreis ganz analog. Die traditionelle Anschauung spricht von Christus als Fürsprecher (1. Joh 2,1; Röm 8,34). Erst Pl und das Johev. setzen den Geist als Paraklet von Christus ab (Joh 14,16!); vgl. ausführlich zur Analyse der joh Paraklettradition: Strecker, Johannesbriefe 89–93.

[52] In den Umkreis der Interzessionsvorstellung des Geistes gehört wohl auch die in Gal 5,17 dem Geist zugeschriebene Aufgabe, für die Christen gegen das Fleisch zu kämpfen.

[53] Der fragmentarisch gebliebene, ursprünglich für eine Bultmann-Festschrift geplante Beitrag von Schniewind, Seufzen, stellt zu Recht die Interzessionsvorstellung in Beziehung zur Rechtfertigungslehre des Röm.

schränkungen, insofern endzeitliche Erwartungen in gegenwärtigen Erfahrungen als partiell gegeben behauptet werden. Zugleich aber wird das, was als proleptische oder antizipatorische Heilserfahrung anmuten möchte, in einen Kontext gestellt, der durch und durch von der Kreuzestheologie bestimmt ist (vgl. etwa Phil 1,20 f.; 2. Kor 4,7; Röm 8,35 f.). Mit dieser Zuordnung vermag Pl festzuhalten, daß die Gabe des Geistes nie den menschlichen Versuch einer Apotheose eröffnen kann, sondern in Ambivalenzerfahrungen als Kraft zu erkennen ist. Was in der pl Kritik an den ekstatisch-enthusiastischen Gaben, sofern sie als Demonstration des neuen Seins verstanden wurden, bereits deutlich wurde, gilt nun im Hinblick auf die vom Geist gewirkte Verherrlichung der Glaubenden völlig: sie ist immer Gabe, nie menschliche Möglichkeit, geschweige denn Besitz.

Hier sind diejenigen Verschränkungen zu bedenken, in denen eine glorificatio als gegenwärtiges Geschehen als Werk des Geistes ausgesagt wird.

Wir gehen wieder von Röm 8 aus. In 8,17c spricht Pl von einem zukünftigen συνδοξάζεσθαι der Glaubenden mit Christus, nach V. 29 f. hingegen ist der Erwerb dieser δόξα bereits gegenwärtige Wirklichkeit (Aor.). Auch wenn man sieht, daß Pl in V. 29 f. (außer in V. 29b.c) einem trad. Kettenschluß folgt (προέγνω – προώρισεν – ἐκάλεσεν – ἐδικαίωσεν – ἐδόξασεν)[54], auf der Ebene des Briefes bleibt die Verschränkung einer futurischen mit einer gegenwärtigen Heilsaussage. Dieser Kettenschluß weist zurück auf eine Tauftradition des hell. Judenchristentums[55]. Berufung, Gerechtmachung und Verherrlichung wurden im Taufakt übereignet. Obwohl im Röm 8,29 f. ein expliziter Hinweis auf den Geist fehlt, wird man von den jüd. und christl. Parallelen (JosAs 8,9; 1. Kor 6,11), die den Geist als Mittel solcher Erneuerung preisen, sowie von der kompositionellen Verklammerung, nicht vom Geist absehen dürfen. Die Zuordnung der präsentisch ausgerichteten Tauftradition zu den auf das Eschaton ausgerichteten Geistaussagen des vorangehenden Kontextes ergibt für die Tauftradition zugleich einen eschatologischen Vorbehalt. Dieser im Taufgeschehen begründete Gewinn der δόξα ist vor einem magischen Mißverständnis gefeit. Die forensi-

---

[54] Schon die Einleitung οἴδαμεν δέ verweist auf trad. Material (Weiß, 1. Kor 58).

[55] Der Hintergrund der Tauftheologie des hell. Judenchristentums ist deutlich erkannt bei Luz, Geschichtsverständnis 251; Balz, Heilerwartung 113; Paulsen, Überlieferung 160 f.; Wilckens, Röm II 165; Käsemann, Röm 233 f.; von der Osten-Sacken, Röm 8, 69–73. Hingegen kann der von Bindemann, Hoffnung 44 (in Aufnahme einer These von Schmithals, Anthropologie 164), gemachte Vorschlag, ein ‚jüdisches Traditionsstück' zu sehen, nur als Anpassung an die dem Buch zugrundegelegte These verstanden werden; Pl setze „sich in Röm 8 mit einer christlich-apokalyptischen, jüdisch-apokalyptischem Denken nahestehenden Meinungsfront auseinander ..." (53).

schen Begriffe des Kontextes (ἐντυγχάνειν V.17; ἐγκαλεῖν, δικαιοῦν, κατακρίνειν V.33 f.) halten präzise fest, daß die Taufaussage nur als Glaubensaussage denkbar ist. Der gegenwärtige Stand bedarf der eschatologischen Vollendung.

Weitaus stärker als in Röm 8 greift die glorificatio in 2.Kor 3,7–4,18 in Gegenwartsaussagen ein. Der pl Dienst ist durch δόξα ausgezeichnet (3,8 f.11), was in παρρησία und ἐλευθερία konkret wird. Dies stellt in Unmittelbarkeit zu Gott, es fallen distanzierende vorchristliche Größen wie das κάλυμμα hinweg, und dies alles ist ein geistgewirktes Geschehen.

Von gegenwärtiger glorificatio ist nun im Besonderen zu sprechen, da Pl in 3,18 als Wirkung des Geistes für die Gemeinde in ihrer Gesamtheit behauptet: sie schaut mit unverhülltem Angesicht die Doxa des Herrn und wird in das Bild dieser Doxa des Herrn verwandelt (vgl. auch 7.1.2.2).

Beide Aussagen hängen unmittelbar zusammen. Der Vordersatz V. 18a benennt die Voraussetzung für das μεταμορφοῦσθαι (V.18b). Die vorangehende Antithetik Mose – Paulus wird ausgeweitet auf den Gegensatz Israel – Christen. Diese schauen als Bekehrte mit unverhülltem Angesicht die Doxa Christi. Hierbei zeigt κατοπτριζόμενοι an: dieses Schauen der Doxa Christi vollzieht sich so, wie man es von einem guten Spiegel erwartet, als adäquates Schauen.

κατοπτρίζεσθαι bedeutet im Aktiv: widerspiegeln, reflektieren. Legt man diesen Sinn 2.Kor 3,18 zugrunde, läge zugleich eine Analogie der Christen zu Mose vor, dessen Angesicht die göttliche Doxa reflektiert[56].

Jedoch sind in V.18 die Christen dem verstockten Israel gegenübergestellt, der Gegensatz verläuft zwischen ἀνακεκαλυμμένῳ und κάλυμμα ἐπὶ τὴν καρδίαν. Sodann liegt in κατοπτριζόμενοι ein Medium vor, dessen Bedeutung mit ‚sich im Spiegel schauen, etwas im Spiegel sehen' wiederzugeben ist. So entspricht es dem klassischen Sprachgebrauch: Plut, PraecConiug 141 D; Jambl, Protr XXI; Porphyr, Marc 13 u.a. In diesen Belegen erhält κατοπτρίζεσθαι, aktiven Sinn und kommt dem ‚Schauen in einem Spiegel' nahe[57]. Auch die alten Übersetzungen (Belege bei Kittel, ThWNT II 694; Windisch, 2.Kor 128 A 3) geben κατοπτριζόμενοι mit ‚speculantes' wieder.

Weshalb wählt Pl an dieser Stelle den Begriff κατοπτριζόμενοι, den er sonst meidet? Einerseits ist zu bedenken, daß in der jüd. Auslegung des Sinaigeschehens (Philo, All III 101, zu Ex 33,13) der Begriff vorgegeben ist in der Bedeutung ‚Schauen der Gottheit in einem Gegenstand

---

[56] Diese Parallele zu Mose betonen J.Dupont, Le chrétien, miroir de la gloire divine d'après 2.Cor III,18; RB 56, 1949, 392–411; van Unnik, face.

[57] Ausführlich Bultmann, 2.Kor 93–99; Kittel, ThWNT II 693 f.; Kremer, EWNT II 677 f.; Windisch, 2.Kor 127, der von einem 'schauenden Aufnehmen' spricht (128).

oder in einem Spiegel'[58]. Andererseits gewinnt Pl auch mit Hilfe dieses Begriffes Anschluß an die antike Vorstellung ‚Verwandlung durch Schauen‘; vgl. Porphyr, Marc 13: ... ἐνοπτριζόμενος τῇ ὁμοιώσει θεοῦ ; Lucius (bei Apul, Met XI 23 f.) wird, nachdem er Sol geschaut hat, verwandelt zur Inkarnation des Sonnengottes. CH 4,11 beschreibt das Schauen des Bildes Gottes als den Weg zur oberen Welt[59]; vgl. auch Sap 7,26; OdSal 13,1-4; ActJoh 95; 111-113; 1. Klem 36,2.

Die Gemeinde betrachtet mit unverhülltem Haupt die δόξα κυρίου, und dieses Schauen ist Voraussetzung zur Verwandlung, weil sie so dem Objekt der Betrachtung immer ähnlicher wird.

Um diese Verwandlung zu beschreiben, wählt Pl mit μεταμορφούμεθα einen weiteren für ihn relativ unüblichen Begriff. Er begegnet neben 2. Kor 3,18 noch in Röm 12,2; außerdem μορφοῦσθαι in Gal 4,19; συμμορφίζεσθαι in Phil 3,10; σύμμορφος in Röm 8,29; Phil 3,21.

Hierbei ist wiederum die Verbindung von συμμόρφους τῆς εἰκόνος τοῦ υἱοῦ αὐτοῦ in Röm 8,29; Phil 3,21 (σύμμορφον τῷ σώματι τῆς δόξης αὐτοῦ) und τὴν αὐτὴν εἰκόνα μεταμορφούμεθα in 2. Kor 3,18 auffällig. Während diese Gleichgestaltung mit dem Bild des Sohnes in Röm 8,29 der Gegenwart, in Phil 3,21 der Zukunft zugeordnet wird, um für die Gegenwart gerade die Leidensgemeinschaft mit Christus zu betonen (Röm 8,17), 2. Kor 5,7; Röm 8,24 f. auch das ‚Schauen‘ der Zukunft vorbehält, spricht 2. Kor 3,18 von einer gegenwärtigen Verwandlung εἰς τὴν αὐτὴν εἰκόνα (‚in dasselbe Bild‘, BDR § 159.4) des Doxa – Christus, welche von dem Geist dieses Herrn bewirkt wird.

Mit dieser Aufnahme des Motivs ‚Verwandlung durch Schauen‘ und seiner Zuspitzung auf den Begriff μεταμορφοῦσθαι in präsentischer Formulierung begibt Pl sich in größte Nähe zu mysterienhaften Vorstellungen, seine Ausführungen sind gezeichnet von ‚mystischer Temperatur‘[60].

---

[58] Vgl. die Übersetzung von Heinemann in Cohn, Philo III: ‚ich möchte auch nicht dein Bild in irgend etwas anderem widergespiegelt sehen, sondern in dir, der Gottheit erblicken‘. Ausführlich zur Stelle Lietzmann, Kor 113. Die Verklärungsgeschichte Mk 9,1 ff. steht in keinem direkten Zusammenhang mit 2. Kor 3,18. Zwar begegnet auch hier μεταμορφοῦσθαι und die Erwähnung des Mose. Wahrscheinlich greift die mk Tradition unabhängig von Pl auf die jüd.-hell. Mosetradition (z. B. Philo, VitMos II 69 f.) zurück; dazu: J. M. Nützel, Die Verklärungsgeschichte im Markusevangelium, fzb 6, 1973; D. Lührmann, Das Markusevangelium, HNT 3, 1987, 155 f.

[59] Bedenkt man zudem, daß in dieser Vorstellung der Geist die Funktion der Vermittlung zwischen dem Objekt und dem Schauenden hat (dazu Pulver, Erlebnis 131), wird die Auflösung des Genitivs in 2. Kor 3,18 im Sinne von ‚Herrn des Geistes‘ noch unwahrscheinlicher. Fitzmyer, Glory, zeigt, daß das Motiv ‚Verwandlung durch Schauen‘ auch im pal. Judentum bezeugt ist.

[60] Windisch, Urchristentum 222 f. (Belege!); Dibelius, Paulus und die Mystik 143 und

Jedoch sind zugleich Differenzen zur mysterienhaften Verwandlungsvorstellung nicht zu übersehen. Das Subjekt des Verwandlungsprozesses ist das πνεῦμα κυρίου, nicht aber rituell abgelegte Übungen der Glaubenden. Zugleich vollzieht sich das μεταμορφούμεθα ἀπὸ δόξης εἰς δόξαν, was einen geschichtlichen Prozeß anzeigt, nicht aber eine mysterienhafte, magisch wirkende Verwandlung[61]. Hierbei ist es gleich, ob man ἀπὸ δόξης εἰς δόξαν nach Röm 1,17 (ἐκ πίστεως εἰς πίστιν) auf die stufenweise Entfaltung der Verwandlung oder nach 2.Kor 2,16 (ἐκ ζωῆς εἰς ζωήν) auf den ständigen Fluß der Doxa bezieht; in jedem Fall ist ein Prozeß angezeigt, der in der Gegenwart, die ja bereits das Schauen der Doxa kennt, begonnen hat[62]. Blickt man voraus auf 2.Kor 4,6, wo Pl seinen apostolischen Dienst mit mysterienhafter Sprache beschreibt (φωτισμός, γνῶσις, δόξα), so hat die glorificatio mit der Selbstoffenbarung Gottes in Christus ihren Anfang genommen (vgl. dazu das ἐν ἐμοί in Gal 1,16).

Gewiß ist Pl auch in 3,18 noch von dem Motivbereich der Sinaitypologie bewegt. Wer jedoch von diesem Sachverhalt und dem Übergewicht der Erwartung der zukünftigen Verherrlichung 2.Kor 3,18 an den Rand schieben möchte, muß sich fragen lassen, ob er „sich den extremen Gedankengängen des Paulus völlig geöffnet" hat[63].

Wie aber stellt Pl sich solche bereits in der Gegenwart anhebende glorificatio vor?

Es dürfte eine zu starke Engführung sein, hier ausschließlich gottesdienstliche Erfahrungen zu bemühen[64]. Die Aussage ist zu grundsätzlich, um sie noch als Antithese zum jüdischen Synagogalgottesdienst zu verstehen (vgl. V.14). Auch kann der Hinweis darauf, daß die Epoptie im hell. Mysterienwesen bei der Weihefeier erfolgte, nicht eine ausschließliche Eingrenzung der pl Aussage auf den Gottesdienst nahelegen.

156; vgl. ausführlich zur Verwandlungsvorstellung in der hell. Antike: Reitzenstein, Mysterienreligionen 262–265; Behm, ThWNT IV 763–765.

[61] Deutlich Bultmann, 2.Kor 98. Die gegenteilige Sicht findet sich bei Reitzenstein, Mysterienreligionen 360, der von einer „vollkommenen Wesensänderung durch die γνῶσις θεοῦ" spricht.

[62] Vgl. hierzu Nützel, EWNT II 1021f. In 2.Kor 3,18 bleibt wie im vorangehenden Kontext ein Gegensatz zu Mose: während die Doxa von seinem Angesicht schwindet, vermehrt sie sich zunehmend für die Christen (Furnish, 2.Cor 215; Hickling, Sequence 393; Moule, 2.Cor 3:18b, 236).

[63] So mit Recht Balz, Heilsvertrauen 113 A 252. Auch Gunkel, Wirkungen 100, zu 2.Kor 3,18: „... in dem großen Fragment, das wir paulinische Theologie nennen, gibt es manches ἅπαξ λεγόμενον."

[64] So Bousset, 2.Kor 184; ders., Kyrios 108f.; teilweise Zustimmung von Windisch, 2.Kor 131.

Ebenfalls abwegig ist die von Schmiedel vorgetragene Vermutung einer immanenten Entwicklung zur Herrlichkeit bei gleichzeitiger Entwertung des Auferstehungsgedankens: „... daß P an geheimnisvolle Vorstufen der eschatologischen Verklärung glaubte, welche ebenso durch die innere Anschauung des Glanzes auf Christi Angesicht bei seinen wiederholten Christuserscheinungen sich vollzogen ...“[65]. Gegen die These der Entwertung des Auferstehungsgedankens spricht schon der Rückgriff auf die Begründungsformel im unmittelbaren Kontext (2. Kor 4,14). Daß die Christusschau in der Berufung einen festen Anhalt hat, erweisen eventuell 2. Kor 4,6 und Gal 1,16 zweifelsfrei, über sich wiederholende Erscheinungen berichtet Pl jedoch nicht.

Ersetzt man die Gabe des μεταμορφούμεθα ... ἀπὸ κυρίου πνεύματος durch den Imperativ, ‚gemäß dem Geist zu wandeln‘[66], so sagt man im pl Sinn gewiß nichts falsches, trifft aber nicht die Aussage aus 2. Kor 3,18.

Die geistgewirkte Verwandlung betrifft nicht die somatisch-physische Existenz. In den folgenden Ausführungen expliziert Pl für seine Person, daß trotz der Auswirkungen der δύναμις θεοῦ in seinem Apostolat die Leiden Christi offenbar werden (4,10-12). Auch wenn der Geist im Sakrament substanzhaft übereignet wird, so begründet diese Gabe keine Metamorphose der äußeren Gestalt.

Hier sind die Korrekturen zu benennen, die Käsemann in der Exegese zu Phil 2,5-11 gegenüber älteren Analysen des μορφή-Begriffs vorgetragen hat. Käsemann zeigt, daß in hell. Zeit der Begriff μορφή und das Verb μεταμορφοῦσθαι nicht mehr ausschließlich auf die äußere Gestalt zu beziehen sind, sondern zugleich auf das Dasein in seiner Ausrichtung auf die wirkende göttliche Substanz und Kraft[67]. Daß Pl μεταμορφοῦσθαι in diesem Sinn versteht, bezeugt zumindest Röm 12,2[68]

2. Kor 4,16 steht der Verwandlungsaussage in 2. Kor 3,18 nahe und mag andeuten, wie diese glorificatio verstanden werden soll[69]. Auch hier deutet Pl mit ἡμέρα καὶ ἡμέρα ähnlich dem ἀπὸ δόξης εἰς δόξαν ein geschichtliches Verständnis an. Die Verwandlung betrifft den inneren

---

[65] Schmiedel, 2. Kor 195; Kritik an Schmiedel durch Deißner, Auferstehungshoffnung 104-109.

[66] Lang, Kor 276.

[67] E. Käsemann, Kritische Analyse von Phil 2,5-11, in: ders., Exegetische Versuche und Besinnungen I, ⁶1970, 65-69. Zuvor bereits Reitzenstein, Mysterienreligionen 357-360. Auch in Phil 3,21 ist im σῶμα eine Kontinuität gegeben. Jedoch ist mit der Gabe der δόξα das Wesen des zukünftigen σῶμα bestimmt; vgl. auch Pöhlmann, EWNT II 1089-1091; Bauer, WB 1011 f.

[68] Vgl. H. D. Betz, Das Problem der Grundlagen der paulinischen Ethik, ZThK 85, 1988, 213: „Auf jeden Fall ist es nach Paulus so, daß die fortgesetzte Verwandlung das ethische Leben des Christen charakterisiert".

[69] So Bultmann, 2. Kor 128; Furnish, 2. Cor 241.

Menschen, sie betrifft den, der nach dem Bilde dessen, das er betrachtet, verändert wird. Auch hier öffnet sich Pl mit der Unterscheidung von innerem und äußerem Menschen mysterienhafter Sprache und Vorstellungswelt[70]. Schließlich beschreibt das Präsens ἀνακαινοῦνται einen gegenwärtig sich vollziehenden Vorgang.

Diese Verwandlung ist nicht als Entwicklung nach Analogie natürlicher Vorgänge zu verstehen[71]. Vollzieht sich die Verwandlung auf das Bild hin, das vor Augen steht, so beschreibt Pl in 2. Kor 3,18 und 4,16 eine solche Veränderung, die in derjenigen Kraft besteht, welche eben von dem Objekt der Betrachtung auf das Leben ausgeht. Sie erweist sich in den Gaben der παρρησία (3,12; Phil 1,20) und ἐλευθερία (3,17), besteht aber substantiell in der Gestaltwerdung des Erhöhten im Glaubenden (Gal 2,20; 4,19; Phil 1,20f.; 3,10; 2. Kor 4,10f. u. a.), und diese glorificatio ist geistgewirkt (2. Kor 3,18).

8.4 Der Geist Gottes als endzeitliche Funktion und als Substanz

Die Unterscheidung, den Geist Gottes einerseits als Funktion oder Kraft des endzeitlichen Seins, andererseits aber als Substanz und darin als naturhafte Grundlage des neuen Seins zu verstehen, war forschungsgeschichtlich vorgegeben. Sie verband sich häufig mit der Frage nach den Wurzeln der pl Theologie, insofern in der Betonung des ersten Aspektes die Aufnahme einer atl. bestimmten Linie, in derjenigen des zweiten hingegen eine Abhängigkeit vom hell. Denken gesehen wurde.

Der urchristliche Ausgangspunkt des Christusgeschehens und die Gewißheit der als endzeitlich zu begreifenden Geistbegabung der Gemeinde stellen jedoch eine Spannung zum Geistverständnis der nichtchristlichen Umwelt dar, insofern beide sich kritisch gegenüber einer bruchlosen Adaption bereitliegender Konzeptionen verhalten. Das urchristliche Verständnis des Geistes lag nicht als Erwartung im Judentum bereit, sondern ist geworden, was das Neue Testament dokumentiert. Dieses Werden vollzieht sich sowohl im Rückgriff auf, als auch in der Verweigerung gegenüber bestimmten Vorstellungen des hell./pal.

---

[70] Vgl. zur Unterscheidung von ‚innerem und äußerem Menschen‘ bei Paulus und in der hell. Tradition den Exkurs bei Wilckens, Röm II 93 f. Schrage, Leid 161, macht auf die apokalyptische Verankerung der Begrifflichkeit aufmerksam.

[71] Wenn Windisch, 2. Kor 153, die pl Aussage von Klgl 3,23 (‚die Güte des Herrn ist alle Morgen neu‘) her als tägliche Regeneration der verbrauchten Kräfte interpretiert, so bemüht er einen zyklischen Vorgang, was mit 2. Kor 3,18 nicht zu vereinbaren ist.

Judentums und des Hellenismus, zeigt sich jedoch keinesfalls einem religionsgeschichtlichen Umfeld allein verpflichtet.

Neben dem Verständnis des Geistes, welches der unbekehrte Saulus als hell. Jude hatte, ist für Pl die Aussage der frühen Gemeinde, die er verfolgte und der er sich anschloß, die maßgebliche Vorgabe. Hier hat das Bewußtsein, eine endzeitliche und geistbegabte Größe zu sein, in Formeln, Motiven und Traditionen Ausdruck gefunden, denen Pl in seinen Briefen noch verpflichtet ist. Es ist die Leistung des Pl, diesen Ausgangspunkt entfaltet und in Beziehung gesetzt zu haben zu der gleichfalls im Werden begriffenen urchristlichen Theologie, zu Christologie und Eschatologie, zu Sakrament und Ethik. Der forschungsgeschichtlich gegebene Dissens, Funktion und Substanz des Geistes im pl Denken zu unterscheiden, greift zurück auf die unbestreitbar verschiedenen Aspekte in den pl Briefen, die unlöslich mit den jeweiligen Argumentationsebenen und dem Werden der pl Briefe verknüpft sind. Solange jedoch dieses Werden und die situative Bedingtheit der pl Aussagen mißachtet werden, muß der Exeget bei der Feststellung eines Nebeneinanders unterschiedlicher Aussagen stehenbleiben.

Die frühpaulinische Theologie steht ganz im Horizont der als nahe bevorstehend erwarteten Parusie. In der Zwischenzeit greift der Geist funktional in das Leben der Gemeinde ein, insofern er ihr neue Lebensäußerungen wie Verkündigung (1. Thess 1,5), Freude (1,6), Kenntnis und Befolgung des Willens Gottes (4,8 f.), Prophetie (5,19) ermöglicht. Gewiß ist auch die frühpaulinische Theologie von der Überzeugung bestimmt, daß der Geist nicht nur je und je als Kraft wirksam wird, sondern – so die Einwohnungsaussagen (1. Kor 3,16; 6,19; 1. Thess 4,8) – in den Glaubenden Wohnung genommen hat. Dennoch ist nach alledem, was aus dem 1. Thess zu entnehmen ist, der Geist Gottes nicht wirklich stofflich gedacht. Es wird noch ein Sakramentsverständnis vermißt, dem zufolge der Geist sakramental, an die Materie des Wassers, des Brotes und des Weines gebunden, übereignet wird. Dem korrespondiert, daß die eschatologische Hoffnung sich nicht auf das sakramentale Geschehen bezieht, vielmehr verbürgt der Ruf Gottes, der in der Bekehrung vernommen wurde, das Eschaton (1. Thess 2,12; 4,7; 5,24).

In großem Abstand zu dieser frühpaulinischen Theologie und dem funktionalen Aspekt des Geistes steht die korinthische Gemeindetheologie. Nur hier kann mit Recht von einem pneumatischen Enthusiasmus gesprochen werden. Ganz im Gegensatz zu der apokalyptischen Orientierung des 1. Thess versteht ein Teil der Gemeinde, der sich exklusiv πνευματικοί nennt und sich von den ψυχικοί distanziert, den Geist als eine magisch wirkende Gabe, die befähigt, gegenwärtig enthusiastisch an der himmlischen Welt zu partizipieren. So zeigt es sich sinnfällig in der glossolalen Praxis im Gemeindegottesdienst. Die entscheidende

Differenz zur frühpaulinischen Theologie und die Berechtigung der πνευματικοί zu dieser Interpretation ist mit einem divergenten Sakramentsverständnis gegeben. Die Taufe wird als Nachvollzug des Todes und der Auferweckung Jesu verstanden, zugleich übermitteln die sakramentalen Elemente, an die der Geist gebunden ist, substanzhaft himmlisches Wesen und begründen so die neue Natur der Glaubenden. Dies hat ein magisch wirkendes Sakramentsverständnis begünstigt, welches die Taufe auf bereits Verstorbene Anwendung finden läßt.

Gegenüber diesem pneumatischen Enthusiasmus betont Pl im 1. Kor und in Übereinstimmung mit dem 1. Thess einerseits den funktionalen Aspekt des Geistes: was dem Enthusiasmus als Demonstration des neuen Seins erscheint, ist in Wahrheit Gabe des Geistes im Hinblick auf die Auferbauung der Gemeinde. Zugleich aber kann Pl die Tauftheologie modifiziert übernehmen und zu einem Ausgangspunkt seines pneumatologischen Ansatzes machen. Die Taufe wird der Ort der Geistübermittlung und der Eingliederung in den Christusleib. Zugleich kritisiert Pl jedoch die magischen Implikationen von seiner Eschatologie her. So gewiß der Geist im Sakrament übereignet wird, diese Gabe ist nicht das Mittel gegenwärtiger Partizipation an der himmlischen Welt, sondern ist ein rechtlich verbürgtes Angeld auf das Eschaton. Die Angeld-Vorstellung leistet hierbei für Pl strukturell ein Doppeltes: Sie versichert, daß den Getauften der Geist wirklich übereignet ist. Sie hält andererseits den Blick dafür offen, daß die Glaubenden in der Zeit vor dem Eschaton leben und der Geist in dieser Zeit als Kraft und Norm funktional das Leben der Gemeinde bestimmt und bestimmen soll. Dieser Geist verhält sich, wie Pl gegenüber der judenchristlichen Gegenmission darlegt, kritisch zu den überkommenen Größen ,Buchstabe, Gesetz, Beschneidung'.

In dieser in der Angeld-Vorstellung gegebenen Differenzierung besteht kein Gegensatz zwischen funktionalem und substanzhaftem Geistverständnis, sondern eine Verknüpfung. Der Gegensatz, den Pl eröffnet, betrifft das magische, ungeschichtliche Denken.

Schließlich ist von einem weiteren funktionalen Verständnis des Geistes zu reden, welches vornehmlich in der spätpl Theologie begegnet. Hier initiiert der Geist nicht nur funktional einzelne Lebensäußerungen der Gemeinde, wie etwa die Charismen, ist nicht nur substanzhaft die spezifische Taufgabe an die Gemeinde. Vielmehr tritt der Geist als hypostatische Größe in den Blick, der den Glaubenden das Heilsgeschehen in Christus bezeugt und zueignet, indem er die Liebe Gottes vergegenwärtigt, den Stand der Sohnschaft bezeugt, für die Glaubenden vor Gott eintritt, ihnen in der Schwachheit aufhilft und sie zur Herrlichkeit hin verwandelt. Insofern in diesen Bestimmungen die Beziehung zum Christusereignis hergestellt ist, und dieses Wirken des Geistes religionsgeschichtlich kaum auf jüd. oder hell. Vorgaben zurückgreift, ist hierin neben der Konzeption des Geistes als eines Angelds auf das Eschaton der spezifische Erkenntnisgewinn innerhalb der pl Briefe und also der Ertrag der Pneumatologie zu sehen.

Literaturverzeichnis

Im Literaturverzeichnis sind ausschließlich die häufiger benutzten Quellen und Übersetzungen und die häufiger benutzte Sekundärliteratur genannt. Weitere Literatur ist in den Anmerkungen vollständig zitiert. Nicht eigens aufgeführt sind Wörterbuch- oder Lexika-Artikel. Die im Literaturverzeichnis genannte Literatur wird in den Anmerkungen unter Verfasser und Hauptwort des Titels zitiert.

Die Abkürzungen folgen dem Abkürzungsverzeichnis des EWNT, gelegentlich auch dem Abkürzungsverzeichnis des ThWNT.

Darüber hinaus bedeuten: Pl, pl – Paulus, paulinisch; Bill – Strack, Kommentar (vgl. Lit.-Verz.).

I Quellen und Übersetzungen

Aland, K. u. a. (Hg.), Novum Testamentum Graece, [26]1979

Andresen, C. (Hg.), Die Gnosis (3 Bde.), [2]1979, 1971 und 1980

Babbitt, F. C., Plutarch's Moralia in fifteen volumes, The Loeb Classical Library, 1927 ff.

Batiffol, P. (ed.), Le livre de la Prière d'Aseneth, in: ders., Studia Patristica, 1889–90, 1–115

Becker, J., Die Testamente der zwölf Patriarchen, JSHRZ III/1, [2]1980

Berger, K., Das Buch der Jubiläen, JSHRZ II/3, 1981

Betz, H. D. (ed.), The Greek Magical Papyri in Translation including the Demotic Spells, 1986

Bihlmeyer, K./Schneemelcher, W. (Hg.), Die Apostolischen Väter, SQS II, 1/1, [3]1970

Black, M., Apocalypsis Henochi Graeci, in: Denis, A. M./de Jonge, M., PVTG 3, 1970, 5–44

Brand, E. (Hg.), Apuleius. Lateinisch und Deutsch: Der goldene Esel. Metamorphosen, [2]1963

Brock, S. P., Testamentum Iobi, PVTG 2, 1967

Burchard, Chr., Joseph und Aseneth, JSHRZ II/4, 1983

Burnet, I., Platonis Opera, Recognovit brevique adnotatione critica instruxit I. Burnet, 5 Bde., 1900 ff.

Charles, R. H., The Greek Versions of the Testaments of the Twelve Patriarchs, [3]1966

Charlesworth, J. H., The Odes of Solomon. Edited with translation and notes, 1973

– (ed.), The Old Testament Pseudepigraphia, Vol. I–II, 1983–1985

Cohn, L./Wendland, P., Philonis Alexandrini Opera quae Supersunt I–VII, 1896–1930

Colson, F. H. u. a., Philo in ten volumes, The Loeb Classical Library, 1929 ff.

Elliger, K./Rudolph, W., Biblia Hebraica Stuttgartensia, 1977

Fischer, J. A., Die Apostolischen Väter, Schriften des Urchristentums I, ⁶1970

Gebhardt, O./Harnack, A./Zahn, Th., Patrum Apostoloricum Opera, Editio sexta minor, 1920

Georgi, D., Weisheit Salomos, JSHRZ III/4, 1980

Goldschmidt, L., Der Babylonische Talmud (9 Bde.), 1933–1935

Hengel, M. u. a. (Hg.), Übersetzung des Talmud Yerushalmi I/1 ff., 1975 ff.

Hennecke, E., Neutestamentliche Apokryphen in deutscher Übersetzung; hg. v. W. Schneemelcher, I ⁴1968, II ⁴1971

Holm-Nielsen, S., Die Psalmen Salomos, JSHRZ IV/2, 1977

Jonge, M. de, The Testaments of the Twelve Patriarchs. A Critical Edition of the Greek Text, PVTG I/2, 1978

Kautzsch, E. (Hg.), Die Apokryphen und Pseudepigraphen des Alten Testaments (2 Bde.), 1962 (Nachdruck)

Klijn, A. F., Die syrische Baruch-Apokalypse, JSHRZ V/2, 1976

Lattke, M., Die Oden Salomos in ihrer Bedeutung für Neues Testament und Gnosis 1 + 2, OBO 25, 1 + 2, 1979

Lohse, E. (Hg.), Die Texte aus Qumran Hebräisch und Deutsch, ²1971

Maier, J., Die Texte vom Toten Meer I + II, 1960

Marcus, R., Philo, Supplement I und II, The Loeb Classical Library, 1953

Michel, O./Bauernfeind, O. (Hg.), Flavius Josephus, De Bello Judaico. Der Jüdische Krieg I–III, ³1982. 1963. 1969

Niese, B., Flavii Josephi Opera, 1885–1895 (Nachdruck 1955)

Nock, A. D./Festiguère, A.-J., Corpus Hermeticum (4 Bde.), 1945 und 1954

Philonenko, M., Joseph et Aséneth. Introduction, Texte, Critique, Traduction et Notes, Studia Post-Biblica 13, 1968

Preisendanz, K. (Hg.), Papyri Graecae Magicae. Die griechischen Zauberpapyri (2 Bde.), 2. Aufl. hg. von A. Henrichs, 1973–1974

Rahlfs, E., Septuaginta (2 Bde.), ⁸1965

Rießler, P., Altjüdisches Schrifttum außerhalb der Bibel, 1928

Robinson, J. M. (ed.), The Nag Hammadi Library in English, 1981

Schaller, B., Das Testament Hiobs, JSHRZ III/3, 1979

Schunck, K.-D., 1. Makkabäerbuch, JSHRZ I/4, 1980

Schwartz, E. (Hg.), Euseb, Kirchengeschichte I, GCS 9,1, 1903; II, GCS 9,2,1908

Stählin, O. (Hg.), Clemens Alexandrinus, Stromata, in: Clemens Alexandrinus, 2. Bd. Stromata I–VI, neu hg. von L. Früchtel, GCS 15, ³1960; 3. Bd. Stromata VII–VIII u. a., neu hg. von L. Früchtel, GCS 17, ²1970

Thackeray, H. St. J., Josephus in nine volumes, The Loeb Classical Library, 1926 ff.

Uhlig, S., Das äthiopische Henochbuch, JSHRZ V/6, 1985

Wengst, K., Didache (Apostellehre). Barnabasbrief. Zweiter Klemensbrief. Schrift an Diognet, Schriften des Urchristentums II, 1984

Whittaker, M., Die Apostolischen Väter I. Der Hirt des Hermas, GCS 48, 1956

II Sekundärliteratur

Aagaard, A. M., Die Erfahrung des Geistes, in: Dilschneider, Theologie, 9–24

Abelson, J., The Immanence of God in Rabbinical Literatur, 1912 (= 1969)

Abrahams, I., Studies in Pharisaism and the Gospels. First and Second Series, 1917

Abramowski, L., Die Entstehung der dreigliedrigen Taufformel – ein Versuch. Mit einem Exkurs: Jesus der Naziräer, ZThK 81, 1984, 417–446

Adai, J., Der Heilige Geist als Gegenwart Gottes in den einzelnen Christen, in der Kirche und in der Welt. Studien zur Pneumatologie des Epheserbriefes, RStTh XXXI, 1985

Aejmelaeus, L., Streit und Versöhnung. Das Problem der Zusammensetzung des 2. Korintherbriefes, SESJ 46, 1987

– Wachen vor dem Ende. Die traditionsgeschichtlichen Wurzeln von 1. Thess 5:1–11 und Luk 21:34–36, SESJ 44, 1985

Anderson, A. A., The use of ‚ruah‘ in I QS, I QH, and I QM, JSS 7, 1962, 293–303

Anrich, G., Das antike Mysterienwesen in seinem Einfluß auf das Christentum, 1894

Arai, S., Die Gegner des Paulus im I. Korintherbrief und das Problem der Gnosis, NTS 19, 1972/73, 430–437

– Zum ‚Tempelwort‘ Jesu in Apostelgeschichte 6.14, NTS 34, 1988, 397–410

Aune, D. E., Magic in Early Christianity, in: ANRW II.23.2, 1507–1557

– Prophecy in Early Christianity and the Anciant Mediterranean World, 1983

Bachmann, Ph., Der erste Brief des Paulus an die Korinther, KNT VII, mit Nachträgen von Stauffer, E., [4]1936

Balz, H. R., Heilsvertrauen und Welterfahrung. Strukturen der Paulinischen Eschatologie nach Römer 8, 18–39, BEvTh 59, 1971

– Methodische Probleme der Neutestamentlichen Christologie, WMANT 25, 1967

Balz, H. R./Schneider, G. (Hg.), Exegetisches Wörterbuch zum Neuen Testament I–III, 1980–1983

Bardy, E., Le Saint – Esprit en nous et dans L'Eglise d'après le Nouveau Testament, 1950

Barrett, C. K., Cephas and Corinth, in: Betz, O., Hengel, M., Schmidt, P. (Hg.), Abraham unser Vater, FS O. Michel, AGJU 5, 1963, 1–12

– Christianity at Corinth, BJRL 46, 1964, 269–297

– A Commentary on the First Epistle to the Corinthians, BNTC, [2]1971

– A Commentary on the Second Epistle to the Corinthians, BNTC, 1973

– Paul's Opponents in II Corinthians, NTS 17, 1970/71, 233–254

– A Commentary on the Epistle to the Romans, BNTC, [2]1962

– The Holy Spirit, ABR 18, 1970, 1–9

– The Holy Spirit and the Gospel Tradition, 1954

– Freedom and Obligation. A Study of the Epistle to the Galatians, 1985

Barth, G., Die Eignung des Verkündigers in 2. Kor 2, 14–3, 6, in: Lührmann, D. und Strecker, G. (Hg.), Kirche, FS G. Bornkamm, 1980, 257–270

– Die Taufe in frühchristlicher Zeit, BTSt 4, 1981

– Der Brief an die Philipper, ZBKNT 9, 1979

Barth, K., Nachwort zur Schleiermacher-Auswahl, hg. von Bolli, H., 1968, 290-312

Bauer, W., Das Johannesevangelium, HNT 6, ²1925
- Mündige und Unmündige bei dem Apostel Paulus, in: Aufsätze und kleine Schriften, hg. von Strecker, G., 1967, 122-154
- Griechisch-deutsches Wörterbuch zu den Schriften des Neuen Testaments und der übrigen urchristlichen Literatur, ⁵1971
- Der Wortgottesdienst der ältesten Christen, in: Aufsätze und kleine Schriften, hg. von Strecker, G., 1967, 155-209

Baumann, R., Mitte und Norm des Christlichen. Eine Auslegung von 1. Korinther 1, 1-3, 4, NTA 5, 1968

Baumbach, G., Die Anfänge der Kirchwerdung im Urchristentum, Kairos 24, 1982, 17-30
- Die von Paulus im Philipperbrief bekämpften Irrlehrer, in: Tröger, K.-W. (Hg.), Gnosis und Neues Testament, 1973, 293-310
- Die Frage nach den Irrlehrern in Philippi, Kairos 13, 1971, 252-266

Baumert, N., Charisma und Amt bei Paulus, in: Vanhoye, A., L'Apôtre, 203-228

Baumgarten, J., Paulus und die Apokalyptik. Die Auslegung apokalyptischer Überlieferungen in den echten Paulusbriefen, WMANT 44, 1975

Baur, F. Chr., Ueber den wahren Begriff des γλώσσαις λαλεῖν, Tübinger Zeitschrift für Theologie 3, 1830, 78-133
- Die Christuspartei in der korinthischen Gemeinde, der Gegensatz des petrinischen und paulinischen Christenthums in der alten Kirche, der Apostel Petrus in Rom, Tübinger Zeitschrift für Theologie 4, 1831, 61-206; wiederabgedruckt in: Scholder, K. (Hg.), Ferdinand Christian Baur. Ausgewählte Werke in Einzelausgaben I, 1963, 1-146
- Paulus, der Apostel Jesu Christi, 2. Aufl. hg. von Zeller, E., I 1866; II 1867
- Kritische Uebersicht über die neuesten, das γλώσσαις λαλεῖν in der ersten christlichen Kirche betreffenden Untersuchungen, ThStKr 10, 1838, 618-702

Beare, F. W., Speaking with Tongues. A Critical Survey of the New Testament Evidence, JBL 83, 1964, 229-246

Beavin, E. L., Ruah Hakodesh in Some Early Jewish Literature, Unpublished Phil. Diss. Vanderb. Univ. 1961

Becker, J., Auferstehung der Toten im Urchristentum, SBS 82, 1976
- Die Erwählung der Völker durch das Evangelium, in: Schrage, W. (Hg.), Studien zu Text und zur Ethik des Neuen Testaments, FS Greeven, H., BZNW 47, 1986, 82-101
- Der Brief an die Galater, NTD 8, ³1985, 1-85
- Das Gottesbild Jesu und die älteste Auslegung von Ostern, in: Strecker, G. (Hg.), Das Evangelium Jesu Christi, FS H. Conzelmann, 1975, 105-126
- Das Evangelium nach Johannes, ÖTK 4/1 + 2, ²1985 (Bd. 1), ²1984 (Bd. 2)
- Paulus. Der Apostel der Völker, 1989
- Untersuchungen zur Entstehungsgeschichte der zwölf Patriarchen, AGJU 8, 1970
- /Schmidt, W. H., Zukunft und Hoffnung, 1981

Behm, J., Die Handauflegung im Urchristentum nach Verwendung, Herkunft und Bedeutung in religionsgeschichtlichem Zusammenhang untersucht, 1911

Beker, J. C., Paul's Theology: Consistent or Inconsistent?, NTS 34, 1988, 364–377

– Paul the Apostle. The Triumph of God in Life and Thought, 1982

Benjamin, H. S., Pneuma in John and Paul. A Comparative Study of the Term with particular Reference to the Holy Spirit, Biblical Theology Bulletin 6, 1976, 27–48

Berger, K., Die Amen-Worte Jesu. Eine Untersuchung zum Problem der Legitimation in apokalyptischer Rede, BZNW 39, 1970

– Bibelkunde des Alten und Neuen Testaments. Zweiter Teil: Neues Testament, ²1984

– Exegese des Neuen Testaments, ²1984

– Formgeschichte des Neuen Testaments, 1984

– Hellenistische Gattungen und Neues Testament, ANRW II. 23. 2, 1031–1432

– Die impliziten Gegner. Zur Methode des Erschließens von ‚Gegnern‘ in neutestamentlichen Texten, in: Lührmann, D. und Strecker, G. (Hg.), Kirche, FS G. Bornkamm, 1980, 373–400

– Art.: Geist/Heiliger Geist/Geistesgaben III, TRE 12, 1984, 178–196

– Art.: Gnosis/Gnostizismus I, TRE 13, 1984, 519–535

– Zum traditionsgeschichtlichen Hintergrund christologischer Hoheitstitel, NTS 17, 1970/71, 391–425

– Jüdisch-Hellenistische Missionsliteratur und Apokryphe Apostelakten, Kairos 17, 1975, 232–248

– Die sog. ‚Sätze heiligen Rechts‘ im N.T. Ihre Funktion und ihr Sitz im Leben, ThZ 28, 1972, 305–330

– Zu den sogenannten Sätzen heiligen Rechts, NTS 17, 1970/71, 10–40

Bertrams, H., Das Wesen des Geistes nach der Anschauung des Apostels Paulus, NTA IV/4, 1913

Best, E., The Interpretation of Tongues, SJTh 28, 1975, 45–62

– A Commentary on the First and Second Epistles to the Thessalonians, BNTC, 1972

Betz, H. D., Der Apostel Paulus und die sokratische Tradition. Eine exegetische Untersuchung zu seiner ‚Apologie‘ 2 Korinther 10–13, BHTh 45, 1972

– The Literary Composition and Function of Paul's Letter to the Galatians, NTS 21, 1974/75, 353–393

– 2. Cor 6: 14–7: 1. An Anti-Pauline Fragment?, JBL 92, 1973, 88–108

– In Defense of the Spirit: Paul's Letter to the Galatians as a Document of Early Christian Apologetics, in: Schüssler-Fiorenza, E. (ed.), Aspects of Religious Propaganda in Judaism and Early Christianity 2, 1976, 99–114

– Galatians. A Commentary on Paul's Letter to the Churches in Galatia, Hermeneia, ³1987

– Geist, Freiheit und Gesetz: Die Botschaft des Paulus an die Gemeinden in Galatien, ZThK 71, 1974, 78–93

Betz, O., Das Problem der Gnosis seit der Entdeckung der Texte von Nag-Hammadi, VF 21, 1976, 46–80

– Offenbarung und Schriftforschung in der Qumransekte, WUNT 6, 1960

– Zungenreden und süßer Wein. Zur eschatologischen Exegese von Jesaja 28 in Qumran und im Neuen Testament, in: Wagner, S. (Hg.), Bibel und Qumran, FS H. Bardtke, 1968, 20–36

Bieler, L., ΘΕΙΟΣ ANHP. Das Bild des göttlichen Menschen in Spätantike und Frühchristentum I. II, 1935/36

Bietenhard, H., Logos-Theologie im Rabbinat, ANRW II. 19. 2, 580–618

– Die himmlische Welt im Urchristentum und Spätjudentum, WUNT 2, 1951

Bindemann, W., Die Hoffnung der Schöpfung, Neukirchner Studienbücher 14, 1983

Bläser, P., ,Lebendigmachender Geist'. Ein Beitrag zur Frage nach den Quellen der paulinischen Theologie, BEThL 12/13, 1959, 404–413

Blank, J., Gesetz und Geist, in: de Lorenzi, Law, 73–100

Blass, F., Debrunner, A., Grammatik des neutestamentlichen Griechisch, bearbeitet von Rehkopf, F., [16]1984

Bleek, F., Ueber die Gabe des γλώσσαις λαλεῖν in der ersten Christlichen Kirche, ThStKr 2, 1829, 1–79

Böcher, O., Art.: Dämonen IV, TRE 8, 1981, 279–286

– Wasser und Geist, in: ders., Kirche in Zeit und Endzeit. Aufsätze zur Offenbarung des Johannes, 1983, 58–69

Boismard, M.-E., La révélation de l'Esprit Saint, Revue Thomiste 55, 1955, 5–21

Bonnard, P., L'Esprit saint et l'Eglise selon le Nouveau Testament, RHPhR 37, 1957, 81–90

Boring, M. E., Sayings of the Risen Jesus. Christian Prophecy in the Synoptic Tradition, SNTSMS 46, 1982

– The unforgivable sin logion Mark III 28–29/Matth XII 31–32/Luke XII 10, NovT 18, 1976, 258–279

Bornemann, W., Die Thessalonicherbriefe, KEK X, [5+6]1894

Bornkamm, G., Paulus, [3]1977

– Der Philipperbrief als paulinische Briefsammlung, in: ders., Geschichte und Glaube II, Ges. Aufs. IV, BEvTh 53, 1971, 195–205

– Der Römerbrief als Testament des Paulus in: ders., Geschichte und Glaube II (s. o.), 120–139

– Taufe und neues Leben bei Paulus, in: ders., Das Ende des Gesetzes, Ges. Aufs. I, BEvTh 16, [5]1966, 34–50

– Zum Verständnis des Gottesdienstes bei Paulus, in: ders., Das Ende des Gesetzes (s. o.), 113–132

– Die Vorgeschichte des sogenannten Zweiten Korintherbriefes, in: ders., Geschichte und Glaube II (s. o.), 162–194

Borse, U., Der Brief an die Galater, RNT, 1984

– Der Standort des Galaterbriefes, BBB 41, 1972

Bouwman, G., Die Hagar- und Sara-Perikope (Gal 4, 21–31). Exemplarische Interpretation zum Schriftbeweis bei Paulus, ANRW II. 25. 4, 3135–3155

Bousset, W., Hauptprobleme der Gnosis, FRLANT 10, 1973 (Neudruck)

– Die Himmelsreise der Seele, in: Archiv für Religionswissenschaft 4, 1901, 136–169. 229–273

– Der erste Brief an die Korinther. Der zweite Brief an die Korinther, SNT II, [3]1917, 74–223

– Kyrios Christos. Geschichte des Christusglaubens von den Anfängen des Christentums bis Irenäus, FRLANT 21, [3]1926

– Die Religion des Judentums im späthellenistischen Zeitalter, hg.. von Greßmann, H., mit einem Vorwort von Lohse, E., HNT 21, [4]1966

- Rez.: K. Deißner, Auferstehungshoffnung, ThLZ 39, 1914, 6–8
- Rez.: H. Weinel, Die Wirkungen, GGA 163, 1901, 753–776
Bouttier, M., Complexio Oppositorum, NTS 23, 1977, 1–19
Brandenburger, E., Adam und Christus. Exegetisch-religionsgeschichtliche Untersuchung zu Römer 5, 12–21 (1. Kor. 15), WMANT 7, 1962
- Die Auferstehung der Glaubenden als historisches und theologisches Problem, WuD 9, 1967, 16–33
- Fleisch und Geist. Paulus und die dualistische Weisheit, WMANT 29, 1968
Braun, H., Qumran und das Neue Testament I und II, 1966
Brockhaus, U., Charisma und Amt. Die paulinische Charismenlehre auf dem Hintergrund der frühchristlichen Gemeindefunktionen, 1987 (Nachdruck)
Brown, R. E., The Gospel According to John, AB 29, 1966
- Diverse Views of the Spirit in the New Testament, Worship 57, 1983, 225–236
Brox, N., ΑΝΑΘΗΜΑ ΙΗΣΟΥΣ (1. Kor 12, 3), BZ 12, 1968, 103–111
- Der erste Petrusbrief, EKK XXI, 1979
Bruce, F. F., Christ and Spirit in Paul, BJRL 59, 1977, 259–285
- 1 and 2 Corinthians, NCB, 1971
- The Epistle of Paul to the Galatians. A Commentary on the Greek Text, NIC, 1982
- Paul: Apostle of the Free Spirit, ²1980
- Holy Spirit in the Qumran Texts, ALUOS 6, 1969, 49–55
Brückner, M., Die Entstehung der paulinischen Christologie, 1903
Büchsel, F., Der Geist Gottes im Neuen Testament, 1926
Bühner, J.-A., Jesus und die antike Magie. Bemerkungen zu M. Smith, Jesus der Magier, EvTh 43, 1983, 156–175
Bünker, M., Briefformular und rhetorische Disposition im 1. Korintherbrief, GTA 28, 1984
Bultmann, R., Bekenntnis- und Liedfragmente im ersten Petrusbrief, in: ders., Exegetica, 1967, 285–297
- Zur Geschichte der Paulusforschung, ThR 1, 1929, 26–59; wiederabgedruckt in: Rengstorf, K. H. (Hg.), Das Paulusbild in der neueren deutschen Forschung, WdF XXIV, ²1969, 304–337
- Die Geschichte der Synoptischen Tradition, FRLANT 29, ⁹1979
- Das Evangelium des Johannes, KEK II, ¹⁹1968
- Der zweite Brief an die Korinther, hg. von Dinkler, E., KEK-Sb, 1976
- Neueste Paulusforschung, ThR 6, 1934, 229–246; 8, 1936, 1–22
- Das Problem der Ethik bei Paulus, ZNW 23, 1924, 123–140; wiederabgedruckt in: Rengstorf, K. H. (Hg.), Paulusbild 179–199
- Exegetische Probleme des zweiten Korintherbriefes, in: ders., Exegetica, 1967, 298–322
- Ethische und mystische Religion im Urchristentum, ChrW 34, 1920, 725–731.738–743
- Rez.: F. Büchsel, Der Geist Gottes, ThLZ 9, 1929, 196–203
- Der Stil der Paulinischen Predigt und die kynisch-stoische Diatribe, FRLANT 13, 1910; Nachdruck hg. und mit einem Vorwort von Hübner, H., 1984

- Theologie des Neuen Testaments, ⁶1968
- Urchristentum und Religionsgeschichte, ThR 4, 1932, 1–21
- Das Urchristentum im Rahmen der antiken Religionen, rde 157/158, 1969

Burchard, Chr., 1. Kor 15, 39–41, ZNW 75, 1984, 233–258

Burkhard, D., Pneuma, Geist im Neuen Testament, 1980

Burton, E. de Witt, Spirit, Soul, and Flesh. The Usage of Πνεῦμα, Ψυχή and Σάρξ in Greek Writings and Translated Works from the Earliest Period to 180 A. D.; and of their Equivalents בְּפֶשׁ רוּחַ and בָּשָׂר in the Hebrew Old Testament, Historical and Linguistic Studies II/3, 1918

Callan, T., Prophecy and Ecstasy in Graeco-Roman Religion and in 1. Corinthians, NovT 27, 1985, 125–140

Cambier, J.-M., La liberté du Spirituel dans Romains 8.12–17, in: Hooker, M. D. and Wilson, S. G. (edd.), Paul and Paulinism, FS C. K. Barrett, 1982, 205–219

Campenhausen, H. v., Kirchliches Amt und geistliche Vollmacht in den ersten drei Jahrhunderten, BHTh 14, ²1963
- Tradition und Geist im Urchristentum, Studium Generale 4, 1951, 351–357

Carrez, M., La deuxième épître de Saint Paul aux Corinthiens, CNT VIII, 1986

Cavallin, C., Leben nach dem Tode im Spätjudentum und im frühen Christentum, ANRW II. 19. 1, 240–345

Chevallier, M.-A., Esprit de Dieu, paroles d'hommes. Le Rôle de l'esprit dans les ministères de la parole selon l'apôtre Paul, Diss. Strasbourg 1966
- L'Esprit et le Messie dans le bas – judaisme et le Nouveau Testament, Etudes d'Histoire et de Philosophie religieuses 49, 1958
- Sur un silence du Nouveau Tesament: L'esprit de Dieu à l'œuvre dans le cosmos et l'humanité, NTS 33, 1987, 344–369
- Souffle de Dieu. Le Saint-Esprit dans le Nouveau Testament 1, 1978

Clemen, C., Paulus. Sein Leben und Wirken (2 Bde.), 1904

Cohen, B., Note on Letter and Spirit in the New Testament, HThR 47, 1954, 197–203

Cohen, H., Der heilige Geist, in: Festschrift zum siebzigsten Geburtstage Jakob Guttmanns, hg. vom Vorstande der Gesellschaft zur Förderung der Wissenschaft des Judentums, Schriften hg. von der Gesellschaft 26, 1915, 1–21
- Religion der Vernunft aus den Quellen des Judentums. Nach dem Manuskript des Verfassers neu durchgearbeitet und mit einem Nachwort versehen von Strauß, B., 1978 (Nachdruck)

Collange, J.-F., Enigmes de la Deuxième Epitre de Paul aux Corinthiens, MSSNTS 18, 1972

Collins, R. F., Studiens on the First Letter to the Thessalonians, BEThL LXVI, 1984

Colpe, C., Der Spruch von der Lästerung des Geistes, in: Lohse, E. (Hg.), Der Ruf Jesu und die Antwort der Gemeinde, FS J. Jeremias, 1970, 63–79
- Art.: Gnosis II (Gnostizismus), RAC XI, 1981, 537–659

Congar, Y., Der Heilige Geist, 1982

Conzelmann, H., Zur Analyse der Bekenntnisformel 1. Kor 15, 3–5, in: ders., Theologie, 131–141
- Die Apostelgeschichte, HNT 7, ²1972

- Christus im Gottesdienst der neutestamentlichen Zeit, in: ders., Theologie, 120–130
- Geschichte des Urchristentums, NTD Erg. Bd. 5, ⁵1983
- Grundriß der Theologie des Neuen Testaments, Einführung in die evangelische Theologie 2, 1967
- Der erste Brief an die Korinther, KEK V, 1969 (²1981)
- Paulus und die Weisheit, NTS 12, 1965, 231–244; wiederabgedruckt in: ders., Theologie, 177–190
- Die Schule des Paulus, in: Andresen, C., und Klein, G. (Hg.), Theologia Crucis – Signum Crucis, FS E. Dinkler, 1979, 85–96
- Theologie als Schriftauslegung. Aufsätze zum Neuen Testament, BEvTh 65, 1974

Cramer, W., Der Geist Gottes und des Menschen in frühsyrischer Theologie, Münsterische Beiträge zur Theologie 46, 1979

Cranfield, C. E. B., The Epistle to the Romans, ICC, I ²1977, II 1981

Cremer, H., Art.: Heiliger Geist, RE³ 6, 444–450

Crouzel, H., Art.: Geist, RAC IX, 1976, 490–545

Crüsemann, F., „... er aber soll dein Herr sein". Genesis 3, 16, in: Crüsemann, F./Thyen, H., Als Mann und Frau geschaffen, 1978, 13–106

Cumont, F., Die orientalischen Religionen im römischen Heidentum, ⁸1981

Currie, S. D., ‚Speaking in Tongues'. Early Evidence outside the New Testament Bearing on ‚Glossais lalein', Interpretation 19, 1965, 274–294

Cutten, G. B., Speaking with Tongues. Historically and Psychologically Considered, 1927

Dahl, N. A., The Atonement – An Adequate Reward for the Akedah, in: ders., The Crucified Messiah and other Essays, 1974, 146–160

Dauer, A., Johannes und Lukas. Untersuchungen zu den johanneisch-lukanischen Parallelperikopen, fzb 50, 1984

Dautzenberg, G., Botschaft und Bedeutung der urchristlichen Prophetie nach dem 1. Korintherbrief (2, 6–16; 12–14); in: Panapopoulos, Vocation, 131–161
- Art.: Glossolalie, RAC XI, 1981, 225–246
- Zum religionsgeschichtlichen Hintergrund der διάκρισις πνευμάτων (I. Kor 12. 10), BZ 15, 1971, 93–104
- ‚Da ist nicht männlich und weiblich'. Zur Interpretation von Gal 3, 28, Kairos 24, 1982, 181–206
- Der zweite Korintherbrief als Briefsammlung. Zur Frage der literarischen Einheitlichkeit und des theologischen Gefüges von 2. Kor 1–8, ANRW II. 25. 4, 3045–3066
- Motive der Selbstdarstellung des Paulus in 2. Kor 2, 14–7, 4, in: Vanhoye, Apôtre, 150–162
- Urchristliche Prophetie. Ihre Erforschung, ihre Voraussetzungen im Judentum und ihre Struktur im ersten Korintherbrief, BWANT 104, 1975

Davies, W. D., Paul and the Dead Sea Scrolls: Flesh and Spirit, in: Stendahl, K. (Hg.), The Scrolls and the New Testament, 1957, 136–182
- Paul and Rabbinic Judaism. Some Rabbinic Elements in Pauline Theology, ³1965

Davis, J. A., Wisdom and Spirit. An Investigation of 1 Corinthians 1, 18–3, 20 Against the Background of Jewish Sapiential Traditions in the Greco-Roman Period, 1984

Deichgräber, R., Gotteshymnus und Christushymnus in der frühen Christenheit. Untersuchungen zu Form, Sprache und Stil der frühchristlichen Hymnen, StUNT 5, 1967

Deidun, T. J., New Covenant Morality in Paul, AnBib 89, 1981

Deissmann, A., Die neutestamentliche Formel ‚in Christo Jesu‘, 1892

– Paulus. Eine kultur- und religionsgeschichtliche Skizze, ²1925

Deissner, K., Auferstehungshoffnung und Pneumagedanke bei Paulus, 1912

– Paulus und die Mystik seiner Zeit, ²1921

Delling, G., ‚Nahe ist die das Wort‘. Wort – Geist – Glaube bei Paulus, ThLZ 99, 1974, 401–412

Dibelius, M., Die Geisterwelt im Glauben des Paulus, 1909

– Glaube und Mystik bei Paulus, in: ders., Botschaft und Geschichte II, 1956, 94–116

– Der Herr und der Geist bei Paulus, in: ders., Botschaft (s. o.), 128–133

– Die Pastoralbriefe, ergänzte Auflage von H. Conzelmann, HNT 13, ⁴1966

– Paulus und die Mystik, in: ders., Botschaft (s. o.), 134–159; wiederabgedruckt bei Rengstorf, Paulusbild, 447–474

– An die Thessalonicher I II. An die Philipper, HNT II, ²1925

– Vier Worte des Römerbriefs, SyBU 3, 1944, 3–17

Dieterich, A., Eine Mithrasliturgie, hg. von Weinrich, O., ³1923 (= 1966)

Dietzel, A., Beten im Geist. Eine religionsgeschichtliche Parallele aus den Hodajot zum paulinischen Gebet im Geist, ThZ 13, 1957, 12–32

Dietzfelbinger, Chr., Die Berufung des Paulus als Ursprung seiner Theologie, WMANT 58, 1985

Dilschneider, O. A. (Hg.), Theologie des Geistes, 1980

Dinkler, E., Röm 6, 1–14 und das Verhältnis von Taufe und Rechtfertigung bei Paulus, in: Battesimo e Giustizia in Rom 6 e 8, hg. v. de Lorenzi, L., Serie Monografica di ‚Benedictina‘ 2, 1974, 83–103

– Die Taufterminologie in 2. Kor 1, 21 f., in: Neotestamentica et Patristica, NovTS VI, FS O. Cullmann, 1962, 173–191

– Die Verkündigung als eschatologisches Geschehen. Auslegung von 2. Kor 5, 14–6, 2, in: Bornkamm, G. und Rahner, K. (Hg.), Die Zeit Jesu, FS H. Schlier, 1970, 169–189

Dobbeler, A. von, Glaube als Teilhabe. Historische und semantische Grundlagen der paulinischen Theologie und Ekklesiologie des Glaubens, WUNT II 22, 1987

Dobschütz, E. v., Der Geistbesitz der Christen im Urchristentum und jetzt, Monatsschrift für Pastoraltheologie 20, 1924, 228–243

– Die urchristlichen Gemeinden. Sittengeschichtliche Bilder, 1902

– Die Thessalonicher-Briefe. Nachdruck der Ausgabe von 1909. Mit einem Literaturverzeichnis von Otto Merk, hg. von Hahn, F., KEK X, 1974

Dodds, E. R., The Ancient Concept of Progress and other Essays on Greek Literature and Belief, 1973

Doughty, D. J., The Presence and Future of Salvation in Corinth, ZNW 66, 1975, 61–90

Drane, J. W., Paul: Libertinist or legalist? A study of the major Pauline epistles, 1975

Dunn, J. D. G., Baptism in the Holy Spirit. A Re-examination of the New Testament Teaching on the Gift of the Spirit in relation to Pentecostalism today, StBTh II. 15, 1970

– I Corinthians 15. 45 – Last Adam, Life giving Spirit, in: Lindars, B., and Smalley, S. S. (edd.), Christ and the Spirit in the New Testament, FS C. F. D. Moule, 1973, 127–141

– 2. Corinthians III 17 – ‚The Lord is the Spirit‘, JThS 21, 1970, 309–320

– Jesus – Flesh and Spirit: an Exposition of Romans I. 3–4, JThS 24, 1973, 40–68

– Jesus and the Spirit. A Study of the Religious and Charismatic Experience of Jesus and the First Christians as Reflected in the New Testament, 1975

– Rediscovering the Spirit, ET 94, 1982, 9–18

– Spirit-Baptism and Pentecostalism, SJTh 23, 1970, 397–407

– Spirit and Kingdom, ET 82, 1970/71, 36–40

– Unity and Diversity in the New Testament. An Inquiry into the Character of Earliest Christianity, 1977

Ebeling, G., Dogmatik des christlichen Glaubens, II ²1982; III ²1982

Eckert, J., Die urchristliche Verkündigung im Streit zwischen Paulus und seinen Gegnern nach dem Galaterbrief, BU 6, 1971

Eichholz, G., Die Theologie des Paulus im Umriß, 1972 (⁴1983)

Eitrem, S., Some notes on the demonology in the New Testament, SymbOsl XX, ²1966

– Orakel und Mysterium am Ausgang der Antike, Albae Vigiliae NF 5, 1947

Elliger, W., Paulus in Griechenland, SBS 92/93, 1978

Ellis, E. E., Christ and Spirit in 1 Corinthians, in: Lindars, B., and Smalley, S. S. (edd.), Christ and Spirit in the New Testament, FS C. F. D. Moule, 1973, 269–277; wiederabgedruckt in: ders., Prophecy, 63–71

– ‚Spiritual‘ Gifts in the Pauline Community, NTS 20, 1973/74, 128–144; wiederabgedruckt in: ders., Prophecy, 23–44

– Prophecy and Hermeneutic in Early Christianity. New Testament Essays, WUNT 18, 1978

Everling, O., Die paulinische Angelologie und Dämonologie, 1888

Ewert, D., The Holy Spirit in the New Testament, 1983

Fascher, E., Der erste Brief des Paulus an die Korinther, ThHK VII/1, 1975

– ΠΡΟΦΗΤΗΣ. Eine sprach- und religionsgeschichtliche Untersuchung, 1927

Fee, G. D., The first Epistle to the Corinthians, NIC, 1987

Feine, P., Theologie des Neuen Testaments, ³1919

– Der Apostel Paulus. Das Ringen um das geschichtliche Verständnis des Paulus, BFchTh II/12, 1927

– Art.: Zungenreden, RE³ 21, 749–759

Findeis, H. J., Versöhnung – Apostolat – Kirche, fzb 40, 1983

Fischer, U., Eschatologie und Jenseitserwartung im hellenistischen Diasporajudentum, BZNW 44, 1978

Fitzmyer, J. A., Glory Reflected on the Face of Christ (2. Cor 3,7–4,6) and a Palestinian Jewish Motif, ThSt 42, 1981, 630–644

Foerster, W., Der heilige Geist im Spätjudentum, NTS 8, 1961/62, 117–134

Fortna, R. T., Romans 8,10 and Paul's Doctrine of the Spirit, Anglican Theological Review 41, 1959, 77–84

Friedrich, G., Die Gegner des Paulus im 2. Korintherbrief, in: ders., Auf das Wort kommt es an. Gesammelte Aufsätze, 1978, 189–223

– (Hg.), Theologisches Wörterbuch zum Neuen Testament, begründet von G. Kittel, I–X, 1933–1979

– Geist und Amt, WuD 3, 1952, 61–85

– Das Gesetz des Glaubens (Röm 3,27), ThZ 10, 1954, 401–419; wiederabgedruckt in: ders., Auf das Wort kommt es an (s. o.), 107–122

– Der Brief an die Philipper, NTD 8, ³1985, 125–175

– Die formale Struktur von Mt 28,18–20, ZThK 80, 1983, 137–183

– Der erste Brief an die Thessalonicher, NTD 8, ³1985, 203–251

Fuchs, E., Der Anteil des Geistes am Glauben des Paulus, ZThK 72, 1975, 293–302

– Christus und der Geist bei Paulus, 1932

Furnish, V. P., II Corinthians, AB 32 A, 1985

– Development in Paul's Thought, JAAR 48, 1980, 289–303

– The Place and Purpose of Philippians III, NTS 10, 1963/64, 80–89

Gächter, P., Zum Pneumabegriff des heiligen Paulus, ZKTh 53, 1929, 345–408

Gärtner, B., The Temple and the Community in Qumran and the New Testament, SNTSMS 1, 1965

George, A., L'esprit saint dans l'œuvre de Luc, RB 85, 1978, 500–542

Georgi, D., Die Gegner des Paulus im 2. Korintherbrief. Studien zur religiösen Propaganda in der Spätantike, WMANT 11, 1964

– The Opponents of Paul in Second Corinthians, 1986

Gloel, J., Der heilige Geist in der Heilsverkündigung des Paulus. Eine biblischtheologische Untersuchung, 1888

Gnilka, J., Das Evangelium nach Markus, EKK II/1 + 2, 1979

– Der Philipperbrief, HThK X/3, ³1980

Gogarten, F., Die Verkündigung Jesu Christi, HUTh 3, ²1965

Goguel, M., La conception jerusalémite de l'Eglise et les phénomènes de pneumatisme, Melanges F. Cumont, 1936, 209–223

– La Naissance du Christianisme, 1955

– Pneumatisme et Eschatologie dans le Christianisme primitif, RHR 132, 1946, 124–159; 133, 1947/48, 103–161

– Le problème de L'Eglise dans le christianisme primitif, RHPhR 18, 1938, 293–320

Goldberg, A. M., Untersuchungen über die Vorstellung von der Schekhinah in der frühen rabbinischen Literatur, Studia Judaica 5, 1969

Goodman, F. D., Speaking in Tongues: a crosscultural study of glossolalia, 1972

Goppelt, L., Der Erste Petrusbrief, hg. von Hahn, F., KEK XII/1, ⁸1978

– Theologie des Neuen Testaments, hg. von Roloff, J., ³1978

Grässer, E., Der Alte Bund im Neuen. Exegetische Studien zur Israelfrage im Neuen Testament, WUNT 35, 1985

– Paulus, der Apostel des Neuen Bundes (2. Kor 2,14–4,6), in: de Lorenzi, Paolo, 7–43

Graß, H., Ostergeschehen und Osterberichte, ⁴1970

Greenspahn, Why Prophecy Ceased, JBL 108, 1989, 37–49

Greenwood, D., The Lord ist the Spirit: Some Considerations of 2. Cor 3:17, CBQ 34, 1972, 467–472

Greeven, H., Die Geistesgaben bei Paulus, WuD 6, 1959, 111–120

Güttgemanns, E., Der leidende Apostel und sein Herr. Studien zur paulinischen Christologie, FRLANT 90, 1966

– Offene Fragen zur Formgeschichte des Evangeliums, BEvTh 54, ²1971

Guillon, M. J. le, Le developpement de la doctrine sur l'esprit saint dans les écrits du Nouveau Testament, in: Martins, Credo, 729–739

Gunkel, H., Zum religionsgeschichtlichen Verständnis des Neuen Testaments, FRLANT 1, ²1910

– Die Wirkungen des Heiligen Geistes nach der populären Anschauung der apostolischen Zeit und der Lehre des Apostels Paulus. Eine biblisch-theologische Studie, ³1909

Haenchen, E., Die Apostelgeschichte, KEK III, ¹⁷1977

– Das Johannesevangelium. Ein Kommentar, hg. von Busse, U., mit einem Vorwort von Robinson, J. M., 1980

Hafemann, S. J., Suffering and the Spirit. An Exegetical Study of II Cor 2:14–3:3 within the Context of the Corinthian Correspondence, WUNT II 19, 1986

Hahn, F., Charisma und Amt. Die Diskussion über das kirchliche Amt im Lichte der neutestamentlichen Charismenlehre, in: ders., Exegetische Beiträge zum ökumenischen Gespräch. Gesammelte Aufsätze I, 1986, 201–231

– Art.: Gottesdienst III. Neues Testament, TRE 14, 1985, 28–39

– Der urchristliche Gottesdienst, SBS 41, 1970

– Die biblische Grundlage unseres Glaubens an den Heiligen Geist, den Herrn und Lebenspender, in: Bürkle, H., und Becker, G. (Hg.), Communicatio Fidei, FS E. Biser, 1983, 125–137

– Christologische Hoheitstitel. Ihre Geschichte im frühen Christentum, FRLANT 83, ⁴1974

– Sendung des Geistes – Sendung der Jünger, in: Bsteh, A., (Hg.), Universales Christentum angesichts einer pluralen Welt, 1976, 87–106

– Taufe und Rechtfertigung. Ein Beitrag zur paulinischen Theologie in ihrer Vor- und Nachgeschichte, in: Friedrich, J., Pöhlmann, W., Stuhlmacher, P. (Hg.), Rechtfertigung, FS E. Käsemann, 1976, 95–124

– Das Verständnis der Mission im Neuen Testament, WMANT 13, 1963

– Das biblische Verständnis des Heiligen Geistes. Soteriologische Funktion und ‚Personalität' des Heiligen Geistes, in: Heitmann, Erfahrung, 131–147

Hainz, J., Ekklesia. Strukturen Paulinischer Gemeinde-Theologie und Gemeinde-Ordnung, BU 9, 1972

– Koinonia. ‚Kirche' als Gemeinschaft bei Paulus, BU 26, 1982

Halter, H., Taufe und Ethos. Paulinische Kriterien für den Proprium christlicher Moral, FTS 106, 1977

Hamilton, N. Q., The Holy Spirit and Eschatology in Paul, SJTh Occ. Pap. 6, 1957

Hanimann, J., Nous avons été abreuvés d'un seul Esprit. Note sur 1 Co 12, 13b, NRTh 94, 1972, 400–405

Hanson, A. T., The Midrash in II Corinthians 3: A Consideration, JSNT 9, 1980, 2–28

Hanson, J. S., Dreams and Visions in the Graeco-Roman World and Early Christianity, ANRW II. 23. 2, 1395–1427

Hanssen, O., Heilig. Die Auseinandersetzung zwischen Paulus und den Korinthern um die ethischen Konsequenzen christlicher Heiligkeit, Diss. theol. Heidelberg 1984

Harlé, P. A., Le Saint Esprit et l'Eglise chez Saint Paul, Verbum Caro 74, 1965, 13–29

Harnack, A. v., Die Mission und die Ausbreitung des Christentums in den ersten drei Jahrhunderten, ⁴1924

– Rez.: Weinel, Wirkungen, ThLZ 24, 1899, 513–515

Harnisch, W., Einübung des neuen Seins. Paulinische Paränese am Beispiel des Galaterbriefs, ZThK 84, 1987, 279–296

– Eschatologische Existenz. Ein exegetischer Beitrag zum Sachanliegen von 1. Thessalonicher 4, 13–5, 11, FRLANT 110, 1973

Harrisville, R. A., Speaking in Tongues: A Lexicographical Study, CBQ 38, 1976, 35–48

Hasler, V., Das Evangelium des Paulus in Korinth. Erwägungen zur Hermeneutik, NTS 30, 1984, 109–129

Haufe, G., Taufe und Heiliger Geist im Urchristentum, ThLZ 101, 1976, 561–566

Haupt, E., Die Gefangenschaftsbriefe, KEK VIII, ⁸1902

Hauschild, W.-D., Art.: Geist/Heiliger Geist/Geistesgaben IV, TRE 12, 1984, 196–217

– Gottes Geist und der Mensch. Studien zur frühchristlichen Pneumatologie, BEvTh 63, 1972

Hehn, J., Zum Problem des Geistes im Alten Orient und im Alten Testament, ZAW 43, 1925, 210–225

Heine, S., Leibhafter Glaube. Ein Beitrag zum Verständnis der theologischen Konzeption des Paulus, 1976

Heinemann, I., Die Lehre vom Heiligen Geist im Judentum und in den Evangelien, MGWJ 66, 1922, 169–180. 268–279; 67, 1923, 26–35

– Philons Lehre vom Heiligen Geist und der intuitiven Erkenntnis, MGWJ 64, 1920, 8–29. 101–122

Heinrici, C. F. G., Kritisch Exegetisches Handbuch über den ersten Brief an die Korinther, KEK V, ⁸1896

– Der zweite Brief an die Korinther, KEK VI, ⁸1900

– Das erste Sendschreiben des Apostels Paulus an die Korinther, 1880

Heitmann, C./Mühlen, H., (Hg.), Erfahrung und Theologie des Heiligen Geistes, 1974

Heitmüller, W., Jesus und Paulus. Freundschaftliche kritische Bemerkungen zu P. Wernles Artikel ,Jesus und Paulus‘, ZThK 25, 1915, 156–179

– Im ,Namen Jesu‘. Eine sprach- und religionsgeschichtliche Untersuchung zum Neuen Testament, speziell zur altchristlichen Taufe, FRLANT 2, 1903

– Zum Problem Paulus und Jesus, ZNW 13, 1912, 320–337; wiederabgedruckt in: Rengstorf, Paulusbild, 124–143

– Taufe und Abendmahl bei Paulus. Darstellung und religionsgeschichtliche
  Beleuchtung, 1903
– Taufe und Abendmahl im Urchristentum, RV I 22/23, 1911
Hengel, M., Christologie und neutestamentliche Chronologie, in: Baltenswei-
  ler, H. und Reicke, B. (Hg.), Neues Testament und Geschichte, FS O. Cull-
  mann, 1972, 43–67
– Zur urchristlichen Geschichtsschreibung, 1979
– Hymnus und Christologie, in: Haubeck, W. und Bachmann, M. (Hg.), Wort
  in der Zeit, FS K. H. Rengstorf, 1980, 1–23
– Zwischen Jesus und Paulus. Die ‚Hellenisten‘, die ‚Sieben‘ und Stephanus
  (Apg 6,1–15; 7,54–8,3), ZThK 72, 1975, 151–206
– Judentum und Hellenismus. Studien zu ihrer Begegnung unter besonderer
  Berücksichtigung Palästinas bis zur Mitte des 2. Jh. v. Chr., WUNT 10, ³1988
– Der Sohn Gottes. Die Entstehung der Christologie und die jüdisch-helleni-
  stische Religionsgeschichte, ²1977
Henneken, B., Verkündigung und Prophetie im ersten Thessalonicherbrief. Ein
  Beitrag zur Theologie des Wortes Gottes, SBS 29, 1969
Hermann, I., Kyrios und Pneuma. Studien zur Christologie der paulinischen
  Hauptbriefe, StANT 2, 1961
Heron, A. I. C., The Holy Spirit, 1983
Herten, J., Charisma-Signal einer Gemeindetheologie des Paulus, in: Hainz, J.
  (Hg.), Kirche im Werden, 1976, 57–89
Hickling, C. J. A., The Sequence of Thought in II Corinthians Chapter Three,
  NTS 21, 1975, 380–395
Hilgenfeld, A., Die Glossolalie in der alten Kirche, in dem Zusammenhang der
  Geistesgaben und des Geisteslebens des alten Christentums, 1850
Hirsch, E., Zur paulinischen Christologie, ZSTh 7, 1930, 605–630
Hoffmann, P., Art.: Auferstehung Jesu Christi II/1. Neues Testament, TRE 4,
  1979, 478–513
– Art.: Auferstehung I/3. Neues Testament, TRE 4, 1979, 450–467
– Die Toten in Christus. Eine religionsgeschichtliche und exegetische Untersu-
  chung zur paulinischen Eschatologie, NTA 2, ³1982
Hofius, O., Das Gesetz des Mose und das Gesetz Christi, ZThK 80, 1983, 262–
  286
Hollander, H. W./de Jonge, M., The Testaments of the Twelve Patriarchs. A
  Commentary, StVTP VIII, 1985
Holsten, C., Das Evangelium des Paulus dargestellt (2 Bde.), 1880–1898
Holtz, G., Die Pastoralbriefe, ThHK XIII, ²1972
Holtz, T., Das Kennzeichen des Geistes (1. Kor XII.1–3), NTS 18, 1971/72,
  365–376
– Traditionen im 1. Thessalonicherbrief, in: Luz, U. u. Weder, H. (Hg.), Die
  Mitte des Neuen Testaments, FS E. Schweizer, 1983, 55–78
– Der erste Brief an die Thessalonicher, EKK XIII, 1986
– Der antiochenische Zwischenfall: Gal 2,11–14, NTS 32, 1986, 344–361
Holtzmann, H. J., Lehrbuch der neutestamentlichen Theologie (2 Bde.), 2. neu
  bearbeitete Aufl., hg. von Jülicher, A., und Bauer, W., ²1911
– Rez.: Sokolowski, Begriffe, ThLZ 29, 1904, 73–76

Holzner, J., Paulus. Sein Leben und seine Briefe in religionsgeschichtlichem Zusammenhang dargestellt, [10]1939

Horn, F. W., Glaube und Handeln in der Theologie des Lukas, GTA 26, [2]1986

Horsley, R. A., The Background of the Confessional Formula in 1. Kor 8,6, ZNW 69, 1978, 130–135

- Consciousness and Freedom among the Corinthians: 1 Corinthians 8–10, CBQ 40, 1978, 574–589
- Gnosis in Corinth: I Corinthians 8,1–6, NTS 27, 1980, 32–51
- ‚How can some of you say that there ist no ressurrection of the dead?‘ Spiritual elitism in Corinth, NovT 20, 1978, 203–231
- Spiritual Marriage with Sophia, VigChr 33, 1979, 30–54
- Pneumatikos vs. Psychikos. Distinctions of Spiritual Status among the Corinthians, HThR 69, 1976, 269–288
- Wisdom of Word and Words of Wisdom in Corinth, CBQ 39, 1977, 224–239

House, H. W., Tongues and the Mystery Religions of Corinth, Bibliotheca Sacra 140, 1983, 134–150

Hoyle, H. R., The Holy Spirit in St. Paul, 1927

Huby, J., La vie dans l'esprit d'après Saint Paul (Romains, ch. 8), RSR 30, 1940, 5–39

Hübner, H., Der vergessene Baruch. Zur Baruch-Rezeption des Paulus in 1. Kor 1,18–31, SNTU 9, 1974, 161–173

- Art.: Galaterbrief, TRE 12, 1984, 5–14
- Der Galaterbrief und das Verhältnis von antiker Rhetorik und Epistolographie, ThLZ 109, 1984, 241–250
- Der Heilige Geist in der Heiligen Schrift, KuD 36, 1990, 181–208
- Das Gesetz bei Paulus. Ein Beitrag zum Werden der paulinischen Theologie, FRLANT 119, [3]1982
- Methodologie und Theologie. Zu neuen methodischen Ansätzen in der Paulusforschung, KuD 33, 1987, 150–176.303–329
- Pauli theologiae proprium, NTS 26, 1980, 445–473
- Paulusforschung seit 1945. Ein kritischer Literaturbericht, ANRW II. 25. 4, 2649–2840
- The Holy Spirit in the Holy Scripture, The Ecumenical Review 41, 1989, 324–338

Hunzinger, C.-H., Die Hoffnung angesichts des Todes im Wandel der paulinischen Aussagen, in: Schmidt, H. P. (Hg.), Leben angesichts des Todes, FS H. Thielicke, 1968, 69–88

- Zur Struktur der Christus-Hymnen in Phil 2 und 1. Petr 3, in: Lohse, E., (Hg.), Der Ruf Jesu und die Antwort der Gemeinde, FS J. Jeremias, 1970, 142–156

Hurd, J. C., The Origin of 1 Corinthians, 1965

Imschoot, P. v., L'action de l'Esprit de Jahvé dans l'Ancien Testament, RSPhTh 23, 1934, 553–587

Isaacs, M. E., The Concept of Spirit. A Study of Pneuma in Hellenistic Judaism and its Bearing on the NT, Heythrop Monographs 1, 1976

Jenni, E. (Hg.) unter Mitarbeit von Westermann, C., Theologisches Handwörterbuch zum Alten Testament (2 Bde.), I 1971, II 1976

Jeske, R. L., The Rock was Christ: The Ecclesiology of 1 Corinthians 10, in: Lührmann, D. und Strecker, G. (Hg.), Kirche, FS G. Bornkamm, 1980, 245–255

Jeremias, J., Abba, in: ders., Abba. Studien zur neutestamentlichen Theologie und Zeitgeschichte, 1966, 15–67
- Neutestamentliche Theologie. Erster Teil: Die Verkündigung Jesu, ²1973
- Die Briefe an Timotheus und Titus, NTD 9, ¹⁰1970
- Die Sprache des Lukasevangeliums. Redaktion und Tradition im Nicht-Markusstoff des dritten Evangeliums, KEK-Sb, 1980

Jervell, J., Der schwache Charismatiker, in: Friedrich, J., Pöhlmann, W., Stuhlmacher, P. (Hg.), Rechtfertigung, FS E. Käsemann, 1976, 185–198
- Das Volk des Geistes, in: Meeks, W. A. and Jervell, J. (edd.), God's Christ and his People, FS N. A. Dahl, 1977, 87–106

Jewett, R., The Agitators and the Galatian Congregation, NTS 17, 1970/71, 198–212
- The Thessalonian Correspondence. Pauline Rhetoric and Millenarian Piety, 1986
- Conflicting Movements in the Early Church as Reflected in Philippians, NovT 12, 1970, 362–390
- Enthusiastic Radicalism and the Thessalonian Correspondence, Proceedings of the Society of Biblical Literature 1972, Vol. I, 181–232
- Paul's Anthropological Terms. A Study of their Use in conflict settings, AGJU 10, 1971

Johanson, B. C., To all the brethren. A text-linguistic and rhetorical approach to I Thessalonians, CB. NTS 16, 1987
- Tongues, a sign for unbelievers? : A structural and exegetical study of I Corinthians XIV. 20–25, NTS 25, 1979, 180–203

Johnston, G., ‚Spirit‘ and ‚Holy Spirit‘ in the Qumran Literature, in: McArthur, H. K. (ed.), New Testament Sidelights, FS A. C. Purdy, 1960, 27–42

Jones, H. Stuart, ἀπαρχὴ πνεύματος JTSt 23, 1922, 282–283

Jones, S. F., ‚Freiheit‘ in den Briefen des Apostels Paulus, GTA 34, 1987

Jonge, M. de/Woude, A. S. van der, 11 Q Melchizedek and the New Testament, NTS 12, 1965/66, 301–326

Jüngel, E., Zur Lehre vom heiligen Geist. Thesen, in: Luz, U. und Weder, H. (Hg.), Die Mitte des Neuen Testaments, FS E. Schweizer, 1983, 97–118

Käsemann, E., Amt und Gemeinde im Neuen Testament, in: ders., Exegetische Versuche und Besinnungen I, ⁶1970, 109–134
- Die Anfänge christlicher Theologie, in: ders., Exegetische Versuche und Besinnungen II, ³1970, 82–104
- Zur paulinischen Anthropologie, in: ders., Paulinische Perspektiven, ²1972, 9–60
- Art.: Geist IV. Geist und Geistesgaben im NT, RGG³ II, 1272–1279
- Geist und Buchstabe, in: ders., Perspektiven (s. o.), 237–285
- Die Legitimität des Apostels. Eine Untersuchung zu II Korinther 10–13, ZNW 41, 1942, 33–71; wiederabgedruckt in: Rengstorf, Paulusbild, 475–521
- Das theologische Problem des Motivs vom Leibe Christi, in: ders., Perspektiven (s. o.), 178–210

- An die Römer, HNT 8a, 1973 (⁴1980)
- Sätze heiligen Rechtes im Neuen Testament, in: ders., Versuche II (s. o.), 69–82
- Der gottesdienstliche Schrei nach Freiheit, in: ders., Perspektiven (s. o.), 211–236
- Zum Thema der urchristlichen Apokalyptik, in: ders., Versuche II, 105–131

Kamlah, E., Art.: Geist, ThBNT I, 479–489

Karris, F. J., Flesh, Spirit and Body in Paul, Bible Today 70, 1974, 1451–1456

Kasper, W. (Hg.), Gegenwart des Geistes. Aspekte der Pneumatologie, QD 85, 1979

Kasting, H., Die Anfänge der urchristlichen Mission, BEvTh 55, 1969

Keim, Th., Art.: Zungenreden, RE¹ 18, 676–692

Kerr, A. J., APPABON, JTSt 39, 1988, 92–97

Kertelge, K., Gesetz und Freiheit im Galaterbrief, NTS 30, 1984, 382–394
- Heiliger Geist und Geisterfahrung im Urchristentum, Lebendiges Zeugnis 2, 1971, 24–36

Kim, S., The Origin of Paul's Gospel, WUNT II 4, 1984

Kitzberger, I., Bau der Gemeinde. Das paulinische Wortfeld οἰκοδομή/οἰκοδομεῖν, fzb 53, 1986

Klaiber, W., Rechtfertigung und Gemeinde. Eine Untersuchung zum paulinischen Kirchenverständnis, FRLANT 127, 1982

Klatt, W., Hermann Gunkel. Zu seiner Theologie der Religionsgeschichte und zur Entstehung der formgeschichtlichen Methode, FRLANT 100, 1969

Klauck, H.-J., Erleuchtung und Verkündigung. Auslegungsskizze zu 2. Kor 4, 1–6, in: de Lorenzi, Paolo, 267–297
- Herrenmahl und hellenistischer Kult. Eine religionsgeschichtliche Untersuchung zum ersten Korintherbrief, NTA 15, 1982
- 1. Korintherbrief, EB 7, 1984
- 2. Korintherbrief, EB 8, 1986

Klein, G., Art.: Eschatologie IV. Neues Testament, TRE 10, 1982, 270–299
- Art.: Gesetz III. Neues Testament, TRE 13, 1984, 58–75
- Individualgeschichte und Weltgeschichte bei Paulus. Eine Interpretation ihres Verhältnisses im Galaterbrief, in: ders., Rekonstruktion und Interpretation, BEvTh 50, 1969, 180–224
- Antipaulinismus in Philippi. Eine Problemskizze, in: Koch, D.-A. u. a. (Hg.), Jesu Rede von Gott und ihre Nachgeschichte im frühen Christentum, FS W. Marxsen, 1989, 297–313

Klijn, A. F. J., Paul's Opponents in Philippians III, NovT 7, 1964/65, 278–284

Klinzing, G., Die Umdeutung des Kultus in der Qumrangemeinde und im Neuen Testament, StUNT 7, 1971

Klostermann, E., Das Markusevangelium, HNT 3, ⁵1971

Klumbies, P.-G., Zwischen Pneuma und Nomos. Neuorientierung in den galatischen Gemeinden, WuD 19, 1987, 109–135

Knoch, O., Der Geist Gottes und der neue Mensch. Der Heilige Geist als Grundkraft und Norm des christlichen Lebens in Kirche und Welt nach dem Zeugnis des Apostels Paulus, 1975

Koch, R., Der Gottesgeist und der Messias, Bib 27, 1946, 241–268. 376–403

Köster, H., Apostel und Gemeinde in den Briefen an die Thessalonicher, in: Lührmann, D. und Strecker, G. (Hg.), Kirche, FS G. Bornkamm, 1980, 287–298
- Einführung in das Neue Testament, 1980
- Köster, H./Robinson, J. M., Entwicklungslinien durch die Welt des frühen Christentums, 1971
- The Purpose of the Polemic of a Pauline Fragment, NTS 8, 1961/62, 317–332
Kolenkow, A. B., Relationships between Miracle and Prophecy in the Graeco-Roman World and Early Christianity, ANRW II. 23. 2, 1470–1506
Krämer, H., Die Isisformel des Apuleius (Met. XI 23, 7) – eine Anmerkung zur Methode der Mysterienforschung, WuD 12, 1973, 91–104
Kramer, W., Christos, Kyrios, Gottessohn. Untersuchungen zu Gebrauch und Bedeutung der christologischen Bezeichnungen bei Paulus und den vorpaulinischen Gemeinden, AThANT 44, 1963
Kremer, J., ‚Denn der Buchstabe tötet, der Geist aber macht lebendig‘, in: Zmijewski, J./Nellessen, E. (Hg.), Begegnung mit dem Wort, FS H. Zimmermann, 1979, 219–250
- Pfingstbericht und Pfingstgeschehen. Eine exegetische Untersuchung zu Apg 2, 1–13, SBS 63/64, 1973
- Jesu Verheißung des Geistes. Zur Verankerung der Aussage von Joh 16, 13 im Leben Jesu, in: Schnackenburg, R. u. a. (Hg.), Die Kirche des Anfangs, FS H. Schürmann, 1977, 247–276
- Die Voraussagen des Pfingstgeschehens in Apg 1, 4–5 und 8. Ein Beitrag zur Deutung des Pfingstberichts, in: Bornkamm, G., und Rahner, K., Die Zeit Jesu, FS H. Schlier, 1970, 145–168
Kretschmar, G., Le développement de la doctrine du Saint-Esprit du NT à Nicée, Verbum Caro 88, 1968, 5–55
- Der heilige Geist in der Geschichte. Grundzüge frühchristlicher Pneumatologie, in: Kasper, Gegenwart 92–130
Krüger, G., Rez.: Weinel, Wirkungen, in: Archiv für Religionswissenschaft 2, 1899, 371–380
Kümmel, W. G., Einleitung in das Neue Testament, [20]1980
Kuhn, H.-W., Enderwartung und gegenwärtiges Heil. Untersuchung zu den Gemeindegliedern von Qumran, StUNT 4, 1966
Kuhn, K. G., Konkordanz zu den Qumrantexten. In Verbindung mit A.-M. Denis und R. Deichgräber, W. Eiß, G. Jeremias und H.-W. Kuhn, 1960
- πειρασμός-ἁμαρτία-σάρξ im Neuen Testament und die damit zusammenhängenden Vorstellungen, ZThK 49, 1952, 200–222
Kuhn, P., Offenbarungsstimmen im Antiken Judentum. Untersuchungen zur BatQol und verwandten Phänomenen. Texte und Studien zum antiken Judentum 20, 1989
Kuss, O., Enthusiasmus und Realismus bei Paulus, in: ders., Auslegung und Verkündigung I, 1963, 260–270
- Paulus. Die Rolle des Apostels in der theologischen Entwicklung der Urkirche, [2]1976
- Der Römerbrief, 1. Lief. 1957; 2. Lief. 1959; 3. Lief. 1978

Ladd, G. E., The Holy Spirit in Galatia, in: Hawthorne, G. F. (ed.), Current Issues in Biblical and Patristic Interpretation, FS M. C. Tenney, 1975, 211–216

Lake, K., The Holy Spirit, in: The Beginnings of Christianity I/5, ed. by F. J. F. Jackson and K. Lake, 1933, 96–111

Lambrecht, J., Structure and Line of Thought in 2. Cor 2, 14–4, 6, Bib 64, 1983, 344–380

Lampe, G. W. H., God as Spirit, 1977

- The Seal of the Spirit. A Study in the Doctrine of Baptism and Confirmation in the New Testament and the Fathers, 1951

- The Holy Spirit and the Person of Christ, in: Sykes, S. W. and Clayton, J. P. (edd.), Christ, Faith and History, Cambridge Studies in Christology, 1972, 111–130

Lang, F., Die Gruppen in Korinth nach 1. Korinther 1–4, theol. beitr. 14, 1983, 68–79

- Die Briefe an die Korinther, NTD 7, 1986

Lange, D., Erfahrung und die Glaubwürdigkeit des Glaubens, HUTh 18, 1984

Larsson, E., Die Hellenisten und die Urgemeinde, NTS 33, 1987, 205–225

Laufen, R., Die Doppelüberlieferungen der Logienquelle und des Markusevangeliums, BBB 54, 1980

Lauha, A., Kohelet, BK XIX, 1978

Lauha, R., Psychophysischer Sprachgebrauch im Alten Testament. Eine Strukturalsemantische Analyse von נפש ולב und רוח. I Emotionen, AASF 35, 1983

Laurentin, A., Le Pneuma dans la Doctrine de Philon, EThL 27, 1951, 390–437

Leenhardt, F. J., Apercus sur l'enseignement du Nouveau Testament sur le Saint-Esprit, in: Le Saint Esprit, Publications de la Faculté autonome de théologie de L'Université de Genève, 1963, 33–57

Leipoldt, J./Grundmann, W. (Hg.), Umwelt des Urchristentums I. Darstellung des neutestamentlichen Zeitalters, [4]1975

Leisegang, H., Der Heilige Geist. Das Wesen und Werden der mystisch-intuitiven Erkenntnis in der Philosophie und Religion der Griechen I/1. Die vorchristlichen Anschauungen und Lehren von ΠΝΕΥΜΑ und der mystisch-intuitiven Erkenntnis, 1967 (Nachdruck)

- PNEUMA HAGION. Der Ursprung des Geistbegriffs der synoptischen Evangelien aus der griechischen Mystik, Veröffentlichungen des Forschungsinstituts für vergleichende Religionsgeschichte an der Universität Leipzig 4, 1922

Leivestad, R., Das Dogma von der prophetenlosen Zeit, NTS 19, 1972/73, 288–299

Lerle, E., Diakrisis Pneumaton bei Paulus, Diss. Heidelberg 1947

Leuba, J. L., Der Zusammenhang zwischen Geist und Tradition nach dem Neuen Testament, KuD 4, 1958, 234–250

Lewy, H., Sobria ebrietas. Untersuchungen zur Geschichte der antiken Mystik, BZNW 9, 1929

Lichtenberger, H., Studien zum Menschenbild in Texten der Qumrangemeinde, StUNT 15, 1980

Lietzmann, H., An die Galater, HNT 10, [3]1932

- An die Korinther I II, ergänzt von Kümmel, W. G., HNT 9, [5]1969

– Paulus, in: Rengstorf, Paulusbild, 380–409
– An die Römer, HNT 8, ³1928
Lincoln, A. T., Paul, the visionary. the setting and significance of the rapture to paradise in 2. Cor. 12:1–10, NTS 25, 1979, 204–220
Lindblom, J., Geschichte und Offenbarungen. Vorstellungen von göttlichen Weisungen und übernatürlichen Erscheinungen im ältesten Christentum, 1968
Linnemann, E., Tradition und Interpretation in Röm 1,3 f, EvTh 31, 1971, 264–276
Lipsius, R. A., Die Briefe an die Galater, Römer, Philipper, HCNT II, 1891
Lohfink, G., Der Ablauf der Osterereignisse und die Anfänge der Urgemeinde, ThQ 160, 1980, 162–176
Lohmeyer, E., Galiläa und Jerusalem, FRLANT 52, 1936
– Grundlagen der paulinischen Theologie, BHTh 1, 1929
– Die Briefe an die Philipper, an die Kolosser und an Philemon, KEK IX, ¹¹1956
Lohse, E., Zur Analyse und Interpretation von Röm 8,1–17, in: de Lorenzi, Law, 129–146
– Die Bedeutung des Pfingstberichtes im Rahmen des lukanischen Geschichtswerkes, in: ders., Die Einheit des Neues Testaments, 1973, 178–192
– Die Briefe an die Kolosser und an Philemon, KEK IX/2, ¹⁵1977
– ὁ νόμος τοῦ πνεύματος τῆς ζωῆς. Exegetische Anmerkungen zu Römer 8,2, in: Betz, H. D. und Schottroff, L, (Hg.), Neues Testament und christliche Existenz, FS H. Braun, 1973, 279–287; wiederabgedruckt in: ders., Die Vielfalt des Neuen Testaments, 1982, 128–136
– Die Ordination im Spätjudentum und im Neuen Testament, 1951
– Taufe und Rechtfertigung bei Paulus, in: ders., Einheit (s. o.), 228–244
– Wort und Sakrament in der paulinischen Theologie, in: ders., Vielfalt (s. o.), 105–120
Lorenzi, L. de (Hg.), Battesimo e Giustizia in Rom 6 e 8, Seria Monografica di ‚Benedictina' 2, 1974
– (Hg.), The Law of the Spirit in Rom 7 and 8, Monographic Series of ‚Benedictina' 1, 1976
– (Hg.), Paolo. Ministro del Nuovo Testamento (2. Co 2,14–4,6), Seria Monografica di ‚Benedictina' 9, 1987
Luck, U., Historische Fragen zum Verhältnis von Kyrios und Pneuma bei Paulus, ThLZ 85, 1960, 845–848
Lüdemann, G., Zum Antipaulinismus im frühen Christentum, EvTh 40, 1980, 437–455
– Das frühe Christentum nach den Traditionen der Apostelgeschichte. Ein Kommentar, 1987
– Paulus, der Heidenapostel I. Studien zur Chronologie, FRLANT 123, 1980
– Paulus, der Heidenapostel II. Antipaulinismus im frühen Christentum, FRLANT 130, 1983
– Paulus und das Judentum, TEH 215, 1983
Lüdemann, H., Die Anthropologie des Apostels Paulus und ihre Stellung innerhalb seiner Heilslehre, 1872

Lührmann, D., Freundschaftsbrief trotz Spannungen, Zu Gattung und Aufbau des Ersten Korintherbriefes, in: Schrage, W. (Hg.), Studien zu Text und Ethik des Neuen Testaments, FS H. Greeven, BZNW 47, 1986, 298–314

– Der Brief an die Galater, ZBK NT 7, 1978

– Das Markusevangelium, HNT 3, 1987

– Das Offenbarungsverständnis bei Paulus und in den paulinischen Gemeinden, WMANT 16, 1965

– Wo man nicht mehr Sklave oder Freier ist. Überlegungen zur Struktur frühchristlicher Gemeinden, WuD 13, 1975, 53–83

Lütgert, W., Freiheitspredigt und Schwarmgeister in Korinth. Ein Beitrag zur Charakteristik der Christuspartei, BFChTh XII/3, 1908

– Gesetz und Geist. Eine Untersuchung zur Vorgeschichte des Galaterbriefes, BFChTh XXII/6, 1919

– Die Vollkommenen im Philipperbrief und Die Enthusiasten in Thessalonich, BFChTh XIII/6, 1909

Lull, D. J., The Spirit in Galatia. Paul's Interpretation of Pneuma as Divine Power, SBL DS 49, 1980

Luz, U., Das Geschichtsverständnis des Paulus, BEvTh 49, 1968

– /Smend, R., Gesetz, 1981

– Das Evangelium nach Matthäus, EKK I/1, 1985

– Theologica crucis als Mitte der Theologie im Neuen Testament, EvTh 34, 1974, 116–141

Lyonnet, S., ‚La circumcision du cœur, celle qui relève de l'Esprit et non de la lettre‘ (Rom 2,29), in: L'Evangile, hier et aujourd'hui, Mélanges F.-J. Leenhardt, 1968, 82–97

Lys, D., ‚Ruach‘. Le souffle dans l'Ancien Testament. Etudes d'histoire et de philosophie religieuses 56, 1962

Machalet, Chr., Paulus und seine Gegner. Eine Untersuchung zu den Korintherbriefen, in: Theokratia II, FS K. H. Rengstorf, 1973, 183–203

Mack, B. L., Logos und Sophia. Untersuchungen zur Weisheitstheologie im hellenistischen Judentum, StUNT 10, 1973

Maier, J., Art.: Geister (Dämonen), RAC 9, 1976, 626–640. 668–688

– /Schubert, K., Die Qumran-Essener. Texte der Schriftrollen und Lebensbild der Gemeinde, 1973

– Tempel und Tempelkult, in: ders./Schreiner, J. (Hg.), Literatur und Religion des Frühjudentums, 1973, 371–390

Malatesta, E., The Holy Spirit in Scriptures and contemporary Spirituality. A Selected Bibliography, 1969

Malherbe, A. J., Paul and the Thessalonians, 1987

Maly, K., Mündige Gemeinde. Untersuchungen zur pastoralen Führung des Apostels Paulus im 1. Korintherbrief, SBM 2, 1967

– 1. Kor 12,1–3, eine Regel zur Unterscheidung der Geister, BZ 10, 1966, 82–95

Manns, F., Le Symbole Eau – Esprit dans le Judaisme Ancien, Studium Biblicum Franciscanum Analecta 19, 1983

Maréchaux, B., Les charismes du St. Esprit, 1921

Marmorstein, A., Der heilige Geist in der rabbinischen Legende, ARW 28, 1930,

286–303; wiederabgedruckt in: Rabbinowitz, J. and Lew, M. S. (edd.), Studies in Jewish Theology, 1950, 122–144

Marshall, H., Palestinian and Hellenistic Christianity: Some Critical Comments, NTS 19, 1972/73, 271–287

– Pauline Theology in the Thessalonian correspondence, in: Hooker, M. D. and Wilson, S. G. (edd.), Paul and Paulinism, FS C. K. Barrett, 1982, 173–183

Marshall, P., Enmity in Corinth: Social Convention in Paul's Relations with the Corinthians, WUNT II 23, 1987

Martin, R. P., 2 Corinthians, WBC 40, 1986

– The Spirit and the Congregation: Studies in 1 Corinthians 12–15, 1984

Martins, J. S. (Hg.), Credo in Spiritum Sanctum. Atti Del Congresso Teologico Internazionale Di Pneumatologia (2 Bde.), 1983

Marxsen, W., Einleitung in das Neue Testament, [4]1978

– Der erste Brief an die Thessalonicher, ZBK NT 11. 1, 1979

McClelland, S. E., ,Super-Apostles, servants of Christ, servants of Satan'; a response, JStNT 14, 1982, 82–87

McKelvey, R. J., The New Temple. The Church in the New Testament, Oxford Theological Monographs, 1969

Mearns, C., The Identity of Paul's Opponents at Philippi, NTS 33, 1987, 194–204

Mees, M., Der Hirte des Hermas und seine Aussagen über den Heiligen Geist, Lateranum 47, 1981, 343–355

Ménard, C., L'esprit de la nouvelle alliance chez Saint Paul, Recherches, nouv. sér. 10, 1987

Mengel, B., Studien zum Philipperbrief. Untersuchungen zum situativen Kontext unter besonderer Berücksichtigung der Frage nach der Ganzheitlichkeit oder Einheitlichkeit eines paulinischen Briefs. WUNT II 8, 1982

Merk, O., Zum Beginn der Paränese im Galaterbrief, ZNW 60, 1969, 83–104

– Handeln aus Glauben. Die Motivierungen der paulinischen Ethik, MThS 5, 1968

– Paulus-Forschung 1936–1985, ThR 53, 1988, 1–81

Merklein, H., Zur Entstehung der urchristlichen Aussage vom präexistenten Sohn Gottes, in: Dautzenberg, G. u. a. (Hg.), Zur Geschichte des Urchristentums, QD 87, 1979, 33–62

– Studien zu Jesus und Paulus, WUNT 43, 1987

Merode, M. de, L'aspect eschatologique de la vie de l'esprit dans les épitrês pauliniennes, EThL 51, 1975, 96–112

Meurer, S. K., Die Anwaltschaft des Geistes Gottes im biblischen Zeugnis, 1969

Meyer, E., Ursprung und Anfänge des Christentums (3 Bde.), [3]1923

Meyer, H. A. W., Kritisch-exegetisches Handbuch über den ersten Brief an die Korinther, KEK V, [5]1870

– Kritisch-exegetisches Handbuch über den zweiten Brief an die Korinther, KEK VI, [4]1862

– Kritisch-exegetisches Handbuch über den Brief des Paulus an die Römer, KEK IV, [4]1865

Meyer, P. W., The Holy Spirit in the Pauline Letters. A Contextual Exploration, Interpretation XXXIII, 1979, 3–18

Meyer, R., Hellenistisches in der rabbinischen Anthropologie, BWANT 22, 1937
- Der Prophet aus Galiläa. Studie zum Jesusbild der ersten drei Evangelien, 1940 (= 1970 Nachdruck)
Michaelis, W., Reich Gottes und Geist Gottes nach dem Neuen Testament, o. J.
Michel, O., Der Brief an die Römer, KEK IV, ⁴1966
Mills, W. E. (ed.), Speaking in Tongues. A guide to research on Glossolalia, 1986
Minde, van der, H.-J., Theologia Crucis und Pneumaaussagen bei Paulus, Cath 34, 1980, 128–145
Montague, G. T., The Holy Spirit. Growth of a Biblical Tradition, 1976
Moody, D., Spirit of the Living God: What the Bible says about the Spirit, 1976
Morissette, R., L'antithèse entre le ‚psychique' et le ‚pneumatique' en I Corinthians XV. 44–46, RSR 46, 1972, 97–143
Mosiman, E., Das Zungenreden geschichtlich und psychologisch untersucht, 1911
Moule, C. F. D., The Holy Spirit, 1978
- II Cor 3:18b. καθάπερ ἀπὸ κυρίου πνεύματος, in: Baltensweiler, H. und Reicke, B. (Hg.), Neues Testament und Geschichte, FS O. Cullmann, 1972, 231–237
Mowinckel, S., The ‚Spirit' and the ‚Word' in the pre-exilic Reforming Prophets, JBL 53, 1934, 199–227
- Die Vorstellungen des Spätjudentums vom Heiligen Geist als Fürsprecher und der johanneische Paraklet, ZNW 32, 1933, 97–130
Mühlen, H., Die Geisterfahrung als Erneuerung der Kirche, in: Dilschneider, Theologie, 69–94
Müller, D., Geisterfahrung und Totenauferweckung. Untersuchungen zur Totenauferweckung bei Paulus und in den ihm vorgegebenen Überlieferungen, Diss. masch. Kiel 1980
Müller, K., ‚Die Propheten sind schlafen gegangen' (syr Bar 85,3). Nachbemerkungen zur überlieferungsgeschichtlichen Reputation der Pseudepigraphie im Schrifttum der frühjüdischen Apokalyptik, BZ 26, 1982, 179–207
Müller, U. B., Prophetie und Predigt im Neuen Testament. Formgeschichtliche Untersuchungen zur urchristlichen Prophetie, StNT 10, 1975
Murphy-O'Connor, J., A Ministry beyond the Letter (2. Cor 3:1-6), in: de Lorenzi, Paolo, 105–129
Mußner, F., Der Brief an die Epheser, ÖTK 10, 1982
- Der Galaterbrief, HThK IX, ⁴1981
- Wohnung Gottes und Menschensohn nach der Stephanusperikope, in: Pesch, R. u. a. (Hg.), Jesus und der Menschensohn, FS A. Vögtle, 1975, 283–299
Nebe, G., ‚Hoffnung' bei Paulus. Elpis und ihre Synonyme im Zusammenhang der Eschatologie, StUNT 16, 1983
Neudorfer, H.-W., Der Stephanuskreis in der Forschungsgeschichte seit F. C. Baur, TVG 503, 1983
Neugebauer, F., Geistsprüche und Jesuslogien, ZNW 53, 1962, 218–228
Niederwimmer, K., Askese und Mysterium. Über Ehe, Ehescheidung und Eheverzicht in den Anfängen des christlichen Glaubens, FRLANT 113, 1975

- Das Gebet des Geistes Röm 8,26f, ThZ 20, 1964, 252–265
- Die Gegenwart des Geistes nach dem Zeugnis des NT, in: ders., Unterscheidung der Geister, 1972, 9–34
Nielsen, H. K., Paulus Verwendung des Begriffs Δύναμις. Eine Replik zur Kreuzestheologie, in: Pedersen, Literatur, 137–158
Nilsson, M. P., Geschichte der griechischen Religion, HAW V 2, I ²1955; II ²1961
Ninck, M., Die Bedeutung des Wassers im Kult und Leben der Alten. Eine symbolgeschichtliche Untersuchung, 1960
Noesgen, K. F., Geschichte der Lehre vom heiligen Geiste, 1899
Nötscher, F., Geist und Geister in den Texten von Qumran, in: Mélanges Bibliques rédigés en l'honneur de A. Robert, Travaux de l'institut catholique de Paris 4, 1957, 305–315
Norden, E., Agnosthos Theos. Untersuchungen zur Formengeschichte religiöser Rede, ⁴1956
Obeng, E. A., The Origins of the Spirit Intercession Motif in Romans 8.26, NTS 32, 1986, 621–632
Oepke, A., Der Brief des Paulus an die Galater, ThHK 9, bearbeitet von J. Rohde, ³1971
- Die Briefe an die Thessalonicher, NTD 8, ¹¹1968
Olschewski, W., Die Wurzeln der paulinischen Christologie, 1909
Opitz, H., Ursprünge frühkatholischer Pneumatologie. Ein Beitrag zur Entstehung der Lehre vom Heiligen Geist in der römischen Gemeinde unter Zugrundelegung des 1. Clemens-Briefes und des ,Hirten' des Hermas, THA 15, 1960
Osten-Sacken, P. von der, Geist im Buchstaben. Vom Glanz des Mose und des Paulus, EvTh 41, 1981, 230–235
- Römer 8 als Beispiel paulinischer Soteriologie, FRLANT 112, 1975
Painter, J., Paul and the πνευματικοί at Corinth, in: Hooker, M. D. and Wilson, S. G. (edd.), Paul and Paulinism, FS C. K. Barrett, 1982, 237–250
Panapopoulos, I., Die urchristliche Prophetie: ihr Charakter und ihre Funktion, in: ders. (Hg.), Prophetic Vocation in the New Testament and today, NovTS 45, 1977, 1–32
Park, Ch.-K., Das Verhältnis zwischen theologischem und anthropologischem Pneumabegriff bei Paulus. Diss. theol. Hamburg (masch.) o. J.
Patte, D., Paul's Faith and the Power of the Gospel. A Structural Introduction to the Pauline Letters, 1983
Paulsen, H., Einheit und Freiheit der Söhne Gottes, ZNW 71, 1980, 74–95
- Überlieferung und Auslegung in Römer 8, WMANT 43, 1974
Pearson, B. A., The pneumatikos-psychikos Terminology in I Corinthians, SBL DS 12, 1973
Pedersen, S., Die Paulinische Literatur und Theologie. Skandinavische Beiträge. Teologiske Studier 7, 1980
Pesch, R., Die Apostelgeschichte, EKK V/1, 1986
- Das Markusevangelium, HThK II/1 + 2, 1976 + 1977
Petuchowski, J. J., Das ,Achtzehngebet', in: Henrix, H. H. (Hg.), Jüdische Liturgie, QD 86, 1979, 77–88

Pfister, F., Art.: Ekstase, RAC 4, 1959, 944–987

- Art.: Enthusiasmos, RAC 5, 1962, 455–457

Pfister, W., Das Leben im Geist nach Paulus, Studia Friburgensia 34, 1963

Pfleiderer, O., Der Paulinismus. Ein Beitrag zur Geschichte der urchristlichen Theologie, ²1890

- Das Urchristenthum, seine Schriften und Lehren im geschichtlichen Zusammenhang, ²1902

Plessis, P. J. du, The Concept of Pneuma in the Theology of Paul, Neotestamentica 3, 1969, 9–20

Pokorný, P., Die Entstehung der Christologie. Voraussetzungen einer Theologie des Neuen Testaments, 1985

- Der Brief des Paulus an die Kolosser, ThHK X/1, 1987

Polag, A., Die Christologie der Logienquelle, WMANT 45, 1977

Porsch, F., Pneuma und Wort. Ein exegetischer Beitrag zur Pneumatologie des Johannesevangeliums, FThSt 16, 1974

Potterie, I. de la, Le chrétien conduit par l'Esprit dans son cheminement eschatologique, in: de Lorenzi, Law, 209–241

- L'esprit saint et l'eglise dans le nouveau testament, in: Martins, Credo 791–808

- /Lyonnet, S., La vie selon l'Esprit. Condition du Chretien, 1965

Preisigke, F., Die Gotteskraft in der frühchristlichen Zeit. Papyrusinstitut Heidelberg, Schrift 6, 1922

Prümm, K., Diakonia Pneumatos. Der Zweite Korintherbrief als Zugang zur apostolischen Botschaft. Auslegung und Theologie I, 1967

Pryke, J., ‚Spirit' and ‚Flesh' in the Qumran Documents and some New Testament Texts, RdQ 5, 1965, 345–460

Przybylski, B., The Spirit: Paul's Journey to Jesus and Beyond, in: Richardson, P. and Hurd, J. C. (edd.), From Jesus to Paul, FS F. W. Beare, 1984, 157–167

Pulver, M., Das Erlebnis des Pneuma bei Philon, Eranos-Jahrbuch 13, 1945, 111–132

Quesnel, M., Baptisés dans l'Esprit, Baptême et Esprit Saint dans les Actes des Apôtres, LD 120, 1985

Quispel, G., De Heilige Geest volgens du oude Kerk, in: Vriezen, T. C. (Hg.), De Spiritu Sancto, 1964, 76–88

Räisänen, H., Das ‚Gesetz des Glaubens' (Röm 3,27) und das ‚Gesetz des Geistes' (Röm 8,2), NTS 26, 1979/80, 101–117; wiederabgedruckt in: ders., Torah, 95–118

- Paul and the Law, WUNT 29, 1983

- The Torah and Christ, SESJ 45, 1986

Reinhard, W., Das Wirken des heiligen Geistes im Menschen nach den Briefen des Apostels Paulus, FThSt 22, 1918

Reinmuth, E., Geist und Gesetz. Studien zu Voraussetzungen und Inhalt der paulinischen Paränese, THA 44, 1985

Reitzenstein, R., Die hellenistischen Mysterienreligionen. Nach ihren Grundgedanken und Wirkungen, ³1927 (= 1977 Nachdruck)

- Poimandres. Studien zur Griechisch-Ägyptischen und Frühchristlichen Literatur, 1904

- Die Vorgeschichte der christlichen Taufe. Mit Beiträgen von L.Troje, 1929

Renan, E., Paulus. Sein Leben und seine Mission, [4]1935

Rengstorf, K. H. (Hg.), in Verbindung mit Luck, U., Das Paulusbild in der Neueren Deutschen Forschung, WdF XXIV, [2]1969

Richard, E., Polemics, Old Testament and Theology. A Study of II Cor. III, 1–IV, 6, RB 88, 1981, 340–367

Riesenfeld, H., Was bedeutet ‚Gemeinschaft des Heiligen Geistes‘?, in: van Allmen, J. J. (Hg.), Communio Sanctorum, 1982, 106–113

Rigaux, B., L'anticipation du salut eschatologique par l'Esprit, in: ders., Foi et Salut selon S.Paul, AnBib 42, 1970, 101–130

Robinson, H. W., The Christian Experience of the Holy Spirit, 1928

Roetzel, C. J., Theodidaktoi and Handwork in Philo and I Thessalonians, in: Vanhoye, L'Apotre 324–331

Rohde, E., Psyche. Seelencult und Unsterblichkeitsglaube der Griechen, [7+8]1921 (= 1980 Nachdruck)

Roloff, J., Art.: Amt IV. Neues Testament, TRE 2, 1978, 509–533

- Die Apostelgeschichte, NTD 5, 1981

Romaniuk, K., Spiritus clamans (Gal 4,6; Röm 8,15), VD 40, 1962, 190–198

Rudolph, K., Die Gnosis. Wesen und Geschichte einer spätantiken Religion, 1977

Rüsche, F., Blut, Leben und Seele. Ihr Verhältnis nach Auffassung der griechischen und hellenistischen Antike, der Bibel und der alten Alexandrinischen Theologen, Studien zur Geschichte, Kultur des Altertums, Erg.-Bd. 5, 1930

- Pneuma, Seele und Geist. Ein Ausschnitt aus der antiken Pneumalehre, ThGl 23, 1932, 606–625

- Das Seelenpneuma. Seine Entwicklung von der Hauchseele zur Geistseele. Studien zur Geschichte und Kultur des Altertums XVIII/3, 1933

Ruesch, Th., Die Entstehung der Lehre vom Heiligen Geist bei Ignatius von Antiochia und Irenäus von Lyon, Studien zur Dogmengeschichte und systematischen Theologie 2, 1952

Saake, H., Minima Pneumatologica, ZSTh 14, 1972, 107–111

- Paulus als Ekstatiker. Pneumatologische Beobachtungen zu 2.Kor. XII 1–10, NovT 15, 1973, 153–160

- Art.: Pneuma, Pauly/Wissowa Suppl XIV, 1974, 387–412

- Pneumatologia Paulina. Zur Katholizität der Problematik des Charisma, Catholica 26, 1972, 212–223

Sand, A., Der Begriff ‚Fleisch‘ in den paulinischen Hauptbriefen, BU 2, 1967

Sandelin, K.-G., Die Auseinandersetzung mit der Weisheit in 1. Korinther 15, MAAF 12, 1976

- Spiritus Vivificans. Traditions of Interpreting Gen 2:7, Opuscula Exegetica Aboensia in honorem R. Gyllenberg octogenarii, Acta Academiae Aboensis A 45, 1, 1973, 59–75

Sanders, E. P., Paulus und das palästinische Judentum, StUNT 17, 1985

Sänger, D., Antikes Judentum und die Mysterien. Religionsgeschichtliche Untersuchungen zu Joseph und Aseneth, WUNT II 5, 1980

Sauter, G., In der Freiheit des Geistes. Theologische Studien, 1988

- Geist und Freiheit. Geistvorstellungen und die Erwartung des Geistes, EvTh 41, 1981, 212–223

– Ekstatische Gewißheit oder vergewissernde Sicherung?, in: Heitmann, Erfahrung, 192–213

Schaberg,J., The Father, the Son and the Holy Spirit. The triadic phrase in Matthew 28, 19b, SBL DS 61, 1982

Schade,H.-H., Apokalyptische Christologie bei Paulus. Studien zum Zusammenhang von Christologie und Eschatologie in den Paulusbriefen, GTA 18, ²1984

Schäfer,P., Art.: Geist / Heiliger Geist / Geistesgaben II. Judentum, TRE 12, 1984, 173–178

– Der synagogale Gottesdienst, in: Maier,J. und Schreiner,J. (Hg.), Literatur und Religion des Frühjudentums, 1973, 391–413

– Die Termini ‚hl. Geist‘ und ‚Geist der Prophetie‘ in den Targumim und das Verhältnis der Targumim zueinander, VT 20, 1970, 304–314

– Die Vorstellung vom Heiligen Geist in der rabbinischen Literatur, StANT 28, 1972

Schaller,B., Gen 1.2 im antiken Judentum. Untersuchungen über Verwendung und Deutung der Schöpfungsaussagen von Gen 1.2 im antiken Judentum, Diss. Göttingen 1961

Schelkle,K.H., Im Leib oder Außer des Leibs: Paulus als Mystiker, in: Weinrich,W.C. (ed.), The New Testament Age, FS B.Reicke, 1984, 455–465

– Paulus. Leben – Briefe – Theologie, EdF 152, 1981

– Die Petrusbriefe – Der Judasbrief, HThK XIII/2, 1961

Schenk,W., Die Philipperbriefe des Paulus. Ein Kommentar, 1984

Schenke,H.-M./Fischer,K.M., Einleitung in die Schriften des Neuen Testaments I. Die Briefe des Paulus und die Schriften des Paulinismus, 1978

– Die Tendenz der Weisheit zur Gnosis, in: Bianchi,U. u.a. (Hg.), Gnosis, FS H.Jonas, 1978, 144–157

Schillenberger,J., 2.Kor 3,17a – ‚Der Herr ist der Geist‘, im Zusammenhang des Textes und der Theologie des hl. Paulus, in: Studiorum Paulinorum congressus Catholicus, AnBib 17–18, I, 1963, 451–460

Schille,G., Die Apostelgeschichte des Lukas, ThHK V, ²1984

Schimanowski,G., Weisheit und Messias. Die jüdischen Voraussetzungen der urchristlichen Präexistenzchristologie, WUNT II 17, 1985

Schlatter,A., Gottes Gerechtigkeit. Ein Kommentar zum Römerbrief, 1935

– Paulus, der Bote Jesu. Eine Deutung seiner Briefe an die Korinther, ⁴1969

– Die Korinthische Theologie, BFChTh XVIII/2, 1914

Schlier,H., Der Apostel und seine Gemeinde. Auslegung des ersten Briefes an die Thessalonicher, ²1973

– Der Brief an die Galater, KEK VII, ¹⁴1971

– Grundzüge einer paulinischen Theologie, 1978

– Über den Heiligen Geist nach dem neuen Testament, in: ders., Der Geist und die Kirche. Exegetische Aufsätze und Vorträge IV, 1980, 151–164

– Über den heiligen Geist. Eine neutestamentliche Untersuchung, Wort und Wahrheit 28, 1973, 24–33

– Herkunft, Ankunft und Wirkungen des Heiligen Geistes im Neuen Testament, in: Heitmann, Erfahrung, 118–130

– Der Römerbrief, HThK VI, 1977

- Zu Röm 1,3f, in: Baltensweiler,H. und Reicke,B. (Hg.), Neues Testament und Geschichte, FS O.Cullmann, 1972, 207–218

Schmid,H.H., Ekstatische und charismatische Geistwirkungen im Alten Testament, in: Heitmann, Erfahrung, 83–100

Schmidt,K., Art.: Zungenreden, RE² 17, 570–576

Schmidt,K.L., Die Natur- und Geistkräfte im paulinischen Erkennen und Glauben, Eranos-Jahrbuch XIV, 1946, 87–143
- Das Pneuma Hagion bei Paulus als Person und als Charisma. Eine lexikologische und biblisch-theologische Studie, Eranos-Jahrbuch XIII, 1945, 187–235; wiederabgedruckt in: ders., Neues Testament – Judentum – Kirche. Kleine Schriften, hg. von Sauter,G., ThBü 69, 1981, 215–263

Schmidt,W.H., Art.: Geist / Heiliger Geist / Geistesgaben I. Altes Testament, TRE 12, 1984, 170–173

Schmiedel,P.W., Die Briefe an die Thessalonicher und an die Korinther, HCNT II, 1891

Schmithals,W., Die Apostelgeschichte des Lukas, ZBK NT 3.2, 1982
- Die theologische Anthropologie des Paulus. Auslegung von Römer 7,17–8,39, 1980
- Die Briefe des Paulus in ihrer ursprünglichen Form, 1984
- Geisterfahrung als Christuserfahrung, in: Heitmann, Erfahrung, 101–117
- Die Gnosis in Korinth. Eine Untersuchung zu den Korintherbriefen, FRLANT 66, ³1969
- Gnosis und Neues Testament, VuF 21, 1976, 22–46
- Zur Herkunft der gnostischen Elemente in der Sprache des Paulus, in: Bianchi,U. u.a. (Hg.), Gnosis, FS H.Jonas, 1978, 385–414
- Judaisten in Galatien?, ZNW 74, 1983, 27–58
- Die Korintherbriefe als Briefsammlung, ZNW 64, 1973, 263–288
- Das Evangelium nach Markus, ÖTK 2/1 + 2, 1979
- Neues Testament und Gnosis, EdF 208, 1984
- Paulus und die Gnostiker. Untersuchungen zu den kleinen Paulusbriefen, ThF XXXV, 1965
- Der Römerbrief als historisches Problem, StNT 9, 1975
- Der Römerbrief. Ein Kommentar, 1988

Schmitz,O., Der Begriff δύναμις bei Paulus, in: Festgabe A.Deißmann, 1929, 139–167
- Die Christus-Gemeinschaft des Paulus im Lichte seines Genitivgebrauchs, Neutestamentliche Forschungen I/2, 1924
- Urchristliche Gemeindenöte. Eine Einführung in den ersten Korintherbrief, 1939

Schnackenburg,R., Charisma und Institution in den Schriften des Neuen Testaments, in: Martins, Credo, 809–827
- Christus, Geist und Gemeinde (Eph: 4,1–16), in: Lindars,B./Smalley,S.S. (edd.), Christ and Spirit in the New Testament, FS C.F.D.Moule, 1973, 279–296
- Der Brief an die Epheser, EKK 10, 1982
- Die sittliche Botschaft des Neuen Testaments, Handbuch der Moraltheologie VI, ²1962

- Geisterfahrung im Leben des Christen, in: ders., Maßstab des Glaubens, 1978, 176–204
- Das Johannesevangelium, HThK IV/1–4, I ⁶1986, II ⁴1985, III ⁵1986, IV 1984
Schneider, B., Kyrios und Pneuma. An Appreciation of a Recent Monograph, Bib 44, 1963, 358–369
- The Corporate Meaning and Background of I Cor 15,45b, CBQ 29, 1967, 450–467
- Κατὰ Πνεῦμα Ἁγιωσύνης (Romans 1,4), Bib 48, 1967, 359–388
Schneider, G., Die Apostelgeschichte, HThK V/1 + 2, 1980 + 1982
Schneider, J., Πνεῦμα ἡγεμονικόν. Ein Beitrag zur Pneuma-Lehre der LXX, ZNW 34, 1935, 62–69
Schnelle, U., Gerechtigkeit und Christusgegenwart. Vorpaulinische und paulinische Tauftheologie, GTA 24, ²1986
- 1. Kor 6:14 – Eine nachpaulinische Glosse, NovT 25, 1983, 217–219
- Der erste Thessalonicherbrief und die Entstehung der paulinischen Anthropologie, NTS 32, 1986, 207–224
- Wandlungen im paulinischen Denken, SBS 137, 1989
Schniewind, J., Das Seufzen des Geistes. Römer 8,26.27; in: ders., Nachgelassene Reden und Aufsätze, hg. von Kähler, E., 1952, 81–103
Schoemaker, W. R., The Use of רוּחַ in the Old Testament and of Πνεῦμα in the New Testament, JBL 23, 1904, 13–67
Schottroff, L., Der Glaubende und die feindliche Welt. Beobachtungen zum gnostischen Dualismus und seiner Bedeutung für Paulus und das Johannesevangelium, WMANT 37, 1970
Schrage, W., Ethik des Neuen Testaments, GNT 4, 1982
- Die konkreten Einzelangebote in der paulinischen Paränese. Ein Beitrag zur neutestamentlichen Ethik, 1961
- Leid, Kreuz und Eschaton. Die Peristasenkataloge als Merkmal paulinischer theologia crucis und Eschatologie, EvTh 34, 1974, 141–175
- Heiligung als Prozeß bei Paulus, in: Koch, D.-A. u. a. (Hg.), Jesu Rede von Gott und ihre Nachgeschichte im frühen Christentum, FS W. Marxsen, 1989, 222–234
- ,Ekklesia' und ,Synagoge'. Zum Ursprung des urchristlichen Kirchenbegriffs, ZThK 60, 1963, 178–202
Schreiner, J., Geistbegabung in der Gemeinde von Qumran, BZ 9, 1965, 161–180
Schrenk, G., Geist und Enthusiasmus, in: ders., Studien zu Paulus, AThANT 26, 1954, 107–127
Schubert, K., Die Entwicklung der eschatologischen Naherwartung im Frühjudentum, in: ders., Vom Messias zum Christus, 1964, 1–54
Schürer, E., Geschichte des jüdischen Volkes im Zeitalter Jesu Christi I–III, ³⁻⁴1901–1911
- The History of the Jewish People in the Age of Jesus Christ I. II, revv. and edd. Vermes, G.; Millar, F. and Black, M., I 1973; II 1979
Schürmann, H., Die geistlichen Gnadengaben in den paulinischen Gemeinden, in: ders., Ursprung und Gestalt, 1970, 236–268
- „... und Lehrer', in: Dienst der Vermittlung, EThSt 37, 1977, 107–147
- Der erste Brief an die Thessalonicher, Geistliche Schriftlesung 13, ²1962

Schütz, C., Einführung in die Pneumatologie, 1985

Schütz, J. H., Charisma und soziale Wirklichkeit im Urchristentum, in: Meeks, W. (Hg.), Zur Soziologie des Urchristentums, ThBü 62, 1979, 222–244

- Art.: Charisma IV. Neues Testament, TRE 7, 1981, 688–693

Schulz, S., Die Charismenlehre des Paulus. Bilanz der Probleme und Ergebnisse, in: Friedrich, J., Pöhlmann, W., Stuhlmacher, P. (Hg.), Rechtfertigung, FS E. Käsemann, 1976, 443–460

- Die Decke des Moses. Untersuchungen zu einer vorpaulinischen Überlieferung in II Cor 3,7–18, ZNW 49, 1958, 1–30

- Neutestamentliche Ethik, 1987

- Der frühe und der späte Paulus. Überlegungen zur Entwicklung seiner Theologie und Ethik, ThZ 41, 1985, 228–236

- Q – Die Spruchquelle der Evangelisten, 1972

Schunck, K.-D., Wesen und Wirken des Geistes nach dem AT: Taufe und Heiliger Geist, SLAG. A 18, 1979, 7–30

Schweitzer, A., Geschichte der paulinischen Forschung von der Reformation bis auf die Gegenwart, 1911

- Die Mystik des Apostels Paulus, in: ders., Ausgewählte Werke in fünf Bänden, Bd. IV, hg. von Grabs, R., ²1973, 5–510

- Reich Gottes und Christentum, in: Werke IV (s. o.), 511–731

Schweizer, E., Antwort auf E. Linnemann. Tradition und Interpretation in Röm 1,3f, EvTh 31, 1971, 275–276

- Christus und der Geist im Kolosserbrief, in: Lindars, B. and Smalley, S. S. (edd.), Christ und Spirit in the New Testament, FS C. F. D. Moule, 1973, 297–313; wiederabgedruckt in: ders., Neues Testament und Christologie im Werden. Aufsätze, 1982, 179–193

- Gegenwart des Geistes und eschatologische Hoffnung bei Zarathustra, spätjüdischen Gruppen, Gnostikern und den Zeugen des Neuen Testaments, in: Davies, W. D. and Daube, D. (edd.), The Background of the New Testament and its Eschatology, FS C. H. Dodd, 1956, 482–508; wiederabgedruckt in: ders., Neotestamentica, 1963, 153–179

- Erniedrigung und Erhöhung bei Jesus und seinen Nachfolgern, AThANT 28, 1955

- Geist und Gemeinde im Neuen Testament und Heute, THE 32, 1952

- Art.: Geister (Dämonen) I. NT, RAC 9, 1976, 688–700

- Heiliger Geist, TT Erg.-Bd., 1978

- Die Kirche als Leib Christi in den paulinischen Homolegoumena, in: ders., Neotestamentica, 1963, 272–292

- Der Brief an die Kolosser, EKK 12, 1976

- Die Hellenistische Komponente im neutestamentlichen σάρξ-Begriff, in: ders., Neotestamentica, 1963, 29–48

- Röm 1,3f. und der Gegensatz von Fleisch und Geist vor und bei Paulus, in: ders., Neotestamentica, 1963, 180–189

- The Spirit of Power, Interpretation, 6, 1952, 259–278

- Zur Trichotomie von 1. Thess 5,23 und der Unterscheidung des πνευματικόν vom ψυχικόν in 1. Kor 2,14; 15,44; Jak 3,15; Jud 19, ThZ 9, 1953, 76–77

Scott, C. A. A., The Fellowship of the Spirit, 1921

Scott, E. F., The Spirit in the New Testament, 1923

Scroggs, R., The Exaltation of the Spirit by some early Christians, JBL 84, 1965, 359–373

– Paul: ΣΟΦΟΣ AND ΠΝΕΥΜΑΤΙΚΟΣ, NTS 14, 1967/68, 33–55

– The Last Adam. A Study in Pauline Anthropology, 1966

Seeberg, E., Wer war Petrus? Paulus. Wer ist Christus? Libelli LXIV, 1961

Seitz, O. J. F., Two Spirits in Man: An Essay in Biblical Exegesis, NTS 6, 1959/60, 82–95

Sellin, G., ,Die Auferstehung Ist Schon Geschehen'. Zur Spiritualisierung Apokalyptischer Terminologie im Neuen Testament, NovT 25, 1983, 220–237

– Das ,Geheimnis' der Weisheit und das Rätsel der ,Christuspartei' (zu 1. Kor 1–4), ZNW 73, 1982, 69–96

– Die Häretiker des Judasbriefes, ZNW 77, 1986, 206–225

– Hauptprobleme des Ersten Korintherbriefes, ANRW II. 25. 4, 2940–3044

– Der Streit um die Auferstehung der Toten. Eine religionsgeschichtliche und exegetische Untersuchung von 1. Korinther 15, FRLANT 138, 1986

Siebeck, H., Neue Beiträge zur Entwicklungsgeschichte des Geist-Begriffs, Archiv für Geschichte der Philosophie XXVII (= XX N. F.), 1914, 1–16

– Die Entwicklung der Lehre vom Geist (Pneuma) in der Wissenschaft des Altertums, Zeitschrift für Völkerpsychologie und Sprachwissenschaft 12, 1880, 361–407

Sieffert, F., Der Brief an die Galater, KEK VII, ⁹1899

Siegert, F., Philon von Alexandrien. Über die Gottesbezeichnung ,wohltätig verzehrendes Feuer' (De Deo), WUNT 46, 1988

– Nag-Hammadi-Register. Wörterbuch zur Erfassung der Begriffe in den koptisch-gnostischen Schriften von Nag-Hammadi mit einem deutschen Index. Einführung von A. Böhlig, WUNT 26, 1982

Sjöberg, E., Neuschöpfung in den Toten-Meer-Rollen, Stud. Theol. IX, 1956, 131–136

Smalley, S. S., Spiritual Gifts and I Corinthians 12–16, JBL 87, 1968, 427–433

Smend, R., Die Entstehung des Alten Testaments, TW 1, ³1984

Smith, D. M., Glossolalia und other spiritual gifts in NT perspective, Interpretation 28, 1974, 307–320

Smith, M., Jesus der Magier, 1981

Soden, H. von, Sakrament und Ethik bei Paulus. Zur Frage der literarischen und theologischen Einheitlichkeit von 1. Kor 8–10; in: Rengstorf, Paulusbild, 338–379

Sokolowski, E., Die Begriffe Geist und Leben bei Paulus in ihren Beziehungen zu einander. Eine exegetisch-religionsgeschichtliche Untersuchung, 1903

Spicq, C., 'ΑΠΑΡΧΗ. Note de lexicographie néo-testamentaire, in: Weinrich, W. C. (ed.), The New Testament Age, FS B. Reicke, 1984, 493–502

Spörlein, B., Die Leugnung der Auferstehung. Eine historisch-kritische Untersuchung zu 1 Korinther 15, BU 7, 1971

Staerk, W., Altjüdische Liturgische Gebete, Kleine Texte für Theologische und Philologische Vorlesungen und Übungen 58, 1910

Stalder, K., Das Werk des Geistes in der Heiligung bei Paulus, 1962

Stallmeister, Das Verhältnis von Gottheit und Menschenseele beim mantischen Enthusiasmus, Diss. Köln 1972

Stegemann, H., Die Bedeutung der Qumranfunde für die Erforschung der Apokalyptik, in: Hellholm, D. (ed.), Apocalypticism in the Mediterranean world and the Near East, 1983, 495–530

Stegemann, W., Der Neue Bund im Alten. Zum Schriftverständnis des Paulus in II Kor 3, ThZ 42, 1986, 97–114

Stendahl, K., Glossolalia and the Charismatic Movement, in: Jervell, J. and Meeks, W. A. (edd.), God's Christ and his People, FS N. A. Dahl, 1977, 122–131

– Der Jude Paulus und wir Heiden, 1978

Stenger, W., Der Christushymnus 1 Timotheus 3,16. Eine strukturanalytische Untersuchung, Regensburger Studien zur Theologie 6, 1977

Strack, H. L./Billerbeck, P., Kommentar zum Neuen Testament aus Talmud und Midrasch, I [8]1983, III [8]1985, IV/1 + 2 [8]1986, V + VI [6]1986

Strecker, G., Die Anfänge der johanneischen Schule, NTS 32, 1986, 31–47

– Befreiung und Rechtfertigung. Zur Stellung der Rechtfertigungslehre in der Theologie des Paulus, in: Friedrich, J., Pöhlmann, W., Stuhlmacher, P., (Hg.), Rechtfertigung, FS E. Käsemann, 1976, 479–508

– Die Bergpredigt. Ein exegetischer Kommentar, [2]1985

– /Maier, J., Neues Testament – Antikes Judentum, GT 2, 1989

– /Vielhauer, P., Apokalyptik des Urchristentums, in: W. Schneemelcher (Hg.), Neutestamentliche Apokryphen II, [5]1989, 516–547

– Die Johannesbriefe, KEK XIV, 1989

– Art.: Entrückung, RAC 5, 1962, 461–476

– Eschaton und Historie. Aufsätze, 1979

– Das Evangelium Jesu Christi, in: ders., Eschaton, 183–228

– Indicative and Imperative According to Paul, Australian Biblical Review 35, 1987, 60–72

– Art.: Judenchristentum, TRE 17, 1988, 310–325

– Judenchristentum und Gnosis, in: Tröger, K.-W. (Hg.), Altes Testament – Frühjudentum – Gnosis, 1980, 261–282

– Das Judenchristentum in den Pseudoklementinen, TU 70/2, [2]1981

– Die Pseudoklementinen III. Konkordanz zu den Pseudoklementinen I, GCS 58, 1986

– (Hg.), Das Problem der Theologie des Neuen Testaments, WdF CCCLXVII, 1975

– Redaktion und Tradition im Christushymnus Phil. 2,6–11, in: ders., Eschaton, 142–157

– Strukturen einer neutestamentlichen Ethik, ZThK 75, 1978, 117–146

– ‚Biblische Theologie'? Kritische Bemerkungen zu den Entwürfen von Hartmut Gese und Peter Stuhlmacher, in: Lührmann, D. und Strecker, G. (Hg.), Kirche, FS G. Bornkamm, 1980, 425–445

– Der Weg der Gerechtigkeit. Untersuchung zur Theologie des Matthäus, FRLANT 82, [3]1971

Strobel, A., Der erste Brief an die Korinther, ZBK 6.1, 1989

Stuhlmacher, P., Jesu Auferweckung und die Gerechtigkeitsanschauung der vorpaulinischen Missionsgemeinden, in: ders., Versöhnung, 66–86

- Zur hermeneutischen Bedeutung von 1. Kor 2, 6–16, theol. beitr. 18, 1987, 133–158
- ‚Das Ende des Gesetzes'. Über Ursprung und Ansatz der paulinischen Theologie, in: ders., Versöhnung, 166–191
- Erwägungen zum ontologischen Charakter der καινὴ κτίσις bei Paulus, EvTh 27, 1967, 1–35
- Das paulinische Evangelium I. Vorgeschichte, FRLANT 95, 1968
- Gerechtigkeit Gottes bei Paulus, FRLANT 87, ²1966
- Das Gesetz als Thema biblischer Theologie, in: ders., Versöhnung, 136–165
- Versöhnung, Gesetz und Gerechtigkeit. Aufsätze zur biblischen Theologie, 1981

Suhl, A., Der Galaterbrief – Situation und Argumentation, ANRW II. 25. 4, 3067–3134
- Die Galater und der Geist. Kritische Erwägungen zur Situation in Galatien, in: Koch, D.-A. u. a. (Hg.), Jesu Rede von Gott und ihre Nachgeschichte im frühen Christentum, FS W. Marxsen, 1989, 267–296
- Paulus und seine Briefe. Ein Beitrag zur paulinischen Chronologie, StNT 11, 1975

Swete, H. B., The holy Spirit in the New Testament. A Study of Primitive Christian Teaching, 1909

Sweet, J. P. M., A Sign for Unbelievers: Paul's Attitude to Glossolalia, NTS 13, 1967, 240–257

Synge, F. C., The Spirit in the Pauline Epistles, CQR 119, 1935, 79–93

Theißen, G., Psychologische Aspekte paulinischer Theologie, FRLANT 131, 1983
- Studien zur Soziologie des Urchristentums, WUNT 19, ²1983

Theobald, M., Die überströmende Gnade. Studien zu einem paulinischen Motivfeld, fzb 22, 1982
- ‚Dem Juden zuerst und auch dem Heiden'. Die paulinische Auslegung der Glaubensformel Röm 1, 3 f, in: Müller, P.-G. und Stenger, W. (Hg.), Kontinuität und Einheit, FS F. Mußner, 1981, 376–392

Thielicke, H., Der evangelische Glaube, Grundzüge einer Dogmatik 3. Theologie des Geistes, 1978

Thiselton, A. C., Realized Eschatology at Corinth, NTS 24, 1978, 510–526
- The ‚Interpretation' of Tongues: A new suggestion in the light of Greek usage in Philo and Josephus, JThS 30, 1979, 15–36
- The Meaning of σάρξ in I. Corinthians 5. 5: a Greek approach in the light of logical and semantic factors, ScJTh 26, 1973, 204–227

Thomas, J., Le mouvement Baptiste en Palestine et Syrie (150 Av. J.-C.-300 AP. J.-C.), Universitas Catholica Lovaniensis II 28, 1935

Thrall, M. E., Conversion to the Lord. The Interpretation of Exodus 34 in II Cor. 3: 14 b–18, in: de Lorenzi, Paolo, 197–218

Thüsing, W., Erhöhungsvorstellung und Parusieerwartung in der ältesten nachösterlichen Christologie, SBS 42, 1969

Thyen, H., „... nicht mehr männlich und weiblich ...' Eine Studie zur Galater 3, 28, in: Crüsemann, F./Thyen, H., Als Mann und Frau geschaffen, 1978, 107–208

Tiede, D. L., The Charismatic Figure as Miracle Worker, SBL DS 1, 1972

Tobin, T. H., The Creation of Man: Philo and the history of interpretation, CBQ. MS 14, 1983

Toit, A. B. du, Die formule en pneumati by Paulus, Neotestamentica 3, 1969, 52–59

Trachtenberg, J., Jewish Magic and Superstition. A Study in Folk Religion, 1975

Unnik, W. C. van, With Unveiled Face. An Exegesis of 2 Corinthians III 12–18, in: ders., Sparsa Collecta I, NovTS 29, 1964, 194–210

- ‚Den Geist löschet nicht aus' (1. Thess 5, 19), NovT 10, 1968, 255–269

- The Holy Spirit in the New Testament, in: ders., Sparsa Collecta II, NovTS 30, 1980, 323–332

Urbach, E. E., מתיפסקה הנבואה, Tarbiz 17, 1945/46, 1–11

Vanhoye, A. (ed.), L'Apôtre Paul. Pesonnalité, Style et Conception Du Ministère, BEThL 73, 1986

- L'interpretation d'Ex 34 en 2 Co 3,7–14, in: de Lorenzi, Paolo, 159–180

Verbeke, G., L'évolution de la doctrine du pneuma du stoicisme à S. Augustin. Etude philosophique, 1945

- Art.: Geist II. Pneuma, in: Ritter, J. (Hg.), Historisches Wörterbuch der Philosophie, Bd. 3, 1974, 157–162

Versteeg, J. P., Aspekten van Paulus' spreken over de Geest, Rondom het Woord 14, 1972, 210–226

- Christus en de Geest, een exegetisch onderzoek naar de verhouding van de opgestane Christus en de Geest van God volgens de brieven van Paulus, ²1980

Vielhauer, Ph., Apokalypsen und Verwandtes, in: Schneemelcher, Apokryphen, 405–427

- Geschichte der urchristlichen Literatur. Einleitung in das Neue Testament, die Apokryphen und die Apostolischen Väter, 1978 (= Nachdruck)

- Gesetzesdienst und Stoicheiadienst im Galaterbrief, in: Friedrich, J., Pöhlmann, W., Stuhlmacher, P. (Hg.), Rechtfertigung, FS E. Käsemann, 1976, 543–555; wiederabgedruckt in: ders., Oikodome (s. u.), 183–195

- Oikodome. Aufsätze zum Neuen Testament 2, hg. von Klein, G., ThBü 65, 1979

- Paulus und die Kephaspartei in Korinth, NTS 21, 1975, 341–353

- Ein Weg zur neutestamentlichen Christologie? Prüfung der Thesen Ferdinand Hahns, in: ders., Aufsätze zum Neuen Testament, ThBü 31, 1965, 141–198

Vollenweider, S., Freiheit als neue Schöpfung. Eine Untersuchung zur Eleutheria bei Paulus und in seiner Umwelt, FRLANT 147, 1989

Volz, P., Die Eschatologie der jüdischen Gemeinde im neutestamentlichen Zeitalter nach den Quellen der rabbinischen, apokalyptischen und apokryphen Literatur dargestellt, 1934 (= 1966 Nachdruck)

- Der Geist Gottes und die verwandten Erscheinungen im Alten Testament und im anschließenden Judentum, 1910

Vos, G., The Eschatological Aspect of the Pauline Conception of the Spirit, Biblical and Theological Studies by the Members of the Faculty of Princeton Theological Seminary 1912, 209–259

Vos, J. S., Traditionsgeschichtliche Untersuchungen zur paulinischen Pneumatologie, van Gorcum's Theologische Bibliothek 47, 1973

Waaning, N. A., Onderzoek naar het gebruik van πνεῦμα bij Paulus, Diss. Amsterdam 1939

Wagner, G., Das religionsgeschichtliche Problem von Römer 6, 1–11, AThANT 39, 1962

Walter, N., Paulus und die Gegner des Christusevangeliums in Galatien, in: Vanhoye, L'Apôtre, 351–356

Wambacq, B. N., Le mot charisme, NRTh 97, 1975, 345–355

Warnach, V., Das Wirken des Pneuma in den Gläubigen nach Paulus, in: Schlink, E. und Volk, H. (Hg.), Pro Veritate, FS L. Jaeger und W. Stählin, 1963, 156–202

Watson, F., 2. Cor. X–XIII and Paul's Painfull Letter to the Corinthians, JThs 35, 1984, 324–346

Weber, F., Jüdische Theologie auf Grund des Talmud und verwandter Schriften gemeinfaßlich dargestellt, hg. von Delitzsch, F. und Schnedermann, G., [2]1897 (= 1975 Nachdruck)

Weber, R., Die Geschichte des Gesetzes und des Ich in Römer 7, 7–8, 4, ZSTh 29, 1987, 147–179

Wedderburn, A. J. M., Baptism and Resurrection. Studies in Pauline Theology against its Graeco-Roman Background, WUNT 44, 1987
- The Body of Christ and related Concepts in I Corinthians, ScJTh 24, 1971, 74–96
- The Problem of the Denial of the Resurrection in I Corinthians XV, NovT 23, 1981, 229–241
- Romans 8.26 – Towards a Theology of Glossolalia?, ScJTh 28, 1975, 369–377
- The Soteriology of the Mysteries and Pauline Baptismal Theology, NovT 29, 1987, 53–72
- Hellenistic Christian Traditions in Romans 6?, NTS 29, 1983, 337–355

Weinel, H., Biblische Theologie des Neuen Testaments. Die Religion Jesu und des Urchristentums, Grundriß der theol. Wissenschaften III/2, [2]1913
- Die Wirkungen des Geistes und der Geister im nachapostolischen Zeitalter bis auf Irenäus, 1899

Weinrich, W. C., Spirit and martyrdom; a study of the work of the Holy Spirit in contexts of persecution and martyrdom in the New Testament and early Christian literature, 1980

Weiser, A., Die Apostelgeschichte, ÖTK 5/1 + 2, 1981 und 1985
- Zur Gesetzes- und Tempelkritik der ,Hellenisten', in: Kertelge, K. (Hg.), Das Gesetz im Neuen Testament, QD 108, 1986, 146–168

Weiss, B., Die Paulinischen Briefe und der Hebräerbrief im berichtigten Text, [2]1902
- Der Brief an die Römer, KEK IV, [8]1891

Weiss, H.-F., Untersuchungen zur Kosmologie des hellenistischen und palästinischen Judentums, TU 97, 1966

Weiss, J., Christus. Die Anfänge des Dogmas, RV I 18/19, 1909
- Der erste Brief an die Korinther, KEK V, [9]1910

- Das Urchristentum, hg. von Knopf, R., 1917
Weizsäcker, C., Das Apostolische Zeitalter der christlichen Kirche, ²1892
Welborn, L. L., On the discord in Corinth: 1 Corinthians 1–4 and ancient politics, JBL 106, 1987, 85–111
Wendland, H. D., Geist, Recht und Amt in der Urkirche, in: Archiv für evangelisches Kirchenrecht 2, 1938, 289–300
- Das Wirken des heiligen Geistes in den Gläubigen nach Paulus, ThLZ 77, 1952, 457–470
Wendt, H. H., Die Begriffe Fleisch und Geist im biblischen Sprachgebrauch, 1878
Wengst, K., Der erste, zweite und dritte Brief des Johannes, ÖTK 16, 1978
- Christologische Formeln und Lieder des Urchristentums, StNT 7, 1972
Wenschkewitz, H., Die Spiritualisierung der Kultusbegriffe Tempel, Priester und Opfer im Neuen Testament, Angelos 4, 1932, 70–230
Wernberg-Moeller, P., A Reconsideration of the two Spirits in the Rule of the community (1 Q Serek III, 13–IV, 26), RdQ 3, 1961/62, 413–441
Wernle, P., Jesus und Paulus. Antithesen zu Boussets Kyrios Christos, ZThK 25, 1915, 1–92
Westerholm, S., ‚Letter‘ and ‚Spirit‘: the Foundation of Paul's Ethics, NTS 30, 1984, 229–248
Westermann, C., Geist im Alten Testament, EvTh 41, 1981, 223–230
- Theologie des Alten Testaments in Grundzügen, GAT 6, 1978
Wette, W. M. L. de, Kurzgefasstes exegetisches Handbuch zum Neuen Testament, ²⁻⁴ 1845–1855
Wettstein, J. J., H KAINH ΔIAΘHKH. Novum Testamentum Graecum I. II, 1751. 1752 (Nachdruck 1962)
Widmann, M., 1. Kor 2, 6–16: Ein Einspruch gegen Paulus, ZNW 70, 1979, 44–53
- Die vier Phasen des Konflikts zwischen Paulus und den Korinthern, in: Bayer, O. und Wanzeck, G.-U. (Hg.), FS F. Lang, 1978, 799–833
Wiefel, W., Die Hauptrichtung des Wandels im eschatologischen Denken des Paulus, ThZ 30, 1974, 65. 81
Wilckens, U., Auferstehung. Das biblische Auferstehungszeugnis historisch untersucht und erklärt, TT 4, 1970
- Christus, der ‚letzte Adam‘, und der Menschensohn. Theologische Überlegungen zum überlieferungsgeschichtlichen Problem der paulinischen Adam-Christus-Antithese, in: Pesch, R. u. a. (Hg.), Jesus und der Menschensohn, FS A. Vögtle, 1975, 387–403
- Zur Entwicklung des Paulinischen Gesetzesverständnisses, NTS 28, 1982, 154–190
- Zu 1 Kor 2, 1–16, in: Andresen, C. und Klein, G. (Hg.), Theologia Crucis – Signum Crucis, FS E. Dinkler, 1979, 501–537
- Das Kreuz Christi als Tiefe der Weisheit Gottes. Zu 1. Kor 2, 1–16, in: de Lorenzi, Paolo, 43–108
- Der Brief an die Römer, EKK VI/1–3, I 1978, II 1980, III 1982
- Weisheit und Torheit. Eine exegetisch-religionsgeschichtliche Untersuchung zu 1. Kor 1 und 2, BHTh 26, 1959

Wili,W., Die Geschichte des Geistes in der Antike, Eranos-Jahrbuch 13, 1945, 49–93

Willi,T., Das Erlöschen des Geistes, Judaica 28, 1972, 110–126

Williams,C.G., Glossolalia as a Religious Phenomenon: Tongues at Corinth and Pentecost, Religion 5, 1975, 16–32

Williams,S.K., Justification and the Spirit in Galatians, JStNT 29, 1987, 91–100

Wilson,R. McL., Gnosis at Corinth, in: Hooker,M.D. and Wilson,S.G. (edd.), Paul and Paulinism, FS C.K. Barrett, 1982, 102–114

– The Spirit in Gnostic Literature, in: Lindars,B. and Smalley,S.S. (edd.), Christ and Spirit in the New Testament, 1973, 345–355

Windisch,H., Jesus und der Geist nach synoptischer Überlieferung, in: Case, S.J. (ed.), Studies in Early Christianity, 1928, 209–236

– Der zweite Korintherbrief, hg. von Strecker, G., KEK Neudruck, 1970

– Urchristentum und Hermesmystik, ThT 52, 1918, 186–240

– Die Weisheit und die paulinische Christologie, in: Neutestamentliche Studien, FS G.Heinrici, 1914, 220–234

Winter,M., Pneumatiker und Psychiker in Korinth, MThS 12, 1975

Wischmeyer,O., Der höchste Weg. Das 13.Kapitel des 1.Korintherbriefes, StNT 13, 1981

Wohlenberg,G., Der erste und zweite Thessalonicherbrief, KNT XII, 1903

Wolff,Chr., Der erste Brief des Paulus an die Korinther. Zweiter Teil, ThHK VII/2, ²1982

Wolff,H.W., Anthropologie des Alten Testaments, ⁴1984

– Dodekapropheton 2. Joel und Amos, BK XIV/2, 1969

Wolfson,H.A., Philo. Foundations of religious philosophy in judaism, christianity and islam (2 vol.), 1948

Wolter,M., Apollos und die ephesinischen Johannesjünger (Act 18,24–19,7), ZNW 78, 1987, 49–73

– Rechtfertigung und zukünftiges Heil. Untersuchungen zu Römer 5,1–11, BZNW 43, 1978

– Verborgene Weisheit und Heil für die Heiden. Zur Traditionsgeschichte und Intention des ‚Revelationsschemas‘, ZThK 84, 1987, 297–319

Wood,I.F., The Spirit of God in Biblical Literature. A Study in the History of Religion, 1904

Wrede,W., Über Aufgabe und Methode der sogenannten Neutestamentlichen Theologie, 1897; wiederabgedruckt in: Strecker, Problem (s.o.), 81–154

– Paulus, RV I 5–6, ²1907; die Erstauflage von 1904 ist wiederabgedruckt in: Rengstorf, Paulusbild (s.o.), 1–97

Yates,J.E., The Spirit and the Kingdom, 1963

Zahn,Th., Der Brief des Paulus an die Galater, KNT 9, ³1922

– Der Brief des Paulus an die Römer, KNT CI, ³1925

Zeller,D., Der Brief an die Römer, RNT, 1985

Zimmerli,W., Ezechiel, BK XIII/2, ²1979

Zimmermann,H., Neutestamentliche Methodenlehre. Darstellung der historisch-kritischen Methode. Neubearbeitet von K.Kliesch, ⁷1982

Zmijewski,J., der Stil der paulinischen ‚Narrenrede‘. Analyse der Sprachgestaltung in 2.Kor 11,1–12,10 als Beitrag zur Methodik von Stiluntersuchungen neutestamentlicher Texte, BBB 52, 1978

Register
(in Auswahl)

Sachregister

Abendmahl 109. 169f. 175. 230f. 289f. 343

Amt 281

Angeld 67. 149. 262. 301. 384. 389–431

Animismus 16f. 80f.

Anthropologie 41. 46. 60. 67. 130f. 183. 192. 224. 237–240. 275. 300f. 360. 400–404

Antipaulinismus 381

Apokalyptik 40–43. 224. 398f.

Apollos 165. 175f. 250. 258–263

Apostolat 305–307. 309. 376. 381. 414

Auferstehung 223f.

Auferweckung 91–96

Auferweckung Jesu 90–106

Bath Qol 32f.

Begriffsgeschichte 54–56

Bekehrung 43–45. 331

Berufung des Paulus 119. 156. 338f. 366. 368

Beschneidung 347–350. 374–379

Charismen 113. 157. 200. 262. 281–291

Charismenliste 258. 287f. 388

Christologie 50. 133. 231–234. 263–274. 383. 402

Chronologie 116f. 120

Dämonen 78f. 108. 225

,Dogma' des erloschenen Geistes 26–40. 64

Dualismus 233f. 240

Dynamismus 16f.

Einwohnung des Geistes 65–76. 133. 239. 257. 387

Ekstase 209. 215. 217. 284. 385. 405

Engelgemeinschaft 72. 213

Enthusiasmus 116. 128f. 158. 160–301. 219–221. 242. 248. 283. 332. 382

Entrückung 254f.

Entwicklung 116–118. 384f.

Erbe 394–399

Erfahrung 14–20. 113

Erkenntnis 222f. 263–274

Erwählung 123. 126. 131f. 139f. 146. 266

Eschatologie 109. 146. 395. 399–404

Ethik 280. 292. 298–301. 351. 387f.

Exorzismus 144–146

Forschungsgeschichte 49–54

Freude 386

Freiheit 356f.

Fürsprache 418–422

Gebet 293–294. 296f. 418–422

Gegner im Gal 346–350

Gegner im 2. Kor 302–309

Gegner im Phil 376–378

Geist-Fleisch 67. 96f. 100. 183. 274–281. 354–365

Geister 22. 401. 421

Gesetz 352–355. 364. 365–374

Glossolalie 34. 84–86. 113. 128f. 157. 161. 181. 200. 201–219. 249. 252. 255–258. 262. 286. 291–297. 418

Gnosis 158f. 192–194. 241f.

Göttersprache 211–214

Gottesdienst 182. 202. 231. 234. 291. 293. 295. 409–412

Heiligung 78f. 156. 239. 252. 387–389
Heiligkeit 124–127. 132. 146. 171. 298–301
Heilungen 286. 383
hell. Gemeinde 61. 119. 134. 147. 151f. 157–160. 246. 335f. 380
Hyperpaulinismus 251–258

‚in Christus‘ 138–142. 150f. 252. 332f. 341

Judenchristen 65. 249f. 302. 309. 354. 377. 379–383
Judentum, hell. 40f. 48
Judentum, rabbinisches 26–40

Kanon 36
Kephas 165. 249
Kreuzestheologie 345. 406
Kulturanthropologie 16f.
Kyrios 147–151

lebenschaffender Geist 43–45. 101f. 197f. 232. 316f. 331
Lehre 15. 21. 77
Leib Christi 231. 262. 287–291. 401
Liebesgebot 357. 365. 369–371
Logienquelle 381–383

Mantik 215. 288
Messias 37–39. 97. 106–108. 141
Mysterienreligionen 164. 167. 192–194. 243–245
Mystik 51. 53. 133. 325. 341

Name (Jesu Christi) 144f. 163. 245f.

Ordination 32f.

Paraklet 80f.
Parusie 132. 139f. 146
Parusie-Christus 147–151
Philo 45–48. 194–196. 250

Pneuma-Christus 147–151. 179. 233. 324–346
Pneumatiker 161. 180–201. 252. 257. 307. 416f.
Präexistenzchristologie 232. 261. 334f.
Predigt 78f. 86
Prophetie 57. 112. 129f. 131. 156f. 205. 217f. 262. 293f. 386f.
Prostitution 299–301
Pseudepigraphie 31
Psychologie 19. 23. 52

Qumran 18. 40. 63f. 70–72

Rechtfertigung 143–146. 279
Religionsgeschichte 54–60

Sätze hl. Rechts 235f.
Scheideformel 67. 234–237
Schule des Paulus 117. 253. 261. 263. 268
Sohnschaft 394–399
Sophia 334f.
Stephanus 152–155. 367
Stoa 56f. 69
Substanz 49–54. 60. 428–431
Sünde 81. 132

Taufe 65f. 109f. 118. 127. 133–137. 138–142. 142–147. 162–180. 198. 237. 243–249. 252. 257. 260. 342. 362. 391. 397. 399f.
Tempel 66. 66–73

Urgemeinde 20f. 87. 90. 113. 246. 249. 380f.

Verkündigung 64. 120–123. 131. 156. 385f.
Vernunft 292
Verwandlung 422–428

Wasser-Geist-Metaphorik 59. 247f.
Weisheit 263–274

Stellenregister

a) Altes Testament

Genesis

1,17	46
2,7	41. 46. 81. 195f.
6,3	276

Exodus

34,34	320f.

Leviticus

26,12	75

Jesaja

26,18f.	92–94
28,11	85. 209f. 217

Jeremia

38,33f.	126

Ezechiel

36,25f.	146
36,26f.	37. 44. 62f. 75. 125. 131. 315. 368
37,1–14	92
37,14	62f. 125f. 131. 368

Hosea

6,2f.	93

Joel

3,1–5	37. 89. 111f. 129. 385

Ecclesiastes

12,7	41f.

Sacharja

13,2–6	28f.

Psalm

74,9	28

b) Judentum (außer Altes Testament)

Achtzehngebet

2	92–95

Baruch, syr

30,1	140
51,3	43
85,3	30f.

bBatra

12	32f.

Damaskusschrift

3,18–20	71

Daniel Th

3,38	29

4. Esra

6,26f.	39
14	36

Henoch, äth

37–71	42
49,3	38. 141
61,11	39. 288
62,2	38
102–104	42

Joseph und Aseneth

8,9–11	43–45

Josephus

Ap I 37	31. 36
I 42	36

Jubiläen

1,23	39. 146

1. Makkabäer

4,46	29f.
9,27	30
14,41	30

Oracula Sibyllina

III 582	39

Philo

All I 31 f.	195f.
I 42	46f.
Her 259–265	48
Op 134 ff.	46
QuaestEx II 27–49	47 f.

Psalmen Salomonis

17,37	37
18,7	37

1. QH

11,3–14	58f.
16,12	146

11. QMelch

18	38

1. QS

4,20f.	146
5,4–7	71
8,4–8	70f.
8,8–10	71
9,3–6	71
11,8	71

1. QSb

5,24f.	38

Sapientia Salomonis

1,5–8	421

Testament Hiob

48–50	212f.

Testament Juda

20,1–5	421
24,2	38. 40

Testament Levi

18,7	38
18,9	140
18,11	39

c) Neues Testament

Matthäusevangelium

12,18	108
12,28	107
13,16 f.	381
28,19	107

Markusevangelium

1,8	31. 77
1,9–11	90. 108
1,15	108
3,20	108
3,27	108
3,28 f.	31. 77. 107. 382
6,6–13	77–79
7,22 f.	383
13,11	78. 107. 382. 422
14,57–64	153 f.
14,58	73. 366
16,17 f.	158. 202 f. 206

Lukasevangelium

3,16	82. 382
3,21	90
4,1	382
4,18 f.	107 f.
6,20	108
7,22	381
10,18	107
11,2	107
11,13	107
11,14–23	382
11,20	107. 381
12,10	107. 382
12,12	382

| 24,28 | 107 |
| 24,36–49 | 79–81 |

Johannesevangelium

1,33	31
6,63	278
7,39	31. 64
14,17	64
16,10	104
20,19–23	79–82. 87. 95
20,22	31. 64

Apostelgeschichte

2,1–13	61. 82–89. 117
2,4	81. 203 f. 206
2,33	64. 82
2,38	64. 82
5,32	62
6–7	73. 152 f. 365
6,11–14	153 f. 366 f.
6,14	73 f.
7,51–53	154 f.
8,6	155
8,13	155
8,15–19	64
10,44–46	85. 203 f.
11,28	381
15,8	62
18,24 ff.	250. 259 f.
18,25	128. 260
19,2	31. 64
19,5 f.	85. 203 f.
21,8 f.	155
21,10 f.	381

Römerbrief

1,3 f.	53 f. 76. 96–100. 106. 278. 326
2,26–29	317
5,5	62. 407–409
6,1–14	176
6,4	91. 95. 106. 144. 166. 176–180. 243. 326
7	360 f.
7,6	317
7,14	372

8,2	371 f.
8,4	358. 371–374
8,5–8	279 f. 298 f. 364
8,9	232 f. 234–237. 331. 333. 340
8,9–11	67. 234 f. 344. 401 f.
8,10	401 f.
8,11	91. 95. 106. 394
8,12	280
8,12–17	394–397
8,14	358. 397
8,14–16	409–412
8,15	64. 296. 397
8,18–30	413–418
8,23	392 f. 401
8,26 f.	294–297. 417–422
8,29 f.	423
11,8	62
12,3	284 f.
12,6–8	281–291
12,7–11	281–291
12,8	286
12,11	128. 258. 284. 371. 373
13,8	373
13,8–10	371
15,18 f.	121. 385

1. Korintherbrief

1,1–17	162–165
1,12–17	260
1,14–16	142. 248
1,18–3,4	263–274
1,23 f.	327
1,30	143
2,1–5	122
2,4	121. 385
2,6	196
2,6–16	76. 116. 161. 253. 264 f. 267–274
2,8	269. 327
2,10–16	182 f.
2,12	64
2,13	185 f. 388
2,14 f.	188. 199
3,1	182 f. 186. 200

3,1–3	275. 278 f.	13,8	285. 292
3,6–8	260	14,1–3	130. 216
3,16	66	14,2	214 f. 264
3,17	236	14,5	256
3,21	163	14,10	215
4,6	163. 426	14,12	225 f.
4,8	228 f.	14,14	214. 297
4,19 f.	121	14,18	255 f.
5,1–5	328	14,20–25	217
5,5	239 f.	14,21	206. 209–211. 215
6,11	76. 142–147. 257. 298	14,22	218 f.
		14,28	292 f.
6,12	221 f.	14,32	128
6,12–20	299–301	14,33–36	181
6,14	91. 95. 106. 178. 244. 300	14,34	242
		14,37	181 f. 199 f.
6,15	328 f.	14,39	128. 216
6,19	66 f.	15,3–6	88. 90
7,10	227	15,6	113
7,14	298 f.	15,12	223 f.
7,19	110. 369 f.	15,18	138 f.
7,25	227	15,22	95
7,40	226–228. 237. 264	15,29	165–167
8,1	222	15,42–50	402 f.
8,6	232	15,44–47	189–191. 196–198. 401
10,1–13	156 f. 167–171. 200 f. 257	15,45	106. 147. 237. 278. 331. 342
10,4	327. 335		
10,23	221 f.	16,15	142
11,2–16	230	16,22	236
12,1	180 f. 183–185. 199		
		2. Korintherbrief	
12,1–3	233	1,22	62. 76. 391 f.
12–14	201–208	2,14–4,6	310. 313–324
12,2	216. 242	2,14–7,4	303 f.
12,6–8	160	3	32. 310–324
12,7 f.	130. 285	3,3	315 f.
12,7–10	160	3,4–6	316–318
12,10	130. 293	3,6	331–369
12,11	221	3,7–18	310–313. 424
12,13	76. 110. 166. 170. 172–175. 289 f.	3,17	147. 323 f. 331 f.
		3,18	322 f. 328. 340. 342. 424–428
12,14–26	290 f.		
12,18	285	4,4–6	327 f. 339. 427
12,27	172 f.	4,16	427
12,28–30	281–291	5,5	62. 392. 401
13,1	211. 214	5,13	220. 254

6,14–7,1 74–76. 351
10,1–11 304
10,13 302–304. 413–418
11,4 64. 308
11,22 304
12,1 306f.
12,1–10 254f. 294. 415
12,3 220
12,4 211. 297
12,5 122
12,9 328. 413f.
12,11f. 121f. 305. 307f.
13,4 106. 326. 413
13,13 375. 415f.

Galaterbrief

2,11–14 349f.
3,1–5 114f. 351
3,1–5,12 352–354
3,2 64
3,5 330
3,14 32. 64. 351
3,16–18 319–324
3,26f. 174. 352
3,28 110f. 112. 352
4,6 329. 340. 352. 394–397. 410–412
4,29 348. 352
5,4 354
5,6 110. 357. 369f.
5,11 348f.
5,13–25 279f. 355f.
5,14 357. 362. 370f. 373
5,16 355. 359. 362
5,17 355. 358–362
5,22 357f. 370f.
5,22ff. 298f. 361
5,23 371
5,25 333. 352. 355. 358. 362–364
6,1 187f. 279
6,2 370
6,6 296
6,8 106. 355. 394. 401
6,8–10 371
6,11–18 347

6,12f. 347f.
6,15 110. 369f.

Epheserbrief

1,13f. 391
1,19f. 91
2,12 32
3,5 32
3,17 68
4,7f. 87
4,30 106. 391

Philipperbrief

1,19 330. 340. 374. 416
1,27 374
2,1 374f. 416
3,2 376f.
3,3 280. 374f. 378f.
4,23 375

Kolosserbrief

2,11 379
2,12 91. 95. 144. 177. 243
3,11 110f.

1. Thessalonicherbrief

1,5f. 120–123. 385
4,8 62. 123–127. 143. 158. 238. 368f. 387
4,9 126. 154f. 271. 368f. 388
4,13–18 158f.
4,14 178
4,16 138–142. 150. 341
5,1–11 133–137. 159
5,16–22 127–130. 159
5,19 127–130. 252
5,23 126. 130f. 159. 239. 252

1. Timotheusbrief

3,16 102–106. 278

2. Timotheusbrief

1,6	128
1,7	62

Philemonbrief

25	375

Hebräerbrief

6,4f.	106

1. Petrusbrief

3,18	105f. 278
3,18–22	101f.

Jakobusbrief

3,15	191

Judasbrief

19	191

1. Johannesbrief

2,27	64
3,24	62
4,13	62

Apokalypse des Johannes

11,11	106
14,13	138f.

d) Frühchristliche Schriften

Hermas

Mand III 1	337

Sim V 6,5	337
IX 1,1	337

Ignatiusbriefe

Magn 15	336

2. Klemensbrief

14,5	106

Origenes

Cels VI 8	113

Oden Salomos

11	45

e) Sonstige antike Schriften

Corpus Hermeticum

I 24–26	212. 336

Mithras-Liturgie (PGM)

	244f.

Platon

Phaid 249	220
Tim 71	209. 215

Plutarch

Def 40	128f.
51	296
Pyth 17	128f.
24	209

Friedrich Wilhelm Horn
Glaube und Handeln in der Theologie des Lukas
(Göttinger Theologische Arbeiten, Bd. 26). 2., durchgesehene Auflage. 400 Seiten, kartoniert. ISBN 3-525-87377-8

F. W. Horn sichtet das gesamte Material aus Evangelium und Apostelgeschichte in kritischem Dialog mit der Forschungsgeschichte und stellt Lukas als Evangelisten der Gemeinde vor, dessen Ethik von den Problemen der frühchristlichen Gemeinde gestaltet und auf sie hin bezogen ist. Im Mittelpunkt steht die auf den Gegensatz von Armut und Reichtum in der Gemeinde eingehende Darlegung der Wohltätigkeitsparänese, ihre Motivation und christologische Begründung.

„Der Leser hat eine gut aufgebaute, gründlich und methodisch sichere Arbeit vor sich, die zu dem überzeugenden Ergebnis kommt, daß es sich bei der lukanischen ,Armenfrömmigkeit' um eine ,Almosenfrömmigkeit' handelt."

W. Schmithals, Reformierte Kirchenzeitung

Hans Hübner
Das Gesetz bei Paulus
Ein Beitrag zum Werden der paulinischen Theologie. (Forschungen zur Religion und Literatur des Alten und Neuen Testaments, Bd. 119). 3. Auflage. 207 Seiten, kartoniert. ISBN 3-525-53285-7

„Eine eingehende exegetische Studie, die sich mit der Entwicklung des paulinischen Nomos-Begriffs vom Galaterbrief bis zum Römerbrief beschäftigt. In der Kontrastierung dieser beiden Gesetzesverständnisse wird zugleich die Entwicklung der gesamten paulinischen Theologie, veranschaulicht an einem zentralen Thema deutlich. . . . Die hochbedeutsame Studie muß vor allem jedem theologisch Interessierten, dem das lutherische, an Paulus orientierte Gesetzesverständnis am Herzen liegt, von großer Bedeutung sein. Hier ist zu lernen, daß bei Paulus nicht einfach in allen Briefen ein bestimmtes und fertiges Gesetzesverständnis vorausgesetzt werden darf, sondern daß beim Rekurs auf den Apostel in der systematischen Entfaltung der Gesetzeslehre peinlichst differenziert werden muß. Insofern ist dieses Werk vor allem auch für die systematische Weiterarbeit in der lutherischen Rechtfertigungslehre unentbehrlich."

Lutherische Monatshefte

Vandenhoeck & Ruprecht in Göttingen und Zürich

Forschungen zur Religion und Literatur des Alten und Neuen Testaments

Eine Titelauswahl

153 Christoph Bultmann
Der Fremde im antiken Juda
Eine Untersuchung zum sozialen Typenbegriff *gēr* und seinem Bedeutungswandel in der alttestamentlichen Gesetzgebung. 1992. Ca. 228 Seiten, Leinen. ISBN 3-525-53834-0

152 Wolfgang Stegemann
Zwischen Synagoge und Obrigkeit
Zur historischen Situation der lukanischen Christen. 1991. 304 Seiten, Leinen ISBN 3-525-53816-2

151 Martin Karrer · Der Gesalbte
Die Grundlagen des Christustitels. 1991. 482 Seiten, Leinen. ISBN 3-525-53833-2

150 Martin Leutzsch
Die Wahrnehmung sozialer
Wirklichkeit im „Hirten des Hermas"
1989. 286 Seiten, Leinen ISBN 3-525-53832-4

149 Eckhard Rau · Reden in Vollmacht
Hintergrund, Form und Anliegen der Gleichnisse Jesu. 1990. 434 Seiten, Leinen ISBN 3-525-53831-6

148 Hermann Spieckermann
Heilsgegenwart
Eine Theologie der Psalmen. 1989. 342 Seiten, kartoniert. ISBN 3-525-53830-8. Leinen. ISBN 3-525-53829-4

147 Samuel Vollenweider
Freiheit als neue Schöpfung
Eine Untersuchung zur Eleutheria bei Paulus und in seiner Umwelt. 1989. 451 Seiten, Leinen. ISBN 3-525-53828-6

146 Michael Wolter
Die Pastoralbriefe als Paulustradition
1988. 322 Seiten, Leinen ISBN 3-525-53827-8

145 Claus Westermann
Prophetische Heilsworte im
Alten Testament
1987. 219 Seiten, kartoniert. ISBN 3-525-53825-1. Leinen. ISBN 3-525-53824-3

144 Udo Schnelle
Antidoketische Christologie im
Johannesevangelium
Eine Untersuchung zur Stellung des vierten Evangeliums in der johanneischen Schule. 1987. 283 Seiten, Leinen ISBN 3-525-53823-5

143 K. Arvid Tångberg
Die prophetische Mahnrede
Form- und traditionsgeschichtliche Studien zum prophetischen Umkehrruf. 1987. 215 Seiten, Leinen. ISBN 3-525-53822-7

142 Matthias Köckert
Vätergott und Väterverheißungen
Eine Auseinandersetzung mit Albrecht Alt und seinen Erben. 1988. 387 Seiten, Leinen ISBN 3-525-53821-9

141 Jörg Jeremias
Das Königtum Gottes in den Psalmen
Israels Begegnung mit dem kanaanäischen Mythos in den Jahwe-König-Psalmen. 1987. 189 Seiten, kartoniert. ISBN 3-525-53820-0. Leinen. ISBN 3-525-53819-7

140 Martin Karrer
Die Johannesoffenbarung als Brief
Studien zu ihrem literarischen, historischen und theologischen Ort. 1986. 354 Seiten, Leinen. ISBN 3-525-53818-9

139 Wilhelm Pratscher · Der Herrenbruder
Jakobus und die Jakobustradition
1987. 315 Seiten, Leinen ISBN 3-525-53817-0

138 Gerhard Sellin · Der Streit um die
Auferstehung der Toten
Eine religionsgeschichtliche und exegetische Untersuchung von 1. Korinther 15. 1986. 337 Seiten, Leinen. ISBN 3-525-53815-4

137 Christoph Levin
Die Verheißung des neuen Bundes
in ihrem theologiegeschichtlichen Zusammenhang ausgelegt. 1985. 303 Seiten, Leinen ISBN 3-525-53811-1

136 Hans Hübner · Gottes Ich und Israel
Zum Schriftgebrauch des Paulus in Römer 9–11. 1984. 171 Seiten, Leinen ISBN 3-525-53810-3

Vandenhoeck & Ruprecht in Göttingen und Zürich